EIGHT EDITION

BROCKLEHURST'S
Textbook of
Geriatric Medicine
and Gerontology

HOWARD M. FILLIT   KENNETH ROCKWOOD   JOHN YOUNG

임상의사를 위한

노화학

대한내분비학회

ELSEVIER

군자출판사

임상의사를 위한 노화학

Brocklehurst's Textbook of Geriatric Medicine and Gerontology

첫째판 1쇄 인쇄 | 2020년 11월 16일
첫째판 1쇄 발행 | 2020년 11월 30일

지 은 이 HOWARD M. FILLIT, KENNETH ROCKWOOD, JOHN YOUNG
옮 긴 이 대한내분비학회
발 행 인 장주연
출 판 기 획 김도성
책 임 편 집 안경희
편집디자인 박은정
표지디자인 김재욱
발 행 처 군자출판사(주)
　　　　　등록 제 4-139호(1991. 6. 24)
　　　　　본사 (10881) **파주출판단지** 경기도 파주시 회동길 338(서패동 474-1)
　　　　　전화 (031) 943-1888　　팩스 (031) 955-9545
　　　　　홈페이지 | www.koonja.co.kr

ISBN 979-11-5955-614-2

정가 60,000원

Elsevier

Brocklehurst's Textbook of Geriatric Medicine and Gerontology, 8th Edition
Copyright ©2017, Elsevier Inc. All rights reserved.
Chapter 7 "Geroscience": Felipe Sierra is in Public domain.
ISBN: 978-0-7020-6185-1

This edition of Brocklehurst's Textbook of Geriatric Medicine and Gerontology, eighth edition by Howard M. Fillit, Kenneth Rockwood, and John Young is published by Koonja Publishing Inc. by arrangement with Elsevier Inc.

임상의사를 위한 노화학, 대한내분비학회

Korean ISBN 979-11-5955-614-2
정가 60,000원

Brocklehurst's Textbook of Geriatric Medicine and Gerontology, eighth edition by Howard M. Fillit, Kenneth Rockwood, and John Young의 번역서는 Elsevier Inc.와의 계약을 통해 군자출판사(주)에서 출간되었습니다.

Notice

이 분야의 지식과 모범 사례는 끊임없이 변화하고 있습니다. 새로운 연구와 경험이 우리의 이해를 넓히는 것과 같이 연구 방법, 전문적인 실습, 또는 의학 치료의 변화가 필요할 수 있습니다. 연구자들과 실무자는 본서에 기술된 정보, 방법, 화합물 또는 실험을 평가하고 사용하는 데 있어서 자신의 경험과 지식을 언제나 의지해야 합니다. 확인된 모든 의약품 또는 의약품과 관련된 독자는 (i) 제공된 절차 또는 (ii) 제조업체가 제공한 최신 정보를 확인하고 권장 복용량 또는 공식을 확인하여 권장 복용량의 투여 방법, 지속 시간 및 금기 사항이 포함됩니다. 환자 개개인에 대한 자신의 경험과 지식에 의존하고, 진단하고, 복용량과 최선의 치료방법을 결정하며, 모든 예방 조치를 취하는 것은 실무자의 책임입니다. 출판사, 저자, 편집자 또는 기고자는 제품책임, 과실 또는 기타 이유로 인명과 재산상의 상해와 손상에 대해 책임을 지지 않습니다.

Printed in Korea

서 문

노화는 시간에 따른 생명체의 변화를 총칭합니다. 협의로 볼 때는 한 개체에 국한된 생물학적인 현상이지만, 해당 개체가 소속된 집단, 그리고 자연 및 사회적인 환경과도 긴밀한 상호작용을 하는 대단히 복잡하고 신비스러운 현상이기도 합니다. 의학적인 측면에서는, 모든 원인에 의한 사망에 대한 가장 강력한 위험 요인인 동시에, 거의 모든 퇴행성 질환들의 발병과 진행에 관련된 가장 중요하고도 공통적인 위험 인자입니다. 노인에서 발생하는 여러 질환들에 대한 진단 및 치료를 전문적으로 다루는 임상의학의 분야를 노인병학(Geriatrics)이라고 합니다. 노화 과정을 다루는 학문 영역은 굉장히 범위가 넓은데, 이를 노화학(Gerontology)이라고 하며, 이 두 가지를 합쳐서 최근에는 Geroscience라고 합니다.

질병의 극복을 위한 의학의 발전은 매우 눈부시지만, 노화와 수명이라는 한계에 직면하고 있음은 부인할 수 없는 사실입니다. 노화에 대해서는 지난 수 세기 동안 많은 연구들이 이루어져 왔습니다. 세포 수준부터 전체 개체에 이르기까지, 비정상적인 노화는 많은 만성 질환들의 병태생리에 대단히 중요한 역할을 합니다. 노화의 각 과정들에 부분적이라도 개입할 수만 있다면, 수명의 연장 이전이라도, 노화가 중요한 원인이 되어 발생하는 수 많은 질환들의 예방과 치료에 획기적인 패러다임의 전환을 가져올 수 있을 것입니다. 따라서, 임상적인 측면에서도 노화와 항노화에 대한 연구들에 이제는 주목할 필요가 있습니다.

우리나라를 포함한 전 세계의 노인 인구비율은 지속적으로 늘어나고 있습니다. 노인 질환들을 위한 노인병학과 함께, 노화라는 과정을 과학적이면서도 임상적인 측면에서 보는 소위 임상노화학(Clinical Gerontology)도 우리나라에서 이제 제대로 뿌리를 내릴 수 있기를 기원합니다. 이 한글판 노화학 교과서의 발간을 통해, 노화 및 항노화에 대한 임상의사 선생님들의 과학적인 관심이 비약적으로 높아질 수 있기를 기대합니다.

노인병학 및 노화학 분야의 명저로 알려진 Brocklehurst Geriatric Medicine & Geronotology의 노화학 부분 완역 및 편집을 위해 노력해 주신 여러 교수님들과 대한내분비학회에 깊은 감사를 드립니다.

2020년 11월
대한내분비학회 노년내분비연구회장/편찬대표 **박정현**

축 사

우리나라 인구 고령화는 인류 역사상 유례없는 속도로 진행하고 있으며, 향후 의료계 뿐만 아니라 우리 사회 전반에 걸쳐 급속도의 변화를 예고하고 있습니다. 이러한 시기에 한글판 "노화학 (Gerontology)" 교과서를 출판하게 된 것을 진심으로 환영하고 축하드립니다.

이번 한글판 교과서는 노화학분야에서 가장 권위있는 교과서로 인정받고 있는 엘제비어 출판사의 Brocklehurst Geriatric Medicine & Geronotology (8th ed, 2017년)의 노화학(Gerontology) 부분의 완역을 기반으로 하고 있습니다. 노화학은 노화의 결과보다는 과정에 더 방점을 두고 있는 광범위한 학문 분야로써 국내에서는 아직 이에 대한 권위있는 교과서가 출판된 바가 없었습니다. 이 교과서를 통해 특정 노인질환에 국한된 시각이 아닌 노화의 전반적인 이해에 큰 도움이 될 것으로 기대하고 있습니다.

또한, 이 교과서는 노년내분비연구회에서 주관하여 국내의 유수한 의과대학의 내분비대사질환 및 노년 진료에 참여하고 계시는 서른 두 분의 교수님들의 열정 어린 노고가 담겨있는 역작입니다. 번역서이나 임상의의 시각에서 풀어 쓴 책이어서 더욱 현장감이 느껴집니다.

향후 이 교과서는 노년질환을 진료하시는 의료진에게는 노화라는 넓은 시각에서 환자를 진료할 수 있는 필수 지식을 제공하는 데 최상의 자원이 될 것이며, 뿐만 아니라 노화학에 관심이 있는 연구자들에게는 새로운 연구의 토대를 제공하는데 큰 도움이 될 것으로 기대합니다. 끝으로, 이 책자의 발간을 위해 노력하신 서른 두 분 교수님들과 편집을 총괄하신 박정현 교수님의 노고와 열정을 높이 기리고 다시금 축하를 드립니다.

대한내분비학회 이사장 **이은직**

축 사

최근 급격한 고령화 시대를 맞으면서 노화와 노인병에 대한 연구가 왕성해지고, 관련된 연구 단체들의 활동 또한 활발해지고 있습니다. 과거 노화 및 노인병학은 그 연구와 진료에서 비교적 소외된 볼모지 같은 영역으로 여겨져 왔었으나, 새로운 연구 기법과 다양한 임상적 접근이 가능해지고 또한 폭발적인 고령화의 흐름을 따라 의학계의 중심분야로 등장하게 되었습니다. 특히 노령에서 나타나는 여러 병태 생리는 각종 호르몬 변화나 대사장애에 의한 경우가 많아, 내분비대사학적인 접근은 노화학을 연구하는데 그 중심장이라 할 수 있습니다. 대한내분비학회는 2017년 노년내분비연구회를 발족하여, 노년 및 노화의 연구와 진료에서 내분비학적 접근과 해결방안을 제시하는데 많은 노력을 경주하고 있습니다.

현재 한국에서 노화학과 관련된 문헌의 출간은 그리 많지 않습니다. 이에 대한내분비학회 노년내분연구회는 노화학에서 가장 권위있는 Brocklehurst Geriatric Medicine & Geronotology (8th ed) 교과서를 완역하여 한글판 "노화학" 교과서를 출간하게 되었습니다. 본 책자가 향후 모든 의사들이 노화학과 관련된 진료를 하거나 이에 관련된 연구를 할 때에 손쉬운 지침서가 되고, 좋은 참고 문헌이 되기를 기원합니다. 노년내분비연구회는 향후 지속적인 연구와 모니터링을 수행하여 부족한 점과 변화하는 내용을 보완해 나가야 할 것이며, 특히 한국인에서의 특성과 관련된 연구 자료를 포함시켜, 이 책을 읽는 관련 자들의 연구나 진료에 실용적으로 활용될 수 있기를 기대해 봅니다. 진료와 연구 등의 바쁜 일상 중에 '노화학' 교과서의 발간에 많은 노력과 열정을 보여준 노년내분비연구회 연구회 회원들께 감사와 경의를 표합니다.

대한내분비학회 전 이사장 **김동선**

임상의사를 위한 노화학

Brocklehurst's Textbook of Geriatric Medicine and Gerontology

EIGHTH EDITION

HOWARD M. FILLIT, MD

Founding Executive Director and Chief Science Officer
Alzheimers Drug Discovery Foundation
Clinical Professor of Geriatric Medicine, Palliative Care and Neuroscience
Icahn School of Medicine at Mount Sinai
New York, New York

KENNETH ROCKWOOD, MD, FRCPC, FRCP

Professor of Geriatric Medicine & Neurology
Kathryn Allen Weldon Professor of Alzheimer Research
Department of Medicine
Dalhousie University;
Consultant Physician
Department of Medicine
Nova Scotia Health Authority
Halifax, Nova Scotia, Canada;
Honorary Professor of Geriatric Medicine
University of Manchester
Manchester, United Kingdom

JOHN YOUNG, MBBS(Hons), FRCP

Professor of Elderly Care Medicine
Academic Unit of Elderly Care and Rehabilitation
University of Leeds, United Kingdom;
Honorary Consultant Geriatrician
Bradford Teaching Hospitals NHS Foundation Trust
Bradford, United Kingdom

Contributors

Ahmed H. Abdelhafiz, MSc, MD, FRCP
Consultant Physician and Honorary Senior
  Clinical Lecturer
Department of Elderly Medicine
Rotherham General Hospital
Rotherham, United Kingdom

Tomas Ahern, MB BCh, BAO
Clinical Fellow
Andrology Research Unit
Centre for Endocrinology and Diabetes
University of Manchester;
Clinical Fellow
Department of Endocrinology
Manchester Royal Infirmary
Manchester, United Kingdom

Lena Alsabban, BDS
Assistant Professor
Department of Oral & Maxillofacial Surgery
New York University
New York, New York

Melissa K. Andrew, MD, PhD, MSc(PH)
Associate Professor
Department of Medicine (Geriatrics)
Dalhousie University
Halifax, Nova Scotia, Canada

**June Andrews, FRCN, MA (Glasgow),
MA Hons (Nottingham), RMN, RGN**
Director, Dementia Services Development
  Centre
School of Applied Social Science
University of Stirling
Stirling, United Kingdom

Saqib S. Ansari, MBChB, BSc
Bradford Teaching Hospital Foundation
  Trust
Department of Gastroenterology/
  Hepatology
Bradford, United Kingdom

Wilbert S. Aronow, MD
Professor
Department of Medicine
New York Medical College
Valhalla, New York

**Terry Aspray, MBBS, MD, FRCP,
FRCP(E)**
Consultant Physician
The Bone Clinic
Freeman Hospital;
Hon. Clinical Senior Lecturer
The Medical School
Newcastle University
Newcastle upon Tyne, United Kingdom

Lodovico Balducci, MD
Senior Member
H. Lee Moffitt Cancer Center & Research
  Institute;
Program Leader
Senior Adult Oncology Program
H. Lee Moffitt Cancer Center & Research
  Institute
Tampa, Florida

Stephen Ball, MBChB
Clinical Research Fellow
Cardiovascular Institute
University of Manchester
Manchester, United Kingdom

Jaspreet Banghu, MD
Clinical Research Fellow
Department of Medical Gerontology
Trinity College, Dublin;
Mercer's Institute for Successful Ageing
St. James's Hospital Dublin
Dublin, Ireland

Mario Barbagallo, MD, PhD
Department of Internal Medicine and
  Specialties (DIBIMIS)
University of Palermo
Palermo, Italy

Lisa Barrett, MD, PhD
Assistant Professor
Department of infectious Diseases
Dalhousie University
Halifax, Nova Scotia, Canada

Antony Bayer, MB BCh, FRCP
Professor
Department of Geriatric Medicine
Cardiff University
Cardiff, Wales, United Kingdom;
Director, Memory Team
University Hospital Llandough
Penarth, Wales, United Kingdom

Ceri Beaton, BMedSci, MSc, FRCS
Department of General Surgery
North Devon NHS Trust
Barnstaple, United Kingdom

David J. Beyda, MD
Department of Gastroenterology
New York Presbyterian Hospital, Queens
Flushing, New York

**Ravi Bhat, MBBS, DPM, MD,
FRANZCP, Cert Adv Tr POA**
Associate Professor of Psychiatry
Rural Health Academic Centre
The University of Melbourne;
Consultant Old Age Psychiatrist
Divisional Clinical Director
Goulburn Valley Area Mental Health Service
Goulburn Valley Health
Shepparton, Victoria, Australia

Jaspreet Bhangu, MD
Clinical Research Fellow
Department of Medical Gerontology
Trinity College Dublin;
Mercer's Institute for Successful Ageing
St. James's Hospital Dublin
Dublin, Ireland

Simon Biggs, BSc, PhD
Professor of Gerontology and Social Policy
School of Social & Political Sciences
University of Melbourne
Victoria, Australia

Jennifer Boger, PhD, MASc, BSc
Research Manager
Occupational Science and Occupational
  Therapy
University of Toronto;
Research Associate
Department of Research
Toronto Rehab/The University Health
  Network
Toronto, Ontario, Canada

**Charlotte E. Bolton, BMedSci, BM BS,
MD, FRCP**
Nottingham Respiratory Research Unit
University of Nottingham
Nottingham, United Kingdom

Julie Blaskewicz Boron, MS, PhD
Assistant Professor
Department of Gerontology
University of Nebraska
Omaha, Nebraska

**Lawrence J. Brandt, MD, MACG,
AGA-F, FASGE, NYSGEF**
Emeritus Chief of Gastroenterology
Montefiore Medical Center;
Professor of Medicine and Surgery
Albert Einstein College of Medicine
Bronx, New York

Roberta Diaz Brinton, PhD
Department of Pharmacology and
    Pharmaceutical Sciences
University of Southern California, School of
    Pharmacy Pharmaceutical Sciences Center
The Program in Neuroscience
University of Southern California
Los Angeles, California

Scott E. Brodie, MD, PhD
Professor of Ophthalmology
Department of Ophthalmology
Icahn School of Medicine at Mount Sinai
New York, New York

Jared R. Brosch, MD, MSc
Neurologist
Department of Neurology
Indiana University Health
Indianapolis, Indiana

**Gina Browne, PhD, RegN, Hon LLD,
FCAHS**
Founder and Director
Health and Social Service Utilization
    Research Unit
McMaster University;
Professor
Department of Nursing; Clinical
    Epidemiology & Biostatistics
McMaster University
Hamilton, Canada

**Patricia Bruckenthal, PhD, APRN-BC,
ANP**
Chair, Graduate Studies in Advanced
    Practice Nursing
School of Nursing
Stony Brook University
Stony Brook, New York

Jeffrey A. Burr, PhD, MA, BA
Professor
Department of Gerontology
University of Massachusetts Boston
Boston, Massachusetts

**Richard Camicioli, MSc, MD, CM,
FRCP(C)**
Professor of Medicine (Neurology)
Department of Medicine
University of Alberta
Edmonton, Alberta, Canada

Jill L. Cantelmo, MSc, PhD
Vice President
Department of Clinical Services
The Access Group
Berkeley Heights, New Jersey

Robert V. Cantu, MD, MS
Associate Professor
Department of Orthopaedic Surgery
Dartmouth Hitchcock Medical Center
Lebanon, New Hampshire

**Margred M. Capel, MBBS, BSc, MRCP,
MSc**
Consultant in Palliative Medicine
George Thomas Hospice
Cardiff, Wales, United Kingdom

Matteo Cesari, MD, PhD
Professor
Université de Toulouse III Paul Sabatier;
Advisor
Institut du Vieillissement, Gérontopôle
Centre Hospitalier Universitaire de Toulouse
Toulouse, France

Sean D. Christie, MD, FRCSC
Associate Professor
Department of Surgery (Neurosurgery)
Dalhousie University
Halifax, Nova Scotia, Canada

Duncan Cole, PhD, MRCP, FRCPath
Clinical Senior Lecturer
Honorary Consultant in Medical
    Biochemistry and Metabolic Medicine
Centre for Medical Education
Cardiff University School of Medicine
Cardiff, Wales, United Kingdom

**Philip G. Conaghan, MBBS, PhD,
FRACP, FRCP**
Professor of Musculoskeletal Medicine
Leeds Institute of Rheumatic and
    Musculoskeletal Medicine
University of Leeds;
Deputy Director
NIHR Leeds Musculoskeletal Biomedical
    Research Unit
Leeds, United Kingdom

Simon Conroy, MBChB, PhD
Department of Geriatric Medicine
University Hospitals of Leicester
Leicester, United Kingdom

Tara K. Cooper, MRCOG
Consultant
Department of Obstetrics and Gynecology
St. John's Hospital
Livingston, Scotland, United Kingdom

**Richard Cowie, BSc(Hons) MBChB
FRCS(Ed), FRCS(Ed) (SN)**
Consultant Neurosurgeon
NHS Hope Hospital, Salford
Salford, United Kingdom;
The Royal Manchester Children's Hospital
Manchester, United Kingdom;
The Alexandra Hospital
Cheadle, United Kingdom

**Peter Crome, MD, PhD, DSc, FRCP,
FFPM**
Honorary Professor
Department of Primary Care and Population
    Health
University College London
London, United Kingdom;
Emeritus Professor
Keele University
Keele, United Kingdom

**William Cross, B Med Sci, BM BS,
FRCS(Urol), PhD**
Consultant Urological Surgeon
Department of Urology
Leeds Teaching Hospitals NHS Trust
Leeds, Great Britain

Carmen-Lucia Curcio, PhD
Department of Gerontology and Geriatrics
    Program
University of Caldas
Manizales, Caldas, Colombia

**Gwyneth A. Davies, MB BCh, MD,
FRCP**
Clinical Associate Professor
College of Medicine
Swansea University
Swansea, United Kingdom

Daniel Davis, MB, PhD
Clinical Research Fellow
MRC Unit for Lifelong Health and Ageing
University College, London
London, United Kingdom

**Jugdeep Kaur Dhesi, BSc MBChB,
PhD, FRCP**
Ageing and Health
Guy's and St. Thomas' NHS Trust
London, Great Britain

Sadhna Diwan, MSSA, PhD
Professor
School of Social Work
San Jose State University;
Director
Center for Healthy Aging in Multicultural
    Populations
San Jose State University
San Jose, California

**Timothy J. Doherty, MD, PhD,
FRCP(C)**
Associate Profesor
Departments of Physical Medicine and
    Rehabilitation and Clinical Neurological
    Sciences
Western University
London, Ontario, Canada

Dawn Dolan, PharmD
Pharmacist Senior Adult Oncology Program
Moffitt Cancer Center
Tampa, Florida

Ligia J. Dominguez, MD
Department of Internal Medicine and
    Specialties (DIBIMIS)
University of Palermo
Palermo, Italy

**Eamonn Eeles, MBBS, MRCP, MSc,
FRCP**
Senior Lecturer
Department of Internal Medicine
University of Queensland
Brisbane, Australia

William B. Ershler, MD
Virginia Associates in Adult and Geriatric
    Hematology—Oncology
Inova Fairfax Hospital
Falls Church, Virginia

Nazanene Helen Esfandiari, MD
Clinical Assistant Professor
Internal Medicine/Divsion of Metabolism,
  Endocrinology & Metabolism
University of Michigan
Ann Arbor, Michigan

Julian Falutz, MD, FRCPC
Director
Comprehensive HIV and Aging Initiative
Chronic Viral Illness Service;
Senior Physician
Division of Geriatrics
Department of Medicine
McGill University Health Center
Montreal, Quebec, Canada

Martin R. Farlow, MD
Professor
Department of Neurology
Indiana University
Indianapolis, Indiana

Richard Feldstein, MD, MS
Clinical Assistant Professor
Department of Internal Medicine
New York University School of Medicine
New York, New York

Howard M. Fillit, MD
Founding Executive Director and Chief
  Science Officer
Alzheimers Drug Discovery Foundation;
Clinical Professor of Geriatric Medicine,
  Palliative Care and Neuroscience
Icahn School of Medicine at Mount Sinai
New York, New York

Caleb E. Finch, PhD
ARCO-Kieschnick Professor of
  Gerontology
Davis School of Gerontology
University of Southern California
Los Angeles, California

Andrew Y. Finlay, CBE, FRCP
Professor
Department of Dermatology and Wound
  Healing
Division of Infection and Immunity
Cardiff University School of Medicine
Cardiff, Wales, United Kingdom

James M. Fisher, MBBS, MRCP, MD
Specialist Registrar in Geriatric and General
  Internal Medicine
Health Education North East
Newcastle Upon Tyne, United Kingdom

Anne Forster, PhD, BA, FCSP
Professor
Academic Unit of Elderly Care and
  Rehabilitation
University of Leeds and Bradford Teaching
  Hospitals NHS Foundation Trust
Bradford, United Kingdom

**Chris Fox, MBBS, BSc, MMedSci,
MRCPsych, MD**
Reader/Consultant Old Age Psychiatry
Norwich Medical School
University of East Anglia
Norwich, Norfolk, United Kingdom

Roger Michael Francis, MBChB, FRCP
Emeritus Professor of Geriatric Medicine
Institute of Cellular Medicine
Newcastle University
Newcastle upon Tyne, United Kingdom

Jasmine H. Francis, MD
Assistant Attending
Ophthalmic Oncology Service
Department of Surgery
Memorial Sloan Kettering Cancer Center
New York, New York

Terry Fulmer, PhD, RN, FAAN
President
John A. Hartford Foundation
New York, New York

James E. Galvin, MD, MPH
Professor
Department of Neurology, Psychiatry,
  Nursing, Nutrition and Popualtion Health
New York University Langone Medical
  Center
New York, New York

Maristela B. Garcia, MD
Division of Geriatrics
Department of Medicine
David Geffen School of Medicine
University of California, Los Angeles
Los Angeles, California

Jim George, MBChB, MMEd, FRCP
Consultant Physician
Department of Medicine for the Elderly
Cumberland Infirmary
Carlisle, United Kingdom

**Neil D. Gillespie, BSc(Hons), MBChB,
MD, FRCP(Ed), FHEA.**
Consultant
Medicine for the Elderly
NHS Tayside
Dundee, United Kingdom

Robert Glickman, DMD
Professor and Chair
Oral and Maxillofacial Surgery
New York University College of Dentistry
New York, New York

Judah Goldstein, PCP, MSc, PhD
Postdoctoral Fellow
Division of Emergency Medical Services
Dalhousie University
Halifax, Nova Scotia, Canada

Fernando Gomez, MD, MS
Geriatric Medicine Coordinator
Department of Geriatric Medicine
University of Caldas
Manizales, Caldas, Colombia

Leslie B. Gordon, MD, PhD
Medical Director
The Progeria Research Foundation
Peabody, Massachusetts;
Associate Professor
Department of Pediatrics
Alpert Medical School of Brown University
  and Hasbro Children's Hospital
Providence, Rhode Island;
Lecturer
Department of Anesthesia
Boston Children's Hospital and Harvard
  University
Boston, Massachusetts

**Adam L. Gordon, PhD, MBChB,
MMedSci(Clin Ed)**
Consultant and Honorary Associate
  Professor in Medicine of Older People
Department of Health Care of Older People
Nottingham University Hospitals NHS
  Trust
Nottingham, United Kingdom

Margot A. Gosney, MD, FRCP
Professor
Department of Clinical Health Sciences
University of Reading;
Professor
Department of Elderly Care
Royal Berkshire NHS Foundation Trust
Reading, United Kingdom

Leonard C. Gray, MBBS, MMed, PhD
Professor in Geriatric Medicine
School of Medicine
Director
Centre for Research in Geriatric Medicine;
Director
Centre for Online Health
The University of Queensland
Brisbane, Queensland, Australia

**John Trevor Green, MB BCh, MD,
FRCP, PGCME**
Consultant Gastroenterologist/Clinical
  Senior Lecturer
Department of Gastroenterology
University Hospital Llandough
Cardiff, Wales, United Kingdom

David A. Greenwald, MD
Professor of Clinical Medicine
Albert Einstein College of Medicine;
Associate Division Director
Department of Gastroenterology Fellowship
  Program Director
Division of Gastroenterology and Liver
  Diseases
Albert Einstein College of Medicine/
  Montefiore Medical Center
Bronx, New York

Celia L. Gregson, BMedSci, BM, BS, MRCP, MSc, PhD
Consultant Senior Lecturer
Musculoskeletal Research Unit
University of Bristol
Bristol, United Kingdom

Khalid Hamandi, MBBS MRCP, BSc PhD
Consultant Neurologist
The Alan Richens Welsh Epilepsy Centre
University Hospital of Wales
Cardiff, Wales, United Kingdom

Yasir Hameed, MBChB, MRCPsych
Honorary Lecturer
University of East Anglia,
Specialist Registrar
Norfolk and Suffolk NHS Foundation Trust
Norwich, Norfolk, United Kingdom;
Clinical Instructor (St. George's
    International School of Medicine
True Blue, Grenada

Joanna L. Hampton, DME
Consultant
Addenbrookes Hospital
Cambridge University Hospitals Foundation
    Trust
Cambridge, United Kingdom

Sae Hwang Han, MS
University of Massachusetts Boston
Department of Gerontology
Boston, Massachusetts

Steven M. Handler, MD, PhD
Assistant Professor
Division of Geriatric Medicine
University of Pittsburgh
Pittsburgh, Pennsylvania

Joseph T. Hanlon, PharmD, MS
Professor
Department of Geriatrics
University of Pittsburgh, Schools of
    Medicine;
Health Scientist
Center for Health Equity Research and
    Geriatric Research Education and Clinical
    Center
Veterans Affairs Pittsburgh Healthcare
    System
Pittsburgh, Pennsylvania

Malene Hansen, PhD
Associate Professor
Development, Aging and Regeneration
    Program
Sanford-Burnham Medical Research
    Institute
La Jolla, California

Vivak Hansrani, MBChB
Clinical Research Fellow
Department of Academic Surgery Unit
Institute of Cardiovascular Sciences
Manchester, United Kingdom

Caroline Happold, MD
Department of Neurology
University Hospital Zurich
Zurich, Switzerland

Danielle Harari, MBBS, FRCP
Consultant Physician in Geriatric Medicine
Department of Ageing and Health
Guy's and St. Thomas' NHS Foundation
    Trust;
Senior Lecturer (Hon)
Health and Social Care Research
Kings College London
London, United Kingdom

Carien G. Hartmans, MSc
Researcher
Department of Psychiatry
VU University Medical Center
Amsterdam, the Netherlands;
Clinical Neuropsychologist
Department of Psychiatry
Altrecht, Institute for Mental Health Care
Utrecht, the Netherlands

George A. Heckman, MD, MSc, FRCPC
Schlegel Research Chair in Geriatric
    Medicine
Schlegel-University of Waterloo Research
    Institute for Aging
School of Public Health and Health Systems
University of Waterloo
Waterloo, Ontario, Canada

Vinod S. Hegade, MBBS, MRCP(UK), MRCP(Gastro)
Clinical Research Fellow
Institute of Cellular Medicine;
Honorary Hepatology Registrar
Department of Hepatology
Freeman Hospital,
Newcastle upon Tyne, United Kingdom

Paul Hernandez, MDCM, FRCPC
Professor of Medicine
Division of Respirology
Dalhousie University Faculty of Medicine;
Respirologist
Department of Medicine
QEII Health Sciences Centre
Halifax, Nova Scotia, Canada

Paul Higgs, BSc, PhD
Professor of the Sociology of Ageing
Department of Psychiatry
University College London
London, United Kingdom

Andrea Hilton, BPharm, MSc, PhD, MRPharmS, PGCHE, FHEA
Senior Lecturer
Faculty of Health and Social Care
University of Hull
Hull, United Kingdom

David B. Hogan, MD, FACP, FRCPC
Professor and Brenda Strafford Foundation
    Chair in Geriatric Medicine
University of Calgary
Calgary, Alberta, Canada

Søren Holm, BA, MA, MD, PhD, DrMedSci
Professor of Bioethics
School of Law
University of Manchester
Manchester, United Kingdom;
Professor of Medical Ethics
Centre for Medical Ethics, HELSAM
Oslo University
Oslo, Norway;
Professor of Medical Ethics
Centre for Ethics in Practic
Aalborg University
Aalborg, Denmark

Ben Hope-Gill, MBChB, MD, FRCP
Consultant Respiratory Physician
Department Respiratory Medicine
Cardiff and Vale University Health Board
Cardiff, Wales, United Kingdom

Susan E. Howlett, BSc(Hons), MSc, PhD
Professor
Department of Pharmacology
Dalhousie University
Halifax, Nova Scotia, Canada;
Professor
Department of Cardiovascular Physiology
University of Manchester
Manchester, United Kingdom

Ruth E. Hubbard, BSc, MBBS, MRCP, MSc, MD, FRACP
Centre for Research in Geriatric Medicine
University of Queensland,
Brisbane, Queensland, Australia

Joanna Hurley, MD, MBBCh, MRCP
Consultant Gastroenterologist
Prince Charles Hospital
Merthyr Tydfil, United Kingdom

Steve Iliffe, BSc, MBBS, FRCGP, FRCP
Professor
Department of Primary Care & Population
    Health
University College London
London, United Kingdom

Carol Jagger, BSc, MSc, PhD
AXA Professor of Epidemiology of Ageing
Institute for Ageing and Health
Newcastle University
Newcastle upon Tyne, United Kingdom

C. Shanthi Johnson, PhD, RD
Professor
Faculty of Kinesiology and Health Studies
University of Regina
Regina, Saskatchewan, Canada

Larry E. Johnson, ND, PhD
Associate Professor
Department of Geriatric Medicine, and
　Family and Preventive Medcine
Univeristy of Arkansas for Medical Sciences
Little Rock, Arkansas;
Medical Director
Community Living Center
Central Arkansas Veterans Healthcare
　System
North Little Rock, Arkansas

Seymor Katz, MD
Clinical Professor of Medicine
New York University School of Medicine
New York, New York;
Attending Gastroenterologist
North Shore University Hospital
Long Island Jewish Medical Center
Manhasset, New York;
St. Francis Hospital
Roslyn, New York

Helen I. Keen, MBBS, FRACP, PhD
Senior Lecturer
Medicine and Pharmacology
University of Western Austrailia
Perth, Western Australia, Australia;
Consultant Rheumatologist
Department of Rheumatology
Fiona Stanley Hospital
Murdoch, Western Australia, Australia

Nicholas A. Kefalides, MD, PhD†
Former Professor Emeritus
Department of Medicine
The Perelman School of Medicine
University of Pennsylvania
Philadelphia, Pennsylvania

Heather H. Keller, RD, PhD, FCD
Professor
Department of Kinesiology
University of Waterloo
Waterloo, Ontario, Canada;
Schlegel Research Chair, Nutrition & Aging
Schlegel-University of Waterloo Research
　Institute for Aging
Kitchener, Ontario, Canada

**Rose Anne Kenny, MD, FRCPI, FRCP,
FRCPE, FTCD, MRIA**
Head of Department
Department of Medical Gerontology
Trinity College, Dublin;
Consultant Physician
Medicine for the Elderly, Falls & Blackout
　Unit
St. James's Hospital
Dublin, Ireland

James L. Kirkland, MD, PhD
Noaber Foundation Professor of Aging
　Research
Director, Robert and Arlene Kogod Center
　on Aging
Mayo Clinic
Rochester, Minnesota

Thomas B.L. Kirkwood, PhD
Professor
Newcastle University Institute for Ageing
Newcastle University
Newcastle-upon-Tyne, United Kingdom

Naoko Kishita, PhD
Senior Post-Doctoral Research Associate
Clinical Psychotherapist
Department of Clinical Psychology
Norwich Medical School
University of East Anglia
Norwich, Norfolk, United Kingdom

Brandon Koretz, MD
Professor of Clinical Medicine
Division of Geriatrics
Department of Medicine
David Geffen School of Medicine at UCLA,
Co-Chief, UCLA Division of Geriatrics
Los Angeles, California

George A. Kuchel, MD
Professor and Citicorp Chair in Geriatrics
　and Gerontology
University of Connecticut Center on
Aging
University of Connecticut
Farmington, Connecticut

Chao-Qiang Lai, PhD
Research Molecular Biologist
Department of Nutrition and Genomics
Jean Mayer USDA Human Nutrition
　Research Center on Aging at Tufts
　University
Boston, Massachusetts

Ken Laidlaw, PhD
Professor of Clinical Psychology
Head of Department of Clinical Psychology
Norwich Medical School
University of East Anglia
Norwich, Norfolk, United Kingdom

W. Clark Lambert, MD, PhD
Professor
Department of Dermatology,
Department of Pathology and Laboratory
　Medicine
Rutgers—New Jersey Medical School
Newark, New Jersey

Louis R. Lapierre, PhD
Assistant Professor
Department of Molecular Biology, Cell
　Biology, and Biochemistry
Brown University
Providence, Rhode Island

**Alexander Lapin, MD, Dr Phil (Chem),
Dr Theol**
Associate Professor
Clinical Institute of Medical and Chemical
　Diagnosis
Medical University of Vienna;
Head of the Laboratory Department
Sozialmedizinisches Zentrum Sophienspital
Vienna, Austria

Jacques S. Lee, MD, MSc
Director of Research
Department of Emergency Services
Sunnybrook Health Sciences Center;
Scientist
Department of Clinical Epidemiology
Sunnybrook Research Institute;
Assistant Preofessor
Department of Medicine
University of Toronto
Toronto, Ontario, Canada

Clara Li, PhD
Fellow
Department of Psychiatry
Icahn School of Medicine at Mount Sinai
　Medical Center
Alzheimer's Disease Research Center
New York, New York

Stuart A. Lipton, MD, PhD
Professor
Department of Neuroscience and Aging
Research Center
Sanford-Burnham Medical Research
　Institute
La Jolla, California

Christina Laronga, MD, FACS
Surgical Oncologist
Senior Member Moffitt Cancer Center and
　Professor
Departments of Surgery and Oncological
　Sciences
University of South Florida College of
Medicine
Tampa, Florida

**Nancy L. Low Choy, PhD,
MPhty(Research), BPhty(Hons)**
Professor of Physiotherapy (Aged &
　Neurological Rehabiitation)
School of Physiotherapy, Faculty Health
　Sciences
Australian Catholic University Limited
Brisbane, Queensland, Austria

**Christopher Lowe, MBChB,
BSc(Hons), MRCS**
Registrar in Vascular Surgery
Department of Vascular and Endovascular
　Surgery
University Hospital of South Manchester;
Research Fellow
Institute of Cardiovascular Sciences
University of Manchester
Manchester, United Kingdom

---

†Deceased.

Edward J. Macarak, PhD
Professor
Department of Dermatology & Cutaneous
  Biology
Thomas Jefferson University
Philadelphia, Pennsylvania

Robert L. Maher, Jr., PharmD, CGP
Assistant Professor of Pharmacy Practice
Clinical, Social, and Administrative Sciences
Duquesne University Mylan School of
  Pharmacy
Pittsburgh, Pennsylvania;
Director of Clinical Services
Department of Pharmacy
Patton Pharmacy
Patton, Pennsylvania

Ian Maidment, PhD, MA
Senior Lecturer
Department of Pharmacy
Lead Course Tutor, Postgraduate Psychiatric
  Pharmacy Programme
School of Life and Health Sciences;
ARCHA, Medicines and Devices in Ageing
  Cluster Lead
Aston University
Birmingham, United Kingdom

Jill Manthorpe, MA
Professor of Social Work
Social Care Workforce Research Unit
King's Collge London
London, United Kingdom

Maureen F. Markle-Reid, RN, MScN, PhD
Associate Professor and Canada Research
  Chair in Aging, Chronic Disease and
  Health Promotion Interventions
School of Nursing;
Scientific Director, Aging, Community and
  Health Research Unit
School of Nursing
McMaster University
Hamilton, Ontario, Canada

Jane Martin, PhD
Assistant Professor
Director, Neuropsychology
Department of Psychiatry
Icahn School of Medicine at Mount Sinai
  Medical Center
New York, New York

Finbarr C. Martin, MD, MSc, FRCP
Consultant Geriatrician
Department of Ageing and Health
Guys and St. Thomas' NHS Foundation
  Trust;
Professor
Division of Health and Social Care Research
King's College London
London, United Kingdom

Charles McCollum, MBChB, FRCS (Lon), FRCS (Ed) MD
Professor of Surgery
Academic Surgery Unit
University of Manchester
Manchester, United Kingdom

Michael A. McDevitt, MD, PhD
Assistant Professor of Medicine and
  Oncology
Department of Hematology and
  Hematological Malignancy
Johns Hopkins University School of
  Medicine
Baltimore, Maryland

Bruce S. McEwen, PhD
Professor
Laboratory of Neuroendocrinology
The Rockefeller University
New York, New York

Alexis McKee, MD
Assistant Professor
Division of Endocrinology
Saint Louis University
St. Louis, Missouri

Jolyon Meara, MD FRCP
Senior Lecturer in Geriatric Medicine
Academic Department Geriatric Medicine
Cardiff University (North Wales)
Cardiff, Wales, United Kingdom;
Glan Clwyd Hospital
Denbighshire, United Kingdom

Hylton B. Menz, PhD, BPod(Hons)
NHMRC Senior Research Fellow
Department of Podiatry, School of Allied
  Health;
NHMRC Senior Research Fellow
Lower Extremity and Gait Studies Program
La Trobe University
Bundoora, Victoria, Austria

Alex Mihalidis, PhD, MASc, BASc
Associate Professor
Department of Occupational Science &
  Occupational Therapy
University of Toronto;
Barbara G. Stymiest Research Chair
Toronto Rehabilitation Institute
University Health Network
Toronto, Ontario, Canada

Amanda Miller, BSc, MD
Fellow
Department of Nephrology
Dalhousie Medicine
Halifax, Nova Scotia, Canada

Arnold Mitnitski, PhD
Professor
Department of Medicine
Dalhousie University
Halifax, Nova Scotia, Canada

Noor Mohammed, MBBS, MRCP
Clinical Research Fellow
Departement of Gastroenterology
St. James Universiy Hospital NHS Trust
Leeds, United Kingdom

Christopher Moran, MB BCh
Stroke and Aging Research Group
Monash University;
Department of Neurosciences
Monash Health;
Geriatrician
Department of Aged Care
Alfred Health
Melbourme, Australia

Sulleman Moreea, FRCS(Glasg), FRCP
Consultant Gastroenterologist/
  Hepatologist
Digestive Disease Centre
Bradford Teaching Hospitals Foundation
  Trust
Bradford, United Kingdom

John E. Morley, MB BCh
Dammert Professor of Gerontology
Director, Division of Geriatric Medicine and
  Division of Endocrinology
Saint Louis University Medical Center;
Acting Director
Division of Endocrinology at Saint Louis
  University School of Medicine
Saint Louis University
St. Louis, Missouri

Elisabeth Mueller, Cand Med
Clinical Institute of Medical and Chemical
  Diagnosis
Medical University of Vienna
Sozialmedizinisches Zentrum Sophienspital
Vienna, Austria

Latana A. Munang, MBChB, FRCP (Edin)
Consultant Physician and Geriatrician
Department of Medicine
St. John's Hospital
Livingston, United Kingdom

Jan E. Mutchler, PhD
Professor
Department of Gerontology
University of Massachusetts Boston
Boston, Massachusetts

Phyo Myint, MBBS, MD, FRCP(Edin), FRCP(Lond)
Professor of Old Age Medicine
School of Medicine and Dentistry
University of Aberdeen
Foresterhill
Aberdeen, Scotland, United Kingdom

Preeti Nair, MBBS, FRACP
Rheumatology and Geriatrics Dual Trainee
Department of Rheumatology
Royal Perth Hospital
Perth, Australia

Tomohiro Nakamura, PhD
Research Assistant Professor
Neuroscience and Aging Research Center
Sanford-Burnham Medical Research
    Institute
La Jolla, California

Jennifer Greene Naples, PharmD, BCPS
Postdoctoral Fellow, Geriatric
    Pharmacotherapy
Department Geriatrics
University of Pittsburgh, Schools of
    Medicine and Pharmacy;
Research Assistant
Center for Health Equity Research and
    Geriatric Research Education and Clinical
    Center
Veterans Affairs Pittsburgh Healthcare
    System
Pittsburgh, Pennsylvania

James Nazroo, BSc(Hons), MBBS, MSc, PhD
Professor of Sociology
Department of Sociology
University of Manchester
Manchester, United Kingdom

Michael W. Nicolle, MD, FRCPC, D.Phil.
Chief, Division of Neurology
Clinical Neurological Sciences
University of Western Ontario
London, Ontario, Canada

Alice Nieuwboer, MSc, PhD
Neuromotor Rehabilitation Research Unit
Rehabilitation Sciences
Katholieke universiteit Leuven
Leuven, Belgium

Kelechi C. Ogbonna, PharmD
Assistant Professor, Geriatrics
Department of Pharmacotherapy &
    Outcomes Science
Virginia Commonwealth University
School of Pharmacy
Richmond, Virginia

Jose M. Ordovas, PhD
Director Nutrition and Genomics
Professor Nutrition and Genetics
Tufts University
Boston, Massachussetts

Joseph G. Ouslander, MD
Professor and Senior Associate Dean for
    Geriatric Programs
Charles E. Schmidt College of Medicine,
    Chair
Integrated Medical Science Department
Charles E. Schmidt College of Medicine
Florida Atlantic University
Boca Raton, Florida

Maria Papaleontiou, MD
Clinical Lecturer
Metabolism, Endocrinology and Diabetes
University of Michigan
Ann Arbor, Michigan

Laurence D. Parnell, PhD
Computational Biologist
Nutrition and Genomics Laboratory
Jean Mayer USDA Human Nutrition
    Research Center on
Aging at Tufts University
Boston, Massachusetts

Judith Partridge, MSc MRCP
Proactive care of Older People undergoing
    Surgery (POPS)
Department of Ageing and Health
Guy's and St. Thomas' NHS Foundation
    Trust
London, United Kingdom

Gopal A. Patel, MD, FAAD
Dermatologist
Aesthetic Dermatology Associates
Riddle Memorial Hospital
Media, Pennsylvania

Steven R. Peacey, MBChB, MD, FRCP
Department of Diabetes and Endocrinology
Bradford Teaching Hospitals NHS
    Foundation Trust
Bradford, United Kingdom

Kacper K. Pierwola, MD
Department of Dermatology
Rutgers New Jersey Medical School
Newark, New Jersey

Megan Rose Perdue, MSW
Volunteer Adjunct Faculty
School of Social Work
San Jose State University
San Jose, California

Thomas T. Perls, MD, MPH
Professor
Department Medicine
Boston University
Boston, Massachusetts

Emily P. Peron, PharmD, MS
Assistant Professor, Geriatrics
Department of Pharmacotherapy and
    Outcomes Science
Virginia Commonwealth University,
    Richmond, Virginia

Thanh G. Phan, PhD
Professor
Department of Medicine
Monash University
Melbourne, Victoria, Australia;
Professor
Department of Neurosciences
Monash Health
Clayton, Victoria, Australia

Katie Pink, MBBCh, MRCP
Department of Respiratory Medicine
University Hospital of Wales
Cardiff, Wales, United Kingdom

Joanna Pleming, MBBS, MSc
Specialist Registrar
Department of Geriatric Medicine
Barnet Hospital
Hertfordshire, United Kingdom

John Potter, DM, FRCP
Professor
Department of Ageing and Stroke Medicine
Norwich Medical School
University of East Anglia;
Honorary Consultant Physician
Stroke and Older Persons Medicine
Norfolk and Norwich University Hospital,
    Norwich
Norwich, Norfolk, United Kingdom

Richard Pugh, BSc, MBChB, FRCA, FFICM, PGCM
Consultant in Anaesthetics and Intensive
    Care Medicine
Glan Clwyd Hospital
Bodelwyddan, Wales, United Kingdom;
Honorary Clinical Lecturer
School of Medicine
Cardiff University
Cardiff, Wales, United Kingdom

Stephen Prescott, MD, FRCSEd(Urol)
Consultant Urological Surgeon
St. James's University Hospital
Leeds Teaching Hospitals NHS Trust
Leeds, United Kingdom

Malcolm C.A. Puntis, PhD, FRCS
Senior Lecturer
Cardiff University;
Consultant Surgeon
University Hospital of Wales
Cardiff, Wales, United Kingdom

David B. Reuben, MD
Archston Professor and Chief
Division of Geriatrics
Department of Medicine
David Geffen School of Medicine
Los Angeles, California

Kenneth Rockwood, MD, FRCPC, FRCP
Professor of Geriatric Medicine & Neurology
Kathryn Allen Weldon Professor of
    Alzheimer Research
Department of Medicine
Dalhousie University,
Consultant Physician
Department of Medicine
Nova Scotia Health Authority
Halifax, Nova Scotia, Canada;
Honorary Professor of Geriatric Medicine
University of Manchester
Manchester, United Kingdom

Christopher A. Rodrigues, PhD, FRCP
Consultant Gastroenterologist
Department of Gastroenterology
Kingston Hospital
Kingston-upon-Thames, Surrey, United
    Kingdom

Yves Roland, MD, PhD
Gérontopôle, Centre Hospitalier
 Universitaire de Toulouse
INSERM Université de Toulouse III Paul
 Sabatier
Toulouse, France

Roman Romero-Ortuno, Lic Med,
MSc, MRCP(UK), PhD
Consultant Geriatrician
Department of Medicine for the Elderly
Addenbrooke's Hospital
Cambridge, United Kingdom

Debra J. Rose, PhD, FNAK
Professor, Department of Kinesiology;
Director, Center for Successful Aging
California State University, Fullerton
Fullerton, California

Sonja Rosen, MD
Assistant Clinical Professor
UCLA Medical Center
UCLA Santa Monica Orthopedic Hospital;
Division of Geriatric Medicine
Department of Medicine
David Geffen School of Medicine at
 University of California Los Angeles
Los Angeles, California

Philip A. Routledge, OBE, MD, FRCP,
FRCPE, FBTS
Professor of Clinical Pharmacology
Section of Pharmacology, Therapeutics and
 Toxicology
Cardiff University;
Department of Clinical Pharmacology
University Hospital Llandough
Cardiff and Vale University Health Board
Cardiff, Wales, United Kingdom

Laurence Z. Rubenstein, MD, MPH
Professor and Chairman
Donald W. Reynolds Department of
 Geriatric Medicine
University of Oklahoma College of Medicine
Oklahoma City, Oklahoma

Lisa V. Rubenstein, MD, MSPH
Professor of Medicine in Residence
Department of Medicine
University of California, Los Angeles David
 Geffen School of Medicine,
Professor of Medicine
Department of Medicine
Veterans Affairs Greater Los Angeles
 Healthcare System
Los Angeles, California;
Senior Scientist
Department of Health
RAND Corporation
Santa Monica, California

Benjamin Rusak, BA, PhD
Professor
Department of Psychiatry and Psychology &
 Neuroscience
Dalhousie University
Halifax, Nova Scotia, Canada

Perminder S. Sachdev, MBBS, MD,
FRANZCP, PhD, AM
Scientia Professor of Neuropsychiatry and
 Co-Director of CHeBA
Centre for Healthy Brain Ageing (CHeBA),
 School of Psychiatry
University of New South Wales;
Clinical Director
Neuropsychiatric Institute
Prince of Wales Hospital
Randwick, North South Wales, Australia

Gordon Sacks, PharmD
Professor and Department Head
Pharmacy Practice
Auburn University Harrison School of
 Pharmacy
Auburn, Alabama;
Pharmacist
Pharmacy Department
East Alabama Medical Center
Opelika, Alabama

Gerry Saldanha, MA(Oxon), FRCP
Consultant Neurologist
Department of Neurology
Maidstone & Tunbridge Wells NHS Trust
Tunbridge Wells, United Kingdom;
Honorary Consultant Neurologist
Department of Neurology
King's College Hospital NHS Foundation
 Trust
London, United Kingdom

Mary Sano, PhD
Department of Psychiatry
Icahn School of Medicine at Mount Sinai
New York, New York

K. Warner Schaie, PhD, ScD(Hon),
Dr.phil.(hon)
Affiliate Profesor
Department of Psychiatry & Behavioral
 Sciences
University of Washington
Seattle, Washinton

Kenneth E. Schmader, MD
Professor of Medicine
Chief, Division of Geriatrics
Duke University Medical Center;
Director
Geriatric Research Education and Clinical
 Center (GRECC)
Durham VA Medical Center
Durham, North Carolina

Edward L. Schneider, MD
Professor of Gerontology
Leonard Davis School of Gerontology;
Professor of Biological Sciences
Dornsife College of Letters, Arts and
 Sciences;
Professor of Medicine
Keck School of Medicine
University of Southern California
Los Angeles, California

Andrea Schreiber, DMD
Associate Dean for Post-Graduate and
 Graduate Programs
Clinical Professor of Oral and Maxillofacial
 Surgery
New York University College of
 Dentistry
New York, New York

Robert A. Schwartz, MD, MPH,
DSc(Hon), FRCP(Edin), FAAD, FACP
Professor and Head, Dermatology
Professor of Pathology
Professor of Pediatrics
Professor of Medicine
Rutgers-New Jersey Medical School;
Visiting Professor, Rutgers University School
 of Public Affairs and Administration
Newark, New Jersey;
Honorary Professor, China Medical
 University
Shenyang, China

Margaret Sewell, PhD
Clinical Assistant Professor
Department of Psychiatry
Ichan School of Medicine at Mount Sinai
New York, New York

Krupa Shah, MD, MPH
Assistant Professor
Department of Medicine
University of Rochester
Rochester, New York

Hamsaraj G.M. Shetty, BSc, MBBS,
FRCP(Lond & Edin)
Consultant Physician & Honorary Senior
 Lecturer
Department of Medicine
University Hospital of Wales
Cardiff, Wales, United Kingdom

Felipe Sierra, PhD
Director
Division of Aging Biology
National Institute on Aging
Bethesda, Maryland

Alan J. Sinclair, MSc, MD, FRCP
Professor of Metabolic Medicine (Hon)
University of Aston and Director
Foundation for Diabetes Research in Older
 People
Diabetes Frail Ltd.
Droitwich Spa, United Kingdom

Patricia W. Slattum, PharmD, PhD
Professor and Director
Geriatric Pharmacotherapy Program
Pharmacotherapy and Outcomes Science
Virginia Commonwealth University
Richmond, Virginia

Kristel Sleegers, PhD, DSc
Group Leader Neurodegenerative Brain
    Diseases
VIB
Department of Molecular Genetics
Research Director
Laboratory of Neurogenetics
Institute Born-Bunge;
Professor
University of Antwerp
Antwerp, Belgium

**Oliver Milling Smith, MBChB, BSc
(Med Sci), MD, MRCOG**
Consultant Obstetrician and Gynecologist
Forth Valley Royal Hospital
Women & Children
Larbert, United Kingdom

Phillip P. Smith, MD
Associate Professor
Department of Urology and Gynecology,
    Center on Aging
University of Connecticut
Farmington, Connecticut

Velandai K. Srikanth, PhD
Associate Professor
Stroke and Ageing Research Group
Monash University,
Department of Neurosciences
Monash Health
Melbourne, Victoria, Australia;
Associate Professor
Department of Epidemiology
Menzies Research Institute
Hobart, Tasmania, Australia

John M. Starr, FRCPEd
Honorary Professor of Health & Ageing
Centre for Cognitive Ageing and Cognitive
    Epidemiology
University of Edinburgh
Edinburgh, Scotland, United Kingdom

Richard G. Stefanacci, DO, MGH, MBA
School of Population Health
Thomas Jefferson University,
Senior Physician
Mercy LIFE
Philadelphia, Pennsylvania;
Chief Medical Officer
The Access Group
Berkeley Heights, New Jersey;
President
Board
Go4theGoal Foundation
Cherry Hill, New Jersey

Roxanne Sterniczuk, PhD
Student
Department of Psychology and Neuroscience
Dalhousie University
Halifax, Nova Scotia, Canada

Paul Stolee, BA(Hon), MPA, MSc, PhD
Associate Professor
School of Public Health and Health Systems
University of Waterloo
Waterloo, Ontario, Canada

Michael Stone, MD, FRCP
Consultant Physician
Department of Geriatric Medicine
Cardiff and Vale University Health Board
Cardiff, Wales, United Kingdom

Bryan D. Struck, MD
Assosociate Professor
Reynolds Department of Geriatric Medicine
University of Oklahoma Health Sciences
    Center
Oklahoma City VA Medical Center
Oklahoma City, Oklahoma

**Allan D. Struthers, MD, FRCP, FESC,
FMedSci**
Professor of Cardiovascular Medicine
Division of Cardiovascular and Diabetes
    Medicine
University Dundee, Dundee, United
    Kingdom

Stephanie Studenski, MD, MPH
Director
Longitudinal Studies Section
National Institute on Aging
Baltimore, Maryland

Christian Peter Subbe, DM, MRCP
Consultant Physician
Acute, Respiratory & Intensive Care
    Medicine
Ysbyty Gwynedd;
Senior Clinical Lecturer
School of Medical Sciences
Bangor University
Bangor, Wales, United Kingdom

Arjun Sugumaran, MBBS, MRCP
Specialist Registrar in Gastroenterology and
    Hepatology
Gastroenterology Department
Morriston Hospital
Swansea, United Kingdom

Dennis H. Sullivan, MD
Director
Geriatric Research, Education & Clinical
    Center
Central Arkansas Veterans Healthcare
    System
Little Rock, Arkansas;
Professor & Vice Chair
Donald W. Reynolds Department of
    Geriatrics
University of Arkansas for Medical Sciences
Little Rock, Arkansas

Dennis D. Taub, PhD
Senior Investigator
Clinical Immunology Section
Laboratory of Immunology
Gerontology Research Center
National Institute on Aging/National
Institute of Health
Baltimore, Maryland

Karthik Tennankore, MD, SM, FRCPC
Assistant Professor of Medicine
Division of Nephrology, Department of
    Medicine
Dalhousie University
Halifax, Nova Scotia, Canada

J.C. Tham, MBChB, MRCSEd, MSc
Upper Gastrointestinal Surgery Department
Derriford Hospital
Plymouth, United Kingdom

Olga Theou, PhD
Banting Postdoctoral Fellow
Department of Geriatric Medicine
Dalhousie University;
Affiliated Scientist
Geriatric Medicine
Nova Scotia Health Authority
Halifax, Nova Scotia, Canada

Chris Thorpe, MBBS, FRCA, FFICM
Consultant in Anaesthetics and Intensive
    Care Medicine
Ysbyty Gwynedd Hospital
Bangor, Wales, United Kingdom

**Amanda G. Thrift, BSc(Hons), PhD,
PGDipBiostat**
Professor
Stroke & Ageing Research Group
Department of Medicine
School of Clinical Sciences at Monash
    Health
Monash University
Melbourne, Victoria, Australia

Jiuan Ting, MBBS
Medical Registrar
General Medicine
Royal Perth Hospital
Perth, Western Australia, Australia

Anthea Tinker, BCom, PhD
Professor of Social Gerontology
Gerontology, Social Science Health and
    Medicine
King's College London
London, United Kingdom

**Desmond J. Tobin, BSc, PhD, MCMI,
FRCPath**
Professor of Cell Biology, Director of Centre
    for Skin Sciences
Centre for Skin Sciences, Faculty of Life
    Sciences
University of Bradford
Bradford, West Yorkshire, United Kingdom

Mohan K. Tummala, MD
Mercy Hospital
Department of Oncology and Hematology
Springfield, Missouri

Jane Turton, MBChB, MRCGP
Associate Specialist Physician
Department of Geriatric Medicine
Cardiff and Vale University Health Board
Cardiff, Wales, United Kingdom

Christine Van Broeckhoven, PhD, DSc
Group Leader Neurodegenerative Brain
    Diseases
Department of Molecular Genetics
VIB;
Research Director
Laboratory of Neurogenetics
Institute Born-Bunge;
Professor
University of Antwerp
Antwerp, Belgium

Annick Van Gils, MSc, BSc
Occupational therapist
Stroke unit
University Hospitals Leuven
Leuven, Belgium;
Lecturer
Occupational Therapy
Artevelde University College
Ghent, Belgium

Jessie Van Swearingen, PhD, PT
Associate Professor
Department of Physical Therapy
University of Pittsburgh
Pittsburgh, Pennsylvania

Bruno Vellas, MD, PhD
Gérontopôle, Centre Hospitalier
    Universitaire de Toulouse
INSERM UMR1027
Université de Toulouse III Paul Sabatier
Toulouse, France

Emma C. Veysey, MBChB, MRCP
Consultant Dermatologist
St. Vincent's Hospital
Melbourne, Victoria, Australia

Geert Verheyden, PhD
Assistant Professor
Department of Rehabilitation Sciences
KU Leuven;
Faculty Consultant
Department of Physical Medicine and
    Rehabilitation
University Hospitals Leuven
Leuven, Belgium

Dennis T. Villareal, MD
Professor of Medicine
Department of Medicine
Baylor College of Medicine;
Staff Physician
Department of Medicine
Michael E. DeBakey VA Medical Center
Houston, Texas

Adrian S. Wagg, MB, FRCP, FRCP(E), FHEA
Professor of Healthy Aging
Department of Medicine
University of Alberta
Edmonton, Alberta, Canada

Arnold Wald, MD
Professor of Medicine
Department of Medicine
Division of Gastroenterology & Hepatology
University of Wisconsin School of Medicine
    & Public Health
Madison, Wisconsin

Rosalie Wang, BSc(Hon), BSc(OT), PhD
Assistant Professor
Department of Occupational Science and
    Occupational Therapy
University of Toronto;
Affiliate Scientist
Department of Research—AI and Robotics
    in Rehabilitation
Toronto Rehabilitation Institute—
    University Health Network
Toronto, Ontario, Canada

Barbara Weinstein, MA, MPhi, PhD
Professor and Founding Executive Officer
AuD Program,
Professor
Department of Speech, Language, Hearing
    Sciences
Graduate Center, CUNY
New York, New York

Michael Weller, MD
Professor and Chair
Department of Neurology
University Hospital Zurich
Zurich, Switzerland

Sherry L. Willis, PhD
Research Professor of Psychiatry and
    Behavioral Sciences
Department of Psychiatry and Behavioral
    Sciences
Co-director of the Seattle Longitudinal
    Study
University of Washington
Seattle, Washington

K. Jane Wilson, PhD, FRCP(Lond)
Consultant Physician
Department of Medicine for the Elderly
Addenbrooke's Hospital
Cambridge University Hospitals NHS Trust
Cambridge, United Kingdom

Miles D. Witham, BM BCh, PhD
Clinical Senior Lecturer in Ageing and
    Health
Department of Ageing and Health
University of Dundee
Dundee, United Kingdom

Henry J. Woodford, BSc, MBBS, FRCP
Consultant Physician
Department of Elderly Medicine
North Tyneside Hospital
North Shields, Tyne and Wear, United
    Kingdom

Jean Woo, MA, MB BChir, MD
Emeritus Professor of Medicine
Medicine & Therapeutics
The Chinese University of Hong Kong
Hong Kong, The People's Republic of China

Frederick Wu, MD, FRCP(Lond), FRCP (Edin)
Professor of Medicine and Endocrinology
Centre for Endocrinology and Diabetes,
    Institute of Human Development, Faculty
    of Medical & Human Sciences
University of Manchester
Manchester, United Kingdom

John Young, MBBS(Hons) FRCP
Professor of Elderly Care Medicine
Academic Unit of Elderly Care and
    Rehabilitation
University of Leeds, United Kingdom;
Honorary Consultant Geriatrician
Bradford Teaching Hospitals NHS
    Foundation Trust
Bradford, United Kingdom

Zahra Ziaie, BS
Laboratory Manager
Science Center Port at University City
    Science Center
Philadelphia, Pennsylvania

집필진

(가나다 순)

● **편찬 위원회**

편찬 위원장
박정현 인제의대 부산백병원

편찬 간사
김태년 인제의대 해운대백병원

편찬 위원

김미경 인제의대 해운대백병원	**김혜순** 계명의대 계명대학교동산병원
김상용 조선의대 조선대학교병원	**노정현** 인제의대 일산백병원
김현진 충남의대 충남대학교병원	**임정수** 연세원주의대 원주세브란스기독병원

● **집필진**

권혁상 가톨릭의대 여의도성모병원	**류옥현** 한림의대 한림대학교춘천성심병원
김광준 연세의대 세브란스병원	**목지오** 순천향의대 순천향대학교부천병원
김대중 아주의대 아주대학교병원	**박정현** 인제의대 부산백병원
김동선 한양의대 한양대학교서울병원	**박태선** 전북의대 전북대학교병원
김미경 인제의대 해운대백병원	**변동원** 순천향의대 순천향대학교서울병원
김병준 가천의대 가천대 길병원	**손태서** 가톨릭의대 의정부성모병원
김상용 조선의대 조선대학교병원	**송기호** 건국의대 건국대학교병원
김수경 차의과대학 분당차병원	**안철우** 연세의대 강남세브란스병원
김영일 울산의대 울산대병원	**오승준** 경희의대 경희대학교병원
김인주 부산의대 부산대학교병원	**윤지성** 영남의대 영남대학교병원
김철식 한림의대 한림대학교성심병원	**이원영** 성균관의대 강북삼성병원
김태년 인제의대 해운대백병원	**이은정** 성균관의대 강북삼성병원
김현진 충남의대 충남대학교병원	**임정수** 연세원주의대 원주세브란스기독병원
김혜순 계명의대 계명대학교동산병원	**정인경** 경희의대 강동경희대병원
남문석 인하의대 인하대병원	**조동혁** 전남의대 전남대학교병원
노 은 고려의대 고려대학교구로병원	**조영민** 서울의대 서울대학교병원
노정현 인제의대 일산백병원	**최경묵** 고려의대 고려대학교구로병원

목차

PART 3 의학적 노화학
Medical Gerontology

PART 4 **심리적 및 사회적 노화학**
Psychological and Social Gerontology

PART 1

노화학

Introduction to Gerotology

CHAPTER **01**

서론: 노화, 노쇠, 그리고 노인의학
Aging, Frailty, and Geriatric Medicine

Howard M. Fillit, Kenneth Rockwood, John Young

본 책의 여덟 번째 판은 초판의 출판인이면서 오랜 시간 편집자로도 활동을 했던 John Brocklehurst의 사망 이후 첫 번째 판이다. 2013년 가디언(Guradian)지에 실린 부고(http://www.theguardian.com/science/2013/jul/17/john−brocklehurst)에서, Brocklehurst 교과서의 세 번째 및 여섯 번째 판의 편집자이기도 했던 Ray Thallis는 John을 "당대의 가장 뛰어난 노인병학자"이자 "노인에서 발병하는 질환들에 대한 우리들의 더 깊은 이해를 위한 과학적인 노화학의 기초를 세운 사람"으로 기념했다. 초기의 다른 선구자들과 함께 그는 수련프로그램을 조직하여 분과의 정체성을 가질 수 있도록 함과 동시에 노인의학의 중요한 초창기를 잘 이끌었다. 이들은 노인의학이 충분히 잘 검증된 접근방법과 술기들로 구성이 될 수 있도록 기초를 다듬었다. 이후 의학이라는 학문이 근거중심의 시대로 접어들었기에 이러한 초기의 접근방법들은 매우 중요한 의미를 가진다. 그들은 노인병학이 "사회사업과 같은 내과학" 이상의 것이라는 관점을 가지고 있었고, 이러한 연장선상에서 노인병학은 계속 발전했다. 제7판부터 8판까지 계속해서, 저자들은 노인병학이 단순히 노쇠한 노인들을 치료하는 것 이상의 학문이라는 시각을 견지해 왔다.[1] 하지만, 노쇠에 대한 사전 지식이 있는 독자들이라면 이것이 아직 끝나지 않은 논쟁이라는 것을 알 수 있을 것이다. 아직도 논란이 되고 있는 몇 가지 것들을 기술하면 다음과 같다.

첫 번째, 노쇠는 동일한 연령의 다른 사람들과 비교했을 때 건강상의 문제가 발생할 수 있는 위험이 증가되어 있는 상태를 의미한다. 동일한 연령대의 사람들과 비교하는 것은 반드시 필요하다. 위험은 나이가 들어갈수록 증가하기 때문에, 동일한 연령대의 사람들과 비교를 하지 않는다면, 건강문제가 드러나기 시작하는 40대를 넘어가게 되면, 모든 사람들이 노쇠한 것처럼 보이게 된다.

두 번째, 노쇠는 나이와 관련이 되어 있다. 이것은 노쇠를 측정하는 모든 척도들이 공통적으로 가지고 있는 특징이기도 하다.[2] 나이가 들어감에 따라 노쇠는 보다 더 흔히 관찰된다: 비록 폐경 이후 상대적인 위험의 변이도는 감소하지만, 절대적인 위험의 변이도는 증가한다.[3] 이러한 경향들은 기능부전의 상태로 진행하는 시스템을 의미한다. 첫 번째(절대적인 변이도가 증가한다는 것)는 보다 더 많은 사람들이 증가되는 위험에 노출되어 있다는 뜻이다: 두 번째, 즉 상대적인 변이도의 감소는, 변이계수(coefficient of variation)의 감소로 확인될 수 있는데, 이것은 반응의 다양도 감소를 의미한다. 노인들은 싸울 수 있는 능력이 감퇴되어 있다. 다른 표현으로는, 노인들의 재생과정은 덜 효율적이라는 것이며, 손상을 입었을 때 더 긴 회복시간이 필요하다는 뜻이다.[4]

　세 번째, 비록 이분법적 기준을 사용하는 경우는 일치됨의 정도가 불명확해질 수도 있지만, 표현형에 의한 정의(phenotype definition)[4]와 결손 누적에 의한 정의(deficit accumulation definition)[5]는 최근 대부분의 조작적 정의(operational definition)들이 그러한 것처럼 많은 부분에서 공통적인 면모를 가지고 있음은 명확한데, 이것은 이들이 전형적으로 이러한 접근법들에 모두 의존하고 있기 때문이다.[2,6-12] 이들 방법은 각각 위험이 증가되어 있는 사람들을 찾아낸다. 예를 들어, 어떤 사람이 노쇠의 특징적인 표현형 다섯개 중 하나도 가지고 있지 않다면, 하나라도 있는 사람들 보다는 결손이 덜 하다는 것이다. 동일한 선상에서, 노쇠의 다섯개 표현형 모두를 다 가지고 있는 경우(예:체중감소, 정원일이나 힘든 집안일 등과 같은 복잡한 활동의 감소, 심한 피로감, 악력감퇴, 보행속도 감소)는 가장 많은 결손들을 전체적으로 가지고 있다는 뜻이기도 하다.[7] 이러한 것들은 미묘한 차이를 가지고는 있다. 특정한 위험 확률이 1을 넘을 수는 없지만, 어떤 나이에 도달하게 되면 그 확률이 1에 근접하게 되기에, 모든 사람들이 노쇠해지는 나이는 반드시 있을 것이다. 이러한 세부적인 내용들은, 다른 것들과 같이, 보다 더 섬세하게 다듬어져야 한다. 결과적으로, 노쇠에 대한 정밀한 조작적 정의에 설령 불일치가 있다고는 해도, 노쇠를 이해한다는 것의 가치를 포기하는 것은 이득이 되지 않는다.

　노쇠는 노인의학에서 가장 중심적인 개념이다. 노화가 기존 의학적인 치료들에 대해 제기하는 어려움들은 노쇠의 복잡함에 그 원인이 있다. 사람들이 나이가 들어감에 따라 어떤 특정한 질환들만이 증가하는 것이 아니라 모든 질환들이 다 흔해진다. 나이에 의한 변화는 비록 특정 질병 진단 기준에 미치지는 못 하더라도, 평균적으로는 계속 감퇴하는 방향을 따라 진행한다. 하나의 질환을 치료하는 것도 단순하지 않은데, 노쇠에 의해 제기되는 복잡함은(나이가 들어가면서 점점 흔해지고, 상호작용을 하는 다양한 의학적 및 사회적 문제들의 존재속에서 하나의 질환을 치료한다는 것은) 특수한 지식과 기술들을 필요로 한다. 노인의학을 구성하는 것이 바로 이것이다.

　노쇠에 대한 이러한 내용들을 중심에 두고, 저자들은 계속적으로 이 책을 개선하고 발전시켜 왔다. 이번 8판에서는 노년공학(gerontechnology), 노숙자들, 응급 및 병원 밖에서의 치료, HIV와 노화, 노인 환자들에 대한 집중치료, 원격의료, 그리고 환경의 개선 등에 대해 새로이 다루었다. 또한 노쇠에 대한 챕터를 추가했는데, 노쇠를 정의하는 다양한 방법들에 대해 많은 지식과 경험이 있는 2명의 저자들이 기술하였다. 공정한 시각을 가지는 것은 매우 중요한데, 모든 저자들은 해당 챕터를 관련된 영역에서의 발전된 내용들을 사용해서 개편하는 것 뿐만 아니라, 노쇠에 의해 어떻게 영향을 받는지에 대한 내용을 반드시 포함하도록 하였다. 본 저자의 경우는 두 형태의 변화들 모두를 공평하게 기술하였는데, 종종 이것은 상호간에 도움이 되는 교환이 되기도 했다. 이것은 또한 이 분야가 어떻게 발전하고 있는가를 반영한다. 이것은 인터넷 시대에 교과서가 실용적으로 어떻게 바뀌고 있는가 하는 것을 반영하는 것이기도 하다. 이번 교과서의 목표는 최신 정보를 제공하는 개설서 보다는 실제 도움이 되는 지식을 설명하는데 있다. 또한, 우리는 이 교과서의 역할을 이 분야에 대해 발전하는 것들에 대한 감각과 전후 맥락을 제공하는 것으로 본다. 이러한 접근 방식은 가장 최신의 것에 대한 단순한 설명만으로는 얻을 수 없는 가치를 제공해 줄 수 있다. 이것이 지난 긴 시간 동안 바로 Brocklehurst 교과서의 목적이었으며, 저자들이 지금도 예민하게 지켜 나가고 있다.

이번 8판에서는 우리들이 보다 더 분명하게 노쇠 쪽으로의 강조를 시작했는데, 제7판부터 참여한 Kenneth Woodhouse 교수의 탁월한 기여에 감사를 표한다. 또한 John Young 교수의 참여도 기쁘게 환영한다. 그는 지난 시간 동안 영국에서의 많은 유용한 임상노인의학 관련연구를 수행하였으며, 탄탄한 증거들을 근거로 한다는 우리들의 원칙을 더 공고히 해주었고, 우리들이 앞으로 무엇을 더 해야 하는지를 명확히 제시해주었다. 이러한 것들은 그의 장시간에 걸친 노인의학 임상 경험에 의해 많은 도움을 받았다. 이러한 임상 술기들은 England와 Wales의 National Health Service에 포함이 되었는데, 이것은 그가 해당지역의 Clinical Service Director for Older Adults(혹은 "frailty czar"로도 알려져 있다)이기 때문이다. 우리는 그가 우리와 함께 한 것에 특히 더 감사하고 있다.

본 책의 편집자 겸 저자로서, 이 책이 어떻게 도움이 되고 어떻게 더 개선이 되어야 할 것인지에 대한 의견을 주신 여러 독자들에게서 많은 도움을 받았다. 우리는 그들의 이러한 노력에 감사를 드리고, 우리들과의 의견 교환이 계속 이어질 수 있기를 기대한다. 누군가에게 건강 서비스를 제공한다는 것은 아주 특별한 특권이다. 도움이 절실하게 필요한 이들에게 그것을 제공하고, 그 이상의 것들도 제공할 수 있는 것이다. 나이가 든 노쇠한 노인들을 돌본다고 하는 것은 특별한 경험이 필요한 특수한 업무이지만, 지금까지 광범위한 인정을 받지는 못하였다. 노인의학은 환자와 의료진들에게 충분한 보상이 돌아갈 수 있도록 하는 그야말로 아름다운 학문이 될 것이다. 우리는 이 책의 독자들이 그러한 기쁨을 노인의학에서 누릴 수 있기를 기원한다.

중요 참고문헌

1. Clegg A, Young J, Iliffe S, et al: Frailty in elderly people. Lancet 381:752－762, 2013.
2. Rodríguez-Mañas L, Féart C, Mann G, et al: Searching for an operational definition of frailty: a Delphi method－based consensus statement: the frailty operative definition-consensus conference project. J Gerontol A Biol Sci Med Sci 68:62－67, 2013.
3. Rockwood K, Mogilner A, Mitnitski A: Changes with age in the distribution of a frailty index. Mech Ageing Dev 125:517－519, 2004.
4. Mitnitski A, Song X, Rockwood K: Assessing biological aging: the origin of deficit accumulation. Biogerontology 14:709－717, 2013.

5. Fried LP, Tangen CM, Walston J: Frailty in older adults: evidence for a phenotype. J Gerontol A Biol Sci Med Sci 56:M146–M156, 2001.

6. Mitnitski AB, Mogilner AJ, Rockwood K: Accumulation of deficits as a proxy measure of aging. Scientific World Journal 1:323–336, 2001.

7. Rockwood K, Andrew M, Mitnitski A: A comparison of two approaches to measuring frailty in elderly people. J GerontolA Biol Sci Med Sci 62:738–743, 2007.

8. Theou O, Brothers TD, Mitnitski A, et al: Operationalization of frailty using eight commonly used scales and comparison of their ability to predict all-cause mortality. J Am Geriatr Soc 61:1537–1551, 2013.

9. Theou O, Brothers TD, Peña FG, et al: Identifying common characteristics of frailty across seven scales. J Am Geriatr Soc 62:901–906, 2014.

10. Cesari M, Gambassi G, van Kan GA, et al: The frailty phenotype and the frailty index: different instruments for different purposes. Age Ageing 43:10–12, 2014.

11. Malmstrom TK, Miller DK, Morley JE: A comparison of four frailty models. J Am Geriatr Soc 62:721–726, 2014.

12. Clegg A, Rogers L, Young J: Diagnostic test accuracy of simple instruments for identifying frailty in community-dwelling older people: a systematic review. Age Ageing 44:148–152, 2015.

CHAPTER **02**

노화의 역학
The Epidemiology of Aging

Carol Jagger

> 나이는 시간으로 따질 수 없다. 자연은 에너지를 똑같이 나눠주지 않는다. 어떤 사람들은 70세에 늙고 피곤하도록 태어난 반면 다른 사람들은 70세에도 강하다.
>
> ─도로시 톰슨

서론

위키피디아에 따르면, 역학은 "특정 인구집단에서 건강 및 질병의 패턴, 원인 및 영향을 연구하는 학문"으로 정의된다. 역학은 과거 사망의 주된 원인으로서 전염병의 유행에 대해 관심을 가지면서 시작되었다. 그러나 인구통계학자들이 이런 현상을 '역학적 변천'이라고 했지만, 전 세계 대부분 인구의 주요 사망 원인이 전염병에서 비전염성 질병으로 전환할 때, 역학자들은 관심을 만성질환과 더불어, 기대여명이 증가하면서 나타나는 인구집단의 노화로 옮겼다. 일반적으로 노년에 발생하는 질병의 부담에 대한 논의와, 노화가 건강 및 관리 서비스에 끼치는 영향을 중심으로 다룰 것이다. 나머지 두 부분은 책의 다른 챕터에서 다루어질 것이다.

인구 노화의 원인과 결과

21세기 초는 여러 면에서 독특하지만, 인간이 그 어느 때보다 눈에 띄게 오래 사는 시대라는 점에서 가장 주목할 만하다. 놀랍게도 기대여명의 연장은 좀처럼 줄어들 기미를 보이지 않고 있다. 하지만 생명보험과 연금제도는 이 특별한 행운을 예상하지 못하고 적절히 대처하지 못할 가능성이 크다. 이로 인해 우리의 노년기의 삶의 질은 기대했던 것보다 더 나쁠 수 있다.

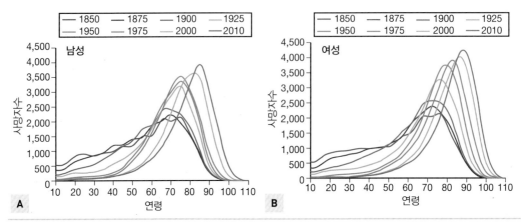

■ **그림 2-1. 영국의 연도별 최빈 사망연령, 남성(A), 여성(B).** (국립통계처: 잉글랜드 및 웨일즈의 사망률: 평균 수명, 2010, 2012)

장수

지난 수십 년 동안 사람의 기대여명이 매 10년마다 약 2년, 또는 하루에 4~5시간씩 지속적으로 증가하면서 과학자들뿐만 아니라 사람들을 전반적으로 놀라게 했다. 1950년 이전에는 기대여명의 증가가 대부분 젊은 연령대의 사망률 감소 때문이었다. 인구학자들은 인생 초년과 중년에 사망률을 줄임으로써 얻어진 이런 이득이 더이상 성장을 멈추고, 변하지 않는 노화 과정의 모습을 보게 될 것이라고 자신 있게 예측하고 있었다. 그러나 20세기 후반에는 65세 이후 생존의 개선으로 수명을 증가시켰고, 실제로 초고령에 이르러서도 사망률은 더 낮아졌다. 기대여명이 궁극적인 한계에 가깝다고 거듭 주장해온 전문가들이 잘못 예측했음이 거듭 밝혀졌고, 최근 몇 년간 최대수명에 대한 예측은 대부분 예측 5년 안에 깨졌다.[1,2]

이러한 기대여명의 놀라운 증가는 소위 우리 인간의 '고령화(graying)'를 가져왔다. 2010년에는 전 세계 인구의 약 8%가 65세 이상이었고, 2050년에는 16%로 두 배가 될 것으로 예상되지만, 이 수치는 두 가지 사실을 숨기고 있다. 첫째, 고령인구 자체가 고령화되고 있다는 점; 전 세계적으로 가장 빠르게 성장하는 부분은 85세 이상이며, 2050년까지 전세계적으로 3억 7천 7백만 명이 될 것으로 예측된다. 일본, 프랑스, 영국과 같은 나라들의 100세 이상 고령자 수가 기하급수적으로 증가했으며, 110세 이상의 나이를 가진 인구집단이 출현했다. 영국에서 평균수명의 척도인 사망 시 나이는 꾸준히 높아져(그림 2-1), 2010년 남성 85세, 여성 89세가 되었고, Fries가 2045년까지 수명이 85세에 도달할 것이라고 추정한 상한선을 이미 넘어섰다.[3]

둘째, 모든 나라가 같은 속도로 고령화되고 있는 것은 아니다. 프랑스는 노인인구(65세 이상)가 인구의 7%에서 14%로 늘어나는데 약 110년이 걸렸다. 스웨덴은 80년, 영국은 50년이 걸렸지만 브라질과 한국은 20년도 안 돼 인구 고령 수준에 도달할 것으로 예측된다. 따라서, 인구 노령화에 대

표 2-1. 노인부양비

국가 또는 지역	연도		
	2014	2025	2050
유럽연합(28개국)	28.2	35.1	49.4
오스트리아	27.2	32.5	46.6
벨기에	27.3	31.8	37.9
불가리아	29.3	36.4	53.9
크로아티아	27.5	35.7	49.1
키프로스	19.5	27.9	42.3
체코	25.7	33.7	48.2
덴마크	28.3	33.6	39.4
에스토니아	27.9	36.1	51.4
핀란드	30.2	38.9	41.9
프랑스	28.4	35.8	43.8
독일	32.2	40.1	57.3
그리스	31.4	37.3	63.6
헝가리	25.8	33.5	47.3
아일랜드	19.2	26.7	44.8
이탈리아	32.9	37.0	52.9
라트비아	28.6	36.6	50.5
리투아니아	27.5	38.6	51.9
룩셈부르크	20.4	23.2	31.6
몰타	26.4	37.5	44.8
네덜란드	26.4	35.1	46.4
폴란드	20.9	32.5	51.9
포르투갈	30.2	38.1	64.3
루마니아	24.3	31.8	48.5
슬로바키아	19.0	28.9	54.2
슬로베니아	25.7	36.4	53.9
스페인	27.2	34.2	62.5
스웨덴	30.6	34.2	37.5
영국	26.9	31.7	40.6

*15~64세 인구에 대한 65세 이상 인구비율
참고자료: Eurostat: Population Projection 2014-2050, 2014, http://epp.eurostat.ec.europa.eu/portal/page/portal/population/data/database. Accessed 4 November 2014.

한 정치적, 사회적 적응은 개발도상국에서 훨씬 더 빨리 이루어져야 할 것이다.

경제활동인구 또는 노동인구에 대한 의존인구의 비율을 부양비(dependency ratio)라고 한다. 이는 일반적으로 15~64세 인구에 대한 65세 인구비로 정의되어 왔다. 유럽 연합 전체적으로 부양비는 28.2이며, 2050년에는 49.2까지 증가할 것으로 예상된다. 그러나 인구의 고령화와 낮은 출산율로 인해 일부 유럽 국가의 경우 부양비가 훨씬 높다. 예를 들어, 스페인의 비율은 27.2이지만 2050년에는 60.5에 이를 것이다(표 2-1). 그럼에도 불구하고, 이 비율은 정년 나이가 높아지면 덜 유용하게 될 수 있고, 65세 이상의 많은 사람들이 일을 하거나 65세 이하의 사람들 중 아이, 학생, 주부, 남편, 그리고 실업자 등 노동인구에 포함하지 않는 사람이 있다면 역시 부양비는 유용하지 않을 수 있다. 공식적으로 고용되지 않았다고 해서 그들이 경제에 기여하고 있지 않다는 뜻은 아니다. 조부모는 직장인과 은퇴한 사람들, 특히 여성들을 대신하여 아이 보육에서 크게 기여하고 있으며, 장애가 있는 노인 가족, 특히 배우자를 돌보는 일을 많이 하고 있다. 따라서 부양비는 케어의 필요성을 반영하지 못하며, '의존성'이라는 일반적인 용어를 더 사용한다. 이를 위해 50~74세 인구가 85세 이상 노인을 부양하는 비율인 초고령노년부양비(oldest old support ratio)가 제안됐다.[4]

젊은 이민자들 때문에 이민은 종종 저출산 국가에서 인구 고령화의 "문제"에 대한 해결책으로 여겨진다. 예를 들어, 선진국에서 환자 케어 분야와 같은 일자리를 가지려는 사람들의 부족은 개발도상국에서 젊은 사람들을 끌어들이고, 인구의 평균 연령을 낮춘다. 그러나 1960년대와 1970년대에 인도나 파키스탄에서 영국으로 건너와 살기 시작하여 고령화 된 West Indies and Southeast Asia 코호트가 있다. 비록 그들의 수가 적지만, 그들은 증가할 것이고, 인지장애나 장애의 비율에 대해서는 거의 알려져 있지 않지만, 그들이 심혈관질환, 뇌졸중, 당뇨병의 위험이 더 높은 것으로 알려져 있다.[5]

왜 우리는 나이를 먹는가?

노화 과정이 시간이 지남에 따라 분자수준의 손상이 축적되면서 발생한다는 것은 이제 분명해 보인다. 따라서 개인의 노화율은 손상, 유지보수 및 수리 사이의 복잡한 상호 작용이다. 이러한 상호 작용은 물론 유전과 환경 요인에 의해 영향을 받는다. 인간을 창조한 것이 자연이건 창조자이건 간에 인간의 한계를 인지하면서 많은 백업 시스템을 만들어 놓았다. 한편으로, 최소 투입으로 최대 효과를 산출하는 초효율성(hyperefficiency)에 비해 유연성(flexibility)이 장기적으로는 보다 효과적일 수 있다. 이러한 법칙은 효과성보다 효율성을 추구하는 현실을 바라볼 때 장수의 영역을 뛰어넘어 여러 분야에서 유용한 교훈이 될 수 있다.

유전적 변화는 진화 압력에 의해 짧은 기간 동안 현저하게 변화할 것 같지 않지만, 그 기간 동안 장수는 급격하게 증가하였다. 따라서, 장수가 늘어나는 이유로 나이, 기간, 코호트, 장소 및 질병에 따라 다르게 해석할 수 있으나, 소득, 영양, 교육, 위생, 그리고 의학의 진보의 상호작용 때문이라고 여기고 있다. 그렇다면 이러한 변화는 대체로 광범위한 환경 요인의 결과일 가능성이 높다.

1900년대 초의 출생코호트는 사회경제적 조건, 위생, 생활습관, 의료에 큰 변화를 경험하였고, 유아사망률과 전염병 및 호흡기 질환률의 급격한 하락을 가져왔다. 주효과는 1) 주거, 위생, 영양의 개선, 2) 전염병과 모성사망률의 통제, 3) 항생제와 예방접종의 출현이었다.[6] 그 이후 노인의 생존이 기대여명 연장을 가져왔으며, 이는 주로 심혈관 및 뇌졸중 사망률의 감소와 많은 암의 생존율 증가로 인한 것이었다. 영국에서 65세 나이의 기대여명은 1981년 이후 남성의 경우 5.2년, 여성의 경우 3.8년 증가했으며 남성의 경우 40%, 여성의 경우 20% 증가했다.

건강한 노화

주요 만성질환인 관상동맥질환, 뇌졸중, 치매 등의 유병률은 세기에 걸쳐 중요성이 커졌고, 연령에 따라 증가한다. 특히 치매가 대표적인 사례인데, 나이가 5년 증가함에 따라 유병률이 약 두 배가 된다.[7] 게다가 고령의 나이는 여러가지 질병이 복합되어 나타난다. 뉴캐슬 85+ 연구에서 85세 이상 남녀 중 질병이 없는 사람은 없었다(그림 2-2). 평균적으로 남성과 여성은 각각 4가지와 5가지 질병을 가지고 있는 반면, 약 30%는 6가지 이상의 질병을 가지고 있었다.[8] 적어도 영국에서 2차 진료가 단일 질병을 중심으로 구성되어 있기 때문에, 이러한 다중이환(multimorbidity)의 특성을 보이는 노인 환자가 각각의 질환에 대하여 의료서비스를 제공받고 있으며, 이는 약제간의 상호작용 및 불필요한 사회경제적 부담 등의 가능성을 증가시킬 수 있다. 또한, 다중이환성은 노쇠(frailty)를 유발하는 원인이 되며 노쇠지수(frailty index)는 결함의 누적 효과에 따라 노쇠 정도가 증가함을 반영하고 있다.[9]

과거에는 기대여명이 인구집단의 건강을 대변하는 척도로 사용되어 왔고, 오늘날에도 단순히 우리가 더 오래 산다는 이유만으로 우리가 이전 인구집단보다 더 건강하다고 주장하는 사람들이 있다. 반면에, 노년기에 보이는 질병의 부담과 노쇠와 의존성의 증가는 반대를 시사한다. 분명한 것은 기대여명은 건강수명과 동일하지 않기 때문에, 수명의 연장은 건강하지 못한 기간이 더 길어지는 상태(질병상태의 확장)가 아닌 건강한 기간이 더 길어지는 상태(질병상태의 압축3)가 되도록 해야 한다.[10] 이러한 이론을 탐구하기 위해 건강기대치(health expectancy)의 개념이 개발되었다. 건강기대치는 여명의 양(기대여명)과 여명의 질(건강)에 대한 정보를 결합한 인구 건강 지표이다.[11] 건강의 척도가 많기 때문에 측정 가능한 건강기대치도 많지만, 가장 보편적인 것은 자가보고된 전반적인 건강상태(건강 기대여명)와 장애상태(장애없는 기대여명)에 근거한다. 질보정수명(QALY)과 달리, 건강기대치는 일반적으로 건강 상태의 가중치를 포함하지 않는다. 따라서 기대여명 증가에 따라 인구집단의 건강이 어떻게 개선되는지를 보다 투명하게 보여준다.

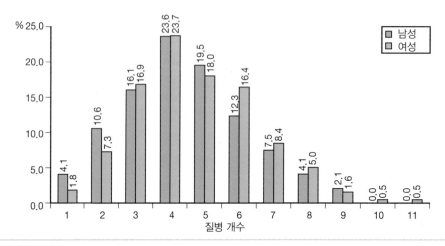

■ 그림 2-2. 85세 이상 인구의 다질병성

　　최근 유럽 전역에서 일치된 건강지표의 개발로 유럽 국가들 간의 건강기대치의 비교가 가능해
졌다. 실제로 유럽연합의 첫 번째 건강 지표는 장애 없는 기대여명인 건강수명(HLYs)이었다. 모
든 유럽연합국가들에서 매년 계산되는 이 지표를 통해 유럽 전역의 거대한 건강 수준에서의 불평
등을 확인할 수 있으며, 기대여명을 불평등의 지표로 사용하는 것은 부적절할 수 있음을 보여주었
다. 2011년 유럽연합 27개국의 65세 남성의 기대여명은 17.8년이고, 이 중 8.6년(48%)만이 건강
수명이다. 국가간의 기대여명은 5.8년의 차이(13.4년~19.3년)를 보였고, 건강수명은 10.4년의 차
이(3.5년~13.9년)를 보였다(표 2–2). 최근 유럽의 건강, 노화 및 은퇴 조사(Survey of Health, Ageing
and Retirement in Europe, SHARE) 국가 중 13개 국가를 대상으로 노쇠 없는 기대여명(frailty-
free life expectancy)을 건강단계(robust), 노쇠전단계(prefrail), 노쇠단계(frail), 심각한 활동 제한단계
(severe activity limitation)로 구분하였을 때 나라마다 상당한 차이를 보였다(그림 2–3).[12]

시간에 따른 변화

새로운 세대의 노인들이 과거 세대보다 더 적합하다고 일반적으로 믿어지고 있지만, 이것을 뒷받침
할 확고한 데이터는 미국을 제외한 다른 나라에서는 드물다. 미국에서 메타분석 결과 지난 30년 동
안 기능저하의 비율이 현저하게 감소한 것으로 나타났다.[13] 영국에서는, 노인에 대한 두 가지 코호
트 연구가 시간 경과에 따라 동일하게 실시되었으며, 그 결과는 젊은 노인들(65~69세)에서는 장애
가 악화된 것으로 나타났고,[14] 75세 이상 노인들에서는 개선이 된 것으로 나타났다.[15] 또한 중요한
것은 우리가 더 오래, 더 건강한 삶을 살고 있는지에 대한 질문에 충분히 대답하기 위해서는 건강이
사망률과 함께 평가되어야 한다는 것이다. 건강기대수명의 추세는 훨씬 덜 긍정적이며 세계적으로

표 2-2. 남녀별 기대여명(LE)과 건강수명(HLYs)

국가별	성별					
	남성			여성		
	LE (Years)	HLYs (Years)	% HLY/LE	LE (Years)	HLYs (Years)	% HLYs/LE
오스트리아	18.1	8.3	45.9	21.7	8.3	38.4
벨기에	18.0	9.8	54.5	21.6	10.3	47.5
불가리아	14.0	8.6	61.5	17.3	9.7	55.7
키프로스	18.2	8.0	44.0	20.3	5.9	29.0
체코	15.6	8.4	53.8	19.2	8.7	45.4
덴마크	17.3	12.4	71.6	20.1	13.0	64.6
에스토니아	14.8	5.6	37.9	20.1	5.7	28.6
핀란드	17.7	8.4	47.3	21.7	8.6	39.8
프랑스	19.3	9.7	50.5	23.8	9.9	41.8
독일	18.2	6.7	36.7	21.2	7.3	34.2
그리스	18.2	9.0	49.6	21.2	7.9	37.2
헝가리	14.3	6.0	41.9	18.2	6.0	33.0
아일랜드	17.9	10.9	60.8	20.9	11.8	56.5
이탈리아	18.6	8.1	43.4	22.4	7.0	31.1
라트비아	13.4	4.8	35.7	18.7	5.0	26.7
리투아니아	14.0	6.2	44.1	19.2	6.7	34.8
룩셈부르크	17.8	11.5	64.6	21.6	11.8	54.8
몰타	17.7	11.8	67.0	21.0	11.0	52.3
네덜란드	18.1	10.4	57.7	21.2	9.9	46.8
폴란드	15.4	7.6	49.7	19.9	8.3	41.8
포르투갈	17.8	7.8	43.6	21.6	6.3	29.4
루마니아	14.7	5.4	36.9	17.7	4.7	26.7
슬로바키아	14.5	3.5	23.8	18.4	2.9	16.0
슬로베니아	16.9	6.2	36.8	21.1	6.9	32.5
스페인	18.8	9.7	51.7	23.0	9.3	40.4
스웨덴	18.5	13.9	75.0	21.3	15.2	71.3
영국	18.5	11.0	59.6	21.1	11.9	56.3
유럽연합(27개국)	17.8	8.6	48.2	21.3	8.6	40.4
최소값	13.4	3.5	23.8	17.3	2.9	16.0
최대값	19.3	13.9	75.0	23.8	15.2	71.3
범위	5.8	10.4	51.2	6.4	12.3	55.4

*2011년 유럽연합국의 65세 기준
참고자료: Expectancy Monitoring Unit, 2014, http://www.eurohex.eu/. Accessed 28 October 2014.

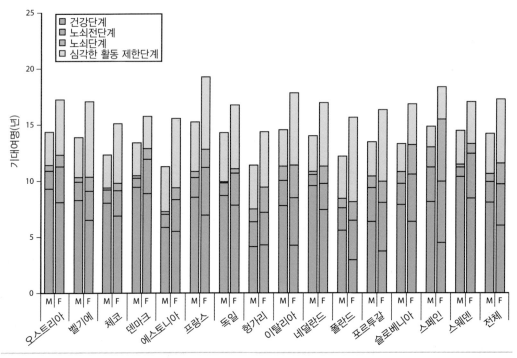

■ 그림 2-3. 나라별 70세 나이의 노쇠 없는 기대여명

다르게 나타나는데, 유럽에서조차 장애 증가, 사망률 억제, 동적 평형이 다양하게 나타나고 있다.[16]

노인층에서 흔히 발생하는 구체적인 문제를 살펴보면, 연속된 노인코호트에서 비만 및 운동 장애의 증가와 함께 시력 및 청력 손상, 고혈압, 고콜레스테롤혈증의 유병률이 낮아지는 것으로 나타났다.[17] 교육수준이 높아지면서 증가를 완화하는데 어느 정도 기여한 것으로 보이며, 지난 20년 동안 관찰된 치매의 유병률을 줄이는 데도 분명히 기여했다.[18] 그럼에도 선진국의 모든 성인 연령층에서 평균 체중과 체질량지수의 상승과 비만의 확산이 우려되고 있다.[19] 비만은 많은 질환의 위험요소지만 노년기의 사망률보다 장애에 더 많은 영향을 미친다.[20] 따라서, 비만 수준을 크게 낮추지 않고는 장애를 줄이기 어려울 것으로 보인다.

장애의 추세는 도구적 일상생활활동(IADL)에 의해 평가되는 경한 수준이 포함되는지 또는 단순히 기본적인 자기관리활동(ADL)에 초점을 맞추고 있는지에 따라 매우 변동성이 크다. 네덜란드의 경우, 55세에서 84세 사이의 연령층에서 대부분의 IADL과 ADL의 제한의 유병률은 1990년에서 2007년 사이에 안정적이었다.[21] 거의 같은 기간(1987~2008년), 노르웨이 노인들 사이에서 가벼운 장애와 기능상의 제한이 감소하는 것으로 관찰되었다.[22] 마찬가지로, 핀란드 젊은 노인(65~69세)의 경우 1988년과 2004년 사이에 IADL 장애의 유병률이 감소했고,[23] 반면 핀란드 90대 노인들은

2001~2007년 ADL 장애의 유병률이 큰 변화를 보이지 않았다.[24] 이와는 대조적으로, 미국에서는 2000년과 2008년 사이에, 활동 제한의 유병률은 코호트에 따라 달랐으며, 85세 이상에서는 유병률 감소, 65세에서 84세 사이의 유병률은 변화가 없었으나, 55세에서 64세 사이의 은퇴 전 연령 그룹에 대해서는 여전히 유병률이 낮지만 증가하였다.[25] 코호트 추세를 비교할 때 가장 중요한 점은 시설에 있는 고령자의 포함 여부이다. 많은 국가에서 이제 노인들을 자택에 두기 위한 정책을 시행했기 때문이다. 따라서 시설의 노인인구 비율은 시간이 지남에 따라 감소했으며 추세를 비교할 때 과거보다 더 고려해야 할 사항이다.

차이 측정: 단면 대 종단자료

노화 과정에 관한 많은 연구들이 단면 데이터에 의해 수행되었다. 단면 연구는 종단 연구보다 수행하기가 쉽고 훨씬 덜 복잡하며, 시간 추세를 보기 위한 최고의 자료이다. 그러나 일반적으로 단면 데이터는 종단 연구보다 연령에 따른 차이가 크다. 원래 단면 연구에서 흡연이 알츠하이머병에 보호 효과가 있다는 것을 보여주었던 것에 비해 종단 연구에서는 반대의 결과를 보여주었는데, 아마도 흡연자들이 알츠하이머병으로 고통받기 전에 사망하였기 때문일 것이다.[26] 따라서 고령자의 인구집단을 판단할 때 이용할 수 있는 데이터의 유형을 구분하는 것이 중요하다. 일반적으로 단면 자료는 종단 자료보다 자연적인 육체의 노쇠로 인한 생리학적 변화로 인한 변이를 반영하지 못한다. 노화 과정은 명백하게 종적 방향이기 때문에, 가능한 한 종단 자료로 연구해야 한다. 최근 몇 년 동안, 미국의 HRS-AHEAD 연구가 모델이 되어 영국의 English Longitudinal Study of Ageing (ELSA), 다국적 SHARE연구, 아일랜드의 Irish Longitudinal Study of Ageing (TILDA) 등 전세계적으로 노화에 관한 종단 연구가 많이 이뤄졌다. 그러한 다국가 연구는 개인의 노화 결정요인이나 사회경제 및 환경 요인과의 상호작용에 대한 깊은 이해를 가능하게 한다.

차이 측정

나이에 따른 차이

노인 남녀의 연령 분포는, 특히 나이가 아주 많은 연령대에서 매우 다르다. 예를 들어, 100세 이상자에는 남성 1명당 약 5명의 여성이 있다. 비록 이 비율이 꾸준히 감소하고 있지만, 2000년에는 모든 남성 백세 이상자마다 약 9명의 백세 이상 여성이 있었고, 2009년에는 모든 남성 백세 이상자마다 약 6명의 여성이 있었다. 남성 기대여명의 증가가 비율감소의 원인이며, 연령에 따른 성 차이는 앞으로 덜 두드러지게 될 것이다.

　건강 악화의 대부분 지표는 나이가 들수록 증가하지만, 일부는 그렇지 않다. 좋은 혹은 더 나은 수준의 일반 건강 수준은 심지어 고령자에서도 유지된다.[8] 이러한 영향의 일부는 질문의 유형 때문일 수 있다. 자가평가 건강수준은(동료 평가에 비해) 감소는 적고, 심지어 나이가 들수록 증가하는 반면, 전반적 자가 평가 건강수준은 나이에 따라 감소한다.[27] 그럼에도 불구하고, 자가 평가 건강수준은 비록 근본적인 메커니즘이 잘 이해되지 않지만, 질병과 장애를 보정한 후에도 사망률, 시설수용, 서비스 이용을 강하게 예측한다.[28] 이와 유사하게, 우울증의 유병률은 나이에 따라 증가하지 않는다. 그러나 우울증 증상은 고령자에서 의사-진단 우울증보다 더 많기 때문에,[8] 우울증은 과소진단되거나 노인들이나 의료인들이 노화와 우울증 증상을 동일 시 하는 것일 수 있다.

연구에서 생물학적 변수, 생활 방식 요인 및 건강 결과 사이의 관계를 결정할 때, 전체 연령대에 걸쳐 사실이라고 가정하는 경우가 많다. 그러나, 연구에 더 많은 노인들이 참여하면서, 이 추측은 반박되어 왔다. 짧은 텔로미어는 사망률을 예측하는 것으로 되어 있으나, 노인 인구집단의 경우 이 관계는 더 이상 유지되지 않는다.[29] 전체 인구집단의 연구에서 위험 요소와 결과 사이의 관계를 탐구할 때 나이를 단순히 보정하는 편이어서, 연령에 따른 상호작용은 조사하지 않는다.

성별에 따른 차이

영국에서 태어난 여성의 출생 시 평균 기대여명은 83세인데 비해 남성의 평균 기대여명은 79세이다. 그러나 이 83년 중 18년(22%)은 장애를 가진 연수인데 비해 남성은 15년(19%)이다. 따라서 여성이 남성에 비해 추가된 여명 기간은 대부분 장애가 있는 기간이 된다. 여성은 남성보다 고혈압, 관절염, 요통, 정신질환, 천식, 호흡기질환, 노쇠 등으로 생활할 가능성이 높다. 남자는 여자보다 심장병을 앓고 있을 가능성이 더 높다. 남성이 사망할 확률이 높지만 여성이 장애를 가질 확률이 높은, 건강-생존 역설(health-survival paradox)은 많은 국가의 연구에서 관찰되었지만 완전히 밝혀지지는 않았다.[30,31]

여성의 낮은 사망률로 인해 대부분의 노년층 연구는 어느 연령대의 남성보다 여성의 비율이 높으며, 이 비율은 연령에 따라 증가한다. 대부분의 건강 상태는 연령과 관련되기 때문에 성별 비교는 연령 차이와 함께 설명해야 한다. 그러나, 단일 출생코호트 연구에서조차 여성들이 남성에 비해 좋지 않은 건강상태를 갖고 있으며, 더 노쇠하고, 다중이환의 빈도가 높음에도 불구하고 생존율이 높은 것으로 나타나 건강-생존 역설은 여전히 존재하였다.[32]

고령 인구집단의 성별 차이는 앞으로도 지속될 것으로 예상되지만, 상황은 서서히 바뀔 것이다. 남성의 기대여명이 빠르게 증가함에 따라, 노년층 구성의 성별 차이는 시간이 지남에 따라 줄어들 가능성이 크다. 따라서 2012년부터 2037년 사이에는 여성이 남성보다 다수를 차지할 것으로 추정되지만, 점유율은 줄어들 것이다. 예를 들어, 영국에서 80~89세 여성의 비율은 2012년 60.4%에서 2037년 55.0%로, 2112년에는 50.5%로 감소할 것으로 예상된다.

노년층 남자와 여자는 결혼상태에 있어 매우 다르다. 남성의 69.5%는 결혼했고 여성은 45%가 결혼했다. 반면 남성의 14.4%는 아내를 여의였지만 여성은 40.2%가 남편을 여의였다. 이러한 성비 불균형은 연령에 따라 달라지며, 노인코호트에서 더욱 두드러진다. 앞으로 이러한 차이는 급격

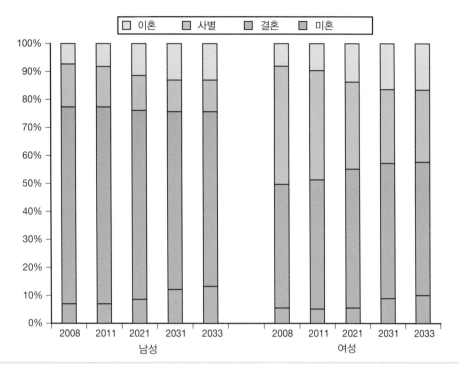

■ **그림 2-4.** 노인의 성별 및 결혼 상태에 따른 비율

히 줄어들 것으로 예상된다. 그림 2-4는 이러한 변화를 보여준다.

2008년에서 2033년 사이에 노인 인구집단의 젊은 연령층에서 이혼하거나 별거한 개인의 비율이 급격히 증가할 것으로 예측된다. 65세부터 74세까지의 연령층 중 여성 5명 중 1명이 이 그룹에 속하게 될 것으로 예측하는데, 2008년에는 이 비율이 12%이었다. 남자는 재혼 성향이 높아서 이혼남과 별거중인 남자의 비율의 증가는 그리 크지 않다. 반면 미혼 남성의 비율은 16% 이상이 될 것이다. 가족 중, 특히 여성이 주요 보호자인 속성을 고려하면 이러한 변화는 비공식적 돌봄 제공에 영향을 미칠 것이다.

혼자 사는 사람들의 대다수는 미망인이긴 하지만, 이 비율이 남자보다 여자 쪽이 훨씬 높다. 남자는 결혼할 가능성이 더 높고, 아마도 젊은 아내와 살고 있을 가능성이 높은 반면, 이 집단의 여성들은 대부분 과부로 사는 경우가 많다. 혼자 사는 것은 외로움과 직접적인 관련이 없지만, 혼자 사는 원인이 사별인 경우는 외로움과 밀접한 관계가 있다. 외로움의 변화는 결혼 상태의 변화(예. 사별)의 결과이기도 하지만 건강상태의 변화와도 관련이 있다.[33] 노인의 건강상태의 개선이 외로움을 개선시킬 수 있기 때문에 노인의 외로움을 개선하기 위하여 사회적 참여를 개선하는 정도로 머무를 게 아니라 다방면의 개입이 필요하다.

노화는 피할 수 없는 것인가?

"노화는 피할 수 없고, 성숙은 선택사항"이라는 농담이 있다. 그러나 생활습관 요인은 노화에 영향을 미칠 수 있는 것으로 보인다. 이들 중 가장 잘 알려져 있고 분명한 것은 흡연인데, 흡연은 폐 질환, 심장 질환, 암과 같이 널리 알려진 광범위한 문제와 관련이 있으며, 그 결과 사망률[34]과 기능저하[35]를 예측하는 중요한 요인이 된다. 흡연이 기대여명에 강한 영향을 미치지만, 다른 건강행위는 건강 기대여명에 더 큰 영향을 미친다. 특히 정상 체중은 비만에 비해 심혈관질환과 함께 살아가는 기간을 가장 크게 감소시켰다.[36] 운동과 균형, 체력훈련이 이동성이나 낙상 예방에 미치는 영향은 심지어 장기요양 보호를 받는 노인들에게조차 큰 도움이 된다는 증거가 있다.[37-39]

불평등

전통적으로 건강 불평등에 대한 연구는 직업 상태를 기반으로 진행되었기 때문에 퇴직으로 직업분류가 어려운 노년기의 연구는 다른 생애과정 단계보다 활발하게 이루어지지 않았다. 그럼에도 불구하고 교육 수준, 사회(직업)계급, 또는 사회경제적 박탈로 정의된 사회경제적 수준에 따라 사망률과 장애 기간은 차이가 있는 것으로 확인되었다. 65세 이상 노인의 한 연구에서 가장 높은 교육을 받은 여성(12세 이상)이 가장 낮은 교육을 받은 여성(0~9세)보다 1.7년 더 오래 살았지만 이동성 장애가 없는 생활은 2.8년 더 누렸다.[40] 게다가 사회경제적 집단에 의한 불평등은 심지어 인생의 마지막 해까지 계속되며, 노인들이 여전히 그들의 권리를 갖는 것을 꺼리는 편이다.[41] 거의 모든 사망자의 마지막 해를 지켜보는 일차의료전문가들은 형편이 넉넉하지 않은 노인들이 이용 가능한 서비스와 혜택을 인식하도록 하는 데 중요한 역할을 할 수 있다.

결론

역학은 인구집단의 특성의 분포를 측정하고 이해하는 학문이다. 노화와 관련하여, 21세기 초는 인간의 수명이 증가한 점에서 유일무이하다. 아직 미래의 노인 인구증가에 대한 준비가 되어 있지 않다는 인식이 많은 나라에서 증가하면서 인구의 고령화는 국내 또는 국제적인 공조를 필요로 하는 세계적인 현상이 되었다.

노화에 대한 연구가 크게 늘었지만, 복잡한 문제를 이해하기에는 여전히 큰 격차가 있다. 예를 들어, 역학적 전환의 서로 다른 단계에 있는 인구의 노화에 대한 다국적 종단 연구와 같은 비교 연구를 통해 더 많은 노력을 기울이면 퍼즐의 더 많은 조각을 맞추는 데 도움을 줄 것이고, 어떻게 건강하게 나이를 먹을지에 대한 이해를 도울 것이다.

KEY POINTS

요점: 노화의 역학

- 세계 인구는 그 어느 때보다 고령화되었다.
- 노인 인구의 영향을 측정하는 것은 간단하지 않다. 종적 접근방식은 단면 연구보다 사람들의 경험을 더 정확하게 묘사한다.
- 장애 없는 기대여명은 많은 국가에서 기대여명만큼 빠르게 증가하지 않는다.
- 영국에서는 노인들의 다양한 사회 집단들 간의 생활과 건강상의 불균형이 증가하고 있는 것으로 보인다.

참고문헌의 총 목록을 보려면 www.expertconsult.com 을 방문해주세요.

중요 참고문헌

1. Oeppen J, Vaupel JW: Demography—broken limits to life expectancy. Science 296:1029–1031, 2002.

3. Fries JF: Aging, natural death, and the compression of morbidity. N Engl J Med 303:130–135, 1980.

4. Robine J-M, Michel J-P, Herrmann FR: Who will care for the oldest people? BMJ 334:570–571, 2007.

6. Cassel CK: Successful aging—how increased life expectancy and medical advances are changing geriatric care. Geriatrics 56:35–39, 2001.

8. Collerton J, Davies K, Jagger C, et al: Health and disease in 85 year olds: baseline findings from the Newcastle 85+cohort study. BMJ 339:b4904, 2009.

9. Rockwood K, Mitnitski A: Frailty in relation to the accumulation of deficits. J Gerontol A Biol Sci Med Sci 62:722–727, 2007.

11. Robine J-M, Ritchie K: Healthy life expectancy: Evaluation of a new global indicator of change in population health. BMJ 302:457–460, 1991.

18. Matthews FE, Arthur A, Barnes LE, et al: A two-decade comparison of prevalence of dementia in individuals aged 65 years and older from three geographical areas of England: results of the Cognitive Function and Ageing Study I and II. Lancet 382:1405–1412, 2013.

20. Reynolds SL, Saito Y, Crimmins EM: The impact of obesity on active life expectancy in older American men and women. Gerontologist 45:438–444, 2005.

21. van Gool CH, Picavet HSJ, Deeg DJH, et al: Trends in activity limitations: the Dutch older population between 1990 and 2007. Int J Epidemiol 40:1056–1067, 2011.

25. Freedman VA, Spillman BC, Andreski PM, et al: Trends in late-life activity limitations in the United States: an update from five national surveys. Demography 50:661–671, 2013.

28. Jylha M: What is self-rated health and why does it predict mortality? Towards a unified conceptual model. Soc Sci Med 69:307–316, 2009.

29. Martin-Ruiz CM, Gussekloo J, van Heemst D, et al: Telomere length in white blood cells is not associated with morbidity or mortality in the oldest old: a population-based study. Aging Cell 4:287–290, 2005.

32. Kingston A, Davies K, Collerton J, et al: The contribution of diseases to the male-female disability-survival paradox in the very old: results from the Newcastle 85+ Study. PLoS One 9:e88016, 2014.

33. Victor CR, Bowling A: A longitudinal analysis of loneliness among older people in Great Britain. J Psychol 146:313‒331, 2012.

35. Stuck AE, Walthert JM, Nikolaus T, et al: Risk factors for functional status decline in community-living elderly people: a systematic literature review. Soc Sci Med 48:445‒469, 1999.

36. Nusselder WJ, Franco OH, Peeters A, et al: Living healthier for longer: comparative effects of three heart-healthy behaviors on life expectancy with and without cardiovascular disease. BMC Public Health 9:487, 2009.

37. Pahor M, Guralnik J, Ambrosius W, et al: Effect of structured physical activity on prevention of major mobility disability in older adults. The LIFE Study Randomized Clinical Trial. JAMA 311:2387‒2396, 2014.

40. Jagger C, Matthews R, Melzer D, et al: Educational differences in the dynamics of disability incidence, recovery and mortality: findings from the MRC Cognitive Function and Ageing Study (MRC CFAS). Int J Epidemiol 36:358‒365, 2007.

참고문헌

1. Oeppen J, Vaupel JW: Demography—broken limits to life expectancy. Science 296:1029‒1031, 2002.

2. Olshansky SJ, Carnes BA, Cassel CK: In search of Methuselah: estimating the upper limits to human longevity. Science 250:634‒640, 1990.

3. Fries JF: Aging, natural death, and the compression of morbidity. N Engl J Med 303:130‒135, 1980.

4. Robine J-M, Michel J-P, Herrmann FR: Who will care for the oldest people? BMJ 334:570‒571, 2007.

5. Zaman MJ, Bhopal RS: New answers to three questions on the epidemic of coronary mortality in south Asians: incidence or case fatality? Biology or environment? Will the next generation be affected? Heart 99:154‒158, 2013.

6. Cassel CK: Successful aging—how increased life expectancy and medical advances are changing geriatric care. Geriatrics 56:35‒39, 2001.

7. Lobo A, Launer LJ, Fratiglioni L, et al: Prevalence of dementia and major subtypes in Europe: a collaborative study of population-based cohorts. Neurology 54:S4‒S9, 2000.

8. Collerton J, Davies K, Jagger C, et al: Health and disease in 85 year olds: baseline findings from the Newcastle 85+cohort study. BMJ 339:b4904, 2009.

9. Rockwood K, Mitnitski A: Frailty in relation to the accumulation of deficits. J Gerontol A Biol Sci Med Sci 62:722‒727, 2007.

10. Kramer M: The rising pandemic of mental disorders and associated chronic diseases and disabilities. Acta Psychiatr Scand 62:382‒397, 1980.

11. Robine J-M, Ritchie K: Healthy life expectancy: evaluation of a new global indicator of change in population health. BMJ 302:457‒460, 1991.

12. Romero-Ortuno R, Fouweather T, Jagger C: Cross-national disparities in sex differences in life expectancy with and without frailty. Age Ageing 43:222‒228, 2014.

13. Freedman VA, Martin LG, Schoeni RF: Recent trends in disability and functioning among older adults in the United States: a systematic review. JAMA 288:3137‒3146, 2002.

14. Jagger C, Matthews RJ, Matthews FE, et al: Cohort differences in disease and disability in the young-old: findings from the MRC Cognitive Function and Ageing Study (MRC-CFAS). BMC Public Health 7:156, 2007.

15. Donald IP, Foy C, Jagger C: Trends in disability prevalence over 10 years in older people living in Gloucestershire. Age Ageing 39:337‒342, 2010.

16. Jagger C, Robine JM: Healthy life expectancy. In Rogers RG, Crimmins EM, editors: International handbook of adult mortality, New York, 2011, Springer, pp 551‒568.

17. Martin LG, Schoeni RF, Andreski PM, et al: Trends and inequalities in late-life health and functioning in England. J Epidemiol Community Health 66:874‒880, 2012.

18. Matthews FE, Arthur A, Barnes LE, et al: A two-decade comparison of prevalence of dementia in individuals aged 65 years and

older from three geographical areas of England: results of the Cognitive Function and Ageing Study I and II. Lancet 382:1405‒1412, 2013.

19. Lean MEJ, Katsarou C, McLoone P, et al: Changes in BMI and waist circumference in Scottish adults: use of repeated cross-sectional surveys to explore multiple age groups and birth-cohorts. Int J Obesity 37:800‒808, 2013.

20. Reynolds SL, Saito Y, Crimmins EM: The impact of obesity on active life expectancy in older American men and women. Gerontologist 45:438‒444, 2005.

21. van Gool CH, Picavet HSJ, Deeg DJH, et al: Trends in activity limitations: the Dutch older population between 1990 and 2007. Int J Epidemiol 40:1056‒1067, 2011.

22. Moe JO, Hagen TP: Trends and variation in mild disability and functional limitations among older adults in Norway, 1986-2008. Eur J Ageing 8:49‒61, 2011.

23. Heikkinen E, Kauppinen M, Rantanen T, et al: Cohort differences in health, functioning and physical activity in the young-old Finnish population. Aging Clin Exp Res 23:126‒134, 2011.

24. Sarkeala T, Nummi T, Vuorisalmi M, et al: Disability trends among nonagenarians in 2001-2007: Vitality 90+ Study. Eur J Ageing 8:87‒94, 2011.

25. Freedman VA, Spillman BC, Andreski PM, et al: Trends in late-life activity limitations in the United States: an update from five national surveys. Demography 50:661‒671, 2013.

26. Wang ML, McCabe L, Hankinson JL, et al: Longitudinal and cross-sectional analyses of lung function in steelworkers. Am J Respir Crit Care Med 153:1907‒1913, 1996.

27. Andersen FK, Christensen K, Frederiksen H: Self-rated health and age: a cross-sectional and longitudinal study of 11,000 Danes aged 45-102. Scand J Public Health 35:164‒171, 2007.

28. Jylha M: What is self-rated health and why does it predict mortality? Towards a unified conceptual model. Soc Sci Med 69:307‒316, 2009.

29. Martin-Ruiz CM, Gussekloo J, van Heemst D, et al: Telomere length in white blood cells is not associated with morbidity or mortality in the oldest old: a population-based study. Aging Cell 4:287‒290, 2005.

30. Van Oyen H, Nusselder W, Jagger C, et al: Gender differences in healthy life years within the EU: an exploration of the "health-survival" paradox. Int J Public Health 58:143‒155, 2013.

31. Oksuzyan A, Juel K, Vaupel JW, et al: Men: good health and high mortality. Sex differences in health and aging. Aging Clin Exp Res 20:91‒102, 2008.

32. Kingston A, Davies K, Collerton J, et al: The contribution of diseases to the male-female disability-survival paradox in the very old: results from the Newcastle 85+ Study. PLoS One 9:e88016, 2014.

33. Victor CR, Bowling A: A longitudinal analysis of loneliness among older people in Great Britain. J Psychol 146:313‒331, 2012.

34. Noale M, Minicuci N, Bardage C, et al: Predictors of mortality: an international comparison of socio-demographic and health characteristics from six longitudinal studies on aging: the CLESA project. Exp Gerontol 40:89‒99, 2005.

35. Stuck AE, Walthert JM, Nikolaus T, et al: Risk factors for functional status decline in community-living elderly people: a systematic literature review. Soc Sci Med 48:445‒469, 1999.

36. Nusselder WJ, Franco OH, Peeters A, et al: Living healthier for longer: comparative effects of three heart-healthy behaviors on life expectancy with and without cardiovascular disease. BMC Public Health 9:487, 2009.

37. Pahor M, Guralnik J, Ambrosius W, et al: Effect of structured physical activity on prevention of major mobility disability in older adults. The LIFE Study Randomized Clinical Trial. JAMA 311:2387‒2396, 2014.

38. Sherrington C, Tiedemann A, Fairhall N, et al: Exercise to prevent falls in older adults: an updated meta-analysis and best practice recommendations. N S W Public Health Bull 22:78‒83, 2011.

39. Silva RB, Eslick GD, Duque G: Exercise for falls and fracture prevention in long-term care facilities: a systematic review and meta-analysis. JAMA 14:685‒689, 2013.

40. Jagger C, Matthews R, Melzer D, et al: Educational differences in the dynamics of disability incidence, recovery and mortality:

findings from the MRC Cognitive Function and Ageing Study (MRC CFAS). Int J Epidemiol 36:358–365, 2007.

41. Hanratty B, Jacoby A, Whitehead M: Socioeconomic differences in service use, payment and receipt of illness-related benefits in the last year of life: findings from the British Household Panel Survey. Palliat Med 22:248–255, 2008.

CHAPTER 03

노년의 미래
The Future of Old Age

Caleb E. Finch, Edward L. Schneider

생물학적 노화학은 노화를 생물학적으로 연구하는 분야로서 생물의학적 연구의 최종 단계이다. 또한, 재생의학은 인간 유전체 염기서열분석과 분자 기술의 발전에 의해 무한한 잠재력을 갖추게 되었다. 눈의 수정체나 고관절, 동맥 등과 같이 쉽게 대체할 수 있는 신체 부위나 장기 목록이 점점 늘어날 것이다. 백내장의 치료를 위해 할 수 있는 것이 별로 없었던 것이 불과 30년 전이지만, 지금은 수정체 교환수술이 일상적인 수술이 되었다. 여러 학문이 발전함에 따라 노화와 연관된 질병과 장애들에 대해 많은 통찰력을 가지게 되었다. 이 장에서 다루어질 내용처럼 머지 않은 미래에 이환과 사망에 대한 현존하는 공통 원인의 많은 부분은 해결될 것으로 전망된다. 해결해야 할 마지막 퍼즐은 노화에 대한 근본적인 원인이다. 노화에 따른 변화는 수명이 짧은 종에서는 미처 초래되지 않겠지만, 인간은 수명이 영장류 중에서도 이례적이기 때문에 노화에 따른 변화를 밝혀낼 가능성이 있다. 인간의 수명은 근대 이전의 시기부터 다른 어떤 영장류에 비하여 길었고, 두 배 이상으로 연장되어 왔으며, 70세 노인들에서 여명 역시 두 배 이상 증가해 왔다. 이러한 장수 기간의 현저한 증가 추세가 지속될 것인가는 여전히 의문으로 남는다.

 이 질문에 대한 다양한 배경과 상이한 전망이 존재한다. 분자생물학자인 Caleb E. Finch는 노화 과정에 대한 발견 속도와 수명의 지속적인 증가라는 두 가지 측면에 대해서 유보적인 자세를 취하고 있고, 의과학자인 Edward L. Schneider는 생물학적 노화학 연구의 향후 혜택에 대하여 보다 낙관적이다. 하지만, 현재 항생제 내성과 세계적인 환경 손상뿐 아니라 현재 비만의 급격한 확산으로 직면하게 되는 여러 도전들은 부정적인 요소들에 해당한다. 노화의 미래가 무엇이라 하더라도, 노화에 대해서 더 깊게 이해하게 되면 질병과 장애 없이 수명을 연장시키는 길을 열어갈 수 있을 것이다. 이러한 주제에 대하여 수십 년간 논의해 왔고, 이 장을 통하여 인간의 노화에 대한 복잡성을 탐구하려는 관심이 높아지기를 바란다.

수명의 변화

우선 수명의 변화에 대해 역사적으로 들여다보면, 1,800년 이전에는 수명이 매우 짧아서 탄생 이후의 기대수명이 30~40년에 지나지 않았다.[1,2] 하지만 1,800년 이후로 당시 개발도상국에서 수명이 늘어났고 출생 시점에서 측정하거나 70세에 측정하더라도 2배 이상 연장되었다(그림 3-1).[1,3]

1,800년 이전에 태어난 경우에 부모의 연령에 이르지 못하는 경우가 절반 정도에 이르렀고, 70세까지 사는 경우는 기껏해야 10% 정도였다. 이후 산업혁명으로 여러 나라들의 생활여건이 발전되어 식량 공급이 늘어나고 감염성 질환에 대한 이해가 부족했음에도 위생이 개선되었다. 이후 저온살균법과 예방접종이 소개되었고, 마침내 2차 세계대전 이후에 항생제가 나왔다. 1,900년대 이전에 주된 사망원인이었던 감염성 질환은 전체 사망의 5% 미만으로 감소하였다.[2,3] 현재 대부분의 사람은 노령에 이르기까지 생존하며, 그에 따라 죽상동맥경화증에서 암에 이르는 노화와 연관된 만성 질환들이 축적되고, 더 오래 살게 되면 알츠하이머병의 위험도 급속하게 증가될 것이다.[4,5]

수명에 대한 자료는 각 연령별 사망률로 그래프를 그리면 더욱 이해하기 좋다(그림 3-2). 이런 그래프를 Gompertz 곡선이라고 하며, 1825년 스코틀랜드 보험계리사인 Benjamin Gompertz가 처음으로 고안하였다. 사망률은 40세 이후 가속화되어 매 7, 8년마다 2배로 증가한다.[2,3,6] 스웨덴은 18세

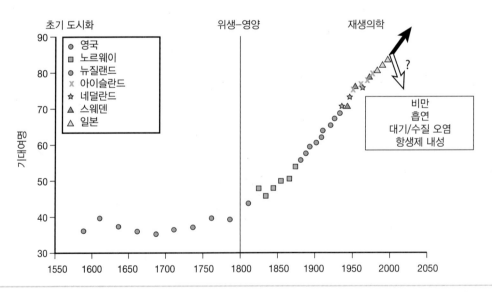

■ **그림 3-1.** 모범사례국가에서의 사망률 데이터베이스로 본 출생 시 기대여명 (*Redrawn from Oeppen J, Vaupel JW: Demography. Broken limits to life expectancy. Science 296:1029-103, 2002; additional information from Finch CE, Crimmins EM: Inflammatory exposure and historical changes in human life spans. Science 305:1736-1739, 2004.*)

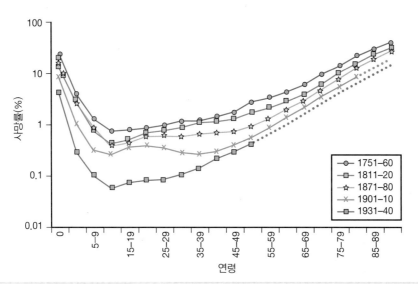

■ **그림 3-2. 스웨덴 출생코호트에서의 연령 그룹별 연간 사망률(%)** *(Redrawn from Finch CE, Crimmins EM: Inflammatory exposure and historical changes in human life spans. Science 305:1736-1739, 2004.)*

기 중엽에 시작한 국가적인 가구 조사를 통하여 가장 포괄적인 자료를 구축하고 있다. 1,800년대는 이른 나이의 사망률이 높았다. 유아 사망률은 10~30%였고, 젊은 성인의 사망률도 연 1%였으며, 40세 이후에 사망률이 기하급수적으로 가속화 되는 것은 다른 나라들에서도 공통적으로 관찰되었는데, 노화의 기본적인 현상으로 여겨진다. 최근의 인구가 여건이 개선됨에 따라 지속적으로 증가되는 현상이 기대수명의 증가와 정확하게 일치하는 것은 눈여겨 볼만하다(그림 3-1). 실제로 곡선은 점진적으로 가팔라지는데, 역설적으로 수명이 증가함에 따라 사망률도 가속화되고 있다.[2,6] 또한, 이른 연령의 사망원인으로 감염이 점진적으로 감소되어, 10~40세의 사망률은 연 0.1% 미만의 최저점에 다다른 것도 주목할 만하다. 최근에 태어난 사람들의 사망률은 현재 연 0.02% (2/10,000)로 더 낮아졌다.[7]

이렇게 역사적으로 유래없이 낮은 기초 사망률은 더 이상 줄일 수 없는 원인에 의한 사망을 대변하는 결과이다(사고, 선천적 결함, 희귀 가족성 질환 등). 전 연령을 통틀어 여성의 사망률이 다소 낮다. 그럼에도 불구하고, 40세부터 사망률이 가속화 되는 현상은 남녀에서 공통적으로 나타난다.

최대수명: 상한치에 도달했을까?

사망률에 대한 자료를 토대로 계산하면 사람의 최대수명은 여성은 120세, 남성은 113세로 추정되며,[6,7] 보고된 결과들과 유사하다. 세계 사망률 자료를 보면 Gompertz 사망률의 가속화가 지연되지 않으면서 기저사망률의 하한치에 접근하고 있음이 명백하므로, 인간 수명의 지속적인 증가가 인구 대부분에서 곧 한계치에 다다를 것이라고 생각된다. Jean Calment가 1997년에 수명이 122세임을 보고한 이래 100세 인구가 가장 빠르게 증가되고 있는 상황임에도 불구하고 119세를 넘어 생존한 예는 없었다. 그러므로 그림 3-1에서 나타난 추세에 따라 예측된 100세 수명에 대한 입장은 유보되었다.

이환율의 압축

수명이 늘어남에 따라서 질병의 프로필도 새로워졌다. 1,900년대 이전에는 일반적이었던 감염질환으로 생명을 잃는 대신에 이후에는 암, 심장질환 및 노화와 관련된 기타 만성질환의 증가가 뚜렷해졌다. Fries[9]는 30년 전에 기대수명이 85세 장벽에 도달했다고 가정하였다. 생존곡선이 보다 직각에 가까워지면서 사망하기 전의 노령의 시기가 짧아진다는 것이다. 이러한 이환율의 압축은 수명이 늘어나더라도 이환율의 기간이 짧기 때문에 시니어들의 건강관리 경비가 증가되지는 않을 것이라는 점에서 중요한 의미를 갖는다. Jacob Brody와 ELS는 이 가설에 반론을 제기하였다.[10] 또한, Crimmins와 Beltran-sanchez[11]는 수명이 증가되면 이환율이 감소하지 않고 증가하여 시니어에 대한 건강관리 경비가 급등하는 결과를 초래한다고 하였다. 여러 가설에도 불구하고, 1980년 이후로 아직까지는 최대수명은 거의 변화가 없고 노인층에서의 사망률은 급속하게 증가되면서 생존곡선은 직각으로 유지되고 있다.

　미래의 이환율은 어떨까? 미래의 질병에 의한 부담을 조사하려면, 노인의 사망과 장애의 주된 원인에 대하여 고려해야 할 것이다. 하지만 노화 연구, 맞춤 의료, 인공관절 및 줄기세포 등의 잠재적인 영향을 먼저 보고자 한다.

노화과정의 생물학적 변화의 영향

논의할 질병의 거의 대부분은 노인들에서 나타나는 질병들이다. 이런 질병들은 나이가 듦에 따라서 기하급수적으로 증가하여 Gompertz 곡선에서 사망률의 가속화를 예견하게 한다. 몇몇 질병들은 발병률에서 Gompertz 곡선보다 훨씬 빠르게 증가해왔다. 예를 들면, 알츠하이머병의 발생률은 60세 이후에 5년마다 2배로 증가하고, 전체 사망률은 7, 8년마다 2배 증가한다.[3,4] 장수 미래학자들은 100세인들의 대부분이 임상적으로 의미 있는 정도의 치매를 갖고 있다는 우울한 현실에 직면하고 있다.[5] 그러므로, 수명 연장을 고려하기 이전에 알츠하이머병의 발생을 줄이거나 지연시키고, 알츠하이머병의 진행을 늦추는 효과적인 방안을 개발하여야 한다. 즉, 알츠하이머병의 발병을 5년 지연시키면 유병률을 절반으로 줄일 수 있다.[4] 생물학자들은 이러한 시도가 가능하다고 생각하는데, 생쥐에게 칼로리 섭취를 제한하면 수명이 늘어날 뿐 아니라 알츠하이머병에서 나타나는 뇌의

변화도 지연되는 것을 관찰하였다.[12]

실험모델로 노화의 모든 측면을 조작할 수 있다는 증거는 DNA 손상에서 결체조직 콜라겐과 엘라스틴의 교차결합(cross-linking), 난소 난자 세포 소실, 동맥 지질, 뇌의 아밀로이드 수준에 이르기까지 풍부하다.[3,12] 음식섭취와 운동과 더불어 DNA 서열을 바꾸지 않더라도 유전자 활동의 조절을 통해서도 노화과정에 영향을 줄 수 있다. 우리는 현재의 노화연구자들의 젊은 세대가 노화에 대한 분자적 기전을 완전하게 밝혀줄 것으로 기대하고 있다. 하지만, 노화가 단일 유전자 혹은 단순한 생화학적 또는 세포적 기전에 의해서 조절되는 것은 아니다.[3,13,14] 그러므로 노화과정을 지연하거나 역전시키려면 각각의 노화과정에 대한 복합적인 중재법이 개발되어야 할 것이다. 노화는 치료될 수 있지만,[14] 노화에 대한 중재는 노인이 되기 훨씬 이전에 시작되어야 한다. 손상된 장기에 대하여 특별한 약물이나 재생의학으로 적용하여 항노화 중재를 하는 것은 엄청난 비용이 들 것으로 예상된다. 의료가 완전하게 사회화된 국가들에서조차 노인에게 중요한 장기를 이식하는 것은 후순위의 일이다. 또한, 알츠하이머병이나 다른 원인에 의한 치매를 지연시키는 약물의 가격은 약물 개발에 소요되는 막대한 비용으로 인해 매우 비싸게 책정될 것이다. 하지만 빈곤층의 노화는 미국 전체 인구에 비하여 10년 더 일찍 일어난다.[15] 그래서 의료 및 잠재적인 재생치료를 위한 개인적인 자금이 충분한 소위 건강 엘리트 집단이 노인 시기의 건강에 대해 사회적인 양극화를 더욱 심화시킬지도 모르겠다.

게놈 시퀀싱을 이용한 맞춤 노화

머지않은 미래에 첫 병원 진료에 전 게놈 시퀀싱이 포함될 수 있을 것이다. 담당의사는 다양한 상황에 대한 유전적 위험 요소의 가능성과 특별한 예방법에 대해서 논의하게 될 것이다. 이를테면, 제2형 당뇨병의 유전적 위험인자를 가졌다면 체중 증가를 피하고 운동을 충분히 하라고 조언할 것이다. 암의 위험 인자에 대해서는 선택적인 선별 검사를 자주 받을 것을 권고할 것이다. 항암요법에는 이미 게놈 시퀀싱을 이용하고 있다. 미래에는 관절염, 고혈압 및 당뇨병과 같이 노화에 동반되는 여러 질병과 질환의 치료에 맞춤 치료가 적용될 것이다. DNA 정보는 약물 부작용의 발생도 줄여줄 것이다. 고혈압 환자에게 항고혈압 약물을 선택할 때 염기서열을 근거하여 이에 맞는 특정한 약제를 선택할 것이다.

해로운 유전자는 표적 유전자 치료법을 통하여 제거하거나, 중화시키거나, 불활성화시키게 될 것이다. 헌팅턴(Huntington)병을 유발하는 병적 유전자는 출생 이후라도 정상적인 헌팅턴 유전자로 대체하는 것이 이론적으로 가능하다. 고콜레스테롤혈증, 고혈압, 당뇨병 및 비만 등을 유전적으로 촉발시키는 유전자의 경우에도 이와 유사하게 정상 유전자로 대체할 수 있을 것이다. 맞춤 노화를 통하여 이환율과 사망률의 가능한 원인을 찾아내고 예방에 성공할 수 있을지라도, 손상된 조직과 장기를 복구해야 할 필요성은 여전히 존재한다.

인공 관절과 압박 골절의 복구

골관절염은 노화에 동반된 장애의 주된 원인 중의 하나이다. 다가오는 수십 년 이내에 골관절염에 의한 영향을 최소화할 수 있는 관절 치환과 복구법이 개선될 것이다. 지난 몇십 년 동안 슬관절과 고관절의 관절염이 심한 환자에게 관절 치환으로 통증을 해소하고 기능을 향상시킨 치료는 보편화 되었다.[17] 어깨, 발목, 팔꿈치 및 손목 관절의 통증과 기능 소실을 줄여줄 수 있는 치료로 관절 치환 수술에 대한 경험도 추가되고 있다. 마지막으로 척추성형술은 압박골절로 손상된 척추를 원래의 형태로 회복시킬 수 있으며, 노인에게 흔한 척추압박골절을 복구할 수 있는 효과적인 방법으로 최근에 적용되고 있다.[18] 관절 치환과 복구를 위한 새로운 기술을 통하여 관절염에 의해 초래되는 장애를 최소화 시킬 것으로 낙관하고 있다.

줄기세포를 이용한 새 장기들

가까운 장래에 대부분의 장기들이 재생되거나 대체될 것으로 Edward Schneider는 기대하고 있다. 따라서 장기의 부전으로 사망하거나 장애가 초래된다던지 장기 이식과 같은 일은 역사적인 유물이 될 것이다. 노년에 수반되는 면역체계의 작용 저하는 회복될 수 있으며 감염병에 의한 사망률과 이환율의 증가를 최소화시킬 것이다. 줄기세포에서 유래한 뉴런을 해마(hippocampus) 등의 부위에 주입하여 기억과 운동 조정(motor coordination) 기능이 노화에 따라서 감소되는 것을 역전시킬 수 있다. 뉴런의 주입은 알츠하이머병과 파킨슨병의 치료 옵션이 될 수도 있다. 파킨슨병은 도파민성 뉴런의 변성이라는 특이성을 보이므로 더 광범위한 뉴런의 소실을 보이는 알츠하이머병이나 다른 뇌질환에 비하여 뉴런 주입을 보다 간단하게 적용할 수 있다. 하지만 앞으로 풀어내야 할 노화의 심오한 복잡성 때문에 노화의 급격한 기울기를 개선시키는데는 단계적으로 느리게 진행될 것으로 예상된다.[13]

그림 3-3은 1960년 이후 미국의 원인별 사망률의 추계를 보여준다.[19] 심장질환은 지속적으로 감소하고 있고, 고령의 생존이 늘어남에 따라 알츠하이머병이 유일하게 증가하고 있다. 표 3-1은 2010년의 10대 사망원인을 나타내고 있다.[20]

심혈관질환

최근 수십 년 동안 심장 질환은 이례적으로 감소하여 암의 사망률 수준 또는 그 미만으로 줄어들었다(그림 3-3). 관상동맥질환과 뇌졸중에 의한 사망률은 1950년과 비교하여 2008년에 각각 72%와 78% 더 낮았다.[21,22] 이에 비하여 같은 시기동안에 다른 모든 원인에 의한 사망률은 15% 감소하였다.

심장질환과 뇌졸중에 의한 사망률이 현저하게 감소한 이유는 무엇일까? 이 기간 동안 의료가 극적으로 발전하였음을 주목하게 된다. 1960년대에는 부정맥의 모니터링이나 교정은 물론이고 관상동맥의 폐쇄로 인한 사망을 예방하기 위해 할 수 있는 일이 거의 없었다. 오늘날 심장 카테터삽입

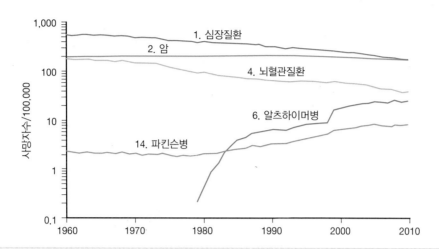

■ **그림 3-3. 미국의 주요 사망원인별로 본 사망률** (*Redrawn from National Institutes of Health; National Heart, Lung, and Blood Institute: Morbidity & mortality: chart book on cardiovascular, lung and blood diseases, 2012, p 25. http://www.nhlbi.nih.gov/files/docs/research/2012_ChartBook_508.pdf. Accessed September 7, 2015.*)

표 3-1. 2010년 전연령에서의 10대 주요사망 원인들

Cause of Death	No. of Deaths
심장질환	597,689
암	574,743
만성하부호흡기질환	138,080
뇌졸중	129,476
사고	129,859
알츠하이머병	83,494
당뇨병	69,071
신장질환	50,476
인플루엔자와 폐렴	50,097
자살	38,364

참고자료: FFASTSTATS, CDC/NCHS.

을 응급으로 시행하여 좁아진 관상동맥을 풍선으로 확장시키고, 스텐트를 넣어 심장의 혈류를 회복시키고, 심근의 사멸을 예방할 수 있게 되었다. 이후에 관상동맥우회수술로 심장의 혈관을 재생시키기도 한다. 울혈성 심장기능상실과 부정맥의 치료도 극적으로 발전하였다. 또한, 빠른 항응고 치료로 뇌졸중 환자의 사망이나 장애를 예방하게 되었다.

이러한 상황들이 개선된 것은 심혈관 위험인자들에 대해 과학적으로 더 잘 이해하게 되었고, 혈중 저밀도지단백을 감소시키는 새로운 약물과 혈압을 더욱 효과적으로 조절하는 약제가 개발되었기 때문이다. 흡연이 지속적으로 줄어든 것도 죽상동맥경화증, 고혈압 및 암의 감소에 중요한 역할을 하였다.[23]

향후 수십 년간 유용하게 적용될 방법에는 무엇이 있을까? 비록 쉽게 적용할 수 있는 방법들에 대해서는 대부분 결실을 얻었다고 하지만 그래도 심혈관질환의 진단과 치료가 더욱 향상될 것이라는 점은 확신할 수 있다. 비침습적인 진단법으로 관상동맥과 뇌혈관의 폐색 위험을 동반한 환자를 선별할 수 있을 것이다.

게놈 시퀀싱으로 위험이 확인된 사람은 건강한 생활습관 개선으로 심혈관 이환율과 사망률을 더욱 감소시킬 수 있다. 이 공식에서 불확실한 것은 비만이 증가되고 있는 현재의 추세이다. 비만의 증가는 심혈관 이환율과 사망률의 개선을 저해할 것으로 예상된다(그림 3-1).

노화 과정에 대한 새로운 발견으로 혈관과 심근의 건강을 젊은 상태로 유지하는 새로운 치료제가 개발될 것이다. 항응고제가 개선되어 관상동맥과 뇌동맥의 혈전을 더욱 효과적으로 제거하게 될 것이다. 또한, 새로운 약물들은 죽상경화반의 형성을 역전시켜 심혈관질환을 막아줄 것으로 기대된다. 스타틴은 이미 죽종을 줄이는 것으로 입증되었다. 나노기술과 재료과학의 발전으로 동맥을 돌아다니며 동맥경화반을 분쇄하는 나노입자 크기의 "roto-rooters"가 개발될지도 모른다. 이러한 모든 심장혈관질환의 중재법을 보강하는 것으로 줄기세포로 만든 임플란트를 이용하여 손상된 심장조직을 재생시키는 치료법이 옵션으로 등장하게 될 것이다. 심혈관질환에 의한 사망은 사망원인 1위에서 점점 더 줄어들 것임이 분명하다.

암

몇 년 이내에 미국을 비롯한 개발 국가에서 암이 심혈관질환 대신 최고의 사망원인이 될 것이다(그림 3-3). 암 사망률도 다소 개선되기는 했지만, 1950년 이후에 이룬 심혈관질환 사망률의 현저한 감소에 비견될 바는 아니다. 향후 수십 년 동안 게놈 시퀀싱과 종양세포의 게놈 시퀀싱이 완성되면 암의 경과가 극적으로 변화하여 암은 AIDS에서처럼 사망하는 경우가 극소수에 불과한 만성질환이 될 것이다. 지난 수십 년 동안 암생물학의 발전으로 암의 치료에도 변화가 있었다. 암세포의 DNA 시퀀싱으로 변이 유전자를 표적으로 하는 약물치료가 디자인되었다. 암세포의 전형적인 진화변이는 적절한 치료를 위하여 추가적인 DNA 모니터링을 필요로 하게 한다. 그러므로 암의 전체적인 이환율이 증가된다고 하더라도, 악성 질환에 의한 사망은 상당 부분 감소될 것이다. 특정한 종양세포를 표적으로 하여 파괴시키는 바이러스도 개발되고 있다.[24] 많은 암의 발생에서 miRNA의 조절 이상이 관련되어 있으며 조만간에 암 치료에 이용될 전망이다.[25]

폐질환

만성 폐질환은 뇌졸중을 추월하고 심장질환과 암에 이어 사망원인 3위의 위치를 점하고 있다.[26] 만성 폐질환에 기인하는 미래의 사망률은 미래의 흡연 행태와 연관될 것이다. 미국의 흡연은 1965년 42%에서 2011년 19%로 절반 정도 줄었지만 최근의 감소 양상은 둔화되고 있다.[23] 발암물질을 생성할 수 있다고 여겨지는 전자담배의 파급과 마리화나의 합법화는 예측하기 힘든 요인이다. 전자담배가 흡연습관에 미칠 영향 또는 그 자체가 위험을 초래할 것인가에 대해서는 명확하지 않다. 마리화나의 사용이 증가하면 만성폐쇄성 폐질환에 어떤 영향을 미칠 것인가에 대해서도 명확하지 않다. 현재 대부분의 흡연가는 수십 년 동안 흡연을 지속한 사람들이므로 만성폐질환은 수십 년 이상 주요 사망 원인의 하나로 지속될 것이라고 예측된다. 미래에 흡연자들에게 손상된 폐를 대체하는 방법으로 줄기세포 유래의 폐를 적용할 수 있을지도 모를 일이다.

알츠하이머병

한때 노망이라고 불렀던 노인성 치매는 대부분을 차지하는 알츠하이머병 이외에 루이체 치매와 전두측두엽 치매를 포함한다. 또한, 노령일수록 정신적인 황폐에 혈관 장애가 복합된다. 이러한 질환에 의한 전체 사망률은 아직 해결되지 않고 있다. 알츠하이머병 말기 환자의 사망원인으로 폐렴이나 심혈관질환이 사망진단서에 명기되는 경우가 흔하다. 노인에게 알츠하이머병의 증가 속도가 사망률보다 빠르게 가속화되므로 알츠하이머병을 조절하는 약이 개발되기 전에는,[4] 알츠하이머병에 의한 사망률은 수십 년 동안 계속 증가할 것으로 예상된다(그림 3-3). 더욱이 암과 심장질환의 치료 성공으로 생명이 연장되면 알츠하이머병의 위험은 더욱 증가할 것이다(그림 3-3). 제약산업계는 알츠하이머병의 치료제를 개발하기 위해서 수십억 달러를 소비하였지만 성공하지 못하였다. 많은 유망한 약제와 항체들은 부정적인 부작용을 드러내었다. 그래도 노인성 치매를 예방하거나 성공적으로 치료할 수 있는 치료제를 개발할 수 있다는 낙관적인 견해가 유지된다. 그러나 치매와의 전투에 임하는 정부와 사적 기금이 부족한 실태는 실망스러운 일이다. 알츠하이머병에 들어가는 엄청난 경비를 고려할 때 기금의 증액이 지속적으로 이루어져야 하며, 이를 통해 효과적인 중재법이 개발되고 차세대 연구자들의 관심을 끌어들일 수 있다.

당뇨병

당뇨병 전단계는 운동과 적절한 식사요법으로 당뇨병을 예방할 수 있다. 그러나 비만은 제2형 당뇨병의 가장 큰 위험 요인이며 세계적 유행병으로 급속하게 증가하고 있고, 수명을 연장시키는 다양한 의학적 발전을 상쇄하는 위협이다. 제2형 당뇨병의 유병률은 계속 증가하고 있으며 비만 유행이 조절되기 전에는 지속될 것이다. 다행스럽게 혈당을 모니터링하고 인슐린을 투여하는 새로운 기술이 발전됨에 따라 현재 실명, 심장질환, 신장질환 및 말초혈관질환 등의 이환이 파급되는 추세를 개선하는데 도움이 되고 있다. 심장질환과 암이 지속적으로 감소됨에 따라 당뇨병이 곧 3대 이환질환 중의 하나로 자리매김하게 될 것이다. 또한 줄기세포에서 유래한 소도세포를 이용하여 손상된 소도세포를 대체하면 일부 환자들은 정상적인 혈당조절로 회복할 수 있을 것이다.

감염병

감염병은 1946년부터 항생제가 폭넓게 사용되기 전에는 성인의 가장 흔한 이환율과 사망률의 원인이었다(그림 3-1). 인간 면역결핍 바이러스 감염에 매우 효과적인 새로운 항바이러스제가 개발되었고, 최근에는 C형 간염에 대한 항바이러스제가 개발되었다. 하지만 폭발적인 바이러스 유행병의 잠재적인 공포는 여전하다. 독감 바이러스, 중동호흡기증후군 코로나 바이러스(MERS-CoV), 에볼라와 마버그 바이러스의 돌연변이는 전염력을 강화시키고 사망률도 더욱 증가시킨다.[29] 1919년에 유행했던 독감으로 인해 당시 10억 세계 인구의 5%가 사망했던 공포는 여전하다. 결핵균이나 헬리코박터균 등에서 나타나는 다제 항생제 내성 발생도 우려스러운 일이다. 줄기세포치료로 면역계를 재생하면 노인들이 감염병으로 사망하는 일을 감소시킬 수도 있을 것이다.

사고와 자살

다양한 질병으로 인한 사망이 감소함에 따라 사고와 자살로 인한 사망의 비율이 상대적으로 증가할 수 있을 것으로 예상된다. 사고사의 대부분을 차지하는 자동차 사고는 운전자의 실수를 줄일 수 있는 기술의 발전으로 확실히 줄어들 것이다. 무인 자동차의 궁극적인 도입은 음주 운전 및 졸음 운전과 관련된 사망의 감소에 큰 영향을 미칠 것이다.

신장 질환

고혈압에 대한 치료로 고혈압 조절이 증가됨에 따라 고혈압과 관련된 신장 질환은 감소되어야 한다. 그러나 당뇨병에 의한 신장 질환의 발생은 유지되거나 심지어 증가되었다. 줄기세포 유래 장기로 낡고 손상된 신장을 교체하는 방법이 아마도 신이식과 투석을 대신하게 될 것이다.

환경의 영향

우리는 대기오염, 온난화, 연안 해수면의 증가 등의 기후 변화에 따른 건강 문제에 주목하고 있다.[7] 세계적으로 화석연료를 주된 에너지원으로 계속 사용하면 2040년에는 50%가 증가할 것으로 예상된다. 전력과 교통수단을 위해 화석연료의 사용이 증가되면 대기오염도 더욱 증가된다. 대기오염은 폐와 심장 질환에 나쁜 영향을 미친다는 것은 이미 잘 입증되어 있다. 예를 들면, 1950년 이후 중국 북부의 가정에서 석탄을 사용하여 심폐질환에 의한 사망으로 인해 수명이 5.5년 단축되었다.[28] 대기오염이 급증하면 심근경색증의 위험이 증가된다(2.5%/100 μg/m³ of particulate matter

> **BOX 3-1** **예측한 2050년 5대 사망원인**
>
> 1. 환경과 연관된 질환들-허혈성 심질환, 뇌졸중, 암, 만성하부호흡기질환
> 2. 사고
> 3. 당뇨병
> 4. 다제 항생제 내성 감염들-폐렴, 인플루엔자, 결핵과 새로운 범유행병
> 5. 자살, 살인

[PM, 미세입자] 2.5(연료 연소로 생기는 직경 2.5 μ의 부유 분진[29]). 더욱이 대기오염은 뇌의 노화에도 영향을 미친다. 대규모 집단을 대상으로 한 최근의 역학 연구에서 오존과 PM 2.5의 변화도에 따라 인지기능의 노화가 2~3년 가속된다고 알려졌다.[30,31] 도시 대기오염의 신경독성에 대한 연구에서는 뇌의 염증이 증가하고, 기억을 매개하는 글루타메이트 수용체에도 변화가 있음을 보고하였다.[32] 지구 온난화에 의한 장기간의 혹서기도 노인들에게 영향을 미친다. 1995년에서 2003년 사이 "살인의 여름"에서 관찰된 바와 같이 노인 남성들의 사망이 증가되었다. 대부분의 노인은 도시에 거주하며, 도시는 세계적으로 열섬(heat island)으로 인식된다. 적절하게 환기나 냉방을 할 수 없는 노인들에게서 사망률이 더 높다는 것을 통해 사회경제적인 차이를 또다시 확인할 수 있다. 지구 온난화는 곤충의 개체 수 확장에 유리하므로 감염병이 쉽게 증가하게 된다.[33] 게다가 연안 해수면이 높아지고, 극한 기온으로 홍수가 유발되면 곤충들의 번식 풀(breeding pool)이 확장되기 때문에 곤충 매개 감염병이 증가될 수 있다. 노인들 중에서 건강한 엘리트들은 비용을 많이 들여서 환경을 보호하며 살아가는 특권 뿐만 아니라 최신의 의학적 발전을 적용할 여유를 가진다는 것을 또다시 확인하게 된다. 취약한 소수 집단으로서 노인에 대한 이러한 문제점들은 2010년 국립과학아카데미에서 요약한 바 있다.[33] 환경과 연관된 질병이 2050년에는 1위에 등극할 것이라고 예측된다 (Box 3–1).

노인의학의 미래

노인 인구가 증가되고 65세, 75세 및 85세를 넘는 인구의 성장률이 가속화될 것으로 추산됨에도 불구하고 노인병 전문의 수는 부족하다. 노인 환자들의 복잡성이 가중되고, 환자들을 치료하기 위해 소비하는 시간이 늘어남에도 불구하고 노인병 전문의에게 지불되는 대가가 낮기 때문으로 생각된다. 의학도들이 학부 및 대학원 과정 중에 지게 되는 채무를 생각하면, 노인병 전문의가 되도록 동기 부여하기가 쉽지 않다. 2012년에 졸업하는 의대생들의 평균 부채는 166,750달러이고, 같

은 해에 마취과 의사의 평균 임금은 432,000달러, 일반외과 의사는 367,885달러, 산부인과 의사는 301,700달러였다.[34,35] 노동통계국은 심지어 노인병 전문의의 임금은 게시하지도 않았는데, 대개 일반의사의 임금과 비슷한 184,000 달러이거나 더 낮은 실정이다.[36] 따라서, 노인에게 봉사하는 일에 헌신하고자 하는 강렬한 의지가 없다면 학자금 융자를 상환하기가 힘들 정도로 저임금인 전문 과목을 선택하기는 힘든 일이다.

통계에 의하면 노인병 전문 레지던트 프로그램의 지원자는 2005년 112명에서 2013년 75명으로 감소하였다.[37] 노인병 전문의를 지망하는 의대생이나 전임의가 드물기 때문에 미국 노인병 전문의는 미래의 수요가 30,000명임에도 불구하고 단 7,500명뿐인 실정이다.

미국 연방정부와 의회가 노인의 치료와 안녕을 위하여 노인병 전문의의 중요성을 조만간에 인식하게 되기를 기대한다. 이타적인 정신으로 동기부여까지는 아니라고 하더라도, 미국 의회나 개별 주의 입법가들은 치료의 변화를 효과적으로 관리하는 것이 현재와 미래의 건강관리 비용을 줄이는 요체임을 인지하게 될 것이다. 보다 적극적으로 노인병 치료에 대한 보험급여를 증가하여 보다 많은 의사들이 중요한 의료 영역인 노인병을 전문으로 선택하도록 하여야 한다.[37]

노쇠의 미래

Fried 등이[38] 노쇠에 대하여 유용하게 정의한 후에 노쇠가 이환율의 증가와 건강관리 비용의 증가와 관련된다는 사실이 많이 알려졌다.[39-42] 이 장의 앞부분에 기술한 대로 현재 노인을 괴롭히는 질병과 질환의 대부분이 미래의 생명의학의 발전으로 줄어들거나 소멸될 것이라고 여겨진다. 하지만 질병의 영향이 줄어들었다고 노쇠가 꼭 감소할 것인가 혹은 특정 질환이 정복되면 노쇠가 증가할 것인가에 대한 의문이 남아있다. 이는 예상하기 힘든 질문이다. 그럼에도 미래에 무인 자동차에서 프로그램으로 작동하는 로봇에 이르기까지 보조기구의 발전은 노쇠에 따른 부담을 제거하고 낙상과 뇌졸중에서 재활을 향상시키는 효과를 단계적으로 가져다 줄 것이다.[43,44]

요점

KEY POINTS

- 유전적인 위험인자를 확인하여 맞춤 노화 전략을 수립하면 성공적인 노화에 영향을 미칠 수 있다.
- 인공관절과 줄기세포는 손상된 관절과 장기를 고치고 이환율과 사망률을 감소시킨다.
- 심혈관질환과 뇌졸중에 의한 사망은 계속 감소할 것이다.
- 미래의 치료를 감안하더라도 암은 최고의 사망원인이 될 것이다.
- 노인병 전문의에 대한 수요가 시급하고, 노인병 전문의 수가 감소되고 있음에도 불구하고 보험급여 정책이 변하지 않으면 노인병 전문의 부족은 지속될 것이다.
- 특별한 노화 경로를 표적으로 하는 다양한 중재법의 발전으로 생물학적인 노화에 변화가 초래될 것이다.

참고문헌의 총 목록을 보려면 www.expertconsult.com 을 방문해주세요.

중요 참고문헌

3. Finch CE: The biology of human longevity. Inflammation, nutrition, and aging in the evolution of life spans, San Diego, 2007, Academic Press.

4. Khachaturian Z: Prevent Alzheimer's disease by 2020: a national strategic goal. Alzheimers Dement 5:81-84, 2009.

7. Finch CE, Beltran-Sanchez H, Crimmins EM: Uneven futures of human life spans: reckoning the realities of climate change with predictions from the Gompertz model. Gerontology 60:183-188, 2014.

10. Schneider EL, Brody JA: Aging, natural death, and the compression of morbidity: another view. N Engl J Med 309:854-856, 1983.

14. Fontana L, Kennedy BK, Longo VD, et al: Medical research: treat ageing. Nature 511:405-407, 2014.

15. Crimmins EM, Kim JK, Seeman TE: Poverty and biological risk: the earlier "aging" of the poor. J Gerontol A Biol Med Sci. 64:286-292, 2009.

32. Ailshire JA, Crimmins EM: Fine particulate matter air pollution and cognitive function among older US adults. Am J Epidemiol 180:359-366, 2014.

38. Fried LP, Tangen CM, Walston J, et al: Frailty in older adults: evidence for a phenotype. J Gerontol A Biol Med Sci 56:M146-M156, 2001.

39. Blodgett J, Theou O, Kirkland S, et al: The association between sedentary behaviour, moderate-vigorous physical activity and frailty in NHANES cohorts. Maturitas 80:187-191, 2015.

40. Cawthon PM, Marshall LM, Michael Y, et al: Frailty in older men: prevalence, progression and relationship with mortality. J Am Geriatr Soc 55:1216-1223, 2007.

41. Ensrud KE, Ewing SK, Taylor BC, et al: Frailty and risk of falls, fracture and mortality in older women: the study of osteoporotic fractures. J Gerontol A Biol Med Sci 62:744-751, 2007.

43. Massie CL, Kantak SS, Narayanan P, et al: Timing of motor cortical stimulation during planar robotic training differentially impacts neuroplasticity in older adults. Clin Neurophysiol 126:1024-1032, 2015.

참고문헌

1. Oeppen J, Vaupel JW: Demography. Broken limits to life expectancy. Science 296:1029-1031, 2002.

2. Finch CE, Crimmins EM: Inflammatory exposure and historical changes in human life spans. Science 305:1736-1739, 2004.

3. Finch CE: The biology of human longevity. Inflammation, nutrition, and aging in the evolution of life spans, San Diego, 2007, Academic Press.

4. Khachaturian Z: Prevent Alzheimer's disease by 2020: a national strategic goal. Alzheimers Dement 5:81-84, 2009.

5. Perls T: Centenarians who avoid dementia. Trends Neurosci 10:633-636, 2004.

6. Beltrán-Sánchez H, Crimmins EM, Finch CE: Early cohort mortality predicts the cohort rate of aging: an historical analysis. J Dev Orig Health Dis 3:380-386, 2012.

7. Finch CE, Beltran-Sanchez H, Crimmins EM: Uneven futures of human life spans: reckoning the realities of climate change with predictions from the Gompertz model. Gerontology 60:183-188, 2014.

8. Christensen K, Doblhammer G, Rau R, et al: Ageing populations: the challenges ahead. Lancet 374:1196-1208, 2009.

9. Fries JF: Aging, natural death, and the compression of morbidity. N Engl J Med 303:130-135, 1980.

10. Schneider EL, Brody JA: Aging, natural death, and the compression of morbidity: another view. N Engl J Med 309:854-856, 1983.

11. Crimmins E, Beltran-Sanchez H: Mortality and morbidity trends: is there compression of morbidity? J Gerontol B Psychol Sci Soc Sci 66:75-86, 2011.

12. Patel NV, Gordon MN, Connor KE, et al: Caloric restriction attenuates Abeta-deposition in Alzheimer transgenic models. Neurobiol Aging 26:995-1000, 2005.

13. DeGrey AD: A divide and conquer assault on aging: mainstream at last. Rejuvenation Res 6:257-258, 2013.

14. Fontana L, Kennedy BK, Longo VD, et al: Medical research: treat ageing. Nature 511:405-407, 2014.

15. Crimmins EM, Kim JK, Seeman TE: Poverty and biological risk: the earlier aging of the poor. J Gerontol A Biol Med Sci 64:286-292, 2009.

16. Cohen P: Personalized aging, one size doesn't fit all. In Irving P, editor: The upside of aging: how long life is changing the world of health, work, innovation, policy, and purpose, New York, 2014, Wiley, pp 19-34.

17. Tian W, DeJong G, Brown M, et al: Looking upstream: factors shaping demand for postacute joint replacement rehabilitation. Arch Phys Med Rehabil 90:1260-1268, 2009.

18. Chitale A, Prasad S: An evidence-based analysis of vertebroplasty and kyphoplasty. J Neurosurg Sci 57:129-137, 2013.

19. Murphy SL, Xu J, Kochanek MA: Deaths: final data for 2010. Natl Vital Stat Rep 61:1-117, 2013.

20. FFASTSTATS, CDC/NCHS.

21. National Institutes of Health; National Heart, Lung, and Blood Institute: Morbidity & mortality: chart book on cardiovascular, lung and blood diseases, p 25. 2012. http://www.nhlbi.nih.gov/files/docs/research/2012_ChartBook_508.pdf. Accessed September 7, 2015.

22. Go AS, Mazaffarian D, Roger VL, et al: Heart disease and stroke statistics-2014 update: a report from the American Heart Association. Circulation 129:e28-e292, 2014.

23. Centers for Disease Control and Prevention: Prevalence of current cigarette smoking among adults aged 18 and over: United States 1997-June 2013. http://www.cdc.gov/nchs/data/nhis/earlyrelease/earlyrelease201312_08.pdf. Accessed September 7, 2015.

24. Miest TS, Cattaneo R: New viruses of cancer therapy: meeting clinical needs. Nat Rev Microbiol 12:23-34, 2014.

25. Di Leva G, Garofalo M, Croce CM: MicroRNAs in cancer. Annu Rev Pathol 9:287-314, 2014.

26. Hoyert DL, Xu J: Deaths: Preliminary data for 2012. Natl Vital Stat Rep 61:1-51, 2012.

27. Deleted in review.

28. Deleted in review.

29. MacNeil A, Rollin PE: Ebola and Marburg hemorrhagic fevers: neglected tropical diseases? PLoS Negl Trop Dis 6:137, 2012.

30. Chen Y, Ebenstein A, Greenstone M, et al: Evidence on the impact of sustained exposure to air pollution on life expectancy from China's Huai River policy. Proc Natl Acad Sci U S A 110:12936−12941, 2013.

31. Shah AS, Langrish JP, Nair H, et al: Global association of air pollution and heart failure: a systematic review and metaanalysis. Lancet 382:1039−1048, 2013.

32. Ailshire JA, Crimmins EM: Fine particulate matter air pollution and cognitive function among older US adults. Am J Epidemiol 180:359−366, 2014.

33. Chen JC, Schwartz J: Neurobehavioral effects of ambient air pollution on cognitive performance in US adults. Neurotoxicology 30:231−239, 2009.

34. Morgan TE, Davis DD, Iwata N, et al: Glutamatergic neurons in rodent models respond to nanoscale particulate urban air pollutants in vivo and in vitro. Environ Health Perspect 119:1003−1009, 2011.

35. Panel on Adapting to the Impacts of Climate Change; Board on Atmospheric Sciences and Climate; Division on Earth and Life Studies; National Research Council: Adapting to the impacts of climate change, Washington, 2010, National Academies Press.

36. Bureau of Labor Statistics, U.S. Department of Labor: Physicians and surgeons: pay. http://www.bls.gov/ooh/healthcare/physicians-and-surgeons.htm#tab-5. Accessed September 7, 2015.

37. Kovner CT, Mezey M, Harrington C: Who cares for older adults? Workforce implications of an aging society. Health Aff 21:578−589, 2002.

38. American Geriatrics Society: The demand for geriatric care and the evident shortage of geriatrics healthcare providers. 2013. http://www.americangeriatrics.org/files/documents/Adv_Resources/demand_for_geriatric_care.pdf. Accessed September 7, 2015.

39. Fried LP, Tangen CM, Walston J, et al: Frailty in older adults: evidence for a phenotype. J Gerontol A Biol Med Sci 56:M146−M156, 2001.

40. Blodgett J, Theou O, Kirkland S, et al: The association between sedentary behaviour, moderate-vigorous physical activity and frailty in NHANES cohorts. Maturitas 80:187−191, 2015.

41. Cawthon PM, Marshall LM, Michael Y, et al: Frailty in older men: prevalence, progression and relationship with mortality. J Am Geriatr Soc 55:1216−1223, 2007.

42. Ensrud KE, Ewing SK, Taylor BC, et al: Frailty and risk of falls, fracture and mortality in older women: the study of osteoporotic fractures. J Gerontol A Biol Med Sci 62:744−751, 2007.

43. Griffith L, Sohel N, Walker K, et al: Consumer products and fall-related injuries in seniors. Can J Public Health 103:e332−e337, 2012.

44. Massie CL, Kantak SS, Narayanan P, et al: Timing of motor cortical stimulation during planar robotic training differentially impacts neuroplasticity in older adults. Clin Neurophysiol 126:1024−1032, 2015.

CHAPTER **04**

성공적인 노화: 100세 시대
Successful Aging: The Centenarians

Thomas T. Perls

100세 이상 노인 인구의 통계

2010년 미 연방 사회보장국(U.S. Social Security Administration)은 100세 이상 노인 인구 약 51,000명이 사회 보장 혜택을 받았다고 발표하였다.[1] 미국인구조사 통계도 100세 이상 노인 인구가 약 53,364명이라고 추정했으며, 이는 인구 10,000명당 약 1.73명에 해당되고, 이 중 여성이 차지하는 비율은 약 80%라고 한다.[1] 1980년대와 1990년대에는 100세 이상의 노인 인구가 전체 인구에서 가장 빠르게 증가하는 연령대라고 생각했으나(1980년에서 2000년 사이에 65.8% 증가), 2007년에 인구 조사국의 Velkoff와 Humes는 이전에 보고된 숫자가 인위적으로 너무 많았다고 지적하였다.[2] 2010년 미국 인구 조사 보고서에 따르면, 2000년에서 2010년까지 전체 인구는 9.7% 증가하였으며, 이 중 100세 이상 노인 인구는 5.8% 증가하였다. 전체 인구 중에서 80세와 90세 연령대의 노인 인구가 각각 21%와 30%로 가장 빠른 성장률을 기록하였다.

그림 4-1은 인구 조사에 보고된 다른 국가들의 100세 이상 노인 인구의 비율을 나타낸 것이다.[3] 특히, 일본의 100세 이상의 노인 인구는 미국의 두 배 가량인 것으로 나타났다.

최장수명

현재까지 세계에서 나이가 가장 많은 사람은 프랑스 남부 출신 Jeanne Calment로 1997년에 122세 164일의 나이로 사망했다.[4] 최근에는 1897년 4월 19일 생인 Jiroemon Kimura라는 일본인이 2013년에 115세 253일의 나이로 사망했다고 보고되었다. 자신이 최고령자라고 이야기하는 사람들의 주장을 듣는 것은 이례적인 일은 아니지만, 이중 최고연령이 115세 이상이라고 주장하는 사람들의 99%는 거짓이다.[5] 자신이 나이가 가장 많다고 주장하는 사람들은 현재 최장수명이라고 보고된 122세를

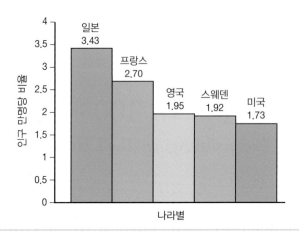

■ 그림 4-1. 각 나라의 인구 만명당 100세 이상 노인인구 비율

언제 초과했는지, 그 당시 그들의 나이에 대한 언급이 없는 경우가 대부분이다. 예를 들어, 2009년에 130세(1879~2009)의 최고령자라고 학술지에 보고된 카자흐스탄의 Sakhan Dosova는 그녀의 122세 상황에 대한 보고가 전혀 없으며, 1880년대 초반 그녀의 생존을 뒷받침하는 문서도 없었다.[6]

2014년 Gerontology Research Group (www.grg.org)에 따르면, 미국에 생존하는 110세 이상의 노인인구는 약 62명이며, 이는 미국 인구 5백만명당 1명에 해당한다. 사회 보장국의 Kestenbaum과 Ferguson은 1980년에서 2003년 사이에 사망한 110세 이상의 노인인구의 수는 325명이었으며, 이들 중 90%가 여성이라고 보고하였다.[7] 위의 관찰들을 바탕으로 살펴보면, 미국과 일본의 인구 조사에서 보고된 110세 이상의 노인인구가 각각 330명(1/400,000)과 711명(1/180,000)이라는 보고서가 과장되었을 가능성이 매우 높다는 것을 알 수 있다.[8,9]

성비 불일치

100세 이상 노인 인구의 성비는 대략 8:1로 여성이 현저하게 높은 비율을 차지하지만, 100세 이상 고령 남성은 고령 여성에 비해 기능적으로 나은 상태인 경우가 많다. Italian Centenarian Study를 포함한 100세 이상 노인 연구들을 분석한 연구결과에 따르면, 고령 남성의 신체적, 인지적 기능은 비교적 잘 유지된다고 한다.[10] 이를 뒷받침할 수 있는 가설로는 기능적으로 독립적인 남성들만 장수한다는 것이다. 반면, 여성의 경우 나이와 관련된 질병 및 장애를 동반한 경우에도 장수하는 경우가 많은 것으로 밝혀졌다. 덴마크에서 이루어진 연구에 의하면, 98세 남성의 38%가 기능적으로 독립적이었던 반면, 100세 남성의 경우에는 그 비율이 53%였다는 사실이 이러한 가설을 뒷받침한

다. 하지만 여성의 경우에는 연령이 높아짐에 따라서 기능적으로 독립적인 비율이 감소하게 되는데, 98세 및 100세 여성에서 각각 30%, 28%인 것으로 나타났다.[11] 또 다른 역설로, 비록 고령 남성이 여성에 비해 예외적으로 건강할지라도, 그들은 연령 및 질병과 관련된 사망률이 현저하게 높기 때문에, 치매 또는 뇌졸중과 같은 질병이 발생하였을 때 사망률이 여성보다 훨씬 높다는 것이다. 다시 말해서, 여성들이 노화 및 노화와 관련된 질병에 대한 극복력 및 적응력이 뛰어나다고 볼 수 있다는 설명이다.

성공적인 노화

New England Centenarian Study (NECS; http://www.bumc.bu.edu/centenarian)는 성공적인 노화의 모델로 100세 이상 노인들 및 그들의 가족들을 연구해 왔다. 장수하는 사람들의 환경적, 유전적인 요인들을 일반인들과 비교함으로써, 조기 노화 혹은 건강한 노화를 결정하는 인자들을 밝혀내고, 수명연장의 장애요소를 극복할 수 있는 방법을 향상시킬 수 있다.

1980년에 James Fries는 "질병상태의 압축(Compression of Morbidity)"라는 가설을 제안했는데,[12] 그 가설에 의하면, 노년에 질병으로 이환되는 시기가 시간적으로 압축되어 사망 직전에야 나타난다는 것이다. NECS가 이 가설을 연구하기 위해 평균 연령이 102세였던 424명의 고령자를 관찰하였는데, 모든 환자에서 이러한 시간의 압축 현상, 즉 노화와 관련된 만성 질환이 사망 직전에 발병하지는 않았다. 그 대신에 생존자라고 불리는 상당 수의 고령자들은(43%) 연령과 관련된 10가지 질병(뇌졸중, 당뇨병, 암, 치매, 만성 폐쇄성폐질환, 골다공증, 고혈압 등) 중 적어도 한 개의 질환을 20년 이상 동반하였다. 나머지 고령자의 42%인 지연형(delayers)에서는 80~90세 사이에 위에 언급된 질환들로 이환되었다. 마지막으로 전체 고령자의 15%를 차지하는 모면형(escapers)에서는 100세에도 동반된 질환이 전혀 없었다.[13] Healthand Retirement Survey에 참여한 고령자 군에서도 모면형(escapers)이 차지하는 비율은 NECS와 비슷하게 나타났다.[14] 따라서 이러한 결과들에 대해서 James Fries는 "질병상태의 압축" 가설과 일치하지 않다고 하였다. 또한, 평균적으로 대부분의 고령자들은 93세까지는 동반된 장애가 없는 경우가 많았다.[15] 따라서 나이와 관련된 병적인 발병률이 상당히 높았음에도 불구하고 일반적으로 고령자들에게는 장애상태의 압축(Compression of disability)이 나타나는 것을 발견할 수 있다. 어쩌면 100세 이상으로 생존하는 고령자들은 젊은 나이에 사망하는 사람들보다 연령 관련 질환에 효과적으로 대처하는 것으로 보인다. 즉, 스트레스를 극복하는 능력, 일반적으로 연령 관련 질환에 대한 적응력, 기능적 예비력 및 회복력이 장수자들을 구분할 수 있는 중요한 특징이라고 할 수 있겠다.[16]

James Fries의 "질병상태의 압축" 가설을 관찰하기 위해서는 생존의 한계, 즉 죽음에 임박한 고령자들을 관찰해야 한다. 100세에서 104세 사이와, 110세 이상 사이에 엄청난 선택률(사망률)이 존재하므로 생존을 결정하는 인자들이 다른 연령대와 큰 차이가 있을 수 있을 것으로 생각된다. 따라서 2007년부터 105세 이상의 고령자들을 가능한 한 많이 등록시켰고, 이들을 전향적으로 추적관찰 하였다. 90~99세 연령대인 344명의 고령자의 형제, 자매들도 여기에 포함되었는데, 이중에서 884명이 100~104세 이상이었고, 430명이 105~109세, 104명이 110세 이상이었다. 이중 90%는 추적관찰 기간 중에 사망하였고, 이들의 암, 심혈관계질환, 당뇨병, 치매 및 뇌졸중의 발병 연령을 분석하였다.[17] NECS에 포함된 고령자들의 나이가 많을수록 질병의 발병 연령이 점차적으로 늦어지는 것을 발견하였다. 예를 들어, 그림 4-2에서 카플란마이어 생존곡선은 암, 심혈관 질환 및 전반적인 질병이환율의 발병 연령이 나이가 많을수록 점차적으로 지연되는 것을 보여준다. James Fries의 "질병상태의 압축" 가설과 일관되게, 대조군(고령자의 자녀의 배우자 또는 평균 수명을 가진 부모의 자손)의 17.9%에서 연령 관련 질환들이 한 가지 이상 동반되었고, 100~104세, 105~109세, 110세 이상 군에서의 질병 이환율은 각각 9%, 8.9%, 5.2%였다.

이러한 발견은 노화의 기본 생물학 연구에 중요한 영향을 미친다. James Fries의 가설에 나타난 바와 같이, 사망 직전에 질병상태의 압축은 신체 장기들의 예비력이 고갈되어 사망으로 나타나는 것이다.[12] 다시 말해서, 이러한 현상이 우리가 살펴본 대부분의 고령자들에게서 관찰된다. 더불어 연령이 높을수록 고령자들의 생존곡선이 점진적으로 직사각형화 되는데, 이는 인간의 수명에 대한 한계를 제시한다. 마지막으로, 우리 연구에 참여한 고령자들의 대부분이 사망 전 몇 년 동안 질병 및 장애를 경험했다는 사실이 공통적이다. 이러한 공통점은 고령자들에게서 장수를 촉진시키는 유사한 환경적 및 유전적 결정 요인을 발견할 수 있는 가능성을 높인다.

표현형의 연관성

장수한 사람에게서 일관되게 나타나는 특정한 건강 행태는 없는 것으로 생각된다. 그러나 장수한 고령자에게서 흡연과 같은 특정 행동이 조기 사망을 초래했을 것이라고 말할 수는 없다. 또는 일부 고령자들에게서는 지중해 식단과 같은 건강한 습관은 장수의 필수 요소일 수도 있다. 인종, 환경 및 문화의 차이가 유전적, 환경적 인자들의 다양한 조합을 만들어서 장수하게 한다는 것은 진화론의 관점에서 의미가 있을 것이다.

성격

특정 성격 유형 및 모체의 연령 등이 장수와 연관이 있다고 알려져 있다. NECS에 참여한 고령자들의 자손들의 성격 특성을 평가한 결과, 남성과 여성 모두에서 신경성(neuroticism)에 대한 점수는

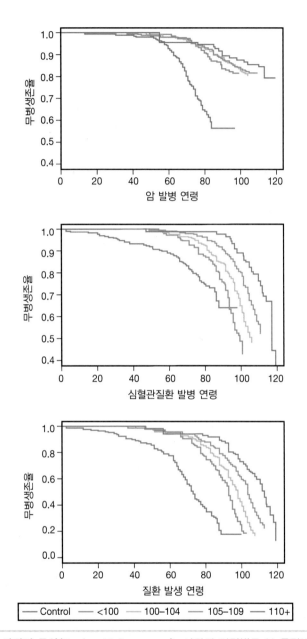

■ **그림 4-2. 캐플란-마이어 곡선(Kaplan-Meier curves).** 사망시 연령별로 본 무질병생존기간(diseas-free survial) 대조군, 파란선; 90대, 초록선; 100-104세, 노란선; 105-109세, 주황선; 110세 이상, 빨간선

정상보다 낮았지만 외향성향에 대한 점수는 높은 것으로 나타났다. NEO Five Factor Inventory의 다른 영역에서는 일반인과 비슷하였다.[18] 이러한 결과는 Long Life Family Study의 자손들에게서도 비슷하게 관찰되었다.[19] 이러한 연구 결과는 고혈압 및 심혈관 질환과 같은 질환이 신경증과 연관성

이 있다는 기존의 문헌들을 고려할 때 근거가 있는 것으로 생각된다.[20] 또한 외향적인 성격은 더 나은 인지 및 심리적 건강에 도움이 되는 사회적 관계를 효과적으로 형성할 수 있다는 것을 의미한다. 하지만, Hirose가 주도한 Tokyo Centenarian Study에서 장수자들은 신경성(neuroticism)에 대한 점수는 정상범위에 있었고, 개방성(openness)에 대한 점수는 높은 것으로 나타났다. 이는 장수와 관련된 성격의 특징이 문화와 민족에 따라서 다를 수 있다는 가능성을 나타낸다.[21]

모체연령

나중에 다시 논의되겠지만, 유전자가 수명, 즉 장수에 미치는 영향력에 대한 증거가 점차 증가하고 있다. 여기서 중요한 점은 장수와 관련된 유전자 변이가 진화에 영향을 미치는 자연선택 압력이 무엇인가 하는 것이다. 여성의 가임 기간이 길어져서 더 많은 자손을 낳을 수 있다는 압박감은 후손에게 유전자를 전달할 성공률을 높일 수 있다.[22] 이는 노화에 대한 마모설(Disposable soma theory, 일회용 체세포 이론)과 일치하는 현상으로, 장수 관련 유전자들의 변이가 노화 및 연령 관련 질병을 지연시키거나 예방할 수 있지만 이 과정에서 생식과 관련된 자원을 감소시키게 되는 즉, 생식능력과 복구 및 유지를 위한 에너지 배분이 지연될 수 있다는 것이다.[23]

　몇몇 연구에서 고령 산모와 장수의 연관성이 밝혀졌는데, NECS에 포함되었던 장수한 여성들의 표본에서 그들의 모체 연령을 조사해서, 이들과 출생이 일치하는 평균 기대수명을 산 여성들의 대상 표본을 비교했다. 40세 이후에 출산한 여성에게서(그 당시에는 인공 수정 등의 생식보조술이 가능하지 않았음) 장수하는 자손이 태어날 확률이 그전에 출산한 여성보다 4배 더 높았고,[24] 이러한 상관관계는 다른 연구들을 통해서도 나타났다.[25-27] 많은 학자들이 현재 노화의 속도 및 연령 관련 질병에 대한 감수성에 영향을 줄 수 있는 생식능력과 이와 관련된 유전자에 대한 연구를 진행하고 있다.[28-30]

가족 연관성과 유전력

NECS 코호트 연구 초기에, 장수한 형제가 여럿인 가족들을 발견하였는데, 이러한 클러스터링(군집화)이 관찰될 확률은 당시 세계에 존재하는 모든 가족당 한 가족 미만일 정도로 적었다.[31] 따라서 이러한 가족들이 존재하기 위해서는 장수한 가족 구성원들 사이에 공통적인 요인들이 존재할 것이고, 이는 우연한 현상은 아닐 것이다. 가족 구성원들은 공통적으로 유전적 혹은 비유전적인 요인을 공유하고 있는데, 이중에서 교육, 사회 경제적 지위, 의료서비스 이용, 식이, 환경 노출, 담배 및 과도한 알코올의 절제 등과 같은 비유전적인 요인들이 장수할 확률을 높여주는 것과 관련이 있다. 하지만 확실한 것은 담배 및 알코올 사용과 같은 행위에 대해서 유전적인 연관성이 있다고 알려져 있기 때문에 위에서 언급된 비유전적인 요인들에 유전적인 요소가 전혀 포함되지 않았다고 말할 수는 없다.

형제 자매에 대한 연구는 한 형제에서 표현된 형질에 대한 다른 형제 자매의 반복적인 위험도를 평가할 수 있는 근거가 된다. NECS의 초기 연구에 따르면, 장수한 사람의 형제, 자매는 평균 기대수명을 산 부모들의 자손을 대상으로 한 출생 코호트 대조군과 비교하였을 때 장수할 확률이 4배 정도 높은 것으로 나타났다.[32] 하지만 NECS 초기 연구에 포함된 고령자 수가 적었고, 고령자의 나이도 상대적으로 낮았다는 한계가 있다. 아이슬란드와 유타에서 비슷한 규모로 진행된 연구에서도 장수한 사람의 형제, 자매의 장수할 확률도 위의 연구와 유사했다.[33,34] 초고령자를 더 많이 포함했던 뉴잉글랜드 연구에서는 형제의 경우에는 그 확률이 18배, 자매의 경우에는 8.5배로 증가한다고 보고되었다.[35] 장수한 사람의 형제가 장수할 수 있는 확률이 더 높은 이유는 다른 연구들을 통해서도 나타났는데, 이는 남성은 장수하기 위해서 여성보다 유전적인 요인에 더 의존한다는 것을 시사한다.[36]

스칸디나비아의 쌍둥이 연구와 Amish 혈통에 대한 연구를 통해서 유전자가 노화, 장수 및 수명에 미치는 영향력은 약 25~30%로 보고되고 있다. 이러한 연구에서 피험자의 사망 연령은 각각 73±16세와 71±17세였다.[37,38] 1998년 스웨덴에서 쌍둥이 형제를 대상으로 진행한 장수연구에서 남성의 경우 89세 이상의 고령자가 없었던 반면에 여성의 약 2%는 90세 이상의 고령자였다. 이 연구에서는 장수에 유전적인 요소가 차지하는 비율이 약 33%라고 추정했다.[39] 2001년 이루어진 "Heritability of Life Span in the Old Order Amish" 연구를 통하여서 1890년 이전에 출생하고, 적어도 30세까지 생존한 피험자의 부모와 자손 연령에 대해 Amish계보를 조사하였다. 이들의 평균 나이는 71±16세였고, 전체 대상자의 7%는 90세 이상이었는데, 이들 중 극소수만이 95세 이상이었다. 여기서 장수에 유전적인 요소가 차지하는 비율은 약 25±5%로 추정되었다.[40]

장수자의 비율이 전체 인구의 1% 미만으로 적기 때문에, 이전에 언급된 쌍둥이 및 기타 연구들에서 밝혀진 것처럼 유전적인 요소와 장수는 연관이 없으며, 오히려 기존의 연구 및 관련 기사들은 장수에 있어서 유전적인 요인들이 차지하는 비율은 나이가 들어감에 따라 변하지 않고 약 25% 정도 상대적으로 낮게 유지된다고 잘못 이야기하고 있다. 뿐만 아니라, 다수의 사람들이 유전자 기여와 유전 가능성을 오판하고 있다. 유전 가능성은 우리가 관심을 가지는 현상에 대하여 표현형에 영향을 줄 수 있는 가족 구성원들이 공유하는 유전적 및 환경적 요인들로 인한 가족성의 척도이다.[41] 기존의 연구들과 비슷하게, The First Year Adventist Health Study에서는 일반인들이 특정한 건강 행동을 취할 때 평균 수명이 86세라고 제안하였다.[42]

NECS에서는 고령자의 생존율과 출생 연도에 따라 그들 형제의 장수에 대한 상대 위험도를 조사하였다. 적어도 한 형제가 90세 이상으로 생존한 1917명의 형제, 자매의 생존 데이터를 분석한 결과, 고령자의 나이가 많을수록, 즉 해당 연령에서 고령자의 출생년도가 빠를수록 형제 자매의 장수에 대한 상대적 위험도가 증가한다는 것을 발견하였다. 전체 피험자의 상위 5%에 해당되는 연령까지 생존한(1900년생인 경우 90세) 남성의 형제, 자매의 경우, 대조군에 비해 90세까지 장수할 확률이 1.7배 더 높다고 밝혀졌다. 또한 상위 0.01%에 해당되는 연령까지 생존한 고령자의 형제 자매가 그 나이까지 생존할 확률은 35.6배 높았다.[43] 그러나 장수한 사람의 형제 자매가 일반인보다 장수할 확률이 높다는 것은 그들이 그 연령까지의 생존이 보장된다는 것을 의미하지는 않는다. 왜냐하면 이러한 장수의 유전형은 굉장히 드물기 때문이다. 이러한 연구들은 장수 연구에서 고령자들의 출생 연도와 생존 백분위수를 포함한 표현형을 정확히 묘사하는 것이 얼마나 중요한지를 보여준다.

유전적인 요인들

민감도, 특이도, 통계적 검증력
한 가지 확실한 것은, 전체 인구의 0.1%에 해당되는 연령까지 생존하기 위해서는(1900년생 경우 약 105세) 연령과 관련된 질병의 다양한 발병시기 및 발병률 뿐만 아니라 이롭거나 해로운 행동 및 환경 요인들에 대한 여러 가지 반응들의 다양한 하위 표현형을 포함한 복합적인 유전형질이 요구된다. 전체 인구의 0.1%에 해당되는 연령까지 생존하는 경우는 극히 드문데, 이때 초고령자들에게서 나타나는 표현형들 역시도 여전히 복잡하지만 고령자들에 비해서는 그 표현형이 더 균질하게 나타날 수 있기 때문에 장수를 결정하는 근본적인 요인들을 발견할 가능성이 더 높다.[44] 이러한 이유로 지난 5년 동안 일본과 뉴잉글랜드 고령자 연구는 105세 이상의 고령자들을 모집하려고 노력하였다. Tan과 동료들은 일반인이 아닌 고령자들 대상으로 연구할 때 장수와 관련된 유전 변이체를 발견할 수 있는 가능성이 높다는 사실을 발견했다.[43]Sebastiani와 동료들은 건강한 일반인과 고령자를 구별할 수 있는 281개의 SNP (single-nucleotide polymorphisms; 단일염기다형성)로 구성된 유전 모델의 예측 능력이 고령자의 나이가 많을수록 현저하게 향상된다는 것을 보고하였다.[45] 다시 말해서 고령자에게서 특정 유전 변이와의 연관성을 발견하지 못한 것은 표현형이 충분히 발현되지 않은 피험자들이 연구에 포함되었기 때문일 수도 있다(가령, 전체 인구의 0.1%에 해당되는 연령까지 생존하거나 혹은 1%에 해당되면서 기능적으로 독립적인 피험자를 선택하기는 매우 어렵다). 또한 많은 유전적인 요소들의 반복적인 발현은 굉장히 드문데, 이는 너무 많은 유전적 배경의 이질성의 결과일 수 있다(예를 들어, 통계적으로 다양한 민족성을 고려하지 않는 것과 같다).

유전자 발견 접근법
장수와 관련된 유전 변이 및 연관된 유전자의 하부 표현형을 발견하기 위한 주요 실험 설계는 유전체 연관분석 연구, 연관 연구 그리고 후보유전체 연관 연구이다.

연관 연구

NECS 연구에 포함된 137명의 형제 자매(308명의 고령자 포함)의 연구에 비모수적 연계 접근법이 사용되었으며, 염색체 4번에서 연관 최고점(linkage peak)에 대해 유의한 LOD (logs odds) 수치가 기록되었다.[46] 이러한 결과는 90세 이상의 이란성 쌍둥이 연구에서도 관찰되었다.[47] 그 이후에 진행된 연구에 따르면 연관을 일으킬 가능성이 있는 유전자는 microsomal transfer protein (MTP)이었다.[48] 하지만, 고령자들 대상으로 한 가지 연구와 일반인들을 대상으로 했던 연구들에서는 장수와 MTP의 연관성을 밝혀내지 못했다.[49-51] 이후에, Ashkenazi Jewis는 Centenarian Study를 통해, 고령자와 그 자손들의 경우에는 대조군에 비해 CC 유전자형과의 연관성이 있음을 발표하였다. 저자들은 상대적으로 나이가 적은 피험자들에게서 유전자형에 대한 연관성이 없는 것처럼 결과가 도출되는 것에 대한 이유로 나이에 비례해서, 유전자형이 U 자형 분포를 보이며, 특히 그 빈도가 50세에서 85세까지 감소하다가, 그 이후에는 증가한다는 사실이 Ashkenazi Jewish Centenarian Study에서 발견되었다는 점을 근거로 제시하였다.[51,52] 고령자들을 대상으로 한 추가적인 비모수적연계 분석에서 염색체 3, 9, 13, 14, 19 번과의 연관성이 나타났지만, 이러한 결과들은 장수와 관련된 특정 유전자 위치를 확인하기 위한 추후 연구가 필요하다.[53-55]

후보유전자

후보유전자 연관 연구는 특정 유전자의 가설에 기반한 선택으로, 장수 또는 이와 관련된 표현형을 나타내는 관심있는 형질과의 연관성을 시험하는 것이다. 이러한 유전자의 선택은 수명에 영향이 있다고 알려진 생물학적 경로에 대한 관련성 및 이전에 장수와 관련이 있다고 발견된 유전자의 연관 극치를 최고점을 기반으로 할 수 있다. 인슐린 신호 전달 경로와 관련된 여러 가지 유전자들은(AKT1, FOXO3, IGF1R) 하등 생물 및 다른 동물 모델에서 수명에 대한 극적인 효과를 나타냈기 때문에 인간의 장수에도 영향을 줄 것이라고 생각되고 있다.[56-59] 하지만, 이러한 유전자들과 장수의 연관성에 대한 연구가 여러 연구에서 반복되었으나, 그 역할이 미미할 것으로 생각되며, 동물 모델에서 수명의 극적인 증가와 관련된 유전자는 인간에서는 유사한 효과를 재현하지 못하였다. 장수와 연관성이 있는 다른 유전자에는 지질 물질 대사와 관련된 유전자들(CETP, APOC3),[60,61] 인간 수명과 관련된 유전자들의 극단적인 변이(LMNA[61], WRN44[44,62]) 및 신경계 질환과 관련된 유전자들(APOE[63], ADARB2[64])이 있다. 100세 이상의 고령자와 연관성이 있다고 가장 잘 알려진 유전자 변이에는 apolipoprotein E의 E4 대립 유전자이지만, 오히려 혈관성 치매 및 알츠하이머병과의 연관성이 더 높기 때문에 일반인 대조군에 비해서 그 빈도가 훨씬 낮은 음의 상관 관계를 보인다.[63]

유전체 연관분석 연구

연관 연구는 일반적으로 관심 있는 질환과 관련이 없는 대상자들을 포함하며 무작위 표본에서 표현형과 관련이 있는 유전변이를 확인하려고 한다. 유전체 연관분석 연구(GWAS)는 조사되는 형질이 일반적으로 광범위하게 발견되는 유전변이(대립 빈도 >5%)에 의해 영향을 받는다고 가정하는데, 즉 common disease, common variant 가설이다.[65,66] NECS 연구는 장수와 공통적으로 연관되어 있는 유전변이의 조합을 발견하기 위해 유전체 연관분석 연구 데이터의 특별한 분석을 시행했다.[45,67] 유전체 연관분석 연구 데이터는 801명의 100세 이상의 고령자들(사망 당시의 평균 연령 104세)과 이들과 유전적으로 일치하는 대조군을 포함하였으며, 대략 250K 단일염기 다형성(SNP)에서 변이정보를 발견하였다. 장수와 각각의 SNP의 연관성은 베이지안(Bayesian) 방법을 사용하여 점수를 매겼으며 SNP는 이러한 연관성의 점수에 따라 순위가 매겨졌다. 예측을 위해 가장 중요한 SNP만을 사용한 모델부터 시작하여 모델의 민감도와 특이도가 현저하게 증가하지 않을 때까지 SNP의 점수 순으로 한 번에 하나의 SNP를 추가하는 중첩된 유전 위험 예측 모델을 사용하였다. 이 방법을 통해 281개의 SNP (281개의 유전 위험 예측 모델)가 장수를 가장 잘 예측하는 것으로 밝혀졌고, 281개의 모델을 예측에 사용하였다. 100세 이상의 고령자 및 대조군과는 독립적인 GWAS 데이터로 분석했을 때, 유전 모델의 조합은 100세 이상 고령자를 구별하는데, 60%의 특이도와 58%의 민감도를 나타냈으며, 105세 이상의 고령자를 구별하는데 85%의 민감도를 나타냈다. 고령자의 나이가 많을수록 이를 구별하는 민감도가 높아진다는 것은 나이가 들수록 생존에 대한 유전자의 영향력이 더 강해진다는 가설을 뒷받침한다.[45]

다음으로, 유전 위험 예측 모델의 조합은 장수에 대한 다른 유전 표현형을 바탕으로 고령자를 분류하는 클러스터 분석을 통해 유전위험 프로파일을 생성하는데 사용되었다. 유전 표지자는 장수에 대해 유사한 확률을 산출하는 유전변이의 조합을 뜻하며, 흥미롭게도 장수와 연관된 다른 하위 유전 표현형과 관련이 있다. 예를 들어, 장수를 가장 잘 예측하는 유전 표지자는 수명 연장 및 치매 발생 지연과 밀접한 관련이 있다. 다른 예로는 장수와 관련된 복잡한 유전정보를 분석하는 것이다.[45]

이 분석으로 확인된 281개의 SNP는 130개의 유전자와 여러 개의 유전자 조절인자들이 연관성이 있다고 밝혀졌고, 이 유전자들 중 일부는 LMNA, WRN 및 APOE와 같이 이미 장수와 연관성이 있다고 잘 알려진 유전자들도 있다. 흥미롭게도, TOMM40 / APOE의 한 SNP는 유전체 전체의 중요성에 도달했지만 유전적인 영향력은 미미했고, 이 SNP를 유전 위험 예측 모델의 조합에서 제외했을 때에도 예측 정확도에는 영향을 미치지 않았다. 이 SNP 이외에 다른 SNP는 NECS의 GWAS에서 유전체 전체의 중요성에 도달하지 못하였다. 이는 연구 샘플 수가 상당히 컸음에도 불구하고 유전체 전체의 중요성에 도달한 SNP를 발견하지 못한 노화 및 장수에 대한 다른 GWAS 결과와 일치한다.[68-71] 메타 분석에 따르면 281개의 유전 변이 중 128개가 적어도 한 개의 연구에서 장수와 유의미한 관련이 있다고 나타났다.[72] 이러한 결과는 유전자가 개별적으로 장수에 미치는 영향은 미미하기 때문에 GWAS의 표준 유의 수준을 충족시키지 않는다는 가설과 일치한다. 하지만 여러 개의 특정 유전자들의 조합은 특히 105 세를 넘는 장수를 예측하는데 큰 영향력을 줄 수 있다.

유전자 데이터 추가분석 결과, NECS 연구에 포함된 고령자들도 GWAS를 통해 발견된 일반 질병에 대한 유전변이를 일반 대조군과 같은 비율로 가지고 있었다. 이 결과는 Leiden Longevity Study의 연구 결과와 일치하는 것으로, NECS 연구에 포함된 일반 대조군이 일반 인구와 동일하게 질병 관련 유전 변이를 가지고 있다는 것을 뜻한다.[73] 따라서 장수한 고령자들이(apolipoprotein E-4와 같은 몇 가지 예외도 있지만) 일반 인구와 마찬가지로 많은 질병에 대한 유전 변이를 가지고 있는 것을 의미한다. 장수한 고령자들과 일반 인구와의 유전적 차이는 노화를 늦추고 노화 관련 질병의 위험을 감소시키거나 지연시키는 장수 혹은 보호 유전변이를 가지고 있을 가능성이 높다는 것이다.

전장유전체 해독

수명에 결정적인 영향을 미치는 유전자가 발견되지 않았다는 것은 개별적으로 미미한 효과를 나타내는 유전자 변이들이 함께 기여해서 이러한 형질을 나타낸다는 것을 의미한다. 이러한 유전자 변이체 중 일부는 일반인에게는 희귀한 것일 수는 있지만, 최근 전장유전체 해독을 통해 이러한 변이체들의 추가적인 발견이 가능해졌다. NECS는 두 명의 초고령자의 전장유전체 해독을 통해서 유전체 서열을 발표하였고, 이를 기반으로 장수와 관련된 유전자 모델을 연구하였다.[74] 두 명의 초고령자의 전장유전체 서열은 장수한 사람들의 참조 패널을 만드는 첫 번째 단계로 여겨진다.

미래 방향

인간의 장수에 관한 연구는 형질의 유전적 및 비유전적인 결정 요인에 대한 많은 중요한 단서들을 제공하였다. 장수는 많은 희귀 및 공통 유전자들의 변이가 시너지 및 길항적으로 상호작용하면서 결정된다는 확실한 유전적 증거를 기초로 하고 있다. 유전학 연구들을 통해 이를 제어할 수 있는 인자들을 발견했으나, 이는 추후에도 더 많이 밝혀질 것으로 생각되며, 유전자형과 표현형을 연관시키는 생물학적 기전의 역할들 또한 밝혀져야 할 부분이 많이 남았다. 장수와 관련된 유전자 변이 개개의 효과를 평가하려는 기능적 실험은 상호 작용하는 다른 유전자 변이를 제어하기 어렵기 때문에 아직까지는 미흡하다. 수명과 건강수명을 연장하는 기전을 발견하기 위해서는 시스템 기반 접근법이 필요하며, 유도만능줄기세포에 기초한 새로운 실험 모델이 유용할 수 있다. 또한 다수의 연구들에 따르면 장수하는 사람들은 일반 인구에서 발견되는 질병 관련 유전자변이가 많이 발견된다고 한다. 이러한 발견은 장수하는 사람들이 유해 유전자에 대응하고, 노화 속도를 늦추고, 그리고 조기 사망에 기여하는 노화 관련 질병의 위험을 감소시키는 보호 유전자변이체를 가지고 있을 가능성을 제시해준다. 이러한 보호적인 효과를 나타내는 유전자 변이체의 발견과 이러한 유전자들이 노화 및 노화 관련 질병의 위험을 감소시키는 역할을 규명하기 위한 후속 연구들은 예측 및 예방의학 분야에 중요한 관문일 것이다.

요점: 성공적인 노화

- 100세 이상의 고령자는 인구 10,000명당 1.7인으로 매우 드물다. 2015년에는 미국에 약 50,000명의 100세 이상의 고령자 있는 것으로 추정되었다. 1980년에는 인구 10,000명당 1명 정도였다. 1910년 출생 코호트 중 남성의 경우 95세 이상, 여성의 경우 100세 이상인 고령자가 전체 인구의 생존율의 상위 1%에 해당하였다. 110세 이상의 초고자는 인구 50,000명당 1명 정도인데, 현재 미국에는 약 50명, 세계적으로 350명의 초고령자가 있는 것으로 추정되었다.

- 고령자들에게서는 공통적으로 질병상태의 압축(compression of morbidity)보다는 장애의 압축 (compression of disability)이 나타나는데, 93세 나이에도 90% 이상이 기능적으로 독립적이다. 하지만 106세 이상으로 생존한 대부분의 고령자들은 "질병상태의 압축(Compression of Morbidity)" 가설과 같이 사망 직전에 질병과 장애가 압축되어 있다.

- 100세 이상 고령자의 약 15% 정도로 낮은 비율을 차지하는 남성의 경우, 고령 여성에 비해서 현저하게 더 나은 인지 기능 및 신체 기능을 유지하는 경우가 많다.

- 전체 인구의 1%에 해당되는 연령까지 장수하는 것은 가족력이 강하다. 장수하는 사람들은 일반 인구와 마찬가지로 많은 질병 연관 유전자 변이를 가지고 있다. 이들 중에서 생존의 차이를 만드는 것은 장수 또는 보호 유전자 변형의 존재 유무이다. 단일 유전자 변이는 장수에 있어서 미미한 영향력이 있지만 수백 가지의 특정 유전자 형질의 특정 변이들은 특히 105세 이상 생존하는 데 매우 강력한 영향을 미칠 수 있다.

참고문헌의 총 목록을 보려면 www.expertconsult.com 을 방문해주세요.

중요 참고문헌

5. Young RD DB, McLaughlin K, et al. Typologies of extreme longevity myths Curr Gerontol Geriatr Res 2010:423087, 2010.

10. Franceschi C, Motta L, Valensin S, et al. Do men and women follow different trajectories to reach extreme longevity? Italian Multicenter Study on Centenarians (IMUSCE). Aging (Milan, Italy). 2000;12(2):77-84.

11. Christensen K, McGue M, Petersen I, Jeune B, Vaupel JW. Exceptional longevity does not result in excessive levels of disability. Proceedings of the National Academy of Sciences of the United States of America. 2008;105(36):13274-13279.

13. Evert J, Lawler E, Bogan H, Perls T. Morbidity profiles of centenarians: survivors, delayers, and escapers. The journals of gerontology Series A, Biological sciences and medical sciences. 2003;58(3):232-237.

17. Andersen SL, Sebastiani P, Dworkis DA, Feldman L, Perls TT. Health span approximates life span among many supercentenarians: compression of morbidity at the approximate limit of life span. The journals of gerontology Series A, Biological sciences and medical sciences. 2012;67(4):395-405.

18. Givens JL, Frederick M, Silverman L, et al. Personality traits of centenarians' offspring. Journal of the American Geriatrics Society. 2009;57(4):683-685.

22. Perls TT, Fretts RC. The evolution of menopause and human life span. Annals of human biology. 2001;28(3):237-245.

24. Perls TT, Alpert L, Fretts RC. Middle-aged mothers live longer. Nature. 1997;389(6647):133.

26. Smith KR, Gagnon A, Cawthon RM, Mineau GP, Mazan R, Desjardins B. Familial aggregation of survival and late female reproduction. The journals of gerontology Series A, Biological sciences and medical sciences. 2009;64(7):740-744.

31. Perls T, Shea-Drinkwater M, Bowen-Flynn J, et al. Exceptional familial clustering for extreme longevity in humans. Journal of the American Geriatrics Society. 2000;48(11):1483-1485.

34. Kerber RA, O'Brien E, Smith KR, Cawthon RM. Familial excess longevity in Utah genealogies. The journals of gerontology Series A, Biological sciences and medical sciences. 2001;56(3):B130-139.

35. Perls TT, Wilmoth J, Levenson R, et al. Life-long sustained mortality advantage of siblings of centenarians. Proceedings of the National Academy of Sciences of the United States of America. 2002;99(12):8442-8447.

43. Sebastiani P, Nussbaum L, Andersen SL, Black MJ, Perls TT. Increasing Sibling Relative Risk of Survival to Older and Older Ages and the Importance of Precise Definitions of "Aging," "Life Span," and "Longevity". The journals of gerontology Series A, Biological sciences and medical sciences. 2016;71(3):340-346.

45. Sebastiani P, Solovieff N, Dewan AT, et al. Genetic signatures of exceptional longevity in humans. PloS one. 2012;7(1):e29848.

46. Puca AA, Daly MJ, Brewster SJ, et al. A genome-wide scan for linkage to human exceptional longevity identifies a locus on chromosome 4. Proceedings of the National Academy of Sciences of the United States of America. 2001;98(18):10505-10508.

52. Huffman DM, Deelen J, Ye K, et al. Distinguishing between longevity and buffered-deleterious genotypes for exceptional human longevity: the case of the MTP gene. The journals of gerontology Series A, Biological sciences and medical sciences. 2012;67(11):1153-1160.

60. Barzilai N, Atzmon G, Schechter C, et al. Unique lipoprotein phenotype and genotype associated with exceptional longevity. Jama. 2003;290(15):2030-2040.

63. Schachter F, Faure-Delanef L, Guenot F, et al. Genetic associations with human longevity at the APOE and ACE loci. Nature genetics. 1994;6(1):29-32.

67. Sebastiani P, Perls TT. The genetics of extreme longevity: lessons from the new England centenarian study. Frontiers in genetics. 2012;3:277.

72. Sebastiani P, Bae H, Sun FX, et al. Meta-analysis of genetic variants associated with human exceptional longevity. Aging. 2013;5(9):653-661.

참고문헌

1. US Social Security Administration: Annual statistical supplement, 2001: highlights and trends http://wwwssagov/policy/docs/statcomps/supplement/2011/highlightshtml Accessed September 8, 2015.

2. Humes KR VV. Centenarians in the United States: information from census 2000 Poster presented at the 2007 Annual Meeting of the Population Association of America, March 29-31, New York.

3. Meyer J USCBC, 2010. Washington, DC, 2012, US Government Printing Office, Census Special Reports.

4. Robine JM AM. The oldest human Science 279:1834 – 1835,1998.

5. Young RD DB, McLaughlin K, et al. Typologies of extreme longevity myths Curr Gerontol Geriatr Res 2010:423087, 2010.

6. A H. Can someone live to be a supercentenarian? A woman in central Asia claims to have just celebrated her 130th birthday, a new record for keeping the grim reaper at bay http://wwwscientificamericancom/article/can-someone-live-to-be-a-supercentenarian Accessed September 8, 2015.

7. Kestenbaum B FB. Number of centenarians in the United States on January 1, 1990, 2000 and 2010 based on improved Medicare data N Am Actuarial J 10:1 – 6, 2005.

8. Bureau USC. Sex by age of the 2010 summary file 1 2010 US census http://factfinder2censusgov/faces/tableservices/jsf/pages/productview/xhtml?pid=DEC_10_SF1_PCT2&prodType=table Accessed April 25, 2013.

9. Japan S. Population and households of Japan, 2010 http://wwwstatgojp/english/data/kokusei/2010/final_en/final_enhtm Accessed September 8, 2015.

10. Franceschi C, Motta L, Valensin S, et al. Do men and women follow different trajectories to reach extreme longevity? Italian Multicenter Study on Centenarians (IMUSCE). Aging (Milan, Italy). 2000;12(2):77-84.

11. Christensen K, McGue M, Petersen I, Jeune B, Vaupel JW. Exceptional longevity does not result in excessive levels of disability. Proceedings of the National Academy of Sciences of the United States of America. 2008;105(36):13274-13279.

12. Fries JF. Aging, natural death, and the compression of morbidity. The New England journal of medicine. 1980;303(3):130-135.

13. Evert J, Lawler E, Bogan H, Perls T. Morbidity profiles of centenarians: survivors, delayers, and escapers. The journals of gerontology Series A, Biological sciences and medical sciences. 2003;58(3):232-237.

14. Ailshire JA, Beltran-Sanchez H, Crimmins EM. Social characteristics and health status of exceptionally long-lived Americans in the Health and Retirement Study. Journal of the American Geriatrics Society. 2011;59(12):2241-2248.

15. De Angelis R, Sant M, Coleman MP, et al. Cancer survival in Europe 1999-2007 by country and age: results of EUROCARE--5-a population-based study. The Lancet Oncology. 2014;15(1):23-34.

16. Crimmins EM, Johnston M, Hayward M, Seeman T. Age differences in allostatic load: an index of physiological dysregulation. Experimental gerontology. 2003;38(7):731-734.

17. Andersen SL, Sebastiani P, Dworkis DA, Feldman L, Perls TT. Health span approximates life span among many supercentenarians: compression of morbidity at the approximate limit of life span. The journals of gerontology Series A, Biological sciences and medical sciences. 2012;67(4):395-405.

18. Givens JL, Frederick M, Silverman L, et al. Personality traits of centenarians' offspring. Journal of the American Geriatrics Society. 2009;57(4):683-685.

19. Andersen SL, Sun JX, Sebastiani P, et al. Personality factors in the Long Life Family Study. The journals of gerontology Series B, Psychological sciences and social sciences. 2013;68(5):739-749.

20. Weiss A, Costa PT, Jr. Domain and facet personality predictors of all-cause mortality among Medicare patients aged 65 to 100. Psychosomatic medicine. 2005;67(5):724-733.

21. Masui Y, Gondo Y, Inagaki H, Hirose N. Do personality characteristics predict longevity? Findings from the Tokyo Centenarian Study. Age (Dordrecht, Netherlands). 2006;28(4):353-361.

22. Perls TT, Fretts RC. The evolution of menopause and human life span. Annals of human biology. 2001;28(3):237-245.

23. Kirkwood TB, Austad SN. Why do we age? Nature. 2000;408(6809):233-238.

24. Perls TT, Alpert L, Fretts RC. Middle-aged mothers live longer. Nature. 1997;389(6647):133.

25. Helle S, Lummaa V, Jokela J. Are reproductive and somatic senescence coupled in humans? Late, but not early, reproduction correlated with longevity in historical Sami women. Proceedings Biological sciences. 2005;272(1558):29-37.

26. Smith KR, Gagnon A, Cawthon RM, Mineau GP, Mazan R, Desjardins B. Familial aggregation of survival and late female reproduction. The journals of gerontology Series A, Biological sciences and medical sciences. 2009;64(7):740-744.

27. Sun F, Sebastiani P, Schupf N, et al. Extended maternal age at birth of last child and women's longevity in the Long Life Family

Study. Menopause (New York, NY). 2015;22(1):26-31.

28. Murabito JM, Yang Q, Fox C, Wilson PW, Cupples LA. Heritability of age at natural menopause in the Framingham Heart Study. The Journal of clinical endocrinology and metabolism. 2005;90(6):3427-3430.

29. Murabito JM, Yang Q, Fox CS, Cupples LA. Genome-wide linkage analysis to age at natural menopause in a community-based sample: the Framingham Heart Study. Fertility and sterility. 2005;84(6):1674-1679.

30. Stolk L, Perry JR, Chasman DI, et al. Meta-analyses identify 13 loci associated with age at menopause and highlight DNA repair and immune pathways. Nature genetics. 2012;44(3):260-268.

31. Perls T, Shea-Drinkwater M, Bowen-Flynn J, et al. Exceptional familial clustering for extreme longevity in humans. Journal of the American Geriatrics Society. 2000;48(11):1483-1485.

32. Perls TT, Bubrick E, Wager CG, Vijg J, Kruglyak L. Siblings of centenarians live longer. Lancet (London, England). 1998;351(9115):1560.

33. Gudmundsson H, Gudbjartsson DF, Frigge M, Gulcher JR, Stefansson K. Inheritance of human longevity in Iceland. European journal of human genetics : EJHG. 2000;8(10):743-749.

34. Kerber RA, O'Brien E, Smith KR, Cawthon RM. Familial excess longevity in Utah genealogies. The journals of gerontology Series A, Biological sciences and medical sciences. 2001;56(3):B130-139.

35. Perls TT, Wilmoth J, Levenson R, et al. Life-long sustained mortality advantage of siblings of centenarians. Proceedings of the National Academy of Sciences of the United States of America. 2002;99(12):8442-8447.

36. Montesanto A, Latorre V, Giordano M, Martino C, Domma F, Passarino G. The genetic component of human longevity: analysis of the survival advantage of parents and siblings of Italian nonagenarians. European journal of human genetics : EJHG. 2011;19(8):882-886.

37. McGue M, Vaupel JW, Holm N, Harvald B. Longevity is moderately heritable in a sample of Danish twins born 1870-1880. Journal of gerontology. 1993;48(6):B237-244.

38. Herskind AM, McGue M, Holm NV, Sorensen TI, Harvald B, Vaupel JW. The heritability of human longevity: a population-based study of 2872 Danish twin pairs born 1870-1900. Human genetics. 1996;97(3):319-323.

39. Ljungquist B, Berg S, Lanke J, McClearn GE, Pedersen NL. The effect of genetic factors for longevity: a comparison of identical and fraternal twins in the Swedish Twin Registry. The journals of gerontology Series A, Biological sciences and medical sciences. 1998;53(6):M441-446.

40. Mitchell BD, Hsueh WC, King TM, et al. Heritability of life span in the Old Order Amish. American journal of medical genetics. 2001;102(4):346-352.

41. Witte JS, Visscher PM, Wray NR. The contribution of genetic variants to disease depends on the ruler. Nature reviews Genetics. 2014;15(11):765-776.

42. Fraser GE, Shavlik DJ. Ten years of life: Is it a matter of choice? Archives of internal medicine. 2001;161(13):1645-1652.

43. Sebastiani P, Nussbaum L, Andersen SL, Black MJ, Perls TT. Increasing Sibling Relative Risk of Survival to Older and Older Ages and the Importance of Precise Definitions of "Aging," "Life Span," and "Longevity". The journals of gerontology Series A, Biological sciences and medical sciences. 2016;71(3):340-346.

44. Tan Q, Zhao JH, Zhang D, Kruse TA, Christensen K. Power for genetic association study of human longevity using the case-control design. American journal of epidemiology. 2008;168(8):890-896.

45. Sebastiani P, Solovieff N, Dewan AT, et al. Genetic signatures of exceptional longevity in humans. PloS one. 2012;7(1):e29848.

46. Puca AA, Daly MJ, Brewster SJ, et al. A genome-wide scan for linkage to human exceptional longevity identifies a locus on chromosome 4. Proceedings of the National Academy of Sciences of the United States of America. 2001;98(18):10505-10508.

47. Reed T, Dick DM, Uniacke SK, Foroud T, Nichols WC. Genome-wide scan for a healthy aging phenotype provides support for a locus near D4S1564 promoting healthy aging. The journals of gerontology Series A, Biological sciences and medical sciences. 2004;59(3):227-232.

48. Geesaman BJ, Benson E, Brewster SJ, et al. Haplotype-based identification of a microsomal transfer protein marker associated

with the human lifespan. Proceedings of the National Academy of Sciences of the United States of America. 2003;100(24):14115-14120.

49. Bathum L, Christiansen L, Tan Q, Vaupel J, Jeune B, Christensen K. No evidence for an association between extreme longevity and microsomal transfer protein polymorphisms in a longitudinal study of 1651 nonagenarians. European journal of human genetics : EJHG. 2005;13(10):1154-1158.

50. Beekman M, Blauw GJ, Houwing-Duistermaat JJ, Brandt BW, Westendorp RG, Slagboom PE. Chromosome 4q25, micro-somal transfer protein gene, and human longevity: novel data and a meta-analysis of association studies. The journals of geron-tology Series A, Biological sciences and medical sciences. 2006;61(4):355-362.

51. Nebel A, Croucher PJ, Stiegeler R, Nikolaus S, Krawczak M, Schreiber S. No association between microsomal triglyceride transfer protein (MTP) haplotype and longevity in humans. Proceedings of the National Academy of Sciences of the United States of America. 2005;102(22):7906-7909.

52. Huffman DM, Deelen J, Ye K, et al. Distinguishing between longevity and buffered-deleterious genotypes for exceptional hu-man longevity: the case of the MTP gene. The journals of gerontology Series A, Biological sciences and medical sciences. 2012;67(11):1153-1160.

53. Boyden SE, Kunkel LM. High-density genomewide linkage analysis of exceptional human longevity identifies multiple novel loci. PloS one. 2010;5(8):e12432.

54. Kerber RA, O'Brien E, Boucher KM, Smith KR, Cawthon RM. A genome-wide study replicates linkage of 3p22-24 to extreme longevity in humans and identifies possible additional loci. PloS one. 2012;7(4):e34746.

55. Beekman M, Blanche H, Perola M, et al. Genome-wide linkage analysis for human longevity: Genetics of Healthy Aging Study. Aging cell. 2013;12(2):184-193.

56. Guarente L, Kenyon C. Genetic pathways that regulate ageing in model organisms. Nature. 2000;408(6809):255-262.

57. Kops GJ, Dansen TB, Polderman PE, et al. Forkhead transcription factor FOXO3a protects quiescent cells from oxidative stress. Nature. 2002;419(6904):316-321.

58. Holzenberger M, Dupont J, Ducos B, et al. IGF-1 receptor regulates lifespan and resistance to oxidative stress in mice. Nature. 2003;421(6919):182-187.

59. Al-Regaiey KA, Masternak MM, Bonkowski M, Sun L, Bartke A. Long-lived growth hormone receptor knockout mice: inter-action of reduced insulin-like growth factor i/insulin signaling and caloric restriction. Endocrinology. 2005;146(2):851-860.

60. Barzilai N, Atzmon G, Schechter C, et al. Unique lipoprotein phenotype and genotype associated with exceptional longevity. Jama. 2003;290(15):2030-2040.

61. Atzmon G, Rincon M, Schechter CB, et al. Lipoprotein genotype and conserved pathway for exceptional longevity in humans. PLoS biology. 2006;4(4):e113.

62. Conneely KN, Capell BC, Erdos MR, et al. Human longevity and common variations in the LMNA gene: a meta-analysis. Aging cell. 2012;11(3):475-481.

63. Schachter F, Faure-Delanef L, Guenot F, et al. Genetic associations with human longevity at the APOE and ACE loci. Nature genetics. 1994;6(1):29-32.

64. Sebastiani P, Montano M, Puca A, et al. RNA editing genes associated with extreme old age in humans and with lifespan in C. elegans. PloS one. 2009;4(12):e8210.

65. Lander ES. The new genomics: global views of biology. Science (New York, NY). 1996;274(5287):536-539.

66. Hirschhorn JN, Lohmueller K, Byrne E, Hirschhorn K. A comprehensive review of genetic association studies. Genetics in medicine : official journal of the American College of Medical Genetics. 2002;4(2):45-61.

67. Sebastiani P, Perls TT. The genetics of extreme longevity: lessons from the new England centenarian study. Frontiers in genet-ics. 2012;3:277.

68. Lunetta KL, D'Agostino RB, Sr., Karasik D, et al. Genetic correlates of longevity and selected age-related phenotypes: a ge-nome-wide association study in the Framingham Study. BMC medical genetics. 2007;8 Suppl 1:S13.

69. Newman AB, Walter S, Lunetta KL, et al. A meta-analysis of four genome-wide association studies of survival to age 90 years or older: the Cohorts for Heart and Aging Research in Genomic Epidemiology Consortium. The journals of gerontology Series A, Biological sciences and medical sciences. 2010;65(5):478-487.

70. Deelen J, Beekman M, Uh HW, et al. Genome-wide association study identifies a single major locus contributing to survival into old age; the APOE locus revisited. Aging cell. 2011;10(4):686-698.

71. Walter S, Atzmon G, Demerath EW, et al. A genome-wide association study of aging. Neurobiology of aging. 2011;32(11):2109. e2115-2128.

72. Sebastiani P, Bae H, Sun FX, et al. Meta-analysis of genetic variants associated with human exceptional longevity. Aging. 2013;5(9):653-661.

73. Sebastiani P, Riva A, Montano M, et al. Whole genome sequences of a male and female supercentenarian, ages greater than 114 years. Frontiers in genetics. 2011;2:90.

PART **2**

생물학적 노화학

Biological Gerontology

CHAPTER **05**

노화에 대한 진화이론과 기전

Evolution Theory and the Mechanisms of Aging

Thomas B.L. Kirkwood

"왜 노화가 생기는가?"라는 질문에 대한 답은 노화에 대한 생리적 기전과 진화이론에서 얻을 수 있다. 이 장에서는 진화의 측면에서 노화를 이해하고, 진화이론에 근거하여 노화를 설명하는데 중요하다고 생각되는 기전들에 대해 알아볼 것이다.

진화이론은 노화과정의 유전적 토대에 대해 조사할 수 있는 강력한 방법으로 알려져 있다.[1-4] 인간의 노화는 오래 전부터 연구되어 왔지만, 최근에 발표된 진화이론에 대한 연구들은 노화에 대한 중요한 질문에 대해 새로운 답을 줄 가능성이 있다. 예를 들어, 아이슬란드 전체에 대한 인구조사에서 인간의 장수에 대해 유전적 기여가 있다는 일관된 증거를 보여준다.[5] 이에 따라 어떤 유전자가 노화에 기여할지 혹은 얼마나 많은 유전자가 관여할 지에 대한 관심이 커지고 있다.[6,7] 또한 베르너 증후군(Werner syndrome)이나 허친슨-길포오드 조로증(Hutchinson-Gilford progeria)과 같은 유전 질환은 노화의 증상이 일반인에 비하여 가속화된다는 특징이 있어 관심을 받고 있다(10장 참조).

노화와 진화이론적 관계에 대해 서술하기 전에, 노화라는 용어를 정확히 이해하는 것이 중요하다. 이 장에서 노화는 "기능의 점진적이고 전반적인 장애로 인하여, 생체 스트레스에 대한 적응 반응의 둔화와 연령에 따른 질병의 위험이 증가된 상태"로 정의한다.

이러한 정의는 나이에 따라 사망률이 점진적으로 증가하기에 노화 과정의 세부 특징이 현저하게 다른 종(species) 사이에서도 비교가 가능하다. 계통 발생 측면에서, 노화는 일반적 개념에서 모두에게 생겨나지만 보편적 현상은 아니다.[8-12] 모든 종에서 연령별로 사망률이 일정하게 증가하지는 않는다는 사실은 노화가 연령의 증가로 인한 필연적인 결과가 아니라는 것을 보여준다. 반면에, 매우 많은 종들에서 연령에 따라 사망률이 증가한다는 사실은 노화의 진행은 일반적으로 발생한다는 증거이기도 하다.

노화의 진화

노화에 대한 진화이론은 "왜 자연선택을 통해 노화가 발생했는가?"를 설명하려고 한다. 생식능력의 감소로 인한 생존율의 감소는 노화가 발생한 개체에 해를 주기 때문에 다윈 적응도가 노화에 의해 손실되었음을 의미한다. 자연선택은 적응도를 높이기 위해 일어나게 됨으로 자연선택은 노화와 반대방향으로 이루어지게 된다. 따라서 진화론에 대한 도전은 다윈의 적응도에 역행하는 결정에도 불구하고 노화가 발생하는 이유를 진화이론에 근거하여 설명하는 것이다.

예정된 혹은 적응된 노화

개체의 이익이 되지 않음에도 불구하고, 노화는 인구 과밀을 방지하기 위해 종 수준에서 발생되는 유익하고 필요한 조치라는 의견이 제기된다.[13,14] 이 경우, 노화를 일으키는 유전자가 다른 유전자 발현 양상처럼 수명이 다해가는 개체에서 활성화될 수 있다.

이 견해는 노화가 개체군의 사망률 증가에 중요한 역할을 한다는 증거가 부족하기에 문제가 있으며,[15] 명백하게 노화가 적응이라는 측면에서 제 역할을 하지 못한다는 것을 의미한다. 이 이론은 오래 산다는 측면에서 종 수준에서의 선택이 개인간의 선택보다 더 효과적인가라는 의문을 제기한다. 노화는 개개인에게는 분명히 단점이므로, 가상의 노화에 관련된 유전자를 비활성시키는 돌연변이가 생기게 되면 장수에 도움이 되므로, 종 또는 집단선택에 문제가 없다면, 항노화 돌연변이는 모든 개체군에 확산될 것이다. 집단선택이 성공적으로 이루어지는 경우는 매우 제한적이며,[16] 집단선택이 개체수준에서 일어나는 일에 역행하는 선택을 해야 하는 경우는 더욱 그렇다. 간단히 말해, 인구가 상당히 격리되어 있는 집단으로 나뉘어 있어야 하고, 한 집단의 항노화 유전자형 도입이 집단의 멸종을 빠르게 유발해야만 한다. 후자의 조건은 원칙적으로 항노화 돌연변이의 확산을 원하는 개인의 선택에 대항하는 그룹 간의 선택을 제공하기 위해 필요하다. 노화의 원인이 되는 유전자의 선택을 허용할 수 있는 이론적 특수 사례가 구축되었지만, 노화의 진화를 설명하기에 충분한 조건이 될 것 같지는 않다.[17]

노화에 따른 선택의 약화

노화에 대한 진화이론에서 가장 중요한 점은 자연선택(natural selection)의 힘, 즉 대체 유전자형을 선별할 수 있는 능력이 나이가 들수록 감소한다는 것이다.[15,18-21] 자연선택은 적응력에 대한 유전자 간의 차이에 의해 영향을 받기 때문에, 이를 선별하는 능력은 나이가 듦에 따라 유기체의 번식에 대한 능력의 감소에 비례하여 감소해야 한다. 이것은 종들이 노화현상을 보이든 말든 일어나는 일이다.

나이와 함께 자연선택의 힘이 감소하는 것은 불가피하며, 수명이 다해갈 때 유전적인 통제가 느슨해지게 된다. 이 때문에, 노화는 잠재적으로는 유해하지만 말년까지는 표현되지 않거나 효과를 내지 않는 돌연변이의 축적에 의한 것일 수 있다는 주장이 제기되어 왔다.[15]

만약 해로운 돌연변이가 너무 늦게 표현되어 대부분의 개인들이 이미 포식과 같은 다른 원인에 의해 사망하게 된다면, 관련 유전자들이 해를 끼칠 가능성이 있지만 개인들에서 거의 선택 받지는 못할 것이라는 생각이다. 여러 세대에 걸쳐, 그러한 유전자들의 많은 수가 축적될 것이다. 이것들은 야생의 위험으로부터 멀리 떨어진 보호된 환경으로 옮겨져, 이들의 부정적인 영향을 경험할 수 있을 만큼 오래 살 때에만 노화와 죽음을 야기할 것이다.

보다 강력한 이론은 William에 의해 제안되었는데,[18] 나이가 들면서 자연선택의 힘이 감소하기 때문에, 비록 같은 유전자가 나이가 들면서 해로운 영향을 끼치더라도, 삶에서 초기에 우위를 점한 어떤 유전자가 선택으로 선호될 것이라는 이론이다. 이런 '다면발현' 유전자는 노화를 설명할 수 있다. 나이가 들면서 자연선택의 힘이 감소하는 것은, 부작용이 충분히 늦게 발생한다면 적은 정도의 초기 이득이 유해한 부작용을 보다 더 중요하다는 것을 의미한다.

일회용 체세포 이론

일회용 체세포 이론은[1,4,21-23] 유기체가 스스로를 유지하고, 다른 한편으로는 개체 사망 시에 몸을 성장시키고 자손을 만들어 유전자를 연속시키기 위해 대사자원을 어떻게 가장 효과적으로 할당해야 하는가에 대한 물음으로 노화를 설명한다. 포식, 기아 및 질병과 같은 위험에 면역이 되는 종은 없다. 유지보수를 위해 필요한 모든 것은 우발적인 원인으로 사망했을 때까지 적절한 상태를 유지해야 한다. 실제로 유지 관리를 위한 많은 비용지출은 자연선택에 있어 종족보존에 사용될 자원을 사용해야 하는 단점이 있다. 이 이론은 지속적인 생존에 필요한 것보다 개체 조직의 적절한 유지에 더 적은 양의 자원을 소모하는 것으로 결론낼 수 있다(그림 5-1). 결과적으로 노화는 복구되지 않은 개체 결함의 점진적인 축적을 통해 발생하지만 유지 수준이 설정되어 야생 환경에서 생존이 극도로 어려워지는 시점의 나이까지 해로운 영향이 분명하게 나타나지는 않는다.

진화 이론의 비교

적응 프로그램 이론(adaptive program theory)은 이 범주에 속하지만 이론에 대한 기반이 약하기에 이 장에서 더 이상 고려하지 않을 것이다. 일회용 체세포 이론 및 다면발현 유전자 이론(pleiotropic genes theory)은 노화가 유기체의 생활양상에 대한 긍정적인 선택의 결과라는 점이 같지만, 본질적인 차이점은 노화 자체가 적응이 아니라, 선택에 따른 부산물 또는 이익의 절충에 따른 부작용이라는 것이다. 후기 발생 해로운 돌연변이 이론(late-acting deleterious mutations theory)은 본질적으로 중립적인 진화 과정을 추정하는데, 돌연변이의 축적은 수명의 후기까지 엄격한 통제를 유지하기 위한 자연선택은 불가능하다는 것을 반영한다.

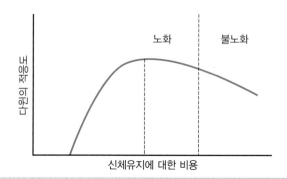

■ **그림 5-1. 노화의 일회용 체세포 이론에 의해 예측된 다윈의 적응력과 신체유지에 대한 비용 간의 관계.** 적응력은 무기한의 장수(불노화)에 필요한 비용보다 적은 수준에서 극대화한다.

비적응 이론 중에는 노령화된 개체가 무수히 많아진다는 공통점을 가지고 있다. 이는 이론에 따른 약점이나 노후화에 대한 절대적인 가정 때문이기보다는 사망에 대한 간단한 계산에서 생겨난다. 나이든 개체가 젊은 개체와 생리학적으로 구별할 수 없을 정도로 똑같은 활력을 유지한다 하더라도, 각 집단이 나이에 따라 약화된다는 사실은 적응에 대한 선택력이 약화된다는 것을 의미한다. 비적응 이론은 상호 배타적이지 않기에 노화는 원칙적으로 그 중 어떤 조합에 의한 것일 수 있다.

유전자 작용의 본질에 관해서는, 일회용 체세포 이론이 진화이론 중에서 가장 구체적인데, 노화가 발생하는 이유를 제시할 뿐만 아니라 노화의 유전적 기초는 체세포 유지 기능의 수준을 조절하는 유전자에서 발견된다고 추측하기 때문이다. 다면발현 유전자 이론이나 후기 발생 해로운 돌연변이 이론은 관련된 유전자의 본질에 대해서는 구체적이지 않다.

수명의 유전

이 절에서는 종간 비교의 관점에서 수명의 유전학(genetics of life span)을 논의한다. 즉, "생물은 왜 수명을 가지고 있습니까?"라고 질문하고, 생물간 수명의 다양성과 유전가능성에 대해 살펴볼 것이다. 마지막으로 인간에서 유전적으로 노화가 가속된 모델인 워너 증후군과 허친슨 길포드 조로증과 허친슨–길포드 같은 인간 조로 증후군에 대하여 논의할 것이다.

수명의 종에 따른 다양성(species differences in longevity)
진화이론은 노화가 발생하는 이유를 설명하는 것에 더불어 종간의 수명 차이도 설명할 수 있어야 한다. 노화의 유전적 조절에 관해 제기된 기본적인 질문에는 "얼마나 많은 유전자가 관련되어 있으며, 유전자가 수명에 변화를 가져오는 선택을 하기 위해 어떻게 변형되는가?"이다.

비적응 이론들에서 선택력은 일반적으로 다수의 유전자가 연관될 것을 제시한다. 노화에 연관된 매우 많은 수의 독립적인 유전자가 있다면, 단일 유전자의 변형만으로는 거의 영향을 미치지 않을 것이고, 동시에 독립적인 변형이 발생할 확률이 낮기 때문에 수명이 변하는 속도가 느릴 것이다. 합리적으로 적은 수의 주요한 유전자가 노화를 초래하거나, 상호 조절을 위한 기전이 존재함을 의미한다.

수명 증가를 위한 진화는 우발적인(연령과 상관없는) 사망률의 전반적인 감소를 가져오는 방향으로 일어난다고 가정한다면 쉽게 설명될 수 있다. 후기 발생 해로운 돌연변이 이론에서는 해로운 유전자 효과를 제거하거나 연기하도록 새로운 압력을 줄 수 있다. 다면발현 유전자 이론에서는 초기 이득과 후기 비용 사이의 균형이 생존에 대한 해로운 영향을 줄이기 위해 조정될 수 있다. 일회용 체세포 이론에서는 높은 수준을 유지하기 위한 최적의 방향으로 선택이 있을 수 있다.

종내 가변

종 혹은 개체군 내에서 관찰된 수명의 가변성은 분명히 우연에 의한 것일 수 있지만, 유전적인 요소도 상당부분 있다.[5] 마틴 등은[3] 노화에 관련하여 개인에게 특이하거나 집단 전체에 걸쳐(아마도 종을 넘어서서) 공유할 수 있는 유전적 요인을 설명하기 위해 공적(public)과 사적(private)이라는 용어를 사용했다. 후기 발생 해로운 돌연변이는 대립 유전자의 운명이 주로 무작위적인 유전적 이동에 의해 결정되기 때문에 사적유전자의 유력한 후보이다. 공적유전자는 교환을 통해 생길 가능성이 크다. 특히, 체세포유지에 관련된 기전을 조절하는 유전자는 중요한 공적유전자일 가능성이 있다. 이러한 유전자는 모든 개체가 가지고 있다는 의미에서 공적이지만, 집단 안에서도 개체에 설정된 정확한 수준에 따라 차이가 있을 수 있다. 이러한 차이가 수명에 대한 유전적 가변성의 원인이 될 수 있다.

일회용 체세포 이론에서의 예측대로, 개개 체세포 유지 시스템은 유기체가 힘든 환경에서도 좋은 상태를 유지할 수 있도록 높게 설정되어야 하지만, 동시에 자원이 낭비되지 않을 정도의 너무 높지 않은 수준으로 설정되어야 한다. 생존을 위해 다양한 유지 시스템이 병렬로 작동한다(그림 5-2). 설정 수준에 따라 각 유지 시스템은 주어진 수명이 있다고 생각할 수 있다(장수 보장 개념은 Cutler[24]와 Sacher[25] 참조). 중대한 메커니즘 중 어느 하나라도 생존에 위협을 줄 수 있는 결함이 누적되어 수명을 보장할 잠재력이 소진되면 개체는 죽게 된다.

그림 5-1의 피트니스 곡선의 모양을 보면, 자연선택이 진화압력을 가할 것으로 예상되는 지점인 최고점이 날카롭지 않고 둥글다는 것을 알 수 있고, 유지 프로세스의 정확한 설정에 있어서 개체내 차이가 존재함을 예상할 수 있다. 선택은 이러한 설정이 최고점을 향할 것으로 예상되지만, 일단 피크의 영역 내에 있으면 선택이 작동할 수 있는 적응차이가 작아진다.

■ **그림 5-2. 노화의 일회용 체세포 이론에 의해 예측된 장수의 다유전자적 제어.** 평균적으로 개개인의 체내 유지 체계에 의해 평균수명에 대한 일부 유전적 차이도 예측되지만, 보장된 장수의 기간은 비슷할 것으로 예측된다.

이러한 아이디어를 종합하면 예측은 그림 5-2로 요약된다. 평균적으로, 우리는 개별 유지 시스템에 의해 보장된 수명은 비슷할 것으로 기대한다.[26,27] 어떤 기전의 설정이 너무 낮아서 다른 기전 이전에 일관된 실패를 한다면, 선택은 설정된 수준을 높이는 경향이 있기 때문이다. 반대로, 어떤 기전이 항상 다른 기전의 뒤에서 실패한다면, 이 기전이 대사 비용을 감당할 수 있도록 설정된 수준을 낮게 조정하는 선택을 할 것이다. 그러나 개인에서 개체 내의 유전적 차이는 개체가 특정 원인으로 인해 노화되기 쉬운 범위 정도의 변화를 가져올 것으로 예상된다. 예를 들어, 어떤 개체가 다른 개체에 비하여 산소 산화물로부터 보호되지 않는다면, 더 큰 산화 손상이 생길 것이다.

사람에서 100세 이상을 사는 극단적인 장수 사례는 세포 방어망의 각 중요한 성분이 비정상적인 높은 수준을 부여 받은 경우이기에 특별한 관심이 있다.[6] 이런 개체는 기대수명을 단축시킬 수 있는 질병에 대해 취약한 대립형질로부터 자유롭기에 구별될 수 있다. Schächter 등은[28] 100세 이상 노인들과 젊은 성인 대조군을 비교하여 이 이론의 가능성을 입증하는 첫 번째 유전자 연구를 수행했다. 그 이후 인간장수의 유전학을 조사하기 위한 많은 연구가 진행되었다.

최근 몇 년 동안, 가족구성원들이 평균 수명 이상의 유전적 자질을 공유한다고 기대되는 극도의 장수(예: 100세 이상 수명을 지닌)를 개인이나 가족을 대상으로 한 몇몇 대규모 조사의 결과가 발표되었다. 가족을 대상으로 한 연구설계의 예로는 90대인 형제자매를 모집하는 연구(즉, 같은 가족의 2명 이상이 90세까지 살아있는)가 있다.[29,30] 현재 **빠른** 속도로 매우 많은 수의 유전자 지표를 처리할 수 있는 기술의 발전으로 연구의 초점이 유전체 전반에 관련된 연구와 가족들을 이용하여 시행할 수 있는 연관분석(linkage analysis)에 맞춰지고 있다. 여기에 현대의 인간 유전학의 강점과 고도의 다원유전자를 증명해야 하는 장수와 같은 특성을 연구할 때의 잠재적 어려움이 함께 존재한다. 많은 수의 유전자 자리가 장수 표현형에는 기여하지만 개별적으로는 작은 역할을 한다면, 통계적 간섭을 피해 정확한 역할을 알아내는 것은 만만치 않을 것이다.[31]

인간 조로 증후군

유전적 질환 중에 노화가 가속화된 표현형을 보여주는 질환이 있다. 이러한 질환 중 가장 잘 연구된 것은 워너 증후군으로, 100만명 중 약 10명에게 발생하는 희귀한 상염색체 열성 질환으로, 동맥경화증, 백내장, 골다공증, 악성 신생물, 제2형 당뇨병 등 다양한 연령 관련 질병이 조기에 발병된다. 워너 증후군 환자들로부터 자란 세포는 나이가 일치하는 대조군에 비해 세포분열 잠재력이 감소되고, 염색체의 불안정성이 증가되어 있으며, 병리적으로는 세포증식의 장애와 연관이 있다.

Yu 등은[32] 워너 증후군을 일으키는 유전자 결함이 유전물질의 복제, 수리 및 발현 등의 목적으로 DNA를 분리하는 효소인 DNA 나선효소 유전자에 있다고 증명했다. 이 발견은 체세포 결함의 축적이 노화에 중요하다는 개념을 강하게 뒷받침하고 있으며, 노화 정도를 결정하는데 장수보증유전자가 관여하는 것을 나타낸다. 결함이 있는 나선효소는 활발하게 분리되는 세포에서 DNA 결함이 축적되는 속도를 높인다. 이 유전자의 결함이 노화를 가속화하게 되고, 특히 세포분열이 일생 동안 지속되는 조직에서는 더 잘 보여준다. 그림 5-2에 보이듯이 워너 증후군에 관련된 돌연변이는 DNA 복구를 통한 장수보증의 선을 줄인 것과 같다. 그러나 그림 5-2에서 알 수 있듯이, DNA 복구는 전반적인 노화 속도를 결정하는 수명 보장 기전의 일부에 불과하다. 워너 신드롬이 뇌나 근육과 같은 분열이 종료된 조직의 노화 가속화와는 관련이 없다는 것은 놀라운 사실이며, 성인에서 세포 분열이 거의 없거나, 전혀 없는 이런 조직은 상대적으로 결함이 있는 DNA 나선효소에 의해 영향을 받지 않는다는 사실과 일치한다.

또 다른 주목할 만한 예는 허친슨-길포오드 조로증이다. 워너 증후군보다 노화의 특징이 훨씬 빨리 진행한다. 허친슨-길포오드 조로증은 세포 핵막 보전에 영향을 미치는 라민 A (lamin A) 유전자의 돌연변이와 관련이 있으며, 분자 및 세포 손상의 가속화된 축적과 급속한 노화와의 연관성을 다시 한 번 확인시켜 주었다.[33]

진화 이론의 시험

진화 이론의 핵심 예측은 자연선택의 힘의 감소 정도를 바꾸면, 부수적으로 동반되는 노화 속도의 변화와 관련된 진화로 이어질 것이라는 것이다. 이는 수명에 영향을 주는 변수를 인위적으로 선택하여 적용하거나, 다른 수준의 외적 사망률의 영향에 대해 종 내부와 종 간의 비교를 통해 시험되었다. 현실적인 이유로 대부분의 연구는 수명이 짧은 종, 특히 초파리(drosophila melanogaster) 및 선충류(caenorhabditis elegans)로 이루어진다.

일회용 체세포 이론과 다면발현 유전자 이론에서 예측한 바와 같이, 초기 및 후기 적응도에 연관된 요소의 교환에 의한 초파리의 수명 증가가 인위적인 선택이 성공적으로 작용한다는 증거이다.[34-39] 지연된 노쇠에 따라 일반적으로 장수하는 파리에서 생식력의 감소가 상관성을 보였다. 영국 귀족들의 출생과 사망 기록을 분석한 결과, 인류에게도 유사한 교환이 보고되었다.[40]

선충류(C. elegans)연구에서 수명을 늘리는 장수 돌연변이의 증가는 생화학 및 기타 스트레스에 대한 저항력 증가와 관련된다는 것을 일관되게 보여주었다. 영향을 받은 유전자의 대부분은 정상적인 발달 과정과 식량부족시기에 생겨나는 다우어 유충(dauer larva)이라고 불리는 대체 장수형 간의 변환을 제어하는 경로와 관련이 있다. 이는 신진대사 조절, 성장과 생식, 그리고 신체 유지 사이의 근본적인 연관성을 보여준다.[41-43] 이는 일회용 체세포 이론과 직접적으로 일치하는데, 노화에 대한 진화적 설명의 핵심은 생물이 성장, 유지 및 생식 등 생리적 요구의 경쟁 사이에서 대사자원(에너지)을 최적화하여 사용하기 위한 자연선택의 작용이라는 것이다.

이 가설처럼 인슐린 신호 경로는 다양한 종들에서 강력하게 보존되어 노화에 영향을 미치는 것으로 보인다는 점이 놀랍다. 인슐린 신호는 다양한 영양소 양에 따라 반응을 조절한다. 인슐린 신호 경로의 역할과 부합되는 것은 서투인(sirtuins)이라는 단백질의 발견과 식량공급에 따른 대사자원의 미세조정에 중심적으로 관여하는 라파마이신(mTOR)의 표적으로 알려진 영양소 반응경로의 발견이다.[44,45] mTOR 경로의 억제는 모델 개체의 수명을 연장시키고, 노화와 관련된 병태를 억제한다. 칼로리 섭취를 제한하는 것은 생식을 억제하는 동시에 다양한 유지 기전을 상향 조정하여 수명 연장과 연령 관련 질병을 연기시키는 것이 설치류 실험에서 오래 전부터 알려져 왔다. 그러나 분명하지 않은 것은, 선충류나 초파리와 같은 아주 짧은 수명을 지닌 생명체에서 보인 이런 기전을 통한 수명 연장의 효과가 긴 수명을 지닌 종에서도 작용한다는 것을 밝혀낼 수 있을 것인가 하는 점이다. 진화적인 근거에서 보면, 작고 단명하는 동물들은 극단적인 환경 변화에 대항하여 큰 반응을 만들어내는 능력을 진화시켜야 한다는 더 큰 진화적 압력이 있었을 것으로 보인다. 따라서 인간에서 식이요법 제한을 포함한 이러한 조율이 영향을 미치는 범위는 훨씬 적을 것으로 예상된다. 그럼에도 불구하고, 다양한 식량공급에 대한 대사적 결과가 없다면 놀랄 일이다.

비교의 관점에서 진화론은 안전한 환경(외인성 사망률이 낮은 환경)에서는 노화가 지체되는 쪽으로 진화할 것이라고 예측된다. 외인성 사망률을 감소시키는 적응(예: 날개, 보호 껍질, 큰 뇌)은 일반적으로 수명 증가(예: 박쥐, 새, 거북이, 인간)와 관련이 있다. 본토에서 포유류에 의해 포식의 대상이 된 주머니쥐와 섬에서 포유류에 의한 포식이 없었던 경우를 비교한 현장관찰 결과, 섬에서 주머니쥐의 노화가 더딜 것으로 예측되었다.[46]

분자 및 세포 수준에서 일회용 체세포 이론은 세포 유지와 수리 과정에 기울인 노력에 따라 직접적으로 수명에 영향을 미칠 것으로 예측한다. 수많은 연구들이 이 가설을 뒷받침한다. 포획된 포유류에서 종의 수명과 미토콘드리아의 활성산소(ROS) 생산율 사이에 직접적인 연관성이 발견되었다.[47,48] 포유류와 비슷한 크기지만 훨씬 더 오래 사는 새들 사이에서도 유사한 관계가 가지고 있다.[49] DNA 수리 능력은 많은 비교 연구들에서 포유류 수명과 관련이 있는 것으로 나타났는데,[50] 온전하게 유전체를 유지는 데 중요한 역할을 하는 효소인 폴리(ADP-리보오스) 중합효소의 양도 포유류 수명과 상관관계가 있는 것으로 나타났다.[51] 유지 및 수리 기전의 질은 외부 스트레스 대처 능력에 의해 알게 된다. 다양하게 부과된 스트레스를 견딜 수 있는 배양된 세포의 기능적 능력을 비교한 결과, 오래 사는 종에서 채취한 세포는 수명이 짧은 종에서 채취한 세포보다 스트레스에 대한 저항력이 월등하다고 밝혀졌다.[52,53]

진화 이론에 대한 시험을 통해, 체세포가 가진 효율적인 유지 및 보수를 수행하는 진화 능력은 주로 생물체의 생존 능력을 저해하는 수준까지의 손상이 축적되는 시간을 조절하여 수명을 조절한다는 것을 알 수 있다.

결론

"왜 노화가 발생하는가?"라는 질문에 대한 답은 노화의 유전적 기초를 어떻게 인지하는지에 대한 결과이다. 첫째, 진화이론은 프로그램 된 일 혹은 확률적인 일이 DNA 손상 같은 노화과정을 일으키는지에 대한 오랜 논쟁 속에 있다. 적응 노화 유전자 가설에 대한 진화이론의 약점은 프로그램 이론에 의문을 제기한다. 노화 시계의 개념은 이 사실을 인식함으로써 검증될 필요가 있다. 일중주기나 생식주기 같은 주기적 과정이나 발달과정에서 일시적인 조절이 존재하는 것이 노화를 규제하는 시계의 존재를 시사하는 충분한 근거가 되지는 않으며, 노화의 많은 특징의 광범위한 재현성도 기초적인 활성 프로그램에 대한 실질적인 증거를 제공하지는 않는다. 그러나 노화의 속도나 본질이 유전적으로 결정되는 것은 아니다라고 할 수는 없다. 노화에 대한 확률 이론과 프로그램 이론을 구별하는 문제는 수명을 결정하는 요소들이 게놈 내에서 특정되어 있느냐가 아니라 이것이 어떻게 배열되어 있느냐 하는 것이다.

둘째, 진화이론은 노화에 대한 다유전성 기반에서 시작된다. 다른 기전과 심지어 다른 종류의 유전자가 함께 작용할 수도 있다. 이는 중대한 문제로 보이며, 진전을 위해 (1) 유전자 조작에 의해 후보유전자가 변형된 유전자 변형 동물 모델 (2) 종의 수명과 긍정적이거나 부정적으로 연관되는 인자를 식별하기 위한 비교 연구 (3) 평균 이상의 장수와 관련된 인자를 확인하기 위한 극도로 장수하는 노인(예: 인간 100세 이상)에 대한 연구 (4) 인공 선택에 대한 수명 변화 반응을 조사하기 위한 선택 시험 등과 같은 다양한 접근법을 조합할 필요가 있다.

요점: 노화

우리는 죽도록 프로그램 되어 있지 않다.

- 과거 진화과정에서 평균 수명이 훨씬 짧을 때에는, 자연선택이 신체의 장기적 유지에 제한적이었기 때문에 노화가 발생한다.
- 노화는 세포와 조직 손상의 점진적인 축적에 의해 발생한다. 대부분의 손상은 산화 인산화(oxidative phosphorylation)를 통해 화학 에너지를 생성하기 위해 산소를 사용하는 것과 같은 필수적인 생화학적 과정의 부작용으로 발생한다.
- 손상 누적은 조기에 시작되어 평생 동안 점진적으로 지속되며, 수십 년 후 노화와 관련된 명백한 허약, 장애 및 질병이 발생한다.
- 여러 가지 과정이 노화에 영향을 주는 손상을 발생시키며, 복수의 유전자를 통해 노화의 속도에 영향을 미치는 DNA 복구와 같은 장수 보증 과정의 효능을 조절한다.
- 영양 및 운동과 같은 비유전적인 인자는 신체 내 손상 속도를 조절하는 데 중요한 영향을 미칠 수 있다.

KEY POINTS

참고문헌의 총 목록을 보려면 www.expertconsult.com 을 방문해주세요.

중요 참고문헌

4. Kirkwood TBL, Austad SN: Why do we age? Nature 408:233-238, 2000.

7. Christensen K, Johnson TE, Vaupel JW: The quest for genetic determinants of human longevity: challenges and insights. Nat Rev Genet 7:436-448, 2006.

15. Medawar PB: An unsolved problem of biology, London, 1952, HK Lewis.

17. Kirkwood TB, Melov S: On the programmed/non-programmed nature of ageing within the life history. Curr Biol 21:R701-R707, 2011.

18. Williams GC: Pleiotropy, natural selection and the evolution of senescence. Evolution 11:398-411, 1957.

21. Kirkwood TBL: Evolution of ageing. Nature 270:301-304, 1977.

22. Kirkwood TBL, Holliday R: The evolution of ageing and longevity. Proc R Soc Lond B Biol Sci 205:531-546, 1979.

26. Kirkwood TBL: Understanding the odd science of aging. Cell 120:437-447, 2005.

27. Kirkwood TBL: A systematic look at an old problem. Nature 451:644-647, 2008.

28. Schächter F, FaureDelanef L, Guenot F, et al: Genetic associations with human longevity at the APOE and ACE loci. Nat Genet 6:29-32, 1994.

31. Deelen J, Beekman M, Uh HW, et al: Genome-wide association meta-analysis of human longevity identifies a novel locus conferring survival beyond 90 years of age. Hum Mol Genet 23:4420-4432, 2014.

42. Gems D, Partridge L: Insulin/IGF signaling and ageing: seeing the bigger picture. Curr Opin Genet Dev 11:287-292, 2001.

43. Kenyon C: The plasticity of aging: insights from long-lived mutants. Cell 120:449–460, 2005.

45. Johnson SC, Rabinovitch PS, Kaeberlein M: mTOR is a key modulator of ageing and age-related disease. Nature 493:338–345, 2013.

53. Kapahi P, Boulton ME, Kirkwood TBL: Positive correlation between mammalian life span and cellular resistance to stress. Free Radic Biol Med 26:495–500, 1999.

참고문헌

1. Kirkwood TBL, Rose MR: Evolution of senescence: late survival sacrificed for reproduction. Philos Trans R Soc Lond B Biol Sci 332:15–24, 1991.

2. Partridge L, Barton NH: Optimality, mutation and the evolution of ageing. Nature 362:305–311, 1993.

3. Martin GM, Austad SN, Johnson TE: Genetic analysis of ageing: role of oxidative damage and environmental stresses. Nat Genet 13:25–34, 1996.

4. Kirkwood TBL, Austad SN: Why do we age? Nature 408:233–238, 2000.

5. Cournil A, Kirkwood TBL: If you would live long, choose your parents well. Trends Genet 17:233–235, 2001.

6. Schächter F, Cohen D, Kirkwood TBL: Prospects for the genetics of human longevity. Hum Genet 91:519–526, 1993.

7. Christensen K, Johnson TE, Vaupel JW: The quest for genetic determinants of human longevity: challenges and insights. Nat Rev Genet 7:436–448, 2006.

8. Comfort A: The biology of senescence, ed 3, Edinburgh, 1979, Churchill Livingstone.

9. Kirkwood TBL: Comparative and evolutionary aspects of longevity. In Finch CE, Schneider EL, editors: Handbook of the biology of aging, ed 3, New York, 1985, Van Nostrand Reinhold.

10. Finch CE: Longevity, Senescence and the genome, Chicago, 1990, Chicago University Press.

11. Martinez DE: Mortality patterns suggest lack of senescence in hydra. Exp Gerontol 33:217–225, 1997.

12. Jones OR, Scheuerlein A, Salguero-Gómez R, et al: Diversity of ageing across the tree of life. Nature 505:169–173, 2014.

13. Weismann A: Essays upon heredity and kindred biological problems, vol 1, Oxford, UK, 1891, Clarendon Press.

14. Wynne-Edwards VC: Animal dispersion in relation to social behaviour, Edinburgh, 1962, Oliver & Boyd.

15. Medawar PB: An unsolved problem of biology, London, 1952, HK Lewis.

16. Maynard Smith J: Group selection. Q Rev Biol 51:277–283, 1976.

17. Kirkwood TB, Melov S: On the programmed/non-programmed nature of ageing within the life history. Curr Biol 21:R701–R707, 2011.

18. Williams GC: Pleiotropy, natural selection and the evolution of senescence. Evolution 11:398–411, 1957.

19. Hamilton WD: The moulding of senescence by natural selection. J Theor Biol 12:12–45, 1966.

20. Charlesworth B: Evolution in age-structured populations, ed 2, Cambridge, UK, 1994, Cambridge University Press.

21. Kirkwood TBL: Evolution of ageing. Nature 270:301–304, 1977.

22. Kirkwood TBL, Holliday R: The evolution of ageing and longevity. Proc R Soc Lond B Biol Sci 205:531–546, 1979.

23. Kirkwood TBL: Repair and its evolution: survival versus reproduction. In Townsend CR, Calow P, editors: Physiological ecology: an evolutionary approach to resource use, Oxford, UK, 1981, Blackwell Scientific Publications.

24. Cutler RG: Evaluating biology of senescence. In Behare JA, Finch CE, Moment GB, editors: The biology of aging, New York, 1978, Plenum Press.

25. Sacher GA: Evolution of longevity and survival characteristics in mammals. In Schneider E, editor: The genetics of aging, New York, 1978, Plenum Press.

26. Kirkwood TBL: Understanding the odd science of aging. Cell 120:437–447, 2005.

27. Kirkwood TBL: A systematic look at an old problem. Nature 451:644–647, 2008.

28. Schächter F, Faure Delanef L, Guenot F, et al: Genetic associations with human longevity at the APOE and ACE loci. Nat Genet 6:29–32, 1994.

29. Skytthe A, Valensin S, Jeune B, et al: GEHA consortium. Design, recruitment, logistics, and data management of the GEHA (Genetics of Healthy Ageing) project. Exp Gerontol 46:934–945, 2011.

30. Beekman M, Blanché H, Perola M, et al: GEHA consortium. Genome-wide linkage analysis for human longevity: Genetics of Healthy Aging Study. Aging Cell 12:184–193, 2013.

31. Deelen J, Beekman M, Uh HW, et al: Genome-wide association meta-analysis of human longevity identifies a novel locus conferring survival beyond 90 years of age. Hum Mol Genet 23:4420–4432, 2014.

32. Yu CE, Oshima J, Fu YH, et al: Positional cloning of the Werner's syndrome gene. Science 272:258–262, 1996.

33. Eriksson M, Brown WT, Gordon LB, et al: Recurrent de novo point mutations in lamin A cause Hutchinson-Gilford progeria syndrome. Nature 423:293–298, 2003.

34. Rose MR: Laboratory evolution of postponed senescence in Drosophila melanogaster. Evolution 38:1004–1010, 1984.

35. Luckinbill LS, Arking R, Clare MJ, et al: Selection for delayed senescence in Drosophila melanogaster. Evolution 38:996–1003, 1984.

36. Partridge L, Prowse N, Pignatelli P: Another set of responses and correlated responses to selection on age of reproduction in Drosophila melanogaster. Proc R Soc Lond B Biol Sci 266:255–261, 1999.

37. Buck S, Vettraino J, Force AG, et al: Extended longevity in Drosophila is consistently associated with a decrease in larval viability. J Gerontol A Biol Sci Med Sci 55:292–301, 2000.

38. Zwaan B, Bijlmstra R, Hoekstra RF: Direct selection on life span in Drosophila melanogaster. Evolution 49:646–659, 1995.

39. Stearns SC, Ackermann M, Doebeli M, et al: Experimental evolution of aging, growth, and reproduction in fruit flies. Proc Natl Acad Sci U S A 97:3309–3313, 2000.

40. Westendorp RGJ, Kirkwood TBL: Human longevity at the cost of reproductive success. Nature 396:743–746, 1998.

41. Van Voorheis WA, Ward S: Genetic and environmental conditions that increase longevity in Caenorhabditis elegans decrease metabolic rate. Proc Natl Acad Sci U S A 95:11399–11403, 1999.

42. Gems D, Partridge L: Insulin/IGF signaling and ageing: seeing the bigger picture. Curr Opin Genet Dev 11:287–292, 2001.

43. Kenyon C: The plasticity of aging: insights from long-lived mutants. Cell 120:449–460, 2005.

44. Longo VD, Kennedy BK: Sirtuins in aging and age-related disease. Cell 126:257–268, 2006.

45. Johnson SC, Rabinovitch PS, Kaeberlein M: mTOR is a key modulator of ageing and age-related disease. Nature 493:338–345, 2013.

46. Austad SN: Retarded senescence in an insular population of opossums. J Zool 229:695–708, 1993.

47. Ku HH, Brunk UT, Sohal RS: Relationship between mitochondrial superoxide and hydrogen-peroxide production and longevity of mammalian species. Free Radic Biol Med 15:621–627, 1993.

48. Barja G, Herrero A: Oxidative damage to mitochondrial DNA is inversely related to maximum life span in the heart and brain of mammals. FASEB J 14:312–318, 2000.

49. Herrero A, Barja G: 8-Oxo-deoxyguanosine levels in heart and brain mitochondrial and nuclear DNA of two mammals and three birds in relation to their different rates of aging. Aging Clin Exp Res 11:294–300, 1999.

50. Kirkwood TBL: DNA, mutations and aging. Mutat Res 219:1–7, 1989.

51. Grube K, Bürkle A: Poly(ADP-ribose) polymerase activity in mononuclear leukocytes of 13 mammalian species correlates with species-specific life span. Proc Natl Acad Sci U S A 89:11759–11763, 1992.

52. Ogburn CE, et al: Cultured renal epithelial cells from birds and mice: enhanced resistance of avian cells to oxidative stress and DNA damage. J Gerontol B Psychol Sci Soc Sci 53:287–292, 1998.

53. Kapahi P, Boulton ME, Kirkwood TBL: Positive correlation between mammalian life span and cellular resistance to stress. Free Radic Biol Med 26:495–500, 1999.

CHAPTER **06**

노인 연구에서의 방법론적 도전

Methodologic Challenges of Research in Older People

Antony Bayer

서문

노인들을 대상으로 하는 연구 수행의 어려움은 과장된 경향이 있다. 너무 많은 노인들이 상당한 수준의 동반질환을 갖고 있어서 신호대잡음비가 떨어지고, 이상반응 위험도가 허용치를 초과할 정도로 높고, 필요한 시험을 완료할 수 없으며, 순응도가 낮고, 탈락률은 높을 것이라고 잘못 추정하고 있다. 이로 인해 인위적이고, 비과학적이며, 불필요한 정도의 높은 연령 상한을 설정하게 될 수도 있다. 그러나 일반적으로 노화 때문으로 생각되는 많은 변화들은 생활연령과는 다른 이유들, 특히 노쇠함과 상대적인 교육의 부족이나 흡연과 같은 심리사회적 요인을 야기하는, 육체적 및 인지적 동반질환으로 인한 경우 때문이다. 게다가, 연구 중인 질병과 관련된 이환률 및 사망률이 가장 높기 때문에 효과적인 중재치료가 가해지면 종종 절대적으로 가장 높은 효과를 보게 되는 집단도 바로 노인들이다.

65세 이후에는 정신적 무능력으로 발전할 위험이 높고, 낮은 주관적 기대수명을 가질 것이라는 잘못된 믿음으로 종단 연구에서 그 과정을 버티지 못할 것이라는 잘못된 이유를 들어 노인들을 배제시키는 것을 합리화하기도 한다. 실제로는, 65세 이상에서의 연간 치매발생률은 약 1% 정도에 불과하고, 영국에서 현재 65세에서의 향후 기대수명은 평균 18~21년이다.

생활연령에만 기반해서 볼 때는 취약하다고 판단되는 노인들을 대상으로 하는 실험에 있어서의 윤리적 우려는 젊은 연구자들의 잘못된 온정주의를 가져오고 노인들의 자주적 의사결정권은 무시된다. 노인들 중 가장 나이가 많은 노인들이더라도 대부분은 심각한 인지장애가 없고 일반적으로는 내용을 인지하고 난 후 참여에 대한 결정을 내리는 능력이 있을 것이다. 치료제 연구에서 노인들을 배제하면, 결국 근거기반 시험없이 치료를 받게 되거나 해당 연령군에서 시험해본 적이 없기 때문에 약물사용이 거부되는 상황을 가져오는데, 이것이 더 비윤리적이라고 여겨질수도 있고,[1] 이는 임상의들이 노인들에게 임상시험에 참여하도록 적극적으로 권고할 의무를 가지고 있음을 시사

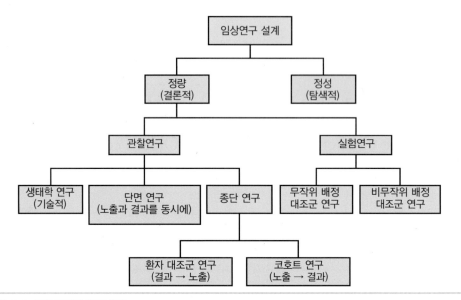

■ 그림 6-1. 임상연구의 연구설계

한다.[2]

임상시험 실시기준에 대한 유럽포럼은 노인대상 연구의 촉진을 위한 지침을 개발하였고,[3] 약물 등록을 위해 시험을 하는 유럽과 미국의 규제기관들도 역시 임상시험에 노인들을 더 많이 참여시켜야 한다고 동의하였다.[4,5] 그러므로 모든 연구자들은 노인 차별적 태도가 자신의 연구계획과 실행에 영향을 주지 않도록 주의해야 하고, 연구비지급기관과 연구윤리위원회는 부적절한 연령상한을 포함한 불필요하게 엄격한 시험대상자 선발조건에 대항하여 맞서야 한다.[6]

연구설계

노화 및 노화 관련 상태를 연구하고 관련된 변화의 기전과 그 결과를 이해하기 위한 최선의 연구설계는 알아내고자 하는 연구질문에 따라 다르다(그림 6-1). 정성 연구, 존재하는 데이터를 이용하는 생태학 연구, 단면 설계, 환자 대조군 설계 및 코호트 연구설계를 이용하는 정량 연구는 가설을 세우는데 도움이 될 것이다. 이 가설은 무작위배당 대조군 시험설계를 이용하는 실험연구를 통해 시험할 수 있다. 각 설계는 저마다의 어려움과 한계가 있다.

정성 방법론

정성 연구는 인류학 및 사회학에 뿌리를 두고 있으며, 서로 다른 이론적 기초를 갖는 다양한 여러 방법론들에 대한 포괄적 용어이다.[7] 이 방법은 사람들의 지식, 가치, 태도, 신념 및 두려움을 연구함으로써 인간의 행위를 더 심도있게 이해하고자 한다. 이는 시험대상자가 실제 삶의 문제에 대해 더 풍성하게 답할 수 있도록 하고, 연구자로 하여금 복잡한 인간 행위들을 충분히 조사할 수 있도록 해줌으로써 다른 방법에서는 놓칠 수도 있는 깊은 통찰력을 제공해준다. 예를 들면, 환자, 보호자 및 임상의가 관리에 대하여 내린 결정 이면의 이유를 알 수 있기 때문에 미래의 정책을 개발하는데 정보를 줄 수 있고,[8,9] 또는 정량하기 어려운 학대나 위기관리와 같은 중요한 문제들의 특성을 파악하는데 도움을 줄 수도 있다.[10,11]

정성 연구는 가설−실험 연구라기보다는 가설−생성 연구이지만, 그 결과를 통해 정량 방법으로 연구할 필요가 있는 특정 문제를 발견할 수 있고 실험연구의 결과를 설명하는데 도움을 줄 수도 있다. 그러므로, 정성 방법과 정량 방법은 서로에게 보완적인 방법이고, 많은 연구들에서 이들을 혼용한 방법을 사용하는 추세이다(예, 암 임상시험 등록에 대한 노인의 태도를 이해하고자 하는 연구).[12]

정성 연구는 샘플 수가 작고 노동집약적인 경향이 있는데, 관심있는 상황에서 직접 관찰하거나 능동적으로 참여하여 데이터를 수집하거나 또는 개별적인 심층 인터뷰(비구조적 또는 반구조적), 초점 집단(유도된 집단 토론), 또는 문서나 기타 인공물을 조사하여 데이터를 수집하기도 한다. 정성 연구에 이용되는 기타 방법으로는 다이어리 방식, 역할놀이 및 시뮬레이션, 이야기식 분석, 그리고 심층 증례연구 등이 있다. 사전에 잠재적인 관심분야를 확인할 수는 있지만, 미리 결정되어 있는 질문의 세트는 없고, 시험대상자는 자신의 관점이나 생각을 길게 표현하도록 격려받는다. 참여자의 수는 공식적인 샘플 크기 계산보다는 데이터 수집과 병행하여 인터뷰를 분석함으로써 결정될 수 있고, 이는 새로운 주제가 더 이상 나오지 않는 경우(포화) 중단된다. 연구질문과 깊이 관련 있을 것이라고 판단되는 특정범위의 경험과 태도를 의도적으로 반영하기 위해, 샘플 수집은 포괄적이거나 무작위적이기보다는 목적이 분명하게 설정되는 경향이 있다. 결과는 내용을 조사하고 경향이나 주제를 확인하는 방식으로 분석하는데, 이는 정량적 반복에서 사용하는 연역 통계적 접근 방식보다는 의미가 데이터로부터 나타나도록 허용하는 반복적인 과정을 거친다.

정성 분석을 비판하는 사람들은 연구자들이 데이터를 수집하고 분석할 때 갖는 관점과 태도에 의해 너무 영향을 많이 받기 때문에, 용인될 수 없는 편향성이나 일반화 과정 및 결과의 재현성에 있어서 문제들을 야기한다고 우려한다. 정성 연구는 노인들에게 어려울 수도 있지만, 보다 구조적인 정량 방법보다는 덜 거슬리기 때문에 노쇠한 사람들에게 특히 더 잘 맞는다. 그들은 소통능력 부족이나 피로로 인해 장시간의 인터뷰에 참여할 수 없거나 참여하기를 꺼릴수도 있기 때문에, 여러 차례의 짧은 인터뷰가 더 실용적일 수 있다. 초점 집단의 경우 노인 참여자 수는 4~5명이 가장 좋을 수 있고, 참여자간의 대화가 충분히 진행되도록 하기 위해 경험있는 진행자를 필요로 한다. 대표성 있는 샘플을 얻거나, 자신감이 떨어지고 쉽게 피로를 느끼거나 인지적 또는 육체적 결함이 있는 사람들을 돕기 위해서는, 더 많은 노력이 필요하다. 요양시설에서 실시하는 경우 특히 참여자나 비참여자 관찰이 유용할 수 있지만, 요양시설 거주자와 직원이 위협받는다고 느끼지 않으려면 연구자와의 신뢰를 쌓을 시간이 주어져야만 한다. 비밀준수의 확신과 관리에 대한 책임은 필수이다. 그러나, 일단 신뢰가 쌓이면 참여가 어렵다고 느끼지 않는 경향이 있기 때문에 중단율이 낮은 경향이 있다.[13]

생태학 연구

생태학 연구는 인과관계에 대한 증거가 일반적으로 약하지만, 샘플의 특성을 파악하고 가설을 세우기 위해 기존 데이터를 이용한다. 병원 퇴원 요약서류나 사망확인서, 병원별이나 개인별 질병발병률 기록과 센서스 데이터와 같은 데이터는 통합할 수 있다. 데이터가 이미 존재하기 때문에 속도와 경제성의 이점이 있고, 집단 수준에서 수행하는 요인들의 영향(예, 교육에 대한 접근성 개선, 공공장소에서의 흡연금지)은 개인의 수준에서 측정하기 어려울 수 있다. 그러나, 측정값이 시간과 장소에 따라 다를 수 있고, 데이터의 질은 항상 연구자의 통제 범위 밖에 있으며, 기존 데이터는 선택적일 수도 있다. 연령별로 나뉘어진 많은 공식적인 통계값들은 65세 이상 노인들의 값들을 통합한 정보나 근로가능 성인에 대한 정보만을 보여준다. 노인들을 포함시키는 경우, 지역사회에서 살지 않는 사람들과 인지장애가 있는 사람들은 종종 배제한다. 그럼에도 불구하고, 공기오염이나 온도의 일간변화량이 노인의 사망률에 미치는 영향과 같은 시간적 데이터의 경우, 개별 혼란변수들이 장기간동안 일정하게 유지되는 상황에서는 인과관계를 시사하는 구체적인 증거를 제공할 수 있다. 생태학 데이터는 어린 시절 요인들이 이후의 건강에 미치는 영향이나 어린 시절 질병이 "생애 역학"에 미치는 영향을 연구하는데 있어서 매우 귀중하다.[14]

단면 연구

단면 연구에서는 단기간 동안의 정보를 기록하고, 유병률 그리고 변수들이 연령 또는 의존성과 갖는 관계를 보고하는데 적합하다. 이 연구방법은 각 시험대상자를 한 번만 조사하고, 여러 가지 결과나 질병을 동시에 연구할 수 있기 때문에 상대적으로 빠르고 간단히 수행할 수 있다. 예를 들면, 65세 이상(3,450만명의 미국노인들이 해당됨)의 11,000명의 노인들을 대상으로 한 Health and Retirement Study의 자료는, 일반적인 노인성 증상(예, 인지장애, 낙상, 실금)이 심장병 및 당뇨병과 같은 일반적인 노인의 만성질환에 대한 유병률과 비슷하고, 일상 생활에서의 활동에 대한 의존성과 강하게 그리고 독립적으로 연관되어 있다는 중요한 결과를 보여준 바 있다.[15] 그러나, 단면적 연구는 발병률이나 인과관계에 대한 정보를 주지는 않고, 또한 드문 증상이나 급성질환에 관해 연구할 때는 그 가치가 제한적이다.

데이터는 각 연령군에 대한 평균값으로 표현할 수 있고, 또는 회귀분석에서 관심있는 결과를 종속변수로 하여 연령을 연속독립변수로 사용할 수 있다. 관심변수가 연구대상의 사망에 영향을 미칠 때, 생존률 편향으로 이어지는 선택적 사망률로 인해 상관성은 영향을 받게 된다. 출생 코호트 효과로 인해 잘못 해석할 수도 있는데, 상관성이나 차이가 연령으로 인한 것이 아니고, 그 사람들이 태어나고 자란 특정 시대와 환경적 위험인자에 대한 노출도의 변화와 관련이 있는 경우가 있다. 때때로 그러한 세대간 차이는 흥미있는 주제이고, 이러한 경우 수년마다 연구대상인 특정 연령군의 샘플을 연속적으로 수집하는 시계열 설계가 적합할 수 있다. 예를 들면, Cognitive Function and Ageing Studies (CFAS) 1 및 11은, 동일한 지역에 사는 동일한 나이의 노인 연령군에 대한 동일한 진단법을 사용하여 20년 간격으로 수행되었고, 나중에 태어난 집단이 지난 세기에 먼저 태어난 집단보다 치매발생 위험성이 낮음을 보여주며 치매 유병률에 있어서의 코호트 효과를 입증한 바 있다.[16]

발견된 차이가 시간적 변화에 따른 것이고 선택편향성에 의한 것이 아니라는 것을 분명히 하기 위해서는, 시험대상자 선정 시 각 시점에 적합함을 확인해야 하고 방법이 동일해야 한다.

환자 대조군 연구

환자 대조군 연구는 관심결과를 갖는 집단(환자군)과 갖지 않는 집단(대조군)을 선정하여 가능성있는 위험인자를 발견하기 위해 그들이 과거에 어떤 것에 서로 다르게 노출되었는지를 알아본다. 이 방법은 알츠하이머병과 같은 유전질환에 대한 유전적 역학연구(전장유전체 연관분석, 즉 GWAS)에서 민감성(위험성) 유전자를 발견하기 위해 널리 사용되어 왔다.[17] 이는 흔하지 않은 상태를 연구할 때 가장 좋은 연구설계이다. 시간 및 경제적으로 효율적이기 때문에, 표적대상 개인들에 대한 매우 적절한 정보를 얻을 수 있다. 환자 대조군 연구는 코호트 연구 내에 포함되어서 진행될 수 있는데, 짝지어진 대조군은 코호트 내에서 선택되고, 관심결과를 갖는 질환의 발생률과 비교분석된다.

환자군과 대조군이 관심결과 이 외의 다른 점이 있거나(선택편향), 환자군이 전형적이지 않을 때(대표성편향), 편향성이 생길 수 있다. 노화가 그 특성상 갈수록 이질성이 증가한다는 점을 고려하며, 편향성은 심각한 문제가 될 수 있고, 환자군과 대조군을 잘 짝짓도록 주의해야 한다. 환자군은 어떠한 사건을 그 중요성 때문에 더 잘 기억할 수 있고, 의도하지 않게 연구자가 잘 기억하도록 재촉하였기 때문에 편향성이 발생할 수 있으므로, 노출을 평가할 때는 환자군인지 대조군인지에 관해 눈가림을 해야한다. 사망자는 환자 대조군 연구에 포함되지 않고, 대리인은 본인보다 어떠한 노출에 관해 기억할 때는 신뢰도가 덜 할 수 있기 때문에 잠재적인 생존편향을 야기할 수 있다. 흡연과 폐암 사이의 관련성을 밝힌 최초 연구에서와 같이 환자 대조군 연구는 중요한 관련성을 제시하는데 있어서 중요한 역할을 할 수 있음에도 불구하고,[18] 폐경 후 여성의 병용호르몬 치환 요법과 심혈관질환의 관찰연구에서와 마찬가지로 혼란인자로 인해 매우 잘못된 결론을 내릴 수도 있다.[19]

코호트 연구

코호트 연구나 종단 연구에서는 시험대상자 집단이 나이가 들어가면서 오랜 시간동안 추적 관찰되는데, 이는 누구에게서 특정한 질환이 발생하는지 또는 변수의 변화 속도를 알아내기 위함이다.

위험도뿐 아니라, 관심질환이 발병한 사람들의 수를 계산할 수도 있다(발생률). 어쩔 수 없이 이러한 연구는 시간이 오래 걸리고, 종종 큰 샘플크기가 필요하므로(증상이 드물수록 샘플크기는 더 커져야 하므로) 비용이 많이 들게 된다. 시험의 빈도는 변화속도, 사용하는 측정법의 정밀도, 가용자원, 연구자와 시험대상자의 체력에 기초하여 결정해야 한다. 기울기 해석법이나 다른 기법을 이용한 종단적 데이터분석에는 전문가의 지식이 요구된다. 노인관련 유명한 코호트 연구로는 노화에 관한 볼티모어 노화종단연구,[20] 로테르담연구,[21] 및 케어필리코호트 등이 있다.[22] 영국 바이오은행은 최근 40~69세에 해당하는 50만명의 사람들을 모집하여, 이들 모두를 대상으로 매우 광범위한 베이스라인 분석을 완료하였다. 이들은 중년 및 노년의 주요 질병에 대한 위험인자를 연구하기 위해 장기간 추시관찰(첨단 영상분석법 이용)될 것이다. 이 자료는 공공의 이익과 관련한 모든 종류의 건강관련 연구를 수행하는 모든 선의의 연구자들이 사용하도록 공개하고 있다.[22a]

역인과관계의 가능성을 반드시 고려해야 하겠지만, 시험대상자가 발병과 그 질환의 경과가 정확히 알려지기 전에 등록이 되므로, 기억편향은 코호트 연구에서 피할 수 있다. 모든 시험대상자가 일반적으로 단일 출생 코호트에서 나오기 때문에 코호트 효과는 최소이다. 이상적으로 종단 노화연구는 시험대상자를 출생부터 사망 시까지 추시관찰을 해야 하지만 연구진보다 더 오래 생존할 가능성이 있기 때문에 이것은 거의 불가능하다. 종단 연구에서 연령범위가 넓을 때, 코호트 효과는 연령군 내 변화속도를 그래프로 만들어 그래프가 부드럽게 합쳐지거나(실제 연령의 효과), 반복적 단면 연구에서 종종 보여지는 것과 유사하게 연결이 끊긴 선분 집단을 보이는 지를 관찰함으로써 발견할 수 있다.

장기간 일정하게 질병을 측정하지 않거나 기록하지 않고, 새로운 장비의 도입과 같이 방법을 약간 변화시킨다거나 분석법의 변화 또는 노화 관련 변화를 관찰하는 연구인력간의 차이를 보이는 경우 잠재적 편향이 발생할 수 있다(검출치우침). 이 문제는 주기적인 갱신 과정, 평가자간(inter-rater) 및 평가자내(intra-rater)의 신뢰도의 측정, 연구에 관련된 모든 사람들에게 공통적인 훈련 기간 보장 등의 방법으로 최소화할 수 있지만, 연구자들은 데이터 수집과 분석 내내 가능한 방법론적 오류에 주의를 기울여야 한다. 추시기간이 너무 짧거나 길어서 시험대상자가 재평가 전에 사망한다면 중요한 결과를 놓칠 수 있다. 일부 시험대상자는 추시 중 어쩔 수 없이 탈락하거나 추적관찰에서 이탈하므로(외도편향), 기존 기록에 근거하여 값을 추론하여 빠진 데이터를 추가하는 여러 가지 방법이 있다.

임상시험

임상시험은 실험설계에 있어서 황금기준이라고 인식되는 무작위배당 대조군 시험[randomized controlled trial (RCT)]법을 이용하여 인과관계를 시험하는 가장 좋은 방법이다. 표준임상시험계획서 항목: 중재시험용 추천목록(SPIRIT 2013)에서는 체크리스트와 임상시험계획서에 포함시켜야

하는 추천 항목을 설명해준다.[23]

RCT에서는 연구자가 시험대상자를 중재군이나 다른 집단(대조군, 종종 위약중재를 포함)에 무작위로 할당함으로써 단일 변수, 위험도나 치료에 대한 노출을 통제한다. 그리고 모든 시험대상자는 결과를 판단하기 위해 추시관찰을 받는다. 효과적인 중재법이 이미 존재하는 경우, 위약 대조군은 비윤리적으로 여겨지고, 새로운 실험중재군은 활성대조군(현재 표준치료법)과 비교하게 된다. 드문 경우이지만, 기대 예후에 비해 치료효과가 매우 큰 경우에는 무작위배당이 필요하지 않을 수 있거나, 윤리적이고 전통적인(이전 환자와 유사한) 대조군을 사용할 수 있다.[24]

중재군과 대조군이 동시에 치료를 받는 평행군 RCT설계가 일반적으로 선호된다. 그렇기 때문에 시험대상자의 절반은 A치료(중재)를 나머지 절반은 B치료(대조)를 받는다. 교차 설계에서는, 시험대상자들은 시험 중간에 시험군을 바꾼다(한 쪽은 추적기간의 절반은 A치료를 받고, 그 다음에는 B치료를 받고, 다른 절반은 먼저 B치료를 받고, 나머지 반의 추적기간에는 A치료를 받는다). 그러므로, 치료군 변경 시 이전 치료군의 영향이 지속되거나 계절적 영향이 없다고 가정한 상태에서 각각의 시험대상자는 자신이 자신에게 대조군으로 작용할 수 있다. 요인설계에서는 두 가지(혹은 그 이상의) 중재법이 각각의 대조군과 함께 한 가지 연구에서 동시에 평가받는다. 예를 들면, 한 시험군은 A치료, 다른 군은 B치료, 나머지 군은 A와 B의 병용치료를 받고, 대조군은 A와 B 중 어떤 치료도 받지 않는다. 이러한 설계법은 암 및 심혈관계 연구에서 이미 광범위하게 사용되고 있고, 여러 치료방법이 있는 기타 질병에서 더 많이 필요하게 될 것이다. 치료법을 병용으로 시험하는 효과적인 방법으로서 하나의 비용으로 두 가지 비교를 할 수 있는 반면, 중재간의 상호작용으로 인해 결과의 분석과 해석이 복잡해질 수 있다.

임상시험에서의 편향성은 무작위배당 및 눈가림을 통해 감소시킨다. 무작위배당은 중재군과 대조군 사이에 알려진 혼란변수와 알려지지 않은 혼란변수 모두를 고르게 분포하게 하여 두 집단이 중재를 제외하면 서로 동일하게 될 가능성(그러나 확실하지는 않음)을 증가시킨다. 층화 무작위배당은 특정군(예, 노인군)이 고르게 분포하도록 확실하게 해주는데 사용할 수 있다. 군집 무작위배당 설계는 개인들 자신보다는 개인들의 집단(예, 한 병실이나 어떤 요양원에 있는 모든 사람)을 무작위배당하고, 이는 건강서비스 연구에서 더욱 일반적으로 사용되고 있다. 눈가림은 시험대상자나 연구자의 한측(단일 눈가림) 또는 양측 모두(이중 눈가림)가 어떤 군에 배당되었는지를 모른다는 것을 의미한다. 이는 중재 자체를 제외하고는 다르게 치료받지 않도록 해주고, 결과평가 시 편향되지 않도록 하는데 도움이 된다.

식품의약국(FDA) 및 유럽 의약청(EMEA)과 같은 국립규제기관들은 어떤 약물이나 의료기기가 환자에게 이용되도록 시판승인을 내주기 전에 RCT를 통해 긍정적인 결과를 보여주길 요구한다. 이는 광범위한 전임상 체외(실험실) 시험과 체내(동물) 시험이 선행되어야 하고, 적절한 경우 영장류 노화모델이나 질병에 대한 형질전환 동물모델의 시험을 수반할 수도 있다. 그 후 임상시험은 일반적으로 제1상에서 제4상까지로 분류되는 순차적인 단계를 통해 진행된다. 최근에는 전임상 제0상 시험이라는 개념이 소개되어 시험약물이나 시험제제의 단회 치료용량 이하(미세용량)를 이용하여 처음으로 인간연구를 실시하는 탐색적 연구의 결과를 기술한다. 이는 전임상시험 결과로부터 예측되는 바와 같이 약물이 인체 내에서 광범위하게 작용한다는 점을 확증하고자 하는 설계이다.

제1상 시험에서는, 시험약이나 시험제제가 단일상승용량(single ascending dose, SAD) 및 다중상승용량(multiple ascending dose, MAD) 연구에서 적은 수의 시험대상자들(20~80명)을 시험하여 안전한 용량범위, 최적의 투여방법 및 내약성과 안전성(약물감시)을 평가한다. 노인들, 특히 노쇠한 노인들 내에서는 많은 약물의 약동학 및 약력학의 변화로 인해 임상현장에서 선택되는 용량 및 투여빈도에 유의하게 영향을 줄 수도 있다. 제1상 시험은 보통 건강한 젊은 성인들을 모집한다. 그러므로 결과를 노인 환자에게까지 적용할 때는 주의를 기울여야 한다. 시험적응증이 노인들에서 일반적일 때, 제1상 시험은 건강한 노인 자원자나 알츠하이머병을 대상으로 한 면역요법의 초기 연구에서와 같이 해당질환이 있는 환자들을 모집할 수 있다.

제2상 시험에서는 시험약이나 시험제제를 많은 수의 시험대상자들(100~300명)에게 투여하는데, 일반적으로 시험적응증이 있는 환자들에게 투여하여 안전성과 더 자세한 투여요건을 평가(제2A상)하고, 효능에 대한 예비 연구(제2B상)를 실시한다. 일반적으로, 이러한 개념증명연구에서는 성공확률을 최대화시키면서도 노인환자에게 더 특징적으로 발생하는 바뀐 약동학 및 약력학 관련 이상반응, 동반이환질환 및 약물상호작용을 최소화하기 위해 비슷한 젊은 시험대상자들을 모집한다. 그러나 규제기관들은 70세 이상의 개인들에게서 새로운 제제에 대한 제2상 연구를 실시하도록 요구하고 있다.[25]

제3상 시험에서는 시험약이나 시험제제의 효능 및 안전성을 RCT를 통해 시험한다. 일반적으로, 규제기관의 승인을 얻기 위해서는 두 개의 긍정적 결과의 임상시험이 요구된다. 이들은 다기관에서 수천명까지의 환자들을 모집해야 하고, 시험적응증에 따라 시험이 수년간 지속될 수도 있다. 생활연령에 따른 임의적 배제를 정당화하기가 특히 어려운 것이 이 단계의 임상시험이다. 연령에 따라 층화된 무작위배당과 미리 결정된 하위군 분석을 통해 노인 환자에 특이적인 모든 문제들을 확인할 수 있다. 제4상 (시판 후)시험은 임상현장에서 장기간 사용 시 치료의 유익과 위험성에 대한 추가 정보를 제공하기 위해 설계된다. 이 단계 중 노인환자에서 중대한 이상반응들이 발견됨으로 인해 몇몇 유명한 약물들이 퇴출되거나 제한적으로 사용되도록 조치되었다.

RCT가 특성상 주의깊게 통제된다는 것은, 시험대상자가 종종 매우 잘 정의되고 고도로 선별적인 집단이기 때문에 그 자체로 일반화 가능성의 한계가 있다는 것을 의미한다. 선정기준과 배제기준에 대한 목록이 광범위하다는 것은 기타 동반질환이 있거나 다른 약물을 복용중인 사람들을 배제할 수도 있고, 그 결과로 얻어진 시험대상자군은 실제 임상현장에서 일반적으로 만나는 환자들과 유사하지 않을 가능성이 있다. 예를 들면, 심부전 노인 입원환자의 소수만이 임상시험 집단의 특성과 일치하였고,[26] 이는 시험결과가 임상현장에서 적용되었을 때 의도치않게 환자들에게 해를 미치는 결과를 가져왔다.[26-28] 분명한 것은 협소한(예, 더 적은, 더 짧은, 더 안전한, 덜 비싼 시험) 적격기준에 기반하여 시험대상자를 확보하게 되면 일반화 가능성과 결과의 임상적용성의 손실로 그 가치가 종종 상쇄되고, 또한 미리 예정된 하위군 가설(연령의 어떤 효과든지 포함하여)을 시험할 기회가 적어지는 결과도 가져온다.[29] 실용적인 임상시험은 모든 사람을 받아들이고 중재의 단순한 효능보다는 효용성을 가장 잘 반영하는 경향이 있다.

연구에서 노인들의 배제

노인들, 특히 노쇠하고 매우 나이가 든 노인들은 보통 정당한 이유없이 부적절하게 너무 자주 RCT에서 배제된다.[30,31] 이는 임상현장에 대한 지침의 기반을 부적절하게 만들어, 이 실험결과를 임상의들이, 질환에 대한 부담이 가장 크지만 그 질환에 대하여 가능한 치료법이 연구되지 않은 노인환자들에게 임상시험 결과를 추론하여 적용하게 만든다. EMEA는 "환자를 위험에 빠뜨리게 될 것이라고 믿을만한 이유가 없다면⋯노령에만 기초하여 배제할 이유는 없다."라고 선언하였다.[5] 연구에 따르면 임상시험에서 연령에만 근거하여 환자들을 배제하는 것은 부당하고(87%), 게다가 시험에 참여하는 노인들의 수가 적음으로 인해 의사들(79%)과 환자들(73%)에게 어려움을 야기할 수 있다라는 점에 많은 의료전문가들이 광범위하게 동의하였다.[32]

다행스럽게도, 시간이 흐르면서 연령을 기반해서 배제하는 경향으로부터, 기관기능 부전에 근거한 더욱 정당화된 배제의 방향으로 천천히 전환되는 듯이 보인다.[33] 그럼에도 불구하고, 1994년에서 2006년 사이에 영향력이 큰 의료저널에 게재된 RCT의 연구 포함기준들에 관하여 한 종설에서 살펴보았을때, 연령은 동의할 능력이 없다는 이유 다음으로 가장 흔한 배제기준이었고, 65세 이상을 시험에서 배제한 경우는 38%에 달하였다.[34] 연령편향은 암,[35,36] 심혈관질환,[37,38] 파킨슨병,[39] 수술,[40] 제2형 당뇨병,[41] 골관절염,[42] 요실금[43] 등 노인들에게서 가장 흔한 질병에 대한 임상시험에서 여전히 관찰되었다. 최근 승인된 약물에 대한 제2상과 3상 시험에 대한 사전허가에서는 시험의 30.7%가 상위연령제한을 적용하였고, 특징적으로 노화와 관련된 질환(예, 정맥혈전색전증, 골다공증, 심방세동)의 경우에도 참여자의 극히 일부만이 75세 이상이었다.[44] 미국보다는 유럽에서, 민간기관보다는 공공기관에서 후원하는 약물시험에서 차별이 더 만연한 듯이 보인다.[33] 그러나 특별히 매우 연령이 높은 시험대상자를 포함하는 RCT에 대한 종설에서는 그들의 방법론적인 질이 일반집단을 대상으로 실시한 유사시험의 질과 비교하여 다르지 않았다고 결론을 내린 바 있다.[45]

연구에서 노인 시험대상자를 배제하는 이유로는 동의를 얻는 데 대한 우려, 동반질환 및 병용투여에 대한 제한을 두는 임상시험계획서 포함기준, 안 좋은 순응도에 대한 염려, 그리고 치료효과를 확인할 수 없을 정도의 수용 불가능한 수준의 이상반응에 대한 두려움 등이 있다. 만일 상대적으로 많은 수의 매우 연령이 높은 환자들이 시험대상자로 등록하기 위해 선별검사를 받아야 한다면, 그들을 시험하고 등록하기 위해 필요한 경비와 시간의 관점에서는 비효율적이라고 여길 수도 있다.

그러나, 이러한 우려의 많은 부분은 근거가 없거나 쉽게 극복할 수 있다.[46,47] 1955년~2000년 사이에 공공 연구비가 지원된 암에 관한 제3상 시험의 노인환자 참가를 조사한 체계적 리뷰에서는[48] 충분한 수의 노인 등록자를 이용한 시험들에서 생존률, 무사건생존률(event-free survival) 및 치료관련 사망률 결과가 그 나머지 연구에서 보고된 결과와 유사하였다. 해당 저자들은 두 집단간의 유사성에 근거하여 실험적인 RCT에 노인을 등록시키는 것과 위해의 증가가 서로 연관되어 있지 않음을 보여준다고 결론을 내렸다.

고지에 입각한 동의

제대로 설명을 듣고 자유의사에 따라 동의를 하는 것은 인간 시험대상자를 포함하는 모든 연구에 있어서 가장 기본이다. 연구 참여자는 본인이 들었던 설명에 대한 적절한 사실을 보유하고 이해할 수 있어야 하고, 선택(강제적이지 않게)을 내리는데 있어서의 장점과 위험성의 경중을 따질 충분한 시간을 가져야 하고, 그 후 자신의 결정에 대해 연구자와 소통할 수 있어야 한다.[49] 동의는 동의서에 3중으로 서명받는 것 이상을 의미하고, 연구자와 참여자 사이의 지속적인 열린 대화를 수반하는 과정으로 간주되어야 한다.

노인 환자들은 동의 정보를 이해하는데 더 어려움을 가질 수 있기 때문에(연령 그 자체보다는 주로 교육의 차이로 인해), 의사소통과 감각기관의 장애를 보조하고, 시험대상자 설명서와 동의서의 가독성을 개선하고, 혁신적인 동의 과정을 고려하는 등 특별한 관심을 기울여야 한다. 그러나, 대부분의 노인들은 인지기능이 정상이다. 의료 치료에 대한 동의 능력에 관한 경험적 연구에서는 노인 대조군의 개인들은 다양한 법적표준을 이용하여 거의 완전하게 스스로 판단할 수 있었다.[50,51] 설명 후 동의를 얻는 과정은 노인의 특성과 가족을 결정과정에 참여시키고자 하는 이유로 더 많은 시간이 걸릴 수도 있다.

인지장애를 갖고 있는 사람들과 요양기관에 수용되어 있는 사람들은 부당하게 이용 당할 가능성이 특히 크므로, 특별한 고려와 관리가 요구된다. 그렇지만 그들의 능력이 부족하다고 추정해서는 안 된다.[52-54] 임상시험용 맥아더능력평가도구(MacCAT-CR)[55]는, 실시하는데 시간이 많이 소요되고 전문가 교육이 필요하기는 하지만 잠재적 시험대상자가 설명 후 의사결정을 위해 필요한 정보가 주어지는 상황에서 선택, 이해, 평가 및 사고하는 의사결정 능력이 있는지를 결정하기 위한 반구조적 평가방법이고, 유용한 도구가 될 수 있다. 더 단순한 도구도 있다. 예를 들면, 3가지 항목 설문조사지는 치매 및 당뇨병환자가 내용을 알고난 후 결정을 내리는 능력이 있는지를 성공적으로 검사할 수 있다.[56] 그러나 그 환자들의 한계 또한 인식할 필요가 있다.[57] 만일 전향 연구의 시험참여자가 동의할 능력이 없다고 여겨진다면, 해당되는 법률적 과정을 반드시 따라야 한다.[58,59]

일반적으로 시험대상자가 반대하지 않고, 적절한 대리의사결정자(보통 환자와 가장 가까운 혈족)가 대리 동의서를 제공하고, 윤리위원회의 승인을 얻고, 연구가 시험대상자에게 잠재적인 유익을 가져올 것으로 판단된다면(소위 치료용 연구), 혹은 동의서 받을 수 있는 대상자로 진행할 수 없는 연구에서 위험이나 부담이 최소인 경우(비치료용 연구) 연구를 진행할 수 있다. 임종에 가깝거나 응급상황인 경우와 같이 연구중재가 시작되는 시점에서 참여동의를 할 수 없는 환자를 위해 발전된 동의모델이 이용되어 왔다.[60] 연구진행 지시나 진행 결정과정은 연구참여에 대한 개인의 관점을 분명하게 문서화하고 있지만, 널리 적용되지는 않고 있다.[61]

환자모집

연구를 위해서는 충분한 수의 적합한 시험대상자를 모집하고 유지해야 한다. 생활연령이 시험에 대한 모집률에 영향을 준다는 일관된 증거는 없고, 이는 참여가 나이보다는 건강상태나 성별에 의해 더 많이 좌우된다는 내용과 일치한다.[62,63] 오히려, 노인 환자들이 참여하도록 충분히 권유를 받지 않는다는 것이 문제이다. 유방암 시험연구에서는 동반이환률, 암 단계, 기능상태, 인종을 조정한 후에도 고령은 참여하도록 권유받지 않는 예측인자로 남아있었다. 그러나, 젊은 환자들과 노인 환자들은 요청받았을 때 비슷한 비율로 모집되었다.[64] 노인에 대한 차별뿐 아니라, 임상의의 무관심과 연구자의 경험부족이 노인환자의 배제에 일정부분 기여할 수도 있다. 프랑스의 노인병전문의들에 대한 설문조사에서는, 거의 모두가 매우 나이든 노인 시험대상자를 RCT에 참여시키는 것은 과학적으로 필수적이지만, 절반 미만 정도만이 그러한 연구에 적극적으로 참여시켰고, 많은 이들은 그렇게 하고자 접근해본 적이 한 번도 없는 것으로 나타났다.[65] 연구자들은 가장 동기부여가 많이 된 사람들이므로 가장 효율적인 모집자들이다. 노인환자들 본인들은 아마도 지식의 부족으로 인해 임상시험에 능동적으로 참여하지는 않는 것처럼 보이며, 현재 모집하는 내용에 대해 다른 사람들이 전해주는 정보에 의존한다.[12] 영국에서는 연구설계와 수행에 있어서 적극적인 참여자로서 노인들을 포함시키는 것이 정책적 요구사항이 되었고, 노인을 포함시키는 것이 연구과정을 어떻게 변화시킬지에 관해서 알려진 바는 거의 없지만 연구에 도움이 될 수도 있다.[66,67]

호기심이 환자로 하여금 연구에 관심을 갖도록 촉진시킬 수는 있지만, 건강검사 및 정기검사와 같이 기대되는 개인적인 유익, 그리고 타인을 도울 수 있다는 가능성이 최종적인 등록 및 연구에 지속적으로 참여시키도록 하는 가장 중요한 동기유발 요인이다.[63,68] 등록을 거부하는 주요 요인들은 불편함과 실험대상이 되고 싶어하지 않는 점 또는 적절한 시험후보가 아니라는 자기인식이다. 노인 연구참여자들은 젊은 참여자들에 비해 이타적인 느낌과 자신을 치료하는 사람들에게 보답한다는 느낌에 의해서 더 동기부여를 받고, 시험에 지원하여 받는 금전적 보상에는 덜 관심을 갖는다.[69] 교차 설계의 일부나 위약대조단계 이후의 개방표지 연장시험과 같이 모든 환자들이 능동적 치료를 받는 연구가 선호되는 듯하다.

노인들을 시험연구로 성공적으로 모집하는 데 있어서의 어려움은 환자 및 임상의에 따라 다르다

> **BOX 6-1** 노인들의 연구 모집에 있어서의 장애물[70,71]
>
> **환자의 문제**
> - 연구의 이익과 적절성에 대한 인지 부족, 특정 치료(또는 치료받지 않음)에 대한 선호; 치료나 결과의 불확실성에 대한 우려
> - 동의서 이해 및 읽기가 어려움
> - 피로, 동반이환률, 이동성의 문제
> - 연구보조원에 대한 불신; 낯선 사람들에 대한 공포; 연구가 친숙하지 않음
> - 친족들의 거부
> - 세션의 길이와 횟수; 추가 과정
> - 인지적 측정이 요구사항이 많고 공격적이라고 느낌
> - 연구개시전의 지연; 다른 일정과 겹침
> - 연구기관까지의 이동 및 환자비용의 추가적 문제
>
> **임상의의 문제**
> - 모집담당 의료진의 시간부족 및 과중업무
> - 직원수 및 교육의 부족
> - 의사-환자 관계에 미칠 영향에 대한 우려
> - 시험계획서를 따라야 함으로 인한 전문가의 자율권 상실
> - 동의 과정의 어려움; 환자에게 정보 제공하는 것에 대한 우려
> - 보상과 감사의 부족
>
> Adapted from Kemeny M, Muss HB, Komblith AB, et al: Barriers to participation of older women with breast cancer in clinical trials. J Clin Oncol 21:2268-2275, 2003; and Le Quintrec JL, Piette F, Hervé C: Clinical trials in very elderly people: the point of view of geriatricians. Therapie 60:109-115, 2005.

(Box 6-1).[70,71] 극복해야 할 가장 일반적인 장벽은 인지되는 이익의 부족, 연구진에 대한 불신, 건강 상태 불량, 이동성 문제이다. RCT 참여자(전체 연령) 모집 개선전략에 대한 코크란 리뷰에서는 응답하지 않는 사람들에게 전화알림, 잠재적인 참여자들을 접촉함에 있어서 사전동의 절차보다는 수신거부방법 이용, 연구에서 참여자들이 어떤 치료를 받고 있는지를 아는 개방표지 설계(이러한 설계는 비눈가림이라고 정의되지만)가 효과적인 중재법이라고 시사한 바 있다.[72] 노인들만을 대상으로 한 이전의 문헌리뷰에서는 연구참여도를 증가시키기 위해 변형시킬 수 있는 많은 요인들을 발견하였다. 이 요인들은 연구에 대한 연구진의 긍정적 태도, 이타적인 동기의 인식, 가족으로부터의 승인획득, 연구진보다는 환자의 편의를 도모하기 위해 설계된 시험계획서, 그리고 간호사보다는 의사가 환자에게 직접 접근 등이 포함되어 있다.[73] 집에 거주하는 노쇠한 노인들을 노인성 평가를 위한 RCT에 모집시키는 연구에 있어서, 모집결과(접촉한 개인들 중 등록한 사람들의 비율로 정의)는 지역의사가 종교단체나 인종집단에 간청하고 발표하였을 때 가장 높았고, 언론이나 우편을 통해 접촉(그리고 잦은 오해로 인해서 문제됨)하는 경우가 가장 낮았다.[74]

BOX 6-2 **노인참여자들의 연구모집 및 참여유지 촉진전략**

- 충분한 시간을 갖고 연구의 목적과 다른 사람을 어떻게 도울 수 있는지를 설명; 연구의 목적에 대하여 자주 다시 알려줌
- 단순한 언어 및 글자크기를 크게 한 간단한 동의서
- 수행에 대한 피드백 제공; 완료 시 연구결과 공유
- 교육자료(문서), 선물 또는 금전적 보상 제공
- 교통수단 제공; 대면 및 가정에서의 인터뷰
- 참여자에 대한 지식을 갖고 있는 사람(가족, 의료진 및 공무원)이나 기관과의 협력 또는 참여자가 알고 있고 신뢰하는 의사의 동의나 추천
- 자연스러운 모임장소에서 모집 및 연구수행(집, 양로원)
- 필요 시 의료적 상태를 알려주고 의사 추천
- 짧은 세션; 잦은 휴식; 시험과 인터뷰 적용
- 알림(맞춤형 편지), 전화알림, 정기적 접촉, 연락자의 전화번호
- 부재 시 이유를 알기 위한 전화 및 부재 극복 전략 제시
- 유사한 문제를 가진 사람들과의 모임 및 친교
- 인터뷰 시간과 장소에 대해 유연해지는 것이 중요
- 연구진의 교육 및 태도, 가용성을 늘리기 위해 연구진 증원

Adapted from Le Quintrec JL, Piette F, Hervé C: Clinical trials in very elderly people: the point of view of geriatricians. Therapie 60:109-115, 2005

요양기관에 사는 사람들을 연구에 포함시키는 일은 특히 어려운데, 이는 요양원 거주자 동의와 관련된 특수한 문제들, 자율성과 비밀보장 능력의 상실, 그리고 종종 직원들의 부정적 태도 및 중재와 데이터 보호방식에 대한 낮은 순응도 때문이다. 요양원의 바쁜 일정 중 데이터를 수집해야 하는 실질적 어려움과 개인정보 보호문제(예, 연구 인터뷰 중 직원이 요양원 거주자의 방에 들어옴)도 있다.[54,75,76] 영국국립건강연구원은 요양원에서의 연구를 준비하고 진행하는데 있어서 최선의 방법으로 연구자를 돕기 위해 도구를 개발하였다.[77]

연구 참여 유지

노인참여자들의 연구 참여 유지 개선전략이 Box 6-2에 나열되어 있다.[71] 노인 시험대상자들의 탈락률이 더 높다는 몇몇 증거가 있다.[78] 그러므로, 일단 연구가 시작되면 연구자가 정기적으로 대면접촉을 하거나 전화를 하여 의사소통을 잘 유지하는 것이 가장 중요하다. 연구진행상황에 대한 소식지와 참여 연구진과 다른 참여자들과의 점심 만남도 유용할 수 있다.[68] 연구관련 달력, 냉장고 자석, 펜이나 패드와 같은 선물을 줄 수도 있지만, 너무 비싸보이면 역효과를 낼 수도 있다. 시험세션은 피로를 피하기 위해 1~2시간을 넘지 않도록 해야 하고, 여러 번 방문을 통한 데이터 수집주

기를 넓히는 것도 고려해야 한다. 사람들과의 대화 및 간식을 먹을 시간을 주는 것도 접촉 자체가 딱딱해지는 것을 방지해준다. 대부분의 노인들(및 동반하는 보호자들)은 다른 일정이 있다는 것을 기억해야 하고, 연구방문 시간과 장소를 유연하게 변화시킬 수 있게 하는 것은 중요한 사항이다.

교통수단제공은 매우 중요하다. 이동성 및 인지적 문제로 인해 이동하는 것이 어려울 수 있고, 집에서 연구기관까지의 거리는 젊은 사람들보다 노인들의 모집 시 영향을 더 많이 미친다.[79,80] 연구기관을 오가는 택시 비용을 미리 지불해 놓으면 유리하다. 연구 참여자가 스스로 연구기관에까지 올 때는, 환불을 해주어야 하고 편리한 주차공간도 확보해야 한다. 연구사무실까지 쉽게 올 수 있도록 고려해야 하는데 휠체어가 진입할 수 있고 동반하는 친척이나 보호자들이 기다릴 수 있는 공간도 제공되어야 한다. 전화를 통해서 또는 시험대상자의 집에서 안정적으로 수행할 수 있는 평가방법은 연구기관에 방문하는 것보다 선호될 수 있고, 시험대상자가 편하게 느낄 가능성이 높다. 알츠하이머병 RCT에서, 환자가 병원보다 집에서 평가를 받을 때 환자의 모집 및 유지는 유의하게 개선되었고, 단축된 모집기간과 높아진 유지율은 이러한 변화에 따른 비용을 상쇄할 수 있을 것이다.[81] 그러나, 연구자에게 있어서는 시험대상자의 집에 방문한 손님의 상태에서는 순서를 지켜 설명하기가 어렵고, 선의의 친척이나 애완동물이 시험을 방해하지 않도록 하는 것이 어려울 수 있다. 시험약물을 정기적으로 우편배달하면 필요한 방문수를 줄일 수 있다. 노인 시험대상자들은 시험 종료 시 공식적인 "감사" 인사와 최종 결과에 대한 피드백을 고마워하고 기대한다.

시험결과

이환율 및 사망률에 대한 표준 결과 측정 이외에, 노인들에 대한 연구는 기능적 능력 및 일상생활에서 활동을 수행할 수 있는 능력, 인지적 및 사회적 결과, 중재에 대한 부담, 보호자에 대한 영향과 같은 광범위한 문제들을 고려할 필요가 있다. 분명한 것은 암, 심부전, 또는 만성폐쇄폐질환으로 인해 제한된 기대수명을 가진 노인들은 정성적인 부분을 정량적인 부분보다 훨씬 더 중요시한다는 것이다.[82] 선정된 측정도구들은 유효하고(측정해야 하는 속성을 기록), 신뢰성이 있으며(다양한 측정조건하에서 일정하게 기록), 즉각반응(변화 감지)할 수 있어야 한다. 도구 선정 시 고려해야 할 기타 요인들로는 환자가 스스로 작동할 수 있는지 아니면 연구자가 작동해야 하는지, 능력(할 수 있는 것, 실험설계와 관련)과 수행도(시행한 것, 실용적 연구와 관련)를 평가할 수 있는지, 아마도 가장 중요한 점으로는 완료하는데 시간이 얼마나 걸리는지이다. 자기기입식 설문조사지의 가독성과 형태에 대해서도 관심을 기울여야 한다(Box 6-3).

노인들을 대상으로 이용하는 측정도구 검증부족은 문제이다. 체중계는 노인집단의 불균질한 특성을 모두 포괄할 수 있을 정도로 넓어서 극과극의 효과를 피할 수 있어야만 하고, 시험대상자들에게 적용가능해야 한다. 어떤 사람이 일어설 수 없을 때는 키의 측정과 같은 단순한 측정조차도 문제가 된다. 전체 시험집단의 일관성을 유지하기 위해 일어설 수 있는 시험대상자에게도 무릎부터

> **BOX 6-3** 결과 측정도구 선택 시 체크리스트
> - 측정도구가 시험집단에 대해 타당하고 신뢰도가 있다고 입증되었는가?
> - 측정도구가 임상적으로 유의한 변화에 빠르게 반응하는가?
> - 시험대상자 및 이용자가 받아들일 수 있는가? 더 잘 제시할 수 있는가?
> - 누가 측정하는가? 교육이 필요한가? 대리응답자가 신뢰성있게 완료할 수 있는가?
> - 측정에는 얼마의 시간이 걸리는가? 환경은 적절한가?
> - 채점이 단순하고 결과는 바로 분석할 수 있도록 제시되는가?
> - 측정도구는 해당 시험대상자 집단에서 예비실험에 이용된 적이 있는가?

바닥까지의 높이 측정과 같은 검증된 대안의 이용을 고려할 필요가 있다. 젊고 더 잘 맞는 시험대상자를 상대하여 측정한 경험은 이동능력, 감각능력 및 소통능력이 부족한 노인환자들에게 안정적으로 적용될 수는 없다. 65세 이상의 노인들에 대한 어떠한 표준이 있다고 해도 이는 노인중에서도 상대적으로 나이가 적은 비전형적이고도 건강한 일부 사람들로부터 유래한 것일 수 있고, 요양원에 있는 80대의 노쇠한 노인들에 적용하기는 어려울 수도 있다. 그러므로, 이상적으로는 측정대상 집단에 대한 측정의 신뢰도를 구축해야 한다. 분명한 것은, 측정하는 모든 사람들이 일관성(측정자 본인 및 측정자들간의 일관성)을 위해 교육을 받을 필요가 있다는 것이고 이는 편향성을 최소화하는데 도움이 된다. 연구대상 집단에서 모든 결과측정에 대한 예비실험을 통해 최종 선택도구가 쉽게 사용가능하여 최종적으로 시험대상자 탈락률을 감소시키도록 해야 한다.

노인 시험대상자를 대상으로 타당성과 신뢰도가 쌓인 측정도구가 점점 증가하고 있고, 그 일부는 최적표준의 위치에 접근하고 있다. 예를 들면, 인지능력을 측정하기 위한 소형정신상태검사법(Mini Mental State Examination, MMSE),[83] 기본적 일상생활의 활동 평가를 위한 노인우울지표(Geriatric Depression Scale, GDS),[84] 바텔인덱스(Barthel Index),[85] 카즈인덱스(Katz Index),[86] 일상생활의 도구를 사용한 활동(Instrumental Activities of Daily Living, IADLs)을 측정하기 위한 로톤브로디인덱스(Lawton and Brody index),[87] 찰슨 동반이환률 지수(Charlson Co-morbidity Index, CMI),[88] 소형영양평가법(Mini Nutritional Assessment, MNA),[89] 낙상의 위험을 평가하기 위한 시간제한 업앤고(Timed Up-and-Go, TUG) 검사법,[90] 보호자의 부담에 대한 자리트 부담측정기(Zarit Burden Scale)[91]가 있다. 치매에 대한 임상시험을 위해서는 광범위한 평가도구 세트가 있고,[92] 전문가군에서는 노쇠하고,[93-95] 암에 걸린[96] 노인들을 대상으로 하는 임상시험용으로 적절한 결과평가 도구를 추천한 바 있다. 삶의 질을 평가하기 위한 일반적인 많은 도구들 중에서 SF-36, EQ-5D 및 노팅엄 건강 프로파일은 노인들을 대상으로 이용하였을 때 신뢰도, 타당성, 반응성이 좋다는 증거가 있다.[97]

결론

유럽연구 컨소시움인 PREDICT (Increasing the PaRticipation of the ElDerly In Clinical Trials)는 임상시험에서의 노인권리헌장을 작성했다(Box 6-4).[98] 이는 유럽의 광범위한 의료전문가, 윤리학자, 환자 및 보호자를 포함한 경험적 연구의 결과들을 통합한 것으로 주요 원리들에 초점을 맞추고 있다. 과거에 노인들을 무시했었다는 증거가 쌓여있는 상황에서, 미래 RCT가 향후 임상현장에서 실제 치료를 받게 될 노인환자군을 직접 반영하도록 하는 것은 중요하다.[99]

BOX 6-4 **임상시험에서의 유럽노인권리헌장**

1. 노인들은 근거기반 치료를 받을 권리가 있다.
   1.1 노인들은 근거기반 치료를 받을 권리가 있다.
   　1.1.1 노인들은 임상시험에서 적절하게 평가되어 그들 연령대의 사람들에게 효과가 있음이 입증된 약물 및 기타 치료를 제공받도록 해야 한다.
2. 임상시험에서는 노인들의 참여를 독려하고 차별을 방지하도록 해야 한다.
   2.1. 노인들은 임상시험 모집 시 차별받지 않아야 한다.
   　2.1.1. 노인들은 노인용으로 개발된 치료에 대한 임상시험에 대해 설명을 듣고 참여하도록 요청되어야 한다.
   　2.1.2. 국립 규제기관과 국제 규제기관들은 노인들이 연령, 성별, 인종 또는 사회계층에 따른 차별없이 임상시험에 포함되도록 확인해야 한다.
   　2.1.3. 연구윤리심의위원회, 후원자, 의료저널 편집자 및 규제기관들은 연령, 기타 질환, 장애 및 기존약물치료를 이유로 타당하지 않게 배제되었는지에 관해 모든 연구들을 세밀하게 평가해야 한다. 모든 배제의 경우에 타당한 이유가 있어야만 한다.
   2.2. 여러 이환을 가진 사람들에 대해 임상시험에 참여하는 것을 권장해야 한다.
   　2.2.1. 국립 규제기관과 국제 규제기관들은 노인용으로 제작된 약물이나 기타 치료법에 대한 임상시험 시 높은 연령대에서 흔히 보이는 다중이환을 가진 사람들을 포함시키도록 요구해야 한다.
   　2.2.2. 국립 규제기관과 국제 규제기관들은 노인용으로 제작된 약물이나 기타 치료법에 대한 임상시험 시 일반적인 처방약물을 복용 중인 노인들을 포함시키도록 요구해야 한다.
3. 임상시험은 가능한 노인들에게 실행 가능하도록 해야 한다.
   3.1. 임상시험은 노인들이 쉽게 참여하도록 설계되어야 한다.
   　3.1.1. 노인들은 참여 시 설명을 듣고 결정을 내리는데 도움이 되도록 임상시험에 대한 정보를 받아야 한다. 설명 후 동의 과정은 문자해독능력의 수준, 감각적인 결함, 필요 시 가족이나 보호자의 포함을 고려하는 등 노인들의 구체적인 필요에 따라 맞춰야 한다.
   　3.1.2. 노인들에 대한 임상시험을 수행하기 위해서는 구체적인 교육이 필요하다. 연구자들은 의사소통, 감각기관, 이동성 또는 인지적인 부분들에서 문제가 있는 사람들에 대한 임상시험을 수행하기 위해 교육을 받아야 한다.

      3.1.3. 연구자들은 임상시험에 참여하는 노인들의 참여와 순응도를 높이기 위해 노인들과 더 많은 시간을 보내도록 준비가 되어 있어야 한다.

      3.1.4. 임상시험 후원자는 노인들이 시험에 참여하기 위해서는 더 많은 도움이 필요할 수도 있음을 인식해야 한다. 임상시험 후원자는 노인들, 특히 이동성과 의사소통의 문제가 있는 사람들과 타인을 돌보아야 하는 책임이 있는 사람들의 참여와 순응도를 촉진하도록 지원해야 한다.

      3.1.5. 국립 규제기관과 국제 규제기관들은 임상시험이 노인들의 참여가 더 쉽게 설계되도록 권장해야 한다.

4. 노인들에 대한 임상시험은 안전해야 한다.

  4.1. 노인들에 대한 임상시험은 최고로 안전해야 한다.

    4.1.1. 연구자들은 노인들이 임상시험에 참여함으로 얻는 유익과 위험성을 평가해야 한다.

5. 결과 측정법은 노인들에게 적당해야 한다.

  5.1. 노인들에게 일반적인 증상에 대한 임상시험은 노인들에게 맞는 결과 측정방법을 이용해야 한다.

    5.1.1. 연구자, 임상시험 후원자 및 규제기관은 노인들에게 일반적인 증상에 대한 임상시험이 삶의 질 측정을 포함하여 노인들에게 해당하는 결과측정법을 이용해야 함을 분명히 해야 한다.

    5.1.2. 임상시험 후원자들은 시험설계와 노년 질병에 대한 임상시험용 결과 측정도구 선택 시 노인들과 보호자들을 포함시켜야 한다.

6. 임상시험에 참여하는 노인들의 가치는 존중되어야 한다.

  6.1. 임상시험에 참여하는 각 노인의 개인적인 가치는 존중되어야 한다.

    6.1.1. 연구자들은 각 노인의 가치를 개인으로서 존중해야 한다.

    6.1.2. 노인들은 기타 치료 및 본인들의 전체적인 건강관리를 해치지 않고 임상시험에서 탈퇴할 수 있어야 한다.

KEY POINTS

요점

- 노인들은 동의를 얻는 것에 관한 우려, 동반질환 및 병용투여에 대해 제한을 두는 불필요하게 엄격한 임상시험계획서, 안 좋은 순응도에 대한 염려, 높은 자연감소율, 평가 시의 문제, 그리고 수용 불가능한 이상반응에 대한 두려움으로 인해 여전히 너무 자주 연구에서 배제되고 있다. 이들 우려사항의 많은 부분은 사실로 밝혀지지 않았거나 쉽게 해결될 수 있다.

- 노화 및 노화 관련 증상을 연구하기 위한 최선의 연구설계는 알아내고자 하는 연구질문에 달려 있다. 정성 연구, 존재하는 데이터를 이용하는 생태학 연구, 단면 설계, 환자 대조군 설계 및 코호트 연구설계를 이용하는 정량 연구는 가설을 세우는데 도움이 될 것이다. 이 가설은 이상적으로 무작위배당 대조군 시험설계를 이용하는 실험연구를 통해 시험할 수 있다.

- 호기심, 개인적인 건강상 유익 그리고 타인을 도울 수 있는 가능성이 등록 및 연구에 지속적으로 참여시키도록 하는 가장 중요한 동기유발요인이다. 등록을 거부하는 주요 요인들은 불편함과 실험대상이 되고 싶어하지 않는 점 또는 적절한 시험후보가 아니라는 자기인식이다. 노인 연구참여자들은 젊은 참여자들에 비해 이타적인 느낌과 자신을 치료하는 사람들에게 보답한다는 느낌에 의해서 더 동기부여를 받고, 참여에 지원하여 받는 금전적 보상에는 덜 관심을 갖는다.

- 인지장애가 있는 노인들은 시험대상자 동의서의 정보를 이해하는데 더 어려움을 가질 수 있기 때문에, 의사소통과 감각기관의 장애를 보조하고, 동의서의 가독성을 개선하고, 동의 과정에서 충분한 시간을 주는 등 특별한 관심을 기울여야 한다. 인지장애를 갖고 있는 사람들과 요양기관에 수용되어 있는 사람들은 대안의 동의 과정을 요구할 수도 있다.

- 일단 연구가 시작되면, 의사소통 관리, 교통수단 제공, 필요 이상으로 길지 않은 검사 세션, 참여자에게 맞는 시간 계획 등을 통해 연구 기간 동안 환자가 유지되도록 도울 수 있다. 결과 측정도구는 받아들여질 수 있고, 타당하고, 신뢰성이 있고, 반응성이 있어야 하며, 삶의 질, 특히 기능적, 인지적, 사회적 결과와 이환율 및 사망률에 집중해야 한다.

참고문헌의 총 목록을 보려면 www.expertconsult.com 을 방문해주세요.

중요 참고문헌

1. Watts G: Why the exclusion of older people from clinical research must stop. BMJ 344:e3445, 2012.

2. Bayer A, Fish M: The doctor's duty to the elderly patient in clinical trials. Drugs Aging 20:1087–1097, 2003.

3. Diener L, Hugonot-Diener L, et al: Guidance synthesis. Medical research for and with older people in Europe: proposed ethical guidance for good clinical practice: ethical considerations. J Nutr Health Aging 17:625–627, 2013.

4. Center for Drug Evaluation and Research: Guideline for the study of drugs likely to be used in the elderly. http://www.fda.gov/downloads/Drugs/GuidanceComplianceRegulatoryInformation/Guidances/ucm072048.pdf. Accessed October 8, 2014.

5. European Medicines Agency: ICH topic E7: studies in support of special populations: questions and answers. Available at <http://www.emea.europa.eu/pdfs/human/ich/60466109en.pdf>, (Accessed October 8, 2014).

6. Bayer A, Tadd W: Unjustified exclusion of elderly people from studies submitted to research ethics committee for approval: descriptive study. BMJ 321:992–993, 2000.

12. Townsley CA, Chan KK, Pond GR, et al: Understanding the attitudes of the elderly towards enrolment into cancer clinical trials. BMC Cancer 6:34, 2006.

13. Higgins I: Reflections on conducting qualitative research with elderly people. Qual Health Res 8:858–866, 1998.

31. Konrat C, Boutron I, Trinquart L, et al: Underrepresentation of elderly people in randomised controlled trials. The example of trials of 4 widely prescribed drugs. PLoS One 7:e33559, 2012.

32. Crome P, Lally F, Cherubini A, et al: Exclusion of older people from clinical trials: professional views from nine European countries participating in the PREDICT study. Drugs Aging 28:667–677, 2011.

33. Herrera AP, Snipes SA, King DW, et al: Disparate inclusion of older adults in clinical trials: priorities and opportunities for policy and practice change. Am J Public Health 100(Suppl 1):S105–S112, 2010.

62. Bloch F, Charasz N: Attitudes of older adults to their participation in clinical trials: a pilot study. Drugs Aging 31:373–377, 2014.

68. Tolmie EP, Mungall MM, Louden G, et al: Understanding why older people participate in clinical trials: the experience of the Scottish PROSPER participants. Age Ageing 33:374–378, 2004.

71. Provencher V, Mortenson WB, Tanguay-Garneau L, et al: Challenges and strategies pertaining to recruitment and retention of frail elderly in research studies: a systematic review. Arch Gerontol Geriatr 59:18–24, 2014.

73. Sugarman J, McCrory DC, Hubal RC: Getting meaningful informed consent from older adults: a structured literature review of empirical research. JAGS 46:517–524, 1998.

76. Wood F, Prout H, Bayer A, et al: Consent, including advanced consent, of older adults to research in care homes: a qualitative study of stakeholders' views. Trials 14:247, 2013.

77. NHS National Institute for Health Research: ENRICH (Enabling Research in Care Homes): a toolkit for care home research, London, 2011, Dementia and Neurodegenerative Diseases Research Network (DeNDRoN): NHS National Institute for Health Research.

참고문헌

1. Watts G: Why the exclusion of older people from clinical research must stop. BMJ 344:e3445, 2012.

2. Bayer A, Fish M: The doctor's duty to the elderly patient in clinical trials. Drugs Aging 20:1087–1097, 2003.

3. Diener L, Hugonot-Diener L, et al: Guidance synthesis. Medical research for and with older people in Europe: proposed ethical guidance for good clinical practice: ethical considerations. J Nutr Health Aging 17:625–627, 2013.

4. Center for Drug Evaluation and Research: Guideline for the study of drugs likely to be used in the elderly. Available at <http://www.fda.gov/downloads/Drugs/GuidanceComplianceRegulatoryInformation/Guidances/ucm072048.pdf>. Accessed October 8, 2014.

5. European Medicines Agency: ICH topic E7: studies in support of special populations: questions and answers. Available at <http://www.emea.europa.eu/pdfs/human/ich/60466109en.pdf>. Accessed October 8, 2014.

6. Bayer A, Tadd W: Unjustified exclusion of elderly people from studies submitted to research ethics committee for approval: descriptive study. BMJ 321:992–993, 2000.

7. Savin-Baden M, Major C: Qualitative research: the essential guide to theory and practice. London, 2013, Routledge.

8. Dickinson A, Horton K, Machen I, et al: The role of health professionals in promoting the uptake of fall prevention interventions: a qualitative study of older people's views. Age Ageing 40:724–730, 2011.

9. Lockhart E, Foreman J, Mase R, et al: Heart failure patients' experiences of a self-management peer support program: a qualitative study. Heart Lung 43:292–298, 2014.

10. Taylor BJ, Killick C, O'Brien M, et al: Older people's conceptualization of elder abuse and neglect. J Elder Abuse Negl 26:223–243, 2014.

11. Hillman A, Tadd W, Calnan S, et al: Risk, governance and the experience of care. Sociol Health Illn 35:939–955, 2013.

12. Townsley CA, Chan KK, Pond GR, et al: Understanding the attitudes of the elderly towards enrolment into cancer clinical trials. BMC Cancer 6:34, 2006.

13. Higgins I: Reflections on conducting qualitative research with elderly people. Qual Health Res 8:858–866, 1998.

14. Ben-Shlomo Y, Mishra G, Kuh D: Life Course Epidemiology. In Ahrens W, Pigeot I, editors: Handbook of epidemiology, New York, 2014, Springer, pp 1521–1549.

15. Cigolle CT, Langa KM, Kabeto MU, et al: Geriatric conditions and disability. Ann Intern Med 147:156–164, 2007.

16. Matthews FE, Arthur A, Barnes LE, et al: Medical Research Council Cognitive Function and Ageing Collaboration: A two-decade comparison of prevalence of dementia in individuals aged 65 years and older from three geographical areas of England: results of the Cognitive Function and Ageing Study I and II. Lancet 382:1405–1412, 2013.

17. Lambert JC, Ibrahim-Verbaas CA, Harold D: Meta-analysis of 74,046 individuals identifies 11 new susceptibility loci for Alzheimer's disease. Nat Genet 45:1452–1458, 2013.

18. Doll R, Hill AB: Smoking and carcinoma of the lung. BMJ 221:739–748, 1950.

19. Lawlor DA, Smith GD, Ebrahim S: The hormone replacement—coronary heart disease conundrum: is this the death of observational epidemiology? Int J Epidemiol 33:464–467, 2004.

20. Shock NW, Gruelich RC, Andres RA, et al, editors: Design and operation of the Baltimore Longitudinal Study of Aging, Washington, DC, 1984, U.S. Government Printing Office. NIH Publication 84-2450.

21. Hofman A, Breteler MM, van Duijn CM, et al: The Rotterdam Study: objectives and design update. Eur J Epidemiol 22:819–829, 2007.

22. Gallacher JE, Elwood PC, Hopkinson C, et al: Cognitive function in the Caerphilly study: associations with age social class, education and mood. Eur J Epidemiol 15:161–169, 1999.

22a. Sudlow C, Gallacher J, Allen N, et al: UK Biobank: An open access resource for identifying the causes of a wide range of complex diseases of middle and old age. PLoS Med 12: e1001779, 2015.

23. Chan AW, Tetzlaff JM, Gøtzsche PC, et al: SPIRIT 2013 explanation and elaboration: guidance for protocols of clinical trials. BMJ 346:e7586, 2013.

24. Glasziou P, Chalmers I, Rawlins M, et al: When are randomised trials unnecessary? Picking signal from noise. BMJ 334:349–351, 2007.

25. Lichtman S, Balducci L, Aapro M: Geriatric oncology: a field coming of age. J Clin Oncol 24:1821–1823, 2007.

26. Masoudi FA, Havranek EP, Wolfe P, et al: Most hospitalized older persons do not meet the enrollment criteria for clinical trials in heart failure. Am Heart J 146:250–257, 2003.

27. O'Hare AM, Kaufman JS, Covinsky KE, et al: Current guidelines for using angiotensin-converting enzyme inhibitors and angiotensin II-receptor antagonists in chronic kidney disease: is the evidence base relevant to older adults? Ann Intern Med 150:717–724, 2009.

28. Juurlink DN, Mamdani MM, Lee DS, et al: Rates of hyperkalemia after publication of the Randomized Aldactone Evaluation Study. N Engl J Med 351:543–551, 2004.

29. Yusuf S, Held P, Teo KK, et al: Selection of patients for randomized controlled trials: implications of wide or narrow eligibility criteria. Stat Med 9:73–86, 1990.

30. Siu LL: Clinical trials in the elderly—a concept comes of age. N Engl J Med 356:1575–1576, 2007.

31. Konrat C, Boutron I, Trinquart L, et al: Underrepresentation of elderly people in randomised controlled trials. The example of trials of 4 widely prescribed drugs. PLoS One 7:e33559, 2012.

32. Crome P, Lally F, Cherubini A, et al: Exclusion of older people from clinical trials: professional views from nine European countries participating in the PREDICT study. Drugs Aging 28:667－677, 2011.

33. Herrera AP, Snipes SA, King DW, et al: Disparate inclusion of older adults in clinical trials: priorities and opportunities for policy and practice change. Am J Public Health 100(Suppl 1):S105－S112, 2010.

34. van Spall HGC, Toren A, Kiss A, et al: Eligibility criteria of randomized controlled trials published in high-impact general medical journals. JAMA 297:1233－1240, 2007.

35. Talarico L, Chen G, Pazdur R: Enrollment of elderly patients in clinical trials for cancer drug registration: a 7-year experience by the US Food and Drug Administration. J Clin Oncol 22:4626－4631, 2004.

36. Hamaker ME, Stauder R, van Munster BC: Exclusion of older patients from ongoing clinical trials for hematological malignancies: an evaluation of the national institutes of health clinical trial registry. Oncologist 19:1069－1075, 2014.

37. Green P, Maurer MS, Foody JM, et al: Representation of older adults in the late-breaking clinical trials American Heart Association 2011 Scientific Sessions. J Am Coll Cardiol 60:869－871, 2012.

38. Cherubini A, Oristrell J, Pla X, et al: The persistent exclusion of older patients from ongoing clinical trials regarding heart failure. Arch Intern Med 171:550－556, 2011.

39. Fitzsimmons PR, Blayney S, Mina-Corkill S, et al: Older participants are frequently excluded from Parkinson's disease research. Parkinsonism Relat Disord 18:585－589, 2012.

40. Schiphorst AH, Pronk A, Borel Rinkes IH, et al: Representation of the elderly in trials of laparoscopic surgery for colorectal cancer. Colorectal Dis 16:976－983, 2014.

41. Cruz-Jentoft AJ, Carpena-Ruiz M, Montero-Errasquín B, et al: Exclusion of older adults from ongoing clinical trials about type 2 diabetes mellitus. J Am Geriatr Soc 61:734－738, 2013.

42. Liberopoulos G, Trikalinos NA, Ioannidis JP: The elderly were underrepresented in osteoarthritis clinical trials. J Clin Epidemiol 62:1218－1223, 2009.

43. Morse AN, Labin LC, Young SB, et al: Exclusion of elderly women from published randomized trials of stress incontinence surgery. Obstet Gynecol 104:498－503, 2004.

44. Beers E, Moerkerken DC, Leufkens HG, et al: Participation of older people in preauthorization trials of recently approved medicines. J Am Geriatr Soc 62:1883－1890, 2014.

45. Le Quintrec JL, Bussy C, Golmard JL, et al: Randomized controlled drug trials on very elderly subjects: descriptive and methodological analysis of trials published between 1990 and 2002 and comparison with trials on adults. J Gerontol A Biol Sci Med Sci 60:340－344, 2005.

46. Townsley CA, Selby R, Siu LL: Systematic review of barriers to the recruitment of older patients with cancer onto clinical trials. J Clin Oncol 23:3112－3124, 2005.

47. Habicht DW, Witham MD, McMurdo ME: The under-representation of older people in clinical trials: barriers and potential solutions. J Nutr Health Aging 12:194－196, 2008.

48. Kumar A, Soares HP, Balducci L, et al: Treatment tolerance and efficacy in geriatric oncology: A systematic review of phase III randomized trials conducted by five National Cancer Institute-sponsored cooperative groups. J Clin Oncol 25:1272－1276, 2007.

49. Cherniak EP: Informed consent for medical research by the elderly. Exp Aging Res 28:183－198, 2002.

50. Dymek MP, Atchison P, Harrell L, et al: Competency to consent to medical treatment in cognitively impaired patients with Parkinson's disease. Neurology 56:17－24, 2001.

51. Marson DC, Ingram KK, Cody HA, et al: Assessing the competency of patients with Alzheimer's disease under different legal standards. Arch Neurol 52:949－954, 1995.

52. Pucci E, Belardinelli N, Borsetti G, et al: Information and competency for consent to pharmacological clinical trials in Al-

zheimer disease: an empirical analysis in patients and family caregivers. Alzheimer Dis Assoc Disord 15:146 – 154, 2001.

53. Karlawish J, Kim SY, Knopman D, et al: Interpreting the clinical significance of capacity scores for informed consent in Alzheimer disease clinical trials. Am J Geriatr Psychiatry 16:568 – 574, 2008.

54. Maas ML, Kelley LS, Park M, et al: Issues in conducting research in nursing homes. West J Nurs Res 24:373 – 389, 2002.

55. Appelbaum PS, Grisso T: The MacArthur Competence Assessment Tool: clinical research, Sarasota FL, 2000, Professional Resources Press.

56. Palmer BW, Dunn LB, Appelbaum PS, et al: Assessment of capacity to consent to research among older persons with schizophrenia, Alzheimer disease, or diabetes mellitus: comparison of a 3-item questionnaire with a comprehensive standardized capacity instrument. Arch Gen Psychiatry 62:726 – 733, 2005.

57. Warner J, McCarney R, Griffin M, et al: Participation in dementia research: rates and correlates of capacity to give informed consent. J Med Ethics 34:167 – 170, 2008.

58. Directgov: Understanding the Mental Capacity Act. Available at http://www.publicguardian.gov.uk/mca/mca.htm. Accessed September 11, 2014.

59. Fields LM, Calvert JD: Informed consent procedures with cognitively impaired patients: a review of ethics and best practices. Psychiatry Clin Neurosci 69:462 – 471, 2015.

60. Rees E, Hardy J: Novel consent process for research in dying patients unable to give consent. BMJ 327:198, 2003.

61. Stocking CB, Hougham GW, Danner DD, et al: Speaking of research advance directives: planning for future research participation. Neurology 66:1361 – 1366, 2006.

62. Bloch F, Charasz N: Attitudes of older adults to their participation in clinical trials: a pilot study. Drugs Aging 31:373 – 377, 2014.

63. Biswas MS, Newby LK, Bastian LA, et al: Who refuses enrollment in cardiac clinical trials? Clin Trials 4:258 – 263, 2007.

64. Kemeny M, Muss HB, Komblith AB, et al: Barriers to participation of older women with breast cancer in clinical trials. J Clin Oncol 21:2268 – 2275, 2003.

65. Le Quintrec JL, Piette F, Hervé C: Clinical trials in very elderly people: the point of view of geriatricians. Therapie 60:109 – 115, 2005.

66. Oliver S, Clarke-Jones L, Rees R, et al: Involving consumers in research and development agenda setting for the NHS: developing an evidence-based approach. Health Technol Assess 8:1 – 148, 2004.

67. Fudge N, Wolfe CDA, McKevitt C: Involving older people in health research. Age Ageing 36:492 – 500, 2007.

68. Tolmie EP, Mungall MM, Louden G, et al: Understanding why older people participate in clinical trials: the experience of the Scottish PROSPER participants. Age Ageing 33:374 – 378, 2004.

69. Campbell HM, Raisch DW, Sather MR, et al: A comparison of veteran and nonveteran motivations and reasons for participating in clinical trials. Mil Med 172:27 – 30, 2007.

70. Prescott RJ, Counsell CE, Gillespie WJ, et al: Factors that limit the quality, number and progress of randomized controlled trials. Health Technol Assess 3:1 – 140, 1999.

71. Provencher V, Mortenson WB, Tanguay-Garneau L, et al: Challenges and strategies pertaining to recruitment and retention of frail elderly in research studies: a systematic review. Arch Gerontol Geriatr 59:18 – 24, 2014.

72. Treweek S, Lockhart P, Pitkethly M, et al: Strategies to improve recruitment to randomised controlled trials. Cochrane Database Syst Rev 4:MR000013, 2010.

73. Sugarman J, McCrory DC, Hubal RC: Getting meaningful informed consent from older adults: a structured literature review of empirical research. JAGS 46:517 – 524, 1998.

74. Adams J, Silverman M, Musa D, et al: Recruiting older adults for clinical trials. Control Clin Trials 18:14 – 26, 1997.

75. Hall S, Longhurst S, Higginson IJ: Challenges to conducting research with older people living in nursing homes. BMC Geriatr 9:38, 2009.

76. Wood F, Prout H, Bayer A, et al: Consent, including advanced consent, of older adults to research in care homes: a qualitative

study of stakeholders' views. Trials 14:247, 2013.

77. NHS National Institute for Health Research: ENRICH (Enabling Research in Care Homes): a toolkit for care home research. London: Dementia and Neurodegenerative Diseases Research Network (DeNDRoN); NHS National Institute for Health Research; 2011.

78. Chatfield MD, Brayne CE, Matthews FE: A systematic literature review of attrition between waves in longitudinal studies in the elderly shows a consistent pattern of dropout between differing studies. J Clin Epidemiol 58:13‒19, 2005.

79. Gross CP, Herrin J, Wong N, et al: Enrolling older persons in cancer trials: the effect of sociodemographic, protocol, and recruitment center characteristics. J Clin Oncol 23:4755‒4763, 2005.

80. Elzen H, Slaets JP, Snijders TA, et al: Do older patients who refuse to participate in a self-management intervention in the Netherlands differ from older patients who agree to participate? Aging Clin Exp Res 20:266‒271, 2008.

81. Karlawish J, Cary MS, Rubright J, et al: How redesigning AD clinical trials might increase study partners' willingness to participate. Neurology 71:1883‒1888, 2008.

82. Fried TR, Bradley EH, Towle VR, et al: Understanding the treatment preferences of seriously ill patients. N Engl J Med 346:1061‒1066, 2002.

83. Folstein MF, Folstein SE, McHugh PR: 'Mini-mental state'. A practical method for grading the cognitive state of patients for the clinician. J Psychiatr Res 12:189‒198, 1975.

84. Yesavage JA, Brink TL, Rose TL, et al: Development and validation of a geriatric depression screening scale: a preliminary report. J Psychiatr Res 17:37‒49, 1983.

85. Mahoney FI, Barthel DW: Functional evaluation: the Barthel index. Md State Med J 14:61‒65, 1965.

86. Katz S, Ford AB, Moskowitz RW, et al: Studies of the aged: the index of ADL: a standardized measure of biological and psychosocial function. JAMA 185:914‒919, 1963.

87. Lawton MP, Brody EM: Assessment of older people: self-maintaining and instrumental activities of daily living. Gerontologist 9:179‒186, 1969.

88. Charlson ME, Pompei P, Ales K, et al: A new method of classifying prognostic comorbidity in longitudinal studies: Development and validation. J Chronic Dis 40:373‒383, 1987.

89. Guigoz Y, Vellas B, Garry PJ, et al: The Mini Nutritional Assessment (MNA) and its use in grading the nutritional state of elderly patients. Nutrition 15:116‒122, 1999.

90. Podsiadlo D, Richardson S: The timed "Up & Go": a test of basic functional mobility for frail elderly persons. J Am Geriatr Soc 39:142‒148, 1991.

91. Zarit SH, Reever KE, Bach-Peterson J: Relatives of the impaired elderly: correlates of feelings of burden. Gerontologist 20:649‒655, 1980.

92. Rookwood K, Gauthier S: Trial designs and outcomes in dementia therapeutic research, London, 2005, Taylor & Francis.

93. Ferrucci L, Guralnik JM, Studenski S, et al: Designing randomized, controlled trials aimed at preventing or delaying functional decline and disability in frail, older persons: a consensus report. J Am Geriatr Soc 52:625‒634, 2004.

94. Working Group on Functional Outcome Measures for Clinical Trials: Functional outcomes for clinical trials in frail older persons: time to be moving. J Gerontol A Biol Sci Med Sci 63:160‒164, 2008.

95. Abellan van Kan G, Sinclair A, Andrieu S, et al: The geriatric minimum data set for clinical trials (GMDS). J Nutr Health Aging 12:197‒200, 2008.

96. Pallis AG, Ring A, Fortpied C, et al: EORTC workshop on clinical trial methodology in older individuals with a diagnosis of solid tumors. Ann Oncol 22:1922‒1926, 2011.

97. Haywood KL, Garratt AM, Fitzpatrick R: Quality of life in older people: a structured review of generic self-assessed health instruments. Qual Life Res 14:1651‒1668, 2005.

98. PREDICT: European Charter for Older People in Clinical trials. Available at www.predicteu.org/PREDICT_Charter/predict_charter.html. Accessed May 15, 2014.

99. EFGCP-GMWP: Medical research for and with older people in Europe. Available at http://www.efgcp.eu/downloads/efgcp%20gmwp%20research%20guidelines%20final%20edited%202013-05-27.pdf. Accessed October 14, 2015.

CHAPTER **07**

노인과학
Geroscience

Felipe Sierra

서론

노화를 생물학적 관점에서 정의하기에는 다소 복잡한 용어이다. 노화가 질환은 아니지만 많은 만성질환과 건강상태의 주요 위험인자이므로, 이 둘을 완전히 분리하여 사용하는 것은 어렵다. 미시간대학의 Richard Miller는 노화를 "생리학적 및 인지적으로 건강한 성인이 손상이나 질환에 잘 걸리는 허약한 개체로 점차 전환되는 과정"으로 정의하였고,[1] 이는 적절한 시도인 것 같다. 이는 노화를 노인병전문의가 다루는 관련 만성질환과 구분하였지만, 동시에 두 분야를 연결해주면서 최근 새롭게 피어나는 노인과학(Geroscience)의 장을 제공하였다(http://en.wikipedia.org/wiki/Geroscience).

'청춘의 샘'처럼 노화의 "치유"는 유사 이래 인류의 희망이 되어왔다. 또한, 노화를 피할 수는 없지만, 사람마다 노화 속도가 다양해서, 같은 70세라도 건강 측면에서 서로 다르다는 것은 누구나 쉽게 동의한다. 식사조절과 운동처럼 간단한 생활습관 변화로도 수명과 건강수명을 증가시킬 수 있는 것 역시 잘 알려져 있다. 그러나, 불행히도 이것이 모든 사람에게 쉬운 것은 아니다. 실제로 공공정책이 대부분 사람들의 일부 행동 영역을 변화시켰지만(안전벨트, 흡연, 아기를 등에 업는 것 등이 최근의 성공적인 예), 식사조절과 운동 측면에서 건강하지 않은 습관과 관련 행위를 돌이키는 것은 훨씬 더 어렵다. 예를 들면, 여러 동물실험에서 열량 섭취를 많이 제한하는 것이 수명을 늘리고 노년의 건강을 증진시킨다고 알려져 있다.[2,3] 그러나 엄격한 식사요법을 유지할 정신력이 있는 사람은 매우 드물고, 식사제한 자체는 실제로 사람의 건강에 유용한 방법이라고 보기 보다는 실험적 연구에 더 적당한 것이다.

선진국과 개발도상국 모두를 포함해서 전세계적으로 노인 인구 증가에 따른 문제를 시급히 해결해야 할 필요가 있다. 100세를 포함한 85세 이상 노인층에서 가장 극적으로 인구가 증가하고 있으며, 이것은 인류가 다룰 준비가 되어있지 않은 문제를 제기하고 있다. 생물학 외에도 우리의 보건

의료체계, 경제 및 사회구조가 사실상 이런 전례 없는 인구 집단 내의 노인 비율 증가를 수용하고 다루는 시험에 직면할 것이다.[4,5] 더욱 잘 훈련된 노인병전문의와 사회복지사의 필요성이 명백해졌으며, 노년의 황폐를 줄이는 방향으로 더 나은 노화과정을 유도하는 생물학을 잘 이해할 필요도 있다.

노화 생물학에 대한 연구는 지난 수십 년 동안 폭발적으로 발전하였다. 즉, 노화과정에 발생하는 여러 변화를 나열하는 서술적 작업에 집중하는 비교적 낙후된 단계에서, 일차적으로 유전학과 분자 및 세포 연구에 의한 고도의 기계론적 단계, 그리고 아직 미완성의 기계론적인 발견작업을 소홀히 하지 않으면서 일부 결과를 사람에게 응용할 준비가 된 현상태에 이르렀다. 흥미롭게도 노화는 나쁜 것이므로 노화에서 관찰되는 모든 것을 되돌려야 한다는 개념이 만연하지만, 노화 연구는 이것이 사실이 아니라는 것을 보여주고 있다. 이것은 생물이 여러 도전에 직면해서 항상성을 유지하려고 노력해야만 하고, 일부 노화관련 변화는 살아있음으로 해서 사실상 긍정적인 적응 반응을 나타내는 것이기 때문이다. 따라서, 비록 일부 연령과 관련된 현상들은 노화관련 질환의 위험을 증가시키는 것처럼 보이기도 하지만(예를 들면, 신경변성질환을 유발하는 단백질 항상성의 감소),[6,7] 일부는 중립적이며(예를 들면, 탈모 같은 미용적 변화), 일부는 생물의 건강에 도움이 되는 것 같다. 이런 현상을 되돌리려는 시도는 예기치 않게 심각한 결과를 초래할 수도 있다(예를 들면, 테스토스테론[8,9] 또는 인슐린양 성장인자 같은 호르몬의 변화).[10] 병적 결과인 다른 변화들은 노화과정 자체와는 독립적이지만, 흔한 질환이나 건강상태인 경우에 이 둘을 구분하기는 어렵다.

노화 생물학 연구의 초기 핵심요인들은 열량제한, 세포노화, 자유라디칼 가설 등이 있다.[11] 이들은 아직도 활발한 연구분야지만, 이들 중 일부는 심각하게 재고되고 있다. 반면에, 최근 이 분야를 이끌고 있는 혁신적인 연구는 일반적으로 미국국립노화연구소(National Institute on Aging)의 장수보장유전자계획(Longevity Assurance Genes Initiative)이 초기에 장려한 유전적 작업으로 알려져 있다.[11,12] 현재 동물모델에서 변형되었을 때 수명을 증가시키는 수백 개의 유전자가 존재한다.[13] 이들 중 많은 유전자는 경로가 잘 정의되고 연구되기도 했지만, 많은 유전자는 연구나 이해가 빈약하다. 흥미롭게도, 이런 유전자들의 일부 변형된 대립형질은 인간백세연구에서 수명증가와 관련이 있었다.[14] 지금은 장수가 부분적으로 상속된다는 특성이 잘 알려져 있지만, 처음에는 개별 유전자를 조작해서 장수를 극적으로 증가시킬 수 있다는 결과를 기대하지 않았고 회의적으로 생각했었다. 그럼에도 불구하고, 이 과정에 대한 분자 요인들의 발견은 노화생물학연구를 이 분야의 주류로 만들었고 현재의 부흥기를 가져왔다. 이런 사건들은 이전에 논평하였으므로, 이 장에서 반복하지는 않는다.[11,12]

그 보다 이 장에서는 (1) 현재의 주류 연구분야 (2) 노인과학과 가장 기초적인 생물학 수준에서 노화를 연구하는 것의 중요성에 대한 논의 (3) 이 분야의 현재 상태를 기반으로 장래전망과 필요성에 대한 조사 등에 대해 집중하도록 하겠다.

노화생물학 연구의 핵심

기초적인 노화연구와 만성질환의 교차점인 노인과학에 대한 연구 현황을 논의하기 위해 2013년 10월에 메릴랜드 주 베데스다에서 전문가 모임이 있었다.[15] 7개 주요 영역을 논의하였으며, 이것은 Lopez-Otin과 동료들이 최근 논평에서 확인한 영역과 크게 중복된다.[16] 이들은 노화과정의 명백한 조절 요인들로써, 이번 고찰의 초점이 될 것이다. 그러나 이들이 노화과정의 조절 요인인지와는 별도로, 연구 목적으로 사용할 수 있는 지표가 절실히 필요하다. 노화의 지표가 너무 애매할 것이라는 가정 때문에 이 분야는 전통적으로 생체표지자를 고려하지 않았다. 그러나 체학(-omics)을 포함한 대규모의 새로운 기술은 탐구할 필요가 있는 새로운 가능성들을 열었으며, 이런 지표가 없는 것은 해당 분야의 발전을 방해할 것이다. 중재 효과를 검증하는 지표 외에도 이런 중재의 표적이 될 수 있는 기계론적 조절 요인들을 정의할 필요가 있으며, 그럼으로써 노화뿐 아니라 주로 노인 인구에 영향을 주는 여러 만성질환의 발병과 중증도를 동시에 지연시킬 수 있는 치료방법을 마련하게 된다. 최근에 노화과정의 잠재적 조종자들로 여겨지는 주요 영역은 염증,[17] 스트레스에 대한 반응,[18] 후성학,[19] 대사,[20] 고분자 손상,[21] 단백질 항상성,[22] 줄기세포[23] 등이다. 이들 주제에 대한 간단한 개요는 아래와 같다.

염증

염증은 생물이 병원균이나 조직손상같은 공격으로부터 자신을 방어하는 중대한 조기 반응이다.

염증은 노인의 다양한 만성질환과 관련이 있지만,[19,24] 보호역할을 하는 염증을 약화시키는 것은 심각한 악영향을 초래할 수도 있으므로 노년이라도 이런 반응은 보존하는 것이 중요하다. 염증 반응에 관여하는 분자 및 세포 기전은 젊은 생물에서 잘 연구되었으며, 적절한 반응이 신속하고 짧게 작용한다. 나이 든 생물은 공격에 대해 흔히 격렬한 반응을 나타내는데, 어떤 면에서 이것은 악화시키는 반응이다.[25-27] 즉, 반응을 적절히 멈추지 못하는 경우가 많고, 무균성 염증이라는 낮은 수준의 염증을 유발한다.[28] 이것의 특징은 임상적으로 염증 상태를 평가하기 위해 활발히 사용하는 인터루킨 6 (interleukin 6), 종양 괴사 인자-α (tumor necrosis factor-α), C-반응성 단백질 (C-reactive protein) 등의 시토카인들과 급성기인자의 혈청 농도가 만성적으로 약간 상승하는 것이다.[29-31] 이들 연령과 관련된 낮은 강도의 만성 염증은 만성 질환과 건강상태에 기여하는 요인일 수도 있기 때문에 임상에서는 요즘 들어 염증반응을 억제하는 노력을 진행 중이다. 그러나, 앞서 언급했듯이 염증반응을 완전히 약화시키려는 중재(예: 항염증제)는 다음의 두 가지 이유로 문제의 소지가 있다. 즉, (1) 노화에 따른 주된 결함은 염증을 차단하는 단계에 있는 것 같고, (2) 염증반응 약화는 노인을 병원체와 손상에 의한 질환에 취약하도록 만든다. 임상에 적용하기 전에 무균성 염증이 부적응 반응인지 여부를 실제로 명확히 밝힐 필요가 있다. 또한, 낮은 수준의 염증이 진정한 부적응이 아니라, 연령이나 질환 유발성 조직손상 또는 기타 유해 활동(예: 미생물 변화 혹은 장 누수)에 대한 적절한 적응 반응일 수도 있다. 이 분야에 대한 집중적인 연구가 필요하다.

스트레스에 대한 적응

흔히, 스트레스는 일차적으로 심리 문제를 나타낸다. 세포는 심리적 스트레스의 분자 기반(예: 코티솔) 외에도, 자유라디칼, 환경 독소 및 자외선을 포함한 분자 수준의 스트레스 요인에도 지속적으로 노출된다. 두 유형의 스트레스 모두 만성적인 경우 최소한 노화 속도를 가속화시키는 것으로 나타났으며,[18,32] 최근 연구는 심리적 스트레스와 텔로미어 단축 같은 분자반응 사이의 상호 연관성을 보여주기 시작했다.[33-35] 다양한 스트레스에 대한 분자 및 세포 반응의 유사점과 차이점은 자세하게 연구되지 않았으며, 다른 종류의 스트레스로 유발된 반응들이 아직 입증되지는 않았지만 세포 이하 수준에서 공통점을 가질 수 있다. 만일 그렇다면 스트레스의 근원은 의미가 줄어들고, 미래 연구의 목표는 스트레스에 대응하려고 세포가 이용하는 기전이 될 수 있다. 스트레스의 모든 근원을 제거하는 것처럼 명백하게 불가능한 것보다는, 생물이 스트레스에 반응하는 능력을 중재하는 것이 더 쉬운 것으로 밝혀질 수도 있다. 강력한 급성 또는 경미한 만성 스트레스는 해롭지만,[18,32] 약간의 가벼운 스트레스(생리학적 및 심리학적)는 호르메시스(hormesis)와 관련된 기전을 통해 유익해 보인다는 것이 관찰되었다.[36] 유익한 것과 유해한 것 사이의 전환을 통제하는 기전은 현재까지도 알려지지 않았으며, 스트레스가 만성 혹은 급성인지와 관련이 있을 수 있다. 원칙적으로 이런 통제 수준에 대한 더 깊은 이해를 통해서, 연구자는 긍정적인 것을 강화하고 부정적인 것을 줄이는 방식으로 선회점을 조작할 수 있다.

후성학

노화에 대한 유전적 근거를 이해하려는 노력은 지금까지 매우 생산적이었고, 많은 종에서 개별 유전자와 경로가 수명을 연장시킬 수 있다는 발견은 노화 연구를 서술적 단계에서 기계론적 단계로 전환하는 결정적 역할을 했다. 또한, 하등 생물(벌레와 파리)에서 초기에 기술된 일부 결과는 인구 집단의 극단적인 수명(100세)과 상관 관계가 있는 것으로 나타났다.[14] 후성유전자는 잘 변하고 식사와 환경을 포함한 노화 조절 인자들의 역할을 더 잘 반영할 수 있어서, 새로운 관심이 되고 있다. 하등 생물에서는 이질염색질, 전이성 인자 및 히스톤 변형을 포함한 후성유전자의 중요한 변화가 나이 때문인 것으로 기술되어 왔다.[37-40] 후성학적 변화는 암과 같은 많은 노화관련 질환과도 역시 연관되어 있으며,[19] 노화가 암을 포함한 대부분 만성 건강상태의 주요 위험 요소이기 때문에 노화로 인한 후성학적 변화와 질병으로 인한 후성학적 변화 사이의 상호간섭(cross-talk)을 조사 중이다. 후성학적 표시가 환경에 대한 복잡한 반응을 통합할 수도 있기 때문에, 이전 섹션인 "스트레스에 대한 적응"과 관련된 또 하나의 활발한 연구 영역은 스트레스에 따른 유익한 적응과 해로운 적응 사이의 구분이다. 따라서 이러한 후성학적 변화가 어느 정도까지 병을 촉진시킬 수 있는지, 그리고 어느 정도까지 그러한 변화가 회복될 수 있는지를 규명하는 것이 중요하다. 후성학적 변화의 기원과 그 후속 효과는 최근의 집중적인 연구 제목이다.

대사

노화는 많은 대사 변화와 관련이 있으며, 연구자의 과제는 노화와 질환 감수성의 원인 요인을 밝혀내고, 단순히 연관된 것과 노화에 대한 적응 반응인 것을 구별하는 것이다. 대사 변화는 당뇨병, 심혈관계질환, 암, 신경변성질환 등을 포함한 노화관련 질환들과 관련이 있다. 당뇨병은 주로 대사 질환으로 간주되지만, 그렇게 생각하지 않는 사람도 많다. 흥미롭게도, 장수에 영향을 미치는 많은 경로들이 대사에서도 중요한 역할을 한다. 여기에는 최초로 노화관련 유전자경로로 알려진 인슐린-인슐린양성장인자 경로뿐 아니라 mammalian target of rapamycin (mTOR) 경로도 포함된다. 더불어, 수명 연장의 가장 특징적 방법인 열량 제한은 주로 대사적 중재라고 생각해야 한다. 시르투인(sirtuin)은 노화에 영향을 미치는 또 다른 경로이며, 아마도 NAD+ (nicotinamide adenine dinucleotide, oxidized form) 조절을 통해 세포 대사에 극적인 영향을 미치는 것으로 보인다.[41] 레스베라트롤 같은 시르투인 활성제는 여러 종에서 수명을 연장하는 것으로 밝혀졌지만, 적어도 생쥐에서는 고지방 식사로 초래된 심각한 대사 스트레스에 노출된 경우에만 수명을 연장한다.[42-44]

미토콘드리아 역시 에너지 대사의 중심 거점 역할을 하며 노화 연구자들의 주목을 많이 받아왔다. 오랫동안 미토콘드리아의 역할이 활성산소(reactive oxygen species)와 고분자 손상의 잠재적 공급원인 것에 중점을 두었으나,[21,45] 예상과 달리 미토콘드리아의 전자전달연쇄계 활성도 억제는 전자 누출과 자유라디칼 생성을 감소시켜 수명을 증가시킨다.[46-48] 미토콘드리아는 자유라디칼 외에도 세포내 에너지 생성의 중심적 역할 때문에 광범위하게 연구되었다. 이들 고전적인 대사 조절 인자 외에도, 최근에는 극적인 대사 및 염증유발효과를 갖는 미생물군유정체와[49,50] 일주기 리듬의[51,52] 변화 같은 다른 요인들이 관심을 받고 있다.

고분자 손상

노화에 대한 자유라디칼 이론은 노화생물학 연구에서 반세기 이상 중요한 역할을 담당했다.[53] 최초의 이론은 미토콘드리아 내부에서 자유라디칼에 의한 고분자 손상이 노화과정에서 보이는 세포와 조직의 기능소실을 초래한다는 것이었다. 지난 수십년 동안 이 가설을 뒷받침할 만한 다수의 상세한 증거들이 축적되었다. 그러나, 이 이론을 검증하기 위한 포괄적 시도는 자유라디칼 제거능력을 증가 또는 감소시키도록 유전자를 조작한 쥐 모델에서 이뤄졌다. 이런 조작 대부분은 예상된 고분자 손상의 변화(형질전환기술의 방어증가나 유전자제거모델의 방어감소에 따라 각각 고분자 손상의 감소 또는 증가)를 가져왔지만, 놀랍게도 평균수명 또는 최대수명에는 영향을 미치지 않았다.[45,54] 주목할 만한 예외는 미토콘드리아 카탈라제(mitochondrial catalase, MCAT) 쥐 모델인데, 이 모델에서 미토콘드리아(다른 세포 하부 구획은 아님)의 카탈라제 발현은 장수 증가와 심혈관 질환 감소를 유발한다.[55] 이런 결과에도 불구하고, 자유라디칼 손상이 암과 심혈관계질환 같은 서구 세계 주요 사인을 포함한 다양한 노화 관련 질환과 밀접한 관련이 있기 때문에, 자유라디칼 이론은 여전히 노화 생물학 연구의 긍정적 기반으로 남아있다.[56] 이 부정적인 결과는 자유라디칼이 레스베라트롤처럼 스트레스 조건에서의 장수에 기여할 뿐이고, Institutional Animal Care and Use Committee (IACUC)가 승인한 표준 생쥐 주거 조건에서는 해당되지 않음을 보여준다. 그런 점에서 중요한 것은, 자유라디칼을 통제하는 것이 수명에 대한 역할과 상관없이 건강수명에 일정 역할을 한다는 것이다.

　단백질 손상 외에도 미토콘드리아 혹은 핵 DNA 복구 시스템 조작에 의한 DNA 손상 등은 일부 저자가 '가속 노화'라고 부르는 표현형을 유발한다.[57-59] 허친슨-길포오드(Hutchinson-Gilford)증후군, 베르너(Werner)증후군, Cockayne증후군 등 인간에게 나타나는 많은 가속 노화 증후군들에 대한 독립적인 연구에서, 이 질환들의 주범은 핵막하층의 구조적 완전성을 포함한 DNA 복구나 다른 DNA 처리 등에 관여하는 유전자의 돌연변이로 판명되었다.[60,61] 앞서 "스트레스에 대한 적응"에서 논의한 바와 같이, 이러한 모델과 질환에서 노화 표현형의 가속화는 DNA 손상의 직접적인 결과가 아닐 수도 있지만, 노화 표현형은 '세포노화, 줄기세포 고갈 또는 다른 결과' 등을 초래하는 DNA 손상에 대한 세포의 반응과 관련될 수 있다.[62]

　마지막으로, 텔로미어 단축이 DNA 복구반응과[63,64] 세포노화의 활성화를[65] 통해서 해로운 효과를 유발한다는 증거 때문에, 텔로미어 완전성도 역시 고분자 손상의 일부로 고려할 수 있다.

　역학 연구에서 텔로미어 단축과 연령노화는 분명히 관련이 있으며,[66,67] 더 흥미롭게도 심리적 스트레스에 의해 텔로미어 단축이 가속화되는 것이 발견되었다.[68-71] 인과관계이든 혹은 단순한 바이오마커이든지 이러한 발견들은 흥미로운 것이고, 이 분야에 대한 추가 연구가 향후 몇 년 안에 이들 관계를 밝혀낼 것이다.

단백질 항상성

과거에는 노화 중에 발생하는 DNA 손상과 복구가 상당한 관심을 받았지만, 최근에는 실제로 단백질이 세포 기능의 대부분을 수행한다는 사실에 근거해서 단백질도 같이 주목받고 있다. 연구는 다른 고분자 손상처럼 손상의 원인보다는 단백질체를 건강하게 보존하고 반응을 통제하는 기전에 더욱 초점을 두고 있다. 여기에는 통합적으로 단백질 항상성으로 불리는 질 관리 기전이 포함되는데, 주로 샤프론, 자가포식, 프로테아좀 분해 및 기타 세포질그물과 미토콘드리아의 미접힘 단백질 반응(unfolded protein responses)이 여기에 속한다.[72-75] 단백질 항상성 기전이 노화속도에 관여하는 것 외에도, 적어도 꼬마선충(Caenorhabditis elegans)에서는[76-78] 신경변성(예: 알츠하이머병, 파킨슨병)과 세포 내외에 단백질 집합체가 축적되는 전신 질환 등의 노화관련 질환과 연관된다.[79-81] 단백질 항상성의 소실은 노화 및 관련 질환에 이중 역할을 하는 것 같다. 우선, 나이가 들면서 샤프론 유도성, 자가포식, 프로테아좀 기능을 포함한 여러 질 관리 경로들의 활동성이 전반적으로 감소한다.[76-78,82] 또한, 독성 집합체와 다른 실체 등이 축적된 결과로 생각할 수 있는 손상 단백질은 증가한다. 긍정적인 면으로 보면, 이것은 단백질 집합체 문제는 손상을 줄이거나 방어력을 높이는 두 가지 방법으로 공략할 수 있다는 것을 의미한다. 과거에는 손상을 줄이거나 방지하는 데 중점을 두었지만(앞서 "고분자 손상" 참조), 최근에는 억제되어 있던 단백질 항상성 경로를 활성화해서 방어력을 개선시키는 방향으로 노력하고 있다. 최근 연구에 따르면, 다양한 단백질 질 관리 기전들은 해당 세포 내부뿐 아니라, 더욱 흥미롭게도 좀 떨어진 거리조차 서로 상호 작용하고 보상할 수 있다.[83,84] 이것은 (아직 결정되지 않은) 핵심 경로와 세포에 개입함으로써 전체 시스템을 개선할 수 있기 때문에 중요한 중계 잠재력을 가질 수 있다.

줄기세포와 재생

줄기세포는 모든 형태의 노화 관련 질환을 위한 만병통치약인 것처럼 언론을 통해 널리 홍보되고 있다. 그러나 노화와 질환 과정에 줄기세포의 가능한 역할을 신중히 평가함으로써 이러한 주장들을 진정시킬 필요가 있다. 지난 10년 동안 비동시성 병체결합을 이용한 일련의 훌륭한 실험, 즉, 젊은 생쥐와 늙은 생쥐의 혈관연결을 통해 공통된 순환 체계를 공유하는 실험이 있었다. 이 실험은 노화의 문제가 흔히 줄기세포 자체보다, 적소(niche)와 혈중 활성유발인자에 더 문제가 있다는 것을 보여주었다.[85] 따라서, 노인도 최소한 근육이나[85] 난소에는[86] 여전히 줄기세포가 존재하지만, 그들의 적소는 줄기세포를 활성화시킬 능력이 없는 것 같다. 추가 분석에서, 어린 생쥐의 혈청에 늙은 생쥐의 조직내 줄기세포를 활성화할 수 있는 혈중인자와[87-89] 그 반대(젊은 동물의 줄기세포를 억제할 수 있는 늙은 동물의 혈중 인자)의 존재가 밝혀졌다.[90] 합리적인 치료법을 고안하기 전에 여러 조직에서 줄기세포와 그들의 적소, 그리고 개별 노화관련 질환에서 줄기세포의 역할 여부를 더 잘 이해하는 것이 중요하다. 노화된 적소를 주입한 젊은 세포가 기능을 유지할 수 없다면 노인에게 젊은 줄기세포를 주입하는 것은 유용한 전략이 될 수 없고 오히려 적소를 수정하는 것이 더 쉬운 방법이 될 수 있다. 또 다른 흥미로운 연구분야는 유도만능줄기세포[induced pluripotent stem cells (iPSCs)]로서[91-93] 이미 중요한 연구 도구가 되고 있으며 치료적 잠재력도 가지고 있다(위에 설명한 소위 표준 젊은 줄기세포 관련 경고와 함께). 이것은 빠르게 확산되고 있는 연구분야로서, 줄기세포 전반과 줄기세포 노화의 특성, 그리고 다양한 노화 관련 질환에서 줄기세포의 가능한 역할에 대해 배울 점이 많다.

노화생물학은 지난 수십 년 동안 혁명적인 변화를 겪었으며, 방금 간단하게 나열한 부분 외에도 흥미로운 연구를 다루는 추가 분야가 많다. 그 중에서도 비교생물학이나[94-96] 새로운 동물 모델 사용을 통한 최근 결과가 주목할 만하다. 마찬가지로, 전통적 진화 생물학이나 인구학적 분야의 뛰어난 공헌도 언급하지 않았는데, 이들은 노화생물학 연구를 진행하는 이론적이고 개념적인 배경을 형성한다. 비록 아직 실속은 없지만, 복수의 체학(-omics) 기술이 등장하면서 시스템생물학 같은 포괄적 접근방식이 주목을 받고 있다.[21]

노인과학

역학 조사에 따르면 노화가 대부분의 노화관련 만성질환의 주요 위험 요인이 될 수 있으며,[97] 수명 연장을 주 목표로 시행한 최근 연구들은 정상적으로 노년에 발생하는 질환의 지연과 완화를 유도하였다.[44,98,99] 노화생물학 연구의 목적은 수명을 연장하는 것이 아니라, 건강수명이라고 말하는 노후의 건강을 증진시키는 것이라는 점이 특히 중요하다. 특히 C. elegans, Drosophila melanogaster 및 효모균 등의 유전적으로 다루기 편한 하등생물에서는 수명을 측정하기 편한 대용으로 사용한다. 생물학적 노화와 노화 관련 만성질환 위험 사이의 밀접한 관계는 노화와 노화 관련 질환 및 장애의 관계를 이해하는 목적의 학제간 분야인 노인과학이라는 새로운 분야를 창출했다(참고 http://en.wikipedia.org/wiki/Geroscience; 그림 7-1).[15,100]

　노화 생물학이 노화 관련 질환에 역할을 한다는 것이 새로운 개념은 아니다. 생의학 연구의 궁극적인 목적이 인간의 삶의 질을 향상시키는 것임은 일반적으로 공감하는 사실이다. 초기 노력은 전염병의 피해를 근절하거나 제한하는데 성공적이었고, 위생과 공중 보건의 개선으로 지난 세기 동안 인간의 수명을 획기적으로 증가시켰다. 그러나 유감스럽게도 이런 성공에는 대가가 필요했는데, 그것은 만성질환과 노인 건강상태가 삶의 질 향상이라는 목표에 방해가 되는 주 장애물로 알려졌기 때문이다. 따라서, 노인학의 기본 원리는 적어도 많은 동물 모델에서 노화는 해로울 수 있고, 또한 노화는 인간에게 영향을 미치는 대부분의 질병의 주요 위험 요소이기 때문에, 노화의 기본 생물학을 다루는 것은 현재 행해지고 있는 것처럼 질병에 대해 한 번에 하나씩 해결하는 것보다 건강 측면에서 더 나은 결과를 줄 가능성이 높다는 것이다.

　전염병이나 유전 질환과 달리 사실상 노화의 만성질환은 많은 요소로 구성되고 복잡하다는 것을 개념적으로 이해하는 것이 중요하다. 생의학에 사용하는 현행 모델은 질환 특이적인 위험 요인에 중점을 두고 있다(예를 들어, 심혈관계질환은 콜레스테롤, 당뇨병은 포도당 항상성, 알츠하이머병은 아밀로이드 침착). 그러나 질환 특이적 요인이 중요하지만 충분한 것은 아니며, 흔히 명백한 질환은 특히 노화 자체에 의한 수용적 적소와 환경 등의 다른 요소도 있어야 분명해진다는 것이 점점 더 현실화되고 있다(그림 7-2).[101] 예를 들면 유전적 원인이 아닌 암은 흔히 60대와 70대에 나타나는데, 이는 모든 필요한 돌연변이가 세포에 축적되는 데 오랜 시간이 소요되는 것으로 설명하고 있

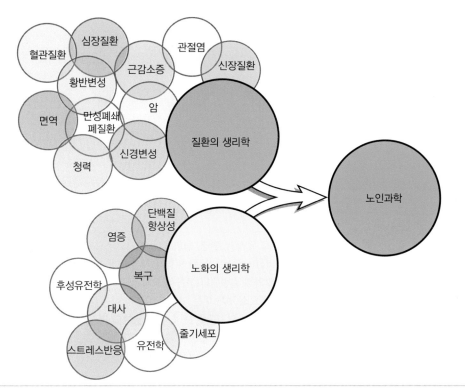

■ **그림 7-1**. 노인과학은 노화 관련 만성질환의 생물학과 노화의 기본 생물학의 교차점에 있다.

다. 그러나 대부분의 쥐가 2살까지는 암에 걸린다. 돌연변이와 복구 속도는 생쥐와 인간 사이에서 거의 비슷하며,[102-105] 양 쪽 모두 중년기를 훨씬 지나서 노화 생물이 노쇠하고 회복력을 잃었을 때 암이 발생한다는 것이 공통점이다.

한 번에 한 질환을 다루는 현재 노력의 부적절성이라는 또 다른 쟁점은 노인과학을 시기 적절한 것으로 만든다. 노인들은 한 질환만 가지는 것은 볼 수 없으며, 거의 예외 없이 동반질환을 가지고 있다. 생의학 분야의 많은 연구는 한 번에 하나의 질환에 대한 예방, 치료 또는 관리에 중점을 두고 있으며, 이점은 임상, 학계, 심지어 국립 보건원(National Institutes of Health)에도 반영되고 있다.

이런 관점은 추가적인 부작용이 있다. 예를 들어, 임상시험은 많은 경우 대상 질환 이외의 다른 질환이 있는 환자를 제외하고 참가연령의 상한선이 있는데, 이는 임상시험으로 검증할 중재 대상, 즉 동반질환이 있는 노인을 사실상 제외시키는 셈이다. 노화가 흔한 만성질환의 주요 위험 요소이기 때문에, 동반질환은 아마도 노화로 인한 직접적인 결과일 수 있다는 것을 논리적으로 추론할 수 있다. 따라서, 그 개념을 받아들여, 노인과학은 한 번에 모든 만성질환을 예방하거나 치료하는 것에 중점을 두는 것을 목표로 한다.

노화는 질환과 병적상태의 주요 위험 요인이라는 것은 수세기 동안 알려져 있지만, 노화에 대

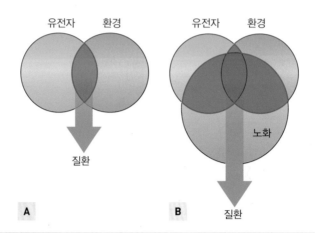

■ **그림 7-2. 질병의 주요 위험 요소.** 질병은 주로 유전자, 환경, 노화와 그 상호작용으로 분류되는 여러 가지 원인이 있을 수 있다. **(A)** 개인이 젊었을 때에는, 정의상 노화는 아무런 역할을 하지 않으며, 따라서 질병 위험은 오로지 유전학, 환경, 그리고 유전자 × 환경 상호작용에 의해 결정된다(붉은색 교차점으로 표시). **(B)** 이와는 대조적으로, 개인이 나이를 먹으면서, 노화는 질병의 주요 위험요소이며, 이는 고령이 될수록 한층 더 명백해진다. 이는 전체 위험(최소한 두 가지 위험 요인을 포함하는 교차점)이 더 커지도록 하며, 전체 질병의 연령 관련 증가를 설명한다. 백세인도 이러한 변수의 대상이 되지만, 코호트 효과의 결과로 질병에 걸릴 위험이 낮은 것으로 나타난다.-코호트의 다른 구성원들은 모두 사망하고, 생존자들은 가장 회복력이 있는 사람들이다.

해 아무것도 할 수 없다는 것이 사실일까? 이것 또한 수세기 동안 틀린 것으로 알려진 중대한 오류이다. 실제나이, 즉 사람이 땅에서 살았던 햇수는 바뀔 수 없지만, 모든 사람이 같은 속도로 나이를 먹지는 않으며, 같은 집단 안에서도 개인간의 생리적 나이에는 큰 차이가 있다. 보통 이런 차이는 유전과 환경에 의해 초래되는 것으로 믿는다. 따라서 운동과 적당량의 균형 잡힌 식사를 하고, 과도한 스트레스를 피하는 사람은(일부 무작위성도 작용할 수는 있지만) 일반적으로 노년에 더 나은 생리적 체질을 가지는 경향이 있다. 그러한 관찰은 노화의 과정이 불변하는 것이 아니라, 오히려 그 반대로 본질적으로 유연한 과정이라는 것을 암시한다. 효모균에서 쥐에 이르는 실험 동물의 노화는 행동(식사 제한),[2,3] 유전(수명을 연장시키는 700개 이상의 유전자)[13] 및 약리학적 수단(라파마이신, 아카보스, 메트포르민 및 대사 스트레스 상황에서 레스베라트롤) 등으로 지연될 수 있다.[44,106-109] 기초 노화생물학에 대한 이해의 큰 발전은 이 분야가 수명을 연장하는 약리학적 수단의 영역에서 추가 발견에 적합하다는 것을 의미한다. 대부분의 경우에 이러한 조작은 질환에 대한 저항과 생리학적 개선으로 이어진다. 즉, 이러한 중재는 건강수명을 증가시킨다.

노인을 포함한 대부분의 사람들은 적어도 건강수명 연장과 질병의 축소가 없다면, 수명연장을 가치 있는 목표로 생각하지 않는다. 앞서 언급했듯이, 이것 또한 노화 생물학 연구 및 노인과학의 목표이다. 수명은 단지 양분법적인 대용품으로 측정하기 쉽기 때문에 연구에 사용된다. 건강 문제는 훨씬 더 복잡하며, 단순히 질환이 없는 것과 동일 시 해서는 안 된다. 나이가 들면서 질환에 더 취약해지는 것은 주로 생리학적 노쇠가 증가한 결과이다. 반대로, 노쇠는 스트레스에 견디는 능력을 감소시킨다. '회복력'이라는 용어는 스트레스 상황에서 항상성으로 돌아갈 수 있는 능력을 가리킨다. 스트레스에는 보다 쉽게 알아볼 수 있는 심리적 및 환경적 유형뿐만 아니라, 질환 때문에 직접 또는 간접적으로 발생하는 스트레스, 경우에 따라 이런 질환의 치료에 사용된 중재(예를 들어 수술, 마취, 항암치료) 등 여러 가지 종류가 있다. 노쇠와 회복력의 노화관련 변화는 질환–특이적 손상이 병을 유발하는 한계점을 낮춘다. 일례로 병상에 오래 누워있는 것이 젊은이는 단지 성가실 뿐이지만 노인에게는 치명적 연쇄반응을 촉발하는 이유를 이것으로 설명할 수 있다. 노쇠, 회복력, 손상이 명백한 병을 유발하는 한계점 등 서로 밀접하게 연관된 관점의 일부 혹은 전부를 겨냥함으로써 이론적으로 노화관련 질환의 부담을 완화시킬 수 있다.

전 세계는 실버 쓰나미(silver tsunami)라고 불리는 현상을 경험하고 있는데, 이는 대부분의 개발도상국을 포함한 모든 사회에서 저출산과 길어진 수명이 심각한 노화를 유발하는 것이다. 따라서, 노인과학이 성공적으로 된다면, 많은 만성질환이 전체적으로 지연되고, 수명은 증가하고, 이것은 문제를 악화시키지 않을까 우려된다.[110] 그러나 이러한 노력의 결과로 수명이 길어지는 것은 사실이지만 두 가지 오류를 고려해야 한다. 첫째로, 노인과학은 모든 만성질환을 일시에 연기하는 것을 목표로 하지만, 모든 분야에서 대부분의 생의학 연구는 특정 질환을 치료하여 수명을 연장시키는 것을 목표로 한다. 둘째로, 이런 노인을 현재의 기준으로 노쇠하고 아프다고 생각하는 것은 착오이다. 앞서 논의했듯이, 생쥐 및 다른 여러 종을 통한 연구에 따르면 노화를 다루는 것(특정 질환을 하나씩 다루는 것과 반대로)이 아픈 노인이 아닌 건강한 노인을 유도한다. 사실, 일부 연구는 우리의 현재 접근 방식이 오히려 무서운 결과로 이어질 것을 보여주고 있다. 암, 심혈관질환 또는 이 둘을 치유하면 실제로 장애인 수가 약간 증가할 것이라는 이론이 제기되었다. 이것은 치명적인 질환 하나를 치유하면 환자는 근육감소증, 골다공증 및 감각 상실을 포함한 다른 동반 장애와 건강상태를 갖고 오래 살게 되므로 발생할 수 있다. 즉, 이것은 치명적이지는 않지만, 삶의 질을 크게 떨어뜨린다. 이러한 질환 중 하나만 치료할 경우, 환자는 생명을 위협하는 다음 질병(예: 알츠하이머병, 당뇨병, 암)으로 죽을 때까지 또 다른 제한과 함께 살아간다. (사실, 만성질환은 치유하는 것이 아니라, 단지 관리해야 하는 것이다.) 그에 반해, 같은 계산법으로 보면 노화를 최소한이라도 지연시키는 것이 장애인 수 감소라는 반대 효과를 보인다.[111,112] 따라서 노인과학이 제안한 시나리오에 따르면, "새로운 노인"들은 건강이나 연금 제도에 과도한 부담을 초래하지 않을 것이다.

결론적으로 노인과학은 오래된 문제의 판단을 위한 새로운 장을 제공하고 있다. 노화 생물학, 만성질환, 그리고 노화 생물학을 만성질환의 주요 위험요인으로 만드는 건강상태 사이의 교차점에 대한 분자와 세포학적 기초는 무엇일까? 이 연결고리를 이해함으로써, 현행 모델처럼 한 번에 하나씩이 아니라, 모든 질환과 노화관련 장애를 동시에 다루고 지연시킬 수 있을 것으로 생각한다.

미래에 대한 잠정적 전망

이 장에서 논의한 내용을 토대로, 노화 생물학과 노인과학은 미래 생의학 관점에서 분명히 중요한 분야가 될 가능성이 있다. 20세기의 인상적인 과학 발전이 많은 만성질환과 복합질환의 탐지, 예방 및 치료에 상당한 발전과 더불어 많은 전염성 질병의 실질적 소멸을 가져왔지만, 노인의 동반질환에 대한 복합적 치료는 계속적인 발전이 필요하다. 더 나아가서, 지난 세기에 생의학으로 얻은 이득은 사람이 일상적으로 80세 이상 살 수 있게 한 것이지만, 동시에 이로 인해 만성질환과 장애는 필연적으로 증가한다. 이제는 이 문장에서 '필연적'이라는 단어를 제거하기 위해 노력할 때이다. 노화 생물학에 대한 이해의 발전은 비록 불완전하지만 이런 면에서 강력한 도구를 제공한다. 우물쭈물할 시간이 없다. 즉, 사회체계와 보건의료체계는 최근 들어 거의 한계점에 이르러서, 현 추세를 지속하는 것은 더 이상 감당할 수 없게 될 것이다.

따라서 노화 생물학 및 노인과학의 목표로 빠르게 증가하는 노인 인구에 적용될 중계경로를 시급히 개발할 필요가 있다. 그러나 많은 장애물이 남아있고 해결할 필요가 있다. 이들을 논의하기 전에, 최근 진보된 주요 분야에 대한 회고를 소개하겠다(일부는 이미 다른 문맥에서 논의한 바 있다).

노화의 이론과 원리에 대한 질문

새로운 경험적 자료를 바탕으로 노화의 오래된 이론과 원리 중 몇 가지에 대해서 최근 들어 의문이 제기되고 있다. 노화의 자유라디칼 이론은 1950년대 중반 이후 노화 생물학 연구의 긍정적 기반이다.[53] 그러나 연구결과에 따르면, 대부분의 경우[45,54] (Schrine과 동료가 설명한 것을 제외하고[55]) 자유라디칼 제거제에 대한 유전자 조작과 그에 따른 고분자 손상은 적어도 실험실의 청정 환경 조건에서는 쥐의 수명에 영향을 미치지 않았다. 노화 생물학 연구의 또 다른 주요 원칙은 식사 제한 패러다임이다. 여러 종에서 식사 제한은 수명과 건강 수명을 증가시켰다.[43,113]

그러나, 쥐,[114,115] 효모균,[116] 그리고 아마도 영장류들에[117,118] 대한 연구는 식사 제한 효과가 개인의 유전적 배경에 크게 의존한다는 것을 시사함으로써, 유전적으로 매우 이질적인 인간에게 이런 패러다임(또는 그것에 기초한 중재)을 적용하려는 우리의 노력에 어두운 전망을 주고 있다.

그러나, 이들 경고는 단지 수명 측정에 근거하지만, 자유라디칼과 식사 제한 패러다임에서는 중재가 수명에는 영향이 없더라도 건강 수명은 개선할 것 같다는데 주목해야 한다. 건강 수명은 단순한 수명보다 더 바람직하기 때문에, 이러한 연구분야가 노화 연구의 문맥상 무관하다고 무시하는 것은 무책임한 것이다.

수명, 건강수명 또는 둘 다 증가시키는 중재

몇 가지 중재는 수명, 건강 수명 또는 두 가지 모두를 여러 생물에서 증가시키는 것으로 나타났다.

지난 10년 동안 쥐와 다른 종의 수명을 늘리기 위한 중재 수는 실제로 폭발적으로 증가했다. 비록 많은 연구가 유전자 조작에 기반을 두고 있지만, 이 연구들은 약물 치료가 가능한 유전자를 목표로 진행되었다. 가장 잘 알려진 약리학적 중재는 라파마이신과 레스베라트롤인데, 두 가지 모두 다양한 생물의 수명과 건강수명을 연장시킨다. 레스베라트롤이 대사 스트레스에 노출된 쥐에서만 수명을 증가시킨다는 사실에는 많은 논란이 집중되고 있다.[44] 많은 사람들이 대사 스트레스를 받고 있다는 명백한 사실 외에도, 다음의 두 가지 연구의 결과를 근거로 이러한 오해를 조율해야 한다. 즉, (1) 레스베라트롤은 수명에 이득이 없는 쥐에서도 건강수명을 향상시켜주고, (2) 레스베라트롤은 1세대 약으로 간주되며, 2세대 시르투인 활성제는 정상 식사 중인 쥐의 수명을 향상시켰다.

두 번째 연구는 분자보다는 노화의 세포적 측면에 기초한다. 지난 10년 동안, 노화세포가 노화 도중에 이전에 믿었던 것보다 더 심하게 다양한 조직과 장기에 축적된다는 것이 발견되었다.[119-121] 추가로, Campisi 등은 노화세포들이 많은 생체 활성 분자, 주로 염증 촉진 요인과 기질 변형 요인을 분비한다는 것을 보여주었는데, 이것은 그들의 바로 근처 조직을 교란시킬 수도 있고 심지어 노인에서 생물전체의 만성 염증에 기여할 수도 있다.[101,122,123] 가장 중요한 것은, 유전적 기법으로 노화세포를 제거함으로써 지방 조직, 골격근, 그리고 눈을 포함한 몇몇 시스템의 중요한 기능을 향상시킨다는 것이 최근 직접적으로 보고되었다.[124] 이것은 레스베라트롤 같은 중재가 생존을 증가시키지 않았다는 사실에도 불구하고 밝혀진 것이다. 특히, 노화세포의 말기 제거는 이미 있던 노화관련 질환의 진행을 둔화시키고, 생리적 기능을 향상시킨다(다음 절 참조).

예방과 회복이 가능한 노화관련 병

적어도 일부 경우에, 노화관련 병은 예방할 수 있을 뿐만 아니라 회복시킬 수도 있다. 언급했듯이, 노화세포 제거는 여러 조직에서 이미 임상적으로 관찰할 수 있는 병리의 회복을 유도한다.[124] 더욱이, 노년 쥐의 노화 표현형을 회복시킬 수 있는 요인이 어린 쥐의 혈액에 존재한다는 증거를 확보하기 위해서, 최근 들어 이소시성(heterochronic) 개체결합 모델이 상당히 각광을 받고 있다.[85,87-90] 개체결합은 두 개체 사이에 혈관을 연결하는 외과적 술기이고, 이를 통해 혈액순환체계를 공유한다. 이 혁신은 기본적으로 나이가 다른 두 동물에게 이소시성을 유발하는 것이다. 이 시스템을 이용한 실험실 연구는 젊은 쥐 혈액의 어떤 요인이(후에 notch-delta 경로의 활성체로 밝혀진) 오래된 근육에 있는 줄기세포를 활성화시킬 수 있다는 최초의 직접적 증거를 보여주었다.[85,125] 최근에 다른 연구자들은 전환성장인자(transforming growth factor) 계열의 일종인 성장분화인자 11 [growth and differentiation factor 11 (GDF-11)]이 나이든 생쥐에서 기존의 노화관련 심장비대를 회복시킬 수 있는 요인임을 확인할 수 있었다.[87] 또한 GDF-11은 뇌를 포함한 몇 개의 추가적인 조직에서도 노화 표현형을 회복시킨다.[88-90]

이들과 그 외 많은 다른 자료들은 노화 생물학이 실험실과 임상 모두에서 노인의 만성질환을 바라보는 방법에 중요한 돌파구를 만들어 낼 것이라는 믿음에 신뢰를 주게 된다. 그러나 이런 가능성이 결실을 맺기 전에 추가적인 발전이 많이 필요하다. 기초 및 전임상 중계연구분야(뒷부분 참조)에서 계속적인 추가 발견의 필요성을 고려하면, 기초 생물학 외에도 해결해야 할 다음과 같은 중요 장애물들이 있다. 먼저, 잠재적 중재는 여러 동반질환에 대한 임상시험 이전에, 노화 동물모델에서 안전성과 약물동력학에 대해 광범위한 시험이 필요하다. 이것은 특히 중요한데, 왜냐하면 노화의 기초 생물학에 대한 연구를 통해 발견된 중재가 많은 장기와 시스템에 광범위한 영향을 미치고, 매우 오랜 기간 동안 시행될 가능성이 있기 때문이다. 따라서 이러한 문제에 대해서 세계적으로 그리고 장기적으로 매우 광범위한 분석이 필요하다. 이 작업의 일부는 특정 질환이나 건강상태에 대한 1상 또는 2상 임상시험이 이미 진행 중인 경우(예를 들면 메트포르민, 라파마이신, 레스베라트롤)에도 시작할 수 있다. 일차 목표가 아닌 질환과 건강상태에 미치는 효과를 결정하려면, 이 점에 관한 예비 정보를 얻는 면에서 보조적인 추가연구가 저비용의 효과적인 수단이 될 것이다. 추가 연구에서는 더 잘 정의된 결과 측정법을 개발하고 검증할 필요가 있다.

현재의 임상시험 패러다임은 관련 장애물을 잘 보여준다. 현재의 임상시험 모델은 연구 대상과 무관한 질병을 동반한 사람뿐 아니라, (주로) 노인들도 일반적으로 제외한다.[126] 그러나, 여러 동반질환을 동반한 노인들은 시험 후 임상목적의 대상이 되는 바로 그 인구집단이다. 여러 동반질환을 동반한 사람과 나이든 동물들을 대상으로 잠재적 중재의 효과를 연구하기 위해서 새로운 패러다임을 개발할 필요가 있다. 이것은 인위적인 유전자 조작보다 가급적 다양한 자연 발생적 질환을 갖는 나이든 동물 모델의 시험적 중재를 포함한다. 비록, 최신 무균 조건에서 시험하는 것이 더욱 빠르고, 저렴하고, 깨끗한 데이터 분석을 가능하게 할 수 있지만, 클리닉에서는 그 결과들을 현실세계로 전환하는 일이 부담이라는 것을 수용하는 극적인 개념 변화가 필요하다. 즉, 중재는 단순히 엄격히 통제된 조건보다 클리닉에서 효과적일 필요가 있다(참고 http://www.policymed.com/2014/02/fda-policies-and-procedures-forproposed-trial-design-aimed-at-multiple-chronic-conditions.html#sthash.XqinSUlF.dpuf). 현재 조사 중인 많은 중재는 임상적으로 알려진 질환과 건강상태에 대한 효과 검증 외에도, 화학요법이나 마취와 같은 임상적 동요로부터 더 빨리 회복시킬 수도 있다. 예를 들어, 식사 제한에 대한 연구를 통해 Raffaghello 와 Lee 등은 화학요법 전에 단기간의 단식으로 부작용을 감소시킬 가능성이 있다고 제안했다.[127,128] 효모균에서 쥐에 이르는 모델의 예비 데이터를 확인한 후에,[129] 이런 가설들은 현재 2상 임상시험 중이다.

비록 연구 결과를 임상 실무로 중계하는 것이 중요하기는 하지만, 현황이 밝혀지면서 과학자들은 의학의 많은 중요한 발전들이 중계될 수 없을 것 같았던 기초 연구에서 나왔다는 것을 알게 되었다. 발표된 결과의 일부는 사람에게 중계될 의도가 없었고, 그래서 아직 임상시험이 수행되고 있거나 시작할 예정이다. 따라서, 중계, 전임상 및 임상적 패러다임들을 강화할 필요가 있는 것처럼, 노화 생물학에 대한 기초 연구를 희생하지 않고 임상연구를 시행할 필요가 있다. "신약개발가능성의 초기성공"에서 미국 식품의약품안전청의 상업용 승인까지 이르는 험난한 과정에 대해서 끔찍한 묘사가 많이 있다. 생의학적 연구의 중계 측면을 강화하기 위해 대부분의 노력이 들어간다. 그러나, 이 과정의 시작에는 기초 연구에서 나온 초기 발견이 있다는 것을 아는 것이 중요하다. 중계연구로 기초연구가 희생된다면, 곧 이어서 새로운 중계도 없을 것이다. 즉, 기초적인 생의학 연구를 활성화하고 계속 유지하는 것이 중요하다. 노화의 특정 분야는 이례적인 가능성을 보여주는 분자 경로(예: 성장호르몬–인슐린– 인슐린양 성장인자– FOXO, mTOR, 시르투인, AMPK [5'–adenosine monophosphate–activated protein kinase] 네트워크처럼 알려진 경로 또는 아직 밝혀지지 않은 경로) 및 줄기세포와 노화세포 같은 세포 기반 중재에 대해서 훨씬 더 기초적인 연구가 수행되어야 한다.

노인과학을 기반으로 한 중재의 잠재적 영향은 생의학 및 인구보건 측면과 병행해서 매우 광범위하므로, 노동력의 분포와 기타 사회적 측면뿐 아니라 보건의료 및 연금 체계에 미칠 잠재적 효과를 평가하는 것이 중요할 것이다. 이것들은 여기서 다루지 않을 것이지만, 이 역시 중요한 것이다.

요점 KEY POINTS

- 노화는 노인에 영향을 주는 대부분의 만성질환과 건강상태의 주요 위험인자이다.
- 많은 동물 모델에서 생물학적 노화 속도는 행동, 유전, 약리학 등 다양한 방법으로 조작(확장)할 수 있다.
- 노화 속도가 줄어들면 실험실 유도 질환에 대한 저항력 향상뿐만 아니라, 자연 발생 질환과 건강상태의 지연 및 중증도 감소가 가장 흔히 동반된다.
- 노화 속도를 조절하는 한정된 수의 요인들이 분자 및 세포 수준에서 발견되었다.
- 급속도의 새로운 발견은 가까운 미래에 추가 경로와 약물들을 규정할 가능성이 있고, 따라서 노화 생물학의 연구 결과 때문에 임상적으로 의미 있는 발전이 나타날 가능성이 있다.
- 새로운 분야인 '노인과학'은 그 공백을 이어주고, 질환과 장애의 주요 위험 요소인 노화의 분자 및 세포적 근거에 대한 이해를 향상시킨다.

참고문헌의 총 목록을 보려면 www.expertconsult.com 을 방문해주세요.

중요 참고문헌

15. Kennedy BK, Berger SL, Brunet A, et al: Geroscience: linking aging to chronic disease. Cell 159:709–713, 2014.
16. López-Otín C, Blasco MA, Partridge L, et al: The hallmarks of aging. Cell 153:1194–1217, 2013.
33. Epel ES, Blackburn EH, Lin J, et al: Accelerated telomere shortening in response to life stress. Proc Natl Acad Sci U S A 101:17312–17315, 2004.
43. De Cabo R, Carmona-Gutierrez D, Bernier M, et al: The search for antiaging interventions: from elixirs to fasting regimens. Cell 157:1515–1526, 2014.
50. Heintz C, Mair W: You are what you host: microbiome modulation of the aging process. Cell 156:408–411, 2014.
77. Dillin A, Cohen E: Ageing and protein aggregation-mediated disorders: from invertebrates to mammals. Philos Trans R Soc Lond B Biol Sci 366:94–98, 2011.
82. Koga H, Kaushik S, Cuervo AM: Protein homeostasis and aging: the importance of exquisite quality control. Ageing Res Rev 10:205–215, 2011.
87. Loffredo FS, Steinhauser ML, Jay SM, et al: Growth differentiation factor 11 is a circulating factor that reverses age-related cardiac hypertrophy. Cell 153:828–839, 2013.
89. Villeda SA, Plambeck KE, Middeldorp J, et al: Young blood reverses age-related impairments in cognitive function and synaptic plasticity in mice. Nat Med 20:659–663, 2014.
95. Miller RA, Williams JB, Kiklevich JV, et al: Comparative cellular biogerontology: primer and prospectus. Ageing Res Rev 10:181–190, 2011.
100. Sierra F, Kohanski RA: Geroscience offers a new model for investigating the links between aging biology and susceptibility to aging-related chronic conditions. Public Policy Aging Rep 23:7–9, 2013.
108. Harrison DE, Strong R, Sharp ZD, et al: Rapamycin fed late in life extends lifespan in genetically heterogeneous mice. Nature 460:392–395, 2009.
112. Goldman DP, Cutler D, Rowe JW, et al: Substantial health and economic returns from delayed aging may warrant a new focus for medical research. Health Aff (Millwood) 32:1698–1705, 2013.
114. Liao CY, Rikke BA, Johnson TE, et al: Genetic variation in the murine lifespan response to dietary restriction: from life extension to life shortening. Aging Cell 9:92–95, 2010.
117. Colman RJ, Anderson RM, Johnson SC, et al: Caloric restriction delays disease onset and mortality in rhesus monkeys. Science 325:201–204, 2009.
118. Mattison JA, Roth GS, Beasley TM, et al: Impact of caloric restriction on health and survival in rhesus monkeys from the NIA study. Nature 489:318–321, 2012.
124. Baker DJ, Wijshake T, Tchkonia T, et al: Clearance of p16Ink4a-positive senescent cells delays ageing-associated disorders. Nature 479:232–236, 2011.
128. Lee C, Longo VD: Fasting vs dietary restriction in cellular protection and cancer treatment: from model organisms to patients. Oncogene 30:3305–3316, 2011.
130. Kirkland JL: Translating advances from the basic biology of aging into clinical application. Exp Gerontol 48:1–5, 2013.

참고문헌

1. Miller RA: Kleemeier award lecture: Are there genes for aging? J Gerontol A Biol Sci Med Sci 54:B297–B307, 1999.
2. McCay CM, Crowell MF: Prolonging the life span. Sci Mon 39:405–414, 1934.

3. McCay CM, Crowell MF, Maynard LA: The effect of retarded growth upon the length of life span and upon the ultimate body size. J Nutr 10:63-79, 1935.

4. Olshansky SJ: Can a lot more people live to one hundred and what if they did? Accid Anal Prev 61:141-145, 2013.

5. Battacharya J, Cutler DM, Goldman DP, et al: Disability forecasts and future Medicare costs. In Cutler DM, Garber AM, editors: Frontiers in health policy research, vol 7, Cambridge, MA, 2004, National Bureau of Economic Research, pp 75-94.

6. Fink AL: Protein aggregation: folding aggregates, inclusion bodies and amyloid. Fold Des 3:R9-R23, 1998.

7. Chiti F, Dobson CM: Protein misfolding, functional amyloid, and human disease. Annu Rev Biochem 75:333-366, 2006.

8. Matsumoto AM: Testosterone administration in older men. Endocrinol Metab Clin North Am 42:271-286, 2013.

9. Corona G, Vignozzi L, Sforza A, et al: Risks and benefits of late onset hypogonadism treatment: an expert opinion. World J Mens Health 31:103-125, 2013.

10. Rincon M, Rudin E, Barzilai N: The insulin/IGF-1 signaling in mammals and its relevance to human longevity. Exp Gerontol 40:873-877, 2005.

11. Warner HR: Developing a research agenda in biogerontology: basic mechanisms. Sci Aging Knowl Environ 44:pe33, 2005.

12. Warner HR: 2006 Kent award lecture: is cell death and replacement a factor in aging? J Gerontol A Biol Sci Med Sci 62:1228-1232, 2007.

13. Kenyon C: The genetics of aging. Nature 464:504-512, 2010.

14. Wheeler HE, Kim SK: Genetics and genomics of human aging. Philos Trans R Soc Lond B Biol Sci 366:43-50, 2011.

15. Kennedy BK, Berger SL, Brunet A, et al: Geroscience: linking aging to chronic disease. Cell 159:709-713, 2014.

16. López-Otín C, Blasco MA, Partridge L, et al: The hallmarks of aging. Cell 153:1194-1217, 2013.

17. Franceschi C, Campisi J: Chronic inflammation (inflammaging) and its potential contribution to age-associated diseases. J Gerontol A Biol Sci Med Sci 69(Suppl 1):S4-S9, 2014.

18. Epel E, Lithgow GJ: Stress biology and aging mechanisms: toward understanding the deep connection between adaptation to stress and longevity. J Gerontol A Biol Sci Med Sci 69(Suppl 1):S10-S16, 2014.

19. Brunet A, Berger SL: Epigenetics of aging and aging-related disease. J Gerontol A Biol Sci Med Sci 69(Suppl 1):S17-S20, 2014.

20. Newgard CB, Pessin JE: Recent progress in metabolic signaling pathways regulating aging and life span. J Gerontol A Biol Sci Med Sci 69(Suppl 1):S21-S27, 2014.

21. Richardson AG, Schadt EE: The role of macromolecular damage in aging and age-related disease. J Gerontol A Biol Sci Med Sci 69(Suppl 1):S28-S32, 2014.

22. Morimoto RI, Cuervo AM: Proteostasis and the aging proteome in health and disease. J Gerontol A Biol Sci Med Sci 69(Suppl 1):S33-S38, 2014.

23. Rando TA, Wyss-Coray T: Stem cells as vehicles for youthful regeneration of aged tissues. J Gerontol A Biol Sci Med Sci 69(Suppl 1):S39-S42, 2014.

24. Howcroft TK, Campisi J, Louis GB, et al: The role of inflammation in age-related disease. Aging (Albany NY) 5:84-93, 2013.

25. Wang GC, Casolaro V: Immunologic changes in frail older adults. Transl Med UniSA 9:1-6, 2014.

26. Gomez CR, Acuña-Castillo C, Pérez C, et al: Diminished acute phase response and increased hepatic inflammation of aged rats in response to intraperitoneal injection of lipopolysaccharide. J Gerontol A Biol Sci Med Sci 63:1299-1306, 2008.

27. Jurgens HA, Johnson RW: Dysregulated neuronal-microglial cross-talk during aging, stress and inflammation. Exp Neurol 233:40-48, 2012.

28. De Martinis M, Franceschi C, Monti D, et al: Inflamm-ageing and lifelong antigenic load as major determinants of ageing rate and longevity. FEBS Lett 579:2035-2039, 2005.

29. Hsu FC, Kritchevsky SB, Liu Y, et al: Association between inflammatory components and physical function in the health, aging, and body composition study: a principal component analysis approach. J Gerontol A Biol Sci Med Sci 64:581-589, 2009.

30. Bruunsgaard H, Pedersen BK: Age-related inflammatory cytokines and disease. Immunol Allergy Clin North Am 23:15-39, 2003.

31. Bruunsgaard H, Andersen-Ranberg K, Hjelmborg JB, et al: Elevated levels of tumor necrosis factor alpha and mortality in centenarians. Am J Med 115:278–283, 2003.

32. McEwen BS: Brain on stress: how the social environment gets under the skin. Proc Natl Acad Sci U S A 109(Suppl 2):17180–17185, 2013.

33. Epel ES, Blackburn EH, Lin J, et al: Accelerated telomere shortening in response to life stress. Proc. Natl Acad Sci USA 101:17312–17315, 2004.

34. Aydinonat D, Penn DJ, Smith S, et al: Social isolation shortens telomeres in African grey parrots (Psittacus erithacus erithacus). PLoS ONE 9:e93839, 2014.

35. Zalli A, Carvalho LA, Lin J, et al: Shorter telomeres with high telomerase activity are associated with raised allostatic load and impoverished psychosocial resources. Proc Natl Acad Sci U S A 111:4519–4524, 2014.

36. Calabrese EJ, Iavicoli I, Calabrese V: Hormesis: why it is important to biogerontologists. Biogerontology 13:215–235, 2012.

37. Rando TA, Chang HY: Aging, rejuvenation, and epigenetic reprogramming: resetting the aging clock. Annu Rev Biochem 77:727–754, 2008.

38. Wood JG, Hillenmeyer S, Lawrence C, et al: Chromatin remodeling in the aging genome of Drosophila. Aging Cell 9:971–978, 2010.

39. Greer EL, Maures TJ, Ucar D, et al: Transgenerational epigenetic inheritance of longevity in Caenorhabditis elegans. Nature 479:365–371, 2011.

40. Kato M, Chen X, Inukai S, et al: Age-associated changes in expression of small, noncoding RNAs, including microRNAs, in C. elegans. RNA 17:1804–1820, 2011.

41. Imai SI, Guarente L: NAD+ and sirtuins in aging and disease. Trends Cell Biol 24:464–471, 2014.

42. Rehan L, Laszki-Szczachor K, Sobieszczanska M, et al: SIRT1 and NAD as regulators of ageing. Life Sci 105:1–6, 2014.

43. De Cabo R, Carmona-Gutierrez D, Bernier M, et al: The search for antiaging interventions: from elixirs to fasting regimens. Cell 157:1515–1526, 2014.

44. Baur JA, Pearson KJ, Price NL, et al: Resveratrol improves health and survival of mice on a high-calorie diet. Nature 444:337–342, 2006.

45. Pérez VI, Van Remmen H, Bokov A, et al: The overexpression of major antioxidant enzymes does not extend the lifespan of mice. Aging Cell 8:73–75, 2009.

46. Rea SL: Metabolism in the Caenorhabditis elegans Mit mutants. Exp Gerontol 40:841–849, 2005.

47. Ristow M, Schmeisser S: Extending life span by increasing oxidative stress. Free Radic Biol Med 51:327–336, 2011.

48. Munkácsy E, Rea SL: The paradox of mitochondrial dysfunction and extended longevity. Exp Gerontol 56:221–233, 2014.

49. Man AL, Gicheva N, Nicoletti C: The impact of ageing on the intestinal epithelial barrier and immune system. Cell Immunol 289:112–118, 2014.

50. Heintz C, Mair W: You are what you host: microbiome modulation of the aging process. Cell 156:408–411, 2014.

51. Jenwitheesuk A, Nopparat C, Mukda S, et al: Melatonin regulates aging and neurodegeneration through energy metabolism, epigenetics, autophagy and circadian rhythm pathways. Int J Mol Sci 15:16848–16884, 2014.

52. Froy O: Circadian aspects of energy metabolism and aging. Ageing Res Rev 12:931–940, 2013.

53. Harman D: Aging: a theory based on free radical and radiation chemistry. J Gerontol 2:298–300, 1956.

54. Van Remmen H, Ikeno Y, Hamilton M, et al: Life-long reduction in MnSOD activity results in increased DNA damage and higher incidence of cancer but does not accelerate aging. Physiol Genomics 16:29–37, 2003.

55. Schriner SE, Linford NJ, Martin GM, et al: Extension of murine life span by overexpression of catalase targeted to mitochondria. Science 308:1909–1911, 2005.

56. Pala FS, Gürkan H: The role of free radicals in ethiopathogenesis of diseases. Adv Molec Biol 1:1–9, 2008.

57. Trifunovic A, Wredenberg A, Falkenberg M, et al: Premature ageing in mice expressing defective mitochondrial DNA polymerase. Nature 429:417–423, 2004.

58. Wallace DC: A mitochondrial paradigm of metabolic and degenerative diseases, aging, and cancer: a dawn for evolutionary medicine. Annu Rev Genet 39:359–407, 2005.

59. Hoeijmakers JH: DNA damage, aging, and cancer. N Engl J Med 361:1475–1485, 2009.

60. Rodríguez S, Eriksson M: Evidence for the involvement of lamins in aging. Curr Aging Sci 3:81–89, 2010.

61. Worman HJ: Nuclear lamins and laminopathies. J Pathol 226:316–325, 2012.

62. Sierra F: Is (your cellular response to) stress killing you? J Gerontol A Biol Sci Med Sci 61:557–561, 2006.

63. Collado M, Blasco MA, Serrano M: Cellular senescence in cancer and aging. Cell 130:223–233, 2007.

64. Shay JW, Wright WE: Senescence and immortalization: role of telomeres and telomerase. Carcinogenesis 26:867–874, 2005.

65. Bodnar AG, Ouellette M, Frolkis M, et al: Extension of life-span by introduction of telomerase into normal human cells. Science 279:349–352, 1998.

66. Cawthon RM, Smith KR, O'Brien E, et al: Association between telomere length in blood and mortality in people aged 60 years or older. Lancet 361:393–395, 2003.

67. Epel ES, Merkin SS, Cawthon R, et al: The rate of leukocyte telomere shortening predicts mortality from cardiovascular disease in elderly men. Aging (Albany, NY) 1:81–88, 2009.

68. Quinlan J, Tu MT, Langlois EV, et al: Protocol for a systematic review of the association between chronic stress during the life course and telomere length. Syst Rev 3:40–47, 2014.

69. Blasco MA: Telomere length, stem cells and aging. Nat Chem Biol 3:640–649, 2007.

70. Herrera E, Samper E, Martín-Caballero J, et al: Disease states associated with telomerase deficiency appear earlier in mice with short telomeres. EMBO J 18:2950–2960, 1999.

71. Parks CG, Miller DB, McCanlies EC, et al: Telomere length, current perceived stress, and urinary stress hormones in women. Cancer Epidemiol Biomarkers Prev 18:551–560, 2009.

72. Cuervo AM, Wong E: Chaperone-mediated autophagy: roles in disease and aging. Cell Res 24:92–104, 2014.

73. Cuervo AM: Autophagy and aging: keeping that old broom working. Trends Genet 24:604–612, 2008.

74. Jankowska E, Stoj J, Karpowicz P, et al: The proteasome in health and disease. Curr Pharm Des 19:1010–1028, 2013.

75. Lionaki E, Tavernarakis N: Oxidative stress and mitochondrial protein quality control in aging. J Proteomics 92:181–194, 2013.

76. Morley JF, Morimoto RI: Regulation of longevity in Caenorhabditis elegans by heat shock factor and molecular chaperones. Mol Biol Cell 15:657–664, 2004.

77. Dillin A, Cohen E: Ageing and protein aggregation-mediated disorders: from invertebrates to mammals. Philos Trans R Soc Lond B Biol Sci 366:94–98, 2011.

78. Hsu AL, Murphy CT, Kenyon C: Regulation of aging and age-related disease by DAF-16 and heat-shock factor. Science 300:1142–1145, 2003.

79. Powers ET, Morimoto RI, Dillin A, et al: Biologic and chemical approaches to diseases of proteostasis deficiency. Annu Rev Biochem 78:959–991, 2009.

80. Kakizuka A: Protein precipitation: a common etiology in neurodegenerative disorders? Trends Genet 14:396–402, 1998.

81. Stefani M, Dobson CM: Protein aggregation and aggregate toxicity: new insights into protein folding, misfolding diseases and biologic evolution. J Mol Med (Berl) 81:678–699, 2003.

82. Koga H, Kaushik S, Cuervo AM: Protein homeostasis and aging: the importance of exquisite quality control. Ageing Res Rev 10:205–215, 2011.

83. Wong E, Cuervo AM: Integration of clearance mechanisms: the proteasome and autophagy. Cold Spring Harb Perspect Biol 2:a006734, 2010.

84. Dillin A, Gottschling DE, Nyström T: The good and the bad of being connected: the integrons of aging. Curr Opin Cell Biol 26:107–112, 2014.

85. Conboy IM, Conboy MJ, Wagers AJ, et al: Rejuvenation of aged progenitor cells by exposure to a young systemic environ-

ment. Nature 433:760 – 764, 2005.

86. Woods DC, Tilly JL: An evolutionary perspective on adult female germline stem cell function from flies to humans. Semin Reprod Med 31:24 – 32, 2013.

87. Loffredo FS, Steinhauser ML, Jay SM, et al: Growth differentiation factor 11 is a circulating factor that reverses age-related cardiac hypertrophy. Cell 153:828 – 839, 2013.

88. Katsimpardi L, Litterman NK, Schein PA, et al: Vascular and neurogenic rejuvenation of the aging mouse brain by young systemic factors. Science 344:630 – 634, 2014.

89. Villeda SA, Plambeck KE, Middeldorp J, et al: Young blood reverses age-related impairments in cognitive function and synaptic plasticity in mice. Nat Med 20:659 – 663, 2014.

90. Villeda SA, Luo J, Mosher KI, et al: The ageing systemic milieu negatively regulates neurogenesis and cognitive function. Nature 477:90 – 94, 2011.

91. Liu GH, Ding Z, Izpisua Belmonte JC: iPSC technology to study human aging and aging-related disorders. Curr Opin Cell Biol 24:765 – 774, 2012.

92. Mahmoudi S, Brunet A: Aging and reprogramming: a two-way street. Curr Opin Cell Biol 24:744 – 756, 2012.

93. Isobe KI, Cheng Z, Nishio N, et al: iPSCs, aging and age-related diseases. N Biotechnol 31:411 – 421, 2014.

94. Austad SN: Comparative biology of aging. J Gerontol A Biol Sci Med Sci 64:199 – 201, 2009.

95. Miller RA, Williams JB, Kiklevich JV, et al: Comparative cellular biogerontology: primer and prospectus. Ageing Res Rev 10:181 – 190, 2011.

96. Gorbunova V, Seluanov A, Zhang Z, et al: Comparative genetics of longevity and cancer: insights from long-lived rodents. Nat Rev Genet 15:531 – 540, 2014.

97. Niccoli T, Partridge L: Ageing as a risk factor for disease. Curr Biol 22:R741 – R752, 2012.

98. Fernández AF, Fraga MF: The effects of the dietary polyphenol resveratrol on human healthy aging. Epigenetics 6:870 – 874, 2011.

99. Wilkinson JE, Burmeister L, Brooks SV, et al: Rapamycin slows aging in mice. Aging Cell 11:675 – 682, 2012.

100. Sierra F, Kohanski RA: Geroscience offers a new model for investigating the links between aging biology and susceptibility to aging-related chronic conditions. Public Policy Aging Rep 23:7 – 9, 2013.

101. Krtolica A, Campisi J: Integrating epithelial cancer, aging stroma and cellular senescence. Adv Gerontol 11:109 – 116, 2003.

102. Kumar S, Subramanian S: Mutation rates in mammalian genomes. Proc Natl Acad Sci U S A 99:803 – 808, 2002.

103. Gorbunova V, Seluanov A, Mao Z, et al: Changes in DNA repair during aging. Nucleic Acids Res 35:7466 – 7474, 2007.

104. Gorbunova V, Seluanov A, Zhang Z, et al: Comparative genetics of longevity and cancer: insights from long-lived rodents. Nat Rev Genet 15:531 – 540, 2014.

105. Vaidya A, Mao Z, Tian X, et al: Knock-in reporter mice demonstrate that DNA repair by non-homologous end joining declines with age. PLoS Genet 10:e1004511, 2014.

106. Pearson KJ, Baur JA, Lewis KN, et al: Resveratrol delays age-related deterioration and mimics transcriptional aspects of dietary restriction without extending life span. Cell Metab 8:157 – 168, 2008.

107. Martin-Montalvo A, Mercken EM, Mitchell SJ, et al: Metformin improves health span and lifespan in mice. Nat Commun 4:2192, 2013.

108. Harrison DE, Strong R, Sharp ZD, et al: Rapamycin fed late in life extends lifespan in genetically heterogeneous mice. Nature 460:392 – 395, 2009.

109. Harrison DE, Strong R, Allison DB, et al: Acarbose, 17-(-estradiol, and nordihydroguaiaretic acid extend mouse lifespan preferentially in males. Aging Cell 13:273 – 282, 2014.

110. Mendelson DN, Schwartz WB: The effects of aging and population growth on health care costs. Health Aff 12:119 – 125, 1993.

111. Miller RA: Extending life: scientific prospects and political obstacles. Milbank Q 80:155 – 174, 2002.

112. Goldman DP, Cutler D, Rowe JW, et al: Substantial health and economic returns from delayed aging may warrant a new focus

for medical research. Health Aff (Millwood) 32:1698－1705, 2013.

113. Lee SH, Min KJ: Caloric restriction and its mimetics. BMB Rep 46:181－187, 2013.

114. Liao CY, Rikke BA, Johnson TE, et al: Genetic variation in the murine lifespan response to dietary restriction: from life extension to life shortening. Aging Cell 9:92－95, 2010.

115. Harper JM, Leathers CW, Austad SN: Does caloric restriction extend life in wild mice? Aging Cell 5:441－449, 2006.

116. Schleit J, Johnson SC, Bennett CF, et al: Molecular mechanisms underlying genotype-dependent responses to dietary restriction. Aging Cell 2:1050－1061, 2013.

117. Colman RJ, Anderson RM, Johnson SC, et al: Caloric restriction delays disease onset and mortality in rhesus monkeys. Science 325:201－204, 2009.

118. Mattison JA, Roth GS, Beasley TM, et al: Impact of caloric restriction on health and survival in rhesus monkeys from the NIA study. Nature 489:318－321, 2012.

119. Herbig U, Ferreira M, Condel L, et al: Cellular senescence in aging primates. Science 311:1257, 2006.

120. Jeyapalan JC, Ferreira M, Sedivy JM, et al: Accumulation of senescent cells in mitotic tissue of aging primates. Mech Ageing Dev 128:36－44, 2007.

121. Burd CE, Sorrentino JA, Clark KS, et al: Monitoring tumorigenesis and senescence in vivo with a p16(INK4a)-luciferase model. Cell 152:340－351, 2013.

122. Velarde MC, Demaria M, Campisi J: Senescent cells and their secretory phenotype as targets for cancer therapy. Interdiscip Top Gerontol 38:17－27, 2013.

123. Zhu Y, Armstrong JL, Tchkonia T, et al: Cellular senescence and the senescent secretory phenotype in age-related chronic diseases. Curr Opin Clin Nutr Metab Care 17:324－328, 2014.

124. Baker DJ, Wijshake T, Tchkonia T, et al: Clearance of p16Ink4a-positive senescent cells delays ageing-associated disorders. Nature 479:232－236, 2011.

125. Brack AS, Conboy IM, Conboy MJ, et al: A temporal switch from notch to Wnt signaling in muscle stem cells is necessary for normal adult myogenesis. Cell Stem Cell 2:50－59, 2008.

126. Scher KS, Hurria A: Under-representation of older adults in cancer registration trials: known problem, little progress. J Clin Oncol 30:2036－2038, 2012.

127. Raffaghello L, Safdie F, Bianchi G, et al: Fasting and differential chemotherapy protection in patients. Cell Cycle 9:4474－4476, 2010.

128. Lee C, Longo VD: Fasting vs dietary restriction in cellular protection and cancer treatment: from model organisms to patients. Oncogene 30:3305－3316, 2011.

129. Raffaghello L, Lee C, Safdie FM, et al: Starvation-dependent differential stress resistance protects normal but not cancer cells against high-dose chemotherapy. Proc Natl Acad Sci U S A 105:8215－8220, 2008.

CHAPTER 08

노화의 유전적 기전
Genetic Mechanisms of Aging

Chao-Qiang Lai, Laurence D. Parnell, José M. Ordovás

서론

우리 사회는 건강관리와 생활조건이 개선되고 출산율은 감소하면서, 인구가 심하게 노령화되는 전례없는 인구변화를 경험하고 있다.[1] 지난 50년간, 60세 이상 인구 대 15세 미만 인구의 비율은 절반 정도 증가하여, 1950년에 100명당 24명에서 2000년에는 100명당 33명에 달한다. 2050년까지는 전세계적으로 15세 미만 소아 100명당 60세 이상 인구는 101명으로 증가할 것이며,[2] 60세 이상 인구의 많은 수가 만성질환이나 장애로 고통 받을 것이다.[3] 그러므로 노화의 기전과 노화의 속도를 조절하는 유전적, 환경적 요인들을 좀 더 잘 이해하는 것은 이러한 인구변화에 대응하는데 필수적이다.[4] 노화는 "기능의 점진적이고 일반적인 장애로 인해, 환경변화에 대해 더 취약해지고, 질병과 사망에 대한 위험이 커진 상태"로 정의할 수 있다.[5] 일반적으로 여러 세포계통의 손상들의 축적이 노화의 기저 원인으로 추정된다. 지금까지 대부분의 노화 연구는 개인의 여명과 건강연령 등을 악화시키는 심혈관질환(심장질환, 고혈압), 뇌혈관질환(뇌졸중), 암, 만성호흡기질환, 당뇨병, 정신질환, 구강질환, 골관절질환 등과 같은 노화관련 질환들에 초점을 맞추었다. 식사, 신체활동, 흡연, 일광노출 등과 같은 환경요인은 이러한 질환들에 직접적인 영향을 가하지만, 중요한 유전 요인들도 별개로 영향을 미친다. 개별의 유전 요인들은 핵이나 미토콘드리아 유전체의 단일 유전자변이나 작은 삽입/삭제와 같은 DNA 염기순서의 작은 차이일 수도 있지만, 노화과정에 영향을 미치는 종합적인 유전요인은 여러 유전자가 관여하고 복합적이다.

유기체에서 왜, 그리고 어떻게 노화가 진행하는지를 설명하는 여러 가지 기전 모델들이 제시되고 있지만, 여전히 제한점들을 보여주고 있으며, 이는 노화의 복잡성을 나타낸다. 노화 과정의 기전 모델로는 (1) 미토콘드리아 기능저하에 따른 산화 스트레스 이론[6] (2) 인슐린/인슐린양 성장인자 신호전달(insulin/IGF-1 signaling, IIS)의 감소가 수명연장과 관련이 있다는 IIS 이론[7] (3) DNA, 단백질, 소기관 등 세포 구성요소의 손상에 반응하는 세포 능력에 초점을 맞춘 체세포돌연변이/복구 기전[8] (4) 노화과정의 중추역할을 하는 면역체계[9] (5) 말단 DNA의 손실과 궁극적으로 염색체 불안정을 초래하는 세포 노화(cell senescence)의 텔로미어(telomere) 이론[10] (6) 만성퇴행성질환들의 위험과 관련된 유전성 돌연변이 등이 있다.[11,12] 이 장에서는 이 노화의 유전기전에 대한 여섯 이론 및 노화 연구에 대한 통합적인 접근에 대해 자세히 다루고자 한다.

미토콘드리아 유전학, 산화 스트레스와 노화

노화에 대한 미토콘드리아의 핵심 역할은 Harman에 의해 처음 윤곽을 나타냈는데,[13] 세포성분에 대한 활성산소(reactive oxygen species, ROS)의 유해한 효과에 의해 노화 및 노화와 관련된 만성퇴행성질환들이 발생할 수 있다는 것이다. 미토콘드리아는 ROS가 생성되는 주요 장소이면서, ROS에 의한 산화손상의 주요 대상이기도 하다. 또한 동물 세포 내에서 그 자체의 유전체[미토콘드리아 DNA(mitochondrial DNA, mtDNA)]를 가진 유일한 소기관이다. mtDNA은 대부분 무방비상태이고 호흡 사슬(respiratory chain) 가까이에 위치하여, ROS에 의해 비가역적인 손상을 받을 수 있다. 특히, 나이가 듦에 따라 나타나는 mtDNA 체세포돌연변이의 축적이 전자전달계(electron transport chain, ETC)의 13 단백질 소단위 혹은 미토콘드리아 단백질 합성에 필수적인 24 RNA 요소들을 인코딩하는 유전자 내에서 나타난다.[14] 당연히, 이러한 mtDNA 손상은 전자전달계 복합체의 유해한 기능변화와 관련이 있다. 많은 연구들에서 이러한 돌연변이들은 한점 돌연변이나 결손이더라도 노화나 만성퇴행성질환들과 관련이 있는 것으로 나타났다.[15] mtDNA의 통합성을 조사한 초기 연구에서 어린 동물에 비해 늙은 쥐에서 축적된 mtDNA 손상이 더 확연한 것으로 나타났다.[16] 다른 후속 연구에서는 여러 인간조직에서 호흡사슬 능력이 나이에 따라 감소하는 것으로 나타났다.[17] 따라서 유사분열 조직들에서 mtDNA내 후천적 돌연변이가 시간이 지남에 따라 증가하고 분리되어, 결국 호흡사슬 기능저하를 유발하여 노화와 관련된 퇴행성질환과 노화를 초래한다는 가설이 세워졌다.[17] 게다가, mtDNA 일배체형(haplotypes)은 인간에서 장수와 관련이 있다.[18,19] 요약하면, 이 노화의 미토콘드리아 유전체- ROS 생성 이론은 기전적으로 타당하고 매력적이다.[20]

노화된 조직에서 축적되는 mtDNA 돌연변이 중 가장 많이 보고되는 것은 결손이며, 노화과정에 역할을 할 것이라는 근거들이 뒷받침되고 있다.[21] Trifunovic 등은 노화에서 mtDNA 손상의 중요성을 확고히 하기 위해, 포유동물에서 mtDNA 돌연변이와 노화현상 사이의 연관을 보여주는 마우스 모델을 개발했다.[22] 이 "mtDNA 돌연변이 유발 유전자" 마우스모델은 미토콘드리아 DNA 중합효소(mitochondrial DNA polymerase, Polg)의 교정 기능이 손상되어 미토콘드리아의 생성과정에서 mtDNA 돌연변이가 점진적이고 무작위로 축적되도록 조작된 것이다. 이 마우스에서 mtDNA 교정이 효과적으로 감소하면 점돌연변이가 3~4배 증가한다.[22] mtDNA 돌연변이는 초기 배아기 동안 비정상적으로 많이 발생하고 남은 생의 단계에서는 낮거나 거의 정상속도로 지속적으로 축적된다.[23] 이 마우스들은 출생 때와 초기 청소년기에는 완전히 정상 표현형을 보이지만, 이후로 체중감소, 피하지방 감소, 탈모, 척추후만증, 골다공증, 빈혈, 생식능력 감소, 심장질환, 근육감소증, 청력 감소, 자발적 활동 감소 등과 같은 조기 노화의 많은 특징들을 나타내게 된다.[22] 이러한 연구결과는 mtDNA의 점돌연변이가 일정수준 이상 높이 나타나면 노화 표현형을 유발할 수 있다는 것을 증명하지만, 정상 노화과정에서 측정되는 낮은 정도의 mtDNA 돌연변이가 노화 표현형을 유발하는지를 증명하지는 못한다. 그리하여 mtDNA 돌연변이의 전체 양보다는 국소분포가 호흡사슬의 효율성을 떨어뜨리고 노화 표현형을 만든다는 기전에 주목하게 되었다. 이러한 가설을 증명하기 위해, Muller-Hocker는 다른 연령의 개체에서 심장을 검사하였고, 연령과 관련하여 심장근육세포에서 국소적인 호흡사슬 결핍이 나타나는 것을 보고하였다.[24] 이러한 결과는 여러 다른 종류의 세포들에서도 증명되었다.[25-27] 요약하면, 후천적인 mtDNA 돌연변이의 균등하지 않은 분포에 의한 세포 내 섞임증(mosaicism)은 호흡사슬의 결핍을 유발하고, 이는 mtDNA 돌연변이의 전체 양이 적은 상태에서도 조직의 기능이상을 초래할 수 있다.

노화에 대한 미토콘드리아 가설(mitochondrial hypothesis)은 개념적으로는 복잡하지 않지만, 세포에서 호흡사슬의 결핍을 유발하는 병적인 mtDNA 돌연변이의 최소 역치값이 존재해야 하는데, 이 역치값은 실험모델마다 다르므로,[29] 실제는 훨씬 더 복합적이다.[28] 세포 당 100~10,000개의 mtDNA 복제로, 정상 혹은 돌연변이 mtDNA가 세포, 조직 혹은 기관 내에 함께 공존하는데, 이를 이종조직성(heteroplasmy)이라고 한다. 다른 형태의 이종조직성 mtDNA 돌연변이들은 호흡사슬 기능이상을 유발하는 다른 역치를 가진다.[17] 게다가, 이종조직성 mtDNA 돌연변이를 가지고 있는 개체는 다른 기관들이나 혹은 같은 기관의 다른 세포들 사이에서도 mtDNA 돌연변이의 정도가 다양하게 나타난다.[17] 뿐만 아니라, 미토콘드리아의 세포 내 분포는 mtDNA 돌연변이에 의한 효과의 표현에 중요한 역할을 할 수 있다.[30]

노화에서 미토콘드리아의 역할에 대한 이해의 큰 진전이 이루어졌지만, mtDNA 돌연변이와 ROS 생성의 연관성이 더 깊이 조사되어, 현재의 이론이 수정될 가능성도 있다.[31] 게다가 칼로리 제한에 대한 반응에서 미토콘드리아의 역할이 타당성을 얻고 있지만, 현재까지 데이터는 모순된 부분이 있어, 쉽게 받아들여지지 않는다.[32] 노화의 기전에 영향을 주는 미토콘드리아의 기능을 알아내고자 하는 연구 노력은 지속될 것이지만, (1) 인간과 동물모델 사이에 유전적, 세포, 기관에서의 복잡성의 차이 (2) 각 종들의 특별한 수명, 특히 의학에 의해 인간이 정상 사망나이 이상으로 생존하는 점 (3) 실험에서 흔히 사용하는 근친 교배한 동물의 유전자는 이계 교배되는 인간과는 다르다는 점 (4) 표준화되어 있는 동물의 환경은 인류학적, 문화적 이유로 인해 상당히 다양한 인간의 환경과는 다르다는 점 등의 몇 가지 한계는 유념해야 한다.[33]

염색체 유전자 돌연변이와 노화

인간의 장수 및 건강한 노화와 관련된 유전요인은 대부분 잘 알려져 있지 않다. 쌍둥이 등록연구와 대규모 인구-기반 연구에서의 장수의 유전율 예측에 따르면, 유전요인은 인간 수명의 15~30% 정도에 영향을 미치는 것으로 추측된다.[34] 수명에 대한 유전적 영향은 나이가 들어감에 따라 더 클 것으로 생각된다.[35] 게다가, 유전요인은 수명 이 외에 건강한 신체 노화, 신체기능, 인지기능, 골 연령과 같은 노화의 중요한 측면들에 관여하는 정도가 더 크다고 알려져 있다.[34] 장수와 건강한 노화는 모두 4번 염색체의 동일한 위치와 관련이 있는데,[36,37] 이러한 연구결과는 장수와 건강한 노화는 비록 다른 현상이지만 일부 같은 유전경로를 공유한다는 것을 제시한다. 동물모델에서 노화의 생물학적 경로와 관련이 있다고 추측되는 많은 유전자들이 장수와 관련이 있음을 보였다. 이 유전자들 중 대부분은 인간과 동일 조상 유전자(orthologs)를 가지며, 그러므로 인간의 장수에 관여할 가능성이 있다.[38]

첫 번째로, 노화에 대한 가장 유명한 가설은 IIS 경로를 통한 신호전달이 감소하는 돌연변이가 수명을 연장한다는 것이다. IIS 경로는 진화론적으로 선충류에서부터 인간까지 보존되었다.[39] 그러므로 이 경로의 유전자는 인간의 장수와 건강한 노화에 영향을 주는 유망한 후보유전자이다. 몇몇 연구에서 IGF1R와 PI3KCB의 유전자 변형과 인슐린-인슐린양 성장인자-1 활성 감소가 장수와 관련이 있다는 것을 보고하였다.[40,41] IGF1R의 비유사 돌연변이(nonsynonymous mutation)가 대조군에 비해 키가 작은 100세 이상 노인들에게서 더 많이 발현되는 것이 알려졌으며,[42] 이는 IIS경로가 인간의 수명연장에 역할을 한다는 것을 지지하고, 동물모델에서 나타나는 현상과도 연결된다.

두 번째로, 고분자 복구기전이 노화과정을 조절한다.[6] DNA, 단백질, 세포 소기관 등과 같은 세포 구성성분의 손상 복구 시스템의 기능부전이 수명을 단축시킬 수 있다. 복구기전은 진화론적으로 여러 종들을 걸쳐서 보전되었다.[43] 많은 연구들이 복구기전의 손상이 수명 단축에 악영향을 준다는 것을 지지하는 결과를 보였다. DNA사슬 파괴 수리과정의 핵심 효소인 RecQ 나선효소(helicase) 내 돌연변이를 가진 인간 조기노화 환자가 그 예다.[44] 이 유전자의 변경은 심혈관질환과 관련이 있는 것으로 나타났다.[45] 그러나, 복구능력을 강화시키면 수명이 증가한다는 것을 증명한 연구는 거의 없다.[46] 노화 과정에서 변형된 단백질/폐기물의 축적은 세포 손상을 악화시킬 수 있다.[10] 그러므로 자가포식(autophagy)이라고 불리는 세포 폐기물 청소기능의 부전은 노화를 가속화시킬 것이다. Atg7과 Atg12와 같은 자가포식 유전자 발현의 감소는 야생형과 daf-2 돌연변이를 가진 예쁜 꼬마선충(Caenorhabditis elegans) 모두에서 수명을 단축시켰다.[47]

세 번째로, 면역체계가 노화과정에 중심적인 역할을 한다.[9] 염증은 면역체계에서 필수적인 방어제이지만, 만성 염증은 종종 조기노화와 사망으로 이어진다.[48] 염증의 핵심 역할체 중 하나는 인터루킨 6 (interleukin 6, IL6)이다. IL6의 과발현은 류마티스 관절염, 골다공증, 알츠하이머병, 심혈관

질환 및 당뇨병과 같은 노화관련 질환들과 관련이 있는 것으로 알려져 있다.[49,50] 또한 인간 연구에서 IL6 유전자 변형이 장수와 관련이 있는 것으로 나타났다.[51,52]

마지막으로, 심혈관질환은 산업화 국가에서 주요 사망원인이 되는 질병이며, 따라서 건강한 노화와 장수의 주요 장애물이다. 이에 지질대사에 작용하는 단백질을 인코딩하는 유전자에 많은 관심이 집중되었다. 혈중 지질수치는 연령, 성별, 영양 상태 및 기타 행동 요인에 크게 좌우되므로 단면연구에서 특정 지단백질 표현형이 노화와 관련이 있는지를 결정하는 것은 어렵다. 이 문제를 해결하는 한 가지 방법은 장기간 전향연구를 하거나 가족 기반 연구를 수행하는 것이다.[11] 잘 설계된 환자-대조군 유전 연구는 장수와 관련된 특정 변종을 발견하여, 장수로 이어지는 생물학적 경로에 대한 힌트를 제공할 수 있기 때문에 도움이 될 수 있다. 이를 위해, 노년 인구에서 아포지방단백(APOE, APOB, APOC1, APOC2, APOC3, APOA1, APOA5), 전이 단백질[미세소체 전이 단백질(microsomal transfer protein, MTP), 콜레스테릴 에스터 전이 단백질(cholesteryl ester transfer protein, CETP)], HDL 입자관련 단백질(PON1), 지질 대사에 관여하는 전사인자들[peroxisome proliferator-activated receptor gamma (PPARG)] 등을 인코딩하는 유전자에서 많은 대립유전자 변이가 조사되었다. 지단백 대사와 심혈관질환 위험의 측면과 유사하게, 장수와 관련이 가장 많은 유전자자리는 아포지방단백 E (apolipoprotein E, APOE)로 나타났다. Davignon 등에 의한 초기 관측이래,[53] 세계 각지의 보고들에서 노년 대상자(80대, 90대, 100세 이상인 사람)에 비해 중년 대상자에서 APOE4 대립유전자 빈도가 더 높은 것을 관측해, APOE4 대립유전자의 존재가 수명 단축과 관련이 있다고 결론짓고 있다.[54]

요약하자면, 지금까지 축적된 자료들은 다양한 유전자들이 노화의 몇 가지 기전, 연령-관련 질환들, 그리고 어느 정도 장수와 관련되어 있다는 것을 보여준다. 지금까지는 미미한 수준이지만, 장수와 관련된 유전자들과 연령-관련 질환들과 관련된 유전자들 사이에 교차점이 있으며, 이 유전자들이 건강한 노화에 대한 효과를 넘어, 장수에 관여할 수 있다는 단서가 많이 있다.

유전학은 노화의 분자 기초에 대한 이해를 넓히는데 유용한 도구이다. 그러나 대부분의 발표된 연구들은 연구설계에 제한점(예, 단면 연구, 표본 크기가 작음, 적은 수의 후보유전자에 의한 한정된 단일염기 다형성 커버리지, 인종간 차이)이 있었고, 결과가 일관되지 않았다.[55] 가장 최근에는 전장유전체 연관분석[genomewide association studies (GWAS)]이 일반적인 복합 상태의 기본이 되는 미미한 표현형 효과로 유전자를 발견하는, 더욱 포괄적이고 표적이 없는 접근방식을 제공한다.[56] 노화와 관련된 표현형에 주목하는 GWAS를 통해 일부 주목할 만한 발견들이 나타나고 있다.[34,57,58] 그러나 유전학의 기여를 충분히 활용하기 위해서는 대규모 전향연구의 수행이 필요하며, 적절한 표현형 정보를 수집하기 위한 광범위한 유전형연구와 분석 능력이 지원되어야 한다. 더 중요한 것은 유전자연구와 치료적 개입 모두를 위하여 노화의 믿을만한 중간 표현형을 규정하는 것이 시급하다.[57]

텔로미어와 노화

텔로미어(telomere)는 특정 단백질 복합체에 싸여 선형 염색체의 끝에 위치하는 반복적인 DNA 시퀀스다. 텔로미어는 자연적인 염색체 끝과 DNA 이중 가닥의 단절을 구별하여 게놈 안정성을 증진시킨다.[59] 전통적으로 기능이 없는 구조적인 유전자 위치로 여겨졌지만, 최근 자료들에서 텔로미어가 텔로미어 염색질과 관련이 있는 RNA 분자로부터 전사되는 것으로 생각되며, 이는 텔로미어 구조의 구성에 RNA가 매개하는 기전을 시사한다.[60]

텔로미어의 길이는 짧은 텔로미어가 더 많은 연령을 나타내는, 생리적 연령의 신뢰할 수 있는 지표로 제안되어 왔다. 텔로미어는 각 세포분열과 함께 점진적으로 짧아지므로 Hayflick 한계를 설명하는 기전으로 적합하다.[61] 중요한 텔로미어 길이에 도달하게 되면 세포는 노화와 그 후의 세포사멸을 겪게 된다. 초기 텔로미어 길이는 대부분 유전적 요인에 의해 결정된다.[62,63] 텔로미어 길이의 감소는 각 세포분열에서 정상적인 생리적 발생일 수 있지만, 유해한 환경요인들에 노출되면 길이 단축의 속도에 영향을 주어 텔로미어 단축이 가속화될 수 있다.[64] 텔로미어 단축에 대응하기 위해, 세포 역전사효소인 텔로메라아제(telomerase)가 텔로미어에 TTAGGG repeats를 추가함으로써 인간의 줄기세포, 생식세포, 암세포 등에서 텔로미어 말단의 유지를 증진한다. 최근의 여러 연구결과들은 유전되고 일생을 통해 유지되는 텔로미어 길이를 결정하는 텔로미어 길이 조절의 염색체–특이 기전들이 존재한다는 것을 시사한다.[65] 텔로메라아제는 잘 알려져 있는 텔로미어 유지를 위한 기능이 아닌, 몇몇 필수적인 세포 신호전달경로에도 관여할 것으로 생각된다.[66] 그러나 대부분의 정상적인 인간세포는 텔로메라아제를 발현하지 않고, 그러므로 세포분열 때마다 일부 텔로미어 서열이 소실된다. 세포의 일부에서 텔로미어가 짧아지면(보호되지 않으면), 세포는 복제 노화(replicative senescence)로 불리는 비가역적인 성장 정지 상태에 들어간다.[67] 텔로미어의 세포 전환과 노화에 대한 주요 역할은 텔로미어 유전자 중 하나의 돌연변이로 인해 텔로메라아제가 정상의 절반 수준인 환자들에서 주목된다. 이 환자들에서 짧은 텔로미어는 선천 이상각화증, 재생불량성 빈혈, 폐섬유화증, 암 등과 같은 여러 가지 질환들과 관련이 있다.[68] 희귀한 유전질환에서 나타나는 증상 외에도, 짧은 텔로미어는 심혈관질환,[69,70] 고혈압,[71] 당뇨병,[72] 치매[73] 등과 같은 몇 가지 흔한 만성질환이 있는 일반 인구집단에서도 나타난다. 암과 관련하여,[74] 이상기능 텔로미어는 종양발생을 억제하기 위한 세포노화나 세포사멸을 시작하기 위해 종양단백질 p53 (TP53)을 활성화한다. 그러나 p53이 없으면 텔로미어 기능이상은 인간 암에서 흔히 발견되는 염색체 불안정성을 생성하는 중요한 기전이 된다.[75] 텔로메라아제는 대부분의 인간 암에서 발현하며, 매력적인 치료 타겟이다. 현재 임상시험 중에 있는 새로운 항텔로메라아제 치료는 일부 인간 암에서 유용하다고 증명될 것으로 기대한다.[76]

현재까지의 증거에 따르면, 텔로미어 단축은 명확히 인간 노화를 동반하며, 조기노화증후군은 종종 짧은 텔로미어와 관련이 있다. 이 두 가지 현상은 텔로미어 길이가 장수에 직접적으로 영향을 미친다는 가설의 핵심이다. 만약 이 가설이 사실이라면, 유전적으로 결정된 텔로미어 길이 항상성 기전이 인간에서 수명 차이에 기여할 것이다. 많은 노화와 관련된 질병의 과정에서 관찰되는 텔로미어 단축의 원인과 결과를 밝히는 것은 쉬운 일이 아니다. 게다가, 특정 질환에서 생체표지자 값이 출생 시 짧은 텔로미어 길이에 달려있는지, 평생 동안 가속화된 텔로미어 단축를 반영하는 것인지, 아니면 둘 모두의 조합인지 불분명하다. 텔로미어 단축의 중요성은 짧은 텔로미어와 산화 스트레스, 염증의 연관성을 증명한 단면 연구에서 지지를 받지만, 텔로미어 단축과 노화의 촉진 사이의 추정되는 관련성을 정확히 평가하기 위해서는 종단연구가 필요하다.[77]

후성학과 노화

태아 환경이 심혈관질환이나 당뇨병과 같은 연령과 관련된 질병발생의 위험에 강하게 영향을 준다는 것은 인간과 동물모델의 역학연구에서 잘 알려져 있다. 이러한 조기 노출의 장기간의 결과는 기저의 "세포 기억"(즉, 후성학 유전 시스템)과 같은 동일한 기전에 의존한다고 추정되어 왔다. 후성과정(DNA메틸화, 히스톤 변형 등)에서 환경적으로 유발된 변화가 노화의 다른 측면과 노화와 관련된 질병의 원인과 병태생리를 결정할 수 있다는 증거가 점점 늘어나고 있다.[78] 게다가 전체적인 저메틸화, CpG섬 과메틸화 등과 같은 후성 변형이 노화과정에서 점차 누적되고, 암의 특징인 세포 변화에 기여한다.[79] 유전자의 후성 태깅(tagging)은 유전체의 발현을 조절하고 세포분열 후에 세포 기억을 유지한다. 그러므로 유전체 건강과 노화의 유전적 기전을 더 잘 이해하기 위해서는 후성유전체(epigenome)를 연구하는 것이 중요하다. 더욱이 태깅은 환경에 의해 조절될 수 있어, 환경적으로 유발된 후생유전체 내의 변화가 건강하지 않은 노화의 과정을 감소시키거나 가속화할 수 있음을 암시한다.[80]

노화 과정에 대한 통합 접근

칼로리나 식이제한은[81] 많은 유기체들에서 수명을 연장시키는 보편적인 기전으로 여겨진다.[82] 이에 대한 통일된 설명은 아직 없지만, 여러 가지 기전들과 네트워크들이 관여할 것으로 생각된다. 첫 번째로, 칼로리제한은 에너지 대사의 변화를 통해 수명을 연장시킬 수 있다. 칼로리를 제한한 효모에서는 호흡이 증가하고 발효는 감소되었지만,[83] 칼로리제한 포유류는 에너지 소비를 포도당에서 지방과 글리코겐 대사 쪽으로 이동시킨다. 칼로리제한과 장수 사이를 연결하는 가능성 있는 한 가지 기전으로는 지질대사에 관여하는 PPARG 경로이다.[84] Picard 등은 포유류의 SIR2 동일 조상 유전자인 Sirt1 (sirtuin 1)이 PPARG의 효과를 억제함으로써 백색 지방세포에서 지방 가동화를 증가시키는 것을 증명하였다.[84] 두 번째로는 칼로리제한은 ROS에 의한 손상을 줄임으로써 수명을 연장할 수 있다. 칼로리제한 상태에서 SIRT1은 핵수용체를 조절하고, 미토콘드리아 기능, 산화 인산화와 세포 에너지대사 등을 제어하는 peroxisome proliferator–activated receptor gammacoativator–1α

(PPARGC1A)를 활성화시킨다.[85] PPARGC1A의 상향조절은 ROS생성을 감소시키고,[86] 그럼으로써 mtDNA 손상을 제한한다. PPARGC1A 변종은 인간에서 제2형 당뇨병, 심혈관질환, DNA 손상, 고혈압과 관련이 있다.[87,88] 세 번째로는, 칼로리제한 동물은 Foxo1과 Sirt1의 NF-κB 신호 억제를 통해 스트레스와 염증에 내성을 가진다.[89] 칼로리 제한의 수명연장에 대한 가장 가능성이 높은 기전은 저강도 스트레스에 대한 유기체의 긍정적인 반응인 호르메시스 가설이다.[90] 칼로리 제한은 다양한 환경에서 생존 가능성을 높이기 위해 오래 전부터 진화해 온 스트레스-반응 생존경로를 이용하는, 진화적으로 보존된 스트레스 반응이다.[82]

즉, 건강한 노화를 이해하는데 있어서 노화에 관여하는 기전의 복합성과 여러 경로와 세포 기전들의 통합 필요성을 인식하는 것이 중요하다. 개별 모델에서 본성이 감소하는 것을 극복하고, 개별 기전들간의 상호작용을 허용하기 위해 노화의 네트워크 이론(network theory of aging)이라는 용어가 제안되어 왔다.[91] 개념의 증거가 되는 예로는 DNA 손상 반응과 텔로미어 유지, 이 두 개의 노화에 기여하는 개별 기전 사이의 상호작용을 생각할 수 있다. 이 상호작용의 핵심 틀은 텔로미어 유지가 DNA 손상 반응 시스템의 필수적인 부분이라고 추측하는 통합 모델이다. 이 통합 모델은 노화의 원인이 되는 기전인 DNA 손상 반응 기능부전과 텔로미어 유지 기능부전의 이중 표현형을 예측한다. 이러한 예측의 연장선으로, 87~90%의 생쥐모델과 인간의 조기 노화 예에서 이 이중 표현형을 보인다. 그러므로 이 통합 모델은 노화의 네트워크 이론과 일치한다. 다른 연구들에서도 세포 노화 과정 중 텔로미어와 미토콘드리아 내 DNA 손상 사이의 관련성을 제시한다.[92] 미토콘드리아 기능의 개선은 텔로미어 손상이 적고, 텔로미어 길이 단축이 느려지는 결과를 보이는 반면, 텔로미어-의존 성장 중지는 미토콘드리아 기능부전과 관련이 있다. 게다가, 단축된 텔로미어를 다시 연장시키는 것으로 알려진 효소 복합체인 텔로메라아제 또한 산화 스트레스에 대항하기 위해 텔로미어와 독립적으로 기능하는 것으로 보인다. 이 데이터들은 미토콘드리아와 텔로미어 유전 사이의 자가-증폭 주기: 세포 노화 중 DNA 손상이 노화와 노화-관련 질환들을 촉진한다는 것을 제시한다.

요점

KEY POINTS

- ROS 생성, mtDNA 돌연변이와 노화 사이의 중요한 연관이 있으며, 추가 연구가 반드시 필요하다.
- 칼로리 제한에 반응하는 미토콘드리아의 역할이 밝혀지고 있다.
- 많은 핵 인코딩 유전자와 그들의 유전적 변형은 노화와 장수의 몇몇 기전에 영향을 미친다.
- GWAS에서 노화와 관련된 유전적 변형을 규명할 수 있는 가능성을 가지지만, 노화의 중개 생체표지자가 절대적으로 필요하다.
- 짧은 텔로미어는 인간 노화를 동반하고, 조기노화증후군은 종종 텔로미어 단축과 관련이 있다. 그러나 노화에서 텔로미어 길이의 인과적 역할을 알아내야 한다.
- 환경은 후성유전 과정에 영향을 미치고, 노화와 노화관련 질환들의 진행에 영향을 미칠 수 있다.
- 노화의 네트워크 이론은 노화와 노화관련 질환들과 mtDNA 손상 및 텔로미어 유지의 유전적인 측면이 연결되어 있음을 제시한다.

참고문헌의 총 목록을 보려면 www.expertconsult.com 을 방문해주세요.

중요 참고문헌

8. Promislow DE: DNA repair and the evolution of longevity: a critical analysis. J Theor Biol 170:291–300, 1994.

9. Finch CE, Crimmins EM: Inflammatory exposure and historical changes in human life-spans. Science 305:1736–1739, 2004.

10. Collado M, Blasco MA, Serrano M: Cellular senescence in cancer and aging. Cell 130:223–233, 2007.

11. Martin GM, Bergman A, Barzilai N: Genetic determinants of human health span and life span: progress and new opportunities. PLoS Genet 3:e125, 2007.

17. Trifunovic A, Larsson NG: Mitochondrial dysfunction as a cause of ageing. J Intern Med 263:167–178, 2008.

28. Fukui H, Moraes CT: The mitochondrial impairment, oxidative stress and neurodegeneration connection: reality or just an attractive hypothesis? Trends Neurosci 31:251–256, 2008.

29. Dufour E, Terzioglu M, Sterky FH, et al: Age-associated mosaic respiratory chain deficiency causes trans-neuronal degeneration. Hum Mol Genet 17:1418–1426, 2008.

31. Meissner C: Mutations of mitochondrial DNA—cause or consequence of the ageing process? Z Gerontol Geriatr 40:325–333, 2007.

32. Masoro EJ: Overview of caloric restriction and ageing. Mech Ageing Dev 126:913–922, 2005.

35. Hjelmborg JvB, Iachine I, Skytthe A, et al: Genetic influence on human lifespan and longevity. Hum Genet 119:312–321, 2006.

38. Browner WS, Kahn AJ, Ziv E, et al: The genetics of human longevity. Am J Med 117:851–860, 2004.

41. van Heemst D, Beekman M, Mooijaart SP, et al: Reduced insulin/IGF-1 signalling and human longevity. Aging Cell 4:79–85, 2005.

50. Naugler WE, Karin M: The wolf in sheep's clothing: the role of interleukin-6 in immunity, inflammation and cancer. Trends Mol Med 14:109−119, 2008.

59. Shay JW, Wright WE: Hallmarks of telomeres in ageing research. J Pathol 211:114−123, 2007.

68. Aubert G, Lansdorp PM: Telomeres and aging. Physiol Rev 88:557−579, 2008.

78. Vaiserman AM: Epigenetic engineering and its possible role in anti-aging intervention. Rejuvenation Res 11:39−42, 2008.

82. Sinclair DA: Toward a unified theory of caloric restriction and longevity regulation. Mech Ageing Dev 126:987−1002, 2005.

91. Slijepcevic P: DNA damage response, telomere maintenance and ageing in light of the integrative model. Mech Ageing Dev 129:11−16, 2008.

참고문헌

1. Baird DT, Collins J, Egozcue J, et al: Fertility and ageing. Hum Reprod Update 11:261−276, 2005.

2. Nations United: Dept of Economic and Social Affairs. Population Division: World population ageing, 1950−2050, New York, 2002, United Nations.

3. World Health Organization: The World Health Report. Shaping the Future, Geneva, Switzerland,, 2003, World Health Organization, p 2003.

4. Franco OH, Kirkwood TB, Powell JR, et al: Ten commandments for the future of ageing research in the UK: a vision for action. BMC Geriatr 7:10, 2007.

5. Kirkwood TB: Understanding the odd science of aging. Cell 120:437−447, 2005.

6. Giorgio M, Trinei M, Migliaccio E, et al: Hydrogen peroxide: a metabolic by-product or a common mediator of ageing signals? Nat Rev Mol Cell Biol 8:722−728, 2007.

7. Oberdoerffer P, Sinclair DA: The role of nuclear architecture in genomic instability and ageing. Nat Rev Mol Cell Biol 8:692−702, 2007.

8. Promislow DE: DNA repair and the evolution of longevity: a critical analysis. J Theor Biol 170:291−300, 1994.

9. Finch CE, Crimmins EM: Inflammatory exposure and historical changes in human life-spans. Science 305:1736−1739, 2004.

10. Collado M, Blasco MA, Serrano M: Cellular senescence in cancer and aging. Cell 130:223−233, 2007.

11. Martin GM, Bergman A, Barzilai N: Genetic determinants of human health span and life span: progress and new opportunities. PLoS Genet 3:e125, 2007.

12. Duff GW: Influence of genetics on disease susceptibility and progression. Nutr Rev 65:S177−S181, 2007.

13. Harman D: The biologic clock: the mitochondria? J Am Geriatr Soc 20:145−147, 1972.

14. Santoro A, Salvioli S, Raule N, et al: Mitochondrial DNA involvement in human longevity. Biochim Biophys Acta 1757:1388−1399, 2006.

15. Terzioglu M, Larsson NG: Mitochondrial dysfunction in mammalian ageing. Novartis Found Symp 287:197−208, 2007.

16. Piko L, Hougham AJ, Bulpitt KJ: Studies of sequence heterogeneity of mitochondrial DNA from rat and mouse tissues: evidence for an increased frequency of deletions/additions with aging. Mech Ageing Dev 43:279−293, 1988.

17. Trifunovic A, Larsson NG: Mitochondrial dysfunction as a cause of ageing. J Intern Med 263:167−178, 2008.

18. Dato S, Passarino G, Rose G, et al: Association of the mitochondrial DNA haplogroup J with longevity is population specific. Eur J Hum Genet 12:1080−1082, 2004.

19. Bilal E, Rabadan R, Alexe G, et al: Mitochondrial DNA haplogroup D4a is a marker for extreme longevity in Japan. PLoS ONE 3:e2421, 2008.

20. Martien S, Abbadie C: Acquisition of oxidative DNA damage during senescence: the first step toward carcinogenesis? Ann NY Acad Sci 1119:51−63, 2007.

21. Cottrell DA, Turnbull DM: Mitochondria and ageing. Curr Opin Clin Nutr Metab Care 3:473−478, 2000.

22. Trifunovic A, Wredenberg A, Falkenberg M, et al: Premature ageing in mice expressing defective mitochondrial DNA polymerase. Nature 429:417−423, 2004.

23. Trifunovic A, Hansson A, Wredenberg A, et al: Somatic mtDNA mutations cause aging phenotypes without affecting reactive oxygen species production. Proc Natl Acad Sci U S A 102:17993−17998, 2005.

24. Muller-Hocker J: Cytochrome-c-oxidase deficient cardiomyocytes in the human heart−an age-related phenomenon. A histochemical ultracytochemical study. Am J Pathol 134:1167−1173, 1989.

25. Muller-Hocker J: Cytochrome c oxidase deficient fibres in the limb muscle and diaphragm of man without muscular disease: an age-related alteration. J Neurol Sci 100:14−21, 1990.

26. Cottrell DA, Blakely EL, Johnson MA, et al: Cytochrome c oxidase deficient cells accumulate in the hippocampus and choroid plexus with age. Neurobiol Aging 22:265−272, 2001.

27. Cottrell DA, Borthwick GM, Johnson MA, et al: The role of cytochrome c oxidase deficient hippocampal neurones in Alzheimer's disease. Neuropathol Appl Neurobiol 28:390−396, 2002.

28. Fukui H, Moraes CT: The mitochondrial impairment, oxidative stress and neurodegeneration connection: reality or just an attractive hypothesis? Trends Neurosci 31:251−256, 2008.

29. Dufour E, Terzioglu M, Sterky FH, et al: Age-associated mosaic respiratory chain deficiency causes trans-neuronal degeneration. Hum Mol Genet 17:1418−1426, 2008.

30. Hoppel CL, Moghaddas S, Lesnefsky EJ: Interfibrillar cardiac mitochondrial complex III defects in the aging rat heart. Biogerontology 3:41−44, 2002.

31. Meissner C: Mutations of mitochondrial DNA—cause or consequence of the ageing process? Z Gerontol Geriatr 40:325−333, 2007.

32. Masoro EJ: Overview of caloric restriction and ageing. Mech Ageing Dev 126:913−922, 2005.

33. Franceschi C, Capri M, Monti D, et al: Inflammaging and anti-inflammaging: a systemic perspective on aging and longevity emerged from studies in humans. Mech Ageing Dev 128:92−105, 2007.

34. Lunetta KL, Sr D'Agostino RB, Karasik D, et al: Genetic correlates of longevity and selected age-related phenotypes: a genome-wide association study in the Framingham study. BMC Med Genet 8(Suppl 1):S13, 2007.

35. Hjelmborg JvB, Iachine I, Skytthe A, et al: Genetic influence on human lifespan and longevity. Hum Genet 119:312−321, 2006.

36. Puca AA, Daly MJ, Brewster SJ, et al: A genome-wide scan for linkage to human exceptional longevity identifies a locus on chromosome 4. Proc Natl Acad Sci U S A 98:10505−10508, 2001.

37. Reed T, Dick DM, Uniacke SK, et al: Genome-wide scan for a healthy aging phenotype provides support for a locus near D4S1564 promoting healthy aging. J Gerontol A Biol Sci Med Sci 59:227−232, 2004.

38. Browner WS, Kahn AJ, Ziv E, et al: The genetics of human longevity. Am J Med 117:851−860, 2004.

39. Braeckman BP, Vanfleteren JR: Genetic control of longevity in C. elegans. Exp Gerontol 42:90−98, 2007.

40. Bonafe M, Barbieri M, Marchegiani F, et al: Polymorphic variants of insulin-like growth factor I (IGF-I) receptor and phosphoinositide 3-kinase genes affect IGF-I plasma levels and human longevity: cues for an evolutionarily conserved mechanism of life span control. J Clin Endocrinol Metab 88:3299−3304, 2003.

41. van Heemst D, Beekman M, Mooijaart SP, et al: Reduced insulin/IGF-1 signalling and human longevity. Aging Cell 4:79−85, 2005.

42. Suh Y, Atzmon G, Cho MO, et al: Functionally significant insulin-like growth factor I receptor mutations in centenarians. Proc Natl Acad Sci U S A 105:3438−3442, 2008.

43. Eisen JA, Hanawalt PC: A phylogenomic study of DNA repair genes, proteins, and processes. Mutat Res 435:171−213, 1999.

44. Brosh RM Jr, Bohr VA: Human premature aging, DNA repair and RecQ helicases. Nucleic Acids Res 35:7527−7544, 2007.

45. Morita H, Kurihara H, Sugiyama T, et al: A polymorphic variant C1367R of the Werner helicase gene and atherosclerotic diseases in the Japanese population. Thromb Haemost 82:160−161, 1999.

46. Symphorien S, Woodruff RC: Effect of DNA repair on aging of transgenic Drosophila melanogaster: I. mei-41 locus. J Gerontol A Biol Sci Med Sci 58:B782–B787, 2003.

47. Hars ES, Qi H, Ryazanov AG, et al: Autophagy regulates ageing in C. elegans. Autophagy 3:93–95, 2007.

48. Bruunsgaard H, Pedersen M, Pedersen BK: Aging and proinflammatory cytokines. Curr Opin Hematol 8:131–136, 2001.

49. Ershler WB, Keller ET: Age-associated increased interleukin-6 gene expression, late-life diseases, and frailty. Annu Rev Med 51:245–270, 2000.

50. Naugler WE, Karin M: The wolf in sheep's clothing: the role of interleukin-6 in immunity, inflammation and cancer. Trends Mol Med 14:109–119, 2008.

51. Christiansen L, Bathum L, Andersen-Ranberg K, et al: Modest implication of interleukin-6 promoter polymorphisms in longevity. Mech Ageing Dev 125:391–395, 2004.

52. Hurme M, Lehtimaki T, Jylha M, et al: Interleukin-6 -74G/C polymorphism and longevity: a follow-up study. Mech Ageing Dev 126:417–418, 2005.

53. Davignon J, Bouthillier D, Nestruck AC, et al: Apolipoprotein E polymorphism and atherosclerosis: insight from a study in octogenarians. Trans Am Clin Climatol Assoc 99:100–110, 1988.

54. Ordovas JM, Mooser V: Genes, lipids and aging: is it all accounted for by cardiovascular disease risk? editorial review. Curr Opin Lipidol 16:121–126, 2005.

55. Ioannidis JP, Ntzani EE, Trikalinos TA, et al: Replication validity of genetic association studies. Nat Genet 29:306–309, 2001.

56. Hirschhorn JN, Daly MJ: Genome-wide association studies for common diseases and complex traits. Nat Rev Genet 6:95–108, 2005.

57. Manolio TA: Study designs to enhance identification of genetic factors in healthy aging. Nutr Rev 65:S228–S233, 2007.

58. Schumacher B, van der Pluijm I, Moorhouse MJ, et al: Delayed and accelerated aging share common longevity assurance mechanisms. PLoS Genet 4:e1000161, 2008.

59. Shay JW, Wright WE: Hallmarks of telomeres in ageing research. J Pathol 211:114–123, 2007.

60. Azzalin CM, Lingner J: Telomeres: the silence is broken. Cell Cycle 7:1161–1165, 2008.

61. Hayflick L: The future of ageing. Nature 408:267–269, 2000.

62. Huzen J, van Veldhuisen DJ, van Gilst WH, et al: Telomeres and biological ageing in cardiovascular disease. Ned Tijdschr Geneeskd 152:1265–1270, 2008.

63. Kappei D, Londono-Vallejo JA: Telomere length inheritance and aging. Mech Ageing Dev 129:17–26, 2008.

64. Gilley D, Herbert BS, Huda N, et al: Factors impacting human telomere homeostasis and age-related disease. Mech Ageing Dev 129:27–34, 2008.

65. Gilson E, Londono-Vallejo A: Telomere length profiles in humans: all ends are not equal. Cell Cycle 6:2486–2494, 2007.

66. Cong Y, Shay JW: Actions of human telomerase beyond telomeres. Cell Res 18:725–732, 2008.

67. Deng Y, Chan SS, Chang S: Telomere dysfunction and tumour suppression: the senescence connection. Nat Rev Cancer 8:450–458, 2008.

68. Aubert G, Lansdorp PM: Telomeres and aging. Physiol Rev 88:557–579, 2008.

69. Andreassi MG: DNA damage, vascular senescence and atherosclerosis. J Mol Med 86:1033–1043, 2008.

70. Minamino T, Komuro I: Role of telomeres in vascular senescence. Front Biosci 13:2971–2979, 2008.

71. Fuster JJ, Diez J, Andres V: Telomere dysfunction in hypertension. J Hypertens 25:2185–2192, 2007.

72. Sampson MJ, Hughes DA: Chromosomal telomere attrition as a mechanism for the increased risk of epithelial cancers and senescent phenotypes in type 2 diabetes. Diabetologia 49:1726–1731, 2006.

73. Zhang P, Dilley C, Mattson MP: DNA damage responses in neural cells: focus on the telomere. Neuroscience 145:1439–1448, 2007.

74. Prieur A, Peeper DS: Cellular senescence in vivo: a barrier to tumorigenesis. Curr Opin Cell Biol 20:150–155, 2008.

75. Deng Y, Chang S: Role of telomeres and telomerase in genomic instability, senescence and cancer. Lab Invest 87:1071–1076,

2007.

76. Harley CB: Telomerase and cancer therapeutics. Nat Rev Cancer 8:167－179, 2008.

77. De Meyer T, Rietzschel ER, De Buyzere ML, et al: Studying telomeres in a longitudinal population based study. Front Biosci 13:2960－2970, 2008.

78. Vaiserman AM: Epigenetic engineering and its possible role in anti-aging intervention. Rejuvenation Res 11:39－42, 2008.

79. Fraga MF, Agrelo R, Esteller M: Cross-talk between aging and cancer: the epigenetic language. Ann N Y Acad Sci 1100:60－74, 2007.

80. Ozanne SE, Constancia M: Mechanisms of disease: the developmental origins of disease and the role of the epigenotype. Nat Clin Pract Endocrinol Metab 3:539－546, 2007.

81. McCay CM, Crowell MF, Maynard LA: The effect of retarded growth upon the length of life span and upon the ultimate body size. 1935. Nutrition 5:155－171, 1989.

82. Sinclair DA: Toward a unified theory of caloric restriction and longevity regulation. Mech Ageing Dev 126:987－1002, 2005.

83. Lin SJ, Kaeberlein M, Andalis AA, et al: Calorie restriction extends Saccharomyces cerevisiae lifespan by increasing respiration. Nature 418:344－348, 2002.

84. Picard F, Kurtev M, Chung N, et al: Sirt1 promotes fat mobilization in white adipocytes by repressing PPAR-gamma. Nature 429:771－776, 2004.

85. Rodgers JT, Lerin C, Gerhart-Hines Z, et al: Metabolic adaptations through the PGC-1 alpha and SIRT1 pathways. FEBS Lett 582:46－53, 2008.

86. St-Pierre J, Drori S, Uldry M, et al: Suppression of reactive oxygen species and neurodegeneration by the PGC-1 transcriptional coactivators. Cell 127:397－408, 2006.

87. Lai CQ, Tucker KL, Parnell LD, et al: PPARGC1A variation associated with DNA damage, diabetes, and cardiovascular diseases: the Boston Puerto Rican health study. Diabetes 57:809－816, 2008.

88. Vimaleswaran KS, Luan J, Andersen G, et al: The Gly482Ser genotype at the PPARGC1A gene and elevated blood pressure: a meta-analysis of 13,949 individuals. J Appl Physiol 105:1352－1358, 2008.

89. Salminen A, Ojala J, Huuskonen J, et al: Interaction of aging-associated signaling cascades: inhibition of NF-kappaB signaling by longevity factors FoxOs and SIRT1. Cell Mol Life Sci 65:1049－1058, 2008.

90. Calabrese EJ, McCarthy ME, Kenyon E: The occurrence of chemically induced hormesis. Health Phys 52:531－541, 1987.

91. Slijepcevic P: DNA damage response, telomere maintenance and ageing in light of the integrative model. Mech Ageing Dev 129:11－16, 2008.

92. Passos JF, Saretzki G, von Zglinicki T: DNA damage in telomeres and mitochondria during cellular senescence: is there a connection? Nucleic Acids Res 35:7505－7513, 2007.

CHAPTER **09**

노화의 세포학적 기전
Cellular Mechanisms of Aging

James L. Kirkland

서론

노화는 보편적이고 내재적이며 진보적으로 일어난다. 노화는 개체가 충분히 오래 산다면 모두에게 일어난다는 면에서 보편적이다. 환경적 요인으로 인해 노화가 오는 시기는 다를 수 있지만 결국은 모두에게서 일어나는 점에서 노화는 내재적이다. 또한, 노화가 점진적이라는 것은 이것이 시간에 의존하여 나타난다는 것을 의미한다. 성인이 된 후, 노화는 세포, 조직 및 전신 기능의 일반적인 감소, 생식 능력의 상실, 탄력 감소 및 환경에 적응하고 질병에 효과적으로 반응할 수 있는 능력과 연관된다. 연령과 관련된 표현형 또는 질병(예를 들어, 전립선 암과 같은 특정 암 또는 죽상경화증의 발병)은 근본적으로는 노화 과정에 의해 발생하기 쉽다. 이러한 연령 관련 표현형과 질병은 진정한 노화 변화와 달리 보편적이지 않고, 각기 다른 조직에서 부분적으로 발생하며 개인간에 서로 다른 시기에 나타난다.

　노화의 기초 생물학적 이해가 깊어지면서 최근 중요한 발전이 있었다. 노화에 대한 세포 및 분자 생물학의 발전은 생쥐에서 만성질환, 통증, 장애가 없는 삶을 연장해주는 라이프 스타일과 약물의 개발로 이어졌다. 이러한 발전이 인간에서도 일어날 수 있다면 선진국과 개발 도상국에서 이환율, 사망률 및 건강 지출의 주요 원인인 연령 관련 질병과 장애를 지연, 예방, 완화 또는 심지어 역전시킬 수 있을 것이다. 이러한 연령 관련 질병으로는 죽상경화증, 대부분의 암, 경증 인지 장애, 치매, 파킨슨병 및 기타 신경퇴행성질환, 제2형 당뇨병, 신장기능부전, 관절염, 실명, 허약감 및 근감소증 등이 있다.[1-4] 위와 같은 질환들은 만성적인 노화가 중요한 위험인자로 작용한다. 실제로 노화는 다른 모든 요인들을 합친 것보다 더 큰 위험 인자이다. 중요한 것은 연령 관련 질환들은 만성 노화와 함께 발생하는 조직, 세포 및 분자 기능의 장애를 공유한다는 것이다. 여기에는 만성 무균성 염증, 세포 노화, 고분자의 손상(DNA, 단백질, 탄수화물 및 지질), 줄기세포 및 전구세포 기능 장애가 포함된다. 이러한 점을 토대로 노인과학 가설이 제시되었다. 노화 기전의 근본을 이용하여,

연령 관련 만성질환과 노인성 증후군을 한 번에 집단으로 치료하는 것이 가능할 수 있다. 이 가설은 동물실험모델과 인간세포실험에서 활발히 연구되고 있다. 생쥐에서 효과가 있는 것으로 알려진 근본적인 노화 기전을 타겟으로 하는 중재가 인간에서도 적용될 수 있다면, 노인 의학을 비롯하여 현재 우리가 알고있는 모든 의학이 변형될 수도 있을 것이다.

노화의 기초 생물학은 메커니즘을 설명하는 것에서 근본적으로 노화 과정을 타겟으로 하여 중재하는 것에 초점을 맞춘 가설 중심 연구로 옮겨가고 있다. 그리고 그 다음 단계는 이러한 중재를 임상에 적용하는 것이다. 동물실험에서 노화와 관련된 변화를 지연시키는 방법은 열량 제한, 단일 유전자 돌연변이, 그리고 가장 최근에는 여러 약물도 포함한다. 건강하게 수명을 연장시키는 단일 유전자 변이는 성장 호르몬(GH) - 인슐린양 성장인자-1[insulin-like growth factor-1 (IGF-1)] - 인슐린 신호 전달 체계, 열량 제한과 동화작용과 관련된 전달체계 및 염증, 레닌-안지오텐신 시스템 등과 관련이 있다. 일반적으로 이러한 유전학 및 약리학적 개입은 염증, 세포 생존, 세포 노화, 고분자 처리, 열량 제한, 줄기세포 및 전구세포 기능과 관련된다. 이러한 연령 관련 기능 장애 및 만성 질환을 지연시키는 미래의 임상적 개입이 이 장에서 소개된다.

염증

면역력의 전반적인 감소는 노화와 함께 발생하며 감염, 암, 자가면역질환 및 사망이 증가한다. 면역 세포는 노화된 생물체에서 기능이 저하된다. 예를 들어, 노화된 개체에서 대식세포 기능 및 T 세포의 기능 감소를 들 수 있다.[5-8] 또한 항염증 반응의 기능이 노화에 따라 감소할 수 있어 만성, 무균성 염증 상태로 조직 손상을 유발한다. 노화에 따른 염증 반응과 항염증 반응의 불균형을 염증 노화(inflammaging)라고 한다.[9]

만성적이고 낮은 강도의 무균성 염증은 연령 관련 만성질환을 가진 여러 조직에서 발생한다.[9-12] 이 연령 관련 만성 염증의 원인은 정확하게 밝혀지지 않았다. 후보 메커니즘은 면역 시스템의 조절 장애, 만성적인 항원 자극(예: 잠복 바이러스), 산화 스트레스, 기능 불량 고분자(예: 응집된 단백질, 최종당화산물 또는 반응성 지질)의 증가, 노화세포의 축적 등이다.[9,13,14] 만성 염증은 적어도 두 가지 메커니즘에 의해 조직 기능 장애를 일으킬 수 있다. 첫째, 침투하는 면역 세포는 반응성 또는 독성 성분을 방출하기 때문에 조직을 분해할 수 있다. 둘째, 염증성 시토카인은 인근 세포에서 표현형 변화를 유발할 수 있다. 예를 들어 인터루킨(IL)-6과 IL-8은 혈관 신생을 자극하고, 세포-세포 간 통신을 방해하며, 대식세포 기능을 방해하고, 상피 세포와 내피 세포의 이동과 침습을 촉진할 수 있다.[6,15-21] 뿐만 아니라, 자가면역질환에 대한 감수성이 증가할 수도 있다. 이러한 염증성 및 세포성 스트레스 반응의 제한은 감염, 면역 또는 부상에 적절히 대응할 수 있는 능력을 제약할 수 있다.

IL-6, 종양괴사인자-알파(tumor necrosis factor-alpha, TNF-α)를 비롯한 염증 매개체와 면역세포 케모카인의 증가는 치매,[22] 우울증,[23] 죽상경화증,[24-28] 암,[29-31] 그리고 당뇨병[32-34] 등 여러 연령 관련 질병 및 사망과[22,35,36] 관련이 있다. 무균성 염증은 스트레스(예: 외과, 감염, 외상), 근육 소모(근감소증), 악액질 및 지방 조직 손실에 취약한 연령 관련 노쇠 증후군의 가장 중요한 생리적 요인일 것이다.[37-49] 노쇠는 만성질환, 독립성 상실, 사망률 및 건강 비용의 증가를 초래한다.[45,47]

세포 노화

세포 노화는 잠재적인 종양 발생 및 대사 손상으로 인한 비가역적 세포주기 정지로 종양 형성에 대한 방어로 작용한다.[13] 노화세포는 세포의 크기 증가, 단백질 함량의 증가, $p21^{CIP1}$ 및 $p16^{INH4A}$와 같은 종양 억제 단백질의 증가, 노화 관련 β-갈락토시다아제 활성의 증가, 여러 성장인자, 시토카인, 면역세포 케모카인의 분비 증가를 특징으로 하며, 이를 노화관련 분비 인자[senescence-associated secretory phenotype (SASP)] 혹은 노화 전달 분비체(senescence-messaging secretome) 라고 한다.[50-52]

종양 유전자 활성화, DNA 손상, 텔로미어 손상, 종양 단백질, 지방산, 산화 스트레스, 시토카인 및 대사 산물 등 수많은 요인으로 인해 세포는 $p16^{INK4A}$/Rb (retinoblastoma), $p53/p21^{CIP1}$ 등의 과정을 통해 노화를 시작한다.[13,52-55] 이들은 노화 관련 성장 억제 및 형태학의 변화를 일으키는 유전자 발현 및 염색질 재구성에 기여한다. 이러한 측면에서, 세포 노화는 전사 인자 활성화, 유전자 발현 변화, 염색질 재구성 및 기능 변화를 일으키는 외적 및 내적 요인으로 볼 수 있다. 인터루킨 및 활성산소[reactive oxygen species (ROS)] 등의 세포내 자가 분비는 유전자 발현의 변화, 돌이킬 수 없는 복제 정지 및 이단백질 형성을 수일에서 수주에 걸쳐 강화한다.

세포 노화는 연령 관련 기능 부전 및 약화에 기여하며, 연령 관련 만성질환의 중요한 요인으로 작용한다.[4,13,56] 노화는 일생 중 어느 시점에서나 발생할 수 있는데 심지어 포배나 태반에서도 그러하다.[57,58] 실제로, 노화는 배아 발생기에도 중요하게 작용한다.[59,60] 노화된 세포는 세포 사멸에 대해 저항성이 있지만, 젊은 개체에서는 면역계에 의해 정상적으로 제거된다.[61,62] 그러나 노화된 세포는 나이가 들어감에 따라 여러 조직에 점차 축적된다.[13,63,64] 노화세포가 주는 부담은 수명과 연관된다. 장수하는 Ames dwarf, Snell dwarf 및 성장호르몬 수용체 유전자결여 생쥐의 경우, 생후 18개월 대조군에 비해 지방 조직에서 노화세포가 적은 반면, 단수하는 성장호르몬 과발현 쥐의 경우 더 많이 나타난다.[65] 생쥐의 수명을 늘리기에 충분한 열량 제한은 여러 조직에서 노화 표지자인 $p16^{INK4A}$의 발현 감소를 나타낸다.[66] 반대로, 비만한 동물 혹은 사람의 지방 및 기타 조직에는 노화 세포가 많이 축적되는데, 당뇨병이 동반될 경우 특히 그렇다.[53,67] 노인과학 가설과 같이 비만과 당뇨병은 죽상경화증, 혈관 기능 장애, 근육 감소, 인지 손상, 치매, 조기 폐경 및 비호르몬 의존성 암을 비롯한 기타 노화 및 노화 관련 질환의 발병을 가속화 시킨다.[53,68,69] 베르너 조로증과 허친슨-길포오드 조로증의 마우스 모델과 Klotho가 결핍된 Ercc -/- 및 BubR1H/H 마우스 등의 노로증 생쥐(progeroid mice)들에서 노화세포의 수가 증가한다.[13,70-72] 오래 사는 생쥐 대 오래 살지 못하는 생쥐를 비교한 실험에서, 간 및 장내 샘에서의 노화세포 축적은 평균 수명과 최대수명을 예측한다.[73]

노화관련 분비 인자는 염증성 시토카인, 케모카인, 혈전유발물질, 조직 손상을 일으키는 세포외 기질 분해효소(extracellular matrix proteases) 등이다. 전구-줄기세포 공급원에서 세포를 제거하는 것 외에도, 노화는 노화관련 분비 인자와 만성 무균성 염증 및 세포 외 기질 해체를 통해 조직 기능 장애 및 만성질환 원인으로 작용할 수 있다. 세포 노화, 노화 및 연령 관련 질환 간의 연관성을 바탕으로 노화된 세포를 줄이는 것이 기능 장애를 완화시키는지 여부를 보는 실험들이 이루어졌다. 노화세포를 유전자로 표적화하여 노화된 세포에서만 활성화 가능한 자살 유전자를 발현시킨 경우 노로증 생쥐의 수명이 증가하였다.[74] 이렇듯 노화된 세포의 약 30%만 제거해도 연령 관련 지방이상증이 일부 개선되고 노쇠, 근감소, 백내장의 진행이 줄어들었다.[13,74]

더욱이, 노화된 세포 제거는 연령 관련 질환이 나타난 이후에도 노화의 진행을 지연시킨다. 노화세포를 선택적으로 제거하는 약물이 발견되었는데,[75] 이러한 약물은 늙은 생쥐의 심장 및 경동맥 혈관 장애, 젊은 생쥐의 방사선 유발 근육 기능 장애, 신경 기능 장애, 골다공증 및 노쇠를 완화한다. 세포 노화는 이환율, 사망률 및 건강 비용의 주요 원인이 되는 만성질환 및 장애와 관련되어 있다.[4,13,56] 노화세포는 이러한 여러 상황에서 존재하는 것이 확인되었으며, 전신적인 효과를 가진다 (표 9-1). 이러한 결과는 노화세포와 연령 관련 기능 장애 사이의 연관성을 뒷받침해준다. 현재 노화세포와 노화관련 분비 인자를 목표로 하는 약물이 인간의 노화 및 연령 관련 기능 장애 및 질병을 지연, 예방, 개선 또는 심지어 역전시키기 위해 임상에서 사용될 수 있다는 전망이 있다.

고분자 기능이상

노화는 DNA, 단백질, 탄수화물, 지질 등의 손상된 고분자의 축적과 관련이 있다. 대부분의 경우 이러한 손상된 고분자의 축적은 만성 염증, 세포 노화, 줄기 및 전구세포 기능 장애, 주요 연령 관련 만성질환과 관련이 있다. 건강이나 수명을 향상시키는 약물들은 이러한 손상된 고분자의 생성 또는 영향에 작용한다.

표 9-1. 세포 노화와 관련된 상태

상태	예	참고문헌
대사	• 당뇨병 • 비만 • 대사증후군 • 노화관련 지방이상증	53, 67
심혈관질환	• 죽상경화증 • 고혈압 • 심부전 • 말초혈관질환	4, 126-129
쇠약감	• 근감소증	13, 74
회복력 상실	• 항암치료나 방사선치료 후 단기 혹은 수년간 지속되는 부작용 • 예정된 수술 후 회복 지연 • 심근경색과 같은 급성질환 후	4, 13, 130-132
시력저하	• 백내장 • 녹내장 • 황반변성	74, 133, 134
신경변성질환	• 알츠하이머병 • "타우병증(Tau-opathies)" • 파킨슨병 • 예를 들면 cis-platinum 사용 후 나타나는 "케모브레인" • HIV 치매	4, 135-138
골질환	• 골다공증 • 골관절염 • 골절 불유합	71, 139-141
폐상태	• 특발성폐섬유증 • 블레오마이신(bleomycin) 폐, 다른 약제나 환경독성에 의한 폐질환 • 만성폐쇄폐질환	142-146
간질환	• 원발성 담즙성 경변증	147
신장 및 생식비뇨 기능장애	• 노화관련 사구체경화증 • 급성세뇨관괴사 성향 • 당뇨병성 신질환 • 전립선비대	4, 148-151
피부질환	• 멜라닌 세포모반 • 만성피부괴사(욕창)	152, 153
암		4, 154, 155
약제	• 알킬화약제와 다른 화학치료 약제 • HIV 단백분해효소억제제 • 장기간의 성장호르몬치료 • 독소	65, 131, 156, 157
방사선	• 치료목적 혹은 사고에 의한 방사선의 장기간 효과	132
유전질환	• 조로증	158
감염	• 사람면역결핍바이러스	156
자연노화		13, 63

데옥시리보핵산

유전자 손상은 환경적 노출과 대사산물의 영향에 의해 시간이 지남에 따라 축적되며, 이를 처리하는 DNA 복구 메커니즘이 필요하다. 이러한 DNA 복구와 수명은 양의 상관관계가 있다.[76] 조기 노화 생쥐 표현형은 유전자 복구 메커니즘을 담당하는 유전자를 제거하면 발생한다. 활성산소에 의한 것으로 생각되는 미토콘드리아의 DNA 손상은 미토콘드리아 기능 장애를 일으켜 ATP생산을 비효율적으로 한다. 연령과 관련된 미토콘드리아의 기능 장애는 대사성, 심혈관계, 골격 및 기타 연령 관련 장애에서 중요한 역할을 한다.[77] 비암호화(noncoding) RNA와 같이 다른 수준에서의 유전자 조절 또한 노화로 기능장애를 일으킬 수 있다. 마이크로 RNA (miRNA)의 조절 장애는 다이서(Dicer) 단백질의 연령 관련 감소와 관련이 있는 것으로 보인다.[78]

텔로미어

텔로미어는 염색체의 말단에 있는 구조체로, 염색체 DNA에 반복되는 TTAGGG 염기 서열과 몇몇 단백질로 구성된다. DNA 복제 과정에서 염색체 말단에 있는 50~100개의 염기쌍 텔로미어 DNA가 각 단계에서 사라진다. 생식 세포계, 줄기세포, 암세포 및 특정 면역계 세포를 포함한 일부 세포는 텔로미어 분해 효소 복합체를 발현하여 텔로미어 DNA를 재생할 수 있다. 텔로미어 DNA의 소실은 텔로미어에 결합하는 단백질을 변화시켜 염색체 말단을 변화시킴으로써 세포 복제 가능성의 손실, 특정 세포 유형으로의 분화능의 상실, 세포 사멸, 노화, 활성산소 생성에 의한 미토콘드리아 기능 장애 및 염증 등을 야기한다. 개인이 노화되고 세포 분열이 증가함에 따라 텔로미어 침식도 점차 진행되고 조직 기능 장애 및 노화 표현형에 기여하는 것으로 보인다.

이상기능 단백질의 축적

손상된 단백질의 축적은 많은 조직에서 나타나며 연령 관련 만성질환에서 중요하게 작용한다. 응집된 단백질은 확장성 심근병증, 알츠하이머병, 파킨슨병, 인슐린 의존성 당뇨병 및 사구체 경화증과 같은 많은 질병의 병인에 기여한다.[79] 단백분해효소와 자가포식에 의해 촉진되는 단백질 회전율의 감소와 단백질 제거율의 감소는 노화와 함께 발생한다. 손상된 단백질은 스트레스 반응을 유도하여 전구세포가 특화세포로 분화하는 능력 억제, 세포 사멸, 염증 및 세포 노화 등을 유발할 수 있다.

자가포식

리소솜 또는 자가포식에 의해 손상된 세포내 성분을 분해하는 것은 많은 세포에서 스트레스에 대한 반응으로 나타난다.[80,81] 결함이 있거나 손상된 세포 성분을 제거함으로써, 자가포식은 세포의 질을 관리한다. 그것은 단백질 독성, 유전 독성, 대사성 스트레스 및 면역 스트레스에 대한 세포

반응에 관여한다. 자가포식은 손상되거나 오작동하는 세포 구조를 제거하고 기능 장애를 해결하는 데 도움이 되는 대체 에너지원을 제공하여, 세포를 항상성으로 복귀시키는데 도움을 준다.[82-85] 자가포식은 손상되거나 과도한 세포 구조를 제거함으로써 세포 리모델링 및 분화에 기여한다.[86,87] 또한 면역 반응에 기여하고 세포 손상을 완화시킨다. 세포 기능을 조절하는 데 있어 자가포식의 중심 역할이 손상되면 일부 신경변성질환에서 세포 성분의 질관리가 불량해지고, 당뇨병과 비만에서 에너지 균형이 변형되며, 자가면역장애와 감염에서 면역반응을 방해하는 영향을 준다.[80,81,88] 근육에서 자가포식을 차단하면 산화 단백질의 축적, 미토콘드리아의 기능장애, 신경차단, 섬유력의 감소 등이 나타난다.[89]

포유류에는 거대자가포식, 샤프론매개 자가포식, 그리고 미세자가포식 등의 세 가지 자가포식 경로가 알려져 있다 – 거대자가포식 동안, 목표가 되는 세포 구조 또는 고분자는 자가포식소체(autophagosome) 내에서 세포의 나머지 부분으로부터 격리된다. 그리고 자가포식소체는 리소솜과 융합된 후 분해되어 재활용된다. 샤프론매개 자가포식은 샤프론 단백질이 기능 장애 세포 구성 요소에 선택적으로 결합하여 리소솜에 의해 파괴를 촉진하는 과정이다. 거대자가포식 및 샤프론매개 자가포식은 노화에 따라 점차 기능이 감소한다.[79,90,91] 효과적인 자가포식은 수명과 건강과 연관되어 있다.[79,90]

라파마이신은 생쥐의 수명과 건강수명을 연장시키는데,[92] 그 기전 중 하나가 자가포식을 강화하는 것일 수 있다. 라파마이신은 단백질 합성을 촉진시키고 자가포식을 억제하는 활성효소인 포유류 라파마이신 표적(mTOR) 단백질을 억제한다. mTOR의 활성은 아미노산 증가, IGF-1, 인슐린 및 다른 성장 신호에 반응하여 증가되는 반면, mTOR 억제는 열량 제한의 효과 중 일부이다. 라파마이신에 의한 mTOR 억제는 노화관련 분비 인자의 감소뿐만 아니라 단백질 품질을 증가시키는 효과가 있다. 치매 및 심혈관질환을 비롯한 다양한 연령 관련 질환 및 고령 인구에서 인플루엔자 백신 반응을 향상시키는 것에 대한 라파마이신 임상시험이 진행 중이다.

탄수화물

당화(glycation)는 Maillard 반응을 통해 인지질 및 핵산에 영향을 주어 최종당화산물(AGEs)을 형성한다. 당화혈색소(HbA1c)는 환원당이 반응하여 Maillard 물질을 형성하는 단백질의 예이다. 노화와 함께, 당화 물질을 형성하는 것에 대한 방어는 줄어든다. 최종당화산물은 최종당화산물 수용체[receptors for advanced glycation end products (RAGEs)] 등의 세포표면 수용체 매개를 통해 염증 유발성 신호전달계통을 활성화시킬 수 있다.[93] 최종당화산물은 노화와 함께 정상적인 뇌 및 다른 조직에도 축적되지만, 알츠하이머병의 β-아밀로이드 응집 및 신경 독성에도 관련이 있다.[94,95] 최종당화산물은 당뇨병과 그 합병증의 발병 기전에 관여하며, 이는 당뇨병과 당뇨병 합병증에 대한 감수성에 기여한다.[96]

지질

이소성 지질은 노화가 진행되며 근육, 간, 골수 및 췌장 베타세포와 같은 비지방 조직에 침착된
다.[97] 골수는 종종 노년층에서 황색 지방으로 채워지며, 연령 관련 근감소증은 근육내 지방 침투와
밀접한 관련이 있다. 이소성 지질은 지질을 효과적으로 저장할 수 있는 능력이 노화와 함께 감소하
면서 나타날 수 있다. 이것은 지방 전구세포가 온전히 작용하는 지방세포로 분화하지 못하는 것과
연관된다. 이소성 지질은 반응성이 높은 세포 독성 지방산과 세라마이드를 포함하는데, 지방세포
이외의 세포들은 이들을 격리 또는 저장하거나 자신을 이들로부터 보호하기에 불충분하다. 노화로
인한 자가포식의 감소도 세포 내의 독성 지질 축적에 기여한다. 이소성 지질은 지질 독성을 유발할
수 있으며, 특히 영양 과잉 환경에서 대사 기능 장애 및 염증을 유발한다.[98] 노화는 또한 지질 독성
에 대한 세포나 생체 수준의 방어 감소와 관련이 있으며,[99,100] 노년기에 이소성 지질 침착의 부작용
을 증폭시킬 수 있다.

전구세포 및 줄기세포 기능 이상

노화의 일반적인 특징은 조직 손상 후 재생 능력의 감소이다. 이에 대한 근거는 줄기 및 전구세포
기능의 변화와 관련이 있는데, 복제 능력과 특정 세포 유형으로 온전히 분화하는 능력이 감소하고
세포 사멸 및 괴사에 대한 경향이 커지는 것을 포함한다.

성체 줄기세포는 다분화성 세포이다. 즉, 여러 종류의 특수 세포로 분화할 수 있다. 중간엽 줄기
세포가 그 예이다. 중간엽 줄기세포는 지방, 뼈, 연골, 근육 또는 신경 등으로 분화할 수 있다. 성
체 줄기세포는 자가 재생이 가능하지만, 진정한 줄기세포와는 달리 유전자 변형 없이는 전체 배아
와 태반을 형성할 수 없다. 성체 줄기세포는 모든 조직은 아니지만 일부에 존재하고, 일반적으로
급속한 조직 교체나 상해 후에 새로운 전구세포를 생성할 필요가 없으면 자주 분열하지 않는다.

여기에서 전구세포는 자가 재생이 가능하며, 특정 세포로 분화가 가능한 세포로 간주된다. 사람
의 뇌와 심장을 포함하는 대부분의 장기의 세포는 평생 동안 교체된다. 세포 교체주기는 조직 간에
상당히 다양하여, 소화관 상피세포는 며칠에 걸쳐 교체되고, 피부세포는 수 주마다, 적혈구세포는
수개월마다, 지방 조직은 몇 년마다, 그리고 심근세포는 일생에 한 두 차례 교체된다. 손상을 입은
세포들은 빠른 속도로 교체되며, 이는 관련된 전구세포의 복제, 특정 세포로의 분화, 그리고 줄기
세포의 빠른 동원을 통해 이루어진다. 재생하는 조직이 모양을 갖추고 리모델링됨에 따라 세포 사
멸, 노화, 그리고 괴사 과정도 가속화된다.

줄기세포와 전구세포는 무제한이 아니라 나이가 들수록 조직 수리에 대한 활용도가 높아져 고갈
될 수 있다. 세포의 복제 가능성을 제한하여 부상이나 질병 시 적절한 복구를 방해할 수 있는 자발

적 및 비자발적인 세포 변화가 노화 동안 일어날 수 있다. 일부 성체 줄기세포의 감소는 줄기세포 적소(stem cell niche)나 미세 환경에서 비세포 자율 변화로 인한 것이다. 노화와 관련된 만성 무균성 염증은 줄기세포가 적절하게 기능하는 것을 방해하는 독성 또는 억제 미세 환경을 유발할 수 있다. 조직 간의 상호간섭(cross-talk, 예를 들면 지방 조직과 뼈 사이)은 줄기세포 기능에 영향을 미치는데, 노화로 인해 조절장애가 나타난다.[102] 미세 환경에서의 연령과 관련된 변화는 노화된 쥐와 어린 쥐가 외과적으로 결합되어 몇 주 또는 몇 달 동안 순환을 공유하는 개체결합(parabiosis) 실험에서 입증되었다.[103] 노화된 동물의 심장이나 골격근이 손상을 입으면, 어린 동물의 순환 인자는 노화된 동물의 줄기세포에 의한 회복을 촉진한다. 반대로, 노화된 동물의 순환 인자는 교차 순환된 어린 동물에서의 전구 기능과 조직 복구를 방해한다. 따라서 염증, 세포 노화, 순환 인자 및 측분비 인자(paracrine factor)들은 성체 줄기세포의 연령 관련 기능 장애를 일으키는 중요한 요인으로 보인다. 노화된 줄기세포는 노화 미세 환경에 의해 억제되는 고유 기능을 어느정도 보존할 수 있다. 성장분화인자 11 [growth and differentiation factor 11 (GDF-11)] 등의 순환 인자를 어린 동물에서 노화된 동물에게 제공하면, 나이든 쥐의 뇌, 심장 및 근육의 전구 기능을 회복시킬 수 있는데, 언젠가는 이러한 인자들을 이용하여 노인의 재생을 향상시키는 약제를 개발할 수 있을지도 모른다.[104,105]

다분화성 성체 줄기세포는 외부적, 내부적 신호 및 측분비, 대사 및 호르몬 인자에 의해 매개되는 결정을 통해 특정 계통으로 결정될 수 있다. 성체 줄기세포가 증식하여 분화가 가능한 수임된 전구세포(committed progenitors)를 생산할 수 있다고 하더라도, 이러한 세포는 한쪽으로 치우친 전구세포들을 만들 수 있다. 예를 들면, 조혈 시스템이 노화되면서 골수계통으로 치우치는 것이다.[106]

성체 줄기세포와는 달리, 수임된 전구세포는 일반적으로 텔로메라아제를 발현하지 않으며, 이 기전으로 인해 체외와 생체 내에서 복제 가능성이 제한적이다. 일생 동안 전구세포의 복제된 횟수가 누적되며 텔로미어의 길이가 감소한다. 이것과 관련하여, 노년층의 지방, 골수, 피부 등으로부터 분리된 줄기세포는 젊은 사람의 세포와 비교하여 증식 능력의 감소를 보인다. 고령 피험자로부터 분리된 단일 줄기세포의 콜로니는 평균적으로 젊은 피험자로부터 분리된 클론보다 더 적은 분열을 겪지만, 고령 피험자의 일부 클론은 젊은 피험자의 클론처럼 행동할 수 있으며 그 반대도 마찬가지이다.[53,107]

수임된 전구세포가 특정 세포로 분화하는 능력은 노화가 진행되면서 지방조직과 같은 여러조직에서 감소한다.[53] 이것은 젊은 개체보다 나이가 많은 개체로부터 격리된 단일 줄기세포에서 더욱 분명하다. 그러나 나이와 관련하여 복제 잠재력이 감소하는 경우, 나이든 개체에서 유래한 일부 클론은 젊은 개체의 세포처럼 행동하기도 한다. 잘못된 분화는 분화를 조절하는 전사 인자 흐름의 신호 감소와 관련이 있다.[107] 노화에 따른 염증 매개체의 증가도 적어도 지방 조직에서는 분화 능력의 감소에 기여하는 것으로 보인다. 지방 줄기세포가 지방세포로 분화하는 능력의 감소는 노화 관련 인슐린 저항성, 당뇨병 및 지방 독성에 기여할 수 있고, 이로 인해 염증이 유발될 수 있다. 이러한 연령 관련 분화능의 감소와 일관되게, 지방 조직 및 장 등 노화와 관련된 조직에서 미분화된 줄기세포가 증가하는 경향이 있다.

따라서 나이가 증가함에 따라 줄기세포의 복제 잠재력과 분화능력이 감소한다. 이러한 감소는 조직을 복구할 수 있는 능력을 감소시킬 수 있다. 이를 중재하는 것은 동물실험에서는 가능해 보이며, 재생 생물학을 노인층으로 확장할 수 있는 흥미로운 기회가 될 수 있다.

중재

노화가 만성질환 및 노쇠의 주요 위험 요소로 오랫동안 인식되어 왔음에도, 최근에서야 노화가 잠재적으로 수정 가능한 요소로 인식되고 있다. 이 견해를 뒷받침하는 내용은 아래와 같다:

1. 최대수명이 연장되고 연령 관련 질병의 발병이 지연되고 있다. 이는 수많은 단일 유전자 돌연변이에 의한 것으로 보여 치료 대상이 될 수 있음을 시사한다.[108]

2. 100 세 이상 장수하는 사람은 일부 유전적인 영향에 의해 연령과 관련된 질병과 장애의 시작이 늦으며, 이는 질병 이환율을 낮추고 건강한 수명을 연장시킨다.[109]

3. 라파마이신, 메트포르민, 아카보스, 17α-에스트라디올, 안지오텐신전환효소(ACE) 억제제 및 기타 약제는 마우스 모델에서 수명을 연장시켰다. 이 약제들은 연령 관련 질병 및 장애를 지연시킬 수도 있다.[92,110,111] 예를 들어, 라파마이신은 암 및 연령 관련 인지능력 감소를 지연시켰다.[112]

4. 열량 제한은 동물 모델에서 수명을 연장시키고 여러 만성질환의 발병을 지연시킨다.[113]

5. 젊은 사람들의 줄기세포는 노인들의 기능 장애를 완화시킨다.[103,114]

6. 노화세포의 축적은 만성 염증과 관련이 있으며, 이는 여러 연령 관련 만성질환 및 노쇠를 촉진시킨다.[115] 중요한 점은, 노화세포의 제거가 생쥐의 건강을 향상시켰다는 것이다.[74,75]

현재 포유류의 수명과 건강을 증가시키는 방법이 존재하기 때문에, 노화의 근본적인 기전을 목표로 하면 연령 관련 질환과 장애를 지연시키거나 예방할 수 있는 임상적 방법도 개발될 가능성이 있다. 죽상경화성 심장질환과 같은 주요 만성질환이 근절되더라도, 평균 수명에 약 3년 정도 밖에 더하지 못할 것이다.[116,117] 그러나 노화와 관련된 만성질환으로 이어지는 근본적인 노화 기전을 목표로 하면 이러한 질병을 지연시키고 건강을 연장시킬 수 있다. 이것은 죽상경화증, 암 또는 치매와 같은 주요 만성질환들을 각각 치료하는 것보다 이환율 및 의료 비용 절감에 대해 실질적으로 더 큰 영향을 미칠 것이다.

인간의 건강 또는 특히 수명을 연장하기 위한 실험적 전략의 효과를 연구하는 것은 비실용적이다. 그러므로 근본적인 노화 과정을 타겟으로 하는 약제가 실제로 임상적으로 활용될 수 있을지 시험하기 위한 임상시험 패러다임을 수립해야 한다. 여기에는 허약감이나 회복성(예를 들면 선택적 수술, 화학요법, 치료방사선, 심근경색, 면역 또는 기타 임상적으로 관련된 교란 후 회복성) 측정 등이 포함될 수 있다. 또한 여러 가지 복합적인 질환을 가진 피험자의 연령 관련된 만성질환을 연구할 수도 있다. 증상이나 징후에 대한 효과 역시 합리적인 임상시험 패러다임일 수 있다. 또한, 노인들에게서 연령 관련 병리를 되돌릴 것으로 기대되는 약제는 단기적인 연구가 적합할 수 있다.

열량 제한은 효모, 지렁이, 파리 및 설치류에서 수명을 연장시키고 여러 대사과정 및 전사 후 경로에 영향을 미친다.[118] 인간 이외 영장류에서의 연구는 열량 제한과 수명 연장을 명확하게 연관시키지는 못했지만, 열량 제한은 건강을 증진시키고, 노화 표현형의 발병을 지연시켰다.[119,120] 사람에서 열량 제한은 체중 감소, 공복 혈당 개선, 인슐린 감수성 증가 및 대사증후군 유병률 감소 등과 같은 다양한 개선을 보였지만, 삶의 질에는 좋지 않은 영향을 미쳤다. 이는 과민성, 무기력, 상처 치유 속도의 감퇴, 성욕 감소, 체온 저하 등이 포함된다.[121]

열량 제한과 더불어서 수명에 영향을 미치는 것으로 알려진 요소에는 수백 개의 단일 유전자 변이와 여러 약물이 포함된다. 다양한 생물에서 수명을 늘리는 것으로 보고된 약물은 적어도 6 가지가 있다. 라파마이신,[92,122] 커큐민,[123] 메트포민,[110] 아스피린(중간값은 증가하나 최대수명 증가는 아님),[124] 17α-에스트라디올, 아카보스 및 노르디히드로구아이아레틴산 [nordihydroguaiaretic acid (NDGA)][111] 등이다. 일반적으로, 이 약제들은 염증, 세포 노화 및 대사 기능 또는 고분자 처리를 완화시킨다.

세포 노화는 만성 무균성 염증, 연령 관련 질환 및 종양 전파에 관여한다. 앞서 언급했듯이, 쥐의 노화세포 제거는 기존의 질병 표현형의 개선과 노화 관련 질병 표현형의 발병 예방에 유익한 효과가 있었다. 따라서 사람들은 이러한 결과를 인간 질병의 예방 및 치료에 적용하는데 많은 관심을 가지고 있다.[13,125] 이것은 정상적인 조직 구조를 유지하면서 주변의 정상 세포를 파괴하지 않고 노화세포만을 선택적으로 표적화해야만 한다.[75] 이것을 가능하게 하는 세노리틱(senolytic) 약물들이 개발되어 왔다. 노화세포의 유해한 영향을 방지하기 위한 또 다른 전략은 노화관련 분비 인자의 구성 요소를 개별적 혹은 전체적으로 표적으로 삼는 것이다.

우리가 왜 노화되는지 설명하기 위해 많은 이론이 있지만, 지난 10년간 빠르게 변해가는 노화 생물학 연구를 통해 노화 과정의 기초가 되는 생물학적 기전이 더욱 명확해지고 있다. 염증, 세포 노화, 손상된 고분자의 축적, 줄기 및 전구세포 기능 장애를 비롯한 노화의 기본 기전을 이해하고 수명의 이질성에 대한 기초를 이해함으로써 노화를 역전시키거나 예방할 수 있는 임상적 전략을 고안하는 것이 실현 가능해질 수 있다. 노화 기전을 표적으로 하는 치료법은 각 개별 질환이 아니라 연령 관련 장애를 전체적으로 예방하거나 치료할 잠재력이 있다. 우리는 이러한 근본적인 노화 기전을 표적으로 하는 치료가 노년층을 괴롭히는 질병과 장애를 개선시킬 가능성이 높은 시점에 있다.

요점

- 노화 과정은 모든 생명체에서 존재하며, 이는 내재적이고 진보적으로 일어난다.
- 생활연령(chronologic age)은 현대 사회에서 질병 이환율, 사망률, 그리고 의료 비용의 대부분을 차지하는 만성질환들의 주요 위험 요소이다.
- 근본적인 노화 기전을 표적으로 하는 방법은 언젠가 여러 만성질환과 연령 관련 장애를 지연, 예방, 경감 또는 심지어 역전시키는 데 사용될 수 있을 것이다.
- 연령 관련 기능 부전 및 만성질환은 다음과 관련이 있다: (1) 만성 무균성 염증 (2) 세포 노화 (3) 고분자 기능 이상(손상된 DNA와 단백질, 단백질 응집체, 최종당화산물, 세포 독성 지질의 축적) 및 (4) 줄기세포, 전구세포의 기능 장애.
- 근본적인 노화 과정을 표적으로 하는 방법은 쥐의 수명과 건강을 개선시키는 것으로 밝혀졌다. 언젠가는 이것이 임상적으로 응용되어 노인 의학을 변화시킬 수 있을 것이다.

참고문헌의 총 목록을 보려면 www.expertconsult.com 을 방문해주세요.

중요 참고문헌

2. Goldman DP, Cutler D, Rowe JW, et al: Substantial health and economic returns from delayed aging may warrant a new focus for medical research. Health Aff (Millwood) 32:1698–1705, 2013.

3. Kirkland JL: Translating advances from the basic biology of aging into clinical application. Exp Gerontol 48:1–5, 2013.

13. Tchkonia T, Zhu Y, van Deursen J, et al: Cellular senescence and the senescent secretory phenotype: therapeutic opportunities. J Clin Invest 123:966–972, 2013.

39. Leng SX, Xue QL, Tian J, et al: Inflammation and frailty in older women. J Am Geriatr Soc 55:864–871, 2007.

48. Rockwood K, Mitnitski A: Frailty defined by deficit accumulation and geriatric medicine defined by frailty. Clin Geriatr Med 27:17–26, 2011.

65. Stout MB, Tchkonia T, Pirtskhalava T, et al: Growth hormone action predicts age-related white adipose tissue dysfunction and senescent cell burden in mice. Aging (Albany NY) 6:575–586, 2014.

73. Jurk D, Wilson C, Passos JF, et al: Chronic inflammation induces telomere dysfunction and accelerates ageing in mice. Nat Commun 2:4172, 2014.

74. Baker DJ, Wijshake T, Tchkonia T, et al: Clearance of p16Ink4a-positive senescent cells delays ageing-associated disorders. Nature 479:232–236, 2011.

75. Zhu Y, Tchkonia T, Pirtskhalava T, et al: The Achilles' heel of senescent cells: from transcriptome to senolytic drugs. Aging Cell 14:644–658, 2015.

77. Dai DF, Chiao YA, Marcinek DJ, et al: Mitochondrial oxidative stress in aging and health span. Longev Healthspan. 3:6, 2014.

78. Mori MA, Raghavan P, Thomou T, et al: Role of microRNA processing in adipose tissue in stress defense and longevity. Cell Metab 16:336–347, 2012.

81. Sridhar S, Botbol Y, Macian F, et al: Autophagy and disease: always two sides to a problem. J Pathol 226:255–273, 2012.

92. Harrison DE, Strong R, Sharp ZD, et al: Rapamycin fed late in life extends life span in genetically heterogeneous mice. Nature 460:392–395, 2009.

101. Jones DL, Rando TA: Emerging models and paradigms for stem cell ageing. Nat Cell Biol 13:506–512, 2011.

104. Sinha M, Jang YC, Oh J, et al: Restoring systemic GDF11 levels reverses age-related dysfunction in mouse skeletal muscle. Science 344:649–652, 2014.

108. Bartke A: Single-gene mutations and healthy ageing in mammals. Philos Trans R Soc Lond B Biol Sci 366:28–34, 2011.

110. Martin-Montalvo A, Mercken EM, Mitchell SJ, et al: Metformin improves health span and life span in mice. Nat Commun 4:2192, 2013.

111. Harrison DE, Strong R, Allison DB, et al: Acarbose, 17-alpha-estradiol, and nordihydroguaiaretic acid extend mouse life span preferentially in males. Aging Cell 13:273–282, 2014.

113. Anderson RM, Weindruch R: The caloric restriction paradigm: implications for healthy human aging. Am J Hum Biol 24:101–106, 2012.

125. Kirkland JL: Tchkonia T. Clinical strategies and animal models for developing senolytic agents. Exp Gerontol 28:2014.

138. Hudson MM, Ness KK, Gurney JG, et al: Clinical ascertainment of health outcomes among adults treated for childhood cancer. JAMA 309:2371–2381, 2013.

참고문헌

1. Alliance for Aging Research: The silver book: chronic disease and medical innovation in an aging nation. Washington, DC, 2012, Alliance for Aging Research.

2. Goldman DP, Cutler D, Rowe JW, et al: Substantial health and economic returns from delayed aging may warrant a new focus for medical research. Health Aff (Millwood) 32:1698–1705, 2013.

3. Kirkland JL: Translating advances from the basic biology of aging into clinical application. Exp Gerontol 48:1–5, 2013.

4. Kirkland JL: Inflammation and cellular senescence: potential contribution to chronic diseases and disabilities with aging. Public Policy Aging Rep. 23:12–15, 2013.

5. Jackola DR, Ruger JK, Miller RA: Age-associated changes in human T cell phenotype and function. Aging (Milano) 6:25–34, 1994.

6. Sebastian C, Lloberas J, Celada A: Molecular and cellular aspects of macrophage aging. In Fulop T, editor: Handbook on immunosenescence, Dordrecht, The Netherlands, 2009, Springer, pp 919–945.

7. Poland GA, Ovsyannikova IG, Kennedy RB, et al: A systems biology approach to the effect of aging, immunosenescence and vaccine response. Curr Opin Immunol 29:62–68, 2014.

8. Nikolich-Zugich J: Aging of the T cell compartment in mice and humans: from no naive expectations to foggy memories. J Immunol 193:2622–2629, 2014.

9. Franceschi C, Capri M, Monti D, et al: Inflammaging and anti-inflammaging: a systemic perspective on aging and longevity emerged from studies in humans. Mech Ageing Dev 128:92–105, 2007.

10. Chung HY, Cesari M, Anton S, et al: Molecular inflammation: underpinnings of aging and age-related diseases. Ageing Res Rev 8:18–30, 2009.

11. Vasto S, Candore G, Balistreri CR, et al: Inflammatory networks in ageing, age-related diseases and longevity. Mech Ageing Dev 128:83−91, 2007.

12. Ferrucci L, Ble A, Bandinelli S, et al: A flame burning within. Aging Clin Exp Res 16:240−243, 2004.

13. Tchkonia T, Zhu Y, van Deursen J, et al: Cellular senescence and the senescent secretory phenotype: therapeutic opportunities. J Clin Invest 123:966−972, 2013.

14. Sansoni P, Vescovini R, Fagnoni FF, et al: New advances in CMV and immunosenescence. Exp Gerontol 55:54−62, 2014.

15. Ancrile B, Lim KH, Counter CM: Oncogenic Ras-induced secretion of IL6 is required for tumorigenesis. Genes Dev 21:1714−1719, 2007.

16. Badache A, Hynes NE: Interleukin 6 inhibits proliferation and, in cooperation with an epidermal growth factor receptor autocrine loop, increases migration of T47D breast cancer cells. Cancer Res 61:383−391, 2001.

17. Desai TR, Leeper NJ, Hynes KL, et al: Interleukin-6 causes endothelial barrier dysfunction via the protein kinase C pathway. J Surg Res 104:118−123, 2002.

18. Naugler WE, Karin M: The wolf in sheep's clothing: the role of interleukin-6 in immunity, inflammation and cancer. Trends Mol Med 14:109−119, 2008.

19. Sparmann A, Bar-Sagi D: Ras-induced interleukin-8 expression plays a critical role in tumor growth and angiogenesis. Cancer Cell 6:447−458, 2004.

20. Tamm I, Kikuchi T, Cardinale I, et al: Cell-adhesion-disrupting action of interleukin 6 in human ductal breast carcinoma cells. Proc Natl Acad Sci U S A 91:3329−3333, 1994.

21. Nagabhushanam V, Solache A, Ting LM, et al: Innate inhibition of adaptive immunity: Mycobacterium tuberculosis-induced IL-6 inhibits macrophage responses to IFN-gamma. J Immunol 171:4750−4757, 2003.

22. Bruunsgaard H, Pedersen BK: Age-related inflammatory cytokines and disease. Immunol Allergy Clin North Am 23:15−39, 2003.

23. Howren MB, Lamkin DM, Suls J: Associations of depression with C-reactive protein, IL-1, and IL-6: a meta-analysis. Psychosom Med 71:171−186, 2009.

24. Tuomisto K, Jousilahti P, Sundvall J, et al: C-reactive protein, interleukin-6 and tumor necrosis factor alpha as predictors of incident coronary and cardiovascular events and total mortality. A population-based, prospective study. Thromb Haemost 95:511−518, 2006.

25. Margolis KL, Manson JE, Greenland P, et al: Leukocyte count as a predictor of cardiovascular events and mortality in postmenopausal women: the Women's Health Initiative Observational Study. Arch Intern Med 165:500−508, 2005.

26. Brown DW, Giles WH, Croft JB: White blood cell count: an independent predictor of coronary heart disease mortality among a national cohort. J Clin Epidemiol 54:316−322, 2001.

27. Cesari M, Penninx BW, Newman AB, et al: Inflammatory markers and cardiovascular disease (The Health, Aging and Body Composition [Health ABC] Study). Am J Cardiol 92:522−528, 2003.

28. Pai JK, Pischon T, Ma J, et al: Inflammatory markers and the risk of coronary heart disease in men and women. N Engl J Med 351:2599−2610, 2004.

29. O'Connor PM, Lapointe TK, Beck PL, et al: Mechanisms by which inflammation may increase intestinal cancer risk in inflammatory bowel disease. Inflamm Bowel Dis 16:1411−1420, 2010.

30. Schetter AJ, Heegaard NH, Harris CC: Inflammation and cancer: interweaving microRNA, free radical, cytokine and p53 pathways. Carcinogenesis 31:37−49, 2010.

31. Srikrishna G, Freeze HH: Endogenous damage-associated molecular pattern molecules at the crossroads of inflammation and cancer. Neoplasia 11:615−628, 2009.

32. Spranger J, Kroke A, Mohlig M, et al: Inflammatory cytokines and the risk to develop type 2 diabetes: results of the prospective population-based European Prospective Investigation into Cancer and Nutrition (EPIC)—Potsdam Study. Diabetes 52:812−817, 2003.

33. Hu FB, Meigs JB, Li TY, et al: Inflammatory markers and risk of developing type 2 diabetes in women. Diabetes 53:693−700, 2004.

34. Pradhan AD, Manson JE, Rifai N, et al: C-reactive protein, interleukin 6, and risk of developing type 2 diabetes mellitus. JAMA 286:327−334, 2001.

35. Harris TB, Ferrucci L, Tracy RP, et al: Associations of elevated interleukin-6 and C-reactive protein levels with mortality in the elderly. Am J Med 106:506−512, 1999.

36. Bruunsgaard H, Andersen-Ranberg K, Hjelmborg JB, et al: Elevated levels of tumor necrosis factor alpha and mortality in centenarians. Am J Med 115:278−283, 2003.

37. Kanapuru B, Ershler WB: Inflammation, coagulation, and the pathway to frailty. Am J Med 122:605−613, 2009.

38. Walston J, McBurnie MA, Newman A, et al: Frailty and activation of the inflammation and coagulation systems with and without clinical comorbidities: results from the Cardiovascular Health Study. Arch Intern Med 162:2333−2341, 2002.

39. Leng SX, Xue QL, Tian J, et al: Inflammation and frailty in older women. J Am Geriatr Soc 55:864−871, 2007.

40. Ferrucci L, Harris TB, Guralnik JM, et al: Serum IL-6 level and the development of disability in older persons. J Am Geriatr Soc 47:639−646, 1999.

41. Bandeen-Roche K, Walston JD, Huang Y, et al: Measuring systemic inflammatory regulation in older adults: evidence and utility. Rejuvenation Res 12:403−410, 2009.

42. Qu T, Walston JD, Yang H, et al: Upregulated ex vivo expression of stress-responsive inflammatory pathway genes by LPS-challenged CD14(+) monocytes in frail older adults. Mech Ageing Dev 130:161−166, 2009.

43. Walston JD, Matteini AM, Nievergelt C, et al: Inflammation and stress-related candidate genes, plasma interleukin-6 levels, and longevity in older adults. Exp Gerontol 44:350−355, 2009.

44. Walston J, Hadley E, Ferrucci L, et al: Research agenda for frailty in older adults: toward a better understanding of physiology and etiology: summary from the American Geriatrics Society/National Institute on Aging research conference on frailty in older adults. J Am Geriatr Soc 54:991−1001, 2006.

45. Fried LP, Tangen CM, Walston J, et al: Frailty in older adults: evidence for a phenotype. J Gerontol A Biol Sci Med Sci 56:146−156, 2001.

46. Bandeen-Roche K, Xue QL, Ferrucci L, et al: Phenotype of frailty: characterization in the women's health and aging studies. J Gerontol A Biol Sci Med Sci 61:262−266, 2006.

47. Rockwood K, Mitnitski A, Song X, et al: Long-term risks of death and institutionalization of elderly people in relation to deficit accumulation at age 70. J Am Geriatr Soc 54:975−979, 2006.

48. Rockwood K, Mitnitski A: Frailty defined by deficit accumulation and geriatric medicine defined by frailty. Clin Geriatr Med 27:17−26, 2011.

49. Lucicesare A, Hubbard RE, Searle SD, et al: An index of self-rated health deficits in relation to frailty and adverse outcomes in older adults. Aging Clin Exp Res 22:255−260, 2010.

50. Coppe JP, Patil CK, Rodier F, et al: A human-like senescence-associated secretory phenotype is conserved in mouse cells dependent on physiological oxygen. PLoS ONE 5:e9188, 2010.

51. Coppé JP, Patil C, Rodier F, et al: Senescence-associated secretory phenotypes reveal cell-nonautonomous functions of oncogenic RAS and the p53 tumor suppressor. PLoS Biol 6:2853−2868, 2008.

52. Kuilman T, Peeper DS: Senescence-messaging secretome: SMS-ing cellular stress. Nat Rev Cancer 9:81−94, 2009.

53. Tchkonia T, Morbeck DE, von Zglinicki T, et al: Fat tissue, aging, and cellular senescence. Aging Cell 9:667−684, 2010.

54. Kuilman T, Michaloglou C, Mooi WJ, et al: The essence of senescence. Genes Dev 24:2463−2479, 2010.

55. Kuilman T, Michaloglou C, Vredeveld LC, et al: Oncogene-induced senescence relayed by an interleukin-dependent inflammatory network. Cell 133:958−961, 2008.

56. Zhu Y, Armstrong JL, Tchkonia T, et al: Cellular senescence and the senescent secretory phenotype in age-related chronic diseases. Curr Opin Clin Nutr Metab Care 17:324−328, 2014.

57. Meuter A, Rogmann LM, Winterhoff BJ, et al: Markers of cellular senescence are elevated in murine blastocysts cultured in vitro: molecular consequences of culture in atmospheric oxygen. J Assist Reprod Genet 31:1259-1267, 2014.

58. Rajagopalan S, Long EO: Cellular senescence induced by CD158d reprograms natural killer cells to promote vascular remodeling. Proc Natl Acad Sci U S A 109:20596-20601, 2012.

59. Munoz-Espin D, Canamero M, Maraver A, et al: Programmed cell senescence during mammalian embryonic development. Cell 155:1104-1118, 2013.

60. Storer M, Mas A, Robert-Moreno A, et al: Senescence is a developmental mechanism that contributes to embryonic growth and patterning. Cell 155:1119-1130, 2013.

61. Wang E: Senescent human fibroblasts resist programmed cell death, and failure to suppress bcl2 is involved. Cancer Res 55:2284-2292, 1995.

62. Xue W, Zender L, Miething C, et al: Senescence and tumour clearance is triggered by p53 restoration in murine liver carcinomas. Nature 445:656-660, 2007.

63. Waaijer ME, Parish WE, Strongitharm BH, et al: The number of p16INK4a positive cells in human skin reflects biological age. Aging Cell 11:722-725, 2012.

64. Dimri GP, Lee X, Basile G, et al: A biomarker that identifies senescent human cells in culture and in aging skin in vivo. Proc Natl Acad Sci U S A 92:9363-9367, 1995.

65. Stout MB, Tchkonia T, Pirtskhalava T, et al: Growth hormone action predicts age-related white adipose tissue dysfunction and senescent cell burden in mice. Aging (Albany NY) 6:575-586, 2014.

66. Krishnamurthy J, Torrice C, Ramsey MR, et al: Ink4a/Arf expression is a biomarker of aging. J Clin Invest 114:1299-1307, 2004.

67. Minamino T, Orimo M, Shimizu I, et al: A crucial role for adipose tissue p53 in the regulation of insulin resistance. Nat Med 15:1082-1087, 2009.

68. De Felice FG, Ferreira ST: Inflammation, defective insulin signaling, and mitochondrial dysfunction as common molecular denominators connecting type 2 diabetes to Alzheimer disease. Diabetes 63:2262-2272, 2014.

69. Joost HG: Diabetes and cancer: epidemiology and potential mechanisms. Diab Vasc Dis Res 11:390-394, 2014.

70. Eren M, Boe AE, Murphy SB, et al: PAI-1-regulated extracellular proteolysis governs senescence and survival in Klotho mice. Proc Natl Acad Sci U S A 111:7090-7095, 2014.

71. Chen Q, Liu K, Robinson AR, et al: DNA damage drives accelerated bone aging via an NF-kappaB-dependent mechanism. J Bone Miner Res 28:1214-1228, 2013.

72. Baker DJ, Perez-Terzic C, Jin F, et al: Opposing roles for p16Ink4a and p19Arf in senescence and ageing caused by BubR1 insufficiency. Nat Cell Biol 10:825-836, 2008.

73. Jurk D, Wilson C, Passos JF, et al: Chronic inflammation induces telomere dysfunction and accelerates ageing in mice. Nat Commun 2:4172, 2014.

74. Baker DJ, Wijshake T, Tchkonia T, et al: Clearance of p16Ink4a-positive senescent cells delays ageing-associated disorders. Nature 479:232-236, 2011.

75. Zhu Y, Tchkonia T, Pirtskhalava T, et al: The Achilles' heel of senescent cells: from transcriptome to senolytic drugs. Aging Cell 14:644-658, 2015.

76. Garinis GA, van der Horst GT, Vijg J, et al: DNA damage and ageing: new-age ideas for an age-old problem. Nat Cell Biol 10:1241-1247, 2008.

77. Dai DF, Chiao YA, Marcinek DJ, et al: Mitochondrial oxidative stress in aging and health span. Longev Healthspan. 3:6, 2014.

78. Mori MA, Raghavan P, Thomou T, et al: Role of microRNA processing in adipose tissue in stress defense and longevity. Cell Metab 16:336-347, 2012.

79. Rubinsztein DC, Marino G, Kroemer G: Autophagy and aging. Cell 146:682-695, 2011.

80. Mizushima N, Levine B, Cuervo AM, et al: Autophagy fights disease through cellular self-digestion. Nature 451:1069-1075,

2008.

81. Sridhar S, Botbol Y, Macian F, et al: Autophagy and disease: always two sides to a problem. J Pathol 226:255‒273, 2012.

82. Ueno T, Ezaki J, Kominami E: Metabolic contribution of hepatic autophagic proteolysis: old wine in new bottles. Biochim Biophys Acta 1824:51‒58, 2012.

83. Singh R, Cuervo AM: Autophagy in the cellular energetic balance. Cell Metab 13:495‒504, 2011.

84. Mizushima N, Komatsu M: Autophagy: renovation of cells and tissues. Cell 147:728‒741, 2011.

85. Kadandale P, Kiger AA: Role of selective autophagy in cellular remodeling: "self-eating" into shape. Autophagy 6:1194‒1195, 2010.

86. Cuervo AM, Macian F: Autophagy, nutrition and immunology. Mol Aspects Med 33:2‒13, 2012.

87. Deretic V: Autophagy in immunity and cell-autonomous defense against intracellular microbes. Immunol Rev 240:92‒104, 2011.

88. Wong E, Cuervo AM: Autophagy gone awry in neurodegenerative diseases. Nat Neurosci 13:805‒811, 2010.

89. Carnio S, LoVerso F, Baraibar MA, et al: Autophagy impairment in muscle induces neuromuscular junction degeneration and precocious aging. Cell Rep 8:1509‒1521, 2014.

90. Cuervo AM: Autophagy and aging: keeping that old broom working. Trends Genet 24:604‒612, 2008.

91. Madeo F, Tavernarakis N, Kroemer G: Can autophagy promote longevity? Nat Cell Biol 12:842‒846, 2010.

92. Harrison DE, Strong R, Sharp ZD, et al: Rapamycin fed late in life extends life span in genetically heterogeneous mice. Nature 460:392‒395, 2009.

93. Ramasamy R, Vannucci SJ, Yan SS, et al: Advanced glycation end products and RAGE: a common thread in aging, diabetes, neurodegeneration, and inflammation. Glycobiology 15:16R‒28R, 2005.

94. Takeuchi M, Bucala R, Suzuki T, et al: Neurotoxicity of advanced glycation end-products for cultured cortical neurons. J Neuropathol Exp Neurol 59:1094‒1105, 2000.

95. Woltjer RL, Maezawa I, Ou JJ, et al: Advanced glycation endproduct precursor alters intracellular amyloid-beta/A beta PP carboxy-terminal fragment aggregation and cytotoxicity. J Alzheimers Dis 5:467‒476, 2003.

96. Goh SY, Cooper ME: Clinical review: the role of advanced glycation end products in progression and complications of diabetes. J Clin Endocrinol Metab 93:1143‒1152, 2008.

97. Tchkonia T, Corkey BE, Kirkland JL Current views of the fat cell as an endocrine cell: lipotoxicity. In Bray GA, Ryan DH: Endocrine updates, vol 26, New York, 2006, Springer Science + Business Media, Inc, pp 105-118.

98. Slawik M, Vidal-Puig AJ: Lipotoxicity, overnutrition and energy metabolism in aging. Ageing Res Rev 5:144‒164, 2006.

99. Guo W, Pirtskhalava T, Tchkonia T, et al: Aging results in paradoxical susceptibility of fat cell progenitors to lipotoxicity. Am J Physiol 292:E1041‒E1051, 2007.

100. Wang ZW, Pan WT, Lee Y, et al: The role of leptin resistance in the lipid abnormalities of aging. FASEB J 15:108‒114, 2001.

101. Jones DL, Rando TA: Emerging models and paradigms for stem cell ageing. Nat Cell Biol 13:506‒512, 2011.

102. Gimble JM, Nuttall ME: The relationship between adipose tissue and bone metabolism. Clin Biochem 45:874‒879, 2012.

103. Conboy IM, Conboy MJ, Wagers AJ, et al: Rejuvenation of aged progenitor cells by exposure to a young systemic environment. Nature 433:760‒764, 2005.

104. Sinha M, Jang YC, Oh J, et al: Restoring systemic GDF11 levels reverses age-related dysfunction in mouse skeletal muscle. Science 344:649‒652, 2014.

105. Katsimpardi L, Litterman NK, Schein PA, et al: Vascular and neurogenic rejuvenation of the aging mouse brain by young systemic factors. Science 344:630‒634, 2014.

106. Rossi DJ, Bryder D, Zahn JM, et al: Cell intrinsic alterations underlie hematopoietic stem cell aging. Proc Natl Acad Sci U S A 102:9194‒9199, 2005.

107. Kirkland JL, Hollenberg CH, Gillon WS: Age, anatomic site, and the replication and differentiation of adipocyte precursors. Am J Physiol 258:C206‒C210, 1990.

108. Bartke A: Single-gene mutations and healthy ageing in mammals. Philos Trans R Soc Lond B Biol Sci 366:28–34, 2011.

109. Lipton RB, Hirsch J, Katz MJ, et al: Exceptional parental longevity associated with lower risk of Alzheimer's disease and memory decline. J Am Geriatr Soc 58:1043–1049, 2010.

110. Martin-Montalvo A, Mercken EM, Mitchell SJ, et al: Metformin improves health span and life span in mice. Nat Commun 4:2192, 2013.

111. Harrison DE, Strong R, Allison DB, et al: Acarbose, 17-alpha-estradiol, and nordihydroguaiaretic acid extend mouse life span preferentially in males. Aging Cell 13:273–282, 2014.

112. Majumder S, Caccamo A, Medina DX, et al: Lifelong rapamycin administration ameliorates age-dependent cognitive deficits by reducing IL-1beta and enhancing NMDA signaling. Aging Cell 11:326–335, 2012.

113. Anderson RM, Weindruch R: The caloric restriction paradigm: implications for healthy human aging. Am J Hum Biol 24:101–106, 2012.

114. Lavasani M, Robinson AR, Lu A, et al: Muscle-derived stem/progenitor cell dysfunction limits health span and life span in a murine progeria model. Nat Commun. 3:608, 2012.

115. Laberge RM, Zhou L, Sarantos MR, et al: Glucocorticoids suppress selected components of the senescence-associated secretory phenotype. Aging Cell 11:569–578, 2012.

116. Olshansky SJ, Carnes BA, Cassel C: In search of Methuselah: estimating the upper limits to human longevity. Science 250:634–640, 1990.

117. Fried LP, Xue QL, Cappola AR, et al: Nonlinear multisystem physiological dysregulation associated with frailty in older women: implications for etiology and treatment. J Gerontol A Biol Sci Med Sci 64:1049–1057, 2009.

118. Fontana L, Partridge L, Longo VD: Extending healthy life span—from yeast to humans. Science 328:321–326, 2010.

119. Mattison JA, Roth GS, Beasley TM, et al: Impact of caloric restriction on health and survival in rhesus monkeys from the NIA study. Nature 489:318–321, 2012.

120. Colman RJ, Beasley TM, Kemnitz JW, et al: Caloric restriction reduces age-related and all-cause mortality in rhesus monkeys. Nat Commun 5:3557, 2014.

121. Dirks AJ, Leeuwenburgh C: Caloric restriction in humans: potential pitfalls and health concerns. Mech Ageing Devel. 127:1–7, 2006.

122. Miller RA, Harrison DE, Astle CM, et al: Rapamycin-mediated life span increase in mice is dose and sex dependent and metabolically distinct from dietary restriction. Aging Cell 13:468–477, 2014.

123. Strong R, Miller RA, Astle CM, et al: Evaluation of resveratrol, green tea extract, curcumin, oxaloacetic acid, and medium-chain triglyceride oil on life span of genetically heterogeneous mice. J Gerontol A Biol Sci Med Sci 68:6–16, 2013.

124. Strong R, Miller RA, Astle CM, et al: Nordihydroguaiaretic acid and aspirin increase life span of genetically heterogeneous male mice. Aging Cell 7:641–650, 2008.

125. Kirkland JL, Tchkonia T: Clinical strategies and animal models for developing senolytic agents. Exp Gerontol 68:19–25, 2015.

126. Holdt LM, Sass K, Gabel G, et al: Expression of Chr9p21 genes CDKN2B (p15(INK4b)), CDKN2A (p16(INK4a), p14(ARF)) and MTAP in human atherosclerotic plaque. Atherosclerosis 214:264–270, 2011.

127. Westhoff JH, Hilgers KF, Steinbach MP, et al: Hypertension induces somatic cellular senescence in rats and humans by induction of cell cycle inhibitor p16INK4a. Hypertension 52:123–129, 2008.

128. Minamino T, Miyauchi H, Yoshida T, et al: Endothelial cell senescence in human atherosclerosis: role of telomere in endothelial dysfunction. Circulation 105:1541–1544, 2002.

129. Wang JC, Bennett M: Aging and atherosclerosis: mechanisms, functional consequences, and potential therapeutics for cellular senescence. Circ Res 111:245–259, 2012.

130. Le ON, Rodier F, Fontaine F, et al: Ionizing radiation-induced long-term expression of senescence markers in mice is independent of p53 and immune status. Aging Cell 9:398–409, 2010.

131. Roninson IB: Tumor cell senescence in cancer treatment. Cancer Res 63:2705–2715, 2003.

132. Marcoux S, Le ON, Langlois-Pelletier C, et al: Expression of the senescence marker p16INK4a in skin biopsies of acute lymphoblastic leukemia survivors: a pilot study. Radiat Oncol 8:252, 2013.

133. Kozlowski MR: RPE cell senescence: a key contributor to age-related macular degeneration. Med Hypotheses 78:505-510, 2012.

134. Liton PB, Challa P, Stinnett S, et al: Cellular senescence in the glaucomatous outflow pathway. Exp Gerontol 40:745-748, 2005.

135. Krull KR, Brinkman TM, Li C, et al: Neurocognitive outcomes decades after treatment for childhood acute lymphoblastic leukemia: a report from the St. Jude lifetime cohort study. J Clin Oncol 31:4407-4415, 2013.

136. Golde TE, Miller VM: Proteinopathy-induced neuronal senescence: a hypothesis for brain failure in Alzheimer's and other neurodegenerative diseases. Alzheimers Res Ther. 1:5, 2009.

137. Chinta SJ, Lieu CA, Demaria M, et al: Environmental stress, ageing and glial cell senescence: a novel mechanistic link to Parkinson's disease? J Intern Med 273:429-436, 2013.

138. Hudson MM, Ness KK, Gurney JG, et al: Clinical ascertainment of health outcomes among adults treated for childhood cancer. JAMA 309:2371-2381, 2013.

139. Freund A, Orjalo AV, Desprez PY, et al: Inflammatory networks during cellular senescence: causes and consequences. Trends Mol Med 16:238-246, 2010.

140. Price JS, Waters JG, Darrah C, et al: The role of chondrocyte senescence in osteoarthritis. Aging Cell 1:57-65, 2002.

141. Bajada S, Marshall MJ, Wright KT, et al: Decreased osteogenesis, increased cell senescence and elevated Dickkopf-1 secretion in human fracture non union stromal cells. Bone 45:726-735, 2009.

142. Aoshiba K, Nagai A: Senescence hypothesis for the pathogenetic mechanism of chronic obstructive pulmonary disease. Proc Am Thorac Soc 6:596-601, 2009.

143. Tsuji T, Aoshiba K, Nagai A: Cigarette smoke induces senescence in alveolar epithelial cells. Am J Respir Cell Mol Biol 31:643-649, 2004.

144. Tsuji T, Aoshiba K, Nagai A: Alveolar cell senescence exacerbates pulmonary inflammation in patients with chronic obstructive pulmonary disease. Respiration 80:59-70, 2009.

145. Minagawa S, Araya J, Numata T, et al: Accelerated epithelial cell senescence in IPF and the inhibitory role of SIRT6 in TGF-beta-induced senescence of human bronchial epithelial cells. Am J Physiol Lung Cell Mol Physiol 300:L391-L401, 2011.

146. Barnes PJ: New anti-inflammatory targets for chronic obstructive pulmonary disease. Nat Rev Drug Discov 12:543-559, 2013.

147. Tabibian JH, O'Hara SP, Splinter PL, et al: Cholangiocyte senescence by way of N-ras activation is a characteristic of primary sclerosing cholangitis. Hepatology 59:2263-2275, 2014.

148. Castro P, Giri D, Lamb D, et al: Cellular senescence in the pathogenesis of benign prostatic hyperplasia. Prostate 55:30-38, 2003.

149. Choi J, Shendrik I, Peacocke M, et al: Expression of senescence-associated beta-galactosidase in enlarged prostates from men with benign prostatic hyperplasia. Urology 56:160-166, 2000.

150. Kitada K, Nakano D, Ohsaki H, et al: Hyperglycemia causes cellular senescence via a SGLT2- and p21-dependent pathway in proximal tubules in the early stage of diabetic nephropathy. J Diabetes Complications 28:604-611, 2014.

151. Clements ME, Chaber CJ, Ledbetter SR, et al: Increased cellular senescence and vascular rarefaction exacerbate the progression of kidney fibrosis in aged mice following transient ischemic injury. PLoS ONE 8:e70464, 2013.

152. Vande Berg JS, Rose MA, Haywood-Reid PL, et al: Cultured pressure ulcer fibroblasts show replicative senescence with elevated production of plasmin, plasminogen activator inhibitor-1, and transforming growth factor-beta1. Wound Repair Regen 13:76-83, 2005.

153. Gray-Schopfer VC, Cheong SC, Chong H, et al: Cellular senescence in naevi and immortalisation in melanoma: a role for p16? Br J Cancer 95:496-505, 2006.

154. Campisi J, d'Adda di Fagagna F: Cellular senescence: when bad things happen to good cells. Nat Rev Mol Cell Biol 8:729-740,

2007.

155. Liu D, Hornsby PJ: Senescent human fibroblasts increase the early growth of xenograft tumors via matrix metalloproteinase secretion. Cancer Res 67:3117 – 3126, 2007.

156. Torres RA, Lewis W: Aging and HIV/AIDS: pathogenetic role of therapeutic side effects. Lab Invest 94:120 – 128, 2014.

157. Welford SM, Dorie MJ, Li X, et al: Renal oxygenation suppresses VHL loss-induced senescence that is caused by increased sensitivity to oxidative stress. Mol Cell Biol 30:4595 – 4603, 2010.

158. Benson EK, Lee SW, Aaronson SA: Role of progerin-induced telomere dysfunction in HGPS premature cellular senescence. J Cell Sci 123(Pt 15):2605 – 2612, 2010.

CHAPTER **10**

조기노화증후군: Hutchinson–Gilford Progeria 증후군–정상 노화에 대한 통찰

The Premature Aging Syndrome: Hutchinson-Gilford Progeria Syndrome-Insights Into Normal Aging

Leslie B. Gordon

Hutchinson–Gilford progeria 증후군(HGPS)은 우리에게 세포 및 유기체 수준에서 노화 과정에 대한 통찰력을 줄 수 있는 표현형이 아이들에게서 보이는, 매우 드물고 한결같이 치명적인 분절성 조로병(segmental premature aging disease)이다. 이 장에서는 유전학, 생물학, 임상표현형, 임상관리 및 치료와 관련하여 HGPS를 정상 노화와 비교할 것이다. 지구상에 가장 희귀한 질환 중 하나를 주의 깊게 바라봄으로써, 우리는 삶의 질과 장수에 영향을 주는 가장 흔한 상태—노화 및 심혈관질환(cardiovascular disease, CVD)에 대한 새롭고도 중요한 통찰력을 얻게 된다.

질환 설명

Hutchinson–Gilford progeria 증후군은, 대부분의 경우에서 산발적인 보통염색체우성으로 나타나는 이른바 조로병으로, 아이들은 평균 14.6세(범위, 1~26세)의 나이에 주로 심장마비로 사망한다.[1] 발생률은 8백만 생존출생(live births)[2] 중 1명으로 추산되며, 유병률은 1천 8백만명 중 1명이다.[3] 아이들은 정상적인 태아 및 출생 후 초기 성장을 경험한다. 수개월에서 1세 사이에, 성장 및 신체조성의 이상은 쉽게 드러난다(그림 10-1).[4] 두드러진 팔다리의 쇠약, 입 주위의 청색증, 그리고 두피, 목, 몸통 주위에 두드러진 정맥과 함께 전체적인 지방위축을 예고하는, 심각한 성장장애가 뒤따른다.[5] 아이들은 최종적인 키가 대략 1 m (3.3 ft), 체중이 약 14 kg (31 lb)에 도달한다. 뼈와 연골의 변화는 쇄골재흡수, 외반고(coxa valga), 말단지골의(distal phalangeal) 재흡수, 얼굴 불균형(작고 빈약한 코와 움푹 들어간 아래턱뼈) 및 저신장을 포함한다. 생치(dentition)는 심하게 늦어진다.[6] 치아 발생은 여러 달 동안 지연될 수 있으며, 유치(primary teeth)가 평생 동안 지속될 수 있다. 이차 치아는 존재하지만 치아가 나기도, 안 나기도 한다. 피부는 피부경화 부위 및 거의 완전한 탈모를 동반하며 얇아 보인다.[7] 피부 소견은 중증도에 있어 변동이 심하며, 변색된 부위, 반점색소침착(stippled pigmentation), 움직임을 제한할 수 있는 뻣뻣한 부위, 그리고 작고(1~2 cm) 부드럽고 불룩한 피부가 있는 등쪽몸통의 부위를 포함한다. 인대와 피부 조임(tightening)에 의한 관절구축은 동작의 범위를 제한한다. HGPS에서 지적 발달은 정상이다. 일과성허혈발작(transient ischemic attacks, TIAs)과 뇌졸중은 이미 4세 때부터 나타날 수 있지만 말년에는 더 자주 발생한다.[8] 사망은 주로 광범위한 동맥경화의 후유증이 원인이다. 한 포괄적인 후향적 연구에서, HGPS에서의 사망 원인은 심혈관계부전(80%), 머리손상 또는 외상(10%), 뇌졸중(4%), CVD에 중첩된 호흡기감염(4%), 그리고 수술 중 마취로부터의 합병증(2%)이었다.[1]

분자유전학 및 세포생물학

Lamin A

HGPS는 laminopathy로 알려진 유전병 family의 일원으로서, 원인돌연변이는 LMNA 유전자(1q21.2에 위치)를 따라 놓여 있다.[9] LMNA 유전자는 적어도 4개의 동형단백질—2개의 major (lamin A 및 lamin C) 및 2개의 minor (lamin AΔ10 및 lamin C2)를 암호화한다.[10,11] 이들은 구조, 기능, 발현 패턴 및 결합 파트너에서 나뉘어진다. lamin A 동형단백질만이 포유류의 질병과 연관이 있다. lamin 단백질은 내부 핵막 안에 위치한 구조인 핵층(nuclear lamina)의 주요 단백질이다.[12] lamin A는 모든 lamin 단백질처럼 N-말단 머리 도메인(N-terminal head domain), 나선 코일 α-나선형 막대 도메인(coiled coil α-helical rod domain), 그리고 카르복시 말단 꼬리 도메인(carboxy terminal tail domain)으로 구성되어 있다.[13] 꼬리 도메인은 세포질그물(endoplasmic reticulum)에서 번역후 처리(posttranslational processing) 이후 핵을 표적으로 하는 단백질에 필수적인 nuclear localization sequences를 포함한다. lamin 단량체들(monomer)은 먼저 이량체화되고, 이량체들(dimer)이 머리에서 꼬리로 연결되고 나서 최종적으로 측면으로 결합된다. lamin A의 일차 RNA 전사물은 스플라이스된 다음 lamin A 전구체인 prelamin A를 생산하기 위해 번역되는 12개의 엑손을 포함한다. 이 전구체는 farnesylation, 카르복시 말단에서 마지막 3개의 아미노산 잔기(residue)의 절단, 그리고 메틸 에스테르화(methyl esterification)을 통해 번역후 처리된다(그림 10-2). prelamin A는 이후 farnesyl group을 포함하는 C-말단 18개 아미노산의 단백질분해를 거쳐 성숙한 lamin A가 된다.[14-16] farnesyl anchor의 상실은 아마도 핵막으로부터 prelamin을 방출하여 핵막 바로 안쪽에 있는 다단백 핵 scaffold complex에 자유롭게 참여할 수 있게 하여 핵 구조 및 기능에 영향을 미친다.[15] 층(lamina)의 온전함은 유사분열, 핵 scaffold의 구조적 완전성을 창조하고 유지하는 것, DNA 복제, RNA 전사, 핵의 구조, 핵구멍 부속장치(nuclear pore assembly), 염색질 기능, 세포주기 및 세포자멸사를 포함한 많은 세포 기능에 매우 중요하다.

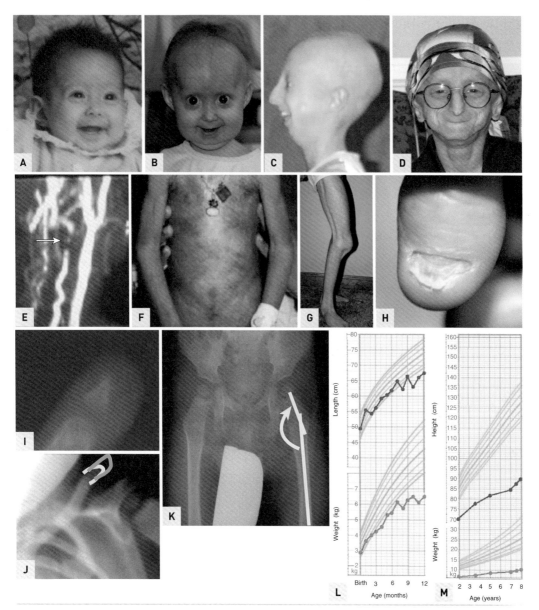

■ **그림 10-1. Hutchinson-Gilford Progeria 증후군의 신체적 특성.** 제시된 그림은 여러 연령대의 4명의 아이들이다: **A)** 3개월(여자 아이); **B)** 2.2세(여자 아이); **C)** 8.5세(남자 아이); **D)** 16세(소년). **E)** HGPS를 가진 4세 아이에서 조영제를 이용한 경동맥 자기공명영상스캔은 오른쪽 온목동맥(common carotid artery)의 개방성 및 왼쪽 온목동맥의 100% 폐색(화살표)을 보여준다. **F)** 7세 소년에서 변색 부위, 반점색소침착 부위, 움직임을 제한할 수 있는 뻣뻣한 부위, 그리고 작고(1~2cm) 부드럽고 불룩한 피부가 있는 등쪽몸통의 부위가 존재한다. **G)** 12세 소년에서의 무릎 관절 제한. **H)** 10세 소년에서의 손발톱 이상증(dystrophy) 및 말단지골의(distal phalangeal) tufting. 전형적인 X선 소견: 말단지골의 말단골용해(acro-osteolysis) **(I)**; 쇄골단축(clavicular shortening) **(J)**; 외반고(coxa valga) **(K)**. **L, M)** 정상적인 출생 체중과 신장을 나타내는 성장 특성, 그에 이은 성장부전. 출생부터 12개월(K 및 I)와 2-8세(L) 동안 10명의 여자 아이에 대한 연령에 따른 평균 신장(파란색) 및 체중(녹색). 표준편차는 각 데이터 점에 대해 6% 미만이다. 남자 아이에 대한 자료는 여자 아이의 자료와 유의하게 다르지 않다(P <.005; 데이터는 보여지지 않음). (사진 제공: Progeria Research Foundation, PRF), 데이터 제공: PRF Medical and Research Database; Centers for Disease Control and Prevention, National Center for Health Statistics으로부터 수정된 성장기록지: 임상 성장기록지. http://www.cdc.gov/growthcharts/clinical_charts.htm. 2016년 1월 6일 접속함)

LMNA 돌연변이는 Hutchinson-Gilford Progeria 증후군을 유발한다

HGPS는 거의 항상 산발적인 보통염색체우성질환이다. 생식세포 모자이크(germline mosaicism)의 두 케이스가 확인되었다(www.progeriaresearch.org에 Progeria Research Foundation 진단프로그램 참조). 전형적인 HGPS 환자는 뉴클레오티드 1824에서 하나의 C가 T로의 변이를 보이는데 이는 번역된 아미노산(Gly608Gly)은 변화시키지 않고 거의 사용되지 않는 내부 스플라이스 부위를 활성화시켜 엑손 11의 3' 부분에서 150개 염기쌍의 결실을 유발한다[18,19](그림 10-2 참조). 소수의 비전형적인 HGPS를 가진 환자는 LMNA의 인트론 11의 spliceosome recognition sequence 내에 progerin을 생산하는 병원성 단일 염기돌연변이를 가지고 있다.[20] 이들 케이스에서, 내부 스플라이스 부위를 최적화하는 대신, 돌연변이는 내부 사이트에 유리하도록 인트론 스플라이스 부위의 사용을 줄인다. 전형적 및 비전형적 HGPS에서 progerin이 생산된다. 이렇게 변화된 mRNA의 번역과 이어진 번역 후 처리는 progerin 또는 lamin AΔ50으로 불리는, C-말단 끝 근처에서 50-아미노산이 결실되어 짧아진 비정상적 단백질을 생산한다. 50-아미노산 결실은 progerin의 핵으로의 이동 혹은 이량체화하는 기능에 필요한 구성 요소를 삭제하지 않기 때문에 이러한 능력에는 영향을 주지 않는다.[15] 그러나 중요하게도 그것은 prelamin A의 말단 18개 아미노산의 단백질분해성 절단을 유도하는 인식 부위와 함께(그림 10-2 참조), 각 세포분열에서 핵막의 해리 및 재결합에 관여하는 인산화 부위(들)을 제거한다.[14,15]

lamin A는 태아 발달을 지배하는 미분화 세포들에서 기능을 유지하고 있으면서, 정상적으로 대부분 분화된 세포에 의해 발현되기 때문에(Gruenbaum 및 동료들이 검토한 바에 따르면),[21] HGPS에서 주로 출생 후에, 다중 시스템에 질병이 발현되는 것은 놀랍지 않다. lamin A 발현은 발달적으로 조절되며 섬유모세포, 혈관평활근세포, 혈관내피세포를 포함한 분화된 세포에서 주로 세포 및 조직 특이도를 나타낸다.[10,22,23] HGPS에서 교대 스플라이싱(alternate splicing)은 lamin A의 수치 감소를 초래한다. 하나의 염색체는 돌연변이되지 않고 lamin A를 정상적으로 전사하는 반면, 다른 하나가 돌연변이로 되면, 스플라이싱 기구(splicing machinery)는 시간의 일부분(40%에서 80%로 추정되는)동안 lamin A 대신 progerin을 전사한다.[24] 그러나 감소된 lamin A 수치는 세포 기능에 유의하게 영향을 미치는 것 같지는 않다. lamin A가 전혀 없는 생쥐 모델은 질병의 징후를 보이지 않는다.[25] 따라서 HGPS는 dominant negative disease이다; 그것은 lamin A의 감소가 아니라 질병 표현형을 일으키는 progerin의 작용이다.

질환의 기전생물학에 기초한 치료 경로

효과적인 치료 경로에 대한 전임상(preclinical) 근거는 progerin의 전사 및 번역 처리와, 정상 lamin A과 progerin의 차이점에 대해 우리가 현재 이해하는 것을 이용했다(그림 10-2 참조). 스플라이싱 결함은 시험관내(in vitro) 및 HGPS 생쥐 모델 모두에서 안티센스 올리고 요법(antisense oligotherapy)

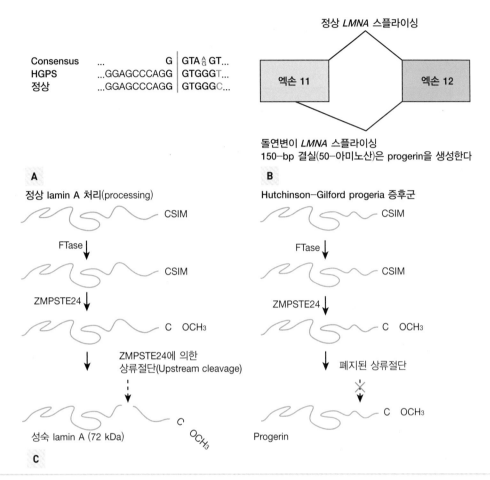

■ 그림 10-2. Hutchinson-Gilford progeria 증후군(HGPS)에서의 비정상적인 스플라이싱 및 정상 *LMNA*. A) 굵은 이탤릭체로 된 서열(sequence)은 잠재적인 스플라이스 공여 서열(donor sequence)을 나타낸다. 제시된 그림은 부분적인 DNA 서열 및 이상적인 consensus 스플라이스 공여 서열(7개 염기, 맨 윗줄)로, HGPS(가운데 줄)와 7개의 염기 중 6개를 공유하고 정상 *LMNA*(맨 아랫줄)와 7개의 염기 중 5개를 공유한다. 글라이신(glycine)에 대한 코드는 밑줄이 그어져 있다. 돌연변이 변이(C에서 T)는 빨간색으로 표시된다. 빨간 수직선은 HGPS 및 정상 세포(덜 빈번하게)에서 가변적으로 사용되는 스플라이스 지점을 나타낸다. B) lamin A로부터 50-아미노산 결실을 유발하는 돌연변이 스플라이싱(mutant splicing)에 의한 progerin의 생성을 나타낸 그림. C) LMNA 유전자의 번역은 prelamin A 단백질을 생성하는데 이는 핵층(lamina)에 결합하기 위한 번역후 처리(posttranslational processing)를 필요로 한다. prelamin A 단백질은 C 말단에 CSIM라는 아미노산을 가지고 있다. 이것은 CAAX motif를 포함하는데, 여기서 C는 시스테인이고, A는 지방족아미노산(aliphatic amino acid)이고, X는 이소프레닐화(isoprenylation)를 위한 신호를 보내는 모든 아미노산이다—이 경우, 효소인 farnesyltransferase (FTase)에 의해 시스테인에 farnesyl group이 추가된다. farnesylation 후에, 말단 3개 아미노산(SIM)은 ZMPSTE24 endoprotease에 의해 절단되며 말단의 farnesylate화 된 시스테인은 카르복시메틸화(carboxymethylation)를 거친다. 이어서, ZMPSTE24에 의한 두 번째 절단 단계는 farnesyl group을 포함하여 말단의 15개 아미노산을 제거한다. HGPS에서는 이 마지막 절단 단계가 차단된다. (*Capell BC로부터 수정: progerin의 farnesylation 억제는 Hutchinson-Gilford progeria 증후군의 특징적인 nuclear blebbing을 예방한다. Proc Natl Acad Sci USA 102: 12879- 12884, Copyright 2005, National Academy of Sciences, USA*)

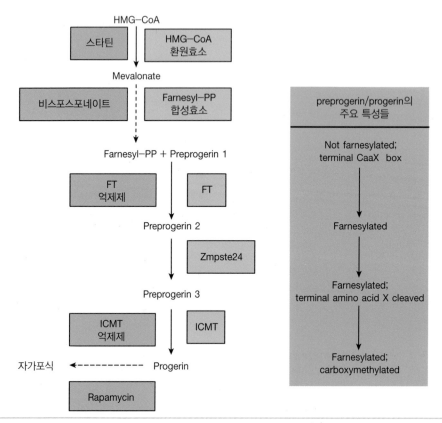

■ 그림 10-3. progerin 번역 후 처리 경로 및 치료를 위한 잠재적 목표 지점. 녹색으로 표시된 효소; 오렌지색으로 표시된 효소억제제. *실선 화살표*, 단일 단계; *점선 화살표*, 여러 단계; *FT*, farnesyltransferase; *ICMT*, S-isoprenylcysteine O-methyltransferase.

으로 개선될 수 있다.[26,27] 단백질 수준에서, HGPS에서의 질병에 대한 핵심적인 부분은 progerin의 지속적인 farnesylation인데, 그것은 내부 핵막에 영구적으로 삽입되어 세포가 노화됨에 따라 축적될 수 있고 점진적으로 세포에 더 많은 손상을 줄 수 있다. farnesyl group 제거의 실패가 적어도 부분적으로 HGPS에서 관찰되는 표현형에 책임이 있다는 가설은, nonfarnesylated progerin 산물을 생산하도록 설계되었거나 nonfarnesylated progerin 산물을 만들어내도록 farnesylation을 억제하는 약물을 투여했던 세포 및 생쥐 모델에 대한 연구들에 의해 강력하게 뒷받침되어 왔다. 시험 약물에는 farnesyltransferase 억제제, 스타틴, 질소 함유 비스포스포네이트가 포함되었으며, 이들 모두는 조로증(progeria)에서 생산된 비정상적인 lamin A 단백질의 farnesylation을 유도하는 경로를 따라 다른 지점들에서 작용한다(그림 10-3).[9] 새롭게 합성된 preprogerin 분자에 farnesyl group의 초기 부착을 방지함으로써, progerin은 내부 핵막에서 비정상적인 기능을 수행할 수 없을 것으로 생각된다. 많은 시험관내 및 생쥐 모델 연구에서, HGPS의 표현형의 일부 혹은 전부가 정상으로 뒤바뀌었다.[28-30]

farnesyltransferase 억제제인 lonafarnib을 투여한 인간 대상 시험은 심혈관계 병리를 포함하여 질병의 일부 측면을 개선하는 데 성공했다. 환자의 소집단(subgroup)에서는 체중 증가율의 증가, 경동맥-대퇴 맥박파전파속도(PWVcf) 및 경동맥 echodensity 감소를 통해 측정된 혈관 경직(vascular stiffness)의 감소, 요골의 구조적 경축(rigidity) 감소 및/혹은 감각신경 청력의 개선을 경험했다.[31] 동맥 경직은 정상적으로 연령이 증가함에 따라 증가하며, HGPS 코호트가 처음에는 60~69세 연령 범위에 해당하는 PWVcf를 나타냈다고 하더라도 치료 중간 종료 시의 PWVcf 값은 전형적인 40~49세의 범위에 있었다. 당뇨병을 가지고 있는 non-HGPS 환자를 대상으로 한 연구를 바탕으로 볼 때, 1 m/sec만큼 작은 대동맥 PWVcf 증가분이 사망률 감소에 유의한 독립적인 효과를 가지는 것으로 나타나,[32] 본 연구에서 발견된 중앙값 4.5m/sec의 감소는 HGPS를 가지고 있는 아이들에서 심혈관계 사망률에 대한 이득이 될 가능성을 의미한다. 또한 치료 전에 연구 참여자의 50% 이상은 두통의 병력이 있었고, 4명은 TIA 혹은 뇌졸중의 병력이 있었으며 4명은 이전에 발작 병력이 있었다. 치료를 받는 동안 뇌졸중 빈도가 감소했으며 두통의 유병률과 빈도가 감소했다.[33] 이 자료는 질병 변경 치료(disease-modifying therapy)가 또한 기저의 CVD 및 뇌혈관질환의 진행을 변화시킬 수 있음을 시사한다. 마지막으로, 연구기간 5년 후 예상 수명이 호전되었다.[1] 피부 및 치아 문제, 관절구축, 인슐린저항, 지방이상증(lipodystrophy) 및 골밀도는 약물 치료에 영향을 받지 않았다. 다른 성공적인 전임상 치료 전략으로는 isoprenylcysteine 카르복실 메틸전이효소(carboxyl methyltransferase) 활성을 감소시킴으로써 progerin 메틸화를 감소시키는 것,[34] mammalian target of rapamycin (mTOR) 억제제 rapamycin을 이용한 progerin 자가포식 세포 청소(autophagic cellular clearance)의 촉진,[35-37] resveratrol에 의한 단백질 deacetylase인 SIRT1의 항산화물질 sulforaphane[38] 활성화[39], 그리고 재형성(remodeling)을 통한 아세틸전환효소(acetyltransferase) 단백질 NAT10의 억제가 포함된다(그림 10-3 참조).[40]

노화와 Hutchinson-Gilford Progeria 증후군

HGPS는, 전부는 아니더라도 일부 표현형을 정상적인 노화와 공유하기 때문에 분절성 조기노화증후군(segmental premature aging syndrome)으로 표현된다. 암, 알츠하이머병 및 여러 가지 다른 노화의 후유증은 HGPS에서 나타나지 않는다. 둘 다에서 공통으로 나타나지만 HGPS에서 가속화되는 임상적 특징에는, 진행되는 CVD, 피하지방의 소실(lipoatrophy) 및 탈모가 포함된다. progeroid 및 nonprogeroid 표현형을 갖는 여러 laminopathy가 있지만, HGPS는 노화(aging, senescence) 및 동맥경화와의 공통점에 대해 가장 잘 연구되어 왔다.[9]

HGPS와 노화는 산화스트레스에 대한 내성 감소, DNA 손상 증가, 손상을 복구하는 능력 감소,

비정상적인 핵 모양(blebbing; 그림 10-4),[12] 기계적 변형과 텔로미어 기능,[41,42] 그리고 노화와 나이에 따라 변하는 다수의 신호전달경로에 반응하는 회복력의 감소를 포함하여, 세포 수준에서 노화에 핵심적인 여러 가지의 세포 요소를 공유한다. 여기에는 mTOR, peroxisome proliferator—activated receptor (PPAR), 미토콘드리아 기능이상,[43] 그리고 Notch 경로가 포함되는데, 이는 줄기세포(중간엽줄기세포를 포함)의 유지, 분화 경로 및 세포 사멸에 중요하다.[44] 아마도 노화 과정에 대한 가장 흥미진진한 실마리는 HGPS와 정상 세포가 노화됨에 따라 농도가 증가하는 progerin 단백질의 존재이다.[45,46]

정상적인 섬유모세포는 노화되지만 HGPS 섬유모세포가 대개 15계대(passage) 이내에서 더 빠르게 노화된다.[47] 초과산화물 라디칼(superoxide radical)과 과산화수소 형태의 산화스트레스는 노화 및 세포자멸사를 유도하는 것으로 밝혀졌으며 죽상경화[48]와 정상 노화[49,50]의 원인과 연관되어 있다. 초과산화물불균등화효소(superoxide dismutase), 과산화수소분해효소(catalase) 및 글루타티온과산화효소(glutathione peroxidase)와 같은 항산화제는 초과산화물 라디칼과 과산화수소를 제거하는 데 도움을 준다. Yan과 동료들은[51] 정상 대조 배양과 비교할 때 HGPS 섬유모세포 배양에서 글루타티온과산화효소, 마그네슘 초과산화물불균등화효소 및 과산화수소분해효소 수치가 유의하게 감소하였음을 입증하였다. 정상적인 세포 노화는 또한 DNA 손상률의 증가 및 이러한 손상을 복구하는 능력의 감소가 특징적이다.[52] 조로증 세포는 이중가닥 DNA (dsDNA) 파손 및 손상된 DNA 복구를 축적한다.[53-55] 비정상적인 핵형(blebbing 혹은 lobulation이라 불리는)은 세포자멸사와 노화의 선행 사건으로서 세포자멸사를 겪는 정상적인 섬유모세포에서 발생한다[12](그림 10-4 참조). HGPS 세포에서 일관된 표현형은 핵의 동일한 비정상적인 모양으로, antilamin 항체로 염색한 후 쉽게 관찰된다.[12,56] blebbing은 정상 및 HGPS 세포 배양에서 세포 저하의 구조적인 징후이다. 노화된 세포와 HGPS와 관련된 또 하나의 구조적인 약화 소견은 mechanotransduction(가해진 힘)에 대한 반응이다.[57,58] 초기 계대 야생형(wild—type) 섬유모세포 핵에 압력이 가해질 때 그것들은 여전히 뻣뻣하다.[59] 조로증 섬유모세포가 초기 계대(progerin 수치와 핵 blebbing이 최소 한도일 때)동안 정상적인 강도를 보일지라도, 후기 계대 핵은 급격히 야생형 섬유모세포를 능가하는 증가된 강도를 보인다. 또한, 야생형 세포가 기계적늘림(mechanical stretch)에 반응하여 S 및 G2기로 진입하는 반면, HGPS 세포는 늘림에 반응하여 증식하지 않는다. Microarray 연구는 초기 계대 정상 세포와 비교하여, 노화하는 세포와 HGPS 섬유모세포에서 세포 신호전달 사이에 중요한 중첩되는 영역(overlap)을 밝혔다.[43]

조로증 세포가 이전에 노화의 메커니즘에 연관되지 않았던 lamin A의 돌연변이에 의해 유발된다는 발견은, 완전히 새로운 질문—lamin A의 결함이 정상 노화와 연관이 있는가?로 이어졌다. 첫 번째 긍정적인 근거는 Scaffidi와 Misteli에 의해 2006년에 보고되었는데, 이들은 정상적인 사람들의 세포핵이 히스톤 변형의 변화 및 DNA 손상의 증가를 포함하여 조로증 환자와 유사한 결함을 가지

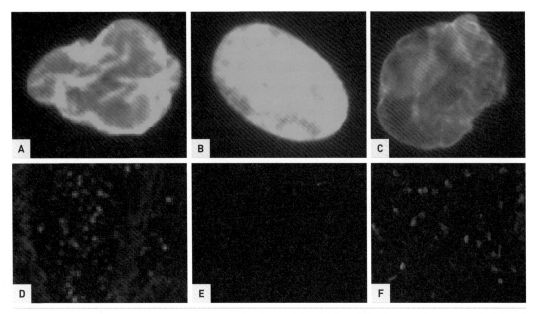

■ **그림 10-4. Hutchinson-Gilford progeria 증후군(HGPS)과 노화에서 핵 blebbing 및 progerin의 존재.** 섬유모세포 핵은 **A)** 계대 4, HGPS; **B)** 계대 10, 정상; **C)** 계대 40, 정상에 대해 antilamin 항체로 염색되었다. 여기 X40으로 보여지는 피부생검은 **D)** HGPS, 기증자 나이 10세; **E)** 정상 신생아; **F)** 정상, 기증자 나이 90세에 대해 antiprogerin 항체로 염색되었다.

고 있다는 것을 보여 주었다.[60] 젊은 세포는 이러한 결함이 상당히 적다. 그들은 더 나아가 연령과 관련된 효과는, 조로증에서 훨씬 더 높은 수치에서 기능하는 동일한 암호 스플라이스 부위(cryptic splice site)의 활성화에 의해 생성된 preprogerin mRNA가 낮은 수치로 생산된 결과이며 이 스플라이스 부위에서 전사의 억제에 의해 그것이 역전된다는 것을 증명했다. 동일한 현상을 연구한 Cao와 동료들은[61] 섬유모세포 배양에서 간기(interphase) 세포 중 일부 세포에만 progerin이 포함되어 있음을 보여 주었다. progerin 양성 세포의 비율은 계대 수와 함께 증가되었는데, 이는 정상적인 노화와의 관계를 시사한다. 특히 McClintock과 동료들은 나이 든 기증자의 피부생검에서 progerin을 발견했던 반면, 젊은 기증자에서는 progerin이 검출되지 않았다. 이것은 정상적인 노화에 따른 progerin의 축적을 인간 생체내(in vivo)에서 처음으로 입증한 것이었다(그림 10-4 참조).[46] HGPS와 lamin A 간의 새롭게 발견된 관계는 일반 인구에서 lamin이 심장 질환과 노화에서 어떤 역할을 하는지에 대한 과학적 탐구의 문을 열었다.

HGPS 혹은 동맥경화와 정상 노화에 대한 치료를 고려할 때 중요한 요소는 progerin의 dosage effect이다. HGPS에서, 돌연변이되지 않은 LMNA 유전자는 정상적으로 생산한 전체 길이의 lamin A를 스플라이스하고, 매우 드물게 progerin을 생산하는 암호 스플라이스 부위를 사용한다. 다른 (돌연변이 된) LMNA 유전자는 상당량의 progerin과 미량의 lamin A를 생산한다. 다른 개체들마다

progerin을 더 많이 혹은 덜 생산할 수 있으며, 한 개체 내에서 다른 세포 유형이 정상 lamin A 대비 progerin을 다양한 양으로 생성할 수 있다. 배양에서 정상적인 섬유모세포의 경우 암호 스플라이스 부위는 HGPS 섬유모세포에 비교하여 약 50배 정도 적게 이용된다. 그러나 progerin 단백질은 피부생검에서 나이가 들수록(그림 10-4 참조), 그리고 계대 수의 증가와 함께 시험관내 축적되기 때문에[12] 일반인의 건강에 대한 progerin의 영향은 아마도 노화가 일어날 때 역시 증가될 것이다. dosage effect 가설에 대한 임상적 근거는 progeroid laminopathy를 가진 45세 남자의 연구에서 발견되었는데, 그들의 T623S에서의 돌연변이는 LMNA에서 암호 스플라이스 부위의 이상을 만들어냈지만 스플라이스 부위는 전형적인 HGPS에서보다 80% 덜 자주 사용되었다.[62] 그의 표현형은 HGPS의 표현형처럼 보였지만 그 정도는 더 경했다. 따라서 우리는 상대적으로 적은 비율로 progerin의 수치를 감소시키는 것이 질병을 상당히 개선할 것이라고 추정할 수 있다. 게다가 죽상경화에 대한 유전적 소인의 한 요소가 개인이 일생 동안 축적하는 progerin의 양에 있을 가능성이 꽤 높다.

Hutchinson-Gilford Progeria 증후군과 노화의 동맥경화 간의 공통점

고혈압, 협심증, 심장비대 및 울혈심부전은 HGPS에서 흔한 말기 사건이다.[63-66] 근본적인 병리는 주로 조기에 가속화된 혈관 경직을 특징으로 하는 혈관 질환이다. 이는 죽상경화판 형성으로 인한 소/대혈관 폐쇄병, 그리고 말년에는 판막 및 심장부전으로 이어진다.[5,67] 전형적인 심장 징후는 증가된 후부하(afterload), 협심증, 그리고 운동 시 호흡곤란과 같은 후기 소견을 포함한다. 고혈압은 혈관 질환의 더 늦은 징후로 여겨진다. Gerhard-Herman과 동료들은 HGPS를 가진 3세 정도로 어린 나이인 26명의 소아 집단 100%에서 현저히 상승된 PWVcf 및 경동맥 벽의 변화와 함께, 혈관 기능 이상의 증거를 발견했다.[67] 사망은 일반적으로 6세에서 20세 사이에 심근경색증이나 뇌졸중에 의해 발생하며 평균 수명은 14.6세이다.[1]

HGPS는, 노화에서 CVD의 다인자적 원인에 영향을 주는 흡연, 운동 및 식이요법과 같은 요인에 의해 얽매이지 않는, 단일 독성 단백질의 존재로 인한 죽상경화의 독특한 사례이다. 일반 인구에서의 CVD와는 달리, 죽상경화의 만성적 지질에 의해 유발되는 염증에서 모든 인자, 콜레스테롤, 저밀도지질단백질(LDL), 그리고 고감도C-반응단백질(high-sensitivity C-reactive protein) 수치와 마찬가지로, 경동맥의 내막-중막 두께는 정상이다.[8] 대신에, HGPS 혈관 표현형은 동맥경화와 유사한데, 이는 중간 및 대혈관에서 혈관의 경화(탄성이 감소되는)를 특징으로 하며 수백만 명의 노화 인구에게 영향을 미친다. HGPS에서 고밀도지질단백질(HDL)과 아디포넥틴(adiponectin, 지방조직의 분비물) 수치는 연령이 증가함에 따라 감소하고,[68] 인슐린저항이 흔하다.[67] 고밀도지질단백질 및 아디포넥틴 수치의 감소는 2형 당뇨병과 관련된 다른 지방이상 증후군과 지방이상증에 영향을 준다.[69] 아디포넥틴은 2형 당뇨병에서 내피 기능을 직접적으로 조절할 수 있는 독립적인 CVD 위험 요인으로 부상하고 있으며 또한 고밀도지질단백질 수치와 관련이 있다.

현재까지 HGPS 소아에 대한 20개가 안되는 부검 결과, 모든 관상동맥 분지를 포함하여 크고 작은 동맥 전체에 국소 플라크가 나타났다.[65,66,70-74] 플라크는 현저하게 석회화되어 있고 콜레스테롤 결정 및 거의 무세포성 유리질 섬유화가 함유되어 있다. HGPS의 임상적 특징을 가진 22세 여성의 부검에서 혈관 단면은 혈관계통 염증의 조짐을 나타내지 않았다.[75] 혈관 중막은 더 이상 평활근세포를 포함하지 않았으며, 엄청난 외막 비후와 고갈된 중막과 더불어, 탄력구조는 파괴되어 세포외기질(extracellular matrix) 혹은 섬유화로 대체되었다. 아마도 크고 작은 혈관계에서 평활근세포의 초기 소실은, 기질로 이차적으로 대체되면서 혈관재형성을 일으키게 된다.

노화의 동맥경화에서, 세포자멸사는 석회화가 발생되기 전에 혈관평활근세포에서 발생하며[76] 석회화가 발생하기 위해 필요할 수도 있다. 혈관 석회화는 플라크 형성에 필수적인 사건이기 때문에,[77] 세포자멸사는 HGPS 및 동맥경화에서 질병의 발병에 중요한 요소가 될 수 있다.[47,57,78]

부검 연구에 따르면 HGPS는 정상적인 대조군에 비해 콜라겐과 엘라스틴 분비 증가, 파괴된 피부 콜라겐, decorin 감소와 aggrecan 및 ankyrin G 증가와 더불어, 세포외기질 이상을 포함하는 질환이다.[79-84] 세포외기질 분자는 피부, 뼈 및 심혈관계에서 구조적 및 세포신호전달 기능을 가지고 있는데,[85-91] 이들 모두 HGPS에서 심하게 영향을 받는다. 병리학 및 임상 연구에서, 중배엽 유래 조직과 그 세포외기질은 주요 결함의 표적이다. HGPS 섬유모세포에 대한 유전자 발현 연구는 이러한 소견들과 일치한다.[92,93] HGPS의 몇몇 경우에서 관찰된 동맥류는,[71,74,94] 중막의 괴사로부터 유래되는데 이는 동시에 발생하는 평활근세포의 사멸과 함께 결합조직 문제를 반영할 수 있다.

요약하면, HGPS의 연구는 일반적인 혈관생물학 및 건강에 있어 필수적인 역할을 할 수 있는, 완전히 새로운 분자 progerin을 알려준다. 조로증 혈관계통은 중막에서 전반적인 경직, 굴곡(tortuosity) 및 평활근세포의 손실에 이어지는 세포외 치환을 특징으로 한다. 생화학적 이상은 점진적으로 감소하는 고밀도지질단백질 및 아디포넥틴 수치를 포함한다. 평활근세포의 탈락은 조로증에 독특한 반면, 정상적인 고령 인구의 동맥경화와 2형 당뇨병에서는 전반적인 경직 및 굴곡, 고밀도지질단백질과 아디포넥틴 수치의 감소가 관찰된다. progerin은 고령화에 따라 잠재적으로 CVD에 대한 인과관계와 함께, 플라크 뿐만 아니라,[22] 모든 혈관층에서 관찰되고, 유사하게 non-HGPS 혈관계통에서 낮은 수치로 존재한다.[45,46]

임상 처치

진단 및 유전 상담

HGPS에 대한 초기 징후는, 정상적인 발달 단계와 더불어, 성장장애, 피부징후들, 경직된 관절, 지연된 생치, 점진적인 탈모, 지방의 피하 소실을 포함한다. 진단시 평균 연령은 2세이다(www.

genetests.org 참조). Progeria Research Foundation (www.progeriaresearch.org)은 조로증에 대한 원인, 치료 및 완치법을 발견하는 데 오로지 전념하는 전세계적으로 유일한 환자 지지 단체이다. 그것은 조로증을 가진 가족들과 아이들에게 환자 교육 및 다른 조로증 가족들과의 의사 소통과 같은 서비스를 제공한다. 이는 HGPS에서 임상 치료 권고안[95] 및 http://www.progeriaresearch.org/patient_care.html을 통해 이들 가족의 의사들과 의료진들을 위한 자료, 진단 프로그램, 임상 및 연구 데이터베이스, 그리고 기초과학 및 임상 연구를 위한 기금 자원을 제공한다.

심장 및 신경혈관 치료: 수분 공급 및 저용량 아스피린

HGPS를 가진 아이들은 나이를 불문하고 심장발작과 뇌졸중의 위험이 높다. 다음의 검사—심장 청진과 신체검사, 혈압, 심전도, 경동맥 이중 초음파, 맥박파전파속도 및 심초음파 검사와 함께 심장전문의의 방문은 매년, 그리고 주치의가 권한다면 더 자주 고려되어야 한다. 어린이가 한 번 고혈압, TIA, 뇌졸중, 발작, 협심증, 운동시 호흡곤란, 심전도 변화, 심초음파 변화 및/혹은 심장 마비와 같은 혈관 쇠퇴 증상이나 징후를 보이기 시작하면 높은 수준의 중재(intervention)가 필요하다. 일반적으로 비슷한 의학적 문제를 가진 성인에게 투여되는 항고혈압제, 항응고제, 항경련제 및 다른 약물들이 HGPS를 가진 소아에게 투여되었다.

HGPS를 가진 어린이들의 최대 50%가 무증상 뇌졸중(silent strokes)을 경험할 정도로, 신경혈관 이환율은 높다.[8] 따라서 뇌졸중은 HGPS를 가진 어린이에서 여전히 잦은 우려와 이환의 원인으로 남아 있다. TIA나 뇌졸중에 대한 우려를 일으키는 뇌졸중 혹은 급성 신경학적 증상이 나타나면 혈압에 대한 관리—특히 적절한 혈압과 뇌관류의 유지가 필수적이다. 보다 심한 뇌졸중의 경우, 어린이의 상태가 안정화될 때까지 집중치료실에서의 모니터링이 종종 필요하다. 그때 약리학적 치료가 흔히 고려된다.

항혈소판 제제(예: 아스피린)는 덩이(clot) 형성을 예방하고 이상적으로는 향후 뇌졸중이 일어나는 것을 예방하기 위해 자주 투여된다. 성인 연구 결과에 근거하여 하루에 체중당 2~3 mg/kg이 권장된다. 이 투여량은 혈소판 응집을 억제하지만 prostacyclin 활성은 억제하지 않을 것이다.

급성 신경학적 증상은 종종 과호흡, 혈압 강하 또는 탈수를 포함한 활동 때문에 생긴다. 이러한 이유로 어린이들은 항상, 특히 여행 중에 수분 보충을 잘하는 것이 중요하다.

삽관

아래턱후퇴(retrognathia)와 더불어 작은 입, 경부 척추에 약간의 융기 또는 확대, 상대적으로 큰 후두개, 그리고 작은 성대 입구 때문에 조로증이 있는 어린이에게서 삽관은 어렵다. 코굴곡삽관(nasal fiberoptic intubation)은 흔치 않은 성문의 기울기로 인해 어려울 수 있다. 따라서 직접적인 시각화를 통한 삽관이 권장된다. 비구강(nonoral) 시술에 대해서는, 삽관을 대체하는 마스크환기 또는 후두

마스크기도(laryngeal mask airway)가 권장된다.

물리치료 및 작업치료

조로증이 있는 어린이는 그들의 일생을 통해 운동의 최대 범위와 최적의 일상 기능을 보장하기 위해 가능한 한 자주(최선으로는 매주 2~3회) 물리치료(PT) 및 작업치료(OT)를 필요로 한다. 각 요법은 아동의 개인적 필요 및 아이의 담당 의사와 상담하여 심장 상태에 따라 맞춰져야 한다. PT와 OT의 역할은 운동의 범위, 힘, 그리고 기능적 상태를 유지하는 것이다. 예방적인 PT와 OT가 중요한데, 조로증을 가진 모든 어린이들은 점진적으로 동작의 범위에 제한이 생기기 때문이다(그림 10-1 참조). 뼈의 이상은 2세까지 X선에서 거의 언제나 분명하게 나타난다.[4,96] 힘줄이상으로 인해 주로 무릎, 발목, 손가락에서 꾸준히 진행되는 관절구축과, 주로 진행성의 외반고에 의한 고관절 이상, 그리고 쇄골재흡수에 의한 어깨 제한 때문에 운동 범위가 한정될 수 있다. 조이는 피부 역시 운동 범위를 제한할 수 있다. 피부 조임은 일부 어린이에게 거의 없을 수 있으며, 다른 어린이에서는 심할 수도 있고 흉벽 움직임과 위용적(gastric capacity)을 제한할 수도 있다.

감사의 글

나는 조로증 연구에 참여하는 것과 관련해 조로증이 있는 아이들과 그들의 가족들에게 감사를 표하고 싶다.

요점

- Hutchinson-Gilford progeria 증후군(HGPS)은 어린이가 1세에서 26세 사이의 심장마비 혹은 뇌졸중으로 주로 사망하는, 드문 분절성 조기노화증후군이다.
- HGPS의 근본적인 병리는 주로 혈관질환의 병리이다. 그것은 노화의 동맥경화와 유사한데, 고혈압, 혈관 경직, 비정상적인 세포외기질을 가진 혈관벽 재형성, 정상 콜레스테롤 수치 하에서 플라크의 형성, 심장판막 석회화, 긴장성 심장비대를 동반하여 결국 심장부전으로 이어진다.
- HGPS는 분절성 조기노화증후군으로서 정상적인 노화와 특징을 공유하지만 전부는 아니다. 예를 들면, 암이나 알츠하이머병의 위험은 증가하지 않는다.
- HGPS는 LMNA의 단일 염기 돌연변이에서 기인한 보통염색체우성질환이며, 내부 스플라이스 부위를 최적화하는 잠재성 돌연변이(silent mutation)를 일으킨다.
- lamin A는 주로 분화된 세포 유형에서 세포 구조 및 기능에 중요한 내부 핵막 단백질이다.
- progerin이라고 불리는, HGPS에서 생산된 비정상적인 lamin A 단백질은 HGPS에서만 생성되는 것이 아니라 일반 인구에서도 보다 적은 양으로 생성된다.
- progerin은 non-HGPS 사람들에서 연령이 증가함에 따라 축적되며 일반 인구에서 세포 노화 및 혈관 질환과 관련이 있을 가능성이 있다.
- farnesyltransferase 억제제를 사용하는 HGPS의 임상 시험은 혈관 확장성이 향상되고 예상 수명이 소폭 증가됨을 입증했다.

참고문헌의 총 목록을 보려면 www.expertconsult.com 을 방문해주세요.

중요 참고문헌

1. Gordon LB, et al: Impact of farnesylation inhibitors on survival in Hutchinson-Gilford progeria syndrome. Circulation 130:27–34, 2014.
3. Gordon LB: PRF by the numbers. http://www.progeriaresearch.org/prf-by-the-numbers.html. Accessed September 25, 2013.
5. Merideth MA, et al: Phenotype and course of Hutchinson-Gilford progeria syndrome. N Engl J Med 358:592–604, 2008.
9. Capell BC, Collins FS: Human laminopathies: nuclei gone genetically awry. Nat Rev Genet 7:940–952, 2006.
12. Goldman RD, et al: Accumulation of mutant lamin A causes progressive changes in nuclear architecture in Hutchinson-Gilford progeria syndrome. Proc Natl Acad Sci U S A 101:8963–8968, 2004.
13. Shumaker D, Kuczmarski E, Goldman R: The nucleoskeleton: lamins and actin are major players in essential nuclear functions. Curr Opin Cell Biol 15:358–366, 2003.
15. Sinensky M, et al: The processing pathway of prelamin A. J Cell Sci 107:61–67, 1994.
19. De Sandre-Giovannoli A, et al: Lamin A truncation in Hutchinson-Gilford progeria. Science 300:2055, 2003.

20.   Gordon LB, Brown WT, Collins FS: Hutchinson-Gilford progeria syndrome. http://www.ncbi.nlm.nih.gov/books/NBK1121. Accessed January 6, 2016.

26.   Osorio FG, et al: Splicing-directed therapy in a new mouse model of human accelerated aging. Sci Transl Med 3:106-107, 2011.

31.   Gordon LB, et al: Clinical trial of a farnesyltransferase inhibitor in children with Hutchinson-Gilford progeria syndrome. Proc Natl Acad Sci U S A 109:16666-16671, 2012.

41.   Cao K, et al: Progerin and telomere dysfunction collaborate to trigger cellular senescence in normal human fibroblasts. J Clin Invest 121:2833-2844, 2011.

45.   Olive M, et al: Cardiovascular pathology in Hutchinson-Gilford progeria: correlation with the vascular pathology of aging. Arterioscler Thromb Vasc Biol 30:2301-2309, 2010.

46.   McClintock D, et al: The mutant form of lamin A that causes Hutchinson-Gilford progeria is a biomarker of cellular aging in human skin. PLoS ONE 2:e1269, 2007.

52.   Campisi J, d'Adda di Fagagna F: Cellular senescence: when bad things happen to good cells. Nat Rev Mol Cell Biol 8:729-740, 2007.

60.   Scaffidi P, Misteli T: Lamin A-dependent nuclear defects in human aging. Science 312:1059-1063, 2006.

67.   Gerhard-Herman M, et al: Mechanisms of premature vascular aging in children with Hutchinson-Gilford progeria syndrome. Hypertension 59:92-97, 2012.

73.   Stehbens WE, et al: Smooth muscle cell depletion and collagen types in progeric arteries. Cardiovasc Pathol 10:133-136, 2001.

95.   Progeria Research Foundation: The progeria handbook: a guide for families and caregivers of children. http://www.progeriaresearch.org/assets/files/PRFhandbook_0410.pdf. Accessed January 6, 2016.

참고문헌

1.   Gordon LB, et al: Impact of farnesylation inhibitors on survival in Hutchinson-Gilford progeria syndrome. Circulation 130:27-34, 2014.

2.   Hennekam RC: Hutchinson-Gilford progeria syndrome: review of the phenotype. Am J Med Genet A 140:22603-22624, 2006.

3.   Gordon LB: PRF by the numbers. http://www.progeriaresearch.org/prf-by-the-numbers.html. Accessed September 25, 2013.

4.   Gordon LB, et al: Disease progression in Hutchinson-Gilford progeria syndrome: impact on growth and development. Pediatrics 120:824-833, 2007.

5.   Merideth MA, et al: Phenotype and course of Hutchinson-Gilford progeria syndrome. N Engl J Med 358:592-604, 2008.

6.   Domingo DL, et al: Hutchinson-Gilford progeria syndrome: oral and craniofacial phenotypes. Oral Dis 15:187-195, 2009.

7.   Rork JF, et al: Initial cutaneous manifestations of Hutchinson-Gilford progeria syndrome. Pediatr Dermatol 31:196-202, 2014.

8.   Silvera VM, et al: Imaging characteristics of cerebrovascular arteriopathy and stroke in Hutchinson-Gilford progeria syndrome. Am J Neuroradiol 34:1091-1097, 2013.

9.   Capell BC, Collins FS: Human laminopathies: nuclei gone genetically awry. Nat Rev Genet 7:940-952, 2006.

10.   Machiels BM, et al: An alternative splicing product of the lamin A/C gene lacks exon 10. J Biol Chem 271:19249-19253, 1996.

11.   Furukawa K, Inagaki H, Hotta Y: Identification and cloning of an mRNA coding for a germ cell-specific A-type lamin in mice. Exp Cell Res 212:426-430, 1994.

12.   Goldman RD, et al: Accumulation of mutant lamin A causes progressive changes in nuclear architecture in Hutchinson-Gilford progeria syndrome. Proc Natl Acad Sci U S A 101:8963-8968, 2004.

13.   Shumaker D, Kuczmarski E, Goldman R: The nucleoskeleton: lamins and actin are major players in essential nuclear functions. Curr Opin Cell Biol 15:358-366, 2003.

14. Kilic F, et al: In vitro assay and characterization of the farnesylation-dependent prelamin A endoprotease. J Biol Chem 272:5298–5304, 1997.

15. Sinensky M, et al: The processing pathway of prelamin A. J Cell Sci 107:61–67, 1994.

16. Weber K, Plessmann U, Traub P: Maturation of nuclear lamin A involves a specific carboxy-terminal trimming, which removes the polyisoprenylation site from the precursor; implications for the structure of the nuclear lamina. FEBS Lett 257:411–414, 1989.

17. Wuyts W, et al: Somatic and gonadal mosaicism in Hutchinson-Gilford progeria. Am J Med Genet A 135:66–68, 2005.

18. Eriksson M, et al: Recurrent de novo point mutations in lamin A cause Hutchinson-Gilford progeria syndrome. Nature 423:693293–693297, 2003.

19. De Sandre-Giovannoli A, et al: Lamin A truncation in Hutchinson-Gilford progeria. Science 300:2055, 2003.

20. Gordon LB, Brown WT, Collins FS: Hutchinson-Gilford progeria syndrome. http://www.ncbi.nlm.nih.gov/books/NBK1121. Accessed January 6, 2016.

21. Gruenbaum Y, et al: The nuclear lamina and its functions in the nucleus. Int Rev Cytol 226:1–62, 2003.

22. McClintock D, Gordon LB, Djabali K: Hutchinson-Gilford progeria mutant lamin A primarily targets human vascular cells as detected by an anti-Lamin A G608G antibody. Proc Natl Acad Sci U S A 103:2154–2159, 2006.

23. Tilli CM, et al: Lamin expression in normal human skin, actinic keratosis, squamous cell carcinoma and basal cell carcinoma. Br J Dermatol 148:102–109, 2003.

24. Reddel CJ, Weiss AS: Lamin A expression levels are unperturbed at the normal and mutant alleles but display partial splice site selection in Hutchinson-Gilford progeria syndrome. J Med Genet 41:715–717, 2004.

25. Fong LG, et al: Prelamin A and lamin A appear to be dispensable in the nuclear lamina. J Clin Invest 116:743–752, 2006.

26. Osorio FG, et al: Splicing-directed therapy in a new mouse model of human accelerated aging. Sci Transl Med 3:106–107, 2011.

27. Scaffidi P, Misteli T: Reversal of the cellular phenotype in the premature aging disease Hutchinson-Gilford progeria syndrome. Nat Med 11:440–445, 2005.

28. Capell BC, et al: A farnesyltransferase inhibitor prevents both the onset and late progression of cardiovascular disease in a progeria mouse model. Proc Natl Acad Sci U S A 105:415902–415907, 2008.

29. Fong LG, et al: A protein farnesyltransferase inhibitor ameliorates disease in a mouse model of progeria. Science 311:5761621–5761623, 2006.

30. Varela I, et al: Combined treatment with statins and aminobisphosphonates extends longevity in a mouse model of human premature aging. Nat Med 14:767–772, 2008.

31. Gordon LB, et al: Clinical trial of a farnesyltransferase inhibitor in children with Hutchinson-Gilford progeria syndrome. Proc Natl Acad Sci U S A 109:16666–16671, 2012.

32. Cruickshank K, et al: Aortic pulse-wave velocity and its relationship to mortality in diabetes and glucose intolerance: an integrated index of vascular function? Circulation 106:12085–12090, 2002.

33. Ullrich NJ, et al: Neurologic features of Hutchinson-Gilford progeria syndrome after lonafarnib treatment. Neurology 81:427–430, 2013.

34. Ibrahim M, et al: Targeting isoprenylcysteine methylation ameliorates disease in a mouse model of progeria. Science 340:6131330–6131333, 2013.

35. Blondel S, et al: Induced pluripotent stem cells reveal functional differences between drugs currently investigated in patients with Hutchinson-Gilford progeria syndrome. Stem Cells Transl Med 3:510–519, 2014.

36. Cenni V, et al: Autophagic degradation of farnesylated prelamin A as a therapeutic approach to lamin-linked progeria. Eur J Histochem 55:e36, 2011.

37. Cao K, et al: Rapamycin reverses cellular phenotypes and enhances mutant protein clearance in Hutchinson-Gilford progeria syndrome cells. Sci Transl Med 3:89ra58, 2011.

38. Gabriel D, et al: Sulforaphane enhances progerin clearance in Hutchinson-Gilford progeria fibroblasts. Aging Cell 14:78‒91, 2015.

39. Liu B, et al: Resveratrol rescues SIRT1-dependent adult stem cell decline and alleviates progeroid features in laminopathy-based progeria. Cell Metab 16:738‒750, 2012.

40. Larrieu D, et al: Chemical inhibition of NAT10 corrects defects of laminopathic cells. Science 344:618527‒618532, 2014.

41. Cao K, et al: Progerin and telomere dysfunction collaborate to trigger cellular senescence in normal human fibroblasts. J Clin Invest 121:2833‒2844, 2011.

42. Decker ML, et al: Telomere length in Hutchinson-Gilford progeria syndrome. Mech Ageing Dev 130:377‒383, 2009.

43. Aliper AM: Signaling pathway activation drift during aging: Hutchinson-Gilford Progeria syndrome fibroblasts are comparable to normal middle-age and old-age cells. Aging (Albany NY) 7:26‒37, 2015.

44. Meshorer E, Gruenbaum Y: Gone with the Wnt/Notch: stem cells in laminopathies, progeria, and aging. J Cell Biol 181:9‒13, 2008.

45. Olive M, et al: Cardiovascular pathology in Hutchinson-Gilford progeria: correlation with the vascular pathology of aging. Arterioscler Thromb Vasc Biol 30:12301‒12309, 2010.

46. McClintock D, et al: The mutant form of lamin A that causes Hutchinson-Gilford progeria is a biomarker of cellular aging in human skin. PLoS ONE 2:e1269, 2007.

47. Bridger JM, Kill IR: Aging of Hutchinson-Gilford progeria syndrome fibroblasts is characterised by hyperproliferation and increased apoptosis. Exp Gerontol 39:717‒724, 2004.

48. Napoli C, de Nigris F, Palinski W: Multiple role of reactive oxygen species in the arterial wall. J Cell Biochem 82:674‒682, 2001.

49. Floyd RA, West M, Hensley K: Oxidative biochemical markers; clues to understanding aging in long-lived species. Exp Gerontol 36:619‒640, 2001.

50. Dumont P, et al: Induction of replicative senescence biomarkers by sublethal oxidative stresses in normal human fibroblast. Free Radic Biol Med 28:361‒373, 1999.

51. Yan T, et al: Altered levels of primary antioxidant enzymes in progeria skin fibroblasts. Biochem Biophys Res Commun 257:163‒167, 1999.

52. Campisi J, d'Adda di Fagagna F: Cellular senescence: when bad things happen to good cells. Nat Rev Mol Cell Biol 8:729‒740, 2007.

53. Manju K, Muralikrishna B, Parnaik VK: Expression of disease-causing lamin A mutants impairs the formation of DNA repair foci. J Cell Sci 119:2704‒2714, 2006.

54. Marino G, et al: Premature aging in mice activates a systemic metabolic response involving autophagy induction. Hum Mol Genet 17:2196‒2211, 2008.

55. Cadinanos J, et al: From immature lamin to premature aging: molecular pathways and therapeutic opportunities. Cell Cycle 4:11732‒11735, 2005.

56. Eriksson M, et al: Recurrent de novo point mutations in lamin A cause Hutchinson-Gilford progeria syndrome. Nature 423:693293‒693298, 2003.

57. Lammerding J, Lee RT: The nuclear membrane and mechanotransduction: impaired nuclear mechanics and mechanotransduction in lamin A/C deficient cells. Novartis Found Symp 264:264‒278, 2005.

58. Philip JT, Dahl KN: Nuclear mechanotransduction: response of the lamina to extracellular stress with implications in aging. J Biomech 41:3164‒3170, 2008.

59. Verstraeten VL, et al: Increased mechanosensitivity and nuclear stiffness in Hutchinson-Gilford progeria cells: effects of farnesyltransferase inhibitors. Aging Cell 7:383‒393, 2008.

60. Scaffidi P, Misteli T: Lamin A-dependent nuclear defects in human aging. Science 312:1059‒1063, 2006.

61. Cao K, et al: A lamin A protein isoform overexpressed in Hutchinson-Gilford progeria syndrome interferes with mitosis in

progeria and normal cells. Proc Natl Acad Sci U S A 104:14949－14954, 2007.

62. Fukuchi K, et al: LMNA mutation in a 45-year-old Japanese subject with Hutchinson-Gilford progeria syndrome. J Med Genet 41:e67, 2004.

63. Baker PB, Baba N, Boesel CP: Cardiovascular abnormalities in progeria. Case report and review of the literature. Arch Pathol Lab Med 105:384－386, 1981.

64. Dyck JD, et al: Management of coronary artery disease in Hutchinson-Gilford syndrome. J Pediatr 111:407－410, 1987.

65. Gabr M, et al: Progeria, a pathologic study. J Pediatr 57:70－77, 1960.

66. Reichel W, Garcia-Bunuel R: Pathologic findings in progeria: myocardial fibrosis and lipofuscin pigment. Am J Clin Pathol 53:243－253, 1970.

67. Gerhard-Herman M, et al: Mechanisms of premature vascular aging in children with Hutchinson-Gilford progeria syndrome. Hypertension 59:92－97, 2012.

68. Gordon LB, et al: Reduced adiponectin and HDL cholesterol without elevated C-reactive protein: clues to the biology of premature atherosclerosis in Hutchinson-Gilford progeria syndrome. J Pediatr 146:336－341, 2005.

69. Bluher M, Mantzoros CS: From leptin to other adipokines in health and disease: facts and expectations at the beginning of the 21st century. Metabolism 64:131－145, 2015.

70. DeBusk FL: The Hutchinson-Gilford progeria syndrome. Report of 4 cases and review of the literature. J Pediatr 80:697－724, 1972.

71. Makous N, et al: Cardiovascular manifestations in progeria. Report of clinical and pathologic findings in a patient with severe arteriosclerotic heart disease and aortic stenosis. Am Heart J 64:334－346, 1962.

72. Reichel W, et al: Radiological findings in progeria. J Am Geriat Soc 19:657－674, 1971.

73. Stehbens WE, et al: Smooth muscle cell depletion and collagen types in progeric arteries. Cardiovasc Pathol 10:133－136, 2001.

74. Villee DB, Nichols G Jr, Talbot NB: Metabolic studies in two boys with classical progeria. Pediatrics 43:207－216, 1969.

75. Stehbens WE, et al: Histological and ultrastructural features of atherosclerosis in progeria. Cardiovasc Pathol 8:29－39, 1999.

76. Proudfoot D, et al: Acetylated low-density lipoprotein stimulates human vascular smooth muscle cell calcification by promoting osteoblastic differentiation and inhibiting phagocytosis. Circulation 106:3044－3050, 2002.

77. Proudfoot D, Shanahan C: Biology of calcification in vascular cells: intima versus media. Herz 26:245－251, 2001.

78. Korshunov VA, Berk BC: Smooth muscle apoptosis and vascular remodeling. Curr Opin Hematol 15:250－254, 2008.

79. Davidson JM, et al: Regulation of elastin synthesis in pathological states. Ciba Found Symp 192:81－94, 1995.

80. Delahunt B, et al: Progeria kidney has abnormal mesangial collagen distribution. Pediatr Nephrol 15:3－279-285, 2000.

81. Giro M, Davidson JM: Familial co-segregation of the elastin phenotype in skin fibroblasts from Hutchinson-Gilford progeria. Mech Ageing Dev 70:163－176, 1993.

82. Lemire JM, et al: Aggrecan expression is substantially and abnormally upregulated in Hutchinson-Gilford progeria syndrome dermal fibroblasts. Mech Ageing Dev 127:660－669, 2006.

83. Amati F, et al: Gene expression profiling of fibroblasts from a human progeroid disease (mandibuloacral dysplasia, MAD #248370) through cDNA microarrays. Gene Expr 12:39－47, 2004.

84. Park WY, et al: Gene profile of replicative senescence is different from progeria or elderly donor. Biochem Biophys Res Commun 282:934－939, 2001.

85. Aebi U, et al: The nuclear lamina is a meshwork of intermediate-type filaments. Nature 323:560－564, 1986.

86. Iozzo RV: Matrix proteoglycans: from molecular design to cellular function. Annu Rev Biochem 67:609－652, 1998.

87. Blasina A, Paegle ES, McGowan CH: The role of inhibitory phosphorylation of CDC2 following DNA replication block and radiation-induced damage in human cells. Mol Biol Cell 8:1013－1023, 1997.

88. Rodan SB, Rodan GA: Integrin function in osteoclasts. J Endocrinol 154(Suppl):S47－S56, 1997.

89. Sephel GC, et al: Increased elastin production by progeria skin fibroblasts is controlled by the steady-state levels of elastin mRNA. J Invest Dermatol 90:643－647, 1988.

90. Uitto J: Searching for clues to premature aging. Trends Endocrinol Metab 13:140-141, 2002.

91. Varga R, et al: Progressive vascular smooth muscle cell defects in a mouse model of Hutchinson-Gilford progeria syndrome. Proc Natl Acad Sci U S A 103:3250-3255, 2006.

92. Csoka AB, et al: Genome-scale expression profiling of Hutchinson-Gilford progeria syndrome reveals widespread transcriptional misregulation leading to mesodermal/mesenchymal defects and accelerated atherosclerosis. Aging Cell 3:235-243, 2004.

93. Ly DH, et al: Mitotic misregulation and human aging. Science 287:2486-2492, 2000.

94. Rosman NP, Anselm I, Bhadelia RA: Progressive intracranial vascular disease with strokes and seizures in a boy with progeria. J Child Neurol 16:212-215, 2001.

95. Progeria Research Foundation: The progeria handbook: a guide for families and caregivers of children. http://www.progeriaresearch.org/assets/files/PRFhandbook_0410.pdf. Accessed January 6, 2016.

96. Cleveland RH, et al: A prospective study of radiographic manifestations in Hutchinson-Gilford progeria syndrome. Pediatr Radiol 42:1089-1098, 2012.

CHAPTER

11

노화의 신경생물학:
자유라디칼 스트레스와 대사경로

The Neurobiology of Aging: Free Radical Stress and Metabolic Pathways

I. 노화의 신경생물학에서 질산화적(nitrosative) 및 산화스트레스

Tomohiro Nakamura, Louis R. Lapierre, Malene Hansen, Stuart A. Lipton

노화는 파킨슨병(Parkinson disease, PD), 알츠하이머병(Alzheimer disease, AD), 근위축측삭경화증 (amyotrophic lateral sclerosis, ALS), 헌팅톤병(Huntington disease, HD)과 같은 polyglutamine (polyQ) 병, 녹내장, 사람면역결핍바이러스 관련 신경인지장애(HIV–associated neurocognitive disorder, HAND), 다발경화증, 허혈성 뇌손상 등과 같은 신경변성질환들의 주요한 위험인자에 해당한다.[1-5] 많은 세포내 및 세포외 분자들이 신경손상 및 소실에 관여할 수 있지만, 질산화적 및 산화스트레스의 축적은 산화질소(NO)와 같은 활성질소종(RNS)과 활성산소종(ROS)의 과도한 생성으로 인해 신경세포 손상과 사멸에 영향을 줄 수 있는 중요한 인자로 보인다.[6,7] NO 생성에 대해 잘 정립된 모델은 신경계에서 N–메틸–D–아스파테이트(NMDA)형 글루탐산염(glutamate) 수용체의 핵심적인 역할을 수반한다. NMDA 수용체의 과도한 활성화는 Ca^{2+} 유입을 유도하여 ROS의 생성뿐만 아니라 신경세포 NO 합성효소(nNOS)를 활성화시킨다(그림 11–1).[8,9] 축적된 증거는 NO가 표적 단백질의 시스테인 잔기와 반응하여 단백질 기능의 화학생물학에 미치는 영향 때문에 S–nitrosylation 이라고 불리는 과정에 의해 S–nitrosothiols (SNOs)를 형성하여 신경보호 및 신경독성 효과를 중재할 수 있음을 제시한다. 중요하게도, 정상적인 미토콘드리아 호흡은 주로 ROS인 자유라디칼과 그러한 분자의 하나로, 매우 독성이 강한 peroxynitrite (ONOO–)를 형성하기 위해 질산화적 스트레스 조건 하에서 자유라디칼 NO와 빠르게 반응하는 과산화물 음이온(O_2^-)을 생성한다(그림 11–2).[10,11]

대부분의 신경변성질환의 또 다른 특징은 잘못 폴딩된(misfolded) 단백질 및/또는 응집된 단백질의 축적이다.[12-15] 이러한 단백질 응집체는 세포질, 핵 또는 세포외일 수 있다. 중요한 것은 단백질 응집은 단백질을 부호화하는 질병 관련 유전자의 돌연변이 또는 질산화적 및 산화스트레스에 의해 발생된 단백질의 번역 후 변화 때문일 수 있다.[16] 그러므로 이 장의 핵심 주제는 노화와 관련

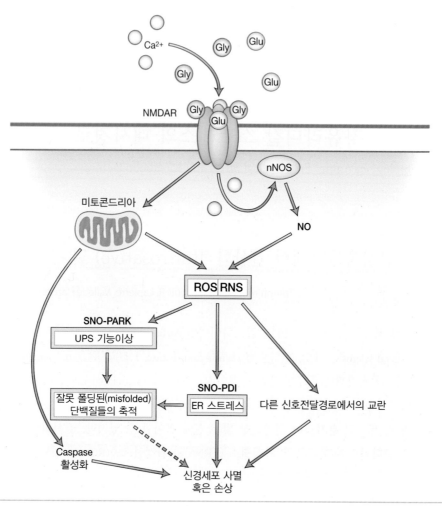

■ **그림 11-1.** 글루탐산(Glu) 및 글라이신(Gly)에 의한 NMDA 수용체(NMDAR)의 활성화는 Ca²⁺ 유입과 그 결과에 따른 ROS 및 RNS 생산을 유도한다. NMDAR 과활성화는 ROS와 RNS의 생성과, caspase의 후속적인 활성화와 관련된 미토콘드리아에서의 시토크롬(cytochrome) C 유리를 야기하여 신경세포 사멸 및 손상을 유발한다. SNO-PARK, S-nitrosylated parkin; SNO-PDI, S-nitrosylated PDI

된 질산화적 또는 산화스트레스가 신경변성 환자의 뇌에서 단백질이 잘못 폴딩되는 데 기여한다는 가설이다. 이 장의 첫 번째 섹션에서는 parkin 혹은 단백질 이황화물 이성화효소(protein disulfide isomerase, PDI) 같은 세포질그물(ER) 샤프론처럼 유비퀴틴 E3 연결효소(Ubiquitin E3 ligases)의 S-nitrosylation이 PD와 같은 질병 및 다른 상황의 신경변성질환에서 잘못 폴딩된 단백질 축적에 중요한 요소임을 보여주는 구체적인 예들에 대해 논의한다.[17-20]

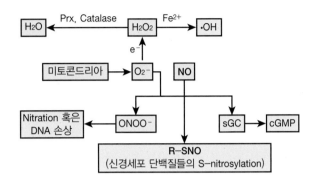

■ **그림 11-2. ROS 및 RNS 신경독성의 경로.** NO는 cyclic guanosine monophosphate (cGMP)를 생성하는 가용성 guanylate cyclase (sGC)를 활성화시킴으로써 이어서 cGMP-의존 단백질 키나아제를 활성화시킨다. 과도한 NMDA 수용체 활성은 NO의 과생산을 유발하여 신경독성을 일으킬 수 있다. 예를 들면, parkin과 PDI의 S-nitrosylation은 부분적으로 잘못 폴딩된 단백질들(misfolded proteins)의 축적을 야기하여 신경세포 손상과 사멸을 초래할 수 있다. NO의 다른 신경독성은 NO와 과산화물 음이온(O_2-)의 반응 산물인 peroxynitrite (ONOO-)에 의해 매개된다. 이와 반대로, S-nitrosylation은 또한—예를 들어 caspase 활성을 억제하고 NMDA 수용체를 과활성화시킴으로써 신경보호 효과를 매개할 수 있다.

신경변성질환에서 잘못 폴딩된 단백질

많은 신경변성질환의 공통된 조직학적 특징은 신경 연결성과 형성력에 악영향을 미치고 세포사 신호전달경로를 유발하는 잘못 폴딩된 단백질의 축적이다.[12,15] 예를 들어, 변성된 뇌는 PD에서 α-synuclein과 synphilin-1, AD에서는 아밀로이드-β (Aβ)와 tau 같은 잘못 폴딩된 응집 단백질의 비정상적 축적을 포함한다. PD에서 관찰된 봉입체들(inclusions)은 레비소체(Lewy bodies, LBs)라고 불리며 주로 세포질에서 발견된다. AD 뇌들에서는 tau를 포함하는 세포내 신경원섬유매듭과 Aβ를 포함하는 세포외 플라크가 보인다. 잘못 폴딩된 단백질 응집을 나타내는 다른 질환으로는 HD (polyQ), ALS 및 프라이온병(prion disease)이 있다.[14] 이러한 응집체는 비전형적 2차 구조의 올리고머복합체(oligomeric complexes)로 구성될 수 있고 세척제가 있는 경우에도 용해도가 나쁘다.

일반적으로 단백질 응집체는 부분적으로 세포의 질 조절기전이 있어 스트레스를 받지 않는 건강한 신경세포들에는 축적되지 않는다. 예를 들어, 분자 샤프론은 폴리펩티드들 내부와 사이에서 부적절한 상호작용을 방지할 수 있고 세포 스트레스로 인해 잘못 폴딩된 단백질의 리폴딩(refolding)을 촉진할 수 있기 때문에 분자 샤프론이 잘못 폴딩된 단백질의 독성에 대한 방어기전을 제공한다고 여겨진다. 분자 샤프론이 제공하는 단백질의 질 관리에 덧붙여서, 비정상적이거나 이상한 단백질의 제거에 유비퀴틴 프로테아좀 시스템(ubiquitin-proteasome system, UPS)과 자가포식-리소좀 분해가 포함된다.[21] 샤프론이 잘못 폴딩된 단백질을 교정할 수 없는 경우, 프로테아좀에 의한 분해에 대한 폴리유비퀴틴 체인을 추가함으로써 태그될 수 있다. 신경변성 상태에서, 세포내 또는 세포외 단백질 응집체는 분자 샤프론 또는 프로테아좀 활성 감소의 결과로서 뇌에 축적되는 것으로 생각된다. 사실 분자 샤프론이나 UPS 관련 효소의 활동을 방해하는 여러 가지 변이가 신경변성을 유발할 수 있다.[15,22,23] PD 환자의 흑질(substantia nigra)에서 나온 사후표본(postmortem samples)은 PD 환자가 아닌 대조군과 비교할 때 프로테아좀 활성의 유의한 감소를 나타냈다.[24]

역사적으로, 응집된 단백질들을 포함한 병변은 병원성으로 간주되었다. 많은 증거에 따르면 응집체는 잘못 폴딩된 단백질들이 봉입체에 결합하는 복합적인 다단계 과정을 통해 형성된다. 이러한 이상한 단백질들의 가용성 올리고머는 정상적인 세포 활동의 방해를 통해 가장 독성이 강한 형태가 되는 것으로 생각되지만, 반면 큰 불용성 응집체는 세포가 잠재적인 독성물질을 제거하려는 시도일 수 있다.[25,26]

활성산소와 활성질소종의 발생

NMDA 수용체 매개 글루타민산염성(glutamatergic) 신호전달경로에 의한 Ca^{2+} 유입의 유도

아미노산 글루탐산염이 뇌의 주요한 흥분성 신경전달물질이라는 것은 잘 알려져 있다. 글루탐산염은 성인 중추신경계에 고농도로 존재하며, Ca^{2+} 의존적 방식으로 신경종말에서부터 몇 밀리초(milliseconds) 동안 방출된다. 글루탐산염이 시냅스틈새에 들어가면, 인접한 신경세포의 시냅스이후면(postsynaptic face)에 해당 수용체와 상호작용하기 위해 틈새를 가로질러 확산된다. 흥분성 신경전달은 시냅스의 정상적인 발달과 형성력 및 학습과 기억의 일부 형태에 필요하다. 그러나 글루탐산염 수용체의 과도한 활성은 급성 저산소성-허혈성 뇌손상에서부터 만성 신경변성질환에 이르는 많은 신경계질환들의 신경손상에 관련된다. 현재 시냅스활성은 생존 경로를 활성화시키는 반면, 외부시냅스 NMDA 수용체들의 과자극은 신경손상을 중재하는 것으로 생각된다.[27-29] 흥분성 수용체의 강력한 과자극은 괴사세포사(necrotic cell death)를 유도하지만, 경도 또는 만성적인 과자극은 세포자멸사(apoptotic cell death)를 초래할 수 있다.[30-32]

NMDA 수용체 결합 통로는 Ca^{2+}에 투과성이 높은데, Mg^{2+}에 의한 수용체 관련 이온통로의 차단을 완화시키기 위해 세포가 탈분극되면 리간드 결합 후 Ca^{2+} 유입을 허용한다.[33,34] 여러 가지 세포내 분자에 대한 Ca^{2+}의 후속 결합은 많은 중요한 결과를 초래할 수 있다. 특히, NMDA 수용체의 과도한 활성은 자유라디칼(예: NO 및 ROS)과 다른 효소 과정의 손상을 초래하여 세포사에 기여한다.[6,11,31,32,35,36]

Ca²⁺ 유입 및 활성산소와 활성질소종의 발생

글루탐산염 수용체들의 과도한 활성은 많은 신경학적 질환에서 신경손상과 관련되어 있다. Olney 는 이 현상을 설명하기 위해 흥분성독성(excitotoxicity)라는 용어를 사용했다.[37,38] 이 형태의 독성은 NMDA형 수용체의 과도한 활성에 의해 부분적으로 매개되어[6,7,39], 수용체와 관련된 이온통로를 통해 과도한 Ca²⁺ 유입을 일으킨다.

Ca²⁺ 결합 단백질인 Ca²⁺ 칼모듈린(calmodulin, CaM)과 관련하여 신경세포 Ca²⁺의 증가된 농도는 nNOS의 활성화와 이후 아미노산인 L-아르지닌으로부터 NO 생성을 유발한다.[8,40] NO는 가스형의 자유라디칼이고(따라서 확산성이 높고) 정상적인 신호전달에서 중요한 역할을 하는 핵심 분자이지만, 과도하면 신경세포의 손상과 사멸을 초래할 수 있다. 신경세포의 생존에 대한 NO 효과에 있어 이러한 불일치는 또한 여러 가지 NO 종들 또는 중간산물들—NO 라디칼(NO·), nitrosonium 양이온(NO⁺), nitroxyl 음이온(NO⁻, 고에너지 singlet과 저에너지 triplet 유형들) 생성에 의해 야기될 수 있다.[11]

특히 PD 같은 신경변성질환에서 ROS-RNS와 미토콘드리아 기능부전 사이의 주요한 연관성을 더 지적하는 연구들이 있다.[5,41] 미토콘드리아 복합체 I (mitochondrial complex I)을 억제하는 살충제 및 기타 환경 독소는 산화 및 질산화적 스트레스를 초래하여 결과적으로 비정상적인 단백질 축적을 유발한다.[17,18,20,42,43] ROS-RNS의 과잉생산을 초래하는 1-methyl-4-phenyl-1,2,3,6-tetrahydropyridine (MPTP), 6-히드록시도파민(hydroxydopamine), 로테논(rotenone), 파라콧(paraquat)과 같은 복합체 I 억제제를 동물에게 투여하면, 도파민신경세포의 변성, α-synuclein의 상향조절 및 응집, LB 유사 신경세포내 봉합체 및 행동장애와 같은 산발성 PD의 많은 특징들을 재현한다.[5,41]

증가된 질산화적 스트레스와 산화스트레스는 샤프론과 프로테아좀의 기능부전과 관련되어 잘못 폴딩된 응집체의 축적을 초래한다.[16,44] 그러나 최근까지, AD에서 아밀로이드 플라크나 PD에서 LBs 같은 봉입체의 형성에 NO의 기여를 뒷받침하는 분자적 및 병인적 기전에 관해 거의 알려져 있지 않았다.

단백질 S-NITROSYLATION 및 신경세포 사멸

S-Nitrosylation의 화학생물학

초기 연구들은 NO가 시냅스형성력, 정상 발달 및 신경세포 사멸을 포함한 뇌기능의 광범위한 측면을 조절하는 세포 신호전달경로를 매개한다는 것을 보여주었다.[35,45-47] 일반적으로, NO는 guanylate cyclase를 자극하여 cyclic guanosine-3′,5′-monophosphate (cGMP)를 생성하거나 조절 단백질 티올(thiol) 그룹의 S-nitros(yl)ation을 통해 생리학적 및 일부 병태생리학적 효과를 발휘한다 (그림 11-2).[9,11,44,48-50] S-nitrosylation은 중요한 시스테인 티올 술프하이드릴기(RSH 또는 보다 적절하게는 thiolate 음이온, RS-)에 NO기를 공유결합시켜 S-nitrosothiol 유도체(R-SNO)를 형성한다. 그러한 변형은 포유동물, 식물 및 미생물 단백질의 광범위한 스펙트럼의 기능을 조절한다. 일반적으로 친핵성 잔기(대개 산과 염기)로 구성된 아미노산의 consensus motif는 중요한 시스테인을 둘러싸 S-nitrosylation에 대한 시스테인 술프하이드릴기의 감수성을 증가시킨다.[51,52] 우리 그룹은 NO와 관련 RNS가 산화-환원 기반 기전을 통해 역설적인 효과를 발휘한다는 것을 보여줌으로써 S-nitrosylation의 생리학적 관련성을 처음 발견했다. NO는 NMDA 수용체(뿐만 아니라 caspase를 포함하여 다른 후속적으로 발견된 표적들)의 S-nitrosylation을 통해 신경보호성이 있고, 또한 peroxynitrite(또는 나중에 발견되는 matrix metalloproteinase-9 [MMP-9] 및 glyceraldehyde-3-phosphate dehydrogenase [GAPDH]와 같은 추가 분자와의 반응)의 생성에 의해 신경파괴적일 수 있다.[11,53-60] 신경세포들 또는 뇌에 존재하는 것으로 알려진 SNO 단백질의 예가 표 11-1에 나와 있다. 지난 10년 동안 축적된 증거에 따르면 어떤 면에서는 인산화와 유사한 S-nitrosylation이 매우 다양한 단백질의 생물학적 활성을 조절할 수 있음을 시사한다.[11,17,18,20,52,59-67]

화학적으로, NO는 이웃하는(인접한) 시스테인 잔기 사이 또는 ROS와의 반응을 통한 술펜산 (-SOH), 술핀산(-SO_2H), 또는 예를 들어 효소 MMP-9에서 일어나는 단백질의 술폰산(-SO_3H) 유도체화를 일으키는 이황화물 결합에 대한 중요한 티올의 추가 산화를 촉진시키는 좋은 "이탈 그룹"이다.[18,20,59,68] 선택적으로, S-nitrosylation은 NO기가 인접한 시스테인 티올에 의해 공유되는 니트록실 이황화물을 생성할 수 있다.[69]

또한, S-nitrosylation은 시스테인 잔기의 다른 산화적 번역 후 변형에 영향을 미치는 것으로 보고되었다. 예를 들어, S-nitrosylated 및 sulfenated 시스테인 잔류물은 글루타티온과 반응하여 S-glutathionylated 단백질을 생성한다.[70] 게다가 S-sulfhydration(황화수소[H_2S]에 의한 시스테인 잔기의 변형)은 일반적으로 S-nitrosylation을 수행할 수 있는 동일한 시스테인 잔기들에서 일어나는데,[71,72] 이는 S-nitrosylation이 잠재적으로 S-sulfhydration의 형성을 촉진할 수 있음을 시사한다.[73] S-nitrosylation과 티올의 번역 후 변형의 다른 유형 사이의 화학적 관계를 밝히기 위해서는 추가적인 연구가 필요하다. 단백질 S-nitrosylation 및 시스테인 이황화물들과의 다른 반응들을 단백질 nitration과 혼동해서는 안되며, NO는 또한 티로신 잔기와 반응하여 니트로-티로신 부가물을 생성하는 peroxynitrite (ONOO-)를 통해 관련된다.

nNOS 또는 iNOS(유도성 NOS) 결핍 생쥐의 분석은, nNOS나 iNOS에서 생성된 NO는 신경 세포의 생존에 해로울 수 있다는 것으로 NO가 흥분성독성 자극 후 세포손상과 사멸의 중요한 매개체인 것을 확인하였다.[74,75] 또한, NOS 활성의 억제는 PD, AD, ALS의 동물 모델에서 질환 병리의 진행을 약화시키는데, 이는 NO의 과도한 생성이 여러 신경변성질환의 병인에 중추적인 역할을 한다는 것

표 11-1. 신경세포 혹은 뇌에서 확인된 S-nitrosylated 단백질의 예시들

S-Nitrosothiol 표적들	S-Nitrosothiol 효과들	참고문헌
Akt	감소된 키나아제 활성 증가된 세포 사멸	210, 211
Caspases	감소된 활성 세포 사멸의 억제	56, 54, 212, 55
Cdk5	키나아제 활성의 활성화 세포 사멸의 증대	213-215
Dexras1	GTPase의 활성화 철 항상성의 조절	216, 217
Drp1	과도한 미토콘드리아 분열 시냅스 손상	218-220
NSF	GluR2와의 강화된 상호작용 세포외배출(exocytosis)의 조절	221, 222
GAPDH	Siah1과의 강화된 상호작용 p300과 CBP의 활성화 세포 사멸의 증대	60, 223, 224
MAP1B	미세관들(microtubules)과의 강화된 상호작용 축삭 수축(Axon retraction)	225
MMP-9	활성화 세포 사멸의 증대	59
NMDAR (NR1 and NR2A)	억제 세포 사멸의 억제	11, 58
Parkin	E3 연결효소 활성 감소 세포 사멸의 증대	17, 18
PDI	감소된 활성화 잘못 폴딩된 단백질의 축적 세포 사멸의 증대	20, 121-123
Prx2	감소된 과산화효소 활성 세포 사멸의 증대	226
PTEN	인산분해효소 활성 감소 세포 생존의 증대	227, 228
XIAP	E3 연결효소 활성 감소 세포 사멸의 증대	229, 230

CBP, CREB 결합 단백질; GluR2, 글루탐산염 수용체 소단위(subunit) 2; GTPase, guanosine triphosphate phosphohydrolase; Siah1, seven in absentia homolog 1.

을 시사한다.[76-79] 신경변성에 NO가 관여하는 것은 널리 받아들여지고 있지만, 질산화적 스트레스와 잘못 폴딩된 단백질 축적 사이의 화학적 관계는 분명하지 않다. 그러나 일부 연구에서는 이러한 관계를 뒷받침하는 분자 현상을 밝혀왔다. 특히 최근에 우리는 S-nitrosylation이 parkin의 유비퀴틴

E3 연결효소 활성[17-19], PDI의 샤프론 및 이성화효소의 활성을 조절하고[20], 신경변성질환 모델들에서 단백질 잘못 폴딩(protein misfolding) 및 신경독성에 기여한다는 생리학적 및 화학적 증거를 제시했다.

S-Nitrosylation과 Parkin

드문 가족성 형태의 parkin(유비퀴틴 E3 연결효소)과 유비퀴틴 카르복실-말단 가수분해효소 L1 (ubiquitin carboxyl-terminal hydrolase L1, UCHL1)을 부호화하는 유전자 오류의 확인은 산발적인 PD의 발병기전에서 UPS의 기능장애 가능성을 시사한다. UPS는 포유류 세포에서 단백질 분해를 위한 중요한 기전을 나타낸다. 폴리유비퀴틴(polyubiquitin) 사슬의 형성은 프로테아좀의 공격과 분해에 대한 신호를 구성한다. 이소펩티드 결합은 폴리유비퀴틴 사슬에서 첫 번째 유비퀴틴의 C-말단을 표적 단백질의 리신(lysine) 잔기에 공유결합시킨다. 활성화(E1)-, 접합(E2)- 및 유비퀴틴 연결(E3)-형 효소들의 연속단계(cascade)는 단백질들에 유비퀴틴 사슬의 접합을 촉매한다. 또한 개별 E3 유비퀴틴 연결효소는 특정 기질의 인식에 중요한 역할을 한다.[80]

PD는 두 번째로 널리 퍼져있는 신경변성질환이며 흑질 pars compacta에서 도파민신경세포의 점진적인 소실을 특징으로 한다. 잘못 폴딩된 단백질과 유비퀴틴화된 단백질을 포함하는 LB의 출현은 일반적으로 PD 뇌에서 도파민신경세포의 소실을 동반한다. 이러한 유비퀴틴화된 봉입체는 많은 신경변성장애의 특징이다. 잘못 폴딩되거나 비정상적인 단백질의 세포내 단백질분해에 있어 노화와 관련된 결함은, 신경세포나 신경아교세포 내에 응집물의 축적과 궁극적으로는 침착으로 이어질 수 있다. 이러한 비정상적인 단백질 축적이 유전적으로 부호화된 돌연변이단백질을 가진 환자들에서 관찰되었지만, 우리 실험실의 증거에 의하면 질산화적 스트레스와 산화스트레스가 더 흔한 산발적인 형태의 PD에서 단백질 축적에 대한 잠재적인 원인 인자들이다. 나중에 보여지겠지만, 정상적인 노화 과정에서 흔히 발견되는 질산화적 및 산화스트레스는 유전돌연변이가 없이 단백질 잘못 폴딩을 촉진함으로써 PD와 같은 질환의 희귀한 유전적 원인을 모방할 수 있다.[17-19] 예를 들어, S-nitrosylation과 parkin의 추가 산화(예: 술폰화[sulfonation])는 이 효소와 UPS의 기능이상을 초래한다.[17,18,81-85] 우리와 다른 연구자들은 질산화적 스트레스가 PD의 설치류 모델뿐만 아니라 PD 환자 및 관련 α-synucleinopathy DLBD(광범위 LB병)의 뇌에서도 parkin의 S-nitrosylation (SNO-parkin을 형성하는)을 유발한다는 것을 발견했다. parkin은 NO와 반응하여 SNO-parkin을 형성할 수 있는 여러 시스테인 잔기를 가지고 있다. parkin의 S-nitrosylation은 초기에 유비퀴틴 E3 연결효소의 효소 활성을 자극하고, 이어서 효소 활성이 감소하여 기능장애 E3 연결효소(dysfunctional E3 ligase)-UPS 자극의 쓸데없는 순환을 일으킨다.[18,19,86] 또한 우리는 농약 로테논이 SNO-parkin의 생성을 유도하고 결국 유비퀴틴 E3 연결효소 활성의 억제를 초래한다는 것을 발견했다. 게다가 S-nitrosylation으로 유도된 E3 연결효소 활성의 비활성화는 parkin의 신경보호 효과 감소와 관련이 있다.[17] 이런 맥락에서, SNO-parkin이 PD 환자들의 뇌에서 증가되는 것은, parkin의 장기적인 S-nitrosylation이 병원성이 될 수 있음을 시사한다.[17-19] 질산화적 및 산화스트레스는 시스테인 잔기의 번역 후 변형을 통해 parkin의 용해도를 변화시킬 수 있는데, 이는 동시에 보호 기능을 손상시킬 수 있다.[85,87-89]

그에 반해, parkin의 S-sulfhydration은 효소 활성과 신경보호 효과를 활성화시킨다.[72] 질량분광분석법(mass spectrometry)을 사용하여 5개의 시스테인 잔기(Cys59, -95, -182, -212 및 -377)를 S-sulfhydration 부위로 확인하였으며, 그 중 Cys95는 S-sulfhydration의 주요 부위로 나타났다. 흥미롭게도, Cys95는 S-nitrosylation의 표적으로도 작용한다.[72] 또한, parkin의 S-sulfhydration이 PD 환자의 뇌에서 현저하게 감소한다는 점은 parkin sulfhydration이 유익한 효과를 갖는다는 개념과 일치한다. 따라서, 개별 단백질에서 S-nitrosylation과 S-sulfhydration의 관계를 밝히기 위해서는 더 많은 연구가 필요할지라도, 적어도 parkin의 경우, 두 가지 가스 전달물질(즉, NO와 H_2S)이 시스테인 변형을 통해 PD 병인에 영향을 줄 것으로 보인다.

가족성 PD를 유발하는 parkin의 희귀 돌연변이 외에도 PINK1 유전자의 돌연변이는 유전성 PD 증례와 관련이 있다. 새로 발견된 증거는 parkin이 PINK1과 함께, 손상된 미토콘드리아가 자가포식의 세포 재활용 과정에 의해 제거되는 mitophagy에 참여할 가능성을 시사한다(다음 섹션 참조).[90] 제안된 모델에서 PINK1은 초기에 손상된 미토콘드리아로 옮겨지고, 이어서 parkin을 세포질로부터 손상된 미토콘드리아 막으로 모집한다. 최근의 증거는 PINK1-phosphorylated mitofusin 2가 미토콘드리아 막의 parkin 수용체일 수 있음을 시사한다.[91] 게다가 parkin은 건강하지 않은 미토콘드리아의 자가포식에 의한 제거를 촉진하기 위해 미토콘드리아 외부막 단백질을 유비퀴틴화한다. 새로운 증거는 SNO-parkin이 손상된 미토콘드리아의 제거를 촉진할 수 있음을 보여준다.[92] 그 보고서는 Cys323의 S-nitrosylation이 E3 연결효소 활성을 일시적으로 활성화시켜 미토콘드리아 분해 과정을 촉진한다는 것을 보여주었다. 이 발견은 질산화적 스트레스가 초기에 Cys323에서 parkin의 S-nitrosylation을 유도하여 E3 연결효소 활성을 일시적으로 증가시킨다는 흥미로운 가설을 제기한다. 이어서, parkin의 이러한 활성화는 mitophagy의 촉진과 건강하지 않은 미토콘드리아의 처리를 통해 NO의 신경보호 효과를 매개한다. 이와 대조적으로, 병리학적으로 연장된 NO의 생성은 parkin에서 추가 시스테인 잔기를 S-nitrosylate시켜 E3 연결효소 및 신경보호 활성을 억제한다. 그러나, 신경세포 생존에 대한 SNO-parkin의 이러한 반대 효과를 보다 명확하게 밝히기 위해서는 더 많은 연구가 필요할 것이다.

E3 연결효소 활성 이외에, parkin은 종양유전자 p53의 전사도 억제하여 도파민신경세포의 PD 관련 세포자멸사에 대한 신경보호 작용에 기여한다.[93] 우리는 최근 parkin의 S-nitrosylation이 p53의 전사 억제물질로서 그 활성을 감소시킴으로써 p53 발현의 증가와 이에 따른 신경세포 사멸을 유도한다고 보고했다.[94] 이러한 개념과 일치하여, 사후 인간 PD 뇌에서 SNO-parkin과 p53 수치는 상관관계가 있는 방식으로 증가한다. 그러므로 S-nitrosylation은 parkin의 유비퀴틴 E3 연결효소와 전사

억제인자 활성 모두에 영향을 미치고, 산발 PD의 발병 기전에 대등하게 기여하는 것으로 보인다.

단백질 이황화물 이성화효소의 S-Nitrosylation

이것은 PD 및 AD의 세포 모델에서 단백질 잘못 폴딩과 신경독성을 매개한다. ER은 일반적으로 단백질 처리 및 폴딩에 관여하지만 미성숙 또는 잘못 폴딩된 단백질이 축적될 때 스트레스 반응을 겪는다.[95-98] ER 스트레스는 두 가지 중요한 세포내 반응을 자극한다. 첫째는 폴딩되지 않은 단백질 반응(unfolded protein response, UPR)을 통한 단백질 응집을 방지하는 샤프론의 발현을 나타내며, 단백질 리폴딩, 단백질 복합체들의 번역 후 부속장치(assembly) 및 단백질 분해에 관여한다. 이 반응은 변화된 환경 조건에서의 적응에 기여하고 세포의 항상성 유지를 증진한다고 여겨진다. 세포질그물 연관 분해(ER-associated degradation, ERAD)라고 불리는 두 번째 ER 스트레스 반응은 ER 막을 통과하여 UPS에 의해 분해될 수 있는 세포질로의 역전위를 위한, 말단에 잘못 폴딩된 단백질을 특이적으로 인식한다. 또한, 심한 ER 스트레스가 세포자멸사를 유도할 수 있다고 하더라도, ER은 잘못 폴딩된 단백질의 축적을 완화시키는 포도당 조절 단백질(glucose-regulated protein, GRP)과 PDI와 같은 스트레스 단백질의 발현을 통해 비교적 가벼운 손상을 견딘다. 이 단백질들은 분비 단백질들의 성숙, 수송 및 폴딩을 돕는 분자 샤프론 역할을 한다.

ER에서 단백질 폴딩 동안, PDI (PDIA1로 명명된)는 단백질들에 이황화물 결합을 유도하고(산화), 이황화물 결합을 파괴하고(환원), 티올-이황화물 교환(이성화)을 촉진시킴으로써, 이황화 결합 형성, 재배열 반응들 및 구조적 안정성을 가능하게 한다.[99] PDI에는 thioredoxin (TRX; a, b, b' 및 a')과 유사한 4개의 도메인이 있다. 4개의 TRX 유사 도메인들(a와 a') 중 두 개만 특유의 산화환원 활성 CXXC motif를 포함하고 있으며, 이 두 개의 티올-이황화물 중심들은 독립적인 활성 부위로서 기능한다.[100-103] ERp57 (PDIA3)와 PDIp (PDIA2) 같은 여러 가지 포유류 PDI 동족체(homologues)도 ER에 국한되며 유사한 기능을 나타낼 수 있다.[104,105] PD를 모방하는 조건 하에서, 신경세포들에서 PDIp의 증가된 발현은 신경세포의 생존에 PDIp가 기여할 수 있음을 시사한다.[104]

많은 신경변성질환들과 대뇌허혈에서 미성숙하고 변성된 단백질의 축적은 ER 기능이상을 유발하지만[104,106-108], PDI의 상향조절은 단백질 리폴딩을 촉진하는 적응 반응을 나타내며 신경세포 보호를 제공할 수 있다.[104,105,109,110] 또한 일반적으로 NO의 과도한 생성은 적어도 일부 세포 유형에서 ER 스트레스 경로의 활성화에 기여할 수 있다.[111,112] 그러나 NO가 단백질 잘못 폴딩과 ER 스트레스를 유도하는 분자 기전들은 최근까지 수수께끼로 남아 있다. ER은 정상적으로 세포질과 미토콘드리아의 크게 줄어든 환경과는 대조적으로, 상대적으로 확실한 산화환원전위를 나타낸다. 이러한 산화환원 환경은 단백질 S-nitrosylation과 산화반응의 안정성에 영향을 미칠 수 있다.[113] 흥미롭게도 우리는 과도한 NO가 PDI의 활성 부위 티올 그룹들의 S-nitrosylation을 일으킬 수 있다고 이전에 보고했으며, 이 반응은 이성화효소와 샤프론 활동을 억제한다.[20] 로테논에 의해 손상된 미토콘드리아 복합체 I는 세포배양 모델들에서 PDI의 S-nitrosylation을 일으킬 수 있다. 또한, 우리는 PDI가 산발성 AD와 PD를 검사한 거의 모든 증례들의 뇌에서 S-nitrosylate된 것을 발견했다. 병리학적 조건 하에서, PDI의 TRX-유사 도메인 내의 두 시스테인 술프하이드릴 그룹이 모두 S-nitrosothiol들을 만들 수 있다. PDI에 의해 촉진된 denitrosylation 반응 후에 흔히 볼 수 있는 단일 S-nitrosothiol의 형성과는 달리,[63] 이중 nitrosylation은 상대적으로 더 안정적일 수 있고 이후 PDI에서 이황화물 생성을 방지할 수 있다. 따라서 우리는 PDI에 대한 병리학적 S-nitrosylation 반응이 신경변성 상황에서 더 쉽게 발견될 수 있다고 추정한다.

게다가, NO와 반응하는 인접한(가까운 곳의) 시스테인 티올이 니트록실 이황화물을 형성할 수 있으며,[69] 그러한 반응은 PDI의 촉매 부위에서 효소 활성을 억제하기 위해 잠재적으로 발생할 수 있다. 신경세포에서 S-nitrosylate된 PDI (SNO-PDI) 생성의 결과를 밝히기 위해, 우리는 배양된 대뇌피질 신경세포를 NMDA의 신경독성 농도에 노출시켜 과도한 Ca^{2+} 유입을 유도하고 그에 따라 nNOS로부터 발생하는 NO 생성을 유도하였다. 이러한 조건 하에서, 우리는 PDI가 NOS-의존적인 방식으로 S-nitrosylate된 것을 발견했다. SNO-PDI 생성은 폴리유비퀴틴화된 잘못 폴딩된 단백질(예: syphilin-1 및 α-synuclein)의 축적과 UPR의 활성화로 이어졌다.[20,114-116] 더욱이, S-nitrosylation은 LB 봉입체에서 관찰된 단백질들의 응집에 대한 PDI의 억제 효과를 제거했다.[20,117] 다른 연구에서도 AD에서 PDI가, 고인산화되어 응집된 tau 단백질을 함유한 신경섬유매듭에 축적되는데, 이는 SNO-PDI 역시 응집된 tau의 축적에 기여할 수 있음을 시사한다.[118,119] PDI의 S-nitrosylation은 또한 ER 스트레스, 잘못 폴딩된 단백질 또는 프로테아좀 억제에 의해 촉발된 신경세포 사멸의 감쇠를 막았다. SNO-PDI가 부가적인 부작용을 일으킬 수 있는 세포외 공간으로 사실상 NO를 운반할 수 있다는 추가 증거가 제시되었다.[63] 게다가 활성 시스테인 부위에서 PDI의 S-nitrosylation은 이 단백질의 S-glutathionylation을 촉진할 수 있다.[120] 따라서 신경변성에서 S-glutathionylate된 PDI의 잠재적인 역할은 향후 연구에서 설명할 필요가 있다.

SNO-PDI가 AD 및 PD의 병인에 기여한다는 발견과 비슷하게, SNO-PDI는 ALS, 뇌졸중, 프라이온병 및 수면장애와 같은 병리학적 증상도 악화시킬 수 있다. 예를 들어, ALS의 세포 모델에서, PDI의 S-nitrosylation은 ALS의 가족형과 연관이 있는 초과산화물디스뮤타아제 1 (superoxide dismutase, mutSOD1)의 G93A 돌연변이체의 응집을 증가시키고, 신경세포 사멸을 증가시킨다.[121-123] 게다가 뇌졸중 모델에서 PDI의 S-nitrosylation은 유비퀴틴화된 단백질 응집물의 축적에 기여한다.[124] 또한 PDI의 S-nitrosylation은 수면장애 모델에서 시상하부 orexin 함유 신경세포의 선택적 변성을 중재한다.[125] 마지막으로, 그것의 병리학적인 역할과 일관되게, mutSOD1 생쥐와 산발 ALS를 가진 인간 환자의 척수, 프라이온병 동물 모델의 뇌, 그리고 수면박탈 생쥐의 시상하부에 상당한 양의 SNO-PDI가 존재한다.[121-123,125,126]

다음으로 신경변성장애보다는, 우리는 정상적인 노화 뇌를 고려한다. 분자 샤프론, UPS 및 자가

포식-용해소체 시스템으로 구성된, 단백질 발현을 위한 질 관리 장치는 노화된 뇌에서 손상된 것으로 보고되었다.[21,127] 또한 신경변성장애에서 발견되는 것과 유사한 봉입체들이 정상 노인 뿐만 아니라 질병의 무증상 징후를 가진 사람들의 뇌에도 나타날 수 있다.[128] 그러나 노화된 정상 뇌에서 SNO-parkin이나 SNO-PDI의 검출 가능한 양을 발견하지 못했다.[17,18,20] 따라서 우리는 이들 단백질 및 다른 것들의 S-nitrosylation이 질 관리 장치를 더 파괴하여, 노화된 뇌가 신경변성 상태에 취약해지는 데 기여한다고 추측한다.

II. 노화와 신경변성의 조절에 있어 대사 인슐린 신호전달

Louis R. Lapierre, Malene Hansen

많은 보존된 대사경로가 유기체의 노화에 보존된 방식으로 영향을 줄 수 있다. 수명을 조절하는 복잡한 조절 시스템 때문에 그러한 장수 기전을 밝히는 성공적인 접근은, 특히 선충 Caenorhabtidis elegans와 초파리 Drosophila melanogaster와 같은, 단순한 무척추 동물 모델의 사용이었다. 여러 유전자와 과정이 노화와 관련되어 있지만, 가장 잘 알려진 예는 인슐린/인슐린양 성장인자 1 (IGF-1) 신호전달(IIS) 경로이다. 중요하게도, 연구는 또한 IIS와 신경변성질환 사이의 기계적 연관성을 보여주고 있다. 이 섹션에서는, IIS가 노화와 신경변성에 영향을 주는 기전에 대해 논의하고 대사 기능들을 가진 추가적인 장수 패러다임-즉, 식사 제한, target of rapamycin (TOR) 및 AMPK (5'-adenosine monophosphate-activated protein kinase)의 예시들을 간단히 설명한다.

인슐린/인슐린양 성장인자 1 신호전달경로와 유기체의 노화

벌레에서 생쥐에 이르기까지 다양한 모델 유기체로부터 얻은 증거는 IIS 경로의 활성이 적당히 감소하면 수명이 연장되는 것을 보여준다. 이 발견은 심하게 손상된 IIS 기능이 배아발생 및 당뇨병으로 인한 사망을 포함하여 해로운 영향을 미치기 때문에 특히 인상적이다. 또한, IIS 경로 활성의 변화는 생식, 스트레스 저항 및 대사에 심각한 영향을 미칠 수 있다.[129] 연구들은 IIS 매개 수명 조절의 근본적인 기전을 풀기 시작했다.

수명이 짧은 선충 C. elegans를 사용하는 연구에서, 수명을 변화시키는 유전자에 대한 유전적 선별검사를 통해 첫 번째 수명이 긴 IIS 돌연변이(age-1)가 확인되었다.[130] 이 돌연변이 유전자는 벌레의 phosphoinositide-3-kinase (PI3K)를 부호화하는데,[131,132] 이는 인슐린/인슐린양 성장인자 1 수용체 DAF-2의 돌연변이가 수명을 연장시키고 이 효과가 FOXO 전사인자 DAF-16에 의존한다고 입증한 C. elegans에서의 추가적인 연구결과를 뒷받침했다.[130,133-135] 인슐린 수용체(InR) 또는 그 기질

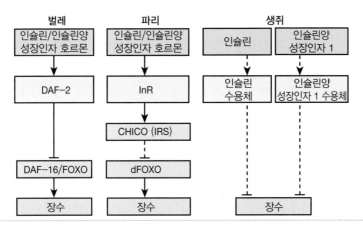

■ **그림 11-3.** 인슐린-인슐린양 성장인자 1 경로는 여러 유기체에서 노화를 조절한다. 벌레, 파리, 쥐의 수명에 영향을 주는 것으로 밝혀진 인슐린-인슐린양 성장인자 1 신호전달경로의 분자적 요소를 보여준다. 자세한 내용은 본문 참고. *점선들*, 타당할 듯한 조절관계.

인 CHICO의 돌연변이가 초파리의 수명을 연장시킬 수 있다는 발견과 함께,[136,137] 이러한 연구결과들은 IIS 활성의 감소가 수명 연장을 위한 진화적으로 보존된 기전임을 총체적으로 시사한다. 이 놀라운 개념은 인슐린이나 인슐린양 성장인자 1 신호전달경로가 파괴될 경우 설치류가 더 오래 사는 것으로 나타나 더욱 지지를 받았는데,[138-141] 진화적 보존이 포유류에까지 확대됨을 나타낸다. IIS 경로의 변화가 100세 이상인 인구에서 관찰되기 때문에 이러한 기능적 보존은 사람에게까지도 확대될 수 있다.[142] 이러한 연구결과들은 또한 성장호르몬이 부족한 에임스 난쟁이 생쥐(Ames dwarf mice)와 성장호르몬 수용체 녹아웃(growth hormone receptor knockout, GHRKO) 생쥐에서 관찰된 긴 수명에 대한 가능한 설명을 제공했는데, 성장호르몬이 인슐린양 성장인자 1의 생산을 적극적으로 조절하기 때문이다.[143,144]

그림 11-3은 벌레와 초파리, 그리고 생쥐에서 지금까지 수명을 조절한다고 밝혀진 IIS 중재법들을 요약한다.

IIS가 유기체 수명에 영향을 미치는 세포 기전들

IIS는 영양적 유용성(nutritional availability)과 성장을 조정하기 때문에, 수명이 긴 IIS 돌연변이체가 대사 프로필(예: 지방 함량 변화) 뿐만 아니라 발달 지연, 성인 신체크기 감소, 생식력 감소 및 스트레스 저항 증가 등의 변화를 가져오는 것은 놀라운 일이 아니다.[129,145] 이 과정들 각각은 IIS 경로 활성 감소로 인해 연장된 장수 표현형에 기여할 수 있다.[145] 감소된 IIS 기능의 또 다른 중요한 특징은 경우에 따라 더 긴 수명 뿐만 아니라 더 긴 건강수명을 촉진하는 것이다. 예를 들어, 실험은 무척추동물 모델에서 암,[146-148] 심부전,[149] 및 AD(나중에 볼 수 있음)와 같은 특정 노화 관련 질병에

대해 수명을 연장시키는 IIS 돌연변이체의 보호효과를 입증했다.[150,151]

연구 노력은 IIS가 수명을 조절하는 시기와 장소를 파악하는 데 초점을 맞추고 있다. 수명을 결정함에 있어 IIS 감소에 대한 일시적 요구사항을 해결하고자, daf-2에 대한 이중가닥 RNA를 발현하도록 조작된 박테리아를 투여함으로써 성숙기 동안 C. elegans에서 IIS가 감소되었으며, 이 치료법은 수명을 연장하기에 충분했다.[152] 이와 일치하여, 파리들의 지방조직에서 성충에서만 dFOXO의 발현은 수명을 연장하기에 충분하다는 것이 입증되었다.[153,154] 유사하게, dPTEN의 성인 특이적 과발현 및 성인 이전의 발달 마지막 단계에서 인슐린 생성 신경세포의 절제가 장수를 촉진하는 데 충분한 것으로 나타났다.[153,155]

수명을 조절하기 위해 IIS에 대한 조직 특이적 요구사항도 어느 정도 자세히 조사되었고, 이는 신경세포와 지방조직들에 대한 중요한 역할을 암시했다. 예를 들어, daf-2(-) 벌레의 신경세포에서 인슐린-인슐린양 성장인자 1 수용체 DAF-2를 대체하면 야생형의 수명으로 단축된다.[156,157] 이것은 daf-2/인슐린-인슐린양 성장인자 1 신호전달경로의 하부 효과인자(downstream effector)인 FOXO 전사인자 DAF-16과 다소 대조적인데 DAF-16은 daf-2/인슐린/인슐린양 성장인자 1 수용체의 수명 하부(downstream) 조절을 위해-벌레의 지방조직-장에서 주로 기능하는 것으로 알려져 있다.[158] 따라서 신경조직의 IIS는 수명을 조절하기 위해 주변부에서 작용하는 신호를 조절한다. 이전에 언급한 바와 같이, 신경세포 및 지방조직의 특정한 역할과 일치하여, 인슐린 생성 신경세포의 절제는 장수를 촉진하는 데 충분하지만, 경로길항제 dPTEN 또는 dFOXO의 지방특이적 과발현은 인슐린 생성 신경세포들로의 비자율적 신호를 통해 파리에서 수명을 연장시킬 수 있다.[153,154] 마지막으로, 생쥐에서 인슐린 수용체의 지방특이적 녹아웃도 수명을 연장시킬 수 있다.[139] 말초조직 사이의 신호와 그 cross-talk의 본질을 결정하는 것이 연구의 중요한 분야이다. 이러한 결과들은 또한 연령-의존적인 질병에서 인슐린 대사신호 변화의 급성 대 만성 결과뿐만 아니라 중요한 자율적 및 비자율적인 기여를 강조한다. IIS가 어떻게 신경변성질환과 장수를 포함하여 장기 노화를 조율하는가는 미래 연구들의 중요한 영역으로 남아있다.

IIS가 노화 및 신경변성질환들에 영향을 미치는 분자 기전

IIS의 하부 효과인자에 대한 더 깊은 통찰력을 얻기 위해, 오래 살아있는 IIS 돌연변이 벌레에서 FOXO 전사체를 이해하기 위한 유전자 발현 프로파일링 분석을 포함하여, 편향되지 않는 접근법들이 추구되었다. 이들 연구에서 대사, 스트레스 반응 및 산화손상의 해독에 필요한 유전자들이 확인되었다.[159-164] 이러한 유전자들의 개별적 발현 변화의 효과가 미약하기 때문에 이들 효과인자 기전에 작용하는 여러 가지 유전자들 발현의 조화된 활성화가 세포 이득을 위해 필요하다.[161] 단백질 항상성(proteostasis)을 향상시키고 수명이 긴 IIS 돌연변이체에서 볼 수 있는 엄청난 수명연장 효과를 일으키기 위해 많은 FOXO 조절 유전자들이 부가적으로 작용하는 것이 필요하다. C. elegans와 초파리 단백질독성 모델에서 시행된 여러 연구들은, IIS가 예를 들어 HD에서 볼 수 있는 것과 비슷한 polyQ 뻗침(stretches)을 통해 AD를 유발하는 A ß 펩티드와 같은[165-168] 독성 단백질 응집의 시작과 직접적으로 연관되어 있음을 나타냈다. 이러한 연구들은 IIS가 신경변성에 영향을 주는 기전을 밝히기 시작했으며 IIS가 여러 기전들에 의해 AD에서 잘못 폴딩된 응집체로부터 보호할 수 있음을 시사한다.[169] 1차 기전은 작은 열충격 단백질들(열충격 인자 단백질-1 [HSF-1] 전사 인자에 의해 조절되는)을 통해 그들의 분해를 가능하게 하는 독성종(toxic species)의 해체를 포함하지만, DAF-16/FOXO에 의해 조절되는 2차 기전은 세포에 독성이 적은 고분자량 종으로 단백질들을 응집하는 것을 포함한다.[165] 활성화된 FOXO를 가진, 오래 살고있는 C. elegans IIS 돌연변이체에서의 연구들은 세포질 성분들이 분해되고 재생되는 세포 과정인 자가포식이 신체유지(somatic maintenance)에 있어 중요한 효과인자 기전이라는 것을 보여주었다.[170-172] 기능장애 자가포식은 신경변성을 악화시킨다.[173] 반면에, 적어도 일부 자가포식 관련 단백질들의 과발현은 수명을 연장시킬 수 있다.[174,175] 흥미롭게도, 자가포식 활성화에서 FOXO의 역할은 보존되고,[176] 자가포식의 유지는 신경근이음부(neuromuscular junction) 변성에 있어 보호기전으로 나타나고 있는데,[177] 이는 신경학적 노화 방지에서 FOXO-자가포식 관계에 대한 광범위한 역할을 시사한다.

신경변성에서 역할을 가진 추가적 대사 장수 경로들

식사 제한(DR)이라고도 불리는, 영양실조 없는 식품섭취 감소 또한 다양한 종에서 수명 연장을 위한 수단으로써 모델 생물체에서 광범위하게 연구되어 왔다.[178] DR과 IIS 경로 사이의 기계적 중복의 정도는 완전히 밝혀지지 않았다. C. elegans에서 IIS 돌연변이체의 긴 수명은 FOXO 전사인자 DAF-16에 완전히 의존하지만,[179] DR의 일부 형태들은 DAF-16/FOXO와 독립적으로 작용하고 나머지는 DAF-16/FOXO를 부분적으로 필요로 한다.[180] 게다가 화학유인 기억연구(chemoattractant memory study)는 DR과 IIS가 성인기 동안 다른 시기에 기억력을 향상시키지만, 둘 다 bZIP 전사인자 CREB의 활성을 필요로 함을 시사했다.[181] 초파리에서 dFoxo가 없는 돌연변이 파리들은 DR 후 수명연장을 아직도 보인다.[153,182] 수명이 긴 에임스 난쟁이 생쥐(앞에서 살펴본 바와 같이)는 DR에 의해 수명이 더 길어지고[183], 반면에 GHRKO 생쥐는 DR에 의해 수명이 연장되지 않기 때문에[184], 포유류에서 IIS에 대한 DR의 효과는 명확하지 않다. DR은 인슐린민감도를 증가시키기 때문에, 포유류 IIS의 복잡성은 DR과의 보다 더 통합된 상호작용을 의미한다. 중요한 점은, DR은 생쥐 모델에서 신경변성을 방지하고,[185] 식사가 제한된 벌레들은 IIS 돌연변이와 유사하게, 전사인자 HSF-1에 의해 매개되는 단백질독성 감소를 보여준다.[186]

DR에 의한 수명 조절의 핵심 역할자는 영양소 센서 TOR이다. TOR는 TORC1와 TORC2라고 하는 두 개의 다른 복합체들로 존재한다(검토를 위해, Wullschleger, Sarbassov 및 동료들[187,188] 참조). TOR 기능의 감소는 효모, 벌레들 및 파리들에서 수명을 증가시키는 것으로 나타났으며,[189-191], 생쥐에서 rapamycin을 이용한 TOR의 약리학적 억제는 수명을 연장시킨다.[192] TOR는 대사, 전령 RNA (mRNA) 번역 및 자가포식을 포함하는 노화와 연관된 여러 과정들을 조절한다.[148,187,188] 특히, 감소된 mRNA 번역은 효모, 벌레들, 파리들, 그리고 생쥐(검토를 위해, Kaeberlein, Selman과 동료들[193,194] 참조)에서 수명을 연장하고, 자가포식은 수명 연장을 위한 여러 가지 장수 패러다임을 위해 필요하다.[172] TOR는 IIS 경로와 상호작용하고,[187] 이는 또한 노화의 맥락에서 그런 것으로 보이는데 C. elegans에서 TOR 및 IIS의 억제가 수명을 더 연장하지 않기 때문이다.[195,196] 이러한 기능의 중복은 C. elegans에서 감소된 TOR 활성이 DAF-16/FOXO의 활성화를 유도하는 것을 보여주는 연구에 의해 뒷받침된다.[197,198] 벌레들에서 daf-15라고 불리는, TOR 결합 상대인 Raptor가 DAF-16/FOXO의 전사 표적이기 때문에 조절 되먹임고리가 존재할 것이다.[190]

DR, IIS 및 TOR 경로에서 새롭고 일반적인 효과인자인 전사인자 EB (transcription factor EB, TFEB)가 최근에 발견되었다. TFEB는 TOR-억제 또는 영양소 제한상태에서 핵에 국한되고, 자가포식적 급속흐름(autophagic flux)을 촉진하는 여러 가지 리소좀과 자가포식 유전자의 발현을 조절하는 것으로 밝혀졌다.[199,200] C. elegans에서 전사인자 HLH-30은, TFEB를 모방하며 TOR-억제 및 식사 제한된 IIS 돌연변이체들에서 핵에 국한되어 있고 그것들의 수명에 필요한 것으로, 이는 자가포식의 유도에서 공통적인 기전임을 의미한다.[201] 포유류에서 TFEB 과발현은 돌연변이 huntingtin (mHTT)과 α-synuclein을 포함한 신경변성에 관여된 여러 가지 유형의 장애가 있는 단백질들의 분해를 증가시킨다.[202,203] 따라서, TFEB를 활성화하면 신경변성질환을 예방하는 리소좀 기능을 향상시키는 데 이로울 수 있다. TOR가 어떻게 성장, 대사, 노화 및 신경변성질환을 조절하는가를 이해하는 것은 현재 연구의 중요한 영역으로 남아 있다.

에너지센서 AMP-활성키나아제(AMP-activated kinase, AMPK) 역시 장수에 중요한 역할을 하는 것으로 제시되었다. TOR와 유사하게, AMPK는 노화, 스트레스 저항 및 종양발생에 있어 중요한 역할을 한다.[204-206] AMPK는 또한 IIS 경로와 상호작용하는데, 감소된 IIS를 통한 수명 연장은 AMPK α-소단위의 벌레 상동유전자(orthologue)인 aak-2에 의존하기 때문에, AAK-2 및 AMPK의 과발현은 각각 C. elegans과 초파리의 수명을 연장시킨다.[174,206,207] 게다가, AMPK의 소실은 파리들에서 신경변성을 극적으로 증가시키기 때문에[208,209] AMPK는 신경보호 역할을 가지고 있을 것이다. AMPK는 신경기능을 조절하는 데 추가적인 역할을 맡고 있고, 실질적인 화학감각(chemosensory) 영양소 감지경로들의 하부 효과인자로 작용할 수 있는데, 이는 동물이 음식의 유용성 변화를 감지하고 반응할 수 있게 한다. 미래의 연구는 영양소 감지경로가 어떻게 신경변성, 노화 및 수명과 연관되는지에 대한 우리의 이해를 향상시킬 것이다. 그림 11-4는 이 섹션에서 논의된 유기체 노화와 관련된 대사 기능을 가진 단백질과 과정들을 요약한 것이다.

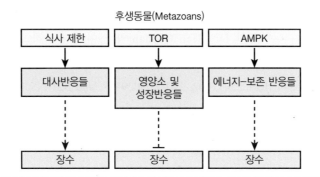

■ 그림 11-4. 후생동물에서 노화를 조절하는 대사 기능을 가진 부가적인 과정 및 유전자. 보여지는 예시들은 식사 제한, 영양센서 target of rapamycin (TOR), 그리고 에너지센서 AMP-활성키나아제(AMPK). 자세한 내용은 본문 참고. *점선 들, 타당할 듯한 조절관계.*

요점: 노화의 신경생물학: 자유라디칼 스트레스와 대사경로 KEY POINTS

- 과도한 NMDA 수용체 활성화 및/혹은 미토콘드리아 기능이상은 UPS나 분자 샤프론의 기능부전을 야기하는 과도한 질산화적 및 산화스트레스를 유발한다.
- ROS와 RNS의 과도한 생성은 신경변성질환의 산발 유형에서 비정상적인 단백질 축적과 신경손상을 유발할 수 있다.
- parkin과 PDI와 같은 특정 분자들의 S-nitrosylation은 PD와 AD 같은 신경변성질환에서 자유라디칼 생산, 비정상적인 단백질 축적, 그리고 신경세포 손상 사이에 기계론적(mechanistic) 연관성을 제공한다.
- 이러한 새로운 경로들을 밝히는 것은 특정 단백질들(예를 들어, parkin, PDI, peroxiredoxin 2)의 nitrosylation의 targeted disruption 혹은 예방에 의해 이상 단백질 잘못 폴딩(misfolding)을 방지하기 위한 추가적인 새로운 치료적 접근의 개발로 이어질 수 있다.
- 인슐린 및 인슐린양 성장인자 신호전달경로에서 단일-유전자 돌연변이들은 벌레, 파리, 그리고 생쥐 수명을 연장시킬 수 있는데 이러한 기전의 진화적 보존을 시사한다.
- 이러한 돌연변이는 더 긴 기간 동안 동물을 건강하고 무병 상태로 유지할 수 있으며 특정 노화 관련 병리들을 완화시킨다. 조직 요건, 유전적 상호작용, 그리고 이들 효과의 타이밍을 결정하는 것은 포유류를 포함하여 추가적인 연구를 위한 중요한 영역으로 남아 있다.
- 부가적인 유지된 장수 경로 및 유전자들은 식사 제한, TOR 수준 감소, 그리고 AMPK의 활성화와 같은 보존된 방법으로 수명을 연장시킬 수 있다. 이들 패러다임에 대한 공통 인자는 적어도 더 간단한 모델 유기체에서, 그들이 중요한 효과인자 기전으로서 자가포식을 이용하는 것으로 보인다는 점이다.
- 자가포식은 손상된 소기관 및 고분자의 세포를 제거하고 생존을 촉진하는 핵심 기전이다. 신경변성질환의 맥락에 있는 자가포식 증강인자를 파악하는 것은 떠오르는 관심 분야이다.

감사의 글

저자들은 이 장의 초기본에 대한 Dr. Sean Oldham의 기여에 감사하고 싶다. 이 작업은 the National Institutes of Health (K99 AG042494 [LRL]; R01 AG038664 및 R01 AG039756 [MH]; P30 NS076411, R01 NS086890, R01 ES017462, P01 HD029587, and R21 NS080799 [SAL]), the Brain and Behavior Research Foundation (SAL), the Michael J. Fox Foundation (SAL and TN) 보조금에서 부분적으로 지원을 받았다.

참고문헌의 총 목록을 보려면 www.expertconsult.com 을 방문해주세요.

중요 참고문헌

11. Lipton SA, Choi YB, Pan ZH, et al: A redox-based mechanism for the neuroprotective and neurodestructive effects of nitric oxide and related nitroso-compounds. Nature 364:626–632, 1993.

17. Chung KK, Thomas B, Li X, et al: S-Nitrosylation of parkin regulates ubiquitination and compromises parkin's protective function. Science 304:1328–1331, 2004.

18. Yao D, Gu Z, Nakamura T, et al: Nitrosative stress linked to sporadic Parkinson's disease: S-nitrosylation of parkin regulates its E3 ubiquitin ligase activity. Proc Natl Acad Sci U S A 101:10810–10814, 2004.

20. Uehara T, Nakamura T, Yao D, et al: S-Nitrosylated protein-disulphide isomerase links protein misfolding to neurodegeneration. Nature 441:513–517, 2006.

35. Dawson VL, Dawson TM, London ED, et al: Nitric oxide mediates glutamate neurotoxicity in primary cortical cultures. Proc Natl Acad Sci U S A 88:6368–6371, 1991.

51. Stamler JS, Toone EJ, Lipton SA, et al: S)NO signals: translocation, regulation, and a consensus motif. Neuron 18:691–696, 1997.

52. Hess DT, Matsumoto A, Kim SO, et al: Protein S-nitrosylation: purview and parameters. Nat Rev Mol Cell Biol 6:150–166, 2005.

58. Choi YB, Tenneti L, Le DA, et al: Molecular basis of NMDA receptor-coupled ion channel modulation by S-nitrosylation. Nat Neurosci 3:15–21, 2000.

59. Gu Z, Kaul M, Yan B, et al: S-Nitrosylation of matrix metalloproteinases: signaling pathway to neuronal cell death. Science 297:1186–1190, 2002.

60. Hara MR, Agrawal N, Kim SF, et al: S-Nitrosylated GAPDH initiates apoptotic cell death by nuclear translocation following Siah1 binding. Nat Cell Biol 7:665–674, 2005.

131. Friedman DB, Johnson TE: A mutation in the age-1 gene in Caenorhabditis elegans lengthens life and reduces hermaphrodite fertility. Genetics 118:75–86, 1988.

133. Kenyon C, Chang J, Gensch E, et al: A C. elegans mutant that lives twice as long as wild type. Nature 366:461–464, 1993.

134. Kimura KD, Tissenbaum HA, Liu Y, et al: DAF-2, an insulin receptor-like gene that regulates longevity and diapause in Caenorhabditis elegans. Science 277:942–946, 1997.

152. Dillin A, Crawford DK, Kenyon C: Timing requirements for insulin/IGF-1 signaling in C. elegans. Science 298:830–834, 2002.

156. Wolkow CA, Kimura KD, Lee MS, et al: Regulation of C. elegans life-span by insulin-like signaling in the nervous system. Science 290:147–150, 2000.

161. Murphy CT, McCarroll SA, Bargmann CI, et al: Genes that act downstream of DAF-16 to influence the lifespan of Caenorhabditis elegans. Nature 424:277–283, 2003.

163. Lee SS, Kennedy S, Tolonen AC, et al: DAF-16 target genes that control C. elegans life-span and metabolism. Science 300:644–647, 2003.

171. Melendez A, Talloczy Z, Seaman M, et al: Autophagy genes are essential for dauer development and life-span extension in C. elegans. Science 301:1387–1391, 2003.

192. Harrison DE, Strong R, Sharp ZD, et al: Rapamycin fed late in life extends lifespan in genetically heterogeneous mice. Nature 460:392–395, 2009.

196. Hansen M, Taubert S, Crawford D, et al: Lifespan extension by conditions that inhibit translation in Caenorhabditis elegans. Aging Cell 6:95–110, 2007.

197. Lapierre LR, Gelino S, Melendez A, et al: Autophagy and lipid metabolism coordinately modulate life span in germline-less C. elegans. Curr Biol 21:1507–1514, 2011.

200. Sardiello M, Palmieri M, di Ronza A, et al: A gene network regulating lysosomal biogenesis and function. Science 325:473–477, 2009.

213. Qu J, Nakamura T, Cao G, et al: S-Nitrosylation activates CDK5 and contributes to synaptic spine loss induced by beta-amyloid peptide. Proc Natl Acad Sci U S A 14330–14335, 2011.

218. Cho DH, Nakamura T, Fang J, et al: S-Nitrosylation of Drp1 mediates beta-amyloid-related mitochondrial fission and neuronal injury. Science 324:102–105, 2009.

229. Nakamura T, Wang L, Wong CC, et al: Transnitrosylation of XIAP regulates caspase-dependent neuronal cell death. Mol Cell 39:184–195, 2010.

참고문헌

1. Lin MT, Beal MF: Mitochondrial dysfunction and oxidative stress in neurodegenerative diseases. Nature 443:787–795, 2006.

2. Barnham KJ, Masters CL, Bush AI: Neurodegenerative diseases and oxidative stress. Nat Rev Drug Discov 3:205–214, 2004.

3. Muchowski PJ: Protein misfolding, amyloid formation, and neurodegeneration: a critical role for molecular chaperones? Neuron 35:9–12, 2002.

4. Emerit J, Edeas M, Bricaire F: Neurodegenerative diseases and oxidative stress. Biomed Pharmacother 58:39–46, 2004.

5. Beal MF: Experimental models of Parkinson's disease. Nat Rev Neurosci 2:325–334, 2001.

6. Lipton SA, Rosenberg PA: Excitatory amino acids as a final common pathway for neurologic disorders. N Engl J Med 330:613–622, 1994.

7. Lipton SA: Paradigm shift in neuroprotection by NMDA receptor blockade: memantine and beyond. Nat Rev Drug Discov 5:160–170, 2006.

8. Bredt DS, Hwang PM, Glatt CE, et al: Cloned and expressed nitric oxide synthase structurally resembles cytochrome P-450 reductase. Nature 351:714–718, 1991.

9. Garthwaite J, Charles SL, Chess-Williams R: Endothelium-derived relaxing factor release on activation of NMDA receptors suggests role as intercellular messenger in the brain. Nature 336:385–388, 1988.

10. Beckman JS, Beckman TW, Chen J, et al: Apparent hydroxyl radical production by peroxynitrite: implications for endothelial injury from nitric oxide and superoxide. Proc Natl Acad Sci U S A 87:1620–1624, 1990.

11. Lipton SA, Choi YB, Pan ZH, et al: A redox-based mechanism for the neuroprotective and neurodestructive effects of nitric oxide and related nitroso-compounds. Nature 364:626–632, 1993.

12. Bence NF, Sampat RM, Kopito RR: Impairment of the ubiquitin-proteasome system by protein aggregation. Science 292:1552–1555, 2001.

13. Chaudhuri TK, Paul S: Protein-misfolding diseases and chaperone-based therapeutic approaches. FEBS J 273:1331–1349, 2006.

14. Ciechanover A, Brundin P: The ubiquitin proteasome system in neurodegenerative diseases: sometimes the chicken, sometimes the egg. Neuron 40:427–446, 2003.

15. Muchowski PJ, Wacker JL: Modulation of neurodegeneration by molecular chaperones. Nat Rev Neurosci 6:11–22, 2005.

16. Zhang K, Kaufman RJ: The unfolded protein response: a stress signaling pathway critical for health and disease. Neurology 66:S102–S109, 2006.

17. Chung KK, Thomas B, Li X, et al: S-Nitrosylation of parkin regulates ubiquitination and compromises parkin's protective function. Science 304:1328–1331, 2004.

18. Yao D, Gu Z, Nakamura T, et al: Nitrosative stress linked to sporadic Parkinson's disease: S-nitrosylation of parkin regulates its E3 ubiquitin ligase activity. Proc Natl Acad Sci U S A 101:10810–10814, 2004.

19. Lipton SA, Nakamura T, Yao D, et al: Comment on "S-nitrosylation of parkin regulates ubiquitination and compromises parkin's protective function." Science 308:1870, 2005.

20. Uehara T, Nakamura T, Yao D, et al: S-Nitrosylated protein-disulphide isomerase links protein misfolding to neurodegeneration. Nature 441:513–517, 2006.

21. Hipp MS, Park SH, Hartl FU: Proteostasis impairment in protein-misfolding and -aggregation diseases. Trends Cell Biol 24:506–514, 2014.

22. Cookson MR: The biochemistry of Parkinson's disease. Annu Rev Biochem 74:29–52, 2005.

23. Zhao L, Longo-Guess C, Harris BS, et al: Protein accumulation and neurodegeneration in the woozy mutant mouse is caused by disruption of SIL1, a cochaperone of BiP. Nat Genet 37:974–979, 2005.

24. McNaught KS, Perl DP, Brownell AL, et al: Systemic exposure to proteasome inhibitors causes a progressive model of Parkinson's disease. Ann Neurol 56:149–162, 2004.

25. Arrasate M, Mitra S, Schweitzer ES, et al: Inclusion body formation reduces levels of mutant huntingtin and the risk of neuronal death. Nature 431:805–810, 2004.

26. Okamoto S, Pouladi MA, Talantova M, et al: Balance between synaptic versus extrasynaptic NMDA receptor activity influences inclusions and neurotoxicity of mutant huntingtin. Nat Med 15:1407–1413, 2009.

27. Hardingham GE, Fukunaga Y, Bading H: Extrasynaptic NMDARs oppose synaptic NMDARs by triggering CREB shut-off and cell death pathways. Nat Neurosci 5:405–414, 2002.

28. Papadia S, Stevenson P, Hardingham NR, et al: Nuclear Ca^{2+} and the cAMP response element-binding protein family mediate a late phase of activity-dependent neuroprotection. J Neurosci 25:4279–4287, 2005.

29. Papadia S, Soriano FX, Leveille F, et al: Synaptic NMDA receptor activity boosts intrinsic antioxidant defenses. Nat Neurosci 11:476–487, 2008.

30. Ankarcrona M, Dypbukt JM, Bonfoco E, et al: Glutamate-induced neuronal death: a succession of necrosis or apoptosis depending on mitochondrial function. Neuron 15:961–973, 1995.

31. Bonfoco E, Krainc D, Ankarcrona M, et al: Apoptosis and necrosis: two distinct events induced, respectively, by mild and intense insults with N-methyl-d-aspartate or nitric oxide/superoxide in cortical cell cultures. Proc Natl Acad Sci U S A 92:7162–7166, 1995.

32. Budd SL, Tenneti L, Lishnak T, et al: Mitochondrial and extramitochondrial apoptotic signaling pathways in cerebrocortical neurons. Proc Natl Acad Sci U S A 97:6161–6166, 2000.

33. Nowak L, Bregestovski P, Ascher P, et al: Magnesium gates glutamate-activated channels in mouse central neurones. Nature 307:462–465, 1984.

34. Mayer ML, Westbrook GL, Guthrie PB: Voltage-dependent block by Mg^{2+} of NMDA responses in spinal cord neurones. Na-

ture 309:261 – 263, 1984.

35. Dawson VL, Dawson TM, London ED, et al: Nitric oxide mediates glutamate neurotoxicity in primary cortical cultures. Proc Natl Acad Sci U S A 88:6368 – 6371, 1991.

36. Lafon-Cazal M, Pietri S, Culcasi M, et al: NMDA-dependent superoxide production and neurotoxicity. Nature 364:535 – 537, 1993.

37. Olney JW: Brain lesions, obesity, and other disturbances in mice treated with monosodium glutamate. Science 164:719 – 721, 1969.

38. Olney JW, Wozniak DF, Farber NB: Excitotoxic neurodegeneration in Alzheimer disease. New hypothesis and new therapeutic strategies. Arch Neurol 54:1234 – 1240, 1997.

39. Chen HS, Lipton SA: The chemical biology of clinically tolerated NMDA receptor antagonists. J Neurochem 97:1611 – 1626, 2006.

40. Abu-Soud HM, Stuehr DJ: Nitric oxide synthases reveal a role for calmodulin in controlling electron transfer. Proc Natl Acad Sci U S A 90:10769 – 10772, 1993.

41. Betarbet R, Sherer TB, MacKenzie G, et al: Chronic systemic pesticide exposure reproduces features of Parkinson's disease. Nat Neurosci 3:1301 – 1306, 2000.

42. He Y, Imam SZ, Dong Z, et al: Role of nitric oxide in rotenone-induced nigro-striatal injury. J Neurochem 86:1338 – 1345, 2003.

43. Abou-Sleiman PM, Muqit MM, Wood NW: Expanding insights of mitochondrial dysfunction in Parkinson's disease. Nat Rev Neurosci 7:207 – 219, 2006.

44. Isaacs AM, Senn DB, Yuan M, et al: Acceleration of amyloid beta-peptide aggregation by physiological concentrations of calcium. J Biol Chem 281:27916 – 27923, 2006.

45. O'Dell TJ, Hawkins RD, Kandel ER, et al: Tests of the roles of two diffusible substances in long-term potentiation: evidence for nitric oxide as a possible early retrograde messenger. Proc Natl Acad Sci U S A 88:11285 – 11289, 1991.

46. Bredt DS, Snyder SH: Nitric oxide: a physiologic messenger molecule. Annu Rev Biochem 63:175 – 195, 1994.

47. Schuman EM, Madison DV: Locally distributed synaptic potentiation in the hippocampus. Science 263:532 – 536, 1994.

48. Stamler JS, Simon DI, Osborne JA, et al: S-Nitrosylation of proteins with nitric oxide: synthesis and characterization of biologically active compounds. Proc Natl Acad Sci U S A 89:444 – 448, 1992.

49. Lei SZ, Pan ZH, Aggarwal SK, et al: Effect of nitric oxide production on the redox modulatory site of the NMDA receptor-channel complex. Neuron 8:1087 – 1099, 1992.

50. Kandel ER, O'Dell TJ: Are adult learning mechanisms also used for development? Science 258:243 – 245, 1992.

51. Stamler JS, Toone EJ, Lipton SA, et al: S)NO signals: translocation, regulation, and a consensus motif. Neuron 18:691 – 696, 1997.

52. Hess DT, Matsumoto A, Kim SO, et al: Protein S-nitrosylation: purview and parameters. Nat Rev Mol Cell Biol 6:150 – 166, 2005.

53. Melino G, Bernassola F, Knight RA, et al: S-Nitrosylation regulates apoptosis. Nature 388:432 – 433, 1997.

54. Tenneti L, D'Emilia DM, Lipton SA: Suppression of neuronal apoptosis by S-nitrosylation of caspases. Neurosci Lett 236:139 – 142, 1997.

55. Dimmeler S, Haendeler J, Nehls M, et al: Suppression of apoptosis by nitric oxide via inhibition of interleukin-1beta-converting enzyme (ICE)-like and cysteine protease protein (CPP)-32-like proteases. J Exp Med 185:601 – 607, 1997.

56. Mannick JB, Hausladen A, Liu L, et al: Fas-induced caspase denitrosylation. Science 284:651 – 654, 1999.

57. Kim WK, Choi YB, Rayudu PV, et al: Attenuation of NMDA receptor activity and neurotoxicity by nitroxyl anion, NO. Neuron 24:461 – 469, 1999.

58. Choi YB, Tenneti L, Le DA, et al: Molecular basis of NMDA receptor-coupled ion channel modulation by S-nitrosylation. Nat Neurosci 3:15 – 21, 2000.

59. Gu Z, Kaul M, Yan B, et al: S-Nitrosylation of matrix metalloproteinases: signaling pathway to neuronal cell death. Science 297:1186–1190, 2002.

60. Hara MR, Agrawal N, Kim SF, et al: S-Nitrosylated GAPDH initiates apoptotic cell death by nuclear translocation following Siah1 binding. Nat Cell Biol 7:665–674, 2005.

61. Jaffrey SR, Erdjument-Bromage H, Ferris CD, et al: Protein S-nitrosylation: a physiological signal for neuronal nitric oxide. Nat Cell Biol 3:193–197, 2001.

62. Haendeler J, Hoffmann J, Tischler V, et al: Redox regulatory and anti-apoptotic functions of thioredoxin depend on S-nitrosylation at cysteine 69. Nat Cell Biol 4:743–749, 2002.

63. Sliskovic I, Raturi A, Mutus B: Characterization of the S-denitrosation activity of protein disulfide isomerase. J Biol Chem 280:8733–8741, 2005.

64. Stamler JS, Singel DJ, Loscalzo J: Biochemistry of nitric oxide and its redox-activated forms. Science 258:1898–1902, 1992.

65. Stamler JS: Redox signaling: nitrosylation and related target interactions of nitric oxide. Cell 78:931–936, 1994.

66. Stamler JS, Lamas S, Fang FC: Nitrosylation, the prototypic redox-based signaling mechanism. Cell 106:675–683, 2001.

67. Lipton SA, Choi YB, Takahashi H, et al: Cysteine regulation of protein function—as exemplified by NMDA-receptor modulation. Trends Neurosci 25:474–480, 2002.

68. Stamler JS, Hausladen A: Oxidative modifications in nitrosative stress. Nat Struct Biol 5:247–249, 1998.

69. Houk KN, Hietbrink BN, Bartberger MD, et al: Nitroxyl disulfides, novel intermediates in transnitrosation reactions. J Am Chem Soc 125:6972–6976, 2003.

70. Martinez-Ruiz A, Lamas S: Signalling by NO-induced protein S-nitrosylation and S-glutathionylation: convergences and divergences. Cardiovasc Res 75:220–228, 2007.

71. Mustafa AK, Gadalla MM, Sen N, et al: H2S signals through protein S-sulfhydration. Science Signal 2:ra72, 2009.

72. Vandiver MS, Paul BD, Xu R, et al: Sulfhydration mediates neuroprotective actions of parkin. Nature Commun 4:1626, 2013.

73. Lu C, Kavalier A, Lukyanov E, et al: S-Sulfhydration/desulfhydration and S-nitrosylation/denitrosylation: a common paradigm for gasotransmitter signaling by H2S and NO. Methods 62:177–181, 2013.

74. Huang Z, Huang PL, Panahian N, et al: Effects of cerebral ischemia in mice deficient in neuronal nitric oxide synthase. Science 265:1883–1885, 1994.

75. Iadecola C, Zhang F, Casey R, et al: Delayed reduction of ischemic brain injury and neurological deficits in mice lacking the inducible nitric oxide synthase gene. J Neurosci 17:9157–9164, 1997.

76. Hantraye P, Brouillet E, Ferrante R, et al: Inhibition of neuronal nitric oxide synthase prevents MPTP-induced parkinsonism in baboons. Nat Med 2:1017–1021, 1996.

77. Przedborski S, Jackson-Lewis V, Yokoyama R, et al: Role of neuronal nitric oxide in 1-methyl-4-phenyl-1,2,3,6-tetrahydropyridine (MPTP)-induced dopaminergic neurotoxicity. Proc Natl Acad Sci U S A 93:4565–4571, 1996.

78. Liberatore GT, Jackson-Lewis V, Vukosavic S, et al: Inducible nitric oxide synthase stimulates dopaminergic neurodegeneration in the MPTP model of Parkinson disease. Nat Med 5:1403–1409, 1999.

79. Chabrier PE, Demerle-Pallardy C, Auguet M: Nitric oxide synthases: targets for therapeutic strategies in neurological diseases. Cell Mol Life Sci 55:1029–1035, 1999.

80. Ross CA, Pickart CM: The ubiquitin-proteasome pathway in Parkinson's disease and other neurodegenerative diseases. Trends Cell Biol 14:703–711, 2004.

81. Nishikawa K, Li H, Kawamura R, et al: Alterations of structure and hydrolase activity of parkinsonism-associated human ubiquitin carboxyl-terminal hydrolase L1 variants. Biochem Biophys Res Commun 304:176–183, 2003.

82. Choi J, Levey AI, Weintraub ST, et al: Oxidative modifications and down-regulation of ubiquitin carboxyl-terminal hydrolase L1 associated with idiopathic Parkinson's and Alzheimer's diseases. J Biol Chem 279:13256–13264, 2004.

83. Chung KK, Dawson TM, Dawson VL: Nitric oxide, S-nitrosylation and neurodegeneration. Cell Mol Biol (Noisy-Le-Grand) 51:247–254, 2005.

84. Gu Z, Nakamura T, Yao D, et al: Nitrosative and oxidative stress links dysfunctional ubiquitination to Parkinson's disease. Cell Death Differ 12:1202-1204, 2005.

85. Meng F, Yao D, Shi Y, et al: Oxidation of the cysteine-rich regions of parkin perturbs its E3 ligase activity and contributes to protein aggregation. Mol Neurodegener 6:34, 2011.

86. Lim KL, Chew KC, Tan JM, et al: Parkin mediates nonclassical, proteasomal-independent ubiquitination of synphilin-1: implications for Lewy body formation. J Neurosci 25:2002-2009, 2005.

87. Wang C, Ko HS, Thomas B, et al: Stress-induced alterations in parkin solubility promote parkin aggregation and compromise parkin's protective function. Hum Mol Genet 14:3885-3897, 2005.

88. Wong ES, Tan JM, Wang C, et al: Relative sensitivity of parkin and other cysteine-containing enzymes to stress-induced solubility alterations. J Biol Chem 282:12310-12318, 2007.

89. LaVoie MJ, Cortese GP, Ostaszewski BL, et al: The effects of oxidative stress on parkin and other E3 ligases. J Neurochem 103:2354-2368, 2007.

90. Youle RJ, van der Bliek AM: Mitochondrial fission, fusion, and stress. Science 337:1062-1065, 2012.

91. Chen Y, Dorn GW, 2nd: PINK1-phosphorylated mitofusin 2 is a Parkin receptor for culling damaged mitochondria. Science 340:471-475, 2013.

92. Ozawa K, Komatsubara AT, Nishimura Y, et al: S-Nitrosylation regulates mitochondrial quality control via activation of parkin. Scientific Rep 3:2202, 2013.

93. da Costa CA, Sunyach C, Giaime E, et al: Transcriptional repression of p53 by parkin and impairment by mutations associated with autosomal recessive juvenile Parkinson's disease. Nat Cell Biol 11:1370-1375, 2009.

94. Sunico CR, Nakamura T, Rockenstein E, et al: S-Nitrosylation of parkin as a novel regulator of p53-mediated neuronal cell death in sporadic Parkinson's disease. Mol Neurodegener 8:29, 2013.

95. Andrews DW, Johnson AE: The translocon: more than a hole in the ER membrane? Trends Biochem Sci 21:365-369, 1996.

96. Sidrauski C, Chapman R, Walter P: The unfolded protein response: an intracellular signalling pathway with many surprising features. Trends Cell Biol 8:245-249, 1998.

97. Szegezdi E, Logue SE, Gorman AM, et al: Mediators of endoplasmic reticulum stress-induced apoptosis. EMBO Rep 7:880-885, 2006.

98. Ellgaard L, Molinari M, Helenius A: Setting the standards: quality control in the secretory pathway. Science 286:1882-1888, 1999.

99. Lyles MM, Gilbert HF: Catalysis of the oxidative folding of ribonuclease A by protein disulfide isomerase: dependence of the rate on the composition of the redox buffer. Biochemistry 30:613-619, 1991.

100. Edman JC, Ellis L, Blacher RW, et al: Sequence of protein disulphide isomerase and implications of its relationship to thioredoxin. Nature 317:267-270, 1985.

101. Vuori K, Pihlajaniemi T, Myllyla R, et al: Site-directed mutagenesis of human protein disulphide isomerase: effect on the assembly, activity and endoplasmic reticulum retention of human prolyl 4-hydroxylase in Spodoptera frugiperda insect cells. EMBO J 11:4213-4217, 1992.

102. Ellgaard L, Ruddock LW: The human protein disulphide isomerase family: substrate interactions and functional properties. EMBO Rep 6:28-32, 2005.

103. Gruber CW, Cemazar M, Heras B, et al: Protein disulfide isomerase: the structure of oxidative folding. Trends Biochem Sci 31:455-464, 2006.

104. Conn KJ, Gao W, McKee A, et al: Identification of the protein disulfide isomerase family member PDIp in experimental Parkinson's disease and Lewy body pathology. Brain Res 1022:164-172, 2004.

105. Hetz C, Russelakis-Carneiro M, Walchli S, et al: The disulfide isomerase Grp58 is a protective factor against prion neurotoxicity. J Neurosci 25:2793-2802, 2005.

106. Hu BR, Martone ME, Jones YZ, et al: Protein aggregation after transient cerebral ischemia. J Neurosci 20:3191-3199, 2000.

107. Rao RV, Bredesen DE: Misfolded proteins, endoplasmic reticulum stress and neurodegeneration. Curr Opin Cell Biol 16:653–662, 2004.

108. Atkin JD, Farg MA, Turner BJ, et al: Induction of the unfolded protein response in familial amyotrophic lateral sclerosis and association of protein-disulfide isomerase with superoxide dismutase 1. J Biol Chem 281:30152–30165, 2006.

109. Tanaka S, Uehara T, Nomura Y: Up-regulation of protein-disulfide isomerase in response to hypoxia/brain ischemia and its protective effect against apoptotic cell death. J Biol Chem 275:10388–10393, 2000.

110. Ko HS, Uehara T, Nomura Y: Role of ubiquilin associated with protein-disulfide isomerase in the endoplasmic reticulum in stress-induced apoptotic cell death. J Biol Chem 277:35386–35392, 2002.

111. Gotoh T, Oyadomari S, Mori K, et al: Nitric oxide-induced apoptosis in RAW 264.7 macrophages is mediated by endoplasmic reticulum stress pathway involving ATF6 and CHOP. J Biol Chem 277:12343–12350, 2002.

112. Oyadomari S, Takeda K, Takiguchi M, et al: Nitric oxide-induced apoptosis in pancreatic beta cells is mediated by the endoplasmic reticulum stress pathway. Proc Natl Acad Sci U S A 98:10845–10850, 2001.

113. Forrester MT, Benhar M, Stamler JS: Nitrosative stress in the ER: a new role for S-nitrosylation in neurodegenerative diseases. ACS Chem Biol 1:355–358, 2006.

114. Kabiraj P, Marin JE, Varela-Ramirez A, et al: Ellagic acid mitigates SNO-PDI induced aggregation of Parkinsonian biomarkers. ACS Chem Neurosci 5:1209–1220, 2014.

115. Wu XF, Wang AF, Chen L, et al: S-Nitrosylating protein disulphide isomerase mediates alpha-synuclein aggregation caused by methamphetamine exposure in PC12 cells. Toxicol Lett 230:19–27, 2014.

116. Xu B, Jin CH, Deng Y, et al: Alpha-synuclein oligomerization in manganese-induced nerve cell injury in brain slices: a role of NO-mediated S-nitrosylation of protein disulfide isomerase. Mol Neurobiol 50:1098–1110, 2014.

117. Chung KK, Zhang Y, Lim KL, et al: Parkin ubiquitinates the alpha-synuclein-interacting protein, synphilin-1: implications for Lewy-body formation in Parkinson disease. Nat Med 7:1144–1150, 2001.

118. Honjo Y, Horibe T, Torisawa A, et al: Protein disulfide isomerase P5-immunopositive inclusions in patients with Alzheimer's disease. J Alzheimers Dis 38:601–609, 2014.

119. Honjo Y, Ito H, Horibe T, et al: Protein disulfide isomerase-immunopositive inclusions in patients with Alzheimer disease. Brain Res 1349:90–96, 2010.

120. Townsend DM, Manevich Y, He L, et al: Nitrosative stress-induced S-glutathionylation of protein disulfide isomerase leads to activation of the unfolded protein response. Cancer Res 69:7626–7634, 2009.

121. Walker AK, Farg MA, Bye CR, et al: Protein disulphide isomerase protects against protein aggregation and is S-nitrosylated in amyotrophic lateral sclerosis. Brain 133:105–116, 2010.

122. Jeon GS, Nakamura T, Lee JS, et al: Potential effect of S-nitrosylated protein disulfide isomerase on mutant SOD1 aggregation and neuronal cell death in amyotrophic lateral sclerosis. Mol Neurobiol 49:796–807, 2014.

123. Chen X, Li C, Guan T, et al: S-nitrosylated protein disulfide isomerase contributes to mutant SOD1 aggregates in amyotrophic lateral sclerosis. J Neurochem 124:45–58, 2013.

124. Chen X, Guan T, Li C, et al: SOD1 aggregation in astrocytes following ischemia/reperfusion injury: a role of NO-mediated S-nitrosylation of protein disulfide isomerase (PDI). J Neuroinflammation 9:237, 2012.

125. Obukuro K, Nobunaga M, Takigawa M, et al: Nitric oxide mediates selective degeneration of hypothalamic orexin neurons through dysfunction of protein disulfide isomerase. J Neurosci 33:12557–12568, 2013.

126. Wang SB, Shi Q, Xu Y, et al: Protein disulfide isomerase regulates endoplasmic reticulum stress and the apoptotic process during prion infection and PrP mutant-induced cytotoxicity. PLoS ONE 7:e38221, 2012.

127. Paz Gavilan M, Vela J, Castano A, et al: Cellular environment facilitates protein accumulation in aged rat hippocampus. Neurobiol Aging 27:973–982, 2006.

128. Gray DA, Tsirigotis M, Woulfe J: Ubiquitin, proteasomes, and the aging brain. Sci Aging Knowledge Environ 2003:RE6, 2003.

129. Piper MD, Selman C, McElwee JJ, et al: Separating cause from effect: how does insulin/IGF signalling control lifespan in

worms, flies and mice? J Intern Med 263:179 – 191, 2008.

130. Klass MR: A method for the isolation of longevity mutants in the nematode Caenorhabditis elegans and initial results. Mech Ageing Dev 22:279 – 286, 1983.

131. Friedman DB, Johnson TE: A mutation in the age-1 gene in Caenorhabditis elegans lengthens life and reduces hermaphrodite fertility. Genetics 118:75 – 86, 1988.

132. Morris JZ, Tissenbaum HA, Ruvkun G: A phosphatidylinositol-3-OH kinase family member regulating longevity and diapause in Caenorhabditis elegans. Nature 382:536 – 539, 1996.

133. Kenyon C, Chang J, Gensch E, et al: A C. elegans mutant that lives twice as long as wild type. Nature 366:461 – 464, 1993.

134. Kimura KD, Tissenbaum HA, Liu Y, et al: DAF-2, an insulin receptor-like gene that regulates longevity and diapause in Caenorhabditis elegans. Science 277:942 – 946, 1997.

135. Lin K, Dorman JB, Rodan A, et al: DAF-16: An HNF-3/forkhead family member that can function to double the life-span of Caenorhabditis elegans. Science 278:1319 – 1322, 1997.

136. Tatar M, Kopelman A, Epstein D, et al: A mutant Drosophila insulin receptor homolog that extends life-span and impairs neuroendocrine function. Science 292:107 – 110, 2001.

137. Clancy DJ, Gems D, Harshman LG, et al: Extension of life-span by loss of CHICO, a Drosophila insulin receptor substrate protein. Science 292:104 – 106, 2001.

138. Holzenberger M, Dupont J, Ducos B, et al: IGF-1 receptor regulates lifespan and resistance to oxidative stress in mice. Nature 421:182 – 187, 2003.

139. Bluher M, Kahn BB, Kahn CR: Extended longevity in mice lacking the insulin receptor in adipose tissue. Science 299:572 – 574, 2003.

140. Taguchi A, Wartschow LM, White MF: Brain IRS2 signaling coordinates life span and nutrient homeostasis. Science 317:369 – 372, 2007.

141. Selman C, Lingard S, Choudhury AI, et al: Evidence for lifespan extension and delayed age-related biomarkers in insulin receptor substrate 1 null mice. FASEB J 22:807 – 818, 2008.

142. Kenyon CJ: The genetics of ageing. Nature 464:504 – 512, 2010.

143. Brown-Borg HM, Borg KE, Meliska CJ, et al: Dwarf mice and the ageing process. Nature 384:33, 1996.

144. Coschigano KT, Clemmons D, Bellush LL, et al: Assessment of growth parameters and life span of GHR/BP gene-disrupted mice. Endocrinology 141:2608 – 2613, 2000.

145. Kenyon C: A conserved regulatory system for aging. Cell 105:165 – 168, 2001.

146. Pinkston JM, Garigan D, Hansen M, et al: Mutations that increase the life span of C. elegans inhibit tumor growth. Science 313:971 – 975, 2006.

147. Pinkston-Gosse J, Kenyon C: DAF-16/FOXO targets genes that regulate tumor growth in Caenorhabditis elegans. Nat Genet 39:1403 – 1409, 2007.

148. Oldham S, Hafen E: Insulin/IGF and target of rapamycin signaling: a TOR de force in growth control. Trends Cell Biol 13:79 – 85, 2003.

149. Wessells RJ, Fitzgerald E, Cypser JR, et al: Insulin regulation of heart function in aging fruit flies. Nat Genet 36:1275 – 1281, 2004.

150. Cohen E, Bieschke J, Perciavalle RM, et al: Opposing activities protect against age-onset proteotoxicity. Science 313:1604 – 1610, 2006.

151. Khurana V, Lu Y, Steinhilb ML, et al: TOR-mediated cell-cycle activation causes neurodegeneration in a Drosophila tauopathy model. Curr Biol 16:230 – 241, 2006.

152. Dillin A, Crawford DK, Kenyon C: Timing requirements for insulin/IGF-1 signaling in C. elegans. Science 298:830 – 834, 2002.

153. Giannakou ME, Goss M, Jacobson J, et al: Dynamics of the action of dFOXO on adult mortality in Drosophila. Aging Cell

6:429－438, 2007.

154. Hwangbo DS, Gershman B, Tu MP, et al: Drosophila dFOXO controls lifespan and regulates insulin signalling in brain and fat body. Nature 429:562－566, 2004.

155. Broughton SJ, Piper MD, Ikeya T, et al: Longer lifespan, altered metabolism, and stress resistance in Drosophila from ablation of cells making insulin-like ligands. Proc Natl Acad Sci U S A 102:3105－3110, 2005.

156. Wolkow CA, Kimura KD, Lee MS, et al: Regulation of C. elegans life-span by insulin-like signaling in the nervous system. Science 290:147－150, 2000.

157. Iser WB, Gami MS, Wolkow CA: Insulin signaling in Caenorhabditis elegans regulates both endocrine-like and cell-autonomous outputs. Dev Biol 303:434－447, 2007.

158. Libina N, Berman JR, Kenyon C: Tissue-specific activities of C. elegans DAF-16 in the regulation of lifespan. Cell 115:489－502, 2003.

159. McElwee J, Bubb K, Thomas JH: Transcriptional outputs of the Caenorhabditis elegans forkhead protein DAF-16. Aging Cell 2:111－121, 2003.

160. McElwee JJ, Schuster E, Blanc E, et al: Diapause-associated metabolic traits reiterated in long-lived daf-2 mutants in the nematode Caenorhabditis elegans. Mech Ageing Dev 127:458－472, 2006.

161. Murphy CT, McCarroll SA, Bargmann CI, et al: Genes that act downstream of DAF-16 to influence the lifespan of Caenorhabditis elegans. Nature 424:277－283, 2003.

162. Oh SW, Mukhopadhyay A, Dixit BL, et al: Identification of direct DAF-16 targets controlling longevity, metabolism and diapause by chromatin immunoprecipitation. Nat Genet 38:251－257, 2006.

163. Lee SS, Kennedy S, Tolonen AC, et al: DAF-16 target genes that control C. elegans life-span and metabolism. Science 300:644－647, 2003.

164. Honda Y, Honda S: The daf-2 gene network for longevity regulates oxidative stress resistance and Mn-superoxide dismutase gene expression in Caenorhabditis elegans. FASEB J 13:1385－1393, 1999.

165. Cohen E, Dillin A: The insulin paradox: aging, proteotoxicity and neurodegeneration. Nat Rev Neurosci 9:759－767, 2008.

166. Hsu AL, Murphy CT, Kenyon C: Regulation of aging and age-related disease by DAF-16 and heat-shock factor. Science 300:1142－1145, 2003.

167. Morley JF, Brignull HR, Weyers JJ, et al: The threshold for polyglutamine-expansion protein aggregation and cellular toxicity is dynamic and influenced by aging in Caenorhabditis elegans. Proc Natl Acad Sci U S A 99:10417－10422, 2002.

168. Chen HK, Fernandez-Funez P, Acevedo SF, et al: Interaction of Akt-phosphorylated ataxin-1 with 14-3-3 mediates neurodegeneration in spinocerebellar ataxia type 1. Cell 113:457－468, 2003.

169. Zhang P, Judy M, Lee SJ, et al: Direct and indirect gene regulation by a life-extending FOXO protein in C. elegans: roles for GATA factors and lipid gene regulators. Cell Metab 17:85－100, 2013.

170. Hars ES, Qi H, Ryazanov AG, et al: Autophagy regulates ageing in C. elegans. Autophagy 3:93－95, 2007.

171. Melendez A, Talloczy Z, Seaman M, et al: Autophagy genes are essential for dauer development and life-span extension in C. elegans. Science 301:1387－1391, 2003.

172. Lapierre LR, Hansen M: Lessons from C. elegans: signaling pathways for longevity. Trends Endocrinol Metab 23:637－644, 2012.

173. Harris H, Rubinsztein DC: Control of autophagy as a therapy for neurodegenerative disease. Nat Rev Neurol 8:108－117, 2012.

174. Ulgherait M, Rana A, Rera M, et al: AMPK modulates tissue and organismal aging in a non-cell-autonomous manner. Cell Rep 8:1767－1780, 2014.

175. Pyo JO, Yoo SM, Ahn HH, et al: Overexpression of Atg5 in mice activates autophagy and extends lifespan. Nat Commun 4:2300, 2013.

176. Sandri M: Protein breakdown in muscle wasting: role of autophagy-lysosome and ubiquitin-proteasome. Int J Biochem Cell Biol 45:2121－2129, 2013.

177. Carnio S, LoVerso F, Baraibar MA, et al: Autophagy impairment in muscle induces neuromuscular junction degeneration and precocious aging. Cell Rep 8:1509-1521, 2014.

178. Mair W, Dillin A: Aging and survival: the genetics of life span extension by dietary restriction. Annu Rev Biochem 77:727-754, 2008.

179. Lakowski B, Hekimi S: The genetics of caloric restriction in Caenorhabditis elegans. Proc Natl Acad Sci U S A 95:13091-13096, 1998.

180. Greer EL, Dowlatshahi D, Banko MR, et al: An AMPK-FOXO pathway mediates longevity induced by a novel method of dietary restriction in C. elegans. Curr Biol 17:1646-1656, 2007.

181. Kauffman AL, Ashraf JM, Corces-Zimmerman MR, et al: Insulin signaling and dietary restriction differentially influence the decline of learning and memory with age. PLoS Biol 8:e1000372, 2010.

182. Flatt T, Min KJ, D'Alterio C, et al: Drosophila germ-line modulation of insulin signaling and lifespan. Proc Natl Acad Sci U S A 105:6368-6373, 2008.

183. Bartke A, Wright JC, Mattison JA, et al: Extending the lifespan of long-lived mice. Nature 414:412, 2001.

184. Bonkowski MS, Rocha JS, Masternak MM, et al: From the cover: targeted disruption of growth hormone receptor interferes with the beneficial actions of calorie restriction. Proc Natl Acad Sci U S A 103:7901-7905, 2006.

185. Martin B, Mattson MP, Maudsley S: Caloric restriction and intermittent fasting: two potential diets for successful brain aging. Ageing Res Rev 5:332-353, 2006.

186. Steinkraus KA, Smith ED, Davis C, et al: Dietary restriction suppresses proteotoxicity and enhances longevity by an hsf-1-dependent mechanism in Caenorhabditis elegans. Aging Cell 7:394-404, 2008.

187. Wullschleger S, Loewith R, Hall MN: TOR signaling in growth and metabolism. Cell 124:471-484, 2006.

188. Sarbassov DD, Ali SM, Sabatini DM: Growing roles for the mTOR pathway. Curr Opin Cell Biol 17:596-603, 2005.

189. Luong N, Davies CR, Wessells RJ, et al: Activated FOXO-mediated insulin resistance is blocked by reduction of TOR activity. Cell Metab 4:133-142, 2006.

190. Jia K, Chen D, Riddle DL: The TOR pathway interacts with the insulin signaling pathway to regulate C. elegans larval development, metabolism and life span. Development 131:3897-3906, 2004.

191. Kaeberlein M, Powers RW, 3rd, Steffen KK, et al: Regulation of yeast replicative life span by TOR and Sch9 in response to nutrients. Science 310:1193-1196, 2005.

192. Harrison DE, Strong R, Sharp ZD, et al: Rapamycin fed late in life extends lifespan in genetically heterogeneous mice. Nature 460:392-395, 2009.

193. Kaeberlein M, Kennedy BK: Protein translation, 2007. Aging Cell 6:731-734, 2007.

194. Selman C, Tullet JM, Wieser D, et al: Ribosomal protein S6 kinase 1 signaling regulates mammalian life span. Science 326:140-144, 2009.

195. Vellai T, Takacs-Vellai K, Zhang Y, et al: Genetics: influence of TOR kinase on lifespan in C. elegans. Nature 426:620, 2003.

196. Hansen M, Taubert S, Crawford D, et al: Lifespan extension by conditions that inhibit translation in Caenorhabditis elegans. Aging Cell 6:95-110, 2007.

197. Lapierre LR, Gelino S, Melendez A, et al: Autophagy and lipid metabolism coordinately modulate life span in germline-less C. elegans. Curr Biol 21:1507-1514, 2011.

198. Robida-Stubbs S, Glover-Cutter K, Lamming DW, et al: TOR signaling and rapamycin influence longevity by regulating SKN-1/Nrf and DAF-16/FoxO. Cell Metab 15:713-724, 2012.

199. Settembre C, Di Malta C, Polito VA, et al: TFEB links autophagy to lysosomal biogenesis. Science 332:1429-1433, 2011.

200. Sardiello M, Palmieri M, di Ronza A, et al: A gene network regulating lysosomal biogenesis and function. Science 325:473-477, 2009.

201. Lapierre LR, De Magalhaes Filho CD, McQuary PR, et al: The TFEB orthologue HLH-30 regulates autophagy and modulates longevity in Caenorhabditis elegans. Nat Commun 4:2267, 2013.

202. Tsunemi T, Ashe TD, Morrison BE, et al: PGC-1α rescues Huntington's disease proteotoxicity by preventing oxidative stress and promoting TFEB function. Sci Transl Med 4:142ra197, 2012.

203. Decressac M, Mattsson B, Weikop P, et al: TFEB-mediated autophagy rescues midbrain dopamine neurons from alpha-synuclein toxicity. Proc Natl Acad Sci U S A 110:E1817-E1826, 2013.

204. Bokko PB, Francione L, Bandala-Sanchez E, et al: Diverse cytopathologies in mitochondrial disease are caused by AMP-activated protein kinase signaling. Mol Biol Cell 18:1874-1886, 2007.

205. Schulz TJ, Zarse K, Voigt A, et al: Glucose restriction extends Caenorhabditis elegans life span by inducing mitochondrial respiration and increasing oxidative stress. Cell Metab 6:280-293, 2007.

206. Apfeld J, O'Connor G, McDonagh T, et al: The AMP-activated protein kinase AAK-2 links energy levels and insulin-like signals to lifespan in C. elegans. Genes Dev 18:3004-3009, 2004.

207. Mair W, Morantte I, Rodrigues AP, et al: Lifespan extension induced by AMPK and calcineurin is mediated by CRTC-1 and CREB. Nature 470:404-408, 2011.

208. Spasic MR, Callaerts P, Norga KK: Drosophila alicorn is a neuronal maintenance factor protecting against activity-induced retinal degeneration. J Neurosci 28:6419-6429, 2008.

209. Tschape JA, Hammerschmied C, Muhlig-Versen M, et al: The neurodegeneration mutant lochrig interferes with cholesterol homeostasis and Appl processing. EMBO J 21:6367-6376, 2002.

210. Yasukawa T, Tokunaga E, Ota H, et al: S-Nitrosylation-dependent inactivation of Akt/protein kinase B in insulin resistance. J Biol Chem 280:7511-7518, 2005.

211. Banerjee S, Liao L, Russo R, et al: Isobaric tagging-based quantification by mass spectrometry of differentially regulated proteins in synaptosomes of HIV/gp120 transgenic mice: implications for HIV-associated neurodegeneration. Exp Neurol 236:298-306, 2012.

212. Mannick JB, Schonhoff C, Papeta N, et al: S-Nitrosylation of mitochondrial caspases. J Cell Biol 154:1111-1116, 2001.

213. Qu J, Nakamura T, Cao G, et al: S-Nitrosylation activates Cdk5 and contributes to synaptic spine loss induced by β-amyloid peptide. Proc Natl Acad Sci U S A 108:14330-14335, 2011.

214. Qu J, Nakamura T, Holland EA, et al: S-Nitrosylation of Cdk5: potential implications in amyloid-beta-related neurotoxicity in Alzheimer disease. Prion 6:364-370, 2012.

215. Zhang P, Yu PC, Tsang AH, et al: S-Nitrosylation of cyclin-dependent kinase 5 (cdk5) regulates its kinase activity and dendrite growth during neuronal development. J Neurosci 30:14366-14370, 2010.

216. Cheah JH, Kim SF, Hester LD, et al: NMDA receptor-nitric oxide transmission mediates neuronal iron homeostasis via the GTPase Dexras1. Neuron 51:431-440, 2006.

217. Fang M, Jaffrey SR, Sawa A, et al: Dexras1: a G protein specifically coupled to neuronal nitric oxide synthase via CAPON. Neuron 28:183-193, 2000.

218. Cho DH, Nakamura T, Fang J, et al: S-Nitrosylation of Drp1 mediates beta-amyloid-related mitochondrial fission and neuronal injury. Science 324:102-105, 2009.

219. Nakamura T, Cieplak P, Cho DH, et al: S-Nitrosylation of Drp1 links excessive mitochondrial fission to neuronal injury in neurodegeneration. Mitochondrion 10:573-578, 2010.

220. Wang X, Su B, Lee HG, et al: Impaired balance of mitochondrial fission and fusion in Alzheimer's disease. J Neurosci 29:9090-9103, 2009.

221. Matsushita K, Morrell CN, Cambien B, et al: Nitric oxide regulates exocytosis by S-nitrosylation of N-ethylmaleimide-sensitive factor. Cell 115:139-150, 2003.

222. Huang Y, Man HY, Sekine-Aizawa Y, et al: S-Nitrosylation of N-ethylmaleimide sensitive factor mediates surface expression of AMPA receptors. Neuron 46:533-540, 2005.

223. Sen N, Hara MR, Kornberg MD, et al: Nitric oxide-induced nuclear GAPDH activates p300/CBP and mediates apoptosis. Nat Cell Biol 10:866-873, 2008.

224. Kornberg MD, Sen N, Hara MR, et al: GAPDH mediates nitrosylation of nuclear proteins. Nat Cell Biol 12:1094–1100, 2010.

225. Stroissnigg H, Trancikova A, Descovich L, et al: S-Nitrosylation of microtubule-associated protein 1B mediates nitric-oxide-induced axon retraction. Nat Cell Biol 9:1035–1045, 2007.

226. Fang J, Nakamura T, Cho DH, et al: S-Nitrosylation of peroxiredoxin 2 promotes oxidative stress-induced neuronal cell death in Parkinson's disease. Proc Natl Acad Sci U S A 104:18742–18747, 2007.

227. Numajiri N, Takasawa K, Nishiya T, et al: On-off system for PI3-kinase-Akt signaling through S-nitrosylation of phosphatase with sequence homology to tensin (PTEN). Proc Natl Acad Sci USA 108:10349–10354, 2011.

228. Kwak YD, Ma T, Diao S, et al: NO signaling and S-nitrosylation regulate PTEN inhibition in neurodegeneration. Mol Neurodegener 5:49, 2010.

229. Nakamura T, Wang L, Wong CC, et al: Transnitrosylation of XIAP regulates caspase-dependent neuronal cell death. Mol Cell 39:184–195, 2010.

230. Tsang AH, Lee YI, Ko HS, et al: S-Nitrosylation of XIAP compromises neuronal survival in Parkinson's disease. Proc Natl Acad Sci U S A 106:4900–4905, 2009.

CHAPTER **12**

노화 과정에서 알로스타시스와 알로스타시스 과부하

Allostasis and Allostatic Overload in the Context of Aging

Bruce S. McEwen

서론

스트레스는 종종 가속되는 노화에서 하나의 원인으로 인정되며[1] 심혈관질환, 우울증, 그리고 다른 질환들의 기여 인자로서 중요한 원인이다.[2] "스트레스 받는(stressed out)"의 의미는 사람이 대처할 수 있는 능력 밖으로 사람을 밀어내기 때문에, 일반적으로 불안, 분노, 좌절의 감정을 불러올 수 있는 상황의 표현에 사용된다. 또한, 직장과 집에서의 시간적 압박과 일상적 스트레스는 경제적인 불안정, 나쁜 건강, 사람들 간의 다툼과 관계되는 스트레스인자들(stressors)이다. 매우 드물게 생명을 위협하는 사고나 자연재해, 테러 등은 전형적으로 싸움 혹은 도피 반응을 유발시킨다. 일상적 스트레스와 대조적으로, 이러한 스트레스인자들은 갑자기 마주하게 되며 이후 우울증, 불안, 외상후스트레스장애, 그리고 비극적인 사고의 후유증으로 또 다른 형태의 만성 스트레스질환을 유발한다.

가장 흔한 스트레스인자들은 낮은 레벨에서 자주, 만성적으로 일어나는 것으로 우리에게 어떤 특정한 방식으로 행동하게 만든다. 예를 들면, "스트레스 받는" 것은 불안 또는 우울, 불면, 위안이 되는 음식(comfort foods) 섭취, 과다 칼로리 섭취, 흡연, 알콜 과다 섭취 등을 조장한다. "스트레스 받는" 것은 사회적 교류와 규칙적인 활동을 감소시킬 수 있다. 드물지 않게 항불안제와 수면유도제가 사용될 뿐만 아니라 이러한 상태가 지속되면서 체중 증가, 대사이상, 죽상경화판 등이 유발된다.

뇌는 스트레스 상황인지 아닌지를 결정하는 기관으로 그에 따른 행동과 생리적 반응을 결정한다. 뇌는 급성과 만성 스트레스 하에서 변화하는 생물학적 기관으로 스트레스 받는 것으로 인한 단기간, 장기간의 결과들에 관계되는 신체의 많은 시스템(대사, 심혈관, 면역, 신장)을 관리한다.

만성 스트레스는 특히 노화 과정과 관련해 신체와 뇌에 어떤 영향을 미치는가? 이 장에서는 스트레스 호르몬 및 관련 매개체들이, 얼마나 엄격하게 그 분비가 조절되느냐에 따라 뇌와 신체에서 어떻게 보호 및 해로운 역할을 모두 할 수 있는지 강조하면서 현재 정보 중 일부를 요약하고자 한다. 이 장은 또한 복잡한 세계에서 스트레스를 다루기 위한 몇 가지 접근법에 대해서도 논의한다.

스트레스, 알로스타시스, 알로스타시스 부하와 과부하의 정의

스트레스는 모호한 명칭이다. 현실에서 스트레스 반응은 잠재적으로 해로운 결과에 대한 보호 반응이다.[3] 신체는 어떤 새로운 또는 도전적인 사건에 대해 심박수와 혈압을 증가시키는 카테콜아민을 분비함으로써 그 상황의 적응을 돕기 위해 반응한다. 하지만, 만성적인 심박수와 혈압의 증가는 만성적 심혈관계의 손상을 초래한다. 결국, 시간이 지나면 죽상경화, 뇌졸중, 심장발작 같은 질환을 일으킨다. Sterling과 Eyer[4]에 의해 제시된 알로스타시스는 신체의 일상적 사건에 대한 반응으로서 항상성 유지를 위한 능동적인 반응을 나타낸다. 만성적으로 증가된 알로스타시스는 질환을 야기하기 때문에 알로스타시스 부하 또는 과부하는 너무 과도한 스트레스 또는 알로스타시스의 비효율적 관리로 인한 손상을 뜻한다. 다른 한편으로 알로스타시스 과부하는[5] 처음에 적합한 반응이 일어나지 못하거나, 알로스타시스 반응을 둔화시키는 데 실패해서 같은 스트레스의 반복에 대해 길들여지지 못했을 때,[2,5] 병태생리적인 결과를 초래한 용어로서 "독성스트레스"로 간주된다. 그림 12-1에 요약되어 있다.

스트레스인자들에 대한 반응의 양면으로서 방어와 손상

방어와 손상은 일상생활에서 스트레스인자들의 공격에 대한 신체를 방어하는 생리기능의 2가지 상반된 측면이다. 에피네프린, 노르에피네프린 뿐만 아니라 많은 다른 매개체들이 알로스타시스에 참여한다. 그들은 비선형(nonlinear)으로 조절 네트워크에서 함께 연계되어 있다(그림 12-2). 각각의 매개체는, 때로는 이상성방식(biphasic manner)으로 다른 매개체들의 활성을 조절할 수 있는 능력을 가진다. 글루코코르티코이드는 또 다른 주요한 스트레스 호르몬이다. 전염증성과 항염증성 시토카인(cytokine)은 신체의 많은 세포에 의해 만들어진다. 그들은 서로 조절하고 결국, 글루코코르티코이드와 카테콜아민에 의해 조절된다. 카테콜아민은 전염증성 시토카인 생성을 증가시킬 수 있는 반면, 글루코코르티코이드는 이들의 생성을 억제시키는 것으로 알려져 있다.[6,7] 부교감신경계는 알로스타시스의 비선형 네트워크에서 중요한 조절 역할을 한다. 일반적으로 교감신경계와 반대로 심박수는 낮추고 항염증 작용을 한다.[8,9]

 이러한 비선형성이 의미하는 것은 어떤 하나의 매개체가 증가하거나 감소할 때 다른 매개체에서 보상적 변화가 있으며, 이는 각각의 매개체의 변화 정도와 시간 경과에 의존한다는 것이다. 불행하게도 우리는 이 체계의 모든 구성요소들을 동시에 측정할 수 없다. 하나의 연구에서 단지 그들의 일부를 측정할 수밖에 없으므로 아직 비선형성은 결과를 해석하는 데 주의가 필요하다.

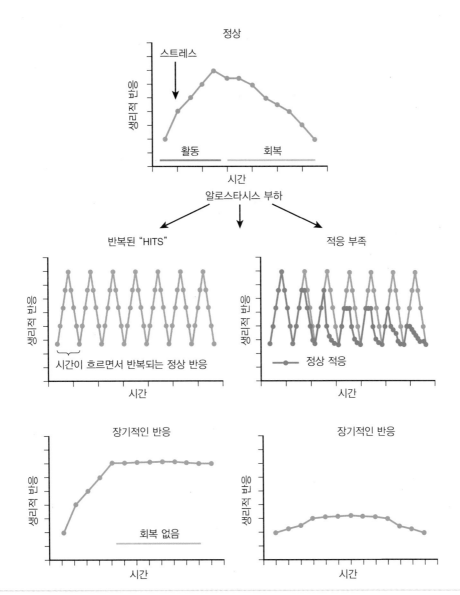

■ **그림 12-1. 네 가지 유형의 알로스타시스 부하.** 상단 패널은 스트레스인자에 의해 반응이 시작되어 적절한 간격 동안 지속된 후 꺼지는 정상적인 알로스타시스 반응을 보여준다. 나머지 패널은 알로스타시스 부하로 이어지는 네 가지 상태를 보여준다. 중간, 왼쪽: 많은 스트레스인자들로부터 반복된 "hits". 중간, 오른쪽: 적응 부족. 하단, 왼쪽: 지연된 정지로 인해 장기간 지속되는 반응. 하단, 우측: 다른 매개체의 보상 과민성으로 이어지는 부적절한 반응(예: 글루코코르티코이드 분비가 불충분하여 정상적으로 글루코코르티코이드에 의해 역조절되는 시토카인의 수치가 증가함). (*McEwen BS에서 수정: 스트레스 매개체의 보호 및 손상 효과. New Engl J Med 338:171-179, 1998, 허가받음.*)

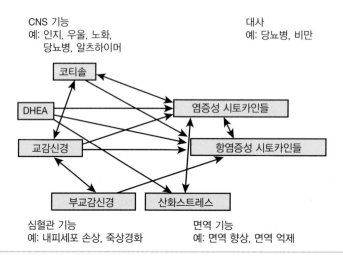

CNS 기능
예: 인지, 우울, 노화,
당뇨병, 알츠하이머

대사
예: 당뇨병, 비만

심혈관 기능
예: 내피세포 손상, 죽상경화

면역 기능
예: 면역 향상, 면역 억제

■ **그림 12-2. 스트레스반응과 관련된 알로스타시스의 매개체들의 비선형 조절망.** 화살표는 각 시스템이 다른 시스템을 상호 조절하여 비선형 조절망을 만든다는 것을 나타낸다. 더욱이, 조절에 대한 여러 가지 경로가 있다.—예를 들어, 염증성 시토카인 생산은 항염증 시토카인과 부교감신경 및 글루코코르티코이드 경로를 통해 억제되는 반면, 교감신경 활성은 염증성 시토카인 생산을 증가시킨다. 부교감신경 활성은 결국 교감신경 활성을 억제한다. [*출판사(프랑스 쉬렌, Les Laboratoires Servier)의 허락을 받아 임상 신경과학의 대화로부터 수정. McEwen BS: 스트레스 매개체의 보호 및 손상 효과: 뇌의 중심 역할. Dial in Clin Neurosci Stress 8:367-381, 2006. CNS, Central nervous system; DHEA, dehydroepiandrosterone.*]

알로스타시스 부하의 측정

알로스타시스 부하와 과부하의 측정은 복부지방 같은 누적된 변화의 마커처럼 "알로스타시스 상태"(allostatic states)에서[10] 상승될 수 있는 주요 매개체들의 시료채취를 포함한다. 알로스타시스 상태는 그림 12-1에서 보는 것처럼 매개체들의 반응 프로필을 나타낸다. 한편 알로스타시스 과부하는 알로스타시스의 매개체들에 대한, 과다노출의 누적된 결과를 나타내는 조직, 장기, 그리고 다른 종점들(end points)에 중점을 둔다. 이들은 최소한의 침습적, 비용-효과적인 방법으로 환자의 검체를 모으는 것에서 이루어진다. 이는 글루코코르티코이드, 디히드로에피안드로스테론(dehydroepiandros-terone, DHEA), 카테콜아민, 그리고 특정한 시토카인처럼 순환하는 매개체들에 대한 선택을 제한한다. 특히, 타액 분석은 매력적이지만, 매개체들의 농도는 낮과 밤 동안 변동할 것이기 때문에 동적인 체계의 적합한 표지를 얻기 위해 시간에 따라 어떻게 채혈할 것인가에 대한 의문이 남는다. 이것은 그 자체로 방법론 연구의 하나의 이슈가 되는 주제가 되어 왔다(MacArthur Research Network on Socioeconomic Status and Health에 대한 웹사이트 참고: www.macses.ucsf.edu/). 박스 12-1은 신체의 다른 계통에서 알로스타시스 과부하의 누적된 평가에 사용될 수 있는 일부 종점의 목록들을 요약한 것이다.[11,12]

| BOX 12-1 | CARDIA 연구에서 알로스타시스 상태 및 알로스타시스 과부하의 측정법 |

소변: 12시간 야간(overnight)

1. 소변 노르에피네프린   2. 소변 에피네프린   3. 소변 유리 코티솔

타액: 코티솔 혈액에 대한 검사 하루 동안 6개 타액 샘플들

1. 총 및 고밀도지질단백질 콜레스테롤   2. 당화헤모글로빈   3. 인터루킨-6
4. C반응단백질   5. 피브리노겐

다른 검사:

1. 허리엉덩비율   2. 수축기 및 확장기혈압 (앉았을 때/안정 시)   3. 심박수변동성

CARDIA, Coronary Artery Risk Development in Young Adults (연구)
Seeman T, Epel E, Gruenewald T 등으로부터 수정: 말초 생물학에서 사회-경제적 차이: 누적 알로스타시스 부하.
 Ann N Y Acad Sci 1186:223-239, 2010; Seeman T, Gruenewald T, Karlamangla A 등: 젊은 성인들에서 다중시
 스템 생물학적 위험 모델링: 젊은 성인들 연구에서의 관상동맥 위험 개발. Am J Hum Biol 22:463-472, 2010.

이러한 종점들은 Coronary Artery Risk Development in Young Adults (CARDIA) 연구에서 현재 사용 중이며 여러 가지 건강 결과에 대한 예측력을 보여주었다.[7,13-15]

"스트레스 받는" 것- 특히 수면부족과 그 결과

"스트레스 받는" 것의 일반적 경험은 알로스타시스 부하를 일으키는 일부 중요 시스템의 상승을 나타낸다: 이것들은 부교감신경 활성 감소와 함께 나타나는 코티솔, 교감신경 활성, 전염증성 시토카인들이다. 이것은 많은 스트레스로 인해 자주 발생하는 수면부족이 가장 잘 설명해 준다. 수면부족은 알로스타시스 과부하를 일으키고 해로운 결과들을 초래할 수 있으며, 이는 나이가 들수록 명백해진다. 예를 들면, 나이 든 여성에서 수면부족은 인터루킨-6(interleukin-6, IL-6)를 증가시킨다.[16] 4시간 이내의 수면제한은 혈압 증가, 부교감신경 긴장도 감소, 저녁 코티솔과 인슐린 증가, 그렐린 증가 및 렙틴 감소를 통한 식욕 증가를 촉진한다.[17-19] 정신운동각성 검사에서 수행에 따라 전염증성 시토카인 농도가 증가하는데 이는 하룻밤에 6시간으로 약간의 수면제한이 원인인 것으로 보고되었다.[20] 더욱이, 수면시간의 감소는 체지방의 증가와 비만과도 관련됨을 국민건강영양조사(NHANES)[21]에서도 보고하였다. 또한, 수면부족은 인지장애를 야기한다.[19]

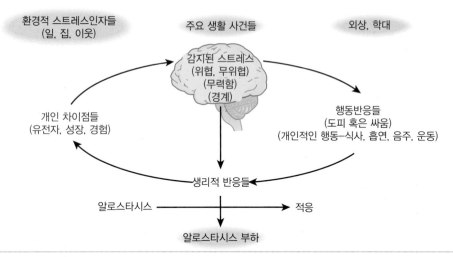

■ 그림 12-3. 알로스타시스에서 뇌의 중추적 역할과 스트레스 요인에 대한 행동 및 생리적 반응. (*McEwen BS로부터 수정: 스트레스 매개체의 보호 및 해로운 효과. New Engl J Med 338:171-179, 1998, 허가받음.*)

스트레스에 대한 반응에서 뇌의 주요한 역할

뇌는 신경내분비, 자율신경계 및 면역계의 가장 중요한 조절자이며 건강하지 못한 혹은 건강한 생활 방식에 영향을 주는 행동을 결정하고 이는 결국 알로스타시스의 생리적 과정에 영향을 미친다 (그림 12-3).[3] 그러므로, 만성 스트레스에서 뇌기능의 변화는 누적된 알로스타시스 과부하에 직접적, 간접적인 영향을 미친다. 동물 실험에서, 만성 스트레스에 의한 알로스타시스 과부하는 기억, 선택적 집중, 실행 기능 등과 관계된 해마와 전두전엽피질(prefrontal cortex)의 신경세포들의 위축을 야기하고, 공격성 뿐만 아니라 공포, 불안과 관계된 편도(amygdala)의 신경세포들의 비대를 일으킨다.[19] 따라서 배우고 기억할 수 있는 능력과 결정할 수 있는 능력은 만성 스트레스에 의해 손상될 수 있고, 불안감과 공격성을 동반할 수 있다. 최근 연구에서, 며칠 간의 수면부족은, 불안 및 반응 증가를 의미하는, 무표정한 얼굴 표정에 대한 편도의 반응 증가를 보여주었다.[22]

인간의 뇌에 대한 해석

동물 연구를 바탕으로 하여, 노화와 스트레스가 사람의 뇌 구조에 미치는 영향에 대한 많은 연구들이 이루어졌다.[19] 내부 후각뇌(entorhinal)와 해마의 부피에서 노화에 따른 용적 감소는 경증 인지장애와 알츠하이머병의 초기 단계와 연관되었다. 몬트리올 노인 거주자들의 장기 연구에서 매년 검사하는 동안 코티솔의 증가를 보이는 사람에서 더 작은 해마와, 해마 공간 및 기억 기능의 손상을 관찰할 수 있었다.[23] 비록 이들 연령 관련 변화에서 인과 관계를 정확하게 파악할 수는 없지만 우울증과 다른 감정 및 불안장애와 함께 스트레스 및 혈당 조절 등을 고려해야 한다.

스트레스와 관련해, 평범한 삶의 스트레스가 뇌 구조에 미치는 영향에 관한 증거는 거의 없다고 하더라도, 신경 활성의 변화가 있는 일상적인 스트레스인자(거꾸로 세는 것과 같은)를 겪는 개개인의 기능적 영상을 통한 예시들이 있다.[24] 또한 장기적인 효과의 예로, 왕복 소요시간이 짧은 만성 대륙횡단 항공여행은 만성 스트레스의 하나로 더 작은 해마와 연관이 있으며,[25] 20년 동안의 고강도 스트레스도 작은 해마 부피와 연관이 있었다.[26]

스트레스는 어떤 유전적 소인을 가진 개인들에서 우울증을 유발하고,[19,27] 해마, 편도, 전두전엽피질은 양전자방출단층촬영(PET)과 기능자기공명영상법(fMRI)에서 활성의 변화된 패턴 및 부피의 변화, 말하자면 해마, 전두전엽피질, 편도의 감소된 부피를 보여주었다. 비록 편도 부피는 우울증의 첫 발생 시 증가하는 것으로 보고되었지만 해마 부피는 감소되지 않았다.[28]

인지장애와 우울증이 동반된 쿠싱병을 가진 환자에서 해마 부피 손실이 관찰되며 이는 고코르티솔증의 수술적 치료로 완화될 수 있다.[29] 또한, 해마의 위축이 관찰되는 외상후스트레스장애, 경계인격장애 등의 기타 불안 관련 질환들이 있다.[19] 해마 부피와 기능에서 다른 중요한 요인은 혈당 조절이다. 명백한 2형 당뇨병을 가진 환자에서처럼,[31] 경도의 인지장애를 가진 60~70대 노인에서 불량한 혈당 조절은 더 작은 해마 부피와 기억력 감소와 관련이 있다.[30]

좀 더 긍정적인 면에서, 최근 노화된 뇌에 대한 분석 연구는, 뇌의 건강을 위해 적극적인 개입의 능력을 열어주는 복합적이고 더 긍정적인 그림을 보여준다:

> 인지신경과학은 인간 두뇌의 노화가 재구성 및 변화가 풍부하다는 것을 밝혀냈다. 뇌영상 결과는 인지 노화에 대한 우리의 체계를, 쇠퇴의 하나에서 형성력을 강조하는 것으로 재조명했다. 현재의 방법들은 뇌기능을 조작하기 위해 신경자극 접근법을 사용하는데, 이는 뇌가 젊은 성인들과 노인들의 과제 수행에 다르게 기여하는 방법에 대한 직접적인 검사를 제공한다. 감정적, 사회적, 동기적 영역에 대한 새로운 연구는 나이가 들면서 보존을 위한 몇 가지 증거를 제공하며, 이는 재구성을 위한 추가적인 증거와 함께 잠재적인 형성력의 길을 시사한다. 따라서, 우리는 뇌의 노화가, 상호 연관된 행동과 생물학적 변화 속에서, 뇌 자체만큼이나 복잡하고 특이하며, 일생 동안 질적으로 변화한다는 것을 알기 시작한다.[32]

긍정적 정동, 자존감, 그리고 사회적 지원

인생에서 긍정적 인생관과 좋은 자존감을 갖는 것은 오랜 기간 건강을 유지시킨다.[33] 또한 좋은 사회적 지원은 알로스타시스 부하 측정에 긍정적 영향을 준다.[34] 일하는 날이나 쉬는 날 동안 수집된 순간 경험으로 평가되는 긍정적 정동(positive affect)은, 정신 스트레스 검사에 대한 피브리노겐 반응이 더 낮을 뿐만 아니라 코티솔 생성이 더 낮고 심박수변동성이 더 높은(더 높은 부교감신경 활성을 보이는) 것과 관계되었다.[35]

반면, 자존감이 낮은 사람들은 자존감이 높은 사람들이 쉽게 익숙해질 수 있는 대중 연설 도전을 반복하는 동안 코티솔 수치가 반복적으로 증가하는 것으로 나타났다.[36] 또한, 낮은 자존감과 낮은 내적 통제는 암산 시 증가하는 코티솔 수치만큼 젊은이나 노인 모두에서 해마의 크기가 12~13% 더 적은 것과 관련이 있었다.[37]

긍정적 정동과 자존감, 두 가지 모두에 연관된 것은 건전한 인생관을 유지하는 데 있어 친구와 사회적 상호 관계의 역할이다. 자존감이 낮은 사람에서 자주 보이는 외로움은 수면 문제뿐만 아니라 아침에 일어날 때 더 큰 코티솔 반응과, 정신 스트레스 검사에서 피브리노겐 및 자연살해세포(natural killer cell)의 더 높은 반응과 관련된다.[38] 반면, 3개 이상의 규칙적인 사회적 접촉은, 0에서 2개 이하의 접촉과 대조적으로, 더 낮은 알로스타시스 부하 수치와 관련이 있다.[34]

초기 사회적 경험의 해로움

노화 과정은 임신에서 시작되며, 초기의 인생 경험은 삶의 질과 길이에 중대한 영향을 미친다. 초기 인생 경험은 아마도 개인이 새로운 상황에 어떻게 반응하는지에 대한 측면에서 매우 큰 비중을 가진다.[19] Centers for Disease Control and Prevention에 의한 Adverse Childhood Experiences study에 따르면 신체적 및 성적 학대, 방치 등과 관련된 초기 인생 경험을 한 사람은 행동 및 병태생리학적 문제의 평생 부담을 가지게 되며,[39,40] 차갑고 무관심한 가족은 어린이들에게 오래 지속되는 정서적 문제를 일으킨다고 보고하였다.[41] 이러한 해로운 경험은 뇌 구조와 뇌기능에 영향을 미치고, 우울증과 외상후스트레스장애의 위험을 가져오는 것으로 알려져 있다.[42-44]

치료

환경 인자와 경험이 노화 과정에서 큰 역할을 하기 때문에 이러한 인자들을 이해하고 조정하면 알로스타시스 과부하의 축적을 줄일 수 있다. 삶의 과정과 건강에 영향을 미치는 스트레스와 알로스타시스 과부하를 다루기 위한 많은 접근법들이 있다. 개인에 대해서는 약물뿐만 아니라 생활 방식과 개인적 습관이 포함되고, 사회에 대해서는 정부와 민간 부문의 정책들이 있다.

개인적 치료로, 평생 습관은 변화하기 어렵기 때문에 필요 시 약물적 치료를 시행한다. 수면제, 항불안제, 베타차단제, 항우울제 등은 알로스타시스 과부하의 축적과 관련된 문제들을 막기 위해 사용되는 약물이다. 더욱이 이러한 약물들은 산화스트레스와 염증을 줄여주고 콜레스테롤의 합성과 흡수를 차단하며 인슐린저항과 만성 통증을 치료하기 때문에 만성적으로 "스트레스를 받는" 것의 대사 및 신경학적 문제들을 해결하는 데 도움을 줄 수 있다. 이러한 약물들은 모두 가치가 있지만, 알로스타시스 과부하에서 조절되지 않는 모든 시스템들이 적절하게 조정될 때 서로 상호 작용하고 정상 기능을 수행하기 때문에 각각의 약제는 부작용과 한계점이 있다(그림 12-2에서 설명하는 것처럼). 알로스타시스 시스템의 비선형성 때문에 약물치료의 결과들은 시스템의 유익한 효과를 억제하거나 원하지 않는 부작용을 촉진하는 방향으로 다른 시스템을 교란시킬 수 있다. 전자의 예로 시클로옥시게나아제-2(cyclooxygenase-2, COX-2) 억제제가 있겠고[45] 후자의 예로는 정신분열병과 양극성장애의 치료로 널리 사용되는 비정형 정신병치료제의 일부에서 발생하는 비만 유발 효과를 들 수 있겠다.[46]

민간 부문은 강력한 역할을 하고 있다. 직원들 사이에 건강한 생활 방식을 장려하는 기업들은 의료보험 비용을 줄이고 더 충성스러운 노동 인력을 확보하고 있다.[47,48] 정부 정책 또한 중요하다.[49] 1998년 영국의 Acheson 보고서는[49] 모든 시민들의 건강에 미치는 영향을 고려하지 않는 공공 정책은 제정되어서는 안 된다는 것을 인정했다. 따라서 기초 교육, 주택, 세금, 최저 임금 설정, 직업 건강과 안전, 환경오염 규정 등은 모두 수많은 기전들을 통해 건강에 영향을 미칠 가능성이 높다. 동시에 풍요로운 지역뿐만 아니라 가난한 지역에 고품질의 음식을 제공하고 저렴하고 접근하기 쉬운 음식을 제공하는 것은 사람들이 더 잘 먹을 수 있도록 하고 어떤 종류의 음식을 먹을지 배움으로써 그들에게 여유를 줄 수 있다. 마찬가지로 이웃을 더 안전하고 더 마음에 맞으며 지지하도록 만들면[50] 긍정적인 사회적 상호 작용의 기회를 늘리고 여가 신체 활동을 증가시킬 수 있다.

노인 인구를 위해, 사회적 상호 작용과 신체 활동을 촉진하는 지역사회 센터와 활동들이 유익하다는 것이 입증되었다.[51,52] 여기에는 교육, 신체 활동, 사회적 지원, 그리고 정량화하기 어려운 다른 요소 즉, 삶의 의미와 목적을 찾는 프로그램들이 있다. 한 예로 임원 자원 봉사단이 있으며 다른 하나로 나이 든 자원 봉사자로 이웃 학교의 어린아이들을 위한 교사 보조원 역을 하는 경험 봉사단이 있다.[53,54] 이 프로그램은 아이들의 교육을 향상시킬 뿐만 아니라 나이 든 자원 봉사자들에게도 그들의 신체적, 정신적 건강을 향상시키는 이득을 준다.[54] 이것은 부분적으로 삶의 의미와 목적을 주며 "행복(eudaimonia)"이라고 불리는 심리적 행복을 제공한다.[55] 삶의 의미와 목적은 치매 발생률 감소와 관련이 있다.[56] "행복"과 "쾌락적인" 생활 방식을 연구한 결과, "행복" 생활 방식을 가진 사람들은 전적으로 "쾌락적인" 생활 방식을 가진 사람들보다 낮은 염증 매개체 수치를 보였다.[57] 이러한 감소된 염증 수치는 건강한 생리와 낮은 알로스타시스 부하 및 과부하의 징후와 일치한다.

결론

사회적, 물리적 환경의 변화에 적응하기 위한 뇌의 역할과 전신적인 생리의 조절을 강조하는 "스트레스"를 개념화하는 새로운 방식이 있다. 이러한 적응 반응의 과다 사용과 조절 장애는 신체와 뇌에 누적된 부담을 초래하며 알로스타시스 부하 및 알로스타시스 과부하라고 불리며 더 많은 병리생리학적 결과들을 초래한다. 뇌가 스트레스의 표적이며 뇌 구조의 변화를 초래하는 알로스타시스 부하 또는 과부하는 뇌가 전신적인 생리를 조절하는 방법을 변경시킨다. 사람들이 삶을 살아가는 사회적, 육체적 환경을 개선시키는 방법을 찾는 것은 더 많은 신체 활동, 능동적인 사회 활동, 의미 있는 활동의 참여를 허용함으로써 모든 사람, 특히 노인에서 직접적인 의학적, 정신과적 치료의 필요성을 줄여줄 수 있다.

요점

- 일상의 사건들은 "스트레스를 받는" 것의 느낌을 불러일으킬 수 있다. 생리학적 체계의 활성을 증가시키고 유지하며 건강에 해를 끼치는 행동을 조장하고 수면부족을 일으킨다.
- 시간이 지남에 따라 누적되면, "알로스타시스 부하/과부하"라고 불리는 병태생리학적 변화를 나타내며 신체의 손상을 초래한다. 이러한 축적된 손상은 경험의 영향뿐만 아니라 유전적 구성, 개인의 행동과 생활 습관, 그리고 행동과 생리적 반응의 일생의 패턴을 설정하는 초기 생활 경험을 반영한다.
- 호르몬, 스트레스와 관련된 다른 매개체들, 그리고 자율신경, 대사, 면역계 매개체를 포함한 알로스타시스 과부하와 연관된 다른 매개체들은 단기적으로 신체를 보호하고, 알로스타시스로 알려진 과정에 의한 적응을 촉진한다.
- 뇌는 스트레스, 알로스타시스, 알로스타시스 과부하의 핵심 기관이다. 위협적인 것이 무엇인지 결정하고 생리학적, 행동학적 반응을 결정하기 때문에 스트레스를 많이 받는다. 해마, 편도, 전두전엽피질과 같은 뇌 영역은 구조적 변화를 통해 급성 및 만성 스트레스에 반응하며 행동과 생리학적 반응을 변화시킨다.
- 인간의 뇌에 대한 영상 연구들은 노화, 2형 당뇨병, 장기간의 우울증과 함께 경도 인지장애가 있는 환자에서 해마의 부피가 작다는 것을 보여주었다. 뿐만 아니라 낮은 자존감을 가진 사람들은 편도와 전두전엽피질이 구조적, 기능적으로 변화가 있다고 보고되었다.
- 약물 외에 만성 스트레스를 완화하고 알로스타시스 과부하와 관련된 질환을 예방하는 방법에는 개인적 습관과 생활 방식의 변화뿐만 아니라, 정부와 사업자가 개인이 나이가 들면서 만성 스트레스 부담을 줄일 수 있는 능력을 향상시키도록 도와주는 정책이 필요하다.
- 마지막으로 식이 요법, 운동, 적절한 수면, 그리고 적극적인 사회적 지원과 함께, 삶의 의미와 목적 그리고 "eudaimonia"가 건강한 생리와 낮은 치매 발생률과 관련됨을 보여주는 증거가 늘고 있다.

참고문헌의 총 목록을 보려면 www.expertconsult.com 을 방문해주세요.

중요 참고문헌

1. Geronimus AT, Hicken M, Keene D, et al: "Weathering" and age patterns of allostatic load scores among blacks and whites in the United States. Am J Public Health 96:826–833, 2006.

4. Sterling P, Eyer J: Allostasis: a new paradigm to explain arousal pathology. In Fisher S, Reason J, editors: Handbook of life stress, cognition and health, New York, 1988, Wiley & Sons, pp 629–649.

6. Sapolsky RM, Romero LM, Munck AU: How do glucocorticoids influence stress responses? Integrating permissive, suppressive, stimulatory, and preparative actions. Endocr Rev 21:55–89, 2000.

8. Thayer JF, Lane RD: A model of neurovisceral integration in emotion regulation and dysregulation. J Affect Disord 61:201–216, 2000.

11. Seeman T, Epel E, Gruenewald T, et al: Socio-economic differentials in peripheral biology: cumulative allostatic load. Ann N Y Acad Sci 1186:223–239, 2010.

16. Friedman EM, Hayney MS, Love GD, et al: Social relationships, sleep quality, and interleukin-6 in aging women. Proc Natl Acad Sci U S A 102:18757–18762, 2005.

17. Spiegel K, Leproult R, Van Cauter E: Impact of sleep debt on metabolic and endocrine function. Lancet 354:1435–1439, 1999.

23. Lupien SJ, de Leon M, de Santi S, et al: Cortisol levels during human aging predict hippocampal atrophy and memory deficits. Nat Neurosci 1:69–73, 1998.

30. Convit A, Wolf OT, Tarshish C, et al: Reduced glucose tolerance is associated with poor memory performance and hippocampal atrophy among normal elderly. Proc Natl Acad Sci U S A 100:2019–2022, 2003.

34. Seeman TE, Singer BH, Ryff CD, et al: Social relationships, gender, and allostatic load across two age cohorts. Psychosom Med 64:395–406, 2002.

38. Steptoe A, Owen N, Kunz-Ebrecht SR, et al: Loneliness and neuroendocrine, cardiovascular, and inflammatory stress responses in middle-aged men and women. Psychoneuroendocrinology 29:593–611, 2004.

39. Felitti VJ, Anda RF, Nordenberg D, et al: Relationship of childhood abuse and household dysfunction to many of the leading causes of death in adults. The Adverse Childhood Experiences (ACE) study. Am J Prev Med 14:245–258, 1998.

52. Rovio S, Kareholt I, Helkala EL, et al: Leisure-time physical activity at midlife and the risk of dementia and Alzheimer's disease. Lancet Neurol 4:705–711, 2005.

56. Boyle PA, Buchman AS, Barnes LL, et al: Effect of a purpose in life on risk of incident Alzheimer disease and mild cognitive impairment in community-dwelling older persons. Arch Gen Psychiatry 67:304–310, 2010.

57. Fredrickson BL, Grewen KM, Coffey KA, et al: A functional genomic perspective on human well-being. Proc Natl Acad Sci U S A 110:13684–13689, 2013.

참고문헌

1. Geronimus AT, Hicken M, Keene D, et al: "Weathering" and age patterns of allostatic load scores among blacks and whites in the United States. Am J Public Health 96:826–833, 2006.

2. Cohen S, Janicki-Deverts D, Miller GE: Psychological stress and disease. JAMA 298:1685–1688, 2007.

3. McEwen BS: Protective and damaging effects of stress mediators. N Engl J Med 338:171–179, 1998.

4. Sterling P, Eyer J: Allostasis: a new paradigm to explain arousal pathology. In Fisher S, Reason J, editors: Handbook of life stress, cognition and health, New York, 1988, Wiley & Sons, pp 629–649.

5. McEwen BS, Wingfield JC: The concept of allostasis in biology and biomedicine. Horm Behav 43:2–15, 2003.

6. Sapolsky RM, Romero LM, Munck AU: How do glucocorticoids influence stress responses? Integrating permissive, suppressive, stimulatory, and preparative actions. Endocr Rev 21:55-89, 2000.

7. Matthews K, Schwartz J, Cohen S, et al: Diurnal cortisol decline is related to coronary calcification: CARDIA study. Psychosom Med 68:657-661, 2006.

8. Thayer JF, Lane RD: A model of neurovisceral integration in emotion regulation and dysregulation. J Affect Disord 61:201-216, 2000.

9. Borovikova LV, Ivanova S, Zhang M, et al: Vagus nerve stimulation attenuates the systemic inflammatory response to endotoxin. Nature 405:458-462, 2000.

10. Koob GF, LeMoal M: Drug addiction, dysregulation of reward, and allostasis. Neuropsychopharmacology 24:97-129, 2001.

11. Seeman T, Epel E, Gruenewald T, et al: Socio-economic differentials in peripheral biology: cumulative allostatic load. Ann N Y Acad Sci 1186:223-239, 2010.

12. Seeman T, Gruenewald T, Karlamangla A, et al: Modeling multisystem biological risk in young adults: the Coronary Artery Risk Development in Young Adults study. Am J Hum Biol 22:463-472, 2010.

13. Lehman BJ, Taylor SE, Kiefe CI, et al: Relation of childhood socioeconomic status and family environment to adult metabolic functioning in the CARDIA study. Psychosom Med 67:846-854, 2005.

14. Karlamangla AS, Singer BH, Chodosh J, et al: Urinary cortisol excretion as a predictor of incident cognitive impairment. Neurobiol Aging 26S:S80-S84, 2005.

15. Sloan RP, McCreath H, Tracey KJ, et al: RR interval variability is inversely related to inflammatory markers: the CARDIA study. Mol Med 13:178-184, 2007.

16. Friedman EM, Hayney MS, Love GD, et al: Social relationships, sleep quality, and interleukin-6 in aging women. Proc Natl Acad Sci U S A 102:18757-18762, 2005.

17. Spiegel K, Leproult R, Van Cauter E: Impact of sleep debt on metabolic and endocrine function. Lancet 354:1435-1439, 1999.

18. Spiegel K, Tasali E, Penev P, et al: Brief communication: sleep curtailment in healthy young men is associated with decreased leptin levels, elevated ghrelin levels, and increased hunger and appetite. Ann Intern Med 141:846-850, 2004.

19. McEwen BS: Physiology and neurobiology of stress and adaptation: central role of the brain. Physiol Rev 87:873-904, 2007.

20. Vgontzas AN, Zoumakis E, Bixler EO, et al: Adverse effects of modest sleep restriction on sleepiness, performance, and inflammatory cytokines. J Clin Endocrinol Metab 89:2119-2126, 2004.

21. Gangwisch JE, Malaspina D, Boden-Albala B, et al: Inadequate sleep as a risk factor for obesity: analyses of the NHANES I. Sleep 28:1289-1296, 2005.

22. Yoo S-S, Gujar N, Hu P, et al: The human emotional brain without sleep-a prefrontal amygdala disconnect. Curr Biol 17:R877-R878, 2007.

23. Lupien SJ, de Leon M, de Santi S, et al: Cortisol levels during human aging predict hippocampal atrophy and memory deficits. Nat Neurosci 1:69-73, 1998.

24. Wang J, Rao H, Wetmore GS, et al: Perfusion functional MRI reveals cerebral blood flow pattern under psychological stress. Proc Natl Acad Sci U S A 102:17804-17809, 2005.

25. Cho K: Chronic 'jet lag' produces temporal lobe atrophy and spatial cognitive deficits. Nat Neurosci 4:567-568, 2001.

26. Gianaros PJ, Jennings JR, Sheu LK, et al: Prospective reports of chronic life stress predict decreased grey matter volume in the hippocampus. Neuroimage 35:795-803, 2007.

27. Kendler KS: Major depression and the environment: a psychiatric genetic perspective. Pharmacopsychiatry 31:5-9, 1998.

28. Sheline YI, Gado MH, Kraemer HC: Untreated depression and hippocampal volume loss. Am J Psychiatry 160:1516-1518, 2003.

29. Starkman MN, Giordani B, Gebrski SS, et al: Decrease in cortisol reverses human hippocampal atrophy following treatment of Cushing's disease. Biol Psychiatry 46:1595-1602, 1999.

30. Convit A, Wolf OT, Tarshish C, et al: Reduced glucose tolerance is associated with poor memory performance and hippocam-

pal atrophy among normal elderly. Proc Natl Acad Sci U S A 100:2019 – 2022, 2003.

31. Gold SM, Dziobek I, Sweat V, et al: Hippocampal damage and memory impairments as possible early brain complications of type 2 diabetes. Diabetologia 50:711 – 719, 2007.

32. Gutchess A: Plasticity of the aging brain: new directions in cognitive neuroscience. Science 346:579 – 582, 2014.

33. Pressman SD, Cohen S: Does positive affect influence health? Psychol Bull 131:925 – 971, 2005.

34. Seeman TE, Singer BH, Ryff CD, et al: Social relationships, gender, and allostatic load across two age cohorts. Psychosom Med 64:395 – 406, 2002.

35. Steptoe A, Wardle J, Marmot M: Positive affect and health-related neuroendocrine, cardiovascular, and inflammatory processes. Proc Natl Acad Sci U S A 102:6508 – 6512, 2005.

36. Kirschbaum C, Prussner JC, Stone AA, et al: Persistent high cortisol responses to repeated psychological stress in a subpopulation of healthy men. Psychosom Med 57:468 – 474, 1995.

37. Pruessner JC, Baldwin MW, Dedovic K, et al: Self-esteem, locus of control, hippocampal volume, and cortisol regulation in young and old adulthood. Neuroimage 28:815 – 826, 2005.

38. Steptoe A, Owen N, Kunz-Ebrecht SR, et al: Loneliness and neuroendocrine, cardiovascular, and inflammatory stress responses in middle-aged men and women. Psychoneuroendocrinology 29:593 – 611, 2004.

39. Felitti VJ, Anda RF, Nordenberg D, et al: Relationship of childhood abuse and household dysfunction to many of the leading causes of death in adults. The dverse Childhood Experiences (ACE) study. Am J Prev Med 14:245 – 258, 1998.

40. Anda RF, Butchart A, Felitti VJ, et al: Building a framework for global surveillance of the public health implications of adverse childhood experiences. Am J Prev Med 39:93 – 98, 2010.

41. Repetti RL, Taylor SE, Seeman TE: Risky families: Family social environments and the mental and physical health of offspring. Psychol Bull 128:330 – 366, 2002.

42. Kaufman J, Plotsky PM, Nemeroff CB, et al: Effects of early adverse experiences on brain structure and function: clinical implications. Biol Psychiatry 48:778 – 790, 2000.

43. Vermetten E, Schmahl C, Lindner S, et al: Hippocampal and amygdalar volumes in dissociative identity disorder. Am J Psychiatry 163:630 – 636, 2006.

44. Taylor SE, Way BM, Welch WT, et al: Early family environment, current adversity, the serotonin transporter promoter polymorphism, and depressive symptomatology. Biol Psychiatry 60:671 – 676, 2006.

45. Sanghi S, MacLaughlin EJ, Jewell CW, et al: Cyclooxygenase-2 inhibitors: a painful lesson. Cardiovasc Hematol Disord Drug Targets 6:85 – 100, 2006.

46. Vestri HS, Maianu L, Moellering DR, et al: Atypical antipsychotic drugs directly impair insulin action in adipocytes: effects on glucose transport, lipogenesis, and antilipolysis. Neuropsychopharmacology 32:765 – 772, 2007.

47. Pelletier KR: A review and analysis of the clinical- and costeffectiveness studies of comprehensive health promotion and disease management programs at the worksite: 1998-2000 update. Am J Health Promot 16:107 – 115, 2001.

48. Aldana SG: Financial impact of health promotion programs: A comprehensive review of the literature. Am J Health Promot 15:296 – 320, 2001.

49. Acheson SD: Independent inquiry into inequalities in health report, London, 1998, The Stationery Office.

50. Sampson RJ, Raudenbush SW, Earls F: Neighborhoods and violent crime: a multilevel study of collective effects. Science 277:918 – 924, 1997.

51. Larson EB, Wang L, Bowen JD, et al: Exercise is associated with reduced risk for incident dementia among persons 65 years of age or older. Ann Intern Med 144:73 – 81, 2006.

52. Rovio S, Kareholt I, Helkala EL, et al: Leisure-time physical activity at midlife and the risk of dementia and Alzheimer's disease. Lancet Neurol 4(11):705 – 711, 2005.

53. Frick KD, Carlson MC, Glass TA, et al: Modeled cost-effectiveness of the experience corps Baltimore based on a pilot randomized trial. J Urban Health 81:106 – 117, 2004.

54. Fried LP, Carlson MC, Freedman M, et al: A social model for health promotion for an aging population: initial evidence on the Experience Corps model. J Urban Health 81(1):64-78, 2004.

55. Ryff CD: Psychological well-being revisited: advances in the science and practice of eudaimonia. Psychother Psychosom 83:10-28, 2014.

56. Boyle PA, Buchman AS, Barnes LL, et al: Effect of a purpose in life on risk of incident Alzheimer disease and mild cognitive impairment in community-dwelling older persons. Arch Gen Psychiatry 67:304-310, 2010.

57. Fredrickson BL, Grewen KM, Coffey KA, et al: A functional genomic perspective on human well-being. Proc Natl Acad Sci U S A 11:13684-13689, 2013.

58. McEwen BS: Protective and damaging effects of stress mediators: central role of the brain. Dialogues Clin Neurosci 8:367-381, 2006.

CHAPTER **13**

노화의 신경내분비학
Neuroendocrinology of Aging

Roberta Diaz Brinton

신경내분비 노화는 대체로 수년 간에 걸쳐 일어나며 연속적인 위상전위들(phase transitions)이 특징인 다원적인 과정이다.[1] 이러한 변이들은 자연적으로 진행되고 시스템 수준의 기능 변화 단계가 특징적이며, 보상적 적응이 뒤따른다. 또한, 위상전위들은 대체로 한 단계에서부터 다음 단계로 넘어가는 단계적 기능과 더욱 일치하는 비선형적인(nonlinear) 과정이다. 뚜렷한 안정성을 갖는 중간 시기들에 의해 구분되는 변이 상태가 오게 되는데 이 단계 동안 신경내분비계가 붕괴되며 흔히 보상 적응 반응의 활성화가 뒤따른다. 유전적, 환경적, 경험적인 인자들로부터 기인한 개별적 변이성 단독 그리고 인자들이 함께 신경내분비 노화의 속도에 영향을 미치게 되어 복잡성을 더한다.

신경내분비 노화는 연령 및 내분비 노화 프로그램의 통합적 조화를 잘 보여주는 예시 중 하나이다.[2] 이들 노화 프로그램 모두 내인적, 외인적 변경인자(23장 참고)에 의해 수정될 수 있다.[3] 흥미롭게도, 신경내분비계의 노화는 연령 노화의 근본적인 변경인자로 인식되고 있다. 예를 들면, 어느 연령에서든 발생하는 인슐린저항은 여성과 남성의 연령 노화의 궤도를 역으로 변경한다. 이 간략한 리뷰는 두 가지의 광의적이며 상호 연관된 관점에서의 남성과 여성의 신경내분비 노화, 생식 노쇠, 대사기능이상을 다룬다. 이들 신경내분비계의 노화는 남성과 여성의 신경내분비 노화의 기초적인 원칙을 담은 구체적인 예를 제공하며 위상전위, 적응적 보상반응, 생물학적 회복력을 포함한다.

여성의 신경내분비 노화

일반적으로 여성의 신경내분비 노화의 첫 조짐은 40대 중반에서 시작되어 50대 초반에 끝나는 생식 노쇠로의 이행이다.[4,5] 그러나, 몇몇 여성의 경우에는 생식 노쇠가 30대에도 시작될 수 있다.[4] 여성의 생식축은 시상하부–뇌하수체–난소–자궁축으로 구성되어 있으며 다른 시스템이 건강할지

라도 상대적으로 **빠른** 노화를 겪을 수 있다.[1,5]

여성의 생식 노쇠는 난모세포의 고갈로 정의될 수 있는데 이것은 태어나면서 시작되고 갱년기가 올 때까지 지속된다. 여성은 태어날 때 제 1 감수분열 전기에 멈춰 있는 유한한 수의 난모세포를 갖게 된다. 생식 노화는 난소 난포 폐쇄(ovarian follicular atresia)나 배란을 통해 일정한 난모세포의 소실로 이뤄지며, 이는 반드시 일정한 속도로 일어나지는 않는다.[6] 정상 여성에서 상대적으로 넓은 폐경기 연령 범위(42세부터 58세까지)를 갖는 것은 여성이 부여받은 난모세포의 수가 상이하고 또 는 난모세포를 잃는 속도가 사람마다 다르다는 것을 의미한다.[1] 갱년기는 평균적으로 51.4세에 일 어나고 40세에서부터 58세까지의 가우스분포(Gaussian distribution)로 나타난다. 미국에서는, 대략 150만명의 여성이 매년 갱년기가 되고, 2020년에는 4500만명 이상의 여성이 55세 이상일 것으로 보인다.[7]

폐경이행기와 폐경후기

폐경이행기

폐경이행기 변이의 고유한 특성들에 대해서는 방대하게 문서화되고 기록되어 왔다.[4,5] SWAN (Study of Women Across the Nation)과 함께, 인종적으로 다양한 미국 인구를 기반으로 한 국제적 협 력 노력인 STRAW (The Stages of Reproductive Aging Workshop) 기준은, 폐경이행기 이행의 분류에 기여하는 동시에 증상의 복잡성과 폐경이행기 표현형의 인종적 다양성을 발견했다. 일반적 여성의 생식 노화는 일생 동안 3개의 뚜렷한 시기-폐경이행기(폐경전환기라고도 알려진), 폐경, 폐경기 (postmenopause)로 구분된다.[5] STRAW에 의하면, 생식 노쇠는 폐경이행기, 폐경, 폐경기로 세분화 될 수 있다.[4] 가변적인 주기 길이와, 주기 간의 변동이 심한 간격, 혈관운동 증상(안면홍조), 스테 로이드 호르몬 수치의 폭넓은 변이성은 폐경으로의 전환기에 특징적이다.[4] 1년간의 무월경은 폐경 이행기의 끝과 폐경기의 시작을 나타낸다고 생각된다. 마지막 무월경은 폐경기 단계의 시작을 나 타내며 이 단계 역시 초기와 후기 단계로 세분화된다. 초기 폐경기는 마지막 월경이 있은 후 4년으 로 정의되며, 그 후에 신경내분비 상태를 정의하는 후기 단계의 폐경기로 이어진다.[4,5]

폐경이행기는, 거침없이 생식 노쇠로 이어지는 시상하부-뇌하수체-난소-자궁축의 월경 및 내 분비적 변화가 특징적이다.[1] 폐경이행기 동안에는, 시상하부와 뇌하수체 호르몬 수치의 변동 때 문에 배란이 불규칙하게 일어난다.[4,5] 후기 폐경이행기 단계에서는 절반 정도의 주기들은 무배란 성이다.[4,5] 배란기에, 생식 노화로의 단계가 진행함에 따라 난포자극호르몬(FSH), 황체형성호르몬 (LH), 17 베타 에스트라디올의 수치가 증가하며, 황체기에는 혈청 황체호르몬의 수치가 감소한다. 주기 초기(배란성, 무배란성 모두)의 인히빈 B의 수치는 STRAW 단계 전반에 걸쳐 지속적으로 감 소하며 전환기 중의 길어진 배란성, 무배란성 주기 동안 대부분 감지할 수 없다. 폐경이행기의 인 히빈 B의 감소는 FSH 수치를 증가시키고, 인히빈 A나 에스트라디올 수치는 큰 변화가 없다.[4] FSH

수치가 몇몇 주기에서는 증가할 수 있으나 그 다음 주기에서는 폐경 전 수치로 돌아올 수도 있다.[1] FSH의 농도 결정을 더욱 복잡하게 만드는 것은 분비의 박동 패턴이다. 호르몬 수치의 변이성은 단일 실험실 검사 결과를 해석하기 어렵게 하지만[9] FSH 수치의 증가는 뒤이은 폐경과 폐경기의 임상 표지자가 되고 있다.[4]

후기 폐경이행기에 17 베타 에스트라디올의 농도는 대단히 변동이 심하다. 예상대로 수치는 지속적으로 낮을 수 있지만, 비정상적으로 높을 수도 있다.[1,4] 높은 17 베타 에스트라디올 농도는 신경변성 손상과 신경세포 사멸에 대한 취약성 증가와 관련이 있다.[10] 그러나 지속적으로 높은 FSH와 LH의 수치는 감소하지 않는다.[11,12] 놀랍게도, 황체호르몬의 주기성은 대체로 온전한 것으로 보이는 반면 황체호르몬의 수치는 정상 값으로부터 황체호르몬의 높은 급상승으로 감지할 수 없는 수치까지 다양할 수 있다.[13] 스테로이드 노출과 폐경 전환기의 신경학적 증상의 관계를 고려할 때, 난소 호르몬의 혈장 수치는 뇌의 스테로이드 농도를 예측하지 못한다.[2]

폐경 전환기의 특징적인 증상은 안면홍조로도 언급되는 일과성 열감이다. 일과성 열감은 혈관확장 증상으로 알려져 있지만, 혈관확장을 유발하는 신호들은 신경학적이다.[1] 갱년기의 특징적인 증상의 기저에 있는 신경 기전은 아직 불분명하다. 일과성 열감은 후기 폐경이행기와 초기 폐경기 동안 일어난다.[4,14] 일과성 열감의 유병률은 대체로 초기 폐경이행기에 증가하고, 후기 폐경이행기에 최고조에 이르며, 초기 폐경기에도 높은 수치를 보이고, 후기 폐경기에는 낮아지지만 유병률은 지속된다.[14-16] 일과성 열감의 유병률은 민족성에 따라 30%에서 80%까지 이르는데, 아프리카계 미국인들이 가장 높은 빈도와 가장 긴 기간을 경험한다. 자궁절제술과 난소절제술을 받은 40~60세의 여성은 일과성 열감에 대한 위험도가 높다.[4] 대부분의 여성의 경우 일과성 열감은 일시적이다. 일과성 열감의 빈도수와 강도는 여성들의 30~50%에서 수개월 내에 약해지고 85~90%는 4~5년 내에 소실된다. 그러나 10~15%의 여성은 후기 폐경기에도 안면홍조를 계속해서 가지고 있다.[17]

아직 일과성 열감을 일으키는 기전이 밝혀지지 않았지만, 열 발산 반응과 유사하여 앞시상하부에 의한 온도 조절에 초점을 맞추게 되었다. 그러나, 일과성 열감 발생기전에 있어 에스트로겐의 정확한 역할은 밝혀지지 않았다. 흥미롭게도, 안면홍조의 발생과 대사 조절장애 간의 연관성이 있는 증거들이 점차 증가하였다.[1,18,19] 폐경기의 여성들 중 일과성 열감을 겪는 사람과 겪지 않는 사람들 사이에 에스트로겐 수치들은 많이 다르지 않았지만, 에스트로겐 치료를 하다가 이후 중단되었던 생식선발생장애 여성에서 에스트로겐의 중단은 일과성 열감을 유발할 수 있는데, 이는 에스트로겐 중단이 안면홍조의 원인에서 중요한 역할을 담당함을 시사한다.[1] 미국의 대규모 다기관 코호트연구인 SWAN에서, 더 높은 FSH 수치는 에스트라디올 및 다른 호르몬 수치를 보정한 후에 홍조와 독립적으로 연관되었던 유일한 척도였다.[5] 선택적 에스트로겐 수용체 조절자(selective estrogen receptor modulators, SERMs)에 의한 에스트로겐 수용체의 활성화를 길항하거나 또는 유방암에 대한 5 알파 환원효소억제제를 이용하여 에스트로겐 합성을 막기 위한 약리학적 요법을 경험한 여성

들의 경우 유의하게 증가된 안면홍조를 경험한다.[20]

폐경기

폐경이행기와 마찬가지로, 폐경기도 초기와 후기 단계로 구분된다. 초기 폐경기는 마지막 월경 주기 이후 4년으로 정의된다.[7] FSH 수치는 초기 폐경 동안 지속적으로 높으며 후기 폐경기 내내 높은 채로 유지된다.[5,7] 초기 폐경기 단계 동안, 난소 호르몬이 의미 있게 감소하여 영구히 낮은 수치에 도달하는데, 이는 가속화되는 골소실과 관련이 있다.[5,21,22] 폐경기 여성은 골소실의 두 단계를 겪는 반면 나이 든 남성은 한 단계만 경험한다.[22] 여성의 경우, 폐경은 4~8년 동안 감소하는 소주골(trabecular bone, 해면뼈라고도 알려진) 소실의 가속화 단계(accelerated phase)를 개시한다. 이는 15~20년 후에 사라지는 저속기(slow phase)로 이어지는데, 소주골의 심한 고갈이 추가적인 골소실을 제한하는 역조절력(counterregulatory force)을 자극한다.[22] 가속기는 골전환(bone turnover)에 대한 에스트로겐의 직접적인 억제 효과가 소실되어 발생하는데, 이는 골모세포와 파골세포의 에스트로겐 수용체에 의해 매개된다. 폐경 중에 골흡수는 90%로 증가하는 반면, 골형성 표지자들은 45%밖에 증가하지 않는다. 뒤이은 저속기에서는, 소주골 소실의 속도가 감소하지만, 피질골 소실의 속도는 증가될 수 있다. 생체이용가능한(bioavailable) 혈청 에스트로겐과 테스토스테론 수치는 나이든 남성에서 감소하고, 생체이용가능한 에스트로겐은 골소실의 주요한 예측변수이다. 따라서, 두 가지 성스테로이드(sex steroid)는 최대골량(peak bone mass)을 만드는 데 중요하지만, 에스트로겐 결핍은 두 성별 모두에서 연령 관련된 골소실의 주요 결정요인이다.[22] 소주골은 낮은 밀도와 강도를 갖고 있지만 매우 넓은 표면적을 갖고 있으며 장골의 내강(inner cavity)을 채운다. 소주골의 외층은 적골수(red bone marrow)를 포함하고 있는데, 여기에서 조혈이 일어나고 골기관의 동맥과 정맥 대부분이 발견된다.

다양한 약물들이 골다공증을 예방하고 치료하는 데 사용 가능한데, 항흡수성(antiresorptive) 에스트로겐, SERMs, 비스포스포네이트, 칼시토닌, 부갑상선호르몬(PTH—PTH1-34 또는 PTH1-84)을 포함하는 동화(anabolic) 치료와, strontium ranelate와 같은 아직 작용기전이 알려지지 않은 약물이 포함된다.[23,24] 칼슘, 비타민 D, 혹은 두 가지 모두의 일반적 결핍 교정은 1차 치료 중재이다.[23,24]

치료범위

내분비적 노화 관련 증상의 치료 중재는 계속해서 진화하고 있으며, 중재 시점, 중재 용량, 투여경로, 치료법에 대한 관심이 높아지고 있다. 폐경기 여성의 후기 호르몬 치료의, 특히 결합말에스트로겐(conjugated equine estrogens)과 medroxyprogesterone acetate 치료에서, 유해한 결과는 이들 사용에 대한 재평가 및 효능 대 유해 관련 요인들을 기술하게 하였다.[5] 여성에 대한 호르몬 치료는 남성에서보다 더 큰 규모로 진화되어 왔으며, 여성에 대한 호르몬 치료에서 발견된 것과 동일한 문제들 중 다수가 남성에서 안드로겐 치료의 임상적 사용 시 나타나고 있다. 여성들과 마찬가지로, 남성에 대한 호르몬 치료의 효능은 연령과 건강 상태에 민감하고, 용량 및 복용 기간과 관련된 건강 위험과 함께 용량의존적이다.[25]

다수의 약물적 및 비약물적 중재는 일과성 열감을 치료하기 위해 사용되어 왔으며, 가장 흔한 약물적 중재는 에스트로겐 또는 호르몬 치료이다.[5,26-28] 에스트로겐의 다양한 유형, 용량, 투여 경로 등이 개발되어 왔다. 각 제형은 복용 용량에 따라 거의 동등한 효능으로, 안면홍조의 중단 및 골다공증의 예방을 목표로 한다. NAMS (North American Menopause Society)의 성명서는 폐경 관련 증상을 치료하기 위해 폐경 무렵 에스트로겐이나 호르몬 치료를 개시하는 것을 지지했다.[29] 엄선된 폐경기 여성에서 골다공증이나 골절, 안면홍조의 위험 감소 또는 치료를 위해 호르몬 치료를 이용하는 것이 지지되었다. 폐경 여성에 대한 호르몬 치료의 위험편익비(risk-benefit ratio)를 분석한 결과, 폐경에 근접한 여성에게는 괜찮은 이득을 보였지만 나이가 들거나 이전에 치료를 받지 않은 여성에서 폐경 후 장시간이 지난 경우는 감소된 이득을 보였다.[29] 에스트로겐 혹은 호르몬 치료에 수반되는 위험이나 부작용은 상당하며, 이는 행동 및 대체 치료로 이어졌다. 하지만, 침술, 요가, 당귀(dong quai) 같은 중국 허브, 달맞이꽃종자유, 인삼, 카바(kava), 붉은클로버 추출물, 혹은 비타민 E가 일과성 열감을 완화한다는 확실한 증거가 없다.[30-35] 대두 식물성에스트로겐(soy phytoestrogen)의 임상 시험은 이득을 보여주는 데 있어 일관성이 없었으며, 대부분의 무작위맹검 임상 시험은 안면홍조의 치료에 대해 유의한 이득이 없음을 보여주었다.[36]

호르몬 치료와 여성의 생식기관에서 종양 위험도 증가간의 연관성은 에스트로겐의 유익한 효과를 선택적으로 활성화하는 반면, 치료 위험을 감소시키기 위해 SERMs의 개발로 이어졌다. 최근에 많은 에스트로겐 수용체 리간드와 새로운 SERMs이 자연에서 발견되었고, 다른 물질들은 학계 및 제약업계에서 새롭게 디자인되고 합성되었다.[26-28,37] 여성에서 호르몬 치료에 대한 미국 FDA (Food and Drug Administration) 승인 적응증은 일과성 열감의 치료 및 골다공증의 예방인 반면, SERMs은 유방암 예방과 골다공증의 치료로 승인되었다. 그러므로 제약 산업의 노력은 유방과 자궁의 항종양제 역할과 함께, FDA 승인 적응증에 집중되었다. 가장 오래되었고 연구가 많이 된 SERM은 triphenylethylene 유도체인 타목시펜(Tamoxifen, TMX)으로, 비스테로이드성이며, 1세대 SERM이다.[37] TMX의 부대사산물(minor metabolite)은 4-hydroxytamoxifen (OHT)인데, 이는 반감기가 더 짧지만 TMX보다 20~30배 높고 17 베타 에스트라디올과 동등한 결합친화력을 가지고 에스트로겐 수용체(ERs)에 결합한다.[37] 타목시펜은 유방에서 ER 길항제로 작용하지만, 뼈, 간, 그리고 자궁에서는 ER 작용제 역할을 할 수 있다.[37]

1971년 이래, TMX는 폐경 전 및 폐경 후 여성의 유방암 치료에 사용되어 왔고, 1999년에 TMX는 유방암의 예방을 위한 사용이 권고되었다.[37] 골다공증 치료를 위한 또 다른 비스테로이드성

SERM은 benzothiophene 유도체인 랄록시펜(raloxifene, RAL)으로, 비스테로이드성 2세대 SERM이다. TMX와 유사하게, RAL은 복합적인 약리학적 특성이 있어 조직특이적 방법으로 ER 작용제 및 길항제로 작용한다. 난소절제한 쥐와 폐경 후 여성에서 17 베타 에스트라디올의 것과 유사한 약리학적 특성과 함께, RAL은 유방과 자궁에서 특징적인 항에스트로겐 작용으로 유방암 또는 자궁내막암의 성장을 억제시키는 반면, 생식기관이 아닌 조직에서는 부분적인 에스트로겐 작용제로 작용하여 골소실을 예방하고 혈청 콜레스테롤 수치를 저하시킨다.[37,38] 많은 새로운 SERMs이 학계 및 제약업계에서 발견 및 개발되고 있다.[37,38] 효능, 특이도, 유방과 자궁에 대한 항종양제 작용이 향상되면서, 새로운 SERMs은 일과성 열감 및 골다공증과 같은 폐경 관련 증상의 예방과 치료에 더 많은 잠재적인 임상 치료적 용도를 보여 주었다. 유방, 자궁, 난소와 같은 생식기관에서 증식을 억제하는 한편 비생식기관에서의 에스트로겐 효과를 증진시키기 위해 SERM과 에스트로겐의 복합치료가 점점 더 사용되고 있다.[26-28,38,39]

여성의 신경내분비 노화에서 해결되지 않은 문제들

현재 호르몬 치료에 적합한 여성을 찾는 약리유전학적(pharmacogenomic) 전략은 없었고, 만약 그렇다면, 가장 효과적일 가능성이 높은 호르몬 치료를 결정하기 위한 것이다. 유전학적 전략들은 지금까지 고령 여성에서 인지장애의 위험도 증가와 관련된 ER 다형태(polymorphisms)를 발견하였다. 그러나, ERα (ESR1)와 ERβ (ESR2) 유전자의 몇몇 SNP (single-nucleotide polymorphisms)은 유방암과 골다공증과 같은 다양한 호르몬 민감 질병과 연관이 있었다. ER의 유전적 변이는 인지노화에 또한 영향을 미칠 수 있으며, 1,343명의 여성(평균 나이, 73.4세)와 1,184명의 남성(평균 나이, 73.7세)의 코호트에서 연구되었다.[40] 여성들 중에서, ERα SNPs (reference SNP cluster identification, rs—rs8179176, rs9340799)[40,41]의 2개와 ERβ SNPs (rs1256065, rs1256030)의 2개가 인지장애를 일으킬 가능성과 연관이 있었다.[40] 남성에서는, ERα SNPs (rs728524)의 1개와 ERβ SNPs (rs1255998, rs1256030)의 2개가 인지장애와 연관이 있었다. 이러한 결과들은 ER 유전변이들이 인지노화에 역할을 할 수 있음을 시사한다. ER SNP 프로필을 바탕으로 한 여성과 남성을 위한 맞춤형 호르몬 치료는 미지의 영역으로 남아 있다.

호르몬 치료 중재 시점은 대단히 중요하며, 몇몇의 연구들은 호르몬 치료의 시점의 영향을 결정하기 위한 시도를 하였다. 증거들은 에스트로겐 작용의 건강 세포 치우침 가설(healthy cell bias hypothesis of estrogen action)과 연관된[43,44] 치료 기회의 결정적인 시기를 뒷받침하였다.[42] 이 가설은 에스트로겐 치료가 신경학적 건강에 손상이 없을 때인 폐경이행기부터 폐경기에 시작된다면, 알츠하이머나 파킨슨병과 같이 나이와 연관된 신경변성질환에 대한 위험 감소로 나타나 이득이 될 것이라 예측한다.[43,44]

최적의 에스트로겐과 호르몬 치료를 위한 주요한 시도들이 남아 있다. 시점에 대한 문제를 넘어서,[42,43] 호르몬 치료의 현실적이고 인지된 위험은 남아 있고, 이는 Women's Health Initiative trial 과 Women's Health Initiative Memory Study 결과에 의해 증폭되었다.[45-47] 모두는 아니지만 많은 여성이 에스트로겐 혹은 호르몬 치료 중재로부터 잠재적으로 이익을 얻을 수 있음은 분명하다.[1] 이런 종류의 치료에 적합한 여성을 식별하고 어떤 종류의 호르몬 치료법이 가장 적절한지 결정하기 위한 생물표지자(biomarker)는 안면홍조의 치료 이상으로 대부분 개발되지 않은 상태로 남아있다.[1] 여성의 건강에 있어 에스트로겐의 이득을 선별적으로 목표로 하고 뜻밖의 위험 인자를 피하는 호르몬 치료 중재는 충족되지 않은 수요로 남아있다. NeuroSERMs와 PhytoSERMs와 같이 뇌에서 에스트로겐 기전을 활성화하지만 유방이나 자궁에서는 그렇지 않은 에스트로겐 대체제들은 연령과 연관된 신경변성질환을 예방하기 위해 뇌에서 에스트로겐의 이득을 지속시키기 위한 촉망되는 전략이다.[44]

남성의 신경내분비 노화

남성갱년기

남성의 내분비계는 여성과는 완전히 다른 형태를 가진 연령 및 내분비적 노화를 겪는다.[25,48] 최근 나이 든 남성의 내분비학에 대한 더욱 많은 임상적, 과학적 관심은 의학적으로 정의될 수 있는 상태로서 남성의 남성갱년기(andropause)에 대한 상당한 증거들을 제공했다.[25,48,49] 임상적 중요성에 찬성하는 쪽의 주장은 노화의 동반 증상들과 젊은 생식샘저하(hypogonadal) 남성에서 안드로겐 결핍 증상들 사이에 유사성이 있다는 점이다.[50] 반대하는 주장은 거의 모든 생리학적 시스템의 거의 어디에나 있는 감소를 인용한다. 이렇게 하여, 생식샘에 의한 테스토스테론 합성의 감소는 노화의 복잡한 모자이크의 한 부분으로 간주된다.[51] 이처럼, 일반화된 현상과 영구 불임을 내포하기 때문에 "고령 남성의 부분적 안드로겐 결핍" 혹은 "후기발병(late-onset) 생식샘저하증" 용어가 남성갱년기에 대한 대체 용어로 제안되었다.

　여성의 생식 내분비계처럼, 남성의 내분비계의 생식축은 시상하부–뇌하수체–생식샘(HPG)축으로 구성되지만 여성과 달리 남성의 생식계는 가속화된 노화를 겪지 않으며 일생 동안 생식 능력이 유지될 수 있다.[50] 모든 폐경기 여성에서 폐경이 생식의 비가역적인 끝, 생식샘 기능의 끝으로 이어져, 그 결과 낮은 성호르몬 수치를 보이는 여성들과는 달리, 남성은 매우 고령일 때까지 생식 능력이 유지된다.[25,48] 남성의 신경내분비 노화는 LH 분비의 박동분비 형태의 조절 이상으로 나타나지만 FSH 분비 조절은 기본적으로 유지된다.[50] 이것은 생리적으로 적절한 LH 활성화가 있다면 고환 잔여분비능(testicular residual secretory capacity)이 많은 노인 남성들의 혈청 테스토스테론 수치를 상당히 증가시킬 수 있도록 해 주기 때문에 치료적으로 중요하다. LH 분비 형태의 이러한 변화는, 노인들에서 뇌하수체 분비능이 보존되므로[50] 시상하부 내 되먹임 조절기전에 변화가 있기 때문이다.

정상적인 노화 환경 하에서, 테스토스테론 수치의 연령 관련 감소는 느리게 진행되며 65세 이상 남성의 10~15%에서 < 8 nmol/L의 낮은 총 테스토스테론 수치를 경험한다.[25] 낮은 테스토스테론의 유병률은 60~69세 남성에서 3.2%이고 70~79세 남성에서 5.1%이다. 80대 남성의 상당수가 젊은 남성의 정상적인 범주에 맞먹는, 생체이용 가능한 테스토스테론 수치를 아직도 갖고 있다.[48] 대체로 안드로겐 결핍은 부분적이다.[50] 그러나 테스토스테론의 역치 수치 이하에서는 안드로겐 결핍의 결과가 명백해지는데, 안드로겐 결핍을 진단하는 데 필요한 임상 증상, 빈도, 그리고/혹은 중증도는 다면적이다.[25] 연령 관련되어 낮은 테스토스테론 수치를 가진 남성은 원발(연령 관련) 또는 속발생식샘저하증(secondary hypogonadism, 비만 연관)으로 분류될 수 있다. 두 가지 모두 혈청 총 테스토스테론 수치가 10.5 nmol/L 미만이면서 LH 수치가 9.4 U/L 미만이거나, 혹은 보상생식샘저하증(compensated hypogonadism)의 경우 혈청 총 테스토스테론 수치가 10.5 nmol/L 이상이면서 LH 수치가 9.4 U/L 이상이다.[25] 성인 남성의 혈장 테스토스테론 수치는 일중변동을 보여, 이른 아침에 가장 높은 수치를 보이고 서서히 감소하여 저녁에 최저치를 보인다. 이러한 테스토스테론의 일일 주기(diurnal cycle)는 나이 든 남성에서 둔화된다.[42]

테스토스테론 수치의 연령 관련 감소(원발생식샘저하증)는, 근육(근육량과 강도), 뼈(골밀도, 기하학적 구조, 질), 생식(낮은 성욕), 조혈을 포함한 다수의 안드로겐 의존 시스템의 기능 저하와 관련이 있다.[25] 이들 시스템의 위축은 노쇠, 낙상, 골절, 움직임 제한, 당뇨병, 대사증후군, 관상동맥병, 심장혈관질환, 빈혈, 전체사망률과 연관이 있다.[25]

테스토스테론은 대부분 혈장 단백질에 결합되어 있다. 겨우 1~2%만 유리 테스토스테론으로, 40~50%는 알부민에 약하게 결합되어 있으며 50~60%는 스테로이드호르몬결합글로불린(steroid hormone−binding globulin, SHBG)에 특별히 강하게 결합되어 있다.[50,52] 결합되지 않은 테스토스테론은 세포막을 통해 표적 세포로 수동적으로 확산되어 특정 안드로겐 수용체(AR)에 결합된다.[50] 표적 조직의 안드로겐 농도는 생체이용가능한 안드로겐의 혈장 농도, 국소 안드로겐 대사, AR의 존재에 따라 다르다.

테스토스테론과 그것의 활성대사물인 디히드로테스토스테론(dihydrotestosterone, DHT)의 안드로겐 작용은 AR과의 결합을 통해 매개된다. 놀랍게도, 전구물질인 테스토스테론은 감소함에도 불구하고 DHT 수치는 나이가 들어도 일정하게 유지된다.[48] 테스토스테론과 DHT는 같은 수용체에 결합하지만, DHT가 테스토스테론보다 AR에 대해 더 강한 친화력을 보인다. AR의 발현은, 특히 전립선에서 안드로겐과 에스트로겐에 의해 증가되며 나이가 들수록 감소한다. 전립선에서는 거의 모든 안드로겐 효과가 제 2형 5 알파 환원효소(5α−reductase type 2)에 의해 테스토스테론이 전환됨으로써 DHT로 인해 나타난다.[50] 많은 조직에서 DHT가 테스토스테론의 안드로겐 효과 대부분을 조정한다. 주목할 만한 예외는 근육으로, 여기서는 테스토스테론이 활성안드로겐 역할을 한다.[50] 유전자 전사를 활성화하는 잘 특화된 핵의 AR 뿐만 아니라, 테스토스테론은 G단백결합막수용체(G protein-coupled membrane receptor)에 부분적으로 결합함으로써 신속한 비유전체(nongenomic) 효과도 나타낸다. AR은 남성 부생식기관(accessory sex organs)과 뇌의 일부 영역에서 많이 발현된다. 골격근, 심혈관 평활근, 그리고 뼈에서는 AR 발현이 낮게 나타난다.[50] 안드로겐에 대한 AR의 민감도는 AR 다형태에 의해 조절된다. X염색체에 있는 AR 유전자는 엑손 1에서 다형 삼뉴클레오티드(polymorphic trinucleotide) CAG 반복서열을 갖고 있는데, 이는 기능적으로 연관성이 있는 다양한 길이의 polyglutamine tract을 부호화한다. CAG 반복 길이가 정상 범위인 15~31회를 초과하면 AR의 transactivation 기능 감소를 유발한다. 임상 연구들에서 AR 다형태는 전립선암을 포함한 몇몇 안드로겐 민감 질환의 높은 유병률과 연관성이 있다고 나타났다.[50]

테스토스테론의 일부 생리학적 작용들은 ER과 결합하는 17 베타 에스트라디올로 방향화(aromatization)되어 나온다.[50,53,54] 남성에서 문서화된 테스토스테론의 에스트로겐 매개 작용들은 지질대사, 심혈관생리, 뇌 발달, 정자발생 뿐만 아니라 LH의 피드백 조절과 골격항상성의 조절에서의 역할을 포함한다.[50] 남성에서 생체이용가능한 에스트로겐 수치의 감소는 여성에서 일어나는 것과 유사하게, 연령과 연관된 골소실이나 골절 위험에 있어 중요한 역할을 할 수 있는 것으로 보인다.[55,56] 뼈의 발달 및 재형성에 있어 에스트로겐의 역할과 마찬가지로, ERα 유전자의 동형접합 결손 혹은 aromatase 결핍을 가진 남성은 정상 혹은 증가된 테스토스테론 수치임에도 불구하고 골단의 미융합, 골재형성표지자 증가, 낮은 골밀도를 가진다.[55]

치료범위

안드로겐 호르몬 치료는 다양한 제형들이 사용 가능하다. 이들에는 경구알약, 경피젤과 패치, 구강접착제, 장시간형 근내주사 등이 포함된다.[57] 여성에서의 호르몬 치료처럼, 테스토스테론 치료는 남성의 심각한 유해효과의 위험 증가와 연관이 있을 수 있다.[58,59] 전이전립선암과 유방암은 테스토스테론 치료 중 성장이 자극될 수 있는 호르몬 의존 암이다.[60] 결과적으로, 전립선 종양발생의 진행과/혹은 위험을 증가시킬 수 있는 잠재력을 갖는 테스토스테론 치료는 논란이 있어 왔고 선택적 안드로겐 수용체 조절자(selective androgen receptor modulators, SARMs)의 개발로 이어졌다. SARM은 전립선에서의 의미 있는 안드로겐 작용이 없지만 뇌, 근육, 뼈와 같이 관심 있는 안드로겐 반응 조직에 선택적으로 작용제 효과를 발휘한다.[61]

SARM 설계를 위한 몇몇 전략들이 추구되었다.[61-63] 첫 번째는 테스토스테론을 DHT로 전환하는 5 알파 환원효소에 대한 기질이 아닌 새로운 스테로이드화합물을 개발하는 것이었다. 앞에서 언급한 바와 같이, 전립선의 성장은 테스토스테론보다는 주로 DHT에 의해 유도되는데, DHT는 AR에 대한 더 높은 결합 친화력과 AR로부터 더 느린 해리율이 반영되어 DHT가 AR에 대해 10배 이상의 효능을 나타내기 때문이다.[64] 5 알파 환원효소 기질이 아니므로 DHT 혹은 DHT-유사 유도체를 형성하지 않는 SARMs은 전립선에서 상대적으로 낮은 안드로겐 작용을 가진다. 이 계열에는 다양한 AR 친화력과 안드로겐 활성을 가지며 잠재적으로 유망한 후보로 몇 가지 합성안드로겐들이 있는데, 7α−cyano−19−nortestosterone, 7α−acetylthio−19−nortestosterone, 19−nor−4−androstene−3β, 17β−diol−3β, 19−nortestosterone, and 4−estren−3α−17β−diol이 포함된다.[63] 이 범주 내에서 가장 유망한 SARM은 일반적으로 MENT라고 알려진 7α−methyl−19−nortestosterone이다. Population Council이 개발한 MENT는 생식샘저하증 남성을 위한 안드로겐 치료로서 임상 시험에 있었다. MENT는 전립선에서 낮은 안드로겐 활성을 보이지만 뼈를 포함한 다른 말초의 안드로겐 반응 조직에서 테스토스테론보다 더 강력하다.[63] 5 알파 환원효소에 대한 기질이 아니지만, MENT는 aromatase의 기질이므로 테스토스테론처럼 에스트라디올로 전환될 수 있다. 테스토스테론의 많은 세포 효과가 에스트라디올로의 방향화와 뒤따르는 ER 의존 신호전달의 활성화에 기인하기 때문에, 안드로겐과 에스트로겐의 기능을 보이는 SARM은 잠재적으로 큰 이익을 가져다줄 수 있다. 신경 기능에 대한 MENT의 영향은 사실상 알려져 있지 않다. MENT의 테스토스테론에 기반을 둔 구조는 혈뇌장벽 투과성을 강하게 시사한다.

이 계열에 또 다른 유망한 SARM은 19−nor−4−androstene−3β,17β−diol (estren−β라고도 불리는)이다. estren−β는 ER과 AR에 강한 친화력을 갖는다. 두 번째 SARM 설계 전략은 비스테로이드 합성 AR 리간드의 개발을 하는 것이었다.[69] 특히 관심을 가질 만한 것은, AR과 결합하지만 조직 특이도에 기반을 두는 AR 결합 주머니 곁사슬(pocket side chain)을 가진 변화된 상호 작용을 갖는 합성물이다.[63] BMS−564929가 이 계열의 한 예로, 생식샘저하증 남성의 근골격 종점(end point)을 향상시키기 위해 임상 시험이 진행되어 왔다.

남성의 생식 노쇠에서 해결되지 않은 문제들

여성의 생식 노쇠에서 해결되지 않은 많은 문제들은 남성의 경우에서도 적용할 수 있다. 안드로겐 결핍을 위한 호르몬 치료에 대해서는 아직도 논란이 많다.[60] 성인 남성의 테스토스테론 농도를 낮추기 위해 고환절제술을 하거나 생식샘자극호르몬분비호르몬(gonadotropin−releasing hormone, GnRH) 작용제 또는 길항제를 이용하는 것은 골밀도의 신속하고 뚜렷한 소실과 지방량 증가, 근육량과 근력의 소실과 연관되어 있다.[53,70] 테스토스테론 농도를 낮추는 것은 또한 안면홍조 및 전체적인 성활동, 생각, 공상의 감소로 이어진다.[70] 안면홍조는 전립선암에 대한 안드로겐 박탈치료를 받는 남성들에서 빈번하게 발생한다.

테스토스테론 치료는 남성에게 심각한 유해효과 발생 위험을 증가시킬 수 있다[25,59,60]. 전이전립선암과 유방암은 테스토스테론 치료 중 성장이 자극될 수 있는 호르몬 의존 암이다.[57] 전립선암은 대개 나이의 작용으로, 뼈와 혈액에 대한 영향을 넘어 외과 혹은 약리학적 고환절제술의 장기간 결과가 남성에서 확립되지 않았을 뿐 아니라, 안드로겐이나 SARM 치료에 적합한 남성을 구별하기 위한 생물표지자도 개발되지 않았다.

현재까지, 호르몬 치료에 적합한 남성을 구별해 내거나, 적절한 호르몬 치료의 종류나 용량, 치료요법을 결정하기 위한 맞춤형 의료 전략이 개발되지 않았다. 남성에서 생식샘저하증의 건강에 유해한 영향, 생식샘저하증을 가진 고령 남성을 위한 호르몬 치료의 잠재적 이득을 고려해 볼 때, 호르몬 치료에 대한 정밀의료 전략의 개발은 이득을 얻고 위험을 줄이기 위해 호르몬 치료가 적절한 남성, 제형, 용량, 치료요법을 구별할 수 있는 잠재력을 가지고 있다.

신경내분비 노화와 뇌 대사: 신경변성질환에 대한 영향

평균적으로 성인의 뇌는 체중의 2%를 차지하지만 20%의 산소를 사용하므로 체내 소비 칼로리의 20%를 차지하는데 중량만을 고려했을 때보다 10배나 높은 값이다.[71] 다양한 정신적, 운동 활동에도 불구하고 놀랍게도 높은 대사율이 지속적으로 유지된다.[71] 지속되는 대사 활동은 대부분 포도당을 이산화탄소와 물로 산화시키는 것으로 이루어져 있고 이는 adenosine triphosphate (ATP)의 형태로 많은 양의 에너지 생산으로 이어진다. 뇌에서 이용되는 대부분의 에너지는 활동전위의 전파 및 신경전달물질에 의해 수용체들이 자극받은 후 시냅스후 이온 급속흐름(postsynaptic ion fluxes)을 복원시키기 위해 필요하다. 따라서 뇌에서 대사 활동의 대부분은 시냅스 과정에 집중된다.[71]

시냅스 전파와 통합성을 유지하는 데 전념하는 뇌의 에너지 대사의 상당 부분은 에너지 생산의 감소가 시냅스 전파와 생리에 우선 영향을 줄 것이라는 가능성을 제시한다. 알츠하이머병(Alzheimer disease, AD)의 경우 뚜렷한 신경세포 변성보다 해마의 시냅스 효율의 미묘한 변화가 먼저 시작된다는 점 또한 이 가설과 일치한다.[72] 더군다나 뇌의 대사저하증은 AD의 임상적 진단에 앞서 인지 감소를 예측하게 해 준다.[73] 미토콘드리아 기능이상과 AD나 파킨슨병과 같은 신경변성질환 간의 연관성은 대사저하증과 수반되는 뇌의 미토콘드리아 유전자 발현의 감소 및 기능이상이 AD의 인지 결핍의 선행 요소라는 증거와 더불어 증가하고 있다.[73-76] 대사저하증과 AD의 관계는 동물 모델의 유전체 분석과 인간의 뇌의 대한 사후부검에서, 시험관내 세포 모델 시스템, 인간 뇌 영상까지 다층적인 분석과 실험적 패러다임에 기초한 것이다. 전반적으로 각각 이러한 각 단계의 분석들은 포도당대사, 생물에너지학, 미토콘드리아 기능에서의 기능이상이 남성과 여성의 AD 병리의 발달에 일관된 선행 사건들이라는 것을 가리킨다.[73,76-81] 뇌의 포도당대사와 미토콘드리아 기능의 감소는 진단 수십 년 전부터 나타날 수 있으므로 치료 표적뿐만 아니라 AD 위험의 생물표지자로서 사용될 수 있다.[73,79,83,84]

폐경기 여성들의 에스트로겐 치료로 뇌 대사의 감소를 예방할 수 있다는 많은 수의 근거들이 늘어나고 있다. 9년간 진행된 Baltimore Longitudinal Study of Aging 연구의 한 부분으로서, Resnick

과 동료들은 양전자방출단층촬영(PET) 연구를 통해 에스트로겐 치료(ET)를 사용한 여성과 사용하지 않은 여성의 소규모 코호트에서 국소 뇌혈류를 평가하였다. 결과는 ET 사용자와 비사용자 간의 PET 국소 뇌혈류가 기억 작업 동안 활성화 패턴과 관련하여 유의한 차이가 있음을 보여 주었다. ET 사용자들은 형상 및 언어 기억력의 신경심리학 시험과 PET 활성화 시험의 몇몇 부분에서 더 좋은 성과를 보였다.

건강한 폐경기 여성의 같은 집단을 대상으로 한 추적 종단 연구에서, Maki와 Resnick은[86] 국소 뇌혈류의 경우 비사용자보다 ET 사용자에서 기억 회로를 형성하고 전임상(preclinical) AD에 민감한 영역인 해마, 해마곁이랑(parahippocampal gyrus), 측두엽에서 증가하였다는 것을 밝혀냈다. 또한 그들은 증가된 국소 뇌 혈류는 수많은 인지 검사에서 더 높은 점수와 연관이 있다는 사실을 발견하였다.[86] 독립적인 2년간 추적 분석에서, Rasgon과 동료들은[87] ET를 받지 못한 폐경기 여성 중에 후대상피질(poterior cingulate cortex)의 대사에서 의미 있는 감소가 있는 반면, 에스트로겐 사용자였던 여성들은 후대상피질에서 유의한 대사 변화가 없다는 것을 알아냈다. 에스트로겐 사용이 뇌의 국소 대사를 보존하고 폐경기 여성의 대사 감소로부터 보호한다는 이러한 발견은 가장 초기 단계의 AD에서 뇌의 이 국소영역에서 대사가 감소한다는 사실을 고려할 때 특히 중요하다.

감소된 에너지 대사로부터 예측되었던 것처럼, 폐경기 여성은 대사증후군이 발병할 가능성이 높다. 949명이 참여한 9년간의 추적 연구인 SWAN은 7개 지역에 다섯 민족의 여성들에서 폐경 전환의 자연경과를 연구했다.[88] 폐경기의 시작에는, 13.7%의 여성이 대사증후군으로 새로 진단되었다. 폐경이행기 중 매년 대사증후군이 발생할 대응비(odds)는 1.45 (95% 신뢰구간[CI], 1.35~1.56)였고 폐경 후에는 1.24 (95% CI, 1.18~1.30)였다. 놀랍게도, 생체이용가능한 테스토스테론의 증가나 SHBG 수치의 감소는 여성에서 대사증후군이 발병할 가능성을 높였다. 폐경 전환을 경험하는 중년 여성을 대상으로 한 가장 큰 코호트의 종단 연구에서 노화와 체중 증가나 흡연과 같은 다른 알려진 심혈관질환 위험요인과 독립적으로, 폐경이행기 및 초기 폐경기 동안 대사증후군의 빈도가 유의하게 증가하였다는 것을 보여주었다. 생체이용 가능한 테스토스테론의 증가는 노화나 심혈관질환 위험인자를 조절한 후, 독립적인 예측인자로서 나타났다. 이러한 발견들은 폐경기로의 진행과 연관된 에스트로겐 수치의 감소가 점차 안드로겐이 우월한 호르몬 환경으로 이어지며 이는 여성의 대사증후군이 발생할 위험을 높일 수 있다는 것을 가리킨다.[88]

테스토스테론과 대사증후군 위험과의 연관성이 있었던 여성과 달리, 낮은 혈청 테스토스테론 수치는 건강한 남성의 대사증후군과 연관이 있다.[89] 30~79세의 571명의 남성으로 구성된 코호트 연구에서 낮은 테스토스테론 수치는 12년 후 남성의 중심비만을 예측했다.[50] 증가된 지방증(adiposity)은 그 자체가 테스토스테론 수치의 감소에 대해 부분적 책임이 있다. 더군다나 고령 남성에서 관찰된 성장호르몬 수치의 감소 또한 연령 관련된 신체 조성의 변화에 역할을 할 가능성이 있다.[50] 유전자 분석, 기능적 영상, 그리고 유산소능의 차이를 보이는 동물 모델들은 남성에서 인슐린저항 상태의 특징적인 미토콘드리아 기능 저하와 대사장애의 역할을 시사한다.[90] 내당능장애와 2형 당뇨병을 가지고 있는 북유럽 혈통의 남성에서 감소된 최대유산소능과 산화인산화에 관련된 미토콘드리아 유전자의 발현 감소에 의해 미토콘드리아의 기능이상이 입증되었다.[90] 테스토스테론 수치가 낮은 생식샘저하증 남성은 정상 테스토스테론 수치를 갖는 남성에 비해 대사증후군의 유병률이 3배 높다.[90] 낮은 테스토스테론 수치는 유해한 대사 프로필과 관련이 있다. 이것은 낮은 테스토스테론 수치와 미토콘드리아 기능의 장애가 남성에서 인슐린저항을 촉진시킨다는 것을 가리킨다.[90]

이상을 종합했을 때, 이러한 연구결과들은 생식샘호르몬의 감소가 뇌에서의 대사저하증과 대사증후군의 위험 증가, 그리고 AD의 특징인 뇌의 포도당대사 감소와 연관되어 있음을 나타낸다. 또한 초기 호르몬 치료 중재는 생식샘호르몬 상태와 연관된 대사저하증을 되돌릴 수 있다는 것이 밝혀졌다.

요점 — KEY POINTS

- 신경내분비 노화는 높은 수준의 개체 간의 변이성을 가지는 다인성(multifactorial) 과정이며 여러 가지 유익하거나 유해한 영향을 받는다.
- 여성의 정상적인 생식 노화는 수년에 걸쳐 이어지는 3개의 뚜렷한 단계로 특징지어진다; 폐경이행기(폐경 전환으로도 알려진), 일반적으로 49~51세 사이에 일어나는 폐경, 그리고 폐경기이다.
- 자연적인 폐경 전환 이전의 난소절제술이 이후의 신경변성질환의 위험에 엄청난 결과를 가져온다는 증거가 증가하고 있다.
- 남성의 경우, 생식 능력이 매우 고령일 때까지 유지되고 나이와 연관된 테스토스테론 수치의 감소는 느리게 진행된다.
- 생식샘호르몬의 소실은 뇌에서 포도당대사, 생물에너지학, 미토콘드리아 기능에서의 기능이상과 연관되어 있다. 뇌의 대사 감소는 알츠하이머병 병리의 발달에 선행되며, 진단하기 수십 년 전에 나타날 수 있으며 알츠하이머병 위험의 생물표지자 및 치료 목표로 사용할 수 있다.

참고문헌의 총 목록을 보려면 www.expertconsult.com 을 방문해주세요.

중요 참고문헌

1. Brinton RD, et al: Perimenopause as a neurological transition state. Nat Rev Endocrinol 11:393 – 405, 2015.

2. Yin F, et al: The perimenopausal aging transition in the female rat brain: decline in bioenergetic systems and synaptic plasticity. Neurobiol Aging 36:2282 – 2295, 2015.

3. Vitale G, Salvioli S, Franceschi C: Oxidative stress and the ageing endocrine system. Nat Rev Endocrinol 9:228 – 240, 2013.

4. Harlow SD, et al: STRAW 10 Collaborative Group: Executive summary of the Stages of Reproductive Aging Workshop + 10: addressing the unfinished agenda of staging reproductive aging. Menopause 19:387 – 395, 2012.

5. Davis SR, et al: Menopause. http://www.nature.com/articles/nrdp20154. Accessed February 9, 2015.

6. Finch CE: The menopause and aging, a comparative perspective. J Steroid Biochem Mol Biol 142:132 – 141, 2014.

15. Cray LA, et al: Symptom clusters during the late reproductive stage through the early postmenopause: observations from the Seattle Midlife Women's Health Study. Menopause 19:864 – 869, 2012.

16. Greendale GA, et al: Predicting the timeline to the final menstrual period: the study of women's health across the nation. J Clin Endocrinol Metab 98:1483 – 1491, 2013.

17. Freeman EW, Sammel MD, Sanders RJ: Risk of long-term hot flashes after natural menopause: evidence from the Penn Ovarian Aging Study cohort. Menopause 21:924 – 932, 2014.

18. Thurston RC, et al: Vasomotor symptoms and insulin resistance in the study of women's health across the nation. J Clin Endocrinol Metab 97:3487 – 3494, 2012.

19. Thurston RC, et al: Adipokines, adiposity, and vasomotor symptoms during the menopause transition: findings from the Study of Women's Health Across the Nation. Fertil Steril 100:793 – 800, 2013.

25. Spitzer M, et al: Risks and benefits of testosterone therapy in older men. Nat Rev Endocrinol 9:414 – 424, 2013.

26. Genazzani AR, Komm BS, Pickar JH: Emerging hormonal treatments for menopausal symptoms. Expert Opin Emerg Drugs 20:31 – 46, 2015.

27. Pinkerton J, Thomas S: Use of SERMs for treatment in postmenopausal women. J Steroid Biochem Mol Biol 142:142 – 154, 2014.

28. Komm BS, Mirkin S: An overview of current and emerging SERMs. J Steroid Biochem Mol Biol 143:207 – 222, 2014.

30. Taylor M: Complementary and alternative approaches to menopause. Endocrinol Metab Clin North Am 44:619 – 648, 2015.

31. Ohn Mar S, et al: Use of alternative medications for menopause-related symptoms in three major ethnic groups of Ipoh, Perak, Malaysia. Asia Pac J Public Health 27(Suppl):19S – 25S, 2015.

32. Lindh-Astrand L, et al: Hot flushes, hormone therapy and alternative treatments: 30 years of experience from Sweden. Climacteric 18:53 – 62, 2015.

33. Dittfeld A, et al: [Phytoestrogens—whether can they be an alternative to hormone replacement therapy for women during menopause period?]. Wiad Lek 68:163 – 167, 2015.

34. Carroll DG, Lisenby KM, Carter TL: Critical appraisal of paroxetine for the treatment of vasomotor symptoms. Int J Womens Health 7:615 – 624, 2015.

35. Alipour S, Jafari-Adli S, Eskandari A: Benefits and harms of phytoestrogen consumption in breast cancer survivors. Asian Pac J Cancer Prev 16:3091 – 3096, 2015.

38. Maximov PY, Lee TM, Jordan VC: The discovery and development of selective estrogen receptor modulators (SERMs) for clinical practice. Curr Clin Pharmacol 8:135 – 155, 2013.

39. Ellis AJ, et al: Selective estrogen receptor modulators in clinical practice: a safety overview. Expert Opin Drug Saf 14:921 – 934, 2015.

49. Fukui M, et al: Andropausal symptoms in men with type 2 diabetes. Diabet Med 29:1036 – 1042, 2012.

53. Walsh JS, Eastell R: Osteoporosis in men. Nat Rev Endocrinol 9:637-645, 2013.

54. Matsumoto AM: Reproductive endocrinology: estrogens—not just female hormones. Nat Rev Endocrinol 9:693-694, 2013.

56. Manolagas SC, O'Brien CA, Almeida M: The role of estrogen and androgen receptors in bone health and disease. Nat Rev Endocrinol 9:699-712, 2013.

59. Vigen R, et al: Association of testosterone therapy with mortality, myocardial infarction, and stroke in men with low testosterone levels. JAMA 310:1829-1836, 2013.

60. Wierman ME: Risks of different testosterone preparations: too much, too little, just right. JAMA Intern Med 175:1197-1198, 2015.

89. Rao PM, Kelly DM, Jones TH: Testosterone and insulin resistance in the metabolic syndrome and T2DM in men. Nat Rev Endocrinol 9:479-493, 2013.

참고문헌

1. Brinton RD, et al: Perimenopause as a neurological transition state. Nat Rev Endocrinol 11:393-405, 2015.

2. Yin F, et al: The perimenopausal aging transition in the female rat brain: decline in bioenergetic systems and synaptic plasticity. Neurobiol Aging 36:2282-2295, 2015.

3. Vitale G, Salvioli S, Franceschi C: Oxidative stress and the ageing endocrine system. Nat Rev Endocrinol 9:228-240, 2013.

4. Harlow SD, et al: STRAW 10 Collaborative Group: Executive summary of the Stages of Reproductive Aging Workshop + 10: addressing the unfinished agenda of staging reproductive aging. Menopause 19:387-395, 2012.

5. Davis SR, et al: Menopause. http://www.nature.com/articles/nrdp20154. Accessed February 9, 2015.

6. Finch CE: The menopause and aging, a comparative perspective. J Steroid Biochem Mol Biol 142:132-141, 2014.

7. Soules MR, et al: Executive summary: Stages of Reproductive Aging Workshop (STRAW). Fertil Steril 76(5):874-878, 2001.

8. Santoro N, Sutton-Tyrrell K: The SWAN song: Study of Women's Health Across the Nation's recurring themes. Obstet Gynecol Clin North Am 38:417-423, 2011.

9. Bastian LA, Smith CM, Nanda K: Is this woman perimenopausal? JAMA 289:895-902, 2003.

10. Chen S, Nilsen J, Brinton RD: Dose and temporal pattern of estrogen exposure determines neuroprotective outcome in hippocampal neurons: therapeutic implications. Endocrinology 147:5303-5313, 2006.

11. Davis SR, Lambrinoudaki I, Lumsden M, et al: Menopause. Nature Reviews Disease Primers 1:15004, 2015.

12. Burger HG, et al: Cycle and hormone changes during perimenopause: the key role of ovarian function. Menopause 15(Pt 1):603-612, 2008.

13. Burger H, et al: Nomenclature and endocrinology of menopause and perimenopause. Expert Rev Neurother 7(Suppl):S35-S43, 2007.

14. Butler L, Santoro N: The reproductive endocrinology of the menopausal transition. Steroids 76:627-635, 2011.

15. Cray LA, et al: Symptom clusters during the late reproductive stage through the early postmenopause: observations from the Seattle Midlife Women's Health Study. Menopause 19:864-869, 2012.

16. Greendale GA, et al: Predicting the timeline to the final menstrual period: the study of women's health across the nation. J Clin Endocrinol Metab 98:1483-1491, 2013.

17. Freeman EW, Sammel MD, Sanders RJ: Risk of long-term hot flashes after natural menopause: evidence from the Penn Ovarian Aging Study cohort. Menopause 21:924-932, 2014.

18. Thurston RC, et al: Vasomotor symptoms and insulin resistance in the study of women's health across the nation. J Clin Endocrinol Metab 97:3487-3494, 2012.

19. Thurston RC, et al: Adipokines, adiposity, and vasomotor symptoms during the menopause transition: findings from the Study of Women's Health Across the Nation. Fertil Steril 100:793-800, 2013.

20. Avis NE: Breast cancer survivors and hot flashes: the search for nonhormonal treatments. J Clin Oncol 26:5008 – 5010, 2008.

21. Cranney A, et al: Meta-analyses of therapies for postmenopausal osteoporosis. IX: summary of meta-analyses of therapies for postmenopausal osteoporosis. Endocr Rev 23:570 – 578, 2002.

22. Riggs BL, Khosla S, Melton LJ, 3rd: Sex steroids and the construction and conservation of the adult skeleton. Endocr Rev 23:279 – 302, 2002.

23. Rosen CJ: Clinical practice. Postmenopausal osteoporosis. N Engl J Med 353:595 – 603, 2005.

24. Papapoulos S, Makras P: Selection of antiresorptive or anabolic treatments for postmenopausal osteoporosis. Nat Clin Pract Endocrinol Metab 4:514 – 523, 2008.

25. Spitzer M, et al: Risks and benefits of testosterone therapy in older men. Nat Rev Endocrinol 9:414 – 424, 2013.

26. Genazzani AR, Komm BS, Pickar JH: Emerging hormonal treatments for menopausal symptoms. Expert Opin Emerg Drugs 20:31 – 46, 2015.

27. Pinkerton J, Thomas S: Use of SERMs for treatment in postmenopausal women. J Steroid Biochem Mol Biol 142:142 – 154, 2014.

28. Komm BS, Mirkin S: An overview of current and emerging SERMs. J Steroid Biochem Mol Biol 143:207 – 222, 2014.

29. Utian WH, et al: Estrogen and progestogen use in postmenopausal women: July 2008 position statement of The North American Menopause Society. Menopause 15(Pt 1):584 – 602, 2008.

30. Taylor M: Complementary and alternative approaches to menopause. Endocrinol Metab Clin North Am 44:619 – 648, 2015.

31. Ohn Mar S, et al: Use of alternative medications for menopause-related symptoms in three major ethnic groups of Ipoh, Perak, Malaysia. Asia Pac J Public Health 27(Suppl):19S – 25S, 2015.

32. Lindh-Astrand L, et al: Hot flushes, hormone therapy and alternative treatments: 30 years of experience from Sweden. Climacteric 18:53 – 62, 2015.

33. Dittfeld A, et al: Phytoestrogens—whether can they be an alternative to hormone replacement therapy for women during menopause period? Wiad Lek 68:163 – 167, 2015.

34. Carroll DG, Lisenby KM, Carter TL: Critical appraisal of paroxetine for the treatment of vasomotor symptoms. Int J Womens Health 7:615 – 624, 2015.

35. Alipour S, Jafari-Adli S, Eskandari A: Benefits and harms of phytoestrogen consumption in breast cancer survivors. Asian Pac J Cancer Prev 16:3091 – 3396, 2015.

36. Zhao L, Brinton RD: WHI and WHIMS follow-up and human studies of soy isoflavones on cognition. Expert Rev Neurother 7:1549 – 1564, 2007.

37. Zhao L, O'Neill K, Diaz Brinton R: Selective estrogen receptor modulators (SERMs) for the brain: current status and remaining challenges for developing NeuroSERMs. Brain Res Brain Res Rev 49:472 – 493, 2005.

38. Maximov PY, Lee TM, Jordan VC: The discovery and development of selective estrogen receptor modulators (SERMs) for clinical practice. Curr Clin Pharmacol 8:135 – 155, 2013.

39. Ellis AJ, et al: Selective estrogen receptor modulators in clinical practice: a safety overview. Expert Opin Drug Saf 14:921 – 934, 2015.

40. Yaffe K, et al: Estrogen receptor genotype and risk of cognitive impairment in elders: findings from the Health ABC study. Neurobiol Aging 30:607 – 614, 2009.

41. Yaffe K, et al: Estrogen receptor 1 polymorphisms and risk of cognitive impairment in older women. Biol Psychiatry 51:677 – 682, 2002.

42. Resnick SM, Henderson VW: Hormone therapy and risk of Alzheimer disease: a critical time. JAMA 288:2170 – 2172, 2002.

43. Brinton RD: Investigative models for determining hormone therapy-induced outcomes in brain: evidence in support of a healthy cell bias of estrogen action. Ann N Y Acad Sci 1052:57 – 74, 2005.

44. Brinton RD: The healthy cell bias of estrogen action: mitochondrial bioenergetics and neurological implications. Trends Neurosci 31:529 – 537, 2008.

45. Rossouw JE, et al: Postmenopausal hormone therapy and risk of cardiovascular disease by age and years since menopause. JAMA 297:1465-1477, 2007.

46. Shumaker SA, et al: Conjugated equine estrogens and incidence of probable dementia and mild cognitive impairment in post-menopausal women: Women's Health Initiative Memory Study. JAMA 291:2947-2958, 2004.

47. Shumaker SA, et al: Estrogen plus progestin and the incidence of dementia and mild cognitive impairment in postmenopausal women: the Women's Health Initiative Memory Study: a randomized controlled trial. JAMA 289:2651-2662, 2003.

48. Araujo AB, Wittert GA: Endocrinology of the aging male. Best Pract Res Clin Endocrinol Metab 25:303-319, 2011.

49. Fukui M, et al: Andropausal symptoms in men with type 2 diabetes. Diabet Med 29:1036-1042, 2012.

50. Kaufman JM, Vermeulen A: The decline of androgen levels in elderly men and its clinical and therapeutic implications. Endocr Rev 26:833-876, 2005.

51. Perheentupa A, Huhtaniemi I: Does the andropause exist? Nat Clin Pract Endocrinol Metab 3:670-671, 2007.

52. Morley JE, Perry HM, 3rd: Andropause: an old concept in new clothing. Clin Geriatr Med 19:507-528, 2003.

53. Walsh JS, Eastell R: Osteoporosis in men. Nat Rev Endocrinol 9:637-645, 2013.

54. Matsumoto AM: Reproductive endocrinology: estrogens-not just female hormones. Nat Rev Endocrinol 9:693-694, 2013.

55. Khosla S, Amin S, Orwoll E: Osteoporosis in men. Endocr Rev 29:441-464, 2008.

56. Manolagas SC, O'Brien CA, Almeida M: The role of estrogen and androgen receptors in bone health and disease. Nat Rev Endocrinol 9:699-712, 2013.

57. Bhasin S, et al: Testosterone therapy in adult men with androgen deficiency syndromes: an endocrine society clinical practice guideline. J Clin Endocrinol Metab 91:1995-2010, 2006.

58. Basaria S, et al: Adverse events associated with testosterone administration. N Engl J Med 363:109-122, 2010.

59. Vigen R, et al: Association of testosterone therapy with mortality, myocardial infarction, and stroke in men with low testosterone levels. JAMA 310:1829-1836, 2013.

60. Wierman ME: Risks of different testosterone preparations: too much, too little, just right. JAMA Intern Med 175:1197-1198, 2015.

61. Bhasin S, et al: Drug insight: testosterone and selective androgen receptor modulators as anabolic therapies for chronic illness and aging. Nat Clin Pract Endocrinol Metab 2:146-159, 2006.

62. Gao W, Dalton JT: Ockham's razor and selective androgen receptor modulators (SARMs): are we overlooking the role of 5alpha-reductase? Mol Interv 7:10-13, 2007.

63. Segal S, Narayanan R, Dalton JT: Therapeutic potential of the SARMs: revisiting the androgen receptor for drug discovery. Expert Opin Investig Drugs 15:377-387, 2006.

64. Pike CJ, et al: Androgen cell signaling pathways involved in neuroprotective actions. Horm Behav 53:693-705, 2008.

65. Cummings DE, et al: Prostate-sparing effects in primates of the potent androgen 7alpha-methyl-19-nortestosterone: a potential alternative to testosterone for androgen replacement and male contraception. J Clin Endocrinol Metab 83:4212-4219, 1998.

66. Noe G, et al: Gonadotrophin and testosterone suppression by 7alpha-methyl-19-nortestosterone acetate administered by sub-dermal implant to healthy men. Hum Reprod 14:2200-2206, 1999.

67. Sundaram K, Kumar N, Bardin CW: 7 Alpha-methyl-19-nortestosterone: an ideal androgen for replacement therapy. Recent Prog Horm Res 49:373-376, 1994.

68. Suvisaari J, et al: Pharmacokinetics and pharmacodynamics of 7alpha-methyl-19-nortestosterone after intramuscular administration in healthy men. Hum Reprod 12:967-973, 1997.

69. Brown TR: Nonsteroidal selective androgen receptors modulators (SARMs): designer androgens with flexible structures provide clinical promise. Endocrinology 145:5417-5419, 2004.

70. Bhasin S, Wu F: Making a diagnosis of androgen deficiency in adult men: what to do until all the facts are in? Nat Clin Pract Endocrinol Metab 2:529, 2006.

71. Raichle ME, Gusnard DA: Appraising the brain's energy budget. Proc Natl Acad Sci U S A 99:10237-10239, 2002.

72.   Selkoe DJ: Alzheimer's disease is a synaptic failure. Science 298:789-791, 2002.

73.   Mosconi L, et al: Hippocampal hypometabolism predicts cognitive decline from normal aging. Neurobiol Aging 29:676-692, 2008.

74.   Martins IJ, et al: Apolipoprotein E, cholesterol metabolism, diabetes, and the convergence of risk factors for Alzheimer's disease and cardiovascular disease. Mol Psychiatry 11:721-736, 2006.

75.   Liang WS, et al: Altered neuronal gene expression in brain regions differentially affected by Alzheimer's disease: a reference data set. Physiol Genomics 33:240-256, 2008.

76.   Liang WS, et al: Alzheimer's disease is associated with reduced expression of energy metabolism genes in posterior cingulate neurons. Proc Natl Acad Sci U S A 105:4441-4446, 2008.

77.   Blalock EM, et al: Gene microarrays in hippocampal aging: statistical profiling identifies novel processes correlated with cognitive impairment. J Neurosci 23:3807-3819, 2003.

78.   Blalock EM, et al: Incipient Alzheimer's disease: microarray correlation analyses reveal major transcriptional and tumor suppressor responses. Proc Natl Acad Sci U S A 101:2173-2178, 2004.

79.   Reiman EM, et al: Functional brain abnormalities in young adults at genetic risk for late-onset Alzheimer's dementia. Proc Natl Acad Sci U S A 101:284-289, 2004.

80.   Rowe WB, et al: Hippocampal expression analyses reveal selective association of immediate-early, neuroenergetic, and myelinogenic pathways with cognitive impairment in aged rats. J Neurosci 27:3098-3110, 2007.

81.   Moreira PI, et al: Brain mitochondrial dysfunction as a link between Alzheimer's disease and diabetes. J Neurol Sci 257:206-214, 2007.

82.   Miller JA, Oldham MC, Geschwind DH: A systems level analysis of transcriptional changes in Alzheimer's disease and normal aging. J Neurosci 28:1410-1420, 2008.

83.   Mosconi L, et al: Maternal family history of Alzheimer's disease predisposes to reduced brain glucose metabolism. Proc Natl Acad Sci U S A 104:19067-19072, 2007.

84.   Reiman EM, et al: Declining brain activity in cognitively normal apolipoprotein E epsilon 4 heterozygotes: a foundation for using positron emission tomography to efficiently test treatments to prevent Alzheimer's disease. Proc Natl Acad Sci U S A 98:3334-3339, 2001.

85.   Resnick SM, et al: Effects of estrogen replacement therapy on PET cerebral blood flow and neuropsychological performance. Horm Behav 34:171-182, 1998.

86.   Maki PM, Resnick SM: Longitudinal effects of estrogen replacement therapy on PET cerebral blood flow and cognition. Neurobiol Aging 21:373-383, 2000.

87.   Rasgon NL, et al: Estrogen use and brain metabolic change in postmenopausal women. Neurobiol Aging 26:229-235, 2005.

88.   Janssen I, et al: Menopause and the metabolic syndrome: the Study of Women's Health Across the Nation. Arch Intern Med 168:1568-1575, 2008.

89.   Rao PM, Kelly DM, Jones TH: Testosterone and insulin resistance in the metabolic syndrome and T2DM in men. Nat Rev Endocrinol 9:479-493, 2013.

90.   Pitteloud N, et al: Relationship between testosterone levels, insulin sensitivity, and mitochondrial function in men. Diabetes Care 28:1636-1642, 2005.

PART 3

의학적 노화학

Medical Gerontology

CHAPTER **14**

노쇠: 총론
Frailty: The Broad View

Matteo Cesari, Olga Theou

인구통계학적 추세에 따르면 지리학적, 사회경제적 상황과 독립적으로 노인의 절대 및 상대적 수가 증가하고 있다. 전세계적으로 65세 이상 노인의 비율은 2010년 7.7%에서 향후 2050년에는 15.6%로 증가할 것으로 추산된다. 80세 이상 노인의 비율도 이러한 추세가 뚜렷한데 2050년에는 2010년에 비해 두 배 이상(1.6%에서 4.1%) 증가할 것으로 예상되고 있다. 이러한 추세는 선진국에서만 국한된 게 아니라 개발이 매우 덜 된 지역에서도 비슷하게 나타난다.[1] 노인 인구의 사망률 감소는 주로 과학발전과 생활조건 개선의 결과인데[2] 노인의 많은 의료이용은 오히려 현 보건의료체계에 부담이 되고 있다. 특히, 현재 의료체계는 변화하는 인구집단의 새로운(그리고 여전히 충족되지 않은) 요구를 충분히 고려하지 못하고 있다. 영국 런던의 왕립외과협회는 "고령화 사회에 대처할 수 있는 급성, 일반, 노인의학에 능숙한 더 많은 의료인이 필요하다"고 하였다.[3]

노년의 장애로 인한 여러 심각한 부담은 의료체계가 갖는 주요과제 중 하나이다.[4] 노인의 장애는 대개 평생에 걸친 질환의 결과물로서 노인의 장애는 거의 비가역적인 상태로 간주되어야 한다.[5] 따라서 장애의 악화를 방지하고,[6] 노인의 사회적 의존성을 줄이거나 혹은 최소한 이를 더 증가시키지 않도록 관리하여야 한다.

지난 20년 동안, 노인의 생물학적 나이를 측정할 수 있는 바이오마커와 여러 도구들이 개발되었다. 도움을 필요로 하는 노인의 수와 장애에 따른 경제적 부담이 증가하고 있는 상황에서 "실제 나이"가 아닌 "생물학적 나이"에 따른 노인을 구분하는 것은 긴급히 필요한 과제이다.[4,7]

이제 노인 환자에 관한 전통적인 생각을 바꾸어야 하는 상황이다. 단순히 생존 년도에 따른 실제 나이에 따라 더 높은 수준의 건강관리 및 특수한 자원이 필요한 대상을 선별하는 것은 더 이상 바람직하지 않다. 대신 개인의 생물학적 상태를 더 정확하게 파악할 수 있는 지표가 필요하다.

노인에 대한 최적의 치료를 개발하기 위해 임상 및 연구 환경에서 다시 정의될 필요가 있는 것은 나이 기준만이 아니다. 질병 중심에서 기능 중심적인 의학으로의 전환이 필요하다. 사실 나이가 들면서 질병의 전통적인 의미는 상실되는데, 이는 대개 노화의 영향에 의해 많은 부분들이 새롭게 정의되기 때문이다. 이는 노인의학 분야에서 소위 근거중심의학과 관련된 문제이기도 한데 주로 노인의 사회적, 임상적, 생물학적 특성이 현재 개발되고 있는 국제적인 권고와 가이드라인의 특성과 잘 들어맞지 않기 때문이다.[5]

이러한 맥락에서 노쇠의 개념은 해결책을 제시해줄 수도 있다. Fried와 그의 동료들은 노쇠가 가지는 의미에 대해 완벽한 설명을 내놓았다. 그들은 "노인의학의 초석, 더 깊게는 존재 이유 자체가 노쇠한 노인들에 대한 파악, 평가 및 치료이며 그들이 독립성을 상실하는 것을 막고 현재 처한 상황에 따른 위험을 방지하는 것이다"라고 했다. 노인의학은 이런 유형의 환자들에 대한 지식을 쌓고 그에 맞는 특정 방법론을 발전시켜 왔으며 노인병에 대하여 포괄적인 평가를 하고 있다.[9,10] 이 장에서는 노쇠가 어떻게 정의되고, 노쇠를 어떻게 치료할 수 있는지, 그리고 왜 그것이 우리의 보건의료체계 내에서 고려되어야 하는지를 중점적으로 다룬다.

노쇠

노인들의 이질적인 건강 상태를 더 잘 이해하기 위해 약 20년 전 노인의학과 노인학 문헌에 노쇠의 개념이 소개되었다. 현재 노쇠는 실제 나이가 같은 사람들 중에서 부정적인 결과를 초래하는 방향으로 취약성이 증가한다는 개념으로 이해되고 있다. 이는 노인증후군 또는 생물체의 항상성 유지 예비력 감소상태를 나타내는 데 사용되는 용어이다. 내부 혹은 외부에서 발생하는 엔트로피를 견디는 수용력이 낮으면 낙상, 장애의 악화, 입원 및 사망을 포함한 부정적인 건강 관련 사건의 위험성을 증가시킨다.[8,11-13] 또한 임상적으로 유의하지 않은 내인성 혹은 외인성 스트레스 인자도 노쇠한 개인에게는 장애의 과정을 유발하는 기폭제가 될 수 있다.[13]

전문가들의 국제적 합의에 의해 노쇠는 "스트레스 인자에 대한 예비능과 저항의 감소로 특징지어지는 다차원 증후군"으로 정의되었다.[11] 현재 널리 받아들여지는 노쇠에 대한 개념은 국제 합의 단체에 의해 2012년 플로리다 올랜도에서 정의된 바 있는 데 해당 단체는 노쇠를 "체력의 저하, 지구력의 감소, 의존성과 죽음의 위험에 대한 취약성을 높이는 생리기능의 저하로 특징되는 여러 원인과 기여 요인을 가진 의학 증후군"이라고 일컬었다.

Clegg 등은 최근 논문에서 노쇠란 어떤 증후군이 아닌 노인에 있어 항상성 유지에 어려움을 겪는 상태라고 하였다.[12] 비슷한 맥락에서 신체의 손상이 계속 축적된다는 관점으로 볼 때 노쇠는 건강 문제 자체라기 보다 특정한 양으로 측정될 수 있는 다차원적 위험 상태라고 보았다.[14] 이 접근법은 노쇠한 노인에게 많은 것들이 잘못되어 있음을 의미하는데 더 많은 것이 잘못되어 있을수록, 노쇠할 가능성이 높아지고 따라서 건강이 악화될 위험성이 높아진다는 것이다. 이러한 정의에 따르면 노쇠란 유전적 요인에 의해 유발된 손상을 포함하여 신체 외부 혹은 내부(예를 들어 대사성, 호흡

성, 염증성)의 손상을 고치는 우리의 신체의 여러 시스템 기능의 소실에서 발생한다.[15]

노쇠는 '있고 없고'에 의해서가 아니라 그 정도의 차이에 의해 발생하게 되는데 아직 많은 연구에서 개체를 '노쇠하다' 혹은 '그렇지 않다'로 단순하게 나누고 있다. 이러한 분류는 여러 표본집단에서 노쇠의 비율을 비교하는 등의 상황에서는 유용할 수 있지만 그러한 상황에서조차 많은 정보를 누락시킨다. 실제 임상적 상황에서의 많은 결정들은 단순한 이분법적 판단을 뛰어넘는 정교함이 요구된다.[16] 또한, 노쇠는 역동적인 과정으로 정도에 따른 변화가 빈번하다. 단지 평균적으로 나이가 들며 건강이 나빠지고 인구 집단 전체로 봤을 때 노쇠의 방향성이 신체손상의 축적에 따라 일정하게 나타나는 것뿐이다. 노쇠지수는 평균적으로 20세에서 90세 사이에 10배로 증가한다. 그럼에도 개개인에서 노쇠지수는 전반적으로 불규칙하며 확률론적으로 역동적인 모습을 보인다. 개인에게 있어 노쇠 정도는 서서히 변화하며 많은 부분에 있어 이전의 상태에 따라 결정된다. 따라서 전혀 노쇠하지 않은 상태에서 심각할 정도로 노쇠할 정도로(혹은 그 반대로) 바뀐다는 것은 매우 드문 경우이다.[17] 노인을 포함한 모든 개인에게 있어 노쇠의 정도는 단조롭지 않게 증가한다. 하지만 노쇠한 상태에서 덜 노쇠한 상태로 가면 건강 상태는 개선될 수 있다.[18]

Gill 등은 기능적으로 이상이 없는 70세 이상의 노인들을 추적 관찰하며 그들의 노쇠 상태가 어떻게 변화되는지 지켜보았다.[19] 54개월 동안의 추적관찰 기간 동안 754명 가운데 절반이 넘는 (57.5%) 대상자에서 최소 한 단계 이상의 노쇠 상태 변화가 관찰되었다. 또한 첫 18개월 이내에 44.3%의 건강한 참가자들이 노쇠전단계(40.1%) 또는 노쇠단계(4.2%)로 변화되었다. 연구 시작 시점에서 이미 노쇠했던 대상자들의 상당 부분(63.9%)은 여전히 노쇠한 상태를 유지하고 있던 반면 23.0%는 더 건강한 상태로 바뀌었으며 13.1%는 사망하였다. 시간에 따른 노쇠 상태의 긍정적 혹은 부정적 변화를 지켜본 Survey of Health, Ageing, and Retirement in Europe (SHARE) 연구에서도 이와 비슷한 결과가 나타났다.[20] 최근 연구들은 노쇠 상태의 개선 혹은 악화를 일으키는 데에는 어떤 조건들이 관여하는지를 알아본다. 예를 들어 Lee 등은 노쇠 상태와 밀접한 연관을 지닌 부정적 요인들(예를 들어, 더 많은 나이, 암의 병력, 입원 시의 사건, 만성폐쇄성폐질환, 뇌혈관질환, 골관절염)과 긍정적 요인들(더 나은 인지 능력 상태, 당뇨가 없음, 높은 사회경제적 수준, 뇌혈관질환 병력 없음)에 대해 보고하였다.[21] 부정적 요인들은 노쇠를 급속하게 악화시킬 수 있겠지만 일반적으로 노쇠는 천천히, 심지어는 암암리에 진행되며, 개인에 따라 다양한 방식으로 나타난다.

노인에게 노쇠, 동반이환(동시에 2개 이상의 의학적으로 진단된 질병이 존재하는 상태)그리고 장애(일상생활을 수행함에 있어 어려움이 있거나 타인에게 의존해야 함)가 동시에 나타날 수 있지만 서로 구별되는 상태이다.[22] 예를 들어 Fried 등은 Cardiovascular Health Study에서 노쇠한 집단에서 동반이환 혹은 장애가 있거나 둘을 모두 가지고 있는 비율이 각각 67.7%, 27.2%, 21.5%라고 하였고 반면 노쇠의 기준에는 해당이 되지만 동반이환과 장애가 없는 경우의 비율은 26.6%라고 보고하였다.[22]

최근 들어 노쇠와 함께 "회복력"(스트레스 혹은 고난을 직면하였을 때 이에 적응하는 개인의 능력)이란 개념이 많이 등장하고 있다.[23] 비록 회복력의 개념은 아직 충분하게 정립되거나 정의된 건 아니지만, 가까운 미래에 유망한 연구 분야가 될 가능성이 있다. 회복력의 좋고 나쁨은 실질적인 노쇠의 차이를 만들 수 있고, 같은 수준의 노쇠 정도를 지녔다 하더라도 서로 반대 방향으로(장애가 생기는 혹은 건강해지는 방향으로) 나아가는지를 설명해줄 수 있다. 아직까지 회복력은 간단하게만 언급되는 개념이지만, 이를 정량화하는 것은 노인의 건강 위험 정도를 평가하는 데에 중요한 통찰력을 제공할 수도 있다. 노인증후군과 함께 회복력 역시 개개인의 생물학적, 임상적, 사회적 그리고 환경적 요인들로 복잡하게 이루어진 네트워크의 산물이다. 아주 노쇠한 사람의 일부는 매우 보호된 환경에서 생존할 수 있는 반면 노쇠하지 않은 몇몇은 환경에 따라 사망할 수도 있다. 이러한 현상은 한 개인의 손상 정도와 그 손상을 이겨내는 데에 도움이 되는 요인들과 관련이 있다. 예를 들어, 캐나다와 같은 범국가적인 보건의료체계를 갖춘 국가에서도 아주 건강한 사람들이라 (노쇠 단계에서 가장 낮은 부류에 속하는) 하더라도 사회적으로 취약한 계층의 사람들은 그렇지 않은 사람들보다 5년 내 사망률이 2배로 더 높다.[24]

노쇠의 유병률

최근의 문헌고찰을 보면, Collard 등은 21개의 코호트 연구(61,500명 이상의 지역사회에서 생활을 하고 있는 노인들을 대상으로 함)를 통해 노쇠의 유병률은 적게는 4%에서 많게는 59.1%까지로, 노쇠에 대한 서로 다른 정의와 상이한 연구 집단의 특성 때문에 각 연구 집단에 따라 다양하게 나타남을 보고하였다.[25] 가장 널리 쓰이고 있는 노쇠의 개념(Fried와 그의 연구진들에 의해 제시된 노쇠표현형)을 사용한 연구에 국한한 경우 노쇠 및 노쇠전단계의 가중 평균 유병률은 각각 9.9% (95% 신뢰구간: 9.6~10.2%), 44.2% (95% 신뢰구간: 44.2~44.7%)로 나타났으며[26] 노쇠지수를 사용한 단 하나의 연구에서의 유병률은 22.7%로 나타났다.[25] SHARE 연구의 데이터를 분석한 결과에서는 50세 이상의 유럽인 중 노쇠표현형으로 적용한 경우에서는 11%, 노쇠지수를 사용하였을 때는 21%가 노쇠한 것으로 나타났다.[27]

또한 나이,[28-30] 성별(여성에서 더 높은 수치),[25,28] 인종(히스패닉과 아프리카계 미국인에서 높은 수치),[26,31] 이주 집단,[32] 개인의 사회경제적 특징(낮은 교육 수준과 빈곤은 노쇠와 밀접한 관련이 있음), 그리고 거시적인 사회경제적 요소(예를 들어, 국가의 총 국내 생산 및 의료 지출)[26,33,34]에 따라 노쇠의 유병률은 다양하다는 증거들이 있다.[35]

노쇠의 생물학

노쇠는 내인성 및 외인성 자극으로 인해 발생하는 노화과정 중의 가속 단계로 묘사된다.[36] 이는 나이듦에 따른 여러 생리적 감퇴의 축적된 결과로 볼 수 있다.[5] 노쇠의 생물학은 노화과정의 가장 직접적인 근원에 그 기원을 두고 있으며 노쇠와 노화는 같은 평행선 상에 놓인 같은 병리학적 기질을 가지고 있다.[5]

노화 과정의 중요 생물학적 경로들(예를 들어 염증, 산화, 면역기능, 텔로미어, 자연선택 등)이 노인증후군의 발생과 지속의 결정인자와 동일하다는 증거들이 이미 밝혀져 있어 이런 가설들은 쉽게 지지를 받는다.[37-41] 더욱이(초파리에서 인간까지) 종에 걸친 생물체의 특정한 선천적 능력(예를 들어, 이동성[42])은 노쇠 그리고 나이와 관련된 여러 요인과 강한 상관관계를 보인다.[7]

축적되는 신체적 결손 측면에서 보면 노쇠는 고쳐지거나 제거되지 못한 미세한 손상(세포 혹은 세포 내부적인 결손)이 계속 쌓여 임상적인 기관 혹은 체계의 거시적인 결손으로 나타난다. 기관 수준의 결손은 증상 혹은 징후 등을 보이며 임상적으로 명백한 질병의 형태로 나타난다.[43] 또한 한 기관계의 손상은 또 다른 기관계의 손상으로 이어질 수 있는데, 이는 결손 축적과 회복이 서로 맞물려 있는 관계임을 나타낸다. 최근 연구에서는 실험실적 노쇠지수를 사용하여 임상적으로 나타나는 결손과 임상적으로 드러나지 않은 미세한 결손의 축적 사이의 연관성을 보여주었다.[44] 이는 임상적으로 발현 가능한 노쇠가 세포 내부적인, 조직학적인 그리고 기관에서 발생하는 제거되거나 고쳐지지 못한 손상이 누적된 결과물이라는 개념을 지지한다.

노쇠의 평가

노쇠의 이론적 배경이 잘 정립되어 있고, 또 널리 받아들여지고 있는 상황이긴 하지만 실제로 노쇠를 평가하는 데에는 여러 논쟁이 남아있다. 노쇠를 표준화된 방법으로 객관적으로 평가하기 위한 방법들이 수 년 간에 걸쳐 개발되어 왔다. 하지만(서로 다른 관점과 목적에서 만들어진) 현재 사용되고 있는 방법들은 모두 노쇠가 건강에 어느정도 악영향을 끼칠지에 대한 예측은 가능하지만 그 방법 간의 합의된 기준은 미미하다.[27,45,46] Van Iersel 등은 노쇠의 표현형, 노쇠지수, 평소 보행속도그리고 악력 등 네 종류의 지표를 이용하여 노쇠의 유병률을 평가하였다.[47] 그 결과 각 기준에 따라 노쇠의 유병률이 서로 다르게 나타났다. 또한 각 기준에 따라 노쇠하다고 분류된 집단 사이의 교집합은 그리 크지 않았다. SHARE 데이터를 이용한 한 연구에서는 8개의 노쇠 척도를 비교한 결과 참가자의 2.4%는 노쇠한 집단으로 분류되었으며, 49.3%는 모든 척도에서 노쇠하지 않은 집단으로, 48.3%는 두 집단 어디에도 속하지 않았다.[27] 이는 평가 방법들이 각기 다른 위험 요소를 가지고 있으며 그 자체로 완벽한 방법은 없다는 것이다. 이렇게 상이한 결과가 나타나는 이유는 노쇠의 자체특성 때문일 수 있으나, 동시에 만약 하나의 정의를 통하여 노쇠를 설명할 경우에는 보다 더욱 세심한 주의가 필요하다는 점을 시사한다. 가장 적절한 노쇠 평가 방법의 선택은 평가의 목적, 노쇠의 정의에 부합하는 결과, 도구의 유효성, 조사된 모집단 및 평가가 수행될 설정에 따라 달라져야 한다.

노쇠를 측정하기 위해 가장 널리 많이 사용되는 도구는 노쇠지수[14]와 노쇠표현형이다.[26] 지난 수

년 동안, 이 둘을 토대로 한 여러가지 노쇠 척도가 제안되었으며,[48-53] 수행 능력에 기반을 둔 측정 방법이 노인의 건강 악화를 예측하기 위해 사용되어 왔다는 점에서 이 역시 노쇠를 선별하는 하나의 방법으로 사용될 수 있다.

노쇠지수

Rockwood 등에 의해 제안된 노쇠지수는 Canadian Study of Health and Aging에서 처음으로 검증되었다.[14] 이 방법은 나이에 따라 신체 손상이 축적되는 것을 수학적 차원에서 접근하였는데 한 개인이 겪은 여러 경험(증상, 징후, 질병, 장애 등)과 신체 손상이라 생각되는 경우의 횟수의 비율이다(예를 들어 총 40번의 신체 손상 횟수가 있었고 실제 경험한 횟수가 20번이라면 노쇠지수는 20/40 = 0.5가 된다). 이 같은 방법으로 계산하였을 때 노쇠지수는 0과 1 사이의 연속적인 수로 나타나고 이 점수가 높을수록 건강 악화에 취약해질 가능성이 높아지게 된다.

이 접근법은 시스템 동작을 이해하는 관점에서 정확히 무엇이 잘못되었는지를 아는 것이 사람들이 얼마나 잘못했는지를 아는 것보다 덜 중요하다고 제안한다. 노쇠지수는 특별한 리소스 없이 구축될 수 있으며 모든 노쇠지수가 동일한 항목을 포함할 필요는 없다. 이러한 방법에서는 만약 어떤 항목이 연령 혹은 부작용과 관련되고, 결합되었을 때 여러 기관계를 포괄할 수 있다면, 노쇠지수에 선험적으로 포함되거나 제외되지 않아야 한다.[54] 노쇠지수는 사전 설정된 항목을 기반으로 하지 않기 때문에 다른 목적으로 수집된 기존의 코호트 데이터에 후향적으로 적용하기에 특히 유용하다. 최소 20개 이상의 항목이 노쇠지수를 구성하는데 포함되어야 하며, 안정적인 측정치를 원한다면 30개 혹은 그 이상의 항목이 포함되어야 한다. 노쇠지수에 포함된 항목들의 특성과 수, 그리고 샘플에 지역사회, 시설 또는 입원한 노인이 포함되었는지 여부와 관계없이 노쇠지수는 현저하게 유사한 측정 특성과 실질적인 결과를 나타낸다.

앞에서 설명한 바와 같이 노쇠지수를 이용한 접근법의 강점 중 하나는 기존의 의료 데이터에서 개발할 수 있으며 자체보고 항목만으로 구축될 수도 있다는 것이다. 최소 20개 이상의 항목을 포함하여야 하기 때문에 임상의들은 그 실용성에 종종 회의적이다. 하지만 전자의무기록 시대에 추가적인 평가가 필요없이 일상적으로 수집된 자료를 사용하여 임상 환경에서 노쇠지수를 구성할 수 있다. 예를 들어, 임상 검사를 통해 파악된 표준 종합 노인 평가[55] 또는 보호자가 작성한 설문지를[56] 기반으로 노쇠지수는 구축될 수 있다. 최근에는 노쇠지수가 기본적인 혈액검사, 수축기 및 이완기 혈압을 통해서도 평가되고 있다.[44] 한 가지 재미있는 사실은 이러한 노쇠지수가 동물모델에도 사용되어 왔다는 점인데 신체 손상 횟수를 통해 노쇠정도를 평가하는 방식을 쥐에게 적용한 여러 연구들이 존재한다.[57-59] 이러한 노쇠지수의 확장성은 임상전연구나 중개연구에서 노쇠에 관한 연구가 발전될 가능성을 제공하며 노쇠지수를 이용한 접근의 타당성을 입증하는 추가적인 증거가 된다.[60]

Rockwood 등은 추가적으로 건강상태가 좋지 않은 환자의 여러 노쇠 단계를 나타내는(주로 의사의 임상적 판단에 근거하는) 선별 도구를 만들었다.[6,61] 임상노쇠척도(Clinical Frailty Scale)은 7~9개로 이루어진 척도로, 이동성, 에너지, 물리적 활동, 그리고 기능 영역에 대한 평가에 기초하여 노인의 전반적인 임상 상태를 나타낼 수 있다. Karnofsky Performance Status[62] 혹은 Eastern Cooperative Oncology Group (ECOG) Status[63] 척도와 같이 상용되는 임상 지표들과 임상노쇠척도를 비교한 추가 연구가 필요한 상황이다.

노쇠표현형

Fried 등에 의해 고안된 노쇠표현형은 Cardiovascular Health Study에서 처음으로 유효성이 입증되었다.[26] 이는 의도하지 않은 체중감소, 탈진, 느린 보행속도, 근력약화 그리고 적은 신체활동 등 총 다섯 개의 기준으로 평가된다. 각 기준은 Cardiovascular Health Study의 데이터베이스를 활용한 역학 접근법에 따라 만들어졌다. 노쇠표현형은 건강함(어느 기준도 만족시키지 않음), 노쇠전단계(한 개 혹은 두 개의 기준을 만족), 노쇠(세 개 이상의 기준을 만족) 등 세 가지의 연속적 상태로 표현된다.

　이론적으로, 노쇠표현형을 가장 잘 적용할 수 있는 대상은 기능저하가 없는 노인이다. 징후와 증상을 통해 포괄적 노인평가의 적응이 되는지를 평가하기 위한 전임상 수준의 위험도를 측정한다.[60] 그렇기 때문에 노쇠표현형은 선별 도구의 형태로 고안되었다. 하지만 이러한 특성으로 인해 우리가 주의를 기울여야 할 상황을 유발한, 가능성 있는 원인에 관한 정보를 제공해주지 못 한다는 점에서 큰 한계를 지니고 있다. 예를 들어 의도적이지 않은 체중감소는 사회적 고립, 알려지지 않은 질병, 건강에 해로운 행동 등 각기 다른 개입이 필요한 여러 원인들에 의해 나타날 수 있다. 노쇠표현형은 특히 노인의 신체적 영역을 탐색하는데 중점을 두고 있으며 이를 통해 좋지 못한 결과를 불러올 전반적인 위험수준을 평가한다. 특정 기능이나 영역에 국한된 접근 방식은 노쇠 상태의 이질성, 다차원성 그리고 복잡성을 담기에는 많이 불충분하기 때문에 노쇠표현형과 같은 접근 방식이 제안되었다. 예를 들어, 몇몇 연구자 그룹은 노인의 노쇠표현형을 다른 건강 영역(인지, 기분, 사회적 상태)으로 확장할 필요성에 대해 언급하였는데, 이를 통해 위험인자 평가가 보다 개선될 수 있을 것이라고 주장하였다.[64] 노쇠표현형은 흔히 노인증후군을 평가하는데 적합한 도구로 여겨지지만 이러한 언급은 다소 논쟁의 여지가 있다. 노쇠표현형의 정의에 밝혀진 다섯 개의 기준 및 각 수치들을 아무런 수정 혹은 변형 없이, 원형 그대로 사용하는 일은 극히 드물며 어떠한 데이터 혹은 인구집단을 평가하기 위해서는 많은 경우 Fried 등이 제시한 기존의 형태[26]를 양적으로 혹은 질적으로 수정한 형태의 것들이 요구된다.

신체활동 수행도측정

노쇠에 대한 최상의 평가방법이 명확히 제시되지 않은 현상황에서 노쇠의 가장 핵심적인 부분과 노인의학의 일차적 결과물(신체적 장애 등)에만 관심이 집중돼야 한다는 주장이 제기되었다.[65] 신체활동 영역은 노쇠에 대해 이야기할 때 가장 중요하게 여겨지는 부분이다.[66] 많은 경우 노쇠를 장애의 전단계로 여기기 때문에, 신체활동 수행도는 이 관점에 가장 부합되는 지표이다. 따라서 신체활동 수행도(보행 속도,[67] Short Physical Performance Battery [SPPB][68,69] 등)를 측정하여 내인성 혹은 외인성 스트레스 인자에 대한 노인의 취약 정도(노쇠지표)를 객관적으로 평가하자는 데에 대다수의 의견이 모아지고 있다.[70]

노인에서 신체활동 수행도 측정을 통한 부정적 결과물에 대한 예측치는 잘 확립되어 있으며[68,69,71,72] 대부분의 노쇠에 대한 평가법은 신체활동 수행도를 위험인자 평가에서 중요한 결정인자로 삼고 있다.[26,48] 신체지표를 통해 노쇠를 파악하는 것은 노쇠의 개념을 임상에 체계적으로 적용할 수 있게 해주는데, 그 이유는 신체활동 수행도 측정은 평가하기가 쉽고, 임상 상황에 근접해 있을 뿐만 아니라, 비용이 적게 들고, 객관적이며, 표준화되어 있고, 반복이 가능할 뿐만 아니라 일차 의료상황에서도 그 결과에 신뢰성이 있기 때문이다.[7,65] 임상 및 연구 환경에서 이러한 신체활동 수행도를 광범위하게 사용하고 있기 때문에, 신체활동 수행도를 측정하여, 이를 노쇠의 선별 도구로서 삼는다면 연구 결과에서 나온 증거들을 간접적으로 활용할 수 있게 되기도 한다.[67-69,71,73,74]

신체활동 수행도 측정과 같은 객관적인 평가 방식을 사용하여 사회적, 문화적, 임상적 및 환경적 문제를 최소한 부분적으로라도 해결함을 과소평가해서는 안 된다. 예를 들어, 동일한 질문이라 하더라도 질문을 하는 사람이 누구인지, 어떻게 질문하는지, 장소가 어디인지에 따라 대답하는 사람에게는 그 질문이 다르게 이해될 수 있다. 질문에 대한 대답의 개념화는 사회적 지리적 맥락에 영향을 받을 수도 있다. 반면에 표준화된 수행능력 평가 방식의 사용은(완전히 없앨 수는 없겠지만) 그런 문제를 줄이고, 개인의 생리적 구성에 근거하여 노쇠한 사람을 보다 일관성 있게 탐지하게 할 것이다. 동시에 신체활동 수행도 평가에 대한 여러 제한점을 언급할 필요가 있다. 실제 대부분의 노쇠한 노인들은 신체활동 수행도 검사를 수행할 수 없다. 수행이 불가하다는 점으로 인한 바닥효과로 인하여 편향된 분류오류가 발생할 위험이 있다.[76,77] 주로 이 때문에 신체활동 수행도 측정은 장애인이 아닌 사람들의 노쇠를 선별하기 위한 정도에 머물러 있을 가능성이 높다.

SPPB나 평소보행속도는(고안된 시점에는 노쇠의 개념이 없었기 때문에) 원래 노쇠를 측정하기 위해 고안된 것은 아니지만, 이 둘은 어떤 노인이 스트레스 인자에 취약할지 그리고 어떤 노인이 (장애를 포함하여) 건강이 나빠질 가능성이 높은 지 예측하는 데 충분한 정보를 제공한다. 다시 말해 노쇠의 정의를 내포하는 이론적 개념[6,11-13,26]은 이러한 신체활동 수행도 측정치와 관련이 있으며, 그 자체로 노쇠를 선별하는 도구로 사용될 수 있다. 이러한 도구가 임상 환경에서 일상적인 치료에 어떻게 통합되고 임상적 결정에 어떻게 도움이 되는지는 중개의학 연구 프로그램의 초점이 되어야 한다.

단기신체활동능력평가

Guralnik 등이 개발한 단기신체활동능력평가는 하지의 기능을 객관적으로 평가하는데[68] 평소보행속도, 의자에서 일어서기, 그리고 일어선 상태에서 균형잡기 등 총 세 가지로 검사로 구성되어 있다. 먼저 평소보행속도 검사의 경우, 피험자에게 정지위치에서 출발하여 평소 걸음으로 4미터 정도를 걷게 하면 된다. 두 번의 시험 중 빠른 속도(초 단위)가 요약 점수 계산에 사용된다. 의자에서 일어나기 검사는 피험자에게 팔짱을 낀 상태로 의자에서 일어났다 앉았다를 가능한 빨리 5회 반복하게 하여 총 소요 시간을 초 단위로 표시한다. 균형 잡기 검사의 경우 총 세 단계(두 발의 안쪽 면을 서로 맞닿게 한 자세, 반 보폭 일자걸음 자세, 한 보폭 일자걸음 자세)로 구성되며 피험자에게 점점 어려워지는 세 단계의 자세를 취하게 한 후 각각 10초간 균형을 잡도록 한다. 세 단계의 검사를 통해 나타난 결과는 미리 정해진 기준을 참고하여 0점(가장 못한 경우)에서 4점(가장 잘한 경우) 사이의 점수로 나타낸다. 지금까지 살펴본 세 가지의 하위 항목 검사를 통해 나타난 결과를 토대로 최종 점수를 산출하며, 이는 0점(가장 못한 경우)에서 12점(가장 잘한 경우) 사이의 점수로 나타낸다.[68,69,72]

평소보행속도

평소보행속도가 단기신체활동능력평가의 한 부분이기도 하지만 노인 개인의 취약성을 예측하기 위한 독립형 매개 변수도 사용된 것은 주목할 가치가 있다.[71] Guralnik 등은 건강 관련 주요 결과(특히 장애나 사망)에 대한 걸음걸이의 예측치가 단기신체활동능력평가에서 제시한 것과 비슷하다는 것을 밝혀냈다.[69] 짧은 보행 거리에서 측정된 평소보행속도는 노인의 입원, 재원화, 장애 및 사망률을 예측하는 것으로 나타났다.[69,73,74] Studenski 등은 노인의 나이, 성별, 그리고 보행속도를 가지고 기대수명을 예측할 수 있다고 주장하였다.[67] 당연하게도 평소보행속도가 노인들을 위한 새로운 활력징후로 제안되었다.[7,65,78]

흥미롭게도, 노인의학 외에 다른 의학분야에서도 신체활동수행도 측정이 노쇠분야에서 중요한 역할을 할 수 있다. 예를 들어 신체활동수행도 측정은 이미 심장수술,[79,80] 심장학,[81] 호흡기[82,83] 및 종양학 분야에서 보다 적응된 의료관리가 필요한 노인을 판별하는데 성공적으로 사용되고 있다.

노쇠의 치료

위에서 언급한 바와 같이, 노쇠(혹은 개인의 생물학적 나이)는 역동적이고 복잡한 상태이며, 많은 부분이 개인이 일생동안 경험한 내인성 및 외인성 스트레스 인자에 의해 결정된다. 따라서 암묵적으로 나이는 연속적인 변수로 간주되며 노화 과정의 징후는 일생에 걸쳐 역동적이고 지속적인 패턴을 따른다.[5] 인생 과정에서 경험하는 모든 긍정적 또는 부정적 스트레스 요인은 성공적인 노화의 상태에 영향을 주며 정상적 노화상태의 편차를 결정한다. 따라서 사람의 배경과 역사에 대한 신중한 평가를 통해 현재의 건강상태를 단면적 및 종단적으로도 평가해야 한다. 이는 나이와 관련된 조건에 예방적 중재가 꼭 노인에게만 적용할 필요는 없다는 것을 의미한다. 몇몇 위험요소(낮은 사회경제적 상태, 건강하지 못한 생활습관, 낮은 의료 접근성 등)를 수정하는 것은 젊은 사람들에게도 충분히 효과적인 예방적 개입이 될 수 있다.

부정적 결과를 예방하고 노쇠에 대한 어떤 목표를 성공적으로 수립하기 위해서는 다차원적인 접근이 필요하다. 이러한 맥락에서, 포괄적노인평가(CGA)시행의 중요성을 이야기하는 문헌은 매우 많다. 노인증후군에 대한 다차원 및 다원적 접근법은 여러 임상 환경과 조건에서 적용될 때 유익한 효과를 가져온다고 보고되었다. 여러 시도를 통해 포괄적노인평가의 결과에 따라 개인 맞춤형 개입을 하는 것이 지역사회에 거주하는 집단,[85] 자택,[86] 병원,[87] 그리고 요양원[88]에 거주하는 노인들에게 건강과 관련된 주요 부정적 결과가 생기는 것을 예방할 수 있다는 것이 밝혀졌다. 예를 들어, 1993년 Stuck 등이[10] 포괄적노인평가에 기반한 개입이 행해진 군과 대조군을 비교한 총 28개의 무작위대조시험(9,000명 이상의 연구 대상)을 메타분석한 결과, 노인에 대한 평가를 장기적 관리와 연결시키는, 다시 말해 포괄적노인평가에 기반한 프로그램이 노인의 생존률 향상과 기능개선에 효과적이라는 사실이 명확하게 드러났다. 최근의 메타분석에서는 입원환자의 건강증진을 위해 포괄적노인평가 결과를 어떻게 활용하면 좋을지에 대한 결과도 보고되었다.[89] 특히 병원에 입원한 노인의 포괄적노인평가는 통상적인 관리에 비해 퇴원을 증가시키고 입원을 감소시킨다. 이러한 여러 이점들은 최종적으로 노인 인구의 의료비 지출을 감소시키게 된다.

여러 연구에 따르면, 다원적 접근법은 여러 가지 기능과 취약 부분에 동시에 작용함으로써 노인의 건강에 대한 객관적인 기능과 주관적 인식을 향상시키는 데 도움이 될 수 있다.[90,91] 또한 흥미롭게도 장애에 대한 다원적 개입은 노쇠한 노인에게 있어 비용효율성이 아주 좋은 것으로 여겨진다.[92] 노쇠 수준에 따른 다른 개입은 적절할 수 있으며 제안된 건강관리모델들은 환자 개개인의 필요에 따라 유연하게 수정될 수 있어야 한다. Fairhall 등은 노쇠를 치료하는데 고려해야 할 몇몇 원리를 다음과 같이 밝혔다[93]: (1) 개별화된 장기적 지원, (2) 갑작스러운 건강관련사건이 있을 경우의 일관된 처치 (3) 독립성과 자기 관리를 증진하고 부정적 결과에 대한 취약성을 감소시키기 위한 신체, 인지 및 사회적 기능을 개선하기 위한 중재 (4) 개입을 고수하는 것 (5) 간병인의 개입.

추가적으로 노쇠한 사람들에게 운동권유는 다른 어떤 개입보다 이득이 더 크다는 강력한 증거가 있다. 이는 운동이 신체의 여러 시스템에 걸쳐 영향을 주고 신체 내의 회복기전을 향상시키기 때문인 것으로 보인다. 유산소, 근력, 균형 운동 등이 포함된 여러 구성요소로 이루어진 운동적 개입은 노쇠한 노인들의 건강을 증진시키고 노쇠로부터 회복하게 하며 장애를 예방하는 데 최고의 방법으로 여겨진다.[94-96] 하지만 노쇠한 인구 집단을 대상으로 한 최적의 운동 프로토콜은 정확히 정해져 있지는 않다. 건강과 관련된 부정적 결과를 예방하기 위한 운동적 개입을 통하여 노쇠한 노인의 건강을 성공적으로 개선할 수 있다는 가능성이 최근 연구된 Life-style Interventions and Independence for Elderly (LIFE) 실험에서 나타났다.[96] 다기관에서 시행된 이 연구는 지역사회에 거주하며 400미터를 걸을 순 있지만 신체적 제한으로 인해 주로 앉은 자세로 생활하는 1,635명의 노인들을 대상으로 하였다. 실험 참가자들은 중간 강도의 신체 활동을 하게 한 실험군과 건강교육 프로그램만 받는 대조군, 두 그룹에 임의로 분류되었다. 2.6년간의 실험 후 나타난 결과에서, 신체활동 프로토콜은 건강교육 프로그램에 비해 이동 장애의 발병을 크게 줄였다. 한 가지 흥미로운 사실은(파일럿 연구와 함께 수행된 2차적 분석 뿐 아니라) LIFE 연구에서도 기본적으로 동반된 질병이 많고 신체활동 수행도가 낮은 사람들이 신체운동을 통한 이득이 가장 큰 것으로 나타났다.[96-98]

보건의료체계 속의 노쇠

2014년 기준, Web of Science의 데이터베이스에는 노쇠에 관한 논문이 약 1,100편이 게재되어 있다. 그 중 절반 정도만이 노인의학 혹은 노인병학으로 출판되었고 나머지 대부분의 논문들은 심장학, 외과학, 신경과학과 신경학 그리고 내과학으로 출판되었다. 노쇠를 선별하고 프로토콜에 기반한 관리계획이 의학교육 부서에 도움이 될지는 아직 미지수다. 지금까지 알려진 것은 노인친화적 급성의료를 제공하는 노인 전문 병동이 좋은 결과를 나타내지만 반면에 상담팀 자체로는 환자의 진료에 큰 도움이 되지 않는다는 사실이다.[89]

아마 정형외과 수술이 노인(고관절 골절 환자 등)에 대한 평가와 관리를 위해 노인병 전문의와 긴밀한 협력을 이루는데 성공한 가장 첫 번째 분야일 것이다. 예를 들어, Antonelli Incalzi 등은 정형외과병동에서 노인 환자의 치료(고관절 골절)를 돕기 위해 노인병전문의를 지정하는 것이 수술 시행 증가, 사망률 감소 및 입원 기간 단축과 관련이 있음을 입증했다.[99] 좀더 최근에는, 종양내과의사와[100] 심장수술전문의는[88] 포괄적노인평가를 더 자주 노인환자의 표준개입에 대한 더 많은 접근을 보장하기 위한 수단으로 참고하기 시작했다.이러한 협력에 대한 검색은 거의 모든 병원 병동 및 서비스에서 노인 환자가 공통적으로 많고, 노인 환자의 복잡성 및 특성으로 쉽게 설명된다. 오늘날 몇몇 의료 전문가들은 전통적으로 목표로 삼아왔던 환자 집단의 전세계적 고령화 영향에 직면해 있으며, 그와 동시에 노인들의 치료가 그들의 활동의 주류가 되었다.

모든 노인이 노쇠한 것은 아니지만, 특히 임상환경에서는 많은 노인들이 노쇠한 상태이다. 평상시 몸 상태가 비교적 괜찮은 노인들은 젊은이들이 병에 걸렸을 때 나타나는 방식과 비슷하게 병이 발생한다. 그들은 전형적인 증상과 징후를 보이고, 안정적인 사회적 배경을 가지고 있으며, 약물 조절, 수술에서의 회복 그리고 증상의 완화 등이 예측 가능하다. 하지만 노쇠한 사람들의 경우 여

러 의료적, 사회적 문제들이 얽혀있다. 질병은 걷기, 사고, 기능에 있어서 비특이적인 문제로 나타
날 수 있다. 균형감각 장애와 같이 쉽게 식별할 수 있는 증상이라 하더라도 운동실조, 관절염 또는
빈혈과 같은 예상 가능한 의학적 원인들로 해석되기 곤란한 면이 있다. 가장 중요한 사실은 그러한
증상에 대한 표준치료가 노쇠 환자의 상황을 악화시키는 경우가 많다는 것이다. 그들은 표준적노
인평가의 구현을 통해 도달할 수 있는 표준 프로토콜 수정과 맞춤형 관리 및 차별화된 개입과 보살
핌이 필요하다. 따라서 임상 진료 초기에 노쇠를 확인하는 것이 중요하다.[101]

특정 임상 환경에서 얻은 긍정적인 결과는 최근 노인병 연구자들이 지역 공동거주노인들을 위한
예방전략의 일환으로 다차원 및 다원적 접근방법의 사용을 시도하고 확대하도록 권장하였다.[102–
104] 이러한 새로운 건강관리서비스는 주로 지역거주노인의 평가에 있어 일차 의료를 지원하여 더
건강한 생활방식을 촉진하고 아직 진단되지 않은 의료적 문제점들을 조기에 감지할 수 있도록 함
으로써 의료개입의 성공 가능성을 높이는 것을 목표로 한다. 노쇠에 대한 평가와 그 원인 규명에
노인에 대한 조정되고 종합된 평가가 필요하다는 것이 주목할 가치가 있다.[9,10,105]

일반적 의료 수행 중 좀더 상세한 노쇠평가는 예방적 개입(예방접종, 낙상 감소, 운동 등)의 토대
를 마련할 수 있다. 또한 가정의가 환자의 사회적 배경과 건강 상태에 미치는 영향을 고려할 수 있
으므로 이러한 맥락에서의 약점 평가는 환자 및 간병인의 목표를 중심으로 한 치료계획을 수행하
는 데 도움이 될 수 있다. 그럼에도 불구하고 예기치 않은 상황에 대한 예방 전략을 논의할 때 몇
가지 장벽의 잠재적 존재를 과소 평가해서는 안 된다.

동반이환, 사회적 고립, 낮은 교육 수준과 같은 여러 요인들로 인하여 노인들이 건강에 대한 부
정적 결과에 노출시킬 수 있는(특히, 만성적인) 습관이나 조건을 수정하는 데 특히 어려울 수 있다.
예방의 가치는 연령에 상관없이 동일하게 유지된다. 왜냐하면 건강한 생활습관을 준수하는 것이
가장 나이 많고 가장 노쇠한 사람에게도 유익하기 때문이다.[88] 그러나, 노인의 건강 프로파일은 평
생의 경험에 기인하기 때문에 활동적이고 건강한 노화에 도움이 되는 행동들은 아주 어릴 때부터
장려되어야 한다.[5]

요약

끝으로, 노인에 대한 의료서비스 분야는 도전과 기회의 땅으로 남아있다. 의료분야에 종사하고 있
는 모든 사람들의 중요한 문제인 노쇠를 이해하고 대처하는 것이 이러한 도전과 기회의 최전선
에 자리하고 있다. 노화와 관련된 여러 문제점들(특히, 장애)에 대한 예방적 개입을 수립하기 위하
여 노쇠를 확실한 목표로 인지하는 것이 하나의 중요한 축이다. 포괄적노인평가의 사용을 지지하
는 많은 증거와 함께 노쇠의 조건 및 관련 문헌이 항상 고려되어야 한다. 사람들은 장애의 연속적

인 과정의 위험에 대해 알아야 하고, 노인이 된 이후의 여러 유해한 상황에 대처하기 위해 필요한 교육적, 치료적 수단을 제공 받아야 한다. 의료 당국은 이 분야의 활동을 적극 장려하고 우선순위, 필요성 및 자원의 균형을 맞추기 위해 모든 노력을 기울여야 한다.

이와 더불어, 노쇠를 예방하는 것은 단지 노인에게만 국한 되어서는 안 된다. 연령과 관련된 여러 상황들은 젊은 나이에서부터 시작한다. 그렇기에 건강한 생활습관을 장려하고, 건강에 나쁜 행동을 교정하며(전체 인구를 대상으로 한) 헬스케어 서비스를 증진시키는 것이 연령과 관련된 문제점들을 실질적으로 예방하는 데에 있어 굉장히 중요하게 작용한다. 이러한 평가들은 윤리적이고 비용 효율적인 의료적 개입을 보장하기 위하여 과다한 진단의 위험성을 제한하는데 초점을 두어야 한다.[106] 이러한 다차원적이고 다원적 접근법을 적용하는 것이 지역사회에 거주하는 노인들에게 있어 장애를 예방하는 데에 도움이 된다는 것을 입증하기 위한 더 많은 연구가 필요하다.

요점

KEY POINTS

- 노쇠는 개인의 예비력 감소와 생리적 기능의 감소로 인한 스트레스 요인에 대해 취약한 상태를 특징으로 하는 다차원적인 상태이다.
- 노쇠는 장애, 재원화 그리고 사망률을 포함한 부정적인 건강관련 결과의 발생위험이 증가하는것과 관련이 있다.
- 노쇠라는 개념을 통하여 "정상적인" 노화와 "병적인" 노화를 구분할 수 있으며, 간접적으로 개인의 생물학적 나이를 측정할 수 있다.
- 고령화 인구의 여전히 충족되지 않은 요구에 대한 의료 서비스의 적응을 촉진시키기 위해 노쇠의 임상적 적용이 필요하다.

참고문헌의 총 목록을 보려면 www.expertconsult.com 을 방문해주세요.

중요 참고문헌

3. Royal College of Physicians: Hospital workforce: fit for the future? https://www.rcplondon.ac.uk/sites/default/files/hospital-workforce-fit-for-the-future.pdf. Accessed September 24, 2015.

5. Cesari M, Vellas B, Gambassi G: The stress of aging. Exp Gerontol 48:451–456, 2013.

6. Morley JE, Vellas B, Abellan van Kan G, et al: Frailty consensus: a call to action. J Am Med Dir Assoc 14:392–397, 2013.

8. Fried LP, Walston JD, Ferrucci L: Frailty. In Halter JB, Ouslander JG, Tinetti ME, et al, editors: Hazzard's geriatric medicine and gerontology, New York, 2009, McGraw-Hill, pp 631–645.

10. Stuck AE, Siu AL, Wieland GD, et al: Comprehensive geriatric assessment: a meta-analysis of controlled trials. Lancet 342:1032–1036, 1993.

11. Rodríguez-Mañas L, Féart C, Mann G, et al: Searching for an operational definition of frailty: a Delphi method based consensus statement: the frailty operative definition-consensus conference project. J Gerontol A Biol Sci Med Sci 68:62–67, 2012.

12. Clegg A, Young J, Iliffe S, et al: Frailty in elderly people. Lancet 381:752–762, 2013.

14. Mitnitski A, Mogilner A, Rockwood K: The accumulation of deficits as a proxy measure of aging. Scientificworldjournal 1:323–336, 2001.

15. Mitnitski A, Song X, Rockwood K: Assessing biological aging: the origin of deficit accumulation. Biogerontology 14:709–717, 2013.

19. Gill TM, Gahbauer EA, Allore HG, et al: Transitions between frailty states among community-living older persons. Arch Intern Med 166:418–423, 2006.

20. Borrat-Besson C, Ryser VA, Wernli B: Transitions between frailty states—a European comparison. In Börsch-Supan A, Brandt M, Litwin H, et al, editors: Active ageing and solidarity between generations in Europe. First results from SHARE after the economic crisis, Berlin, Germany, 2013, De Gruyter, pp 175–185.

21. Lee JS, Auyeung TW, Leung J, et al: Transitions in frailty states among community-living older adults and their associated factors. J Am Med Dir Assoc 15:281–286, 2014.

22. Fried LP, Ferrucci L, Darer J, et al: Untangling the concepts of disability, frailty, and comorbidity: implications for improved targeting and care. J Gerontol A Biol Sci Med Sci 59:255–263, 2004.

25. Collard RM, Boter H, Schoevers RA, et al: Prevalence of frailty in community-dwelling older persons: a systematic review. J Am Geriatr Soc 60:1487–1492, 2012.

26. Fried LP, Tangen CM, Walston J, et al: Frailty in older adults: evidence for a phenotype. J Gerontol A Biol Sci Med Sci 56:M146–M156, 2001.

27. Theou O, Brothers TD, Mitnitski A, et al: Operationalization of frailty using eight commonly used scales and comparison of their ability to predict all-cause mortality. J Am Geriatr Soc 61:1537–1551, 2013.

44. Howlett SE, Rockwood MR, Mitnitski A, et al: Standard laboratory tests to identify older adults at increased risk of death. BMC Med 12:171, 2014.

47. van Iersel MB, Rikkert MG: Frailty criteria give heterogeneous results when applied in clinical practice. J Am Geriatr Soc 54:728–729, 2006.

61. Rockwood K, Song X, MacKnight C, et al: A global clinical measure of fitness and frailty in elderly people. CMAJ 173:489–495, 2005.

67. Studenski S, Perera S, Patel K, et al: Gait speed and survival in older adults. JAMA 305:50–58, 2011.

68. Guralnik JM, Ferrucci L, Simonsick EM, et al: Lower-extremity function in persons over the age of 70 years as a predictor of subsequent disability. N Engl J Med 332:556–561, 1995.

69. Guralnik JM, Ferrucci L, Pieper CF, et al: Lower extremity function and subsequent disability: consistency across studies, predictive models, and value of gait speed alone compared with the short physical performance battery. J Gerontol A Biol Sci Med Sci 55:M221–M231, 2000.

93. Fairhall N, Langron C, Sherrington C, et al: Treating frailty—a practical guide. BMC Med 9:83, 2011.

96. Pahor M, Guralnik JM, Ambrosius WT, et al: Effect of structured physical activity on prevention of major mobility disability in older adults: the LIFE study randomized clinical trial. JAMA 311:2387–2396, 2014.

99. Antonelli Incalzi R, Gemma A, Capparella O: Effect of structured physical activity on prevention of major mobility disability in older adults Continuous geriatric care in orthopedic wards: a valuable alternative to orthogeriatric units. Aging (Milano) 5:207–216, 1993.

참고문헌

1. United Nations: Department of Economic and Social Affairs: World population prospects: the 2012 revision. http://esa.un.org/unpd/wpp. Accessed September 24, 2015.

2. Christensen K, Doblhammer G, Rau R, et al: Ageing populations: the challenges ahead. Lancet 374:1196 – 1208, 2009.

3. Royal College of Physicians: Hospital workforce: fit for the future? https://www.rcplondon.ac.uk/sites/default/files/hospital-workforce-fit-for-the-future.pdf. Accessed September 24, 2015.

4. Fried TR, Bradley EH, Williams CS, et al: Functional disability and health care expenditures for older persons. Arch Intern Med 161:2602 – 2607, 2001.

5. Cesari M, Vellas B, Gambassi G: The stress of aging. Exp Gerontol 48:451 – 456, 2013.

6. Morley JE, Vellas B, Abellan van Kan G, et al: Frailty consensus: a call to action. J Am Med Dir Assoc 14:392 – 397, 2013.

7. Cesari M: Role of gait speed in the assessment of older patients. JAMA 305:93 – 94, 2011.

8. Fried LP, Walston JD, Ferrucci L: Frailty. In Halter JB, Ouslander JG, Tinetti ME, et al, editors: Hazzard's geriatric medicine and gerontology, New York, 2009, McGraw-Hill, pp 631 – 645.

9. Rubenstein LZ, Stuck AE, Siu AL, et al: Impacts of geriatric evaluation and management programs on defined outcomes: overview of the evidence. J Am Geriatr Soc 39:8S – 16S, 1991.

10. Stuck AE, Siu AL, Wieland GD, et al: Comprehensive geriatric assessment: a meta-analysis of controlled trials. Lancet 342:1032 – 1036, 1993.

11. Rodríguez-Mañas L, Féart C, Mann G, et al: Searching for an operational definition of frailty: a delphi method based consensus statement: the frailty operative definition-consensus conference project. J Gerontol A Biol Sci Med Sci 68:62 – 67, 2012.

12. Clegg A, Young J, Iliffe S, et al: Frailty in elderly people. Lancet 381:752 – 762, 2013.

13. Fried LP, Walston J: Frailty and failure to thrieve. In Hazzard WR, Blass JP, Ettinger WH, et al, editors: Principles of geriatric medicine and gerontology, New York, 1998, McGraw-Hill, pp 1387 – 1402.

14. Mitnitski A, Mogilner A, Rockwood K: The accumulation of deficits as a proxy measure of aging. Scientificworldjournal 1:323 – 336, 2001.

15. Mitnitski A, Song X, Rockwood K: Assessing biological aging: the origin of deficit accumulation. Biogerontology 14:709 – 717, 2013.

16. Rockwood K, Theou O, Mitnitski A: What are frailty instruments for? Age Ageing 44:545 – 547, 2015.

17. Mitnitski A, Song X, Rockwood K: Improvement and decline in health status from late middle age: modeling age-related changes in deficit accumulation. Exp Gerontol 42:1109 – 1115, 2007.

18. Mitnitski A, Song X, Rockwood K: Trajectories of changes over twelve years in the health status of Canadians from late middle age. Exp Gerontol 47:893 – 899, 2012.

19. Gill TM, Gahbauer EA, Allore HG, et al: Transitions between frailty states among community-living older persons. Arch Intern Med 166:418 – 423, 2006.

20. Borrat-Besson C, Ryser VA, Wernli B: Transitions between frailty states—a European comparison. In Börsch-Supan A, Brandt M, Litwin H, et al, editors: Active ageing and solidarity between generations in Europe. First results from SHARE after the economic crisis, Berlin, Germany, 2013, De Gruyter, pp 175 – 185.

21. Lee JS, Auyeung TW, Leung J, et al: Transitions in frailty states among community-living older adults and their associated factors. J Am Med Dir Assoc 15:281 – 286, 2014.

22. Fried LP, Ferrucci L, Darer J, et al: Untangling the concepts of disability, frailty, and comorbidity: implications for improved targeting and care. J Gerontol A Biol Sci Med Sci 59:255 – 263, 2004.

23. Conti AA, Conti A: Frailty and resilience from physics to medicine. Med Hypotheses 74:1090, 2010.

24. Andrew MK, Mitnitski A, Kirkland SA, et al: The impact of social vulnerability on the survival of the fittest older adults. Age Ageing 41:161 – 165, 2012.

25. Collard RM, Boter H, Schoevers RA, et al: Prevalence of frailty in community-dwelling older persons: a systematic review. J

Am Geriatr Soc 60:1487 – 1492, 2012.

26. Fried LP, Tangen CM, Walston J, et al: Frailty in older adults: evidence for a phenotype. J Gerontol A Biol Sci Med Sci 56:M146 – M156, 2001.

27. Theou O, Brothers TD, Mitnitski A, et al: Operationalization of frailty using eight commonly used scales and comparison of their ability to predict all-cause mortality. J Am Geriatr Soc 61:1537 – 1551, 2013.

28. Santos-Eggimann B, Cuénoud P, Spagnoli J, et al: Prevalence of frailty in middle-aged and older community-dwelling Europeans living in 10 countries. J Gerontol A Biol Sci Med Sci 64:675 – 681, 2009.

29. Garcia-Garcia FJ, Gutierrez Avila G, Alfaro-Acha A, et al: The prevalence of frailty syndrome in an older population from Spain. The Toledo Study for Healthy Aging. J Nutr Health Aging 15:852 – 856, 2011.

30. Rockwood K, Song X, Mitnitski A: Changes in relative fitness and frailty across the adult lifespan: evidence from the Canadian National Population Health Survey. CMAJ 183:E487 – E494, 2011.

31. Espinoza SE, Hazuda HP: Frailty in older Mexican-American and European American adults: is there an ethnic disparity? J Am Geriatr Soc 56:1744 – 1749, 2008.

32. Brothers TD, Theou O, Rockwood K: Frailty and migration in middle-aged and older Europeans. Arch Gerontol Geriatr 58:63 – 68, 2014.

33. Shlipak MG, Stehman-Breen C, Fried LF, et al: The presence of frailty in elderly persons with chronic renal insufficiency. Am J Kidney Dis 43:861 – 867, 2004.

34. Newman AB, Gottdiener JS, McBurnie MA, et al: Associations of subclinical cardiovascular disease with frailty. J Gerontol A Biol Sci Med Sci 56:M158 – M166, 2001.

35. Theou O, Brothers TD, Rockwood MR, et al: Exploring the relationship between national economic indicators and relative fitness and frailty in middle-aged and older Europeans. Age Ageing 42:614 – 619, 2013.

36. Ferrucci L, Cavazzini C, Corsi A, et al: Biomarkers of frailty in older persons. J Endocrinol Invest 25:10 – 15, 2002.

37. Lang IA, Hubbard RE, Andrew MK, et al: Neighborhood deprivation, individual socioeconomic status, and frailty in older adults. J Am Geriatr Soc 57:1776 – 1780, 2009.

38. Serviddio G, Romano AD, Greco A, et al: Frailty syndrome is associated with altered circulating redox balance and increased markers of oxidative stress. Int J Immunopathol Pharmacol 22:819 – 827, 2009.

39. Yao X, Li H, Leng SX: Inflammation and immune system alterations in frailty. Clin Geriatr Med 27:79 – 87, 2011.

40. Walston J, McBurnie MA, Newman AB, et al: Frailty and activation of the inflammation and coagulation systems with and without clinical comorbidities: results from the Cardiovascular Health Study. Arch Intern Med 162:2333 – 2341, 2002.

41. Woo J, Tang NL, Suen E, et al: Telomeres and frailty. Mech Ageing Dev 129:642 – 648, 2008.

42. Dickinson MH, Farley CT, Full RJ, et al: How animals move: an integrative view. Science 288:100 – 106, 2000.

43. Howlett SE, Rockwood K: New horizons in frailty: ageing and the deficit-scaling problem. Age Ageing 42:416 – 423, 2013.

44. Howlett SE, Rockwood MR, Mitnitski A, et al: Standard laboratory tests to identify older adults at increased risk of death. BMC Med 12:171, 2014.

45. Hoogendijk EO, van der Horst HE, Deeg DJ, et al: The identification of frail older adults in primary care: comparing the accuracy of five simple instruments. Age Ageing 42:262 – 265, 2013.

46. Theou O, Brothers TD, Peña FG, et al: Identifying common characteristics of frailty across seven scales. J Am Geriatr Soc 62:901 – 906, 2014.

47. van Iersel MB, Rikkert MG: Frailty criteria give heterogeneous results when applied in clinical practice. J Am Geriatr Soc 54:728 – 729, 2006.

48. Ensrud K, Ewing SK, Taylor BC, et al: Comparison of 2 frailty indexes for prediction of falls, disability, fractures, and death in older women. Arch Intern Med 168:382 – 389, 2008.

49. Gobbens RJ, van Assen MA, Luijkx KG, et al: The Tilburg Frailty Indicator: psychometric properties. J Am Med Dir Assoc 11:344 – 355, 2010.

50. Buchman AS, Boyle PA, Wilson RS, et al: Frailty is associated with incident Alzheimer's disease and cognitive decline in the elderly. Psychosom Med 69:483–489, 2007.

51. Morley JE, Malmstrom TK, Miller DK: A simple frailty questionnaire (FRAIL) predicts outcomes in middle-aged African Americans. J Nutr Health Aging 16:601–608, 2012.

52. Vellas B, Balardy L, Gillette-Guyonnet S, et al: Looking for frailty in community-dwelling older persons: the Gérontopôle Frailty Screening Tool (GFST). J Nutr Health Aging 17:629–631, 2013.

53. Cesari M, Demougeot L, Boccalon H, et al: A self-reported screening tool for detecting community-dwelling older persons with frailty syndrome in the absence of mobility disability: the FiND questionnaire. PLoS One 9:e101745, 2014.

54. Searle SD, Mitnitski A, Gahbauer EA, et al: A standard procedure for creating a frailty index. BMC Geriatr 8:24, 2008.

55. Jones DM, Song X, Rockwood K: Operationalizing a frailty index from a standardized comprehensive geriatric assessment. J Am Geriatr Soc 52:1929–1933, 2004.

56. Goldstein J, Hubbard RE, Moorhouse P, et al: The validation of a care partner-derived frailty index based upon comprehensive geriatric assessment (CP-FI-CGA) in emergency medical services and geriatric ambulatory care. Age Ageing 44:327–330, 2015.

57. Feridooni HA, Sun MH, Rockwood K, et al: Reliability of a frailty index based on the clinical assessment of health deficits in male C57BL/6J mice. J Gerontol A Biol Sci Med Sci 70:686–693, 2015.

58. Parks R, Fares E, Macdonald J, et al: A procedure for creating a frailty index based on deficit accumulation in aging mice. J Gerontol A Biol Sci Med Sci 67:217–227, 2012.

59. Whitehead JC, Hildebrand BA, Sun M, et al: A clinical frailty index in aging mice: comparisons with frailty index data in humans. J Gerontol A Biol Sci Med Sci 69:621–632, 2014.

60. Cesari M, Gambassi G, van Kan GA, et al: The frailty phenotype and the frailty index: different instruments for different purposes. Age Ageing 43:10–12, 2014.

61. Rockwood K, Song X, MacKnight C, et al: A global clinical measure of fitness and frailty in elderly people. CMAJ 173:489–495, 2005.

62. Karnofsky DA, Burchenal JH: The clinical evaluation of chemotherapeutic agents in cancer. In MacLeod CM, editor: Evaluation of chemotherapeutic agents, New York, 1948, Columbia University Press, pp 191–205.

63. Oken MM, Creech RH, Tormey DC, et al: Toxicity and response criteria of the Eastern Cooperative Oncology Group. Am J Clin Oncol 5:649–655, 1982.

64. Gobbens RJ, Luijkx KG, Wijnen-Sponselee MT, et al: Towards an integral conceptual model of frailty. J Nutr Health Aging 14:175–181, 2010.

65. Studenski S, Perera S, Wallace D, et al: Physical performance measures in the clinical setting. J Am Geriatr Soc 51:314–322, 2003.

66. Ferrucci L, Guralnik JM, Studenski S, et al: Designing randomized, controlled trials aimed at preventing or delaying functional decline and disability in frail, older persons: a consensus report. J Am Geriatr Soc 52:625–634, 2004.

67. Studenski S, Perera S, Patel K, et al: Gait speed and survival in older adults. JAMA 305:50–58, 2011.

68. Guralnik JM, Ferrucci L, Simonsick EM, et al: Lower-extremity function in persons over the age of 70 years as a predictor of subsequent disability. N Engl J Med 332:556–561, 1995.

69. Guralnik JM, Ferrucci L, Pieper CF, et al: Lower extremity function and subsequent disability: consistency across studies, predictive models, and value of gait speed alone compared with the short physical performance battery. J Gerontol A Biol Sci Med Sci 55:M221–M231, 2000.

70. Abizanda P, Romero L, Sanchez-Jurado PM, et al: Association between functional assessment instruments and frailty in older adults: the FRADEA study. J Frailty Aging 1:162–168, 2012.

71. Abellan van Kan G, Rolland YM, Andrieu S, et al: Gait speed at usual pace as a predictor of adverse outcomes in community-dwelling older people: an International Academy on Nutrition and Aging (IANA) Task Force. J Nutr Health Aging 13:881–889, 2009.

72. Guralnik JM, Simonsick EM, Ferrucci L, et al: A short physical performance battery assessing lower extremity function: association with self-reported disability and prediction of mortality and nursing home admission. J Gerontol 49:M85-M94, 1994.

73. Cesari M, Kritchevsky SB, Penninx BW, et al: Prognostic value of usual gait speed in well-functioning older people—results from the Health, Aging and Body Composition Study. J Am Geriatr Soc 53:1675-1680, 2005.

74. Cesari M, Kritchevsky SB, Newman AB, et al: Added value of physical performance measures in predicting adverse health-related events: results from the Health, Aging And Body Composition Study. J Am Geriatr Soc 57:251-259, 2009.

75. Levine RV, Norenzayan A: The pace of life in 31 countries. J Cross Cult Psychol 30:178-205, 1999.

76. Collerton J, Martin-Ruiz C, Davies K, et al: Frailty and the role of inflammation, immunosenescence and cellular ageing in the very old: cross-sectional findings from the Newcastle 85+ Study. Mech Ageing Dev 133:456-466, 2012.

77. Rockwood K, Jones D, Wang Y, et al: Failure to complete performance-based measures is associated with poor health status and an increased risk of death. Age Ageing 36:225-228, 2007.

78. Goodwin JS: Gait speed: comment on "rethinking the association of high blood pressure with mortality in elderly adults." Arch Intern Med 172:1168-1169, 2012.

79. Afilalo J, Eisenberg MJ, Morin JF, et al: Gait speed as an incremental predictor of mortality and major morbidity in elderly patients undergoing cardiac surgery. J Am Coll Cardiol 56:1668-1676, 2010.

80. Lilamand M, Dumonteil N, Nourhashemi F, et al: Gait speed and comprehensive geriatric assessment: two keys to improve the management of older persons with aortic stenosis. Int J Cardiol 173:580-582, 2014.

81. Odden MC, Peralta C, Haan MN, et al: Rethinking the association of high blood pressure with mortality in elderly adults: the impact of frailty. Arch Intern Med 172:1162-1168, 2012.

82. Kon SS, Patel MS, Canavan JL, et al: Reliability and validity of the four metre gait speed in COPD. Eur Respir J 42:333-340, 2013.

83. Kon SS, Canavan JL, Nolan CM, et al: The 4-metre gait speed in COPD: responsiveness and minimal clinically important difference. Eur Respir J 43:1298-1305, 2014.

84. Cesari M, Cerullo F, Zamboni V, et al: Functional status and mortality in older women with gynecological cancer. J Gerontol A Biol Sci Med Sci 68:1129-1133, 2013.

85. Stuck AE, Minder CE, Peter-Wüest I, et al: A randomized trial of in-home visits for disability prevention in community-dwelling older people at low and high risk for nursing home admission. Arch Intern Med 160:977-986, 2000.

86. Landi F, Onder G, Tua E, et al: Impact of a new assessment system, the MDS-HC, on function and hospitalization of home-bound older people: a controlled clinical trial. J Am Geriatr Soc 49:1288-1293, 2001.

87. Baztán JJ, Suárez-García FM, López-Arrieta J, et al: Effectiveness of acute geriatric units on functional decline, living at home, and case fatality among older patients admitted to hospital for acute medical disorders: meta-analysis. BMJ 338:b50, 2009.

88. Fiatarone MA, O'Neill EF, Ryan ND, et al: Exercise training and nutritional supplementation for physical frailty in very elderly people. N Engl J Med 330:1769-1775, 1994.

89. Ellis G, Whitehead MA, Robinson D, et al: Comprehensive geriatric assessment for older adults admitted to hospital: meta-analysis of randomized controlled trials. BMJ 343:d6553, 2011.

90. Fairhall N, Sherrington C, Kurrle SE, et al: Effect of a multifactorial interdisciplinary intervention on mobility-related disability in frail older people: randomised controlled trial. BMC Med 10:120, 2012.

91. Cameron ID, Fairhall N, Langron C, et al: A multifactorial interdisciplinary intervention reduces frailty in older people: randomized trial. BMC Med 11:65, 2013.

92. Fairhall N, Sherrington C, Kurrle SE, et al: Economic evaluation of a multifactorial, interdisciplinary intervention versus usual care to reduce frailty in frail older people. J Am Med Dir Assoc 16:41-48, 2015.

93. Fairhall N, Langron C, Sherrington C, et al: Treating frailty—a practical guide. BMC Med 9:83, 2011.

94. Theou O, Stathokostas L, Roland K, et al: The effectiveness of exercise interventions for the management of frailty: a systematic

review. J Aging Res 569194, 2011.

95. Cadore EL, Rodríguez-Mañas L, Sinclair A, et al: Effects of different exercise interventions on risk of falls, gait ability, and balance in physically frail older adults: a systematic review. Rejuvenation Res 16:105−114, 2013.

96. Pahor M, Guralnik JM, Ambrosius WT, et al: Effect of structured physical activity on prevention of major mobility disability in older adults: the LIFE study randomized clinical trial. JAMA 311:2387−2396, 2014.

97. Cesari M, Vellas B, Hsu FC, et al: A physical activity intervention to treat the frailty syndrome in older persons—results from the LIFE-P study. J Gerontol A Biol Sci Med Sci 70:216−222, 2015.

98. Pahor M, Blair SN, Espeland M, et al: Effects of a physical activity intervention on measures of physical performance: results of the lifestyle interventions and independence for Elders Pilot (LIFE-P) study. J Gerontol A Biol Sci Med Sci 61:1157−1165, 2006.

99. Antonelli Incalzi R, Gemma A, Capparella O, et al: Continuous geriatric care in orthopedic wards: a valuable alternative to orthogeriatric units. Aging (Milano) 5:207−216, 1993.

100. Balducci L, Colloca G, Cesari M, et al: Assessment and treatment of elderly patients with cancer. Surg Oncol 19:117−123, 2010.

101. Theou O, Rockwood K: Should frailty status always be considered when treating the elderly patient? Aging Health 8:261−271, 2012.

102. Maggio M, Ceda GP, Lauretani F: The multidomain mobility lab in older persons: from bench to bedside. Curr Pharm Des 20:3093−3094, 2014.

103. Subra J, Gillette-Guyonnet S, Cesari M, et al: The integration of frailty into clinical practice: preliminary results from the Gérontopôle. J Nutr Health Aging 16:714−720, 2012.

104. Tavassoli N, Guyonnet S, Abellan Van Kan G, et al: Description of 1,108 older patients referred by their physician to the "Geriatric Frailty Clinic (G.F.C) for Assessment of Frailty and Prevention of Disability" at the Gerontopole. J Nutr Health Aging 18:457−464, 2014.

105. Stuck AE, Aronow HU, Steiner A, et al: A trial of annual in-home comprehensive geriatric assessments for elderly people living in the community. N Engl J Med 333:1184−1189, 1995.

106. Cesari M, Vellas B. Implementing frailty in clinical practice. <https://www.nestlenutrition-institute.org/resources/online-conferences/Pages/Implementing_Frailty_into_Clinical_Practise.aspx>, (Accessed September 24, 2015.)

노화와 건강상실의 누적: 임상적 의미
Aging and Deficit Accumulation: Clinical Implications

Kenneth Rockwood, Arnold Mitnitski

서론

노쇠의 개요

노쇠한 노인을 치료 시 여러가지를 고려해야 한다는 것이 노인의학의 가장 중요한 요소이다.[1-8] 이 장에서는 노쇠를 과학적으로 이해하고 노인의학을 임상적으로 접근하기 위해서 기본적으로 여러 가지 측면의 기준을 사용할 수 있다는 것을 기술한다. 그것은 노화가 세포 이전 단계에서부터 조직과 기관에 이르기까지의 건강상실의 누적이라는 과정으로 이해될 수 있고 임상적으로 표현될 수 있음을 보여준다. 비록 모든 사람이 늙고 죽게 되지만, 같은 나이의 모든 사람이 같은 위험을 가지는 것은 아니다.

같은 연령의 사람들에서 나쁜 결과에 대한 다양한 위험도는 건강상실의 누적이 다양한 속도로 일어날 수 있다는 것을 의미한다.[1,2,6,8] 건강상실의 정도가 심할수록 사망의 위험은 커진다. 평균적으로 연령이 높아질수록 사망률이 높아지는 이유는 건강상실이 누적되고 회복되는 시간이 길어지기 때문이다. 간단히 말해서 노쇠한 노인들은 같은 연령대의 다른 노인들과 비교해서, 나이와 연관된 여러가지 신체 기능의 상실로 인해 질병과 장애의 위험이 커진다. 이러한 기능상실, 질병, 장애들은 전형적으로 여러가지 사회적으로 취약한 조건들과 상호작용을 하여 건강에 더 나쁜 영향을 미치게 된다.

노쇠는 여러가지 측면의 위험 상태라는 것은 논란의 여지가 없다. 그러나 어떻게 최고로 노쇠를 관리할 것인가 하는 것에는 많은 논란이 있다. 14장에서 논의된 바와 같이 Cardiovascular Health Study (CHS)에서는 노쇠의 형질적 기준이 흔히 사용된다. 이 장에서는 노쇠를 건강상실의 축적이라는 측면에서 보고자 한다.

복잡한 네트워크에 대한 개요

전체적으로 네트워크라는 것은 아이템들의 연결로 정의되는 아이템들의 집합이다.[10,11] 노화의 네트워크 이론은 새로운 것은 아니다. 노화에 있어서 한 가지 네크워크 모델은 취약한 인자들이 다른 인자들에 상호의존적이라는 것이다.[12] 이 모델에서 노화는 널리 퍼진 전신적 영향이고 미약한 변화를 보인 여러 가지가 증대되어 나빠지는 것이다. 이 모델은 여러 나라에서 관찰된 건강상실의 누적에 대한 주요 패턴뿐만 아니라 나이가 들어감에 따라 사망률이 기하급수적으로 늘어난다는 Gompertz 법칙을 재현하였다.[17]

노화된 인간들은 개인과 집단적 측면 모두에서 노화된 시스템을 구성한다. 사람의 몸 안에서 각각의 기관계와 전체 몸 환경간의 상호작용은 복잡한 네크워크로 볼 수 있다. 각 기관에 관련한 네크워크에서의 특이성은 종종 어떤 자의성을 초래한다. 이러한 자의성은 시간이 지남에 따라 모두를 아우르는 현상이 일어남을 고려할 때 최선이 될 수 있다. 게다가 노화 시 몸 안의 기관들이 어떻게 상호작용을 하는지 명확하게 구분하기는 어렵다. 우리의 주장은 개개인의 건강상태는 하나의 숫자 – 노쇠 지수 –로 요약될 수 있고 이 숫자의 특성과 행동이 연구대상이 될 수 있다는 것이다.[21,22]

건강상실의 축적으로서의 노쇠

노쇠 지수의 근본적인 아이디어는 건강상실이 많은 사람들이 더 노쇠하다는 것이다. 건강상실은 손상이 없어지지 않거나 치유되지 않을 때 일어난다. 손상은 넓게 퍼지고 전형적으로는 세포이전 단계에서 시작한다. 노화와 마찬가지로 손상은 차츰 증가되어 세포수준, 조직, 기관으로 표현된다.[28]

노쇠가 어떻게 시작되는지 설명하려는 초기 시도에서, 우리는 자산과 손실 사이의 동적인 상호관계를 제시하였다(그림 15-1).[29] 사람들이 건강할 때 자산은 손실을 능가한다. 손실이 축적될수록 균형은 옮겨지지만 동적인 상태이기 때문에 다시 돌아온다. 최근 들어 노쇠 지수와 관계된 악영향 위험의 모델 형성에 건강 소실과 예방인자들을 같이 고려할 수 있도록 하였다.[30] 그러나 이 모델은 예전의 양적인 것을 나타내주는 모델의 정확성을 보여주지는 못하였다.[31]

그 이후에는 21가지의 검사결과에서의 이상소견과 수축기와 이완기 혈압으로 이루어진 노쇠 지수(the FI-LAB)[44]와 Canadian Study of Health and Aging (CSHA) 에서 나온 1,013개의 임상 소견들을 조합한 노쇠 지수(FI-CSHA)[45]가 만들어졌다. 그것들은 왼쪽으로 편향된 분포를 보였고(그림 15-2), 나이에 따라 그 평균값이 증가하고 FI-LAB 점수가 증가할수록 사망률이 증가한다(그림 15-3).

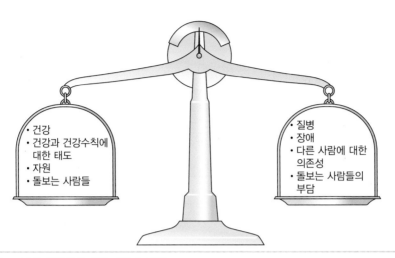

■ 그림 15-1. 노쇠 상태 변화에 대한 저울대 모델

포괄적인 노인의학적 평가에 근거한 노쇠 지수의 개발

여러해 동안 여러 그룹들의 공동 연구에 의해 주로 역학적 데이터들을 기반으로 한 노쇠 지수가 개발되었다. 이상적인 노쇠 지수는 적어도 30~40 가지 이상의 평가 항목들을 포함해야 한다.[46,47] 10개 이상의 사회적 취약성 항목들을 포함하여 50개 항목으로 이루어진 한 페이지 짜리의 포괄적 노인의학적 평가지(comprehensive geriatric assessment, CGA)[49,50]를 다시 개발하고 전향적으로 테스트하였다. 각 항목별로 건강손실이 있으면 1, 없으면 0으로 표시하였고, 매 5개의 복용약제 증가 시마다 추가 손실 1점을 더하도록 하였다.[52]

임상상태 변수로서의 노쇠 지수

임상상태에 대한 변수들을 정확한 숫자로 표현하는 방법도 있지만 임상에서는 자신의 언어로 표현하는 것이 좋은 기준이 될 수 있다. 이러한 임상 노쇠 스케일이 기존의 노쇠 지수 수치와 비교했을 때 높은 연관성이 입증되어 건강과 노쇠의 정도를 빨리 알 수 있는 좋은 방법이라고 할 수 있다(표 15-1).[62]

노쇠 지수가 건강상태를 반영하므로 그것이 변화할 때 정보를 줄 수 있다. 각 개인에서 건강손실의 숫자가 변하는 것은 두 가지 요인에 기인한다. 각 개인의 기저 상태의 건강손실의 숫자와 이후 몇 개가 축적되는가 하는 것이다.

노쇠 지수는 종종 생물학적 연령을 측정하는 도구로 사용되기도 한다.[64-66] 예를 들어 연대기적 연령이 78세로 같은 두 사람 A, B 가 있다고 하자. 그림 15-4에 나타난 것처럼, B의 노쇠 지수는

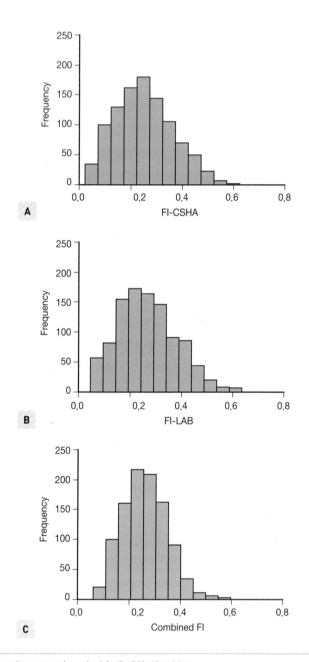

■ 그림 15-2. FI-CSHA 와 FI-LAB 의 노쇠 지수에 대한 빈도 분포

0.11 이고, 이 경우 생물학적 나이는 63세이다. 그러나 A의 노쇠 지수는 0.28 이고 이것은 생물학적 연령 93세에 해당하는 것이다. 또한 건강손실의 숫자가 빨리 축적되는 사람일수록 사망률이 높아진다.[64]

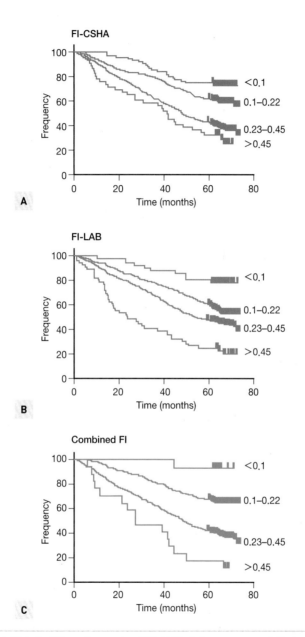

■ **그림 15-3. 노쇠 인자 정도에 따른 Kaplan-Meier 생존 곡선. (A)** FI-CSHA: 표준화된 노쇠 지수 **(B)** FI-LAB: 임상결과 노쇠 지수 **(C)** combined FI : FI-CSHA 와 FI-LAB 스코어를 조합해서 만든 스코어

노쇠 지수 comprehensive geriatric assessment (CGA)는 개인의 전체적인 임상 상태를 하나의 숫자로 요약해주는 임상 상태 지표의 한 예이다. 다른 임상 지표들도 고려될 수 있는데 이런 지표들은 시스템의 기능을 잘 나타내주어야 한다. 인간은 진화론적으로 발달하여 두발로 걷고, 마주보는 엄

표 15-1. **임상적 노쇠 스케일**

등급	언어적 분류	공통 특징	노쇠 인텍스 값
1	매우 건강	원기 왕성한, 활동적인, 에너지가 넘치는, 의욕적이고 건강한: 주로 규칙적인 운동을 하고 그 나이에서 가장 건강한 그룹, 흔히들 그들의 건강은 "아주 좋음"	0.09 (0.05)
2	건강	현재 현성이거나 증상이 있는 질병이 없지만, 1등급 보다는 덜 건강	0.12 (0.05)
3	건강하지만 동반 질환으로 치료	4등급의 사람들보다 질환의 증상이 잘 조절되고 있음	0.16 (0.07)
4	취약해보임	실제로 의존적이지는 않으나, 흔히들 느려지고 있다고 호소하거나 질병의 증상이 있거나 자가 평가상 건강은 나쁘지 않음, 만약 인지 장애가 있다면 치매의 기준에는 맞지 않음	0.22 (0.08)
5	약한 노쇠	도구적 일상 생활 활동에서 다른 사람에 제한된 의존성을 보임	0.27 (0.09)
6	중등도 노쇠	도구와 몇 가지 개인적 일상 생활 활동에서 도움이 필요함. 자발 보행은 흔히 제한됨	0.36 (0.09)
7	심한 노쇠	개인적 일상 생활 활동을 위해서 다른 사람에게 전적으로 의존	0.43 (0.08)
8	위독	말기, 위독	

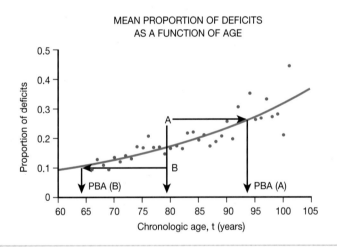

■ 그림 15-4. **생물학적 나이와 건강손실의 관계**

지손가락을 가지고 뛰어난 지능을 가졌으며 사회적으로 상호작용을 한다. 이 결과로 후보가 되는 임상지표는 움직임, 균형, 기능과 사회적인 관점까지 측정할 수 있어야 된다. 노인의학자는 노인들에서 이러한 기능들이 점차 떨어지게 되는 것을 중요하게 여기고 총체적으로 노쇠 증후군이라고 부른다. 최근의 여러 가지 연구들에 의해 개인의 전체적인 노쇠 상태를 고려하는 것은 흔한 노년기의 질환과 밀접하게 관련되어 있음이 밝혀지고 있다. 예를 들어 치매는 노쇠의 정도와 연관성이 높다는 것이고 이러한 연관관계는 전통적인 치매 위험인자들보다도 더 강력한 것으로 보인다.[67,68]

좋은 노인의학은 노인의학자가 항상 직관적으로 노인의학의 복합성을 잘 이해하고 노쇠한 노인들을 잘 관리할 수 있도록 한다. 앞에서 이야기했듯이 실용적 측면에서의 존재보다는 노인의학의 특수성에 대한 과학적 근거를 제공하는 것이 복합적인 문제를 해결할 필요가 있는 노쇠한 노인들의 관리를 발전시키는데 필수적인 것이다.[72]

KEY POINTS

요점

- 노쇠는 노인의학자에게 중요한 문제이다: 노인의학은 주로 노쇠한 노인들의 복잡한 관리에 중점을 둔다.
- 노쇠는 병이 일어날 위험성이 증가하는 상태이다.
- 노쇠는 건강손실의 정도와 관련하여 볼 수 있다: 건강손실이 많아진 사람들일수록 더 노쇠해질 가능성이 높다. 이것은 노쇠 지수로 표현할 수 있는데, 그것은 건강 손실의 숫자로 표현된다.
- 노쇠 지수는 개인의 전체적인 임상 상태를 하나의 숫자로 요약해주는 임상 상태 지표의 한 예이다. 노쇠 지수, 즉 건강손실의 개수는 만성 건강 상태를 나타내주는 하나의 예이다. 움직임과 균형이 제대로 측정할 수 있다면 또 다른 임상상태 지표가 될 수 있고 건강상태의 급성 변화에 더 잘 사용할 수 있다.
- 포괄적 노인의학적 평가와 치매, 낙상, 거동불편은 노인의학의 내재적 요소들이다. 각각의 인자들은 노쇠의 위험성이 높은 사람들을 복합적으로 분석해준다.

참고문헌의 총 목록을 보려면 www.expertconsult.com 을 방문해주세요.

중요 참고문헌

1. Clegg A, Young J, Iliffe S, et al: Frailty in elderly people. Lancet 381:752–762, 2013.
2. Rockwood K, Mitnitski A: Frailty defined by deficit accumulation and geriatric medicine defined by frailty. Clin Geriatr Med 27:17–26, 2011.
7. Cesari M, Gambassi G, van Kan GA, et al: The frailty phenotype and the frailty index: different instruments for different purposes. Age Ageing 43:10–12, 2014.
8. Mitnitski A, Song X, Rockwood K: Assessing biological aging: the origin of deficit accumulation. Biogerontology 14:709–717, 2013.
9. Fried LP, Tangen CM, Walston J, et al: Frailty in older adults: evidence for a phenotype. J Gerontol A Biol Sci Med Sci

56:M146 – M156, 2001.

16. López-Otín C, Blasco MA, Partridge L, et al: The hallmarks of aging. Cell 153:1194 – 1217, 2013.

22. Mitnitski A, Song X, Rockwood K: Trajectories of changes over twelve years in the health status of Canadians from late middle age. Exp Gerontol 47:893 – 899, 2012.

30. Wang C, Song X, Mitnitski A, et al: Effect of health protective factors on health deficit accumulation and mortality risk in older adults in the Beijing Longitudinal Study of Aging. J Am Geriatr Soc 62:821 – 828, 2014.

38. Vaupel JW, Manton KG, Stallard E: The impact of heterogeneity in individual frailty on the dynamics of mortality. Demography 9:439 – 454, 1979.

41. Kulminski AM, Ukraintseva SV, Kulminskaya IV, et al: Cumulative deficits better characterize susceptibility to death in elderly people than phenotypic frailty: lessons from the cardiovascular health study. J Am Geriatr Soc 56:898 – 903, 2008.

44. Howlett SE, Rockwood MR, Mitnitski A, et al: Standard laboratory tests to identify older adults at increased risk of death. BMC Med 12:171, 2014.

46. Martin FC, Brighton P: Frailty: different tools for different purposes? Age Ageing 37:129 – 131, 2008.

67. Song X, Mitnitski A, Rockwood K: Age-related deficit accumulation and the risk of late-life dementia. Alzheimers Res Ther 6:54, 2014.

58. Dent E, Chapman I, Howell S, et al: Frailty and functional decline indices predict poor outcomes in hospitalised older people. Age Ageing 43:477 – 484, 2014.

60. Bennett S, Song X, Mitnitski A, et al: A limit to frailty in very old, community-dwelling people: a secondary analysis of the Chinese longitudinal health and longevity study. Age Ageing 42:372 – 377, 2013.

65. Goggins WB, Woo J, Sham A, et al: Frailty index as a measure of biological age in a Chinese population. J Gerontol A Biol Sci Med Sci 60:1046 – 1051, 2005.

69. Kennedy CC, Ioannidis G, Rockwood K, et al: A frailty index predicts 10-year fracture risk in adults age 25 years and older: results from the Canadian Multicentre Osteoporosis Study (CaMos). Osteoporos Int 25:2825 – 2832, 2014.

참고문헌

1. Clegg A, Young J, Iliffe S, et al: Frailty in elderly people. Lancet 381:752 – 762, 2013.

2. Rockwood K, Mitnitski A: Frailty defined by deficit accumulation and geriatric medicine defined by frailty. Clin Geriatr Med 27:17 – 26, 2011.

3. Hubbard RE, Story DA: Patient frailty: the elephant in the operating room. Anaesthesia 69(Suppl 1):26 – 34, 2014.

4. Bagshaw SM, McDermid RC: The role of frailty in outcomes from critical illness. Curr Opin Crit Care 19:496 – 503, 2013.

5. de Vries NM, Staal JB, van Ravensberg CD, et al: Outcome instruments to measure frailty: a systematic review. Ageing Res Rev 10:104 – 114, 2011.

6. Mitnitski A, Rockwood K: Aging as a process of deficit accumulation: its utility and origin. Interdiscip Top Gerontol 40:85 – 98, 2015.

7. Cesari M, Gambassi G, van Kan GA, et al: The frailty phenotype and the frailty index: different instruments for different purposes. Age Ageing 43:10 – 12, 2014.

8. Mitnitski A, Song X, Rockwood K: Assessing biological aging: the origin of deficit accumulation. Biogerontology 14:709 – 717, 2013.

9. Fried LP, Tangen CM, Walston J, et al: Frailty in older adults: evidence for a phenotype. J Gerontol A Biol Sci Med Sci 56:M146 – M156, 2001.

10. Barabási AL, Gulbahce N, Loscalzo J: Network medicine: a network-based approach to human disease. Nat Rev Genet 12:56 – 68, 2011.

11. Gustafsson M, Nestor CE, Zhang H, et al: Modules, networks and systems medicine for understanding disease and aiding diagnosis. Genome Med 6:82, 2014.

12. Levin M: Endogenous bioelectrical networks store non-genetic patterning information during development and regeneration. J Physiol 592(Pt 11):2295‒2305, 2014.

13. Adriaanse SM, Binnewijzend MA, Ossenkoppele R, et al: Widespread disruption of functional brain organization in early-onset Alzheimer's disease. PLoS ONE 9:e102995, 2014.

14. Tijms BM, Wink AM, de Haan W, et al: Alzheimer's disease: connecting findings from graph theoretical studies of brain networks. Neurobiol Aging 34:2023‒2036, 2013.

15. Vural DC, Morrison G, Mahadevan L: Aging in complex interdependency networks. Phys Rev E Stat Nonlin Soft Matter Phys 89:022811, 2014.

16. López-Otín C, Blasco MA, Partridge L, et al: The hallmarks of aging. Cell 153:1194‒1217, 2013.

17. Taneja S, Rutenberg A, Mitnitski A, et al: A dynamical network model for frailty-induced mortality. Bull Am Phys Soc 59:1, 2014.

18. Ruan Q, Qian F, Yu Z: Effects of polymorphisms in immunity-related genes on the immune system and successful aging. Curr Opin Immunol 29:49‒55, 2014.

19. Rothman SM, Mattson MP: Activity-dependent, stress-responsive BDNF signaling and the quest for optimal brain health and resilience throughout the lifespan. Neuroscience 239:228‒240, 2013.

20. Nicholson JK, Holmes E, Kinross J, et al: Host-gut microbiota metabolic interactions. Science 336:1262‒1267, 2012.

21. Rockwood K, Mogilner A, Mitnitski A: Changes with age in the distribution of a frailty index. Mech Ageing Dev 125:517‒519, 2004.

22. Mitnitski A, Song X, Rockwood K: Trajectories of changes over twelve years in the health status of Canadians from late middle age. Exp Gerontol 47:893‒899, 2012.

23. Argollo de Menezes M, Barabasi AL: Separating internal and external dynamics of complex systems. Phys Rev Lett 93:068701, 2004.

24. Mitnitski A, Rockwood K: Decrease in the relative heterogeneity of health with age: a cross-national comparison. Mech Ageing Dev 127:70‒72, 2006.

25. Lee DS, Park J, Kay KA, et al: The implications of human metabolic network topology for disease comorbidity. Proc Natl Acad Sci U S A 105:9880‒9885, 2008.

26. Jiang ZQ, Guo L, Zhou WX Endogenous and exogenous dynamics in the fluctuations of capital fluxes. An empirical analysis of the Chinese stock market. http://arxiv.org/pdf/physics/0702035. Accessed September 24, 2015.

27. Niu MR, Liang QF, Zhouw WX, et al: Endogenous and exogenous dynamics of pressure fluctuations in an impinging entrained-flow gasifier. Industr Electr Appl 2:2919‒2931, 2007.

28. Howlett SE, Rockwood K: New horizons in frailty: ageing and the deficit-scaling problem. Age Ageing 42:416‒423, 2013.

29. Rockwood K, Fox RA, Stolee P, et al: Frailty in elderly people: an evolving concept. CMAJ 150:489‒495, 1994.

30. Wang C, Song X, Mitnitski A, et al: Effect of health protective factors on health deficit accumulation and mortality risk in older adults in the Beijing Longitudinal Study of Aging. J Am Geriatr Soc 62:821‒828, 2014.

31. Mitnitski AB, Bao L, Rockwood K: Going from bad to worse: a stochastic model of transitions in deficit accumulation, in relation to mortality. Mech Ageing Dev 127:490‒493, 2006.

32. Gutman GM, Stark A, Donald A, et al: Contribution of self-reported health ratings to predicting frailty, institutionalization, and death over a 5-year period. Int Psychogeriatr 13(Suppl 1):223‒231, 2001.

33. Theou O, Stathokostas L, Roland KP, et al: The effectiveness of exercise interventions for the management of frailty: a systematic review. J Aging Res 2011:569194, 2011.

34. Rockwood K, Stolee P, McDowell I: Factors associated with institutionalization of older people in Canada: testing a multifactorial definition of frailty. J Am Geriatr Soc 44:578‒582, 1996.

35. Rockwood K, Stadnyk K, MacKnight C, et al: A brief clinical instrument to classify frailty in elderly people. Lancet 353:205 – 206, 1999.

36. Andrew MK, Mitnitski AB, Rockwood K: Social vulnerability, frailty and mortality in elderly people. PLoS One 3:e2232, 2008.

37. Gompertz B: On the nature of the function expressive of the law of human mortality, and on a new mode of determining the value of life contingencies. Philos Trans R Soc London 115:513 – 585, 1825.

38. Vaupel JW, Manton KG, Stallard E: The impact of heterogeneity in individual frailty on the dynamics of mortality. Demography 9:439 – 454, 1979.

39. Gavrilov LA, Gavrilova NS: The reliability theory of aging and longevity. J Theor Biol 213:527 – 545, 2001.

40. Mitnitski A, Song X, Skoog I, et al: Relative fitness and frailty of elderly men and women in developed countries, in relation to mortality. J Am Geriatr Soc 53:2184 – 2189, 2005.

41. Kulminski AM, Ukraintseva SV, Kulminskaya IV, et al: Cumulative deficits better characterize susceptibility to death in elderly people than phenotypic frailty: lessons from the cardiovascular health study. J Am Geriatr Soc 56:898 – 903, 2008.

42. Mitnitski AB, Mogilner AJ, Rockwood K: Accumulation of deficits as a proxy measure of aging. Sci World J 8:323 – 336, 2001.

43. Kirkwood TB: Understanding the odd science of aging. Cell 120:437 – 447, 2005.

44. Howlett SE, Rockwood MR, Mitnitski A, et al: Standard laboratory tests to identify older adults at increased risk of death. BMC Med 12:171, 2014.

45. Parks RJ, Fares E, Macdonald JK, et al: A procedure for creating a frailty index based on deficit accumulation in aging mice. J Gerontol A Biol Sci Med Sci 67:217 – 227, 2012.

46. Martin FC, Brighton P: Frailty: different tools for different purposes? Age Ageing 37:129 – 131, 2008.

47. Cesari M, Gambassi G, van Kan GA, et al: The frailty phenotype and the frailty index: different instruments for different purposes. Age Ageing 43:10 – 12, 2014.

48. Rockwood K, Andrew M, Mitnitski A: A comparison of two approaches to measuring frailty in elderly people. J Gerontol A Biol Sci Med Sci 62:738 – 743, 2007.

49. Jones DM, Song X, Rockwood K: Operationalizing a frailty index from standardized comprehensive geriatric assessment. J Am Geriatr Soc 52:1929 – 1933, 2004.

50. Jones D, Song X, Mitnitski A, et al: Evaluation of a frailty index based on a comprehensive geriatric assessment in a population based study of elderly Canadians. Aging Clin Exp Res 17:465 – 471, 2005.

51. Searle S, Mitnitski A, Gill TM, et al: A standard procedure for creating a frailty index. BMC Geriatr 8:24, 2008.

52. Peña FG, Theou O, Wallace L, et al: Comparison of alternate scoring of variables on the performance of the frailty index. BMC Geriatr 14:25, 2014.

53. Rockwood K, Jones D, Wang Y, et al: Failure to complete performance-based measures is associated with poor health status and an increased risk of death. Age Ageing 36:225 – 228, 2007.

54. Krishnan M, Beck S, Havelock W, et al: Predicting outcome after hip fracture: using a frailty index to integrate comprehensive geriatric assessment results. Age Ageing 43:122 – 126, 2014.

55. Evans SJ, Sayers M, Mitnitski A, et al: The risk of adverse outcomes in hospitalized older patients in relation to a frailty index based on a comprehensive geriatric assessment. Age Ageing 43:127 – 132, 2014.

56. Goldstein J, Hubbard RE, Moorhouse P, et al: The validation of a care partner-derived frailty index based upon comprehensive geriatric assessment (CP-FI-CGA) in emergency medical services and geriatric ambulatory care. Age Ageing 44:327 – 330, 2015.

57. Kenig J, Zychiewicz B, Olszewska U, et al: Screening for frailty among older patients with cancer that qualify for abdominal surgery. J Geriatr Oncol 6:52 – 59, 2015.

58. Dent E, Chapman I, Howell S, et al: Frailty and functional decline indices predict poor outcomes in hospitalised older people. Age Ageing 43:477 – 484, 2014.

59. Singh I, Gallacher J, Davis K, et al: Predictors of adverse outcomes on an acute geriatric rehabilitation ward. Age Ageing

41:242 – 246, 2012.

60. Bennett S, Song X, Mitnitski A, et al: A limit to frailty in very old, community-dwelling people: a secondary analysis of the Chinese longitudinal health and longevity study. Age Ageing 42:372 – 377, 2013.

61. Shi J, Yang Z, Song X, et al: Sex differences in the limit to deficit accumulation in late middle-aged and older Chinese people: results from the Beijing Longitudinal Study of Aging. J Gerontol A Biol Sci Med Sci 69:702 – 709, 2014.

62. Rockwood K, Song X, MacKnight C, et al: A global clinical measure of fitness and frailty in elderly people. Can Med Assoc J 31:352 – 353, 2006.

63. Mitnitski A, Song X, Skoog I, et al: Relative fitness and frailty of elderly men and women in developed countries, in relation to mortality. J Am Geriatr Soc 53:2184 – 2189, 2005.

64. Mitnitski AB, Graham JE, Mogilner AJ, et al: Frailty, fitness and late-life mortality in relation to chronological and biological age. BMC Geriatr 2:1, 2002.

65. Goggins WB, Woo J, Sham A, et al: Frailty index as a measure of biological age in a Chinese population. J Gerontol A Biol Sci Med Sci 60:1046 – 1051, 2005.

66. Kulminski A, Yashin A, Ukraintseva S, et al: Accumulation of health disorders as a systemic measure of aging: findings from the NLTCS data. Mech Ageing Dev 127:840 – 848, 2006.

67. Song X, Mitnitski A, Rockwood K: Age-related deficit accumulation and the risk of late-life dementia. Alzheimers Res Ther 6:54, 2014.

68. Mitnitski A, Fallah N, Rockwood MR, et al: Transitions in cognitive status in relation to frailty in older adults: a comparison of three frailty measures. J Nutr Health Aging 15:863 – 867, 2011.

69. Kennedy CC, Ioannidis G, Rockwood K, et al: A frailty index predicts 10-year fracture risk in adults age 25 years and older: results from the Canadian Multicentre Osteoporosis Study (CaMos). Osteoporos Int 25:2825 – 2832, 2014.

70. Li G, Ioannidis G, Pickard L, et al: Frailty index of deficit accumulation and falls: data from the Global Longitudinal Study of Osteoporosis in Women (GLOW) Hamilton cohort. BMC Musculoskelet Disord 15:185, 2014.

71. Wallace LM, Theou O, Kirkland SA, et al: Accumulation of non-traditional risk factors for coronary heart disease is associated with incident coronary heart disease hospitalization and death. PLoS One 9:e90475, 2014.

72. Flicker L: Should geriatric medicine remain a specialty? Yes. BMJ 337:a516, 2008.

CHAPTER **16**

심장혈관계통에 노화가 미치는 영향
Effects of Aging on the Cardiovascular System

Susan E. Howlett

고령은 심혈관계 질환 발병의 주요 위험인자이다. 왜 나이가 심혈관계 질환의 위험을 증가시키는 지에 대해서는 아직 논란이 있다. 단순히 고혈압, 흡연, 이상지질혈증 등의 위험인자에 노출될 수 있는 시간이 더 길었기 때문에 위험이 증가할 수도 있다. 다시 말해 노화과정 자체는 심장혈관계통에 크게 영향을 미치지 않는다는 것이다. 그러나 최근에는 노화된 심장과 혈관에서 세포와 아세포 (subcellular) 단위의 결손이 축적되어 심장혈관계통을 질병의 영향에 취약하게 만든다는 견해가 대두되고 있다. 위험인자에의 노출 증가가 노화에서의 심혈관계 질환 발병에 기여한다고 볼 수도 있지만, 사람의 심장과 혈관의 구조와 기능이 변하며 그것은 정상 노화과정의 역할에 의한 것이라는 충분한 근거가 있다. 이러한 변화는 노화 이외의 위험인자와 심혈관계 질환의 명확한 징후가 없이도 발생한다.

혈관구조의 노화에 따른 변화

건강한 사람을 대상으로 한 혈관 연구들에 따르면 혈관구조는 나이에 따라 재형성이라는 과정을 통해 변한다. 중심부에 위치한 큰탄력동맥(large elastic arteries) 들이 늘어나는 것은 맨눈으로 보아도 명백하며 혈관조영술을 통해서도 잘 볼 수 있다. 재형성에 의한 구조적 변화는 심지어 초기 성인기에도 잘 관찰되며 노화에 따라 점차 증가한다.[1-3] 노화관련 동맥 재형성은 혈관질환이 잘 발생할 수 있는 이상적 환경을 제공한다고 여겨진다는 점에서 중요하다. 정상혈압인 노인의 동맥에서 관찰되는 동맥의 구조 변화를 고혈압 환자에서는 그보다 훨씬 적은 나이에서 관찰할 수 있다.[3]

이러한 가시적인 변화들은 큰탄력동맥들의 벽 구조에서 일어나는 현미경적 변화에 의한 것이다.[1-3] 동맥의 벽은 세 개의 층, 혹은 막으로 구성되어 있다. 가장 바깥쪽 층인 외막(tunica adventitia) 은 콜라겐 섬유와 탄성 조직으로 이루어져 있다. 동맥벽의 수축하는 특성은 주로 중간막(tunica media) 조성의 차이에 의해 결정된다. 가장 안쪽 층인 내막(tunica intima)은 결합 조직층과 더 안쪽의 한 줄로 이루어진 내피세포 층으로 구성된다. 내피세포는 정상혈관기능의 조절에 중요한 역할을 하는 편평상피세포이며, 내피세포의 기능장애는 혈관질환 발생에 기여한다.[4] 각 층들의 노화에 따른 변화는 노인 혈관계 구조와 기능에 깊은 영향을 미친다.

노화에 의한 사람 혈관계 구조 변화 중 가장 뚜렷한 것 중 하나는 큰탄력동맥의 확장으로 내강 크기가 늘어난다.[2,5] 또한 큰탄력동맥의 벽은 노화에 의해 두꺼워진다. 사람에서 경동맥의 내막과 중간막의 두께의 합(intima + media, IM)을 연구한 바에 따르면, IM 두께가 90세에 이르면 세 배 증가한 것으로 나타났다.[2,5] IM 두께의 증가는 나이와 무관하게 죽상경화증의 중요한 위험인자이다.[6] 노화에 따라 동맥벽이 두꺼워지는 것은 주로 내막 두께의 증가에 의한 것이다.[1] 노화에 따라 중간막이 두꺼워지는가에 대해서는 논란이 있다. 그러나 여러 연구에서 중간막의 혈관평활근세포 수는 감소하고 남은 세포들의 크기가 커짐이 밝혀졌다.[1] 이 비대된 평활근 세포들이 정상적으로 기능하는지, 혹은 이 과정이 노화가 혈관기능에 악영향을 끼치는 방법 중 하나인지는 아직 불분명하다. 노화에 의한 혈관계의 주요 구조적 변화를 그림 16-1에 도식화하였다.

노화에 의해 내막이 두꺼워지는 것은 일부 혈관평활근세포의 침투 증가에 의한 것이다.[3] 또한 노화에 따라 내막의 콜라겐 조성도와 교차결합이 현저히 증가한다.[3,7,8] 그러나 내막의 탄력소(elastin) 양은 감소하고 탄력소는 마모되고 끊어진다.[7,8] 반복된 확장과 탄성적 복원이 노화하는 혈관에서 탄력소의 손실과 콜라겐 축적을 촉진하는 것으로 주장된 바 있다.[8] 콜라겐과 탄력소 함량의 이러한

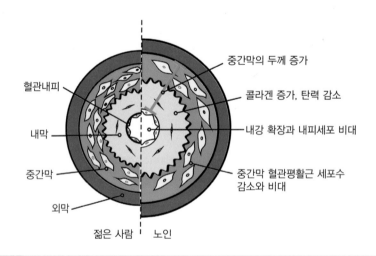

■ **그림 16-1. 노화에 따른 중심 탄력동맥의 재형성.** 동맥벽의 각 층을 표시하였다. 노화과정은 중심 탄력동맥에 눈에 띄는 변화를 일으킨다. 내강 지름이 나이에 따라 증가한다. 내막과 중간막(IM)의 두께의 합도 증가하는데, 이는 주로 내막의 두께가 증가하기 때문이다. 콜라겐 축적 증가와 탄력소 감소는 노화동맥에서 내막 재형성의 주요 원인이다. 중간막 혈관평활근세포 수는 감소하고 남은 세포는 비대해진다. 내피세포 비대도 노화동맥에서 일어난다.

변화는 노화혈관의 확장성 혹은 경직도에 중요한 영향을 미칠 것으로 생각되며, 이후 자세히 서술될 것이다. ("노화동맥에서의 동맥 경직" 참고)

노화에 따른 내막의 결합조직의 변화에 더하여, 사람의 동맥을 대상으로 한 연구에서 노화과정이 내피세포의 구조 자체를 변화시키는 것으로 드러났다. 내피세포는 나이가 들수록 그 크기가 증가, 즉 비대해진다. 또한 내피세포의 모양이 불규칙적으로 변한다.[3] 내피세포의 투과성은 나이에 따라 증가하며 혈관 평활근세포가 내피세포 아래 공간을 침범하기도 한다. 내피세포에서 분비되는 물질들이 나이에 따라 변한다는 상당한 증거도 있다.[9,3] 다음 장에서는 이러한 변화가 어떻게 혈관 기능 장애에 영향을 미치는 지에 대해 보다 자세히 알아보도록 하겠다.

노화에서 내피의 기능

한때 거의 기능이 없는 혈관의 구조로 생각되었던 혈관 내피는 혈류 유지와 조절에 관여하는 활발한 대사를 하는 조직임이 알려져 있다. 젊은 성인에서 혈관 내피는 화학적, 물리적 자극에 반응하여 여러 조절물질을 합성하고 분비한다. 예를 들어 내피세포는 일산화질소, 프로스타사이클린, 엔도텔린(endothelin), 인터류킨, 내피성장인자(endothelial growth factor), 부착분자(adhesion molecule), 플라스미노겐 억제자 ,von Willebrand 인자 등을 분비한다.[4-10] 이 물질들은 혈관의 긴장도, 혈관형성, 혈전형성과 혈전용해 등 중요한 기능들을 조절하는 데에 연관되어 있다. 노화과정이 혈관 내피의 이러한 정상적인 기능을 방해한다는 증거들이 점차 늘고 있다.[2,3]

내피기능부전은 주로 내피의존-이완의 장애를 통해 측정한다. 내피의존-이완은 혈류 증가(전단응력, shear stress)와 같은 물리적 자극과 화학적 자극(아세틸콜린,브라디키닌, ATP 등)에 의해 분비되는 일산화질소(NO)에 의해 조절된다.[4] 일산화질소가 내피세포에서 분비되면, 평활근 세포 내 cGMP의 증가로 인해 혈관 평활근이 이완된다. 증가된 cGMP는 수축섬유인 액틴과 미오신의 상호작용을 막는다.[11] 노화동맥에서 혈관경직도가 증가하는 것은 혈관 내피에서 일산화질소 생산이 감소되는 것으로 일부 설명될 수 있다.[9] 이로 인해 나이가 들면서 혈관 이완에 장애가 생기게 된다.

일산화질소 활성이 노화에서 감소하는 기전에 대해서는 아직 논란이 있다. 일산화질소는 내피세포 구성효소인 내피세포 산화질소 합성효소(eNOS 혹은 NOS III)에 의해 합성된다. 노화에서의 eNOS 감소가 알려졌으며, 이는 노화 혈관에서 감소된 일산화질소 활성을 설명할 수 있다.[2,3] 다른 연구들은 노화 내피세포에서의 산소 유리라디칼의 형성과 같은 인자들이 일산화질소 형성을 저해할 수 있다고 주장한다.[3] 노화 혈관계에서 내피기능부전 발생 기전을 완전히 이해하기 위해서는 더 많은 연구가 필요할 것이다.

내피기능부전이 나이와는 별개로 심혈관계 질환의 중요한 원인이라는 증거가 있다.[2,11] 따라서 노화와 연관된 내피기능부전은 노인에서 심혈관계 질환의 위험을 높이는 데에 큰 기여를 할 가능성이 있다.

노화동맥에서의 동맥 경직

중심 큰탄력동맥들의 노화 관련 재형성은 심장혈관계통의 기능에 큰 영향을 준다. 노화동맥에서 가장 잘 알려진 기능적 변화들 중 하나는 노화동맥의 순응도 혹은 팽창도의 감소이다.[2,12] 혈류 부하 변화에 대한 동맥의 저항을 경직도라고 한다. 노화에 따른 동맥 경직도의 증가는 대동맥과 그 주요 분지들이 혈압 변화에 맞춰 팽창, 수축하는 능력을 저하시킨다. 이러한 혈류 편향(deflection) 부족은 노인의 큰 동맥에서 맥박파가 전파되는 속도를 증가시킨다.[12-14] 노화에서 맥박파전파속도의 증가는 향후 심혈관계 질환 발생의 중요한 위험인자이다.[12-14]

　동맥벽의 구조적 변화는 노화 심장의 중심 탄력동맥에서 관찰되는 동맥의 경직도 증가와 연관되어 있다. 노화동맥에서 일어나는 콜라겐 양의 증가와 콜라겐 교차결합의 증가는 동맥 경직도를 증가시키는 것으로 알려져 있다.[3,8,15] 탄력소 양 감소, 탄력소 파편화, 탄력소 분해효소 작용 증가 등 다른 요인들 또한 노화동맥의 경직도를 증가시키는 것으로 생각된다.[3,15] 내피세포에 의한 혈관평활근 긴장도 조절의 변화, 동맥벽과 혈관 기능의 다른 방면에서의 변화 또한 노화에 따른 동맥 경직도의 증가에 기여한다.[8,15]

　동맥 경직도는 노인에서 보고된 혈압 변화 중 일부를 유발하는 것으로 생각된다.[15,16] 젊은 성인에서는 그림 16-2, A처럼 중심 탄력동맥에서 반동은 일회심박출량 일부는 수축기에, 일부는 이완기에 전달될 수 있게 한다. 그러나 노화에 따라 큰 동맥벽의 경직도가 증가하면 노화에서 특징적으로 관찰되는 수축기압의 증가와 이완기압의 감소로 나타난다.[14-16] 이렇게 경직된 중심 동맥들은 노화에서 맥압 증가를 유발한다.[14-16] 이는 중심 탄력동맥의 탄력적 반동이 경직도의 증가에 의해 사라지기 때문이다. 즉 혈류는 수축기에만 전달되며, 수축기혈압은 올라간다.[15,16] 혈류가 수축기에 전달되면서 탄력적 반동이 이완기에 일어나지 않으므로 이완기압은 그림 16-2, B에서 보이는 것처럼 노화에 따라 감소한다. 이러한 이완기압의 변화를 동반하지 않거나 이완기압의 감소를 동반하는 수축기압의 증가는 노인에서 가장 흔한 형태의 고혈압인 단독수축기고혈압을 유발한다.[17] 많은 연구들이 수축기고혈압이 심혈관계 질환의 위험을 높임을 밝혔다.[18] 따라서 노화에 따른 큰탄력동맥의 경직도 변화는 노화에서 관찰되는 많은 혈압 변화를 설명할 수 있을 뿐 아니라, 노인에서 심혈관계 질환 위험을 증가시킨다. 중심 동맥 경직도의 증가는 심장에 걸리는 부하를 늘리고 관상동맥 혈류를 감소시켜 다음 장에서 논의할 심장의 노화관련 변화에도 영향을 미치는 것으로 생각된다.

　혈관의 노화관련 변화는 각 혈관의 종류에 따라 다르게 나타날 수 있다. 동맥 경직도 증가에 기

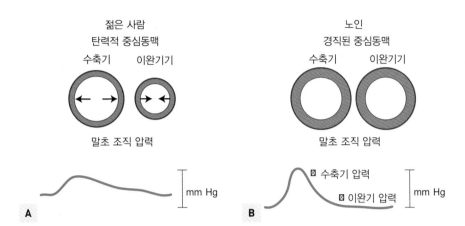

■ **그림 16-2.** 노화관련 중심동맥 경직도 증가는 말초 혈압에 중요한 영향을 미친다. **(A)** 젊은 사람에서는 탄력적 중심동맥이 각 심장수축 때마다 확장되고, 이는 심박출량의 일부가 수축기 때 말초 조직으로 전달되고 나머지는 이완기 때 전달되게 한다. **(B)** 노인에서는 경직된 중심동맥이 심장이 수축할 때마다 확장되지 못해 심박출량이 수축기 때만 전달된다. 이는 노인에서 수축기 혈압증가와 이완기 혈압감소로 나타난다. (*Adapted fromIzzo JL Jr: Arterial stiffness and the systolic hypertension syndrome.CurrOpinCardiol 19:341-352, 2004.*)

여하는 구조적 변화는 위팔동맥과 같은 작은 근육형동맥에서보다 목동맥과 같은 큰탄력동맥에서 더 저명하다.[8] 그러나 노화에 따른 중심 동맥들의 점차적 경직은 미세혈관계에서의 강한 박동으로 이어지고 결국 뇌와 신장 등의 주요 장기에 손상을 초래할 수 있다.[13] 중심 탄력동맥 외의 혈관에서도 노화에 따른 혈관 반응성의 변화가 나타남이 밝혀졌다. 예를 들어 α1 아드레날린수용체를 자극하는 약물에 대한 소동맥의 반응은 노화에 따라 감소한다.[19] 엔도텔린이나 앤지오텐신 수용체 자극제에 대한 혈관 반응성 또한 충분히 연구된 바 없고, 사람에서 변화의 증거는 없으나 나이에 따라 감소할 수 있다.[19] 몇몇 연구가 정맥의 혈관반응성에 미치는 노화의 영향에 대해 탐구한 바 있으나, 대부분의 연구들에서 여러 약물에 대한 정맥의 반응에 노화가 별 영향을 미치지 않음이 밝혀졌다.[19] 노화에 따른 혈관반응성의 변화가 중요한 연구 소재로 대두되고 있다. 이러한 변화는 사람의 혈관을 표적으로 하는 약물에 대한 노화혈관의 반응성 연구에 영향을 줄 것이다. 표 16-1에 혈관계의 노화와 관련된 주요 변화와 이에 따른 임상적 결과를 요약해두었다.

노화과정이 심장 구조에 미치는 영향

노화과정은 거시적, 미시적 수준에서 심장 구조에 영향을 미친다. 거시적 수준에서, 노화가 진행되면 심외막 바깥면에 축적되는 지방량이 현저히 증가한다.[20] 심장 부분부분에 칼슘이 축적되는 석회화도 흔히 관찰된다.[5] 각 심방/심실의 육안적 구조 형태도 나이에 따라 변화한다. 심방의 크기는

표 16-1. 나이에 따른 혈관변화

나이에 따른 혈관 변화	임상적 결과
내막두께 증가	동맥경화증 촉진
콜라겐 증가, 탄력소 감소, 혈관 경직성 증가	수축기 고혈압
내피세포 기능부전	혈관질환 위험성 증가

나이 의존적으로 증가한다.[21] 또한 심방은 늘어지며 용적도 나이에 따라 증가한다.[21] 몇 연구들에서 좌심실의 질량이 증가한다고 보고하였으나, 최근에 이루어진 연구에 따르면 좌심실 질량이 여성에서는 변화가 없고 남성에서는 기저 심질환자를 제외하면 오히려 노화에 따라 감소하는 것으로 밝혀졌다.[2,5] 좌심실벽 두께는 나이에 따라 증가하고 좌심실용적은 수축기, 이완기 모두에서 감소한다는 데에 있어서는 전반적으로 이견이 없다.[5]

심장구조의 노화관련 변화는 거시적 수준에서 뿐 아니라 심근세포로 알려진 각 심장 세포 수준에서도 명백하다. 60세부터 심장의 정상적인 박동조율기인 동방결절의 특수 박동조율기 세포의 수가 현저히 줄어든다.[5,22] 심실 근육세포의 총 수도 줄어들며 이는 남자보다 여자에서 더 뚜렷하다.[20] 세포 소실은 세포 자멸사와 괴사에 의해 이루어지는 것으로 생각되는데 자가포식도 연관되어 있을 수 있다.[23-25] 노화심장에서 심근세포의 소실은 남은 세포의 비대로 이어지고 이는 여성보다 남성에서 더 두드러진다.[20] 흥미롭게도 이는 이전에 살펴본 남자에서는 좌심실 질량이 줄어들고 여성에서는 줄어들지 않는 것과 연결된다.[2,5] 심근세포의 비후는 적어도 부분적으로는 노화심장에서 줄어드는 수축세포를 보상할 수 있다. 그러나 운동에 의한 심장의 비후와는 달리 노화심장에서 세포 비후는 근육세포 소실에 따른 것이며, 이는 남은 세포에 걸리는 물리적 부하를 늘린다.[26] 흥미롭게도 최근의 동물실험에서 심근세포의 비후가 실제 나이보다도(노쇠로 알려진) 생물학적 나이를 더 정확히 반영할 수 있음이 알려졌다.[27] 추가적인 연구가 필요하지만, 이 결과는 노화 연관 심장의 재형성이 실제 나이보다 노쇠에 더 밀접하게 연관되어 있음을 시사한다.

심근세포 뿐 아니라, 심장은 콜라겐과 탄력소 등의 연결조직을 형성하는 세포인 섬유모세포를 많이 가지고 있다. 콜라겐은 심장세포들을 서로 붙여주는 섬유단백질이고 탄력소는 신체 조직들의 탄력성을 담당하는 결합조직단백이다. 근육세포의 수가 노화에 따라 점차 감소하기 때문에, 섬유모세포의 수는 상대적으로 증가하게 된다.[28] 콜라겐 양은 나이에 따라 증가하며 가까운 콜라겐 섬유들 사이의 교차결합 또한 증가한다.[5,28,29] 콜라겐 증가는 심방과 심실에서 세포사이질 섬유화를 초래한다.[5,28,29] 탄력소 구조에도 변화가 있으며 이 변화는 노화 심장에서 탄력반동을 감소시킨다.[30] 근육세포 감소와 함께 이러한 결합조직의 구조적 변화는 심근 경직도를 증가시키고 심실 유순도를 감소시키며 결국 수동적 좌심실충만을 저해한다.[28] 이러한 노화와 노쇠 관련 세포 결함들이 더해져 기관과 기관계 수준의 기능에 영향을 미친다는 발상이 최근 대두되었다.[31] 이러한 세포적 변화들이 심근기능에 미치는 영향을 이후 더 자세히 알아보도록 하겠다.

휴식상태의 노화심장에서의 심근기능

위에 서술한 심장의 변화는 비적응적이며 노인에서 수축기와 특히 이완기 기능에 이상을 일으킨다. 기능 이상은 운동할 때 가장 잘 나타나지만 몇몇 변화들은 휴식기에도 뚜렷하게 관찰된다. 누운 채 휴식할 때 심박수는 젊은 대상자와 나이든 대상자에서 비슷하다. 그러나 누운 상태에서 앉은 자세로 바꾸면 나이든 대상자에서 심박수가 젊은 대상자에 비해 덜 증가한다.[21] 이러한 자세 변화에 따라 심박수를 늘리는 능력의 쇠퇴는 이후 논의될 교감신경계에 대한 반응의 노화 연관 감소와 관련되어 있을 수 있다(노화심장의 운동에 대한 반응 참고). 이에 비해 심장의 수축 기능을 평가하는 지표인 좌심실수축력은 수축기 시 노인에서 잘 보존되어 있다.[2,5,21] 휴식상태에서 심장 수축력의 다른 지표들도 노화에 따른 변화가 없다. 각 박동마다 심실에서 박출되는 혈액의 양인 일회 심박출량은 젊은 성인에 비해 노인에서 비슷하거나 다소 증가한다.[21] 이와 비슷하게, 일회 심박출량과 이완기말 좌심실 내 혈액량의 비(ratio)인 좌심실박출율(구혈률)은 노화에서 변화하지 않는다.[2,5,21] 따라서 수축기 기능은 휴식기의 건강한 노인에서 비교적 잘 보존된다.

수축기 기능과는 달리 이완기 기능은 휴식기 노인의 심장에서 크게 변화한다. 초기 이완기 심실 충만율이 20세에서 80세가 되면서 50%까지 감소한다.[2,21] 노화에서 좌심실충만율 감소는 여러 기전이 얽혀있다. 좌심실의 노화 관련 구조적 변화가 초기 이완기 충만을 저해한다는 근거가 있다. 특히 콜라겐의 증가와 탄력소에 변화가 합쳐져 좌심실의 경직도를 증가시킨다.[32] 이렇게 증가한 심실의 경직도는 심실의 유순도를 감소시키고 수동적 충만을 저해한다.[32] 다른 기전은 심근세포 수준의 변화를 수반한다. 노화 심장 근육세포에서는 세포 내 칼슘의 세포 안쪽 저장 공간으로의 이동이 저해되어 있다.[33] 결과적으로 이전 수축으로부터 남아있던 칼슘이 수축섬유들의 지속적 활성을 일으키고 노화심장에서 심근세포의 이완을 늦출 수 있다.[32,33] 이완기 장애는 일부분 혈관계의 노화에 따른 변화에 대한 적응이라 주장되기도 했다. 혈관경직도의 증가는 물리적 부하 증가를 일으키고 이에 따라 수축시간이 늘어난다는 것이다.[2]

대동맥의 노화연관 경직도 증가는 심장에 또 다른 영향을 미친다. 대동맥의 경직은 심장이 이겨야 하는 부하인 후부하를 증가시키며, 이는 노화 심장에서 관찰되는 좌심실벽두께 증가를 조장하는 것으로 생각된다.[2,5] 이러한 적응적 변화가 더해져서 이완기 기능을 희생시켜 수축기 기능을 보존할 수 있다. 이렇게 노화와 연관되어 이완기 이완이 느려지면 노인에서 흔한 좌심실수축기능 보존 심부전(heart failure with preserved ejection fraction, HFpEF)의 위험이 증가한다.[32-34]

젊은 성인의 심장에서 좌심실충만은 주로 심실 이완에 의해 조기에 매우 빠르게 일어나며, 충만의 아주 적은 양만이 이완기 후기에 심방 수축에 의해 이루어진다.[2,21] 이에 비해 노화심장에서는 좌심실충만이 저해된다. 이런 이완기 충만압 증가는 좌심방을 늘어나게 하고, 노화심장에서 심방비후를 일으킨다.[2] 노화심장에서 관찰되는 강한 심방수축이 후기 이완기 충만을 촉진하고 초기 이완기에서의 부족했던 충만을 보상한다.[2,21] 노인에서 심방이 이렇게 심실 충만에 크게 기여하기 때문에 심방세동에서와 같이 심방수축이 소실되면 이완기 용적의 현저한 감소가 일어나며 노화심장을 이완기 심부전에 노출시킬 수 있다.[2] 심방의 확장과 섬유화는 노화심장에서 심방세동과 다른 부정맥의 발생을 촉진할 수 있다.[2,21,22] 이완기 장애에 대한 이러한 증거들에도 불구하고 좌심실 이완기말압은 휴식기의 건강한 노인에서 나이에 따라 감소하지 않는다. 노화는 오히려 좌심실 이완기말압을 약간 상승시키며, 이는 특히 남성 노인에서 두드러진다.[21] 따라서 노화에서 이완기의 충만 패턴에 변화가 있기는 하지만 이는 휴식기 노인에서 이완기말압에 눈에 띄는 변화는 초래하지 않는다.

노화심장의 운동에 대한 반응

휴식기 노인에서는 여러 심혈관계 기능이 잘 보존되었지만 노화는 운동 시의 심혈관계 기능에 중요한 영향을 미친다. 심혈관계 질환의 증거가 없는 사람에서 노화에 따라 산소용량이 감소하는 것은 부분적으로는 체지방의 증가, 근육량의 감소, 노화에 따른 산소 추출의 감소 등 말초요인에 기인한다.[35,36] 그러나 심혈관계통의 노화관련 변화가 노인에서 운동능력을 떨어뜨린다는 강력한 근거가 있다. 여러 연구에서 운동 시 사용하는 최대 산소량인 VO_{2max}가 초기 성인기부터 점차 나이에 따라 감소함을 밝혔다.[2,35,36] 아래 서술된 최대심박수, 심박출량, 일회심박출량의 노화 관련 변화는 운동 중 근육에 전달되는 혈액의 양에 영향을 끼치며 노화에서의 VO_{2max} 감소에 기여한다.

운동 중 최대 심박수는 사람에서 나이에 따라 점차 감소하는데, 이는 운동 기관들에서 널리 퍼뜨린 유인물 등을 통해 잘 알려진 사실이다.[2,37] 노화에서 운동 중 최대 심박수가 감소하는 데에는 여러 기전이 얽혀 있다. 한 기전은 노화 심근층의 교감신경 자극에 대한 민감도가 감소하는 것과 관련이 있다. 정상적으로 교감신경계는 운동 중에 활성화되어 카테콜아민(노르아드레날린과 아드레날린)을 분비하여 심장의 β 아드레날린 수용체에 작용한다. 이 β 아드레날린 자극은 심박수를 올리고 심장의 수축력을 상승시킨다. 그러나 노화가 진행되면 β 아드레날린 자극에 대한 심장의 반응이 감소한다는 것은 잘 알려진 사실이다.[21,37] 이는 노인에서 노르아드레날린 혈중 농도가 높기 때문으로 생각된다.[37] 이러한 높은 농도의 카테콜아민은 노르아드레날린 혈장 청소율의 감소와 심장을 포함한 여러 기관계에서 순환계로의 카테콜아민 넘침 현상(spillover)에 의한 것이다.[2,37] 고농도 카테콜아민에 대한 만성적 노출은 노화 심장에서 β 아드레날린 수용체 신호전달요소들을 탈감작시키며 운동 중 심박수 상승을 제한하는 것으로 생각된다.[21,37] 이러한 노화 관련 변화들은 운동 중 교

표 16-2. 노화 관련 심장 변화

나이에 따른 심장의 변화	임상 결과
콜라겐 증가, 엘라스틴 변화, 좌심실 벽 두께 증가	수동적 좌심실충만 저해
좌심실경직도 증가, 세포내 칼슘 이동 장애	이완기 장애 촉진, 좌심실수축기능 보존 심부전 선행요인
좌심방 섬유화와 비후	심방 부정맥 가능성 증가
β 아드레날린 수용체 자극 감수성 증가	운동 시 심박수 증가와 심장 수축 장애

감신경에 대한 심장의 반응을 저해하는 것으로 생각된다.

운동 중 최대 심박수의 감소는 운동에 대한 노화 심혈관계의 반응에 큰 영향이 있다. 심박수와 일회 심박출량은 둘 다 심박출량의 중요한 결정인자이다. 따라서 운동 중의 낮은 최대 심박수는 노인에서의 운동 중 심박출량에 영향을 미칠 것으로 예상할 수 있다. 이에 대한 연구가 아직 충분히 이루어지지는 않았지만 운동 중 심박출량이 젊은 사람에서보다 노인에서 적다는 근거가 있다.[2] 이러한 운동 중의 적은 심박출량은 노화에 의한 일회 심박출량의 변화에 기인하는 것이 아니다.[2] 그러나 β 아드레날린 수용체 자극에 대한 반응 감소는 노인에서 운동에 대한 반응으로 인한 심근 수축력의 증가를 제한할 수 있다.[2,37] 이러한 노화에서의 심혈관계 기능 변화는 운동 시 노인에서 좌심실 이완기말용적의 증가를 통해 완화되는 것으로 생각된다.[2] 이는 이완기말 심실 내 혈액량을 증가시키고 프랑크–스탈링 기전으로 알려진 특성인 심장에 걸리는 신장력을 증가시킨다. 따라서 프랑크–스탈링 기전에의 의존도 증가가 적어도 부분적으로는 노화에서 운동 시 심박수와 수축력의 감소를 보상할 수 있을 것이다.[2]

심혈관계 기능저하와 심혈관계 질환의 증가된 취약성은 노화의 피할 수 없는 결과이지만, 규칙적인 운동이 노화심혈관계에 수많은 이로운 영향을 미친다는 증거가 있다. 지구력운동은 노화과정의 결과로 일어나는 VO_{2max}의 감소를 둔화시킨다.[35] 또한 심박출량의 노화 관련 저하는 규칙적인 유산소운동을 통해 어느 정도 극복할 수 있다.[35] 다만, 지구력운동은 노화에 따른 운동 시 최대심박수의 저하를 막아주지는 못한다.[35] 그 원인으로는 운동은 혈중 카테콜아민을 증가시키는데, 이는 이전에 서술된 바와 같이 노인의 최대 심박수를 낮추는 데에 관여하기 때문일 수 있다.[2,35] 또한 규칙적인 지구력운동은 운동량이 부족한 노인의 중심 탄력동맥에서 관찰되는 동맥 경직도의 증가를 늦추며, 심장을 노화 연관 섬유화와 세포 자멸사로부터 보호한다.[38-40] 마지막으로 규칙적인 유산소운동은 심근경색과 같은 심혈관질환의 해로운 영향으로부터 노화심장을 보호한다.[41] 따라서 운동은 노화의 심혈관계에 대한 해악을 적어도 일부 완화할 수 있다는 근거가 있다. 심장의 노화관련 주요 변화와 이러한 변화에 따른 임상적 영향을 표 16–2에 요약하였다.

요약

노인의 혈관계와 심근의 구조와 기능은 젊은 사람과는 눈에 띄게 차이가 있다. 이러한 변화들은 노화 이외의 위험인자가 없음에도 명백하며 명확한 심혈관계 질환이 없음에도 마찬가지이다. 그러나 혈관계와 심장의 노화연관 재형성(remodeling)은 심혈관계통을 심혈관계 질환의 악영향에 더 취약하게 만들 수 있다.

요점: 심장혈관계통에 노화가 미치는 영향 KEY POINTS

- 심장과 혈관계의 구조와 기능은 정상적인 노화과정에 의해 변한다.
- 중심 탄력동맥 경직도의 노화 관련 증가는 노인에서 수축기 고혈압을 유발한다.
- 노화심장에서의 이완기 기능장애는 좌심실충만의 저하, 후부하 증가, 세포내 칼슘의 가용시간 증가에 의한 것이며 좌심실수축기능 보존 심부전을 유발할 수 있다.
- β 아드레날린 수용체 자극에 대한 반응 감소는 노인에서 운동에 의한 심박과 수축력 증가를 제한한다.
- 노화심혈관계의 운동에 대한 반응 능력은 제한되나, 규칙적인 운동은 노화가 심장과 혈관계에 미치는 악영향을 늦추고 심혈관계 질환 발생에 대한 보호효과가 있다.

참고문헌의 총 목록을 보려면 www.expertconsult.com 을 방문해주세요.

중요 참고문헌

1. Collins JA, Munoz JV, Patel TR, et al: The anatomy of the ageing aorta. Clin Anat 27:463–466, 2014.

2. Fleg JL, Strait J: Age-associated changes in cardiovascular structure and function: a fertile milieu for future disease. Heart Fail Rev 17:545–554, 2012.

3. Lakatta EG, Wang M, Najjar SS: Arterial ageing and subclinical arterial disease are fundamentally intertwined at macroscopic and molecular levels. Med Clin North Am 93:583–604, 2009.

5. Strait JB, Lakatta EG: Ageing-associated cardiovascular changes and their relationship to heart failure. Heart Fail Clin 8:143–164, 2012.

8. Najjar SS, Scuteri A, Lakatta EG: Arterial ageing: is it an immutable cardiovascular risk factor? Hypertension 46:454–462, 2005.

12. Sethi S, Rivera O, Oliveros R, et al: Aortic stiffness: pathophysiology, clinical implications, and approach to treatment. Integr Blood Press Control 7:29–34, 2014.

14. Lee HY, Oh BH: Ageing and arterial stiffness. Circ J 74:2257-2262, 2010.

15. Lim MA, Townsend RR: Arterial compliance in the elderly: its effect on blood pressure measurement and cardiovascular outcomes. Clin Geriatr Med 25:191-205, 2009.

16. Izzo JL, Jr: Arterial stiffness and the systolic hypertension syndrome. Curr Opin Cardiol 19:341-352, 2004.

21. Lakatta EG, Levy D: Arterial and cardiac ageing: major shareholders in cardiovascular disease enterprises: part II: the ageing heart in health: links to heart disease. Circulation 107:346-354, 2003.

27. Parks RJ, Fares E, Macdonald JK, et al: A procedure for creating a frailty index based on deficit accumulation in ageing mice. J Gerontol A Biol Sci Med Sci 67:217-227, 2012.

28. Chen W, Frangogiannis NG: The role of inflammatory and fibrogenic pathways in heart failure associated with ageing. Heart Fail Rev 15:415-422, 2010.

29. Dun W, Boyden PA: Aged atria: electrical remodeling conducive to atrial fibrillation. J Interv Card Electrophysiol 25:9-18, 2009.

31. Howlett SE, Rockwood K: New horizons in frailty: ageing and the deficit-scaling problem. Age Ageing 42:416-423, 2013.

32. Loffredo FS, Nikolova AP, Pancoast JR, et al: Heart failure with preserved ejection fraction: molecular pathways of the aging myocardium. Circ Res 115:97-107, 2014.

33. Feridooni HA, Dibb KM, Howlett SE: How cardiomyocyte excitation, calcium release and contraction become altered with age. J Mol Cell Cardiol 83:62-72, 2015.

34. Kaila K, Haykowsky MJ, Thompson RB, et al: Heart failure with preserved ejection fraction in the elderly: scope of the problem. Heart Fail Rev 17:555-562, 2012.

35. Goldspink DF: Ageing and activity: their effects on the functional reserve capacities of the heart and vascular smooth and skeletal muscles. Ergonomics 48:1334-1351, 2005.

36. Tanaka H, Seals DR: Endurance exercise performance in Masters athletes: age-associated changes and underlying physiological mechanisms. J Physiol 586:55-63, 2008.

37. Ferrara N, Komici K, Corbi G, et al: β-Adrenergic receptor responsiveness in aging heart and clinical implications. Front Physiol 4:396, 2014.

참고문헌

1. Collins JA, Munoz JV, Patel TR, et al: The anatomy of the ageing aorta. Clin Anat 27:463-466, 2014.

2. Fleg JL, Strait J: Age-associated changes in cardiovascular structure and function: a fertile milieu for future disease. Heart Fail Rev 17:545-554, 2012.

3. Lakatta EG, Wang M, Najjar SS: Arterial ageing and subclinical arterial disease are fundamentally intertwined at macroscopic and molecular levels. Med Clin North Am 93:583-604, 2009.

4. Sandow SL, Senadheera S, Grayson TH, et al: Calcium and endothelium-mediated vasodilator signaling. Adv Exp Med Biol 740:811-831, 2012.

5. Strait JB, Lakatta EG: Ageing-associated cardiovascular changes and their relationship to heart failure. Heart Fail Clin 8:143-164, 2012.

6. Bauer M, Caviezel S, Teynor A, et al: Carotid intima-media thickness as a biomarker of subclinical atherosclerosis. Swiss Med Wkly 142:w13705, 2012.

7. Greenwald SE: Ageing of the conduit arteries. J Pathol 211:157-172, 2007.

8. Najjar SS, Scuteri A, Lakatta EG: Arterial aging: is it an immutable cardiovascular risk factor? Hypertension 46:454-462, 2005.

9. Thorin E, Thorin-Trescases N: Vascular endothelial ageing, heartbeat after heartbeat. Cardiovasc Res 84:24-32, 2009.

10. Sader MA, Celermajer DS: Endothelial function, vascular reactivity and gender differences in the cardiovascular system. Cardiovasc Res 53:597-604, 2002.

11. Kang KT: Endothelium-derived relaxing factors of small resistance arteries in hypertension. Toxicol Res 30:141-148, 2014.

12. Sethi S, Rivera O, Oliveros R, et al: Aortic stiffness: pathophysiology, clinical implications, and approach to treatment. Integr Blood Press Control 7:29-34, 2014.

13. O'Rourke MF, Adji A, Namasivayam M, et al: Arterial aging: a review of the pathophysiology and potential for pharmacological intervention. Drugs Ageing 28:779-795, 2011.

14. Lee HY, Oh BH: Aging and arterial stiffness. Circ J 74:2257-2262, 2010.

15. Lim MA, Townsend RR: Arterial compliance in the elderly: its effect on blood pressure measurement and cardiovascular outcomes. Clin Geriatr Med 25:191-205, 2009.

16. Izzo JL Jr: Arterial stiffness and the systolic hypertension syndrome. Curr Opin Cardiol 19:341-352, 2004.

17. Duprez DA: Systolic hypertension in the elderly: addressing an unmet need. Am J Med 121:179-184, 2008.

18. Little MO: Hypertension: how does management change with aging? Med Clin North Am 95:525-537, 2011.

19. Moore A, Mangoni AA, Lyons D, et al: The cardiovascular system. Br J Clin Pharmacol 56:254-260, 2003.

20. Olivetti G, Giordano G, Corradi D, et al: Gender differences and aging: effects on the human heart. J Am Coll Cardiol 26:1068-1079, 1995.

21. Lakatta EG, Levy D: Arterial and cardiac ageing: major shareholders in cardiovascular disease enterprises: Part II: the ageing heart in health: links to heart disease. Circulation 107:346-354, 2003.

22. Mirza M, Strunets A, Shen WK, et al: Mechanisms of arrhythmias and conduction disorders in older adults. Clin Geriatr Med 28:555-573, 2012.

23. Dai DF, Chen T, Johnson SC, et al: Cardiac aging: from molecular mechanisms to significance in human health and disease. Antioxid Redox Signal 16:1492-1526, 2012.

24. Sheydina A, Riordon DR, Boheler KR: Molecular mechanisms of cardiomyocyte ageing. Clin Sci (Lond) 121:315-329, 2011.

25. Marzetti E, Csiszar A, Dutta D: Role of mitochondrial dysfunction and altered autophagy in cardiovascular aging and disease: from mechanisms to therapeutics. Am J Physiol Heart Circ Physiol 305:H459-H476, 2013.

26. Bernhard D, Laufer G: The aging cardiomyocyte: a mini-review. Gerontology 54:24-31, 2008.

27. Parks RJ, Fares E, Macdonald JK, et al: A procedure for creating a frailty index based on deficit accumulation in aging mice. J Gerontol A Biol Sci Med Sci 67:217-227, 2012.

28. Chen W, Frangogiannis NG: The role of inflammatory and fibrogenic pathways in heart failure associated with ageng. Heart Fail Rev 15:415-422, 2010.

29. Dun W, Boyden PA: Aged atria: electrical remodeling conducive to atrial fibrillation. J Interv Card Electrophysiol 25:9-18, 2009.

30. Roffe C: Aging of the heart. Br J Biomed Sci 55:136-148, 1998.

31. Howlett SE, Rockwood K: New horizons in frailty: ageing and the deficit-scaling problem. Age Ageing 42:416-423, 2013.

32. Loffredo FS, Nikolova AP, Pancoast JR, et al: Heart failure with preserved ejection fraction: molecular pathways of the aging myocardium. Circ Res 115:97-107, 2014.

33. Feridooni HA, Dibb KM, Howlett SE: How cardiomyocyte excitation, calcium release and contraction become altered with age. J Mol Cell Cardiol 83:62-72, 2015.

34. Kaila K, Haykowsky MJ, Thompson RB, et al: Heart failure with preserved ejection fraction in the elderly: scope of the problem. Heart Fail Rev 17:555-562, 2012.

35. Goldspink DF: Ageing and activity: their effects on the functional reserve capacities of the heart and vascular smooth and skeletal muscles. Ergonomics 48:1334-1351, 2005.

36. Tanaka H, Seals DR: Endurance exercise performance in Masters athletes: age-associated changes and underlying physiological mechanisms. J Physiol 586:55-63, 2008.

37. Ferrara N, Komici K, Corbi G, et al: β-Adrenergic receptor responsiveness in aging heart and clinical implications. Front Physiol 4:396, 2014.

38. Seals DR, Moreau KL, Gates PE, et al: Modulatory influences on ageing of the vasculature in healthy humans. Exp Gerontol 41:501–507, 2006.

39. Kwak HB: Effects of aging and exercise training on apoptosis in the heart. J Exerc Rehabil 9:212–219, 2013.

40. Kwak HB: Aging, exercise, and extracellular matrix in the heart. J Exerc Rehabil 9:338–347, 2013.

41. Powers SK, Quindry J, Hamilton K: Aging, exercise, and cardioprotection. Ann N Y Acad Sci 1019:462–470, 2004.

CHAPTER **17**

노화에 따른 호흡계통변화
Age-Related Changes in the Respiratory System

Gwyneth A. Davies, Charlotte E. Bolton

호흡기능검사

이번 장에서는 흔히 이용하는 호흡기능검사법과 자주 보는 폐기능 이상 패턴을 소개한다. 호흡 변수들은 다음과 같다.

- 1초 간의 강제날숨량(forced expiratory volume) (L) (FEV1). 폐활량(최대들숨) 상태에서 강제날숨조작 시 첫 1초 동안 호기 공기량. 폐활량측정법으로 측정한다.
- 강제폐활량(forced vital capacity) (L) (FVC). 최대들숨 마지막에서부터 강제날숨 동안의 호기공기 총량. 지연폐활량(slow vital capacity, SVC)는 비강제조작(unforced maneuver) 동안의 날숨 공기량이다. 젊은 사람들은 이 두 가지가 같지만, 탄력 반동이 소실되는 폐기종인 경우, FVC가 SVC에 비해 불균형적으로 보다 많이 떨어진다. 이들도 폐활량측정법으로 측정한다.
- 최고호기유속(peak expiratory flow rate, PERF) (L/min). 휴대가 쉬운 최고흐름측정기를 이용하여 측정한 최대호기유속. 따라서, 환자가 집에서 연속적으로 측정할 수 있다.

다음 지표들은 보다 정밀한 폐 생리 검사가 필요하다.

- 총폐용량(total lung capacity, TLC) (L). 최대들숨 마지막에 폐 안에 있는 공기량. 헬륨 확산법 혹은 체적변동기록법(body plethysmography)으로 측정하며, 다음 두 검사들의 합이다.
- 기능잔기용량(functional residual capacity, FRC) (L). 일회 호흡 후에 폐 안에 남아 있는 공기량으로 정상 호흡 동안 폐 안에 있는 공기량을 가리킨다.
- 잔기량(residual volume, RV) (L). 최대 호기 후에 폐에 남아 있는 공기량. 폐 안의 모든 공기가 내쉬어지는 것은 아니다.
- 전달인자(transfer factor, TLco) (mmol/min). 폐가 혈색소에 산소를 공급하는 정도를 측정. 저농도 일산화탄소를 이용하여 숨을 한 번 참는 방법으로 측정한다.

- 전달계수(transfer coefficient, K_{CO}) (mmol/min/k/Pa/L$_{BTPS}$). 폐용적을 보정한 TL_{CO}.

또한, 산−염기 균형과 산소화를 평가하기 위해 혈액가스측정을 한다. 호흡계질환에서 가장 중요한 것은 산소분압(PaO_2), 이산화탄소분압($PaCO_2$)과 pH다. 낮은 PaO_2(저산소혈증)와 정상 $PaCO_2$는 제I형 호흡부전이다. 증가한 $PaCO_2$와 저산소혈증은 제II형 호흡부전이다. 일례로, 만성 폐쇄성폐질환(chronic obstructive pulmonary disease, COPD)의 급격한 악화에서 볼 수 있는 $PaCO_2$의 빠른 상승은 pH 감소를 초래한다. 만성적으로 상승된 $PaCO_2$에 대해 신장 보상이 일어나 pH 를 정상 또는 정상에 가깝게 맞추지만, 이런 신장 보상 작용은 수 일이 지나야 생긴다. 불안발작 과 Cheyne−Stokes 호흡과 같은 변형호흡조절에서 볼 수 있는, CO_2 과다 호기와 연관된 과호흡은 $PaCO_2$를 낮추어 pH 상승을 유발한다. 순수한 불안 관련 과호흡은 저산소혈증을 초래하지 않지만, 이런 변형 호흡조절을 유발하는 다른 원인들은 저산소혈증을 초래할 수도 있다.

호흡계질환에는 폐활량측정법 평가에 기초하여 두 가지 주요 특징적인 패턴이 있는데, 폐쇄성과 제한성 패턴이다.

폐쇄성 패턴은 천식과 COPD 환자를 포함한 여러 상태에서 볼 수 있고, 특징은 다음과 같다:

- FEV_1과 PEFR 감소
- FVC는 정상 혹은 감소(만약 FVC가 감소되어 있다면, FEV_1보다는 불균형적으로 덜 감소되어 있다)
- FEV_1/FVC비의 감소

제한성 패턴의 특징은 다음과 같다:

- FEV_1 감소
- FVC 감소
- FEV_1/FVC비 정상 혹은 상승

폐기능 패턴에 대한 상세한 것과 상태를 특징하고 진단하는데 있어 다른 폐생리변수 사용에 대한 내용과 더불어, 이 두 가지 폐활량측정법 패턴 모두와 관련된 상태들은 이번 장 다른 곳에서 다룰 것이다.

노화에 따른 호흡계통 변화

폐는 일생동안 노화할 뿐만 아니라, 폐는 공기와 직접 접촉하기 때문에, 손상인자에 노출되어 있는 개인에게 환경적 손상의 축적이 있다. 중요한 노출은 직접 흡연과 간접 수동 흡연 형태의 흡연으로, 그 영향력은 잘 알려져 있다.[1,2] 개인 흡연 습관의 정량적인 평가는 보통 갑-년(예, 20개피/일 =1갑/일; 10년 동안이라면, 10-갑-년과 같다)에 따라 분류한다.

산화스트레스는 담배흡연과 기도 염증 원인으로부터의 산화물질과 함께, 폐기능 감소의 중요 기전이다.[3,4] 산화물질과 이어지는 활성산소종(reactive oxygen species, ROS) 분비는 단백분해효소억제제의 감소와 불활성화, 상피세포투과성과 핵인자 κB (nuclear factor κB, NF-κB) 증가로 시토카인 생성을 촉진하고, 주기적인 방식으로 많은 중성구들을 동원한다. 또한 혈장 누출, isoprostanes 증가로 인한 기관지수축, 점액분비증가가 있다. 폐는 자체 방어 효소적 항산화물질이 있는데, 초과산화물불균등화효소(superoxide dismutase, SOD)는 초과산물 음이온을 분해하고, glutathione (GSH)은 과산화수소를 불활성화한다. 이 둘 모두 세포 안과 세포 밖에 있다. 또한 항산화물질과 같은 비효소 인자들이 있는데, 비타민 C와 E, 베타-카로틴, 요산, 빌리루빈, 플라보노이드 등이다.[5]

최고폐기능을 결정하는 일생 초기의 중요 시기의 영향이 이후 성인과 노인 폐에 미치는 연쇄적인 영향에 대해 관심이 재개되고 있다. 만약 최고폐기능비축을 이루지 못하면, 쇠퇴의 자연적인 궤적만으로도 중년 혹은 이후 삶에서 증상이 있는 폐손상이 유발될 수도 있다. 인생 초기의 그런 인자들로 조산, 천식, 환경노출, 영양과 호흡기감염이 있다. 또한, 환경오염, 영양, 호흡기감염과 신체활동부족이 폐기능감소에 미치는 영향도 보고되었다.[8,9] 폐기능에 영향을 미치는 기전들은 다양하고 누적되는 것 같다. 흥미롭게도, 점점 서구화되고 있는, 즉 고기잡이와 사냥활동이 감소하고 몸을 많이 움직이지 않는 생활양식을 하는 이누이트 공동체에서, 노화관련 폐기능감소가 가속화하고 있다.[10]

노화하는 폐에서는 호흡계내 구조적이고 기능적인 변화가 있으며, 면역 매개와 폐 외적인 변화도 있다. 이와 관련해서 이번 장에서 자세히 다룰 것이다.

구조적 변화

노화하는 폐에서 세 가지 중요한 변화가 있다.폐실질의 변화와 이어지는 탄력 반동의 소실, 폐의 경화(흉벽 탄성 감소)와 호흡근육의 변화이다.

주요한 변화는 폐포와 폐포관이 커짐으로 인해 폐포 표면 면적의 소실이다. 기관지에는 변화가 거의 없다. 작은 기도에서 탄력소(elastin)와 콜라겐 지지에 있어 양적인 변화보다 질적인 변화가 심해, 섬유의 파괴와 탄력의 소실로 노년 폐기종으로 알려진 폐포관과 공기 주머니의 확장이 일어난다. 폐포 표면 면적은 20%까지 감소할 수 있다. 이는 표면장력의 소실로 호기동안 작은 기관지 허탈이 잘 생길 수 있다.[11] 건강한 노인인 경우, 이런 변화가 중요하지 않을 수 있지만, 예비가 감소된 경우, 감염이나 추가된 호흡기 합병증이 있으면 어려움이 생길 수 있다. 노인에서 폐 혈관과 폐포 중격에 아밀로이드가 침착되는데, 그 상관성은 확실하지 않다. 나이가 듦에 따라 큰 기도 내에서 섬표피세포 수가 감소하여 점액 생성이 줄어들고 따라서 감염에 대한 호흡계 방어가 손상된다.

노인에서는 흉벽 탄성이 줄어든다. 폐 경화를 증가시키는 요인으로, 추간판 공간 소실, 갈비 연골의 골화, 갈비 관절 표면 석회화가 있고, 근육 변화와 더불어 흉곽 운동성 손실을 유발한다. 이에 더해 척추 붕괴를 유발하는 골다공증으로 인한 추가 손상이 가해지면, 아마도 측만증과 전후 직경의 증가-통모양가슴으로 인해, FVC가 10% 감소한다고 알려져 있다.[12] 적절한 영상으로 확인하면 그런 척추 붕괴는 노인에서 나이가 듦에 따라 자주 발견된다. 이런 구조적인 변화로 인해 최적 상태가 아닌 횡경막 힘 역학과 흉벽 경화 증가가 생긴다. 노인에서 흔한 갈비 골절은 호흡 운동을 더욱 제한할 수 있다.

주요한 호흡 근육은 횡경막으로, 호흡 근육 운동의 85%까지 차지하고, 늑간 근육, 전방 복부 근육,부속 근육 또한 관여한다. 부속 근육은 양팔 지지에 사용되는데, 폐기종성 만성폐색성폐질환(COPD) 환자에서 흔히 관련된 특징이다. 이들 근육의 수축으로 흡기 때 흉벽이 확장하고, 반면 호기는 수동 현상이다. 부속 근육은 COPD 환자에서와 같이 환기 요구가 증가할 때 사용된다. 호흡 근육은 제I형(지근), 제IIa형(속근-피로저항)과 제IIx(속근-피로가능)섬유로 구성된다. 근원섬유의 유산소 능력과 삼인산 아데노신(adenosine triphosphate, ATP) 활성도에 따라 근섬유의 차이가 있고 다른 생리적 특징을 갖는다. 호흡 근육에서 노화에 따른 주요 변화는 제IIa형 섬유 비율이 감소하여 힘과 지구력이 떨어진다.[13] 늑간 근육 근력이 소실됨에 따라 횡경막 의존성이 증가하고 힘 발생에 있어 횡경막의 위치가 유리하지 않기에 숨이 더 차게된다. 전반적으로, 근육 미오신 생성이 감소하여, 이 또한 호흡 근육에 이롭지 않다. COPD와 심부전, 불량한 영양상태와 같이 동반 질환들은 근육 구조 및 기능 변화와 관련있다.[14-16] 신체 손상과 근감소증, 호르몬 불균형과 비타민 D 결핍은 노화-관련 폐 구조 변화를 악화시킬 것이다. 신체는 호흡계 한계에 잘 적응하지 못한다. 약제들, 특히 경구 코르티코스테로이드 같은 약제는 호흡계와 말초 근육 근력에 문제를 초래할 수 있다. 급성 감염은 호흡계에 요구량을 추가하고, 제한된 호흡예비력을 노출시킬 수 있다.

노화관련 기능적 변화

FEV1과 FVC 모두 나이가 듦에 따라 감소한다. 기도내 유량 또한 감소한다 FEV1지표가 FVC에 비해 상대적으로 더 큰 폭으로 감소하기에 FEV1/FVC비는 해마다 감소한다. 이런 이유로, 비정상적인 비율은 0.7 미만과 같이 고정된 비율로 정하는 것 보다는 정상범위 하한치보다 낮게(나이, 키, 성별, 인종 등을 고려한 공식에 의해 정상인의 하위 5th백분위수미만) 설정하기를 권고되어 왔다.[17] 고정 비율은 노인에서 기도 폐쇄를 과도하게 진단할 수 있다.

탄력 반동 소실과 흉벽의 탄력 부하 증가가 서로 상호작용하기 때문에 TLC는 노화에 따라 크게 변하지 않는다. 탄력 반동이 감소하여 RV와 FRC는 증가하고, 흉벽 경화와 기도의 조기 폐쇄를 유발한다. 따라서 노인은 많은 폐 공기 용적에서 호흡을 하여, 호흡 근육에 추가 부하가 가해지고, 에너지 소비가 젊은이의 120%까지 증가한다. 종결 용적(closing volume)은 호기 동안 의존 기도가 닫히기 시작하는 시점의 폐 용적이다. 노인에서 종결 용적은 증가하는데 콜라겐과 탄력소에 의한 종말 기도의 지지가 부족하기 때문이고 정상 일회 호흡 동안 폐쇄되어,[18] 안정 동맥혈산소분압이 낮아지는 환기관류(V/Q)불균형이 될 수 있다.[17] 노인에서 동맥혈산소분압이 낮아도, 동반 호흡계질환이 없다면, PaO2는 적절한 혈색소 포화에 충분하다. 구조적인 변화와 V/Q 불균형으로 가스 전달(TLco)이 줄어든다. 또한 폐 모세혈관 밀도와 모세혈 용적이 줄어든다.

감소한 호흡근 근력과 지구력은 건강한 노인에서 기능적으로 의미가 거의 없으나, 급성 호흡기 질환 결과로 일어나는 호흡기 위험상황에 대항할 예비력이 떨어질 수 있다. 최고흡기압력(maximal inspiratory pressure, MIP), 최고호기압력(maximal expiratory pressure, MEP), 코흡기압력(sniff nasal inspiratory pressure, SNIP)과 같은 호흡근 근력 측정값들은 노화에 따라 감소한다.[14]

노인에서는 호흡 통제와 조절이 변한다. 노인은 젊은이와 비슷한 분당호흡량으로 호흡하지만, 일회호흡량이 적고 호흡횟수가 많다. 저산소증과 고탄산혈증에 대한 반응 감소가 보고되었고,[19-21] Poulin[22]은 지속한 고탄산혈증동안 저산소증에 반응이 떨어지는 것을 증명하였다. 노인은 운동에 대해 환기 반응이 증가하는데,[20] 이는 남성에서 더 뚜렷하다.[23] 젊었을 때 최고치를 기록한 최고산소섭취량(VO2max)는 나이가 듦에 따라 감소하고, 따라서 운동능력도 감소한다. 이는 (심박출량 감소와 같은)심혈관 원인과 V/Q 불균형을 포함한 호흡기 원인이 결합하여 일어난다. 노화에 따른 최고산소섭취량 저하는 규칙적인 운동을 지속함으로써 어느 정도 약화시킬 수 있다.[24,25]

노인은 급성 기관지수축을 객관적으로 잘 인지하지 못한다.[26,27] 게다가 노인에서 기도 β2-아드레날린수용체반응이 감소하는데, 건강한 노인에서 β-작용제 반응이 떨어짐이 증명되었다.[28] 저산소증에 대한 화학수용체 민감도 변화, 흡기 또는 호기 시 탄력 부하 감지능의 저하, 촉각 감지와 관절 운동 저하, 노화 연관 중추정보처리 이상 등 모두가 관여한다.[29,30] 차후에 이런 요인들은 호흡기 증상 악화를 차폐하고 병원에 가는 것을 지연시킬 수 있다.

수면호흡장애는 건강한 노인에서 더 흔하지만,[31] 노인들은 의학적 진료를 덜 찾는 경향이 있고, 이 연령대에서는 피곤, 피로, 코골이 유병률이 높고, 다른 동반질환과 함께, 벤조디아제핀을 포함한 안정제 사용 등 때문에 수면장애 진단을 덜 받는 것 같다. 뇌혈관질환은 수면호흡장애와 관련있고,[32] 뇌졸중환자에서 폐쇄수면무호흡은 사망의 예측인자이다.[33] 노인에서 상기도 저항이 증가하고, 이 폐쇄를 극복하기 위한 호흡 노력이 저하되어있다. 수면호흡장애는 울혈심부전 환자와,[34] 알츠하이머 환자에서 더 흔한데,[35] 두 질환 모두 노인환자에서 증가하고 있다. 또한, 반대로, 수면호흡장애는 심혈관질환과 인지장애손상을 유발할 수 있다.[36,37]

노화가 폐숙주방어와 면역반응에 미치는 영향

면역체계는 분리되었지만 상호작용하는 두 개의 요소로 구성되어있다. 선천면역은 침입하는 미생물에 대해 일차 방어선 역할을 하는 신속하고 비특이적인 시스템이다. 적응(혹은 후천)면역은, T와 B 림프구를 매개하여, 항원-특이적이고 기억세포를 만들어 미래의 항원-특이 반응을 유발한다. 노인에서는 선천면역과 후천면역 모두 손상되어 있다.

노화는 폐 점막 장벽에 결함과 점액섬모청소 저하를 초래하여 병원균 침입이 가능해진다. 노화한 폐에서는 병원균 접촉이 증가하고 담배와 같은 환경적 손상 노출이 누적됨으로써, 선천면역 시스템이 많은 도전에 직면한다. 선천면역에서의 노화-연관 변화는 COPD에서의 변화와 유사한 패턴이다.[38] 화학주성과 포식작용의 손상, 과산화물 생성 감소, 호중구의 살균작용 감소가 있다.[39] 가지세포는 항원전달이 원활하지 않다. 게다가, 노화하면서 자연독성세포의 수가 증가하지만, 자연독성세포의 세포독성은 감소해있다.[40] 실험실 연구에서 대식세포 기능은 노화에 따라 손상되어, ROS와 전구염증 시토카인 생성이 감소하고, Toll-like receptor와 같은 인지 수용체의 발현이 감소한다.[41,42]

건강한 노인은, 소위 염증-노화라고 하는 과염증상태를 보이는 것으로 알려져 있다.[43] 이는 인터루킨-6 (IL-6), 종양괴사인자(TNF), 인터루킨-1β (IL-1β), 프로스타글란딘E2와 같은 순환 전구염증 시토카인과 가용성 TNF 수용체, IL-1 수용체 길항제를 포함한 항염증 매개물질과 급성기 반응단백질(예, C-반응 단백질, 혈청 아밀로이드A)의 증가와 관련 있다. 이런 점진적인 전구염증 상태는 노화한 폐에 있는 세포들의 기능과 표현형에 영향을 주고 숙주방어가 도전 받을 때 나쁜 결과를 초래할 수 있다. 세포-매개 적응면역의 변화는 흉선 위축과 함께 기억 T세포 기능변화와 TH1에서 TH2 프로필의 이동을 포함한 T세포풀의 노화이다.[41] 순수 T림프구 생성이 감소하고 CD3+, CD4+, CD8+ T세포 절대 수가 감소한다. 다른 변화로는 T세포 수용체 목록이 작아지고 항원에 대한 증식반응이 감소하는데, 노인면역시스템에서 백신 효과가 감소함을 의미한다. B세포 수 감소, 기억 B세포 생성 손상, 항체반응 감소는 노인 체액면역에 영향을 준다.

면역적 노쇠는 노인에서 하기도 감염 감수성이 증가하는 많은 부분을 설명하며, 호중구 이동이 감소하는 것도 중요한 역할을 한다. 하지만, 이 연령대에서는 폐렴 위험성 원인으로 여러 인자들이 있다. 상기도에서 세균 집락형성은 노인에서 드물지 않다.[43] 이는 노인에서 흔하며 H2차단제나 제산제로 유발될 수 있는 위(stomach) 집락형성과 관련있어 보인다.[44,45] 특히 뇌혈관질환과 인지장애와 연관된 신경질환이 있는 연하장애 노인에서 흡인이 생기기 쉽다. 마찬가지로, 기도삽관 혹은 비위관 상태에서는 흡인 위험이 높아진다. 영양실조와 당뇨병 또는 신부전과 같은 만성질환 또한 폐렴 감수성에 관여한다. 면역기능이 노화에 따라 감소하여 인플루엔자 백신을 포함한 백신 반응이 낮아지고 호흡기 감염과 폐렴 감수성이 높아진다.

결론적으로, 노인에서는 호흡 조절의 변화와 보다 일반적인 면역학적 변화와 함께, 폐의 구조적 및 기능적 변화가 있다. 이런 변화들은 단지 노화의 직접적인 결과일 뿐만 아니라 환경적 노출과 동반 질환에 영향을 받는다.

요점: 호흡계의 노화-관련 변화

KEY POINTS

- 호흡계에서 노화-관련 변화와 진정한 노화 변화가 함께 있다.
- 구할 수 있는 정보 대부분은 추적조사가 아닌 단면연구로 얻어졌다.
- 노인 폐에는 구조적 및 기능적 변화가 있다. 또한 호흡 조절 및 면역학적 변화 모두 호흡계 노화-연관 변화에 기여한다. 이런 변화들은 상승 효과를 갖는다.
- "염증-노화"의 전염증상태는 노화 폐에서 세포의 표현형과 기능에 영향을 주고 숙주 방어가 위협받을 때 나쁜 결과를 유발할 수 있다.
- 운동은 호흡계에 추가적인 요구량을 유발하여 호흡 제한을 드러낼 수 있다. 더 나아가, 건강한 노인에서는 호흡계 변화가 명확하지 않을 수 있지만, 급성 질환은 감소한 호흡 예비력을 드러낼 수 있다.
- 노인은 기관지수축과 다른 증상들을 잘 인지 못한다. 마찬가지로 증상들을 상대적으로 적게 호소한다.

참고문헌의 총 목록을 보려면 www.expertconsult.com 을 방문해주세요.

중요 참고문헌

1. Griffith KA, Sherrill DL, Siegel EM, et al: Predictors of loss of lung function in the elderly: the cardiovascular health study. Am J Respir Crit Care Med 163:61–68, 2001.

8. Pelkonen M, Notkola I, Lakka T, et al: Delaying decline in pulmonary function with physical activity: a 25-year follow-up. Am J Respir Crit Care Med 168:494–499, 2003.

10. Rode A, Shepherd RJ: The ageing of lung function: cross-sectional and longitudinal studies of an Inuit community. Eur Respir J 9:1653–1659, 1994.

11. Verbeken EK, Cauberghs M, Mertens I, et al: The senile lung: comparison with normal and emphysematous lungs. 1: structural aspects. Chest 101:793–799, 1992.

12. Leech JA, Dullberg C, Kellie S, et al: Relationship of lung function to severity of osteoporosis in women. Am Rev Respir Dis 141:68–71, 1990.

19. Kronenberg RS, Drage CW: Attenuation of the ventilatory and heart responses to hypoxia and hypercapnia with ageing in normal men. J Clin Invest 52:1812–1819, 1973.

21. García-Río F, Villamor A, Gómez-Mendieta A, et al: The progressive effects of ageing on chemosensitivity in healthy subjects. Respir Med 101:2192–2198, 2007.

27. Killian KJ, Watson R, Otis J, et al: Symptom perception during acute bronchoconstriction. Am J Respir Crit Care Med 162:490–496, 2000.

36. Dealberto M, Pajot N, Courbon D, et al: Breathing disorders during sleep and cognitive performance in an older community sample: the EVA study. J Am Geriatr Soc 44:1287–1294, 1996.

37. Golbin JM, Somers VK, Caples SM: Obstructive sleep apnea, cardiovascular disease, and pulmonary hypertension. Proc Am

Thorac Soc 5:200−206, 2008.

38. Shaykhiev R, Crystal RG: Innate immunity and chronic obstructive pulmonary disease: a mini-review. Gerontology 59:481−489, 2013.

39. Gomez CR, Boehmer ED, Kovacs EJ: The aging innate immune system. Curr Opin Immunol 17:457−462, 2005.

42. Meyer KC: The role of immunity and inflammation in lung senescence and susceptibility to infection in the elderly. Semin Respir Crit Care Med 31:561−4374, 2010.

43. Franceschi C, Bonafe M, Valensin S, et al: Inflamm-aging. An evolutionary perspective on immunosenescence. Ann N Y Acad Sci 908:244−254, 2000.

참고문헌

1. Griffith KA, Sherrill DL, Siegel EM, et al: Predictors of loss of lung function in the elderly: the cardiovascular health study. Am J Respir Crit Care Med 163:61−68, 2001.

2. Eisner MD, Wang Y, Haight TJ, et al: Secondhand smoke exposure, pulmonary function, and cardiovascular mortality. Ann Epidemiol 17:364−373, 2007.

3. Rahman I, Morrison D, Donaldson K, et al: Systemic oxidative stress in asthma, COPD, and smokers. Am J Respir Crit Care Med 154(Pt 1):1055−1060, 1996.

4. Lambeth JD: Nox enzymes, ROS, and chronic disease: an example of antagonistic pleiotropy. Free Radic Biol Med 43:332−347, 2007.

5. Kelly FJ: Vitamins and respiratory disease: antioxidant micronutrients in pulmonary health and disease. Proc Nutr Soc 64:510−526, 2005.

6. Grol MH, Gerritsen J, Vonk JM, et al: Risk factors for growth and decline of lung function in asthmatic individuals up to age 42 years. Am J Respir Crit Care Med 160:1830−1837, 1999.

7. Stern DA, Morgan WJ, Wright AL, et al: Poor airway function in early infancy and lung function by age 22 years: a non-selective longitudinal cohort study. Lancet 370:758−764, 2007.

8. Pelkonen M, Notkola I, Lakka T, et al: Delaying decline in pulmonary function with physical activity: a 25-year follow-up. Am J Respir Crit Care Med 168:494−499, 2003.

9. McKeever TM, Scrivener S, Broadfield E, et al: Prospective study of diet and decline in lung function in a general population. Am J Respir Crit Care Med 1299−1303, 2002.

10. Rode A, Shepherd RJ: The ageing of lung function: cross-sectional and longitudinal studies of an Inuit community. Eur Respir J 9:1653−1659, 1994.

11. Verbeken EK, Cauberghs M, Mertens I, et al: The senile lung: comparison with normal and emphysematous lungs. 1: structural aspects. Chest 101:793−799, 1992.

12. Leech JA, Dullberg C, Kellie S, et al: Relationship of lung function to severity of osteoporosis in women. Am Rev Respir Dis 141:68−71, 1990.

13. Polkey MI, Harris ML, Hughes PD, et al: The contractile properties of the elderly human diaphragm. Am J Respir Crit Care Med 155:1560−1564, 1997.

14. Enright PL, Kronmal RA, Manolio TA, et al: Respiratory muscle strength in the elderly: correlates and reference values. Am J Respir Crit Care Med 149:430−438, 1994.

15. Lindsay DC, Lovegrove CA, Dunn MJ, et al: Histological abnormalities of muscle from limb, thorax and diaphragm in chronic heart failure. Eur Heart J 17:1239−1250, 1996.

16. Stubbings AK, Moore AJ, Dusmet M, et al: Physiological properties of human diaphragm muscle fibres and the effect of chronic obstructive pulmonary disease. J Physiol 586:2637−2650, 2008.

17. Swanney MP1, Ruppel G, Enright PL, et al: Using the lower limit of normal for the FEV1/FVC ratio reduces the misclassification of airway obstruction. Thorax 63:1046−1051, 2008.

18. Anthonisen NR, Danson J, Robertson PC, et al: Airway closure as a function of age. Respir Physiol 8:58−65, 1970.

19. Kronenberg RS, Drage CW: Attenuation of the ventilatory and heart responses to hypoxia and hypercapnia with ageing in normal men. J Clin Invest 52:1812−1819, 1973.

20. Brischetto MJ, Millman RP, Peterson DD, et al: Effect of ageing on ventilatory response to exercise and CO2. J Appl Physiol 56:1143−1150, 1984.

21. García-Río F, Villamor A, Gómez-Mendieta A, et al: The progressive effects of ageing on chemosensitivity in healthy subjects. Respir Med 101:2192−2198, 2007.

22. Poulin MJ, Cunningham DA, Paterson DH, et al: Ventilatory sensitivity to CO2 in hyperoxia and hypoxia in older aged humans. J Appl Physiol 75:2209−2216, 1993.

23. Poulin MJ, Cunningham DA, Paterson DH, et al: Ventilatory responses to exercise in men and women 55 to 86 years of age. Am J Respir Crit Care Med 149(Pt 1):408−415, 1994.

24. Bortz WM: Disuse and aging. JAMA 248:1203−1208, 1982.

25. Chilbeck PD, Paterson DH, Petrella RJ, et al: The influence of age and cardiorespiratory fitness on kinetics of oxygen uptake. Can J Appl Physiol 21:185−196, 1996.

26. Connolly MJ, Charan NB, Nielson CP, et al: Reduced subjective awareness of bronchoconstriction provoked by methacholine in elderly asthmatic and normal subjects as measured on a simple awareness scale. Thorax 47:410−413, 1992.

27. Killian KJ, Watson R, Otis J, et al: Symptom perception during acute bronchoconstriction. Am J Respir Crit Care Med 162:490−496, 2000.

28. Connolly MJ, Crowley JJ, Charan NB, et al: Impaired bronchodilator response to albuterol in healthy elderly men and women. Chest 108:401−406, 1995.

29. Levin HS, Benton AL: Age effects in proprioceptive feedback performance. Gerontol Clin 15:161−169, 1973.

30. Tack M, Altose MD, Cherniack NS: Effects of aging on respiratory sensations produced by elastic loads. J Appl Physiol 50:844−850, 1981.

31. Norman D, Loredo JS: Obstructive sleep apnea in older adults. Clin Geriatr Med 24:151−165, 2008.

32. Hudgel DW, Devadatta P, Quadri M, et al: Mechanism of sleep-induced periodic breathing in convalescing stroke patients and healthy elderly subjects. Chest 104:1503−1510, 1993.

33. Sahlin C, Sandberg O, Gustafson Y, et al: Obstructive sleep apnea is a risk factor for death in patients with stroke: a 10-year follow-up. Arch Intern Med 168:297−301, 2008.

34. Sin DD, Fitzgerald F, Parker JD, et al: Risk factors for central and obstructive sleep apnea in 450 men and women with congestive heart failure. Am J Respir Crit Care Med 160:1101−1106, 1999.

35. Moraes W, Poyares D, Sukys-Claudino L, et al: Donepezil improves obstructive sleep apnea in Alzheimer disease: a double-blind, placebo-controlled study. Chest 133:677−683, 2008.

36. Dealberto M, Pajot N, Courbon D, et al: Breathing disorders during sleep and cognitive performance in an older community sample: the EVA study. J Am Geriatr Soc 44:1287−1294, 1996.

37. Golbin JM, Somers VK, Caples SM: Obstructive sleep apnea, cardiovascular disease, and pulmonary hypertension. Proc Am Thorac Soc 5:200−206, 2008.

38. Shaykhiev R, Crystal RG: Innate immunity and chronic obstructive pulmonary disease: a mini-review. Gerontology 59:481−489, 2013.

39. Gomez CR, Boehmer ED, Kovacs EJ: The aging innate immune system. Curr Opin Immunol 17:457−462, 2005.

40. Mocchegiani E, Muzzioli M, Giacconi R, et al: Metallothioneins/PARP-1/IL-6 interplay on natural killer cell activity in elderly: parallelism with nonagenarians and old infected humans. Effect of zinc supply. Mech Ageing Dev 124:459−468, 2003.

41. Meyer KC: Aging. Proc Am Thorac Soc 2:433−439, 2005.

42. Meyer KC: The role of immunity and inflammation in lung senescence and susceptibility to infection in the elderly. Semin Respir Crit Care Med 31:561–574, 2010.

43. Franceschi C, Bonafe M, Valensin S, et al: Inflamm-aging. An evolutionary perspective on immunosenescence. Ann N Y Acad Sci 908:244–254, 2000.

44. Valenti WM, Trudell RG, Bentley DW: Factors predisposing to oropharyngeal colonisation with gram-negative bacilli in the aged. N Engl J Med 298:1108–1111, 1978.

45. Du Moulin GC, Paterson DG, Hedley-Whyte J, et al: Aspiration of gastric bacteria in antacid-treated patients: a frequent cause of post-operative colonisation of the airway. Lancet 1:242–245, 1982.

CHAPTER **18**

노인에서의 신경학적 징후들
Neurologic Signs in Older Adults

James E. Galvin

신경학적 장애는 노인에서 질병이환율, 사망률, 요양보호시설 이용 및 보건의료비 증가의 흔한 요인이다.[1] 노인에서 나이가 들수록 신경학적 질환의 발생빈도를 증가시키고 질병의 발현양상에도 영향을 끼친다. 신체활동 장애는 인지능력 감퇴와 무관하게 생길 수 있으나 노인에서는 신체능력의 저하는 인지기능 장애와 동반하여 나타나는 경우가 흔하다.[2] Behavioral Risk Factor Surveillance System 자료에 따르면, 60세 이상의 사람들 중에 12.7%가 인지기능 장애가 있었고, 이들 중에 35.2%가 신체활동의 어려움도 같이 호소하였다.[3] 인지기능 및 신체활동 장애를 같이 가지고 있을 경우 환자 뿐만 아니라 보호자들에게도 부담을 줄 수 있다. 일반적으로 신경학적 검사는 노인환자를 볼 때 중요한 진찰 부분이지만, 숙련된 임상가조차도 어려울 수 있다. 정상노화에서도 정상적인 신경학적 징후가 소실되거나 또는 다른 징후들이 과장되어 나타날 수 있다. 젊은 환자들 기준에서 정상범위에서 벗어난 징후로 나타날 수도 있고 유아시기나 발달초기단계에 나타나고 없어졌던 징후가 다시 보일 수도 있다.

노인에서의 신경학적 검사는 크게 다른 계통의 문제들(예, 내분비질환들, 류마티스질환들), 한 환자에서의 만성 다발성 질환의 동시발생, 그리고 보행장애와 혼동을 동반한 비신경계통 질환들(예, 심근경색, 요로감염, 분변매복)에 의해 자주 영향을 받는다. 신경학적 진단을 할 때, 임상병력(현 병력, 과거 병력, 습관, 과거 직업력, 가족력, 약물력 및 계통적 문진)은 임상가가 감별해야 할 질환들을 설정할 때에 도움을 준다. 이와 함께, 정신상태의 적절한 관찰과 신경학적 검사를 통해 더욱 명확한 진단을 할 수 있다. 따라서, 연령에 따른 중추 및 말초 신경계의 변화 양상을 관찰하는 것은 매우 중요하다(Box 18-1).

BOX 18-1 정상노화와 관련한 신경학적 변화

정신운동서행
시력저하
동공축소
안구상전능력 저하
청력저하
근육량 감소
경미한 운동서행
진동감각감소
롬버그 검사(Romberg's test)에서 가벼운 흔들림
목과 허리 운동제한 및 경미한 척추 전만
아킬레스힘줄반사저하

정신상태

인지장애의 빈도가 연령증가에 따라 급격히 증가하기 때문에 정신상태검사는 신경학적 검사의 가장 중요한 부분이다. 안타깝게도, 정신상태검사는 시간이 가장 많이 드는 검사들 중에 하나이고, 이전의 수행능력에 관한 기본적인 데이터가 없는 신환에서는 해석의 어려움이 있을 수 있다. 일반적으로 지식과 어휘의 축적은 전 생애에 걸쳐 계속적으로 확장하고, 학습능력은 신경인지장애가 없는 노인에서는 눈에 띄게 감소하지는 않는다. 정상노화와 관련된 인지능력의 변화로는 일의 처리 속도, 인지유연성, 시각공간지각(종종 시력저하와 동반), 작업기억, 그리고 지속적인 주의력 등의 감소로 나타날 수 있다.[4] 과거에 배운 정보에 대한 접근이나 새롭게 암호화하여 기억한 정보를 보유하는 인지능력은 노화에서도 보존되므로, 질병의 진행과정의 민감한 지표로 이용한다.[3] 현실적인 실제 문제를 해결하거나, 경험으로부터 얻어진 지식, 어휘들을 특징으로 하는 결정적 지능은 나이가 듦에 따라 축적되는 경향이 있지 일반적으로 노화에 의해서 감소되지 않는다.[5] 반면에, 새로운 정보를 획득하고 사용하는 능력으로 특징 지어지는 유동적 지능은 추상적인 문제를 해결하는 것으로 평가하고 수행속도를 측정한다(예를 들어, performance on the Raven's Progressive Matrices and Digit Symbol of the Wechsler Adult Intelligence Scale). 이러한 지능은 노화에 함께 점진적으로 감소하는 추세를 보인다.[6]

기억과 노화에 대한 종적 연구는 개인간의 인지능력의 다양성(개체간의 다양성)을 보여줄 뿐만 아니라 동일한 개인에서의 인지 영역간 다양한 차이(개체내 다양성)를 보여주고 있다.[7] 이러한 변동성의 일부는 각 연구의 방법적인 부분에서도 기인할 수도 있다. 하지만, 노인에서 경미한 인지

장애와 구별하기 위해 신경정신학적 정상을 정의할 때에 개체간과 개체내 다양성을 고려하는 것은 매우 중요하다. 몇몇 저자들은 연령을 교정한 정상 인지능력 보다는 연령에 가중치를 부과하여 고려할 것을 제안하였고 다른 연구자들은 문화, 경험, 교육적 배경, 그리고 인지능력에서의 운동속도와 같은 여러 요인의 영향을 강조하고 있다. 예를 들어, 노인은 젊은 성인에 비해 웩슬러 성인 지능 검사(Wechsler Adult Intelligence Scale)의 언어와 활동영역에서는 수행능력이 낮게 평가될 수 있지만, 운동 속도저하와 교육수준을 보정하게 되면 그 차이가 줄어드는 것을 볼 수 있다. 인지검사에서 활동능력에 영향을 주는 다른 상황적 요인으로는 피로, 감정상태, 약물과 스트레스를 들 수 있다. 무엇보다도 우울감, 치매, 그리고 섬망은 노인에서 흔히 나타나지만 모르고 지나가는 경우가 많으며, 이러한 상황에서는 손상된 인지능력이 노화에 의해서인지 다른 원인인지 구별하기가 어려울 수 있다.[8]

종합적인 정신상태검사는 인지, 기능 및 행동영역 평가를 포함하고 있다. 환자와의 첫 번째 대면에서 인지, 주의력, 정서적 또는 언어 장애가 있는지를 알아낼 수 있을 것이다. 가능한 경우 여러가지 질문은 환자가 부인하거나 알지 못하고 있는 인지, 기능 및 행동의 변화를 드러나게 할 수 있다.

노인들에서의 인지장애 선별검사에는 수행과 정보에 대해 평가하게 된다. 정신상태의 간편 측정법으로는 간이정신상태검사(Mini-Mental State Examination, MMSE),[9] Mini-Cog,[10] Montreal Cognitive Assessment (MoCA)[11] 등이 있다. 인지능력의 감소는 기존 논문에서 보고한 정상 범주와 비교하게 되고 자주 연령과 교육수준으로 보정하여 평가한다. 간편 정보능력 평가에는 AD8[12]과 Informant Questionnaire on Cognitive Decline in the Elderly[13]가 있다. 이러한 측정법들은 환자의 장애수준에 따라 다르게 수행되긴 하지만, 현재의 인지 및 기능적 과제수행 능력을 이전의 수행수준과 비교함으로써 한 환자(개체내)에서의 감소상태를 평가할 수 있다.[14] 행동수행능력과 정보를 같이 평가하면, 인지장애를 찾아내는데 더 도움을 줄 수 있을 것이다.[15]

뇌신경 기능

후각과 미각

정상노화에서도 후각자극의 임계점과 임계점 이상의 농도에서 후각기능의 감소가 발생할 수 있다. 또한, 노인에서는 다른 종류의 향기간의 차이를 감별해 낼 수 있는 능력이 감소할 수 있고 냄새 식별이 필요한 작업의 수행능력이 저하된다.[16] 노화에 따르는 후각장애는 상기도, 후각상피, 후각망울 또는 후각신경의 구조적 또는 기능적 변화에 의해 나타날 수 있다.[17] 후각장애가 노화와 관련될 수 있지만, 약물, 바이러스 감염, 그리고 두부 손상에 의해서도 나타나게 된다. 더군다나 알츠하이머병(신경섬유덩어리(neurofibrillary tangle))[18]와 파킨슨병(루이 소체(Lewy body))[19]과 같은 퇴행성 뇌질환의 후각경로를 조기 침범할 경우에도 나타날 수 있다. 다음 차례로 미각은 후각에 크게 좌우 되며, 후각과 마찬가지로 나이듦에 따라 그 기능은 감소하게 된다.[20,21] 노인에서 미뢰 수가 현저하 게 감소하지는 않지만, 일부 연구에서는 미뢰로부터 전기생리적 기록의 반응이 감소한다고 보고하 였다. 약물, 흡연, 음주, 뇌 손상, 그리고 의치와 같은 여러 요인들 또한 미각과 후각의 감소를 일 으킬 수 있을 것이다.

시각

연령과 관련된 변화는 시력, 시야, 심도인지(depth perception), 움직임인지(motion perception), 대 비감도(contrast sensitivity), 그리고 외부 공간과 관련하여 자기동작지각(광학 흐름(optical flow))에 서도 나타난다. 시력은 다수의 안과적인 원인(예, 백내장, 녹내장)과 신경학적 원인(예, 황반변성 (macular degeneration))에 의해 감퇴한다. 동공 크기는 일반적으로 나이가 들수록 작아지며, 빛과 원근조절에 대한 반응도 감소하게 되므로 노인들 대부분이 글을 읽을 때 안경이 필요하게 된다.[4] 또한 상향 시선 시에 안구운동에 제한이 발생한다. 해부학적과 생리적인 연구에서는 20세 이후가 되면 광수용기가 점차로 감소하게 되므로 노인에서 시력저하가 생긴다고 설명하고 있다.[22,23] 이는 낮은 대비(contrast)와 휘도(luminance) 상황에서 특히 분명하게 나타난다. 또한, 연령과 관련된 조 절장애는 원시(노안)를 초래하게 되고, 렌즈의 강성으로 인한 조절 감소가 나타난다.[24] 이완과 조 절 시간이 점차로 길어지면서 50세에 정점에 이르게 된다. 따라서 많은 노인들은 글을 읽을 때 안 경이 필요하게 된다. 무엇보다도 백내장, 녹내장, 황반변성과 같은 안과적 질환은 노인 연령대에 흔히 나타나고 노화로 인한 시력저하에 크게 영향을 끼친다.

　동공이상은 정상노화에서도 잘 나타난다. 노인축동과 같은 동공축소는 절전뉴런의 교감신경성 작용의 감소나 빛에 대한 둔한 반응, 그리고 근거리 또는 조절반응의 감소나 심지어 소실에 의해서 도 나타나게 된다.

　연령과 관련한 외안근운동의 변화는 단속성 안구운동(saccade)의 속도감소, 잠복기의 지연, 정확 도 감소, 그리고 지속시간 및 반응시간의 연장으로 나타난다.[25] 노화와 관련하여 상향시선 시 운동 제한도 보일 수 있고, 연성추적이 느려지고, 시각추적장애 또한 발생한다.[26] 수직시선 변화는 중년 에 시작하게 되는데, 5~14세에서는 상향평면에서 40도 정도로 나타나고, 75~84세에서는 16도로 감소한다.[27,28] 수직 시선마비는 노년층의 운전능력평가(거리 표지판, 신호등)에서 중요한 고려사항 이다. 노화에 따르는 안구 운동의 다른 변화로는 저항이 있는 상태에서 양쪽의 눈꺼풀을 자발적으 로 감는 경우에 안구가 상전과 외전하는 벨현상(Bell's phenomenon)이 소실된다.

청력 및 전정 기능

와우 유모세포들(cochlear hair cells)의 점진적 소실, 혈관선조(stria vascularis)의 위축, 기저막의 비후가 노화에서 흔히 관찰되는 청력 저하의 요인일 수 있다. 이것은 흔히 노화성 난청으로 지칭되며 주로 고주파 영역의 청력 소실을 보인다.[29,30] 다른 변화로는 어음 분별력의 저하, 청력 역치의 증가(대략 2 dB/년), 그리고 어음명료도 점수의 저하 등이 있다.[31] 전정기능 또한 나이에 영향을 받을 수 있다.[32] 전정척수반사(vestibulospinal reflex)와 머리 위치와 움직임을 감지하는 능력이 감소한다. 이것은 유모세포와 신경섬유의 소실로 발생할 수도 있고 뇌간의 내측, 외측, 그리고 하부 전정핵의 뉴런 소실로 생길 수도 있다.[26]

운동 기능

노화에 관련하여 근육량의 점진적인 감소가 발생하며, 이를 근감소증(sarcopenia)이라고 부른다. 근육 감소는 주로 손과 발의 고유 근육, 특히 등쪽 뼈사이와 엄지두덩근 뿐만 아니라 어깨주변근(세모근과 회전근개)에도 나타난다.[4] 고령환자의 50% 이상에서 근섬유다발수축 또는 근력 감소 없이 엄지두덩근 위축이 나타날 수 있다.[33] 노화와 관련하여 어떠한 근섬유가 주로 영향을 받는가에 관한 여러 종적연구에서는 일관적이지 않은 결과를 보여주고 있다. Type IIb(빠른 단일 수축) 섬유가 주로 감소된다고 보고하는 연구가 있고, type I 섬유의 비율이 감소된다고 보고한 연구결과도 있다. 어떤 연구는 type I or II 평균 섬유면적에는 차이가 없으나 모세혈관-섬유비가 감소함을 보여주었고 또 다른 연구에서는 type I 섬유 비율이 증가함을 보여 준 연구도 있었다.[34] 근육량의 감소는 탈신경과 근섬유 위축의 전기생리학적 근거와 연관된다.[35] 그러나 근육다발수축이 계속되는 것은 정상노화 징후는 아니다. 만약 그러한 징후가 있다면 병적원인(운동신경질환, 압박성 경추 척수증, 다초점운동신경병증)에 관해서 조사해 봐야 한다. 근력 감소는 자주 근육량 감소와 동반하여 나타나는데,[36] 네갈래근의 단일수축 장력과 최대수의 수축력의 50%까지 감소할 수 있다. 악력은 50세 이후에 유의하게 감소하지만, 팔과 어깨의 근력은 60세 이후까지 변하지 않는다. 배근력 감소는 허리앞굽음증을 악화시키고 허리통증을 유발할 수 있다.[4]

운동력과 운동량 감소와 더불어 노화와 관련하여 운동조정능력과 보행속도 감소가 나타날 수 있다.[37] 한 연구에서 손과 발을 두드리는 속도가 20% 감소하였고, 경미한 말단부 떨림, 경미한 완서증(bradykinesia), 경직 및 발뒤꿈치-정강이 검사(heel-shin test)와 코-손가락(Finger-nose test) 검사에서 보여지는 경미한 운동거리 조절이상(dysmetria)이 각각 40%까지 노인에서 관찰될 수 있다. 467명의 환자를 대상으로 한 연구에서 파킨슨 징후의 유병률을 조사하였고, 네 가지 주요징후들(경직, 운동느림, 떨림, 보행장애) 중에 2개 이상의 징후가 있을 때로 정의할 경우 65~74세는 14.9%였고, 점차로 증가하여 85세 이상에서는 52.4%로 나타났다.[38] 이러한 징후는 일상생활의 활동들(옷입고 벗기, 식사하기, 의자에서 일어서기)을 방해할 수 있고, 장애의 중요한 요인으로 작용할 수 있다. 이 연구에서는 파킨슨병은 보행 불안정의 문제로 사망률이 두 배 가량 증가한 것과 관련이 있다고 보고하였다.

근육긴장병증

근육긴장병증(paratonia, gegenhalten)은 팔다리의 급속 수동운동(굴곡 및 신전) 시에 근육긴장이 증가하는 것을 말한다.[39] 파킨슨병의 경직과는 달리, 그것은 일정하지는 않고 사지의 느린 움직임으로 사라지는 경향이 있다. 환자의 팔을 앉은 자세에서 무릎 15 cm 위에 있도록 유지할 경우 근육긴장병증이 나타날 수 있고, 이후에 다시 긴장을 풀라는 지침에도 불구하고 긴장은 계속 높은 상태로 남아있을 수 있다. 유병률은 나이가 들수록 증가하며, 4~21% 정도로 보고 있다.[4] 어떤 이들은 이러한 증상을 자세반사 또는 피질 유리 징후(cortical release sign)로 간주한다. 다른 원시적인 유리 징후들과 유사하게, 근육긴장병증의 유병률은 알츠하이머병과 치매의 다른 형태들을 가진 환자에게서 높게 나타나고, 인지기능 장애의 중증도와 연관이 있다. 또한 연령증가와 관련된 기저핵 변화의 징후로 나타날 수 있다.

떨림

생리적인 떨림은 어느 연령대에서도 나타날 수 있다. 생리적 떨림에는 안정떨림(rest tremor, 8-12 Hz)과 양측 팔을 가슴 앞으로 곧게 뻗어 등척성 수축하는 동안 나타나는 자세떨림(postural tremor, 8-12 Hz), 그리고 등장성 수축하는 동안 발생하는 활동떨림(action or volitional tremor, 7-12 Hz)으로 분류할 수 있다. 건강한 노인에서 생리적 떨림의 유병률은 연구마다 논란의 여지가 있다.[40] 자세떨림은 약물, 알코올 및 질병상태(갑상선기능항진증, 고아드레날린 상태, 또는 근육긴장이상)에 의한 2차적인 요인으로 발생하게 된다. 2차적인 원인이 분명하지 않을 때는 본태떨림(essential tremor)을 고려해야 한다. 본태떨림의 유병률은 65세 이상 건강한 노인에서 1.7%에서 23%에 이르는 것으로 보고하고 있다. 떨림의 2차적 원인이 없고 본태떨림 기준에도 맞지 않은 경우에 이를 노인성 떨림이라고 부른다. 노인성 떨림은 매우 흔해서, 한 지역사회기반 환자-대조군 연구에서 노인 환자의 98%가 이에 해당함을 보여준 바가 있다. 경미하거나 무증상 떨림인 경우가 흔하여 치료를 요하지 않는 경우가 많다. 노인성 떨림이 생리적 떨림의 과장된 형태인지 또는 본태떨림의 경미한 형태인지는 불확실하다. 율동적, 대개 비대칭적 안정떨림은 자주 파킨슨병의 징후이며, 건강한 노인에서는 거의 볼 수 없다.[26,39]

보행과 자세변화

고령일수록 굽은 자세를 취하는 경향이 있다. 이것은 근력저하, 복근의 약화, 관절염과 퇴행성관절질환, 진동 및 위치 감각 감소 및/또는 운동속도와 조정기능의 손상으로 인해 발생할 수 있다.[4]

자세 흔들림 증가는 노년층의 정상적인 현상이며, 두 가지 다른 빈도로 나타난다. 빠른 진동은 하지의 고유수용감각의 자극에 의존하고, 느린 진동은 적어도 부분적으로 전정 자극에 의존한다. 발을 향해 보게 되면 시각적 보상을 방해하여 이러한 정상 흔들림이 과장되어 나타난다. 자세바로잡기반사는 노인에서 감소될 수 있다. 흔들림 정도로 평가한 자세조절력은 아동기에는 낮은 상태에서 성인기에 최고점에 도달한 이후에 나이가 들수록 줄어든다. 한 연구에서 60세 이상 환자의 거의 3분의 1은 시각적 시도로 흔들림을 최소화할 수 없었고 따라서 낙상의 위험이 유의하게 높아졌다.[41]

노인에서 낙상의 위험이 높기 때문에 보행검사는 신경학적 검사의 필수적인 부분이다. 보행은 평형(직립유지자세)과 이동(보행시작과 발걸음)으로 구성되고, 두 요소는 노화와 함께 감소하는 것으로 보인다. 건강한 노인에서도 눈을 감고 한 발로 균형을 유지하는 것은 어렵다. 정량적인 연구들에서 젊은 연령층보다 노인들에서 훨씬 흔들림은 크고 보행속도와 보폭은 현저히 감소함을 보여주었다. 따라서, 노인에서 일자보행 또는 발꿈치-발끝 보행(heel and toe walking)을 장시간하기는 어려울 수 있다.

노인을 대상으로 보행평가를 할 때는 관절통과 관절염에 의한 보행 이상을 확인하는 것이 중요하다. 보행은 최소 10야드 이상을 직진하게 하고, 방향을 틀게 하고, 그리고 좁은 복도에서도 동작을 평가하는데, 이 때 걸음거리, 팔 스윙 및 자세를 주의 깊게 관찰한다. 환자에게 일자보행, 발꿈치-발끝 보행, 그리고 가능한 실제 몇 걸음을 걷도록 해야 한다. 자세 안정성은 환자의 다리를 어깨 너비로 벌려서 평가한다. 이런 자세에서 환자의 뒤에서 강하게 어깨를 당겨 바로잡기반응을 평가한다; 임상가는 환자가 넘어질 것에 대한 대비를 해야 한다. 한 두 발짝 후퇴하는 것은 정상으로 간주한다. 여러 요인에도 불구하고, 연령 단독으로는 일반적으로 바로잡기반사에 영향을 주거나 반복적인 낙상을 유발하지는 않는다. 자세 불안정성이 있다면, 파킨슨병과 같은 기저질환을 배제하기 위한 조사를 진행해야 한다.

감각 검사

노화와 관련되어 감각검사에서 가장 흔하고 명백한 이상은 진동감각의 감소이고 적게는 고유감각 이상과 관련된다.[42] 이 두 가지 감각 양상은 척수의 척주(dorsal column)에 의해 수행된다. 연령에 따른 손상은 척주 내의 결합조직의 증식, 세동맥의 동맥경화 변화, 신경섬유의 변성 또는 축삭소실에 의한 것일 수도 있다.[43,44] 감각검사는 주관적이며, 반응의 일관성과 다른 증상과 징후들과 감각 증상들이 얼마나 연관되는지를 고려하는 것은 중요하다. 말초원인에 의한 감각소실은 대개 양측이면서 대칭적인 특징을 가지고 있다. 편측성 감각소실은 주로 일차 감각피질 또는 그 투사경로의 병변으로 발생하게 된다. 진동감각 이상 유병률은 65~85세 사이의 노인의 12%에서 많게는 65%까지 보고하고 있으며, 연령이 더 증가할수록 손상은 더욱 악화된다.[4,42] 진동감각의 소실은 상지 및 하지 모두에 영향을 미치고 원위부에서 종종 시작한다. 128-Hz 진동자(turning fork)를 진동시켜 발허리뼈 또는 발목 안쪽 복사뼈 부위에 대어 증명할 수 있다. 정량적인 측정을 하면, 고주파 범위에서는 진동의 감도가 연령이 증가함에 따라 감도가 감소하지만 저주파수 범위(25~40 Hz)에서는 변하지 않는 것을 보여주었다.[43] 고유감각도 영향을 받지만 비교적 적게 받는 것으로 알려져 있고 연구에 따라 유병률이 2%에서 44%까지 보고하고 있다.[45] 이것은 종종 롬버그 검사(Romberg's test)에서 가벼운 흔들림으로 나타난다. 노인에서 촉각에 관한 연구는 매우 부족하다. 일부 연구에 따르면 나이와 가벼운 촉각의 역치 증가와 관련이 있다고 보고하였지만 연령 관련 변화가 임상적으로 의미가 있는지는 불분명하다.[44,46]

반사

깊은힘줄반사

노인에서 반사는 불안이나 관절질환과 같은 상황에서는 잘 나타나지 않을 수 있다. 60세 이상의 노인에서는 발목반사를 유발할 경우 반사저하 또는 무반사로 나타날 수 있다.[4] 한 연구에서는 반사의 비대칭이 노인 대상자 중에 3%에서 나타난다고 보고하였다. 전기생리검사 연구에서 사지의 수입과 수출반사가 연령이 증가할수록 감소하게 되고, 경미한 비대칭도 볼 수 있다. 노화로 인해 무릎힘줄반사도 소실되지만 발목반사는 일반적으로 가장 빨리 소실되거나 감소되는 반사이다.[42] 바빈스키징후와 강직을 동반한 편측의 과잉반사는 반대쪽 추체로의 병변을 의미한다.

표재반사들(복부, 고환올림, 발바닥 반사)은 나이가 들수록 서서히 사라질 수 있다. 흉추 여섯 번째(T6) 위의 피질척수 병변은 모든 표재복부반사를 소실할 수 있지만, 흉추 열두 번째(T12) 아래의 병변일 경우 표재복부반사는 모두 보존된다. T10에서 T12 사이의 병변이 있을 경우 병변의 아래쪽 반사들이 선택적으로 소실되며 Beevor 징후(머리를 굽힐 때 누워 있는 환자의 배꼽이 머리쪽으로 올라가는 증상)는 양성소견으로 관찰된다. 발바닥의 바깥 측면을 따라 문질러 올릴 때 엄지발가락이 펴지거나 뒤굽힘을 하는 반응을 바빈스키 징후(Babinski sign)라고 부른다. 생후 2년이 지났음에도 이러한 원시반사(primitive reflexes)가 지속된다면 상부운동신경의 병적 징후일 수 있다. 정상노화와 관련해서는 상기 반사의 일관적인 변화는 없으며, 이러한 반사가 유발하는 것에 관해서도 관찰자간의 변동성이 자주 발생한다.

원시반사

원시반사, 또는 소위 구식(archaic) 또는 발달(developmental)반사는 발달의 초기 단계에 존재하는 반사연합에 대한 피질 억제의 소실을 나타내며, 나중에 뇌 성숙으로 억제된다.[47] 성인에서 원시반사가 다시 나타나는 것은 주로 전두엽의 위축성 변화(예, 치매 증후군, 말이집탈락병, 뇌혈관 질환)와 관련이 있으며, 때로는 피질 유리 징후(cortical release sign)라고도 한다. 그러나, 이러한 반사는 건강한 노인에서도 가끔 볼 수 있으며, 일부 반사(예, 손바닥턱반사(palmomental reflex))는 모든 연령층에서 유발될 수 있다. 이들 반사들의 정확한 병태생리적 기전은 아직 완전히 밝혀져 있지 않다. 별개로, 그들은 어떠한 신경계 질환에 특이적이지도 민감하지도 않다. 일부는 정상적인 노화에서도 나타날 수 있지만, 두 개 이상의 나타나면 기저질환(예, 퇴행성신경 질환, 치매)에 대한 조사를 필요로 하며, 정상노화 현상으로 봐서는 안된다.

움켜잡기반사(Grasp reflex). 대뇌 피질의 탈억제의 중증도의 3가지 다른 수준을 반영하는 3가지 다른 유형의 움켜잡기반사가 있다.[48] 첫 번째로, 촉각움켜잡기(tactile grasp)는 척골에서 요골 방향으로 손바닥에 압력을 가하면서 유발하는데, 이 때 환자의 주의를 분산시키면서 시행한다(예, 숫자 20에서부터 거꾸로 세도록 한다). 손바닥에 압력을 가하는 것에 반응하여 엄지 손가락을 모으면서 손가락이 구부러지거나 검사자의 손가락을 움켜쥐면 양성으로 간주한다. 당김움켜잡기(traction grasp)는 검사자가 환자의 쥐기를 떼어놓으려고 시도할 때 환자의 대응으로 기술된다. 자기움켜잡기(magnetic grasp)는 환자가 검사자의 손을 따라잡거나 도달할 때를 말한다. 이것은 일반적으로 병적 징후로 간주되며, 자주 내측 전두엽 또는 기저핵 구조의 반대측성 또는 양측성 손상의 결과로 발생한다. 그러나, 촉각움켜잡기 반응은 많은 건강한 노인에서도 볼 수 있으며, 일반적으로 고령으로 갈수록 빈도가 증가한다. 알츠하이머 병에서 자주 발견되며, 인지장애의 정도와 연관된다. 손의 움켜잡기반사와 유사하게 발바닥에 가해지는 촉각 자극이나 압력에 대해 발의 내전과 역전현상과 함께 발가락의 모으고 굽히는 반응이 나타난다. 이러한 반사는 신생아에게는 언제나 볼 수 있다. 노인에서는 이 반사가 다시 나타날 수 있으며, 보행장애와 일상생활 활동에 방해를 줄 수 있다.[48]

미간 두드림 반사(Glabellar Tap Reflex). 이 반사의 다른 이름은 미간 두드리기 징후, 눈둘레근반사, 눈깜박반사 및 Myerson 징후로 불린다.[49] 눈썹 사이의 이마를 초당 2번의 속도로 가볍게 두드리면 시각적인 위협을 피하면서 유발된다. 정상적인 반응은 첫 3~9회의 두드리기에 깜박임을 보이다가 계속적인 두드림에는 깜박거리는 반응을 중지하게 된다. 추가 두드림에 깜박임이 지속되면 양성 또는 비정상으로 간주한다. 비정상 미간 두드림 반사는 파킨슨병 환자에게서 처음 발견되어 기술된 이후에 파킨슨병의 진단법으로 고려되었다. 그러나, 그것은 정상적인 노화 뿐 아니라 다른 신경퇴행성 장애에서도 나타날 수 있다. 정상 노인의 50%에서 나타나고, 고령으로 갈수록 유병률이 더 증가하는지에 대해서는 논쟁의 여지가 있다. 대뇌 피질의 탈억제보다는 주로 기저핵의 병변에 기인한 점이 다른 원시반사들과의 차이점이다.[49]

손바닥턱반사(palmomental reflex). 같은 쪽의 엄지두덩을 자극하면 같은 쪽의 아래턱에 있는 턱끝 근육의 수축이 유발된다. 정중신경과 척골신경을 통해 전달하는 구심성팔과 안면신경에서의 원심성팔로 구성되는 다연접반사와 통각반사이다. 손바닥턱반사를 유발하는 역치는 개인마다 다양하다. 이 반사는 50세 미만에서는 27%까지 나타날 수 있고, 85세 이상의 노인에서는 35% 이상에서 관찰된다. 손바닥턱반사는 전두엽 기능 이상을 반영하는 것으로 알려져 있다.[49]

뾰족입반사(Snout or Pout Reflex). 윗입술 정중선, 인중을 가볍게 두드리거나 압박할 경우 유발되는데, 입술을 오므리거나 뾰족하게 내민다.[47] 구심성과 원심성 사지들에 관한 삼차신경과 안면신경에 의해 발생하는 입주변 근육의 통각반사이다. 손바닥턱반사와는 달리 40~50세 이전에는 일반적으로 보이지 않는다. 그러나, 발생률은 나이에 따라 증가하며, 85세경에 73%의 유병률을 보여준다.[50] 이 반사의 발생은 정신측정검사에서 손상된 행위와 잘 관련되어지고, 앞쪽 띠이랑(cingulate gyrus)에 있는 큰피라밋세포들(large pyramidal neurons) 소실과 일치한다.

빨기반사(Suck Reflex). 이 반사는 집게손가락 또는 반사망치로 입술을 자극하면 유도된다. 그 반응은 손가락이나 물체를 입술로 다물게 되는데, 입술과, 혀 및 턱의 빨기 운동으로 나타난다. 반응은 불완전할 수도 있고 완전할 수도 있다. 자극이 입술 옆 가장자리에 가해지면 머리는 자극 쪽으로 향하게 된다. 정상 노인의 6%에서 볼 수 있지만, 치매가 있을 때 더 흔하게 나타나며, 인지장애의 중증도와 관련있게 나타난다.[50] 뾰족입과 빨기반사는 항정신성 약물의 장기간 사용 시에 더 흔하게 나타나는 것으로 보인다.

결론

다양한 신경학적 장애들(예, 뇌졸중, 파킨슨병, 알츠하이머병)은 노인들에게 주로 영향을 미친다. 정상소견과 비정상징후를 증명하기 위해서는 모든 노인에서 포괄적인 정신상태 및 신경학적 검사를 수행해야 한다. 정상적인 감각중추 상태에서 인지기능의 변화는 퇴행성신경 질환(알츠하이머병, 파킨슨병, 픽병) 또는 의학적 질병(뇌혈관질환, 비타민B12결핍, 갑상선기능저하증)의 2차적인 문제로 발생한 치매와 일관된다. 다른 한 편, 섬망은 감각중추와 의식 수준에 변화를 일으키며, 약물, 감염, 두부손상, 또는 대사장애로 인해 발생할 수 있다. 관련된 특징으로는 수면각성주기 파괴, 간헐적인 졸음과 초조, 안절부절증, 감정적인 불안감 및 명백한 정신병(예, 환각, 착각, 망상)이 있다. 선행요인에는 고령, 치매, 신체 또는 정신건강장애, 감각상실(시력 또는 청력저하), 그리고 중환자실 입원이 포함된다. 뇌신경기능(예, 시각, 청력, 전정기능, 미각, 후각)의 일부 측면에서 기능저하는 검사를 통해 즉시 발견될 수 있다. 다른 소견에는 이상없이 뇌신경기능이상은 노화 과정의 일부로 간주될 수 있을 것이다. 그러나, 이상징후가 무리 지어서 나타나는 것은 대개 신경계의 병적 상태를 의미한다. 유사하게, 노인들은 나이가 들수록 이동성, 조정력, 감각 및 근력이 감소한다. 그러나, 이동성이 현저하게 변화하거나 국소 신경학적 징후들이 나타나면 임상의는 신경병리적 질환을 의심하고, 진단검사가 이루어지도록 해야 한다. 결론적으로, 정상노화의 신경학적 소견은 인지기능의 미묘한 감소, 경미한 운동기능저하, 그리고 감각인지의 변화를 포함한다. 그러나 인지, 행동, 운동 및 감각기능의 빠르게 악화되는 장애는 노인에서 흔히 발생하는 신경학적 질환의 발병을 시사하는 소견일 수 있다. 포괄적인 정신상태와 신경학적 검사는 상세한 일반신체검사와 함께 추가적인 검사를 필요로 하는 신경병리적 이상상태를 발견하는데 중요한 기초 검사이다.

감사의 글

이 챕터는 National Institute on Aging (P30 AG008051, R01 AG040211) 및 New York State Department of Health (DOH−2011−1004010353) 보조금으로 지원되었다.

KEY POINTS

요점

- 신경학적 장애는 노인에서 질병이환율, 사망률, 요양보호시설 이용 및 보건의료비 증가의 흔한 원인이다.
- 정상노화에서도 정상적인 신경학적 징후가 소실되거나 또는 다른 징후들이 과장되어 나타날 수 있다.
- 정상노화와 관련된 인지능력의 변화로 일의 처리 속도, 인지유연성, 시각공간지각 감소로 나타난다; 새로운 학습 및 언어와 같은 다른 영역은 연령효과에 영향을 받지 않는다. 따라서, 이러한 인지기능 저하가 동반될 경우 민감한 지표로서 목록학습, 단락회상 및 범주 유창성을 사용해서 평가한다.
- 노화는 미각, 후각, 시각, 청각, 고유감각과 균형감의 변화와 관련된다. 다른 신경학적 이상이 발견되면 추가적인 조사가 필요하다.
- 노화에 관련하여 근육량의 점진적인 감소가 발생하며(근감소증(sarcopenia)), 손과 발의 내재 근육이 관련되고, 대칭적으로 나타나게 된다. 국소적인 근력 저하는 정상노화의 특징이 아니다.
- 상세한 일반신체검사와 함께 포괄적인 정신상태와 신경학적 검사는 추가적인 검사를 요하는 신경병리적 이상상태를 발견하는데 중요한 기초 검사이다.

참고문헌의 총 목록을 보려면 www.expertconsult.com 을 방문해주세요.

중요 참고문헌

1. Olesen J, Gustavsson A, Svensson M, et al: CDBE2010 study group; European Brain Council. The economic cost of brain disorders in Europe. Eur J Neurol 19:155−162, 2012.
2. Tolea MI, Galvin JE: Sarcopenia and impairment in cognitive and physical performance. Clin Interv Aging 10:663−671, 2015.
5. Harada CN, Natelson Love MC, Triebel KL: Normal cognitive aging. Clin Geriatr Med 29:737−752, 2013.
7. Galvin JE, Powlishta KK, Wilkins K, et al: Predictors of preclinical Alzheimer disease and dementia: a clinicopathologic study.

Arch Neurol 62:758－765, 2005.

8. Karantzoulis S, Galvin JE: Distinguishing Alzheimer's disease from other major forms of dementia. Expert Rev Neurother 11:1579－1591, 2011.

11. Nasreddine ZS, Phillips NA, Bedirian V, et al: The Montreal cognitive assessment, MoCA: a brief screening tool for mild cognitive impairment. J Am Geriatr Soc 53:695－699, 2005.

12. Galvin JE, Roe CM, Powlishta KK, et al: The AD8: a brief informant interview to detect dementia. Neurology 65:559－564, 2005.

17. Doty RL, Kamath V: The influences of age on olfaction: a review. Front Psychol 5:20, 2014.

18. Braak H, Braak E: Neuropathological staging of Alzheimer-related changes. Acta Neuropathol 82:239－259, 1991.

19. Braak H, Del Tredici K, Rub U, et al: Staging of brain pathology related to sporadic Parkinson's disease. Neurobiol Aging 24:197－211, 2003.

21. Imoscopi A, Inelmen EM, Sergi G, et al: Taste loss in the elderly: epidemiology, causes and consequences. Aging Clin Exp Res 24:570－579, 2012.

22. Klein R, Klein BE: The prevalence of age-related eye diseases and visual impairment in aging: current estimates. Invest Ophthalmol Vis Sci 54:ORSF5－ORSF13, 2013.

35. Rudolf R, Khan MM, Labeit S, et al: Degeneration of neuromuscular junction in age and dystrophy. Front Aging Neurosci 6:99, 2014.

참고문헌

1. Olesen J, Gustavsson A, Svensson M, et al: CDBE2010 study group; European Brain Council: The economic cost of brain disorders in Europe. Eur J Neurol 19:155－612, 2012.

2. Tolea MI, Galvin JE: Sarcopenia and impairment in cognitive and physical performance. Clin Interv Aging 10:663－671, 2015.

3. Centers for Disease Control and Prevention (CDC): Self-reported increased confusion or memory loss and associated functional difficulties among adults aged ≥60 years—21 states, 2011. MMWR Morb Mortal Wkly Rep 62:347－350, 2013.

4. Galvin JE, et al: Mental status and neurological examination in older adults. In Halter JB, Ouslander J, Tinetti M, et al: Hazzard's principles of geriatric medicine and gerontology, ed 6, New York, 2010, McGraw-Hill Education, pp 153－171.

5. Harada CN, Natelson Love MC, Triebel KL: Normal cognitive aging. Clin Geriatr Med 29:737－752, 2013.

6. Friedman D, Nessler D, Johnson R, Jr: Memory encoding and retrieval in the aging brain. Clin EEG Neurosci 38:2－7, 2007.

7. Galvin JE, Powlishta KK, Wilkins K, et al: Predictors of preclinical Alzheimer disease and dementia: a clinicopathologic study. Arch Neurol 62:758－765, 2005.

8. Karantzoulis S, Galvin JE: Distinguishing Alzheimer's disease from other major forms of dementia. Expert Rev Neurother 11:1579－1591, 2011.

9. Folstein MF, Folstein SE, McHugh PR: "Mini-mental state." A practical method for grading the cognitive state of patients for the clinician. J Psychiatr Res 12:189－198, 1975.

10. Borson S, Scanlan J, Brush M, et al: The mini-cog: a cognitive "vital signs" measure for dementia screening in multi-lingual elderly. Int J Geriatr Psychiatry 15:1021－1027, 2000.

11. Nasreddine ZS, Phillips NA, Bedirian V, et al: The Montreal cognitive assessment, MoCA: a brief screening tool for mild cognitive impairment. J Am Geriatr Soc 53:695－699, 2005.

12. Galvin JE, Roe CM, Powlishta KK, et al: The AD8: a brief informant interview to detect dementia. Neurology 65:559－564, 2005.

13. Jorm AF, Jacomb PA: The informant questionnaire on cognitive decline in the elderly (IQCODE): socio-demographic correlates, reliability, validity and some norms. Psychol Med 19:1015－1022, 1989.

14. Razavi M, Tolea MI, Margrett J, et al: Comparison of 2 informant questionnaire screening tools for dementia and mild cognitive impairment: AD8 and IQCODE. Alzheimer Dis Assoc Disord 28:156-161, 2014.

15. Galvin JE, Roe CM, Morris JC: Evaluation of cognitive impairment in older adults: combining brief informant and performance measures. Arch Neurol 64:718-724, 2007.

16. Schiffman SS: Taste and smell losses in normal aging and disease. JAMA 278:1357-1362, 1997.

17. Doty RL, Kamath V: The influences of age on olfaction: a review. Front Psychol 5:20, 2014.

18. Braak H, Braak E: Neuropathological staging of Alzheimer-related changes. Acta Neuropathol 82:239-259, 1991.

19. Braak H, Del Tredici K, Rub U, et al: Staging of brain pathology related to sporadic Parkinson's disease. Neurobiol Aging 24:197-211, 2003.

20. Methven L, Allen VJ, Withers CA, et al: Ageing and taste. Proc Nutr Soc 71:556-565, 2012.

21. Imoscopi A, Inelmen EM, Sergi G, et al: Taste loss in the elderly: epidemiology, causes and consequences. Aging Clin Exp Res 24:570-579, 2012.

22. Klein R, Klein BE: The prevalence of age-related eye diseases and visual impairment in aging: current estimates. Invest Ophthalmol Vis Sci 54:ORSF5-ORSF13, 2013.

23. Calkins DJ: Age-related changes in the visual pathways: blame it on the axon. Invest Ophthalmol Vis Sci 54:ORSF37-ORSF41, 2013.

24. Dagnelie G: Age-related psychophysical changes and low vision. Invest Ophthalmol Vis Sci 54:ORSF88-ORSF93, 2013.

25. Pelak VS: Ocular motility of aging and dementia. Curr Neurol Neurosci Rep 10:440-447, 2010.

26. Jones HR, Srinivasan J, Allman GJ, et al: Netter's neurology, ed 2, Philadelphia, 2011, Elsevier Saunders.

27. Schubert MC, Zee DS: Saccade and vestibular ocular motor adaptation. Restor Neurol Neurosci 28:9-18, 2010.

28. Oguro H, Okada K, Suyama N, et al: Decline of vertical gaze and convergence with aging. Gerontology 50:177-181, 2004.

29. Aminoff MJ, Josephson SA: Neurology and general medicine, ed 5, New York, 2014, Academic Press.

30. Claussen CF, Pandey A: Neuro-otological differentiations in endogenous tinnitus. Int Tinnitus J 15:174-184, 2009.

31. Lee FS, Matthews LJ, Dubno JR, et al: Longitudinal study of pure tone thresholds in older persons. Ear Hear 26:1-11, 2005.

32. Baloh RW, Enrietto J, Jacobson KM, et al: Age-related changes in vestibular function: a longitudinal study. Ann N Y Acad Sci 942:210-219, 2001.

33. Meng N, Li C, Liu C, et al: Sarcopenia defined by combining height and weight-adjusted skeletal muscle indices is closely associated with poor physical performance. J Aging Phys Act 23(4):597-606, 2015.

34. Purves-Smith FM, Sgarioto N, Hepple RT: Fiber typing in aging muscle. Exerc Sport Sci Rev 42:45-52, 2014.

35. Rudolf R, Khan MM, Labeit S, et al: Degeneration of neuromuscular junction in age and dystrophy. Front Aging Neurosci 6:99, 2014.

36. Keevil VL, Luben R, Dalzell N, et al: Cross-sectional associations between different measures of obesity and muscle strength in men and women in a British cohort study. J Nutr Health Aging 19:3-11, 2015.

37. Kaye JA, Oken BS, Howieson DB, et al: Neurologic evaluation of the optimally healthy oldest old. Arch Neurol 51:1205-1211, 1994.

38. Bennett DA, Beckett LA, Murray AM, et al: Prevalence of parkinsonian signs and associated mortality in a community population of older people. N Engl J Med 334:71-76, 1996.

39. Ropper A, Samuels M: Adams and Victor's principles of neurology, ed 10, New York, 2014, McGraw-Hill.

40. Benito-León J: Essential tremor: a neurodegenerative disease? Tremor Other Hyperkinet Mov (N Y) 4:252, 2014.

41. Goodwin VA, Abbott RA, Whear R, et al: Multiple component interventions for preventing falls and fall-related injuries among older people: a systematic review and meta-analysis. BMC Geriatr 14:15, 2014.

42. O'Brien M: Aids to Examination of the peripheral nervous system, London, 2010, Saunders.

43. Verrillo RT, Bolanowski SJ, Gescheider GA: Effect of aging on the subjective magnitude of vibration. Somatosens Mot Res 19:238-244, 2002.

44. Thornbury JM, Mistretta CM: Tactile sensitivity as a function of age. J Gerontol 36:34–39, 1981.

45. Benassi G, D'Alessandro R, Gallassi R, et al: Neurological examination in subjects over 65 years: an epidemiological survey. Neuroepidemiology 9:27–38, 1990.

46. Vrancken AF, Kalmijn S, Brugman F, et al: The meaning of distal sensory loss and absent ankle reflexes in relation to age: a metaanalysis. J Neurol 253:578–589, 2006.

47. van Boxtel MP, Bosma H, Jolles J, et al: Prevalence of primitive reflexes and the relationship with cognitive change in healthy adults: a report from the Maastricht Aging Study. J Neurol 253:935–941, 2006.

48. Mestre T, Lang AE: The grasp reflex: a symptom in need of treatment. Mov Disord 25:2479–2485, 2010.

49. Brodsky H, Dat Vuong K, Thomas M, et al: Glabellar and palmomental reflexes in Parkinsonian disorders. Neurology 63:1096–1098, 2004.

50. Walker HK: The suck, snout, palmomental, and grasp reflexes. In Walker HK, Hall WD, Hurst JW, editors: Clinical methods: the history, physical, and laboratory examinations, ed 3, Boston, 1990, Butterworths, pp 363–364.

CHAPTER **19**

결합조직과 노화
Connective Tissues and Aging

Nicholas A. Kefalides, Zahra Ziaie, Edward J. Macarak

노화는 결합조직을 포함하여 신체 내 모든 계통에 영향을 미치는 작용들의 순환으로 이루어진 연속적인 과정이다. 노화 과정과 결합조직은 복잡하고 다양한 인자들의 상호작용으로 이루어져 있다. 노화가 결합조직에 미치는 영향에 대해서, 그리고 반대로 결합 조직의 구성 요소들이 노화 과정에 미치는 영향에 대해 알기 위해서는 결합 조직의 생화학적 구조, 생합성, 변형, 세포외조직, 분자유전학 및 결합조직 세포와 세포외기질의 속성에 미치는 인자들에 대한 이해가 필요하다. 최근 연구들에서는 노화와 관련된 질병에서 결합조직성분의 변화에 관여하는 기전에 대한 진전이 있었는데, 결합조직의 발달에 많은 일련의 작용들이 발생하고, 이들은 노화 과정에 직접 혹은 간접적으로 연관되어 있다는 것이 밝혀졌고, 현재까지도 집중적으로 연구되고 있는 분야이다.

이 장에서는 세포외기질의 여러 구성 요소와 이들의 구조, 분자학적 편성, 생합성, 변형, 전환, 그리고 분자유전학에 대해서 간략하게 기술하였고, 노화가 세포외기질과 여러 결합조직의 성질에 미치는 영향, 그리고 노화와 연관된 질환에서 결합조직 생리학의 역할에 대해 서술하였다.

결합조직의 성질

결합조직의 성질은 일차적으로 해당조직의 세포에서 분비되는 주위 세포외기질 성분들에 기인한다. 연골, 건과 같은 일부 결합조직의 경우 대부분 한 종류의 세포(예: 연골세포, 섬유아세포)에서 생성되고, 세포의 합성과 세포외기질을 포함한 여러 인자의 분비는 그 조직의 성질을 주로 결정한다. 뼈, 혈관, 피부와 같은 일부 구조물에서는 여러 종류의 결합조직 세포가 공존하는데, 뼈에서는 조골세포와 파골세포, 혈관에서는 내피세포, 평활근세포와 섬유아세포, 그리고 피부에서는 섬유아세포, 상피세포, 지방세포가 있다. 이러한 세포들이 조직의 구조적, 기능적 성질에 기여한다. 심근과 신장 같은 일부 조직과 장기에서는 그 조직의 주요 생리학적 기능과는 별개로 작용하는 결합조직의 구성요소에 기인하는 성질을 가질 수 있는데 이러한 특징은 노화 과정에서 그 조직의 성질에 영향을 미칠 수 있다. 다른 세포 종류는 각각 다른 세포외기질을 생성하고 이는 그 결합조직의 구조적 성질에 영향을 미친다.

세포외기질의 주 요소들은 세가지 계열의 분자로 분류된다. (1) 콜라겐(현재 28개 종류가 확인됨)과 엘라스틴을 포함한 구조적 단백질, (2) 헤파란황산염와 데르마탄황산염와 같이 구조적으로 특정적인 분자계열을 포함한 프로테오글리칸, 그리고 (3) 피브로넥틴과 라미닌 같은 구조적 당단백질이 있다. 이러한 물질들의 상호작용이 결합조직의 발달과 성질을 결정한다.

콜라겐

구조

콜라겐은 밧줄같은 슈퍼헬릭스로 엉킨 분자 도메인을 포함하여 세 개의 폴리펩티드로 구성된 알파 사슬로 이루어진 결합조직 단백질 계열이다. 콜라겐은 프롤린과 글리신이 풍부하고 이는 삼중가닥 슈퍼헬릭스의 형성과 안정화에 기여한다.[1,2]

최소 28개 특징적 콜라겐의 유전자가 확인되었다.[3] 간질 콜라겐인 I, II, III, V 형은 피브릴로 구성된 거대하고 광범위한 분자로 존재하는데 피브릴 내 한 종류 이상의 콜라겐이 포함되는[4] 이형질적[1]인 특성을 가질 수도 있다. 기저막 콜라겐으로도 불리는 IV형 콜라겐은 피브릴 형태로 존재하지는 않지만 이황화 결합 및 다른 연결된 복잡한 콜라겐 분자 네트워크로 구성되어 있고 라미닌, entactin, 프로테오글리칸와 같은 비콜라겐 분자와 함께 무정형 기질[5,6]을 형성한다. 지금까지 확인된 28가지 콜라겐 종류 중 첫 11개 콜라겐 단백질이 추출되었다.

표 19-1은 콜라겐 종류를 요약하였다(Canty와 Kadler[3]이 발표한 것에서 변형한 것이다). 28가지 콜라겐의 알파 사슬에 해당하는 46가지 유전자가 있다. I형 콜라겐은 신체 내 가장 풍부한 콜라겐이자 단백질이다. I형 콜라겐 피브릴의 기본 단위는 삼중 나선형 이성삼중합 트로포콜라겐인데 두 개의 동일한 사슬 알파 1(I)와 세 번째 사슬 알파 2(I)로 구성되어 있다.[1] 다른 콜라겐 종류도 비슷한 명칭이 주어졌는데 일부 종류의 경우 세 개의 동일한 사술로 구성된 동성삼중합이거나 유전학적으로 다른 세 개의 사슬로 구성되어 있다.

콜라겐 알파 사슬은 글리신이 서열의 각 세 번째 위치마다 있는 독자적인 아미노산 구성을 가지고 있다. 따라서 콜라겐성 도메인은 −Gly−X−Y− 형태의 반복되는 펩티드 삼중자로 구성되어 있는데 X와 Y는 글리신 외 다른 아미노산을 의미하며, 프롤린이 Y 위치의 상당한 비율을 차지한다. 또한, 콜라겐은 단백질 4− 와 3−히드록시프롤린과 히드록시리신의 전사후 변형에서 비롯된 두 개의 독특한 아미노산을 포함하고 있다. 4−히드록시프롤린은 주변 알파사슬과 수소결합을 형성할 수 있도록 알파사슬을 따라 추가적인 위치를 제공하는데 이는 체온에서 삼중 나선형 단백질 구조를 유지하는 데 있어 중요한 역할을 한다. 히드록시프롤린 형성이 억제되면, 삼중 나선형 구조는

표 19-1. 콜라겐 종류

형	유전자	조직분포
I	*COL1A1, COL1A2*	피부, 건, 뼈, 각막, 혈관
II	*COL2A1*	연골, 척추간 디스크, 유리체
III	*COL3A1*	피부, 혈관
IV	*COL4A1, COL4A2, COL4A3, COL4A4, COL4A5, COL4A6*	기저막
V	*COL5A, COL5A2, COL5A3*	태반, 피부, 심혈관계
VI	*COL6A1, COL6A2, COL6A3, COL6A4, COL6A5, COL6A6*	각막, 혈관, 폐, 고환, 대장, 콩팥, 간, 비장, 흉선, 심장, 골격근, 관절연골
VII	*COL7A1*	피부, 각막, 위장관
VIII	*COL8A1, COL8A2*	심혈관계, 태반, 각막
IX	*COL9A1, COL9A2, COL9A3*	연골, 각막
X	*COL10A1*	연골
XI	*COL11A1, COL11A2, COL2A1*	연골
XII	*COL12A1*	건, 골막
XIII	*COL13A1*	다수의 조직
XIV	*COL14A1*	피부, 뼈, 각막, 혈관
XV	*COL15A1*	태반, 심장, 대장
XVI	*COL16A1*	태반, 심장, 대장
XVII	*COL17A1*	피부, 반결합체
XVIII	*COL18A1*	일부 조직, 특히 콩팥과 간
XIX	*COL19A1*	횡문근육종세포
XX	*COL20A1*	각막상피, 배아피부, 흉골 연골, 건
XXI	*COL21A1*	심장, 위, 콩팥, 골격근, 태반, 혈관
XXII	*COL22A1*	관절연골, 피부, 조직결합부-연골 윤활액, 골건근과 심근의 근육 건결합부
XXIII	*COL23A1*	폐, 각막, 건, 뇌, 피부, 콩팥
XXIV	*COL24A1*	뼈, 각막
XXV	*COL25A1*	뇌 아밀로이드판
XXVI	*COL26A1*	고환, 난소
XXVII	*COL27A1*	연골, 건, 위, 폐, 성선, 피부, 와우, 치아
XXVIII	*COL28A1*	콩팥, 피부, 두개관, 신경, 일부 슈반세포의 기저막

37도에서 알파 사슬 형태로 해리되어 구조적으로 불안정하게 된다.

세 번째 위치마다 존재하는 글리신은 광대한 수소결합과 함께 삼중 나선에 조밀하면서 대부분의 단백질가수분해효소 작용으로부터 저항성을 가질 수 있는 구조를 제공한다. 콜라겐 슈퍼패밀리의 알파 사슬은 피브릴, 미세피브릴로의 자가 조립을 특정하는 정보와 세포외기질에서 다양한 기능을 가진 네트워크로 암호화되어 있다.[6] 콜라겐 구조는 주변 알파 사슬에서 리신과 히드록시리신 잔여물의 변형과 응축에서 비롯된 공유 교차결합의 형성으로 더욱 안정화된다.[2] 교차결합은 콜라겐 피브릴의 안정화에 중요하고 가는 강철선의 강도와 비슷한 장력을 가지도록 한다.

생합성

I형 콜라겐 알파 사슬은 거대한 전구물질인 프로콜라겐에서 합성되는데 C-터미널과 N-터미널에 비콜라겐성 서열을 가지고 있다.[7] 각 전구 알파 사슬이 합성될 때, 세포 내 프롤릴과 리실 수산화효소가 작용을 하여 히드록시프롤린과 히드록시리신을 형성한다. 삼중 나선은 세포 내에서 형성되고 전구-알파사슬의 카르복실기 말단부 근처에서 사슬 간 이황화 결합 형성으로 안정화된다. 삼중 나선 콜라겐 분비 이후, 전구 콜라겐 펩티다아제는 전구 콜라겐의 각 끝에 위치한 대부분의 비콜라겐성 부분들을 제거한다. 세포외 리신과 히드록시리신 옥시다아제는 리신 혹은 히드록시리신의 엡실론 아미노기를 산화시켜 알데히드 유도체를 형성하는데, 이는 첫 교차결합인 시프염기 부가물을 형성할 수 있다. 이들은 재배열되고 환원되어 여러 종류의 교차결합을 하는데, 피부경화증에서 콜라겐 교차결합이 증가되어 있다.

결합조직 성분의 분해

결합조직의 교체에서 기질금속단백분해효소(matrix metalloproteinases, MMPs)의 영향은 MMPs가 활막 관절의 염증 및 관절염에서 세포외기질의 교체를 중재한다는 기전이 알려진 이후 최근 40년간 현저히 밝혀지고 있다.[8] 콜라겐의 세포외 분해는 조직 아교질분해효소에 의해 진행된다. 이 효소는 삼중 나선형 콜라겐을 아미노 터미널기의 3/4 지점에서 분열시켜 두 개의 삼중 나선형 조각을 형성하는데 이는 32도 상에서 비나선형 펩티드로 변형되어 조직 단백분해효소에 의해 분해된다. 조직 아교질분해효소에 의한 분할은 삼중 나선형 콜라겐 분해의 속도제한 단계이다. 콜라겐 분해에 관련된 더 자세한 내용은 Kleiner와 Stetler-Stevenson[9], 그리고 Tayebjee 등[10]이 작성한 논문에서 찾을 수 있다.

콜라겐 분해는 넓은 창상이 치유되는 생리적 과정과 새로운 결합조직이 채워지면서 불필요하게 축적된 조직이 제거되는 과정인 조직 재형성과정이다. 그러나, 류마티스 관절염, 골다공증, 그리고 노화와 같은 상태에서는 아교질분해효소의 생성이 촉진되어 윤활 조직 혹은 뼈의 분해가 증가될 수 있다. 엘라스틴은 세린, 금속, 혹은 시스틴 단백분해효소계에 귀속된 엘라스타아제에 의해 분해

되어 엘라스토카인이라는 엘라스틴 조각이 된다.[11]

조직 아교질분해효소는 결합 조직 세포에서 전구 형태의 전아교질분해효소로 분비가 되는데 효소적 기능을 하기 위해서는 활성화되어야 한다. 트립신과 함께 리소솜성 카뎁신B, 플라스민, 비만세포 단백분해효소, 그리고 혈청 칼리크레인과 같은 단백분해효소도 이 전구 효소를 활성화시킬 수 있다. 따라서 염증 세포는 아교질분해효소를 활성화시키는 인자를 분비하여 관절염의 염증성 후유증에 기여한다. 아교질분해효소는 또한 혈청 억제제, 즉 주로 알파2-마크로글로불린에 의한 억제 작용 하에 있다. 또한, 플라스미노겐 활성 억제제는 간접적으로 플라스민으로 인한 전아교질분해효소의 활성을 억제한다. 섬유모세포와 다른 결합조직세포는 아교질분해효소 억제제를 분비하는데 이는 콜라겐분해에 있어서 세포외 조절의 복잡한 체계를 암시한다.[9,10]

엘라스틴

엘라스틴의 생화학과 분자생물학은 여러 훌륭한 평가의 대상이었다.[12,13] 간질 콜라겐에서처럼 글리신은 엘라스틴의 아미노산 함유량의 1/3을 차지한다. 그러나, 콜라겐과는 달리 글리신은 세 번째 위치마다 발견되지 않는다. 또한, 엘라스틴은 대단히 소수성인 단백질이고 발린, 류신, 그리고 이소류신이 다량 함유되어 있다. 엘라스틴은 70kDa 분자 무게를 가진 전구 분자 트로포엘라스틴으로부터 합성된다. 그러나, 조직에서 엘라스틴은 무정형 거대분자 네트워크 형태로 발견된다. 이는 엘라스틴에서 고유한 공유 교차결합으로 인한 트로포엘라스틴 분자의 응축으로 이루어진다. 이러한 교차결합은 네 개의 서로 다른 트로포엘라스틴 분자에 리신잔재가 응축되어 만들어지며 이로 인하여 형성되는 교차 아미노산인 데스모신과 이소데스모신은 엘라스틴 조직에서 특징적으로 발견된다. 더 자세한 콜라겐와 엘라스틴 교차에 대해서는 Bailey 등[2]과 Wagenseil 등[12]의 문헌에 기술되어 있다.

엘라스틴은 소수성 성질과 교차 결합의 형성으로 인해 탄력성, 극단적 불용성, 무정형 구조를 가진다. 피부, 혈관, 인대, 폐의 탄력성은 대부분 엘라스틴에 의한 것이다. 엘라스틴은 눈, 신장과 같은 장기에도 존재한다. 대부분 조직에서 엘라스틴은 피브릴린을 포함한 여러 당단백질을 포함하고 있는 미세원섬유와 관련되어 있다. 미세원섬유는 여러 장기와 조직에 존재하고, 유전적 결합조직 질환인 마르팡증후군에서 피브릴린 돌연변이가 증명됨으로써 미세원섬유가 결합조직 구조의 결정적인 역할을 한다는 것이 알려졌다.[13]

한 리뷰에서 엘라스틴 유전자 구조에 대해 요약하였는데, 일차 전사물에서 교대 스플라이싱으로 인한 미성숙 mRNA의 이질성에 대한 내용이 포함되어 있다.[14] 소와 인간의 엘라스틴 유전자 분석을 통해 별개의 소수성, 그리고 교차결합 도메인을 암호화하는 엑손의 분리가 이루어졌고, 게놈 염기서열과 cDNA의 비교 및 S1 분석에 의하면 각 종족의 일차 전사물은 수많은 교대 스플라이싱의 대상이 되고, 이는 여러 종족에서 발견되는 다발성 트로포엘라스틴의 존재로 설명된다. 교대 스플

라이싱의 차이는 노화와 연관성이 있는 것으로 추정된다.[14]

프로테오글리칸

프로테오글리칸은 핵심 단백질에 반복된 이당 단위의 공유결합으로 구성되었고, 강한 음전하를 가진 고분자 사슬(글리코사미노글리칸)이 특징적이다. 이당 단위는 글루코사민이나 갈락토사민인 N-결합 아미노당과 D-글루크로닉산, 혹은 더마탄황산염의 경우 헤파란황산염, 헤파린, L-이듀로닉산인 우론산으로 구성되어 있다. 연골과 각막에는 우론산 대신 D-포도당을 함유하고 있는 케라탄 황산이라는 글리코사미노글리칸이 존재한다. 헥소사민의 아미노기는 일반적으로 아세틸화되었고 글리코사미노글리칸은 주로 헤파란황산염과 헤파린의 경우 아세틸화 대신 일부 N-황산화를 가지고 있는 헥소사민 잔재에서 O-황산화 되었다. 프로테오글리칸의 종류 혹은 출처에 따라 중심 단백질에 부착된 글리코사미노글리칸의 숫자는 서너 개에서 스무 개 이상으로 다양하며, 각 글리코사미노글리칸은 분자 크기가 수만 달톤에 달한다. 또한, 연골 프로테오글리칸의 경우처럼, 한 종류 이상의 글리코사미노글리칸이 핵심단백질에 부착될 수 있다. 연골에서는 여러 프로테오글리칸 분자가 매우 큰 글리코사미노글리칸인 히알루론산과 연관되어 이당 단위의 글루쿠론산 N-아세틸글루코사민을 구성한다. 글리코사미노글리칸의 구성적 구조는 표 19-2에 요약하였다.

이러한 구조는 전체적으로 거대한 음전하를 띤 강소수성 복합체의 생성에 영향을 준다. 이 복합체들의 수화와 전하 성질은 이들을 고도로 확장시켜 조직 내에서 화학적 구성만으로 예측되는 것보다 훨씬 많은 유체역학적 부피를 차지하게 한다. 윤활 연골의 경우 수화는 조직에 충격 흡수성을 부여하는데, 관절에 가해진 압력은 복합체에서 물이 압출되어 분자 내 음전하의 압출을 통해 대응하게 된다. 압력의 해제 시 음전기의 밀어내는 힘은 전하를 분리시킴과 동시에 물을 유입시켜 처음의 수화 상태로 복원한다. 결합조직의 이염색성 성질은 주로 프로테오글리칸에 의한 것이다. 프로테오글리칸 생화학에 관련된 여러 고찰문헌이 있다.[15-17]

최근 여러 프로테오글리칸이 세포주변에서 확인되었는데 이들은 세포 표면과 연관성이 있거나 간질 콜라겐, 피브로넥틴, 형질전환성장인자-β (TGF-β)와 같은 세포외기질 성분들과 상호 작용한다. Groffen 등[15]과 Schaefer 등[16,17]은 핵심단백질의 구조와 이들의 유전적 구성, 기능적 특징, 그리고 조직 분포에 대해 서술한 바 있다. 표 19-3에서 세포주변 프로테오글리칸의 생물학적 특징을 정리하였다[16]. 표에 나열된 여러 프로테오글리칸은 작고 류신이 풍부한 프로테오글리칸(small, leucine-rich proteoglycans, SLRPs)을 구성하며, 대표적으로 decorin[17]과 perlecan[18]이 있다. 이들은 단백질 소재의 멀티도메인 집합으로 상대적으로 길어지고 고도로 당화된 구조를 가지고 있으면서 다른 단백질과 여러 도메인을 공유한다. Perlecan은 사구체 기저막에서 선택투과성의 핵심적 결정요소이고, agrin도 사구체 기능에 중요한 역할을 한다.[15]

SLRPs 중 하나인 lumican은 관절 연골에 상대적으로 풍부하게 존재하며,[17] 나이에 따라 크기와

표 19-2. 글리코사미노글리칸의 성분과 조직분포

글리코사미노글리칸	성분	조직분포
히알루론산	N-아세틸글루코사민 D-글루쿠론산	혈관, 심장, 윤활액, 탯줄, 유리체
콘드로이틴황산염	N-아세틸갈락토사민 D-글루쿠론산 4- 혹은 6-O-황산염	연골, 각막, 건, 심판막, 피부
데르마탄황산염	N-아세틸갈락토사민 L-이두론산 4- 혹은 6-O-황산염	피부, 폐, 연골
케라탄황산염	N-아세틸갈락토사민 D-갈락토스 O-황산염	각막, 연골, 속질핵
헤파란황산염	N-아세틸글루코사민	혈관, 기저막, 폐, 비장, 콩팥
헤파린	N-황화아미노글루코사민 D-글루쿠론산 L-이두론산 O-황산염	비만세포, 폐, 글리슨막

양이 차이가 난다. 성인 연골추출물에서는 분자 크기가 55~80 kDa에 달하는 반면, 청소년 연골추출물의 경우 성인과 비교하여 더 제한된 크기 변이가 관찰된다. 신생아 연골 추출물의 경우 분자 크기 변이가 70~80 kDa이다.

프로테오글리칸 생합성은 핵심단백질의 합성에서 시작된다. 글리코사미노글리칸 사슬의 당은 대부분 당성분의 우리딘 이인산결합체를 통해 단백질의 세린 잔재에 순차적 추가되고 사슬이 길어짐에 따라 황산화가 이어진다. 대부분 사슬신장과 황산화는 골지기관과 관련되어 있다. 프로테오글리칸의 분해는 글리코사미노글리칸 사슬 내 여러 위치에서 가수분해를 유발하는 리소좀 글리코시다아제와 설파타아제에 의해 일어난다. 이 효소들의 생성과 합성 중 발생하는 유전적 이상은 점액다당류증의 주된 원인으로, 심한 조직 이상과 지적 장애를 유발한다.

구조적 당단백질

결합조직에서 콜라겐와 엘라스틴 외에 여러 종류의 당단백질이 존재하는데 이들 중 구조적 당단백질은 결합 조직과 다른 종류의 조직에서 생리적, 구조적 성질에 중요한 역할을 한다. 피브로넥틴, 라미닌, entactin-nidogen, thrombospondin 등의 단백질들은 발달과정에서 세포의 부착과 확산, 그리고 조직의 성장과 전환에 관여한다.

표 19-3. 분비성 세포주변 프로테오글리칸 성질

명칭 (유전자물질)	단백질코어크기 (kDa)	염색체위치 (인간)	조직 분포
Decorin	36	12q21.3-q23	유비쿼터스; 콜라겐성 바탕질, 뼈, 치아, 중막, 저판, 공막, 폐
Biglycan	38	Xq28	공막, 치아, 뼈, 관절연골
Fibromodulin	42	1q32	콜라겐성 바탕질, 공막
Lumican	38	12q21.3-q22	각막, 장, 간, 근육, 연골, 공막
Epiphycan	36	12q21	뼈끝연골, 인대, 태반
Versican	265-370	5q14.2	혈관, 뇌, 피부, 연골
Aggrecan	220	15q26.1	연골, 뇌, 혈관
Neurocan	136	19p12	뇌, 연골
Brevican	100	1q31	뇌
Perlecan	400-467	1p36.33	기저막, 세포표면, 굴공간, 연골
Agrin	200	1p32-pter 1p36.33	신경근경계 시냅스부위, 신기저막, 대장
Testican	44	5q31.2	정액
Asporin	39	9q21.3-q22	관절연골, 심장뼈대, 특수 결합조직, 간반달, 대동맥, 자궁
Chondroadherin	36	17q21.33	연골
ECM2	79.8	9q22.31	지방조직, 여성기관-유선, 난소, 자궁
Keratocan	37	12q21.3-q22	각막, 기도, 장, 난소, 폐, 골격근
Opticin	35	1q31	망막, 인대, 피부
Osteoadherin (Osteomodulin)	49	9q22.31	일차골 해면골, 상아질모세포, 뼈, 상아질, 골 망상골, 골소주, 성숙 상아질모세포, 인간 촉수섬유모세포
PRELP	45	1q32	기저막, 결합조직 세포외기질, 공막, 관절연골
Nyctalopin	52	Xp11.4	콩팥, 망막, 뇌, 고환, 근육
Podocan	68.98	1p32.3	콩팥, 심장, 뇌, 췌장, 혈관평활근
Osteoglycin	33.9	9q22	뼈
Tsukushu	37.8	11q13.5	자궁, 태반, 대장(전사단백질)

피브로넥틴

피브로넥틴은 가장 잘 알려진 구조적 당단백질 중 하나이다. 처음 혈청에서 추출되면서 냉-불용성 글로불린(cold-insoluble globulin, CIG)으로 불렸다. 섬유모세포와 다른 세포들의 중요한 분비 산물로 세포 유착에 관여한다는 사실이 알려진 이후 피브로넥틴으로 이름이 바뀌었다. 피브로넥틴의 구조와 기능에 관한 포괄적인 리뷰는 Haranuga과 Yamada[20]와 Schwarzbauer와 Desimone[21]의 문헌에서 확인할 수 있다.

피브로넥틴은 이황화물–결합 이합체로 분자 무게가 450 kDa에 달하고, 각 단량체는 분자크기가 250 kDa 정도이다. 피브로넥틴은 최소 세포형과 혈장형의 두 가지 형태로 존재한다. 혈장 피브로넥틴은 간세포에서 합성이 되고 순환계로 분비되며, 세포형과 비교하였을 때 생리학적 pH에서 더 작고 수용성이 높다. 분광광도적 및 초원심분리적 연구에서 이 두 형태는 유연하고 확장 가능한 부위에 의해 분리되는 구조적 도메인으로 구성된 가늘고 긴 분자인 것으로 확인되었다. 일부 연구에서 콜라겐, 피브린, 세포 표면들, 헤파린(헤파란황산염 프로테오글리칸), XIIIa 인자, 그리고 액틴을 포함한 여러 리간드에 대한 특수 결합 부위의 존재를 밝혔다.

피브로넥틴은 피브린과 교차결합을 하여 혈액 응고 과정에 작용하는데 이 과정의 최종단계를 촉매하는 XIIIa인자 트랜스아미다아제를 통해 작용한다.[22] 섬유모세포와 창상 치유에 관여하는 여러 세포들은 피브로넥틴의 세포–결합 도메인과 상호작용을 하여 혈전에 부착한다. 피브로넥틴은 고유의 펩타이드 서열인 아르기닌–글리신–아스파르틴–세린(RGDS, RGD)을 가지고 있는데 이는 형질막에 광범위하게 위치한 특정 세포표면 단백질(인테그린)에 결합한다.[21] 정제된 RGD는 피브로넥틴이 세포에 결합하는 것을 억제할 수 있고, 이미 결합된 피브로넥틴을 분리시킬 수도 있다. 인테그린은 복잡한 분자 조직을 가지고 있고 특정 세포내 단백질과 상호작용을 통하여 세포외 환경 요소들에 의한 여러 현상들을 조절하는 기전을 제공한다.

피브로넥틴은 하나의 유전자에서 암호화되었는데, 이의 전체 일차 구조는 중복되는 cDNA 클론의 DNA 서열을 통해 밝혀졌다.[23] 이 연구에서 피브로넥틴 mRNA을 세 개의 서로 다른 영역인 엑스트라도메인 A (extradomain A, ED–A), ED–B, 그리고 연결분절(connecting segment, CS) III에 대체 스플라이싱하여 파생되는 펩티드 분절의 존재가 확인되었다. 피브로넥틴의 중간 부위에는 III형 동종성으로 불리는 90여 개의 아미노산으로 구성된 동종 반복 분절이 확인되었다.[24–25] 단일클론항체를 사용한 면역학적 기법을 통해서 동맥 내벽 세포에서 ED–A 엑손은 피브로넥틴 mRNA 전구물질의 삽입 과정에서 생략되는 것이 밝혀졌다. 그러나, ED–A를 포함한 피브로넥틴의 발현은 창상 치유에 관여하는 다양한 세포와 결합조직 단백질의 과생성이 특징적으로 나타나는 조직과 장기의 섬유화 질환에서 관찰되었다. 이런 질환에서 EDA–피브로넥틴 합성은 콜라겐 합성을 선행하고 섬유모세포가 TGF–β에 의한 근섬유모세포로의 분화에 필요하다. 노화 과정에서 근섬유모세포 분화와 EDA–피브로넥틴 동형단백질의 발현은 섬유화 질환의 초기 단계에서 밀접한 관련이 있다.[26] 유전학 연구에서 ED–A는 정상적 발달에 필요하지 않지만 ED–A 유전자 결핍된 성인 쥐에서는 유의한 이상 소견이 확인되었다.[27] 피부경화증 환자의 피부에서 ED–A 피브로넥틴의 증가가 관찰되었다.[28] EDA– 피브로넥틴은 배아 발달 단계 중 세포 이동 과정에 작용한다. 또한, 켈로이드성 흉터에 EDA–피브로넥틴이 존재한다.[29]

이것은 피브로넥틴의 혈청형과 세포형 간에 나타나는 차이의 근원이 될 수 있다. 이런 교대 스플리싱 현상은 콜라겐과 엘라스틴 합성에도 관여할 수 있고 노화 과정에 관계될 수 있다.

라미닌

라미닌은 기저막의 주된 구조적 당단백질이다. IV형 콜라겐, entactin−nidogen, 헤파란황산염, 프로테오글리칸과 같은 기저막 분자 구성요소들과 연관되고, 세포 부착과 신경돌기 성장에 중요하다 [30-32]. 라미닌은 낮은 용해도로 인하여 전체 조직이나 기저막에서 분리하기가 어려워, 대부분 종양 기질 추출물에서 유래된 것이다.

라미닌은 이황화 결합으로 연결된 최소 세 개의 단백질 사슬로 구성된 매우 큰 복합체이다. 이들 중 가장 큰 알파 1 사슬은 분자 무게가 440 kDa인 반면, 상대적으로 작은 베타 1과 감마 1 사슬은 분자 무게가 각각 200에서 250 kDa이다. 최근 몇 년 사이 여러 라미닌 아형이 확인되었기에[32] 새로운 구성 사슬에 대한 명명이 필요하다.[33] 이들 중 처음으로 발견된 새 사슬(알파 2)은 정상 조직 표본에서 발견되었는데 종양 조직에서는 발견되지 않았다.[34-35] 표 19-4에서 여러 라미닌 아형과 조직 분포를 표시하였다. 라미닌은 꼬인 십자형 모양을 가진 세 개의 단완과 한 개의 장완을 가지고 있고 각 완의 말단에는 공모양의 도메인이 있다. 여러 개의 새로운 라미닌 아형에서 알파 1 사슬은 보다 작은 분자 크기를 가지고 있고 아미노기 말단부의 일부가 결핍되어 있다.

라미닌은 분화, 세포 성장, 이동, 형태, 부착, 그리고 응집 과정에 영향을 미친다. 기저막의 구조적 구성에 주된 역할을 하고 특히 다른 형태의 콜라겐에 비해 IV형 콜라겐에 선택적으로 부착한다.[36] 라미닌은 피브로넥틴과 비슷한 도메인을 가지고 있고 이는 다른 단백질과 알파 1 사슬에 RGD 서열이 있거나 베타 1 사슬에 Y1GSR 서열을 가진 세포 표면 구성 요소와 결합하는데 두 사슬 모두 세포 표면에 서로 다른 인테그린에 결합하고 세포 부착 및 이동에 관여한다.

Entactin−Nidogen

황화 당단백질인 entactin−nidogen은 기저막의 내재성 구성요소이다. entactin은 쥐 내배엽 세포 배양에서 합성된 세포외기질에서 처음 발견되었다.[37] 이후, 분해된 형태인 nidogen은 Engelbreth−Holm−Swarm sarcoma에서 분리되었고 새로운 기저막 구성요소로 잘못 알려졌으나, 두 용어는 현대 문헌에서 함께 사용된다[38]. entactin −1−nidogen−1와 entactin−2− nidogen−2는 근육 분화에서 다르게 발현된다.[39]

entactin−nidogen은 라미닌과 치밀한 화학량반응 복합체를 형성하는데 rotary shadowing 전자현미경을 통해서 라미닌의 감마 1사슬와의 연관성이 밝혀졌다. entactin−nidogen은 RGD 서열을 통한 세포 부착을 증진시키는데 이러한 성질에 칼슘 이온이 관여되어 있다.[40] 라미닌과 더불어서 기저막 형성 및 상피성 형태발생에서의 역할은 더 일찍 확인되었다. entactin−1−nidogen−1은 라미닌−1 의 존성 젖샘 특이 유전자 발현을 조절한다.

표 19-4. 라미닌 아형*

라미닌	사슬 구성	새로운 약어	조직분포
1	α1β1γ1	LM-111	모든 기저막(골격근 제외)
2	α2β1γ1	LM-211	횡문근, 말초신경, 태반
3	α1β2γ1	LM-121	시냅소, 사구체, 동맥혈, 혈관벽
4	α2β2γ1	LM-221	근인대경계, 영양막
5 혹은 5A	α3Aβ3γ2	LM-332 혹은 LM-3A32	진피표피경계, 간질표피경계
5B	α3Bβ3γ2	LM-3B32	진피표피경계, 간질표피경계
6 혹은 6A	α3β1γ1	LM-311 또는 LM-3A11	진피표피경계, 간질표피경계
7 혹은 7A	α3Aβ2γ1	LM-321 또는 LM-3A21	양막, 태아피부
8	α4β1γ1	LM-411	폐, 심장, 혈관, 평활근, 내피세포, 태반
9	α4β2γ1	LM-421	심장, 혈관, 태반, 폐
10	α5β1γ1	LM-511	심장, 혈관, 태반, 폐, 콩팥
11	α5β2γ1	LM-521	황체, 유방, 사구체기저막, 신경근육계, 태반의 간질과 모세혈관, 폐, 시냅스틈새, 영양막 기저막
12	α2β1γ3	LM-213	기저막, 콩팥, 고환
14 †	α4β2γ3 α5β2γ2	LM-423 LM-522	중추신경계, 망막기질, 악성섬유조직구종 골격근, 콩팥, 전립선, 폐
15	α5β2γ3	LM-523	중추신경계, 망막기질

* 새로운 명명법에 근거함,[33] 새로운 라미닌은 새로 두자리 수가 주어지지 않았고, 구성사슬에 따름
† 라미닌 13번은 지정되지 않음.

Thrombospondin

Thrombospondin (TSP)은 척추동물에서 널리 발현되는 세포외 접착성 단백질계이다. 다섯 개의 고유 유전자 산물인 TSP 1-4, 그리고 연골 소중합체 기질 단백질(cartilage oligomeric matrix protein, COMP)이 확인되었다. TSP-1와 TSP-2는 유사한 일차 구조를 가졌다. TSP분자(450 kDa)는 세 개의 동일한 이황화 결합 단백질 사슬로 구성되었다. 이는 혈소판 활성화 과정에서 분비되는 주요 펩티드 산물 중 하나이고, 다양한 종류의 성장하는 세포에서 분비되기도 한다. TSP는 입체구조적 안정에 필요한 12개의 칼슘 이온 결합 부위가 있다. 이는 헤파린, 헤파란황산염 프로테오글리칸, 세포 표면에 부착하여, 혈소판 응집, 세포 주기의 진행, 세포 부착과 이동을 포함한 여러 세포 기능 조절에 관여한다.[41-42] 유전 연구에서 다섯 개 TSPs 중 세 개에서 단일 염기 다형성이 심혈관 질환과 연관성이 있었다.[41] TSP-1과 TSP-2는 항혈관형성 성질 및 세포-기질 상호작용을 조정한다는 것이 알려져 있다.[42]

인테그린과 세포부착단백질

앞서 설명하였듯이 세포 표면에는 세포-기질 상호작용에 관여하는 인테그린이라는 단백질들이 있다. 인테그린은 세포외기질의 구성 요소들에 대한 수용체로 작용을 하고 세포 골격 구성 요소와도 상호 작용을 한다.[43] 이는 세포외기질 구성요소들이 세포 모양과 대사 활동의 조절과 같은 세포내 과정들을 조정할 수 있는 기전을 제공한다. 인테그린은 알파와 베타 아단위를 포함한 한 쌍을 이루는 분자로 존재한다. 이들은 세포외기질 단백질에 유의한 특이도를 보이고 있는데, 다양한 알파와 베타 아단위의 조합으로 이루어지는 것으로 보인다.

인테그린 외에도, 세포부착단백질(cell attachment proteins, CAMs)이 세포표면에 존재하는데, 세포-세포 인식 성질을 가지고 있다.[43-46]

노화와 결합조직의 속성

앞서 논의한 바에 따르면, 결합조직의 속성이 변화는 이들 조직의 발생, 구조적 조직화, 대사 및 분자생물학에 관여하는 다수의 위치에서 발생한다. 어떤 조직에서 세포외간질의 구성이나 생성을 조절하는 인자의 변화는 복잡한 기전을 통한 피드백으로 조직의 성질을 변화시킨다.

노화 과정은 일부 이런 요소들을 포함한다. 노화 과정에서 세포외간질의 표현형(즉, ECM 구성 패턴)이 변하고, 세포외간질의 많은 구성 요소가 긴 생물학적 반감기와 효소적 및 비효소적 변형의 작용으로 시간에 따라 진화한다. 여기에는 유지 및 재생 과정, 염증 반응, 비효소적 당화 및 교차 결합이 포함된다.

어떤 면에서는 유전적으로 프로그램된 노화(선천적 노화)와 환경요인에 의해 유발된 과정을 구분하는 것이 중요하다. 그러나 어떤 변형이 노화의 결과인지 원인인지 구별하는 것은 어렵다.

이 단원에서는 노화 과정과 관련 있는 결합 조직을 포함한 여러 요인 및 상태에 대해 설명하고, 세포 노화, 염증 및 성장 인자, 피부의 광노화, 당뇨병, 비효소적 당화, 골경화의 원인, 골관절염, 죽상경화증, 베르너증후군, 알츠하이머병의 양상에 대해 기술하고 있다.

세포 노화

많은 연구에 의하면, 정상 두배수체세포는 복제 수명이 제한적이며, 노화된 동물의 세포는 어린 동물의 세포보다 수명이 짧다. 따라서, 노화 과정은 세포 노화에 기인된다. 결합 조직 단백질이 세포 노화 과정에서 영향을 받는다는 연구결과들이 많다. 쥐 피부 섬유아세포의 특성에 대한 광범위한 연구결과[47], 세포의 유사분열에서 나이에 의한 주된 영향은 염색질 형성력의 저하, 세포질 필라멘트와 세포외기질 구성의 변화이며, 이는 실험실 연구에서 세포내 변화에 콜라겐 섬유가 관여한다는 것을 의미한다. 노화된 섬유모세포는 분열되지는 않아도, 생합성적으로 활성화되어 있으며, 피브로넥틴의 합성 및 mRNA의 증가를 보여준다. 그러나 노화세포나 조로세포(progeroid cell)는 모두 피브로넥틴에 대한 화학주성반응의 감소를 보이고, 젊은 섬유모세포보다 훨씬 두꺼운 세포외 피브로넥틴 네트워크를 만들었다.[48] 나이가 들어감에 따라 세포의 유사분열 반응이 감소하고, 상처 치유에 있어서 연령에 따른 차이를 나타내는 몇 가지 징조를 보인다.[49] 또한 노화된 연골세포는 관절연골 퇴행의 위험을 증가시키는데, 관절 표면의 섬유성연축과 콜라겐 교차결합의 증가와 관련되어 있다.[50] 따라서, 세포노화와 결합 조직의 대사 및 세포 상호 작용의 변화 사이에 상관 관계가 있는 것으로 보여진다.

염증과 성장인자

현재 결합조직 생물학의 활성 영역은 염증 및 성장 인자가 결합조직의 성상에 미치는 영향에 대한 연구들이다. 염증 세포는 염증 반응의 일부로서 손상되고 감염된 조직에 축적되고, 인터루킨 등의 림포카인을 분비하여 결합조직 대사에 영향을 미친다. 또한 표피성장인자(EGF), 혈소판유래성장인자(PDGF), 섬유모세포성장인자(FGF) 및 형질전환성장인자(TGF)를 비롯한 많은 성장인자가 결합조직대사를 광범위하게 조절한다. 노화세포는 젊은 세포와 달리 이런 인자들에 반응하지 않을 수도 있고, 이러한 인자들에 의한 세포복제의 자극이 노화로의 진행을 촉진시킬 수도 있다. 더욱 복잡한 것은 많은 세포들이 interleukin-1, PDGF, FGFs 및 TGFs 등의 인자들을 합성하여, 자가분비 및 주변분비의 특성을 가진 조직의 세포성분에 영향을 준다는 것이다.

Furuyama 등의 연구에 의하면[51], TGF-β1 보충배지에서 콜라겐 섬유질로 배양한 폐포의 II형 상피세포는 연속된 얇은 기저막을 합성하였고, 면역조직화학적으로는 IV형 콜라겐, 라미닌, perlecan 및 entactin-nidogen이 존재했다. 쥐의 간 sinusoids에서도 기저막 단백질 합성에 TGF-β1이 유사한 자극 효과를 보였다.[52] Gravallese의 연구에서 관절 연골 파괴와 함께 염증성 활액막염의 발생에 있어 다양한 성장인자와 사이토카인의 역할이 입증되었다.[53] Takehara의 연구에 따르면 피부 섬유모세포의 성장은 다양한 사이토카인과 성장인자에 의해 조절되어 결과적으로 세포외간질 단백질 생산이 증가하였다.[54] 노화 과정에서 이러한 상호작용 인자가 관여하는데 그 정도는 확실히 알려져 있지 않다.

피부 노화의 기전

피부 노화는 두가지 별개의 구성 요소로 이루어진 복잡한 생물학적 활동으로: (1) 고유의, 유전적으로 결정된 퇴행과 (2) 환경 노출에 의한 외인성 노화로 일명 광노화이다. 이 두 과정은 햇빛에 노출된 피부 부위에서 중첩되어 발생하며 피부의 세포 및 구조적 성분의 생물학적 특성에 큰 영향을 미친다.[55,56] 광노화의 증상은 내인성 노화와 다르며, 서로 다른 기전이 있다.

노화 현상을 설명하는 다양한 이론들이 발전해 왔고, 일부는 선천적 피부 노화에도 적용된다. 피부 섬유모세포와 같은 두배수체세포의 수명은 배지에서 한정적이며,[54] 이를 조직 수준으로 추론해 보면 진피의 세포노화 및 퇴행성 변화를 초래하는 것으로 보인다. 또한 자유라디칼이 진피의 콜라겐을 손상시킬 수 있다.[57] 세 번째 이론으로는 콜라겐과 같은 단백질의 비효소적 당화가 콜라겐 섬유의 교차결합을 증가시키는데, 이 과정은 노년에 콜라겐 조직의 기능장애를 일으키는 주된 원인으로 여겨진다.[58] 마지막으로 피부 노화는 결합조직의 세포외간질의 유전자 발현의 변화에 기인할 수 있다. 노인들의 피부에서 콜라겐 생합성률이 현저하게 감소되어 있다.[59] 총체적으로 자연(선천적으로) 노화중인 피부의 결합조직 성분은 생합성과 분해 사이의 불균형에 의한 것이며, 분해에 비해 재생능의 저하를 의미한다.

노화된 진피의 변화는 추가적으로 콜라겐과 엘라스틴의 네트워크 구조와 관련이 있다. 섬유질성분 사이의 공간은 비콜라겐성분의 소실로 인해 보다 치밀하다. 콜라겐다발은 풀리는 것처럼 보이면서 탄력섬유용해 징후들이 있다. 전자현미경으로 관찰해 보면 2주에서 24개월 된 쥐피부의 3차원 배열은 출생 후 성장 중에 콜라겐과 탄력섬유의 역동적인 재배열과 함께 비교적 곧은 탄력섬유의 비틀림에 의해 성숙한 콜라겐다발의 정렬된 배열을 보여준다. 성인기에는 이런 탄력섬유의 비틀림이 생기고, 콜라겐다발과 맞물려 있는 탄력망의 불완전한 재구성이 나타난다.

광노화된 피부 결합조직의 광손상은 조직병리학적으로 확인된다. 광노화의 특징은 상중층의 상피조직에 소위 탄력섬유물질의 광범위한 축적이다. 이 현상은 일광탄력섬유증(solar elastosis)으로, 엘라스틴의 변화에 의한 것이다.[60] 일광탄력섬유성 물질은 엘라스틴, 피브릴린, 버시칸, 큰 프로테오글리칸, 히알루론산으로 구성됩니다. 탄력섬유성 물질이 정상적인 탄력섬유의 성분을 함유하고 있다해도, 일광탄력섬유성 물질의 초분자적 구성 및 그 기능은 심하게 교란되어 있다. 또한 엘라스틴 유전자 발현이 일광 손상된 진피 세포에서 현저하게 증가되어 있다. 또한, 탄력섬유성 물질의 축적은 주변 콜라겐섬유주의 변성을 동반한다. 병행연구에서 광노화시 MMPs가 콜라겐 손상의 매개체로 작용한다는 것을 보여주었다.[59]

광노화 손상은 UVA와 적외선복사에 의해 발생하기도 하지만 주요 원인은 UVB이다. UVA가 조사된 털이 없는 쥐에서, 탄력섬유증과 함께 III형 콜라겐과 I형 콜라겐 비율에 변화가 보이고, 배양된 섬유모세포에 UV를 조사하면 MMPs 발현이 증가된다.[59] 광노화된 피부에서는 바탕질 성분(주로 데르마탄황산염, 헤파란황산염, 히알루론산)의 농도도 증가한다. 노화된 인체피부에서 비만세포가 많아지고 탈과립화되는데, 비만세포는 다양한 염증 매개체를 생산하므로, 광노화된 피부는 만성 염증상태이다. 자연 노화에서 피부는 저세포성이 된다. 피부의 미세순환이 영향을 받아 감소하고, 수평 표재얼기가 거의 파괴된다. 노인들에서 광노화 말기에 위축증이 나타날 수 있지만 지속적인 광노화는 탄력섬유성 성분이 오히려 좀 더 증가하는 것이 특징이다.

광노화는 광범위 일광차단제를 사용하여 완전히 예방할 수 있다. 인간에서 심한 광노화는 비가역적인 것으로 간주되지만, 털이 없는 생쥐에서는 조사가 중단되면 완전히 정상적인 모양의 새로운 콜라겐이 침착되면서 복구가 일어난다. 심하게 광손상된 인간 피부의 생검에서 햇빛노출을 수년간 피한 경우 이와 유사한 복구가 관찰되었다.

당뇨병

현재, 임상적으로 두 가지 유형의 당뇨병이 있으며, 인슐린 의존성이며 베타세포 파괴에 의해 발생하는 제1형 당뇨병(T1DM)과 인슐린비의존성 당뇨병으로 알려진 제2형 당뇨병(T2DM)이다. 당뇨병 환자는 혈관 질환 및 상처치유 장애 등의 합병증으로 인해 노화가 가속화되는 징후가 나타난다. 당뇨병 환자에서 혈관 기저막의 비후가 나타나는 것은 잘 알려져 있다.[5] 이런 비후에 대한 생물학적 근거는 아직 명확하지 않지만 세포부착의 이상이나, 기저막 형성에 영향을 주는 인자들, 단백질의 과도한 비효소적당화, 또는 기저막 성분의 비정상적인 전환에 대한 반응과 관련될 수 있다. 당뇨병 환자의 섬유모세포는 배지에서 조기노화 현상이 보인다.[61]

Sibbitt 등은 알도스 환원효소 억제제에 대한 연구를 하였다.[62] 정상적인 사람 섬유모세포에서 배지의 포도당 농도를 증가시키면, 평균 개체배가시간, 노화에 대한 개체배가, 융합 시 포화밀도, 삼중수소 티미딘 통합 및 PDGF에 대한 반응이 억제되었다. 알도스 환원효소 억제제인 sorbinil과 tolrestat는 이러한 억제를 완전히 차단해 주었다. Myoinositol은 유사한 효과를 나타내지만, 알도스 환원효소 억제제가 당뇨병 환자의 섬유모세포에서 조기 노화를 되돌린다는 결과는 없다. 따라서, 환원당 생성 억제가 치료 효과를 가질 수 있는지 또는 당뇨병의 모든 노화현상이 환원당에 의해 매개되는지는 명확하지 않다.

골소실은 T1DM와 T2DM에서 덜 알려진 합병증 중의 하나이다. 골소실은 T1DM 환자가 치료의 개선으로 인해 오래 살게 되면서 관심을 받게 되었다. 그러나, 그들은 골경화증과 같은 노화와 관련된 추가적인 합병증에 노출되어 있다.[63] T1DM 및 T2DM 환자 모두 심혈관 질환 위험이 높다. 고혈당은 단백질의 비효소적 당화를 유발하여, 활성산소계의 생성을 증가시키고 분자간 혹은 분자내 교차결합을 증가시켜, 결과적으로 혈관손상 및 죽종형성을 유발한다.[64,65]

비효소적 당화 및 콜라겐 교차결합

효소에 의해 단백질에 포도당이 부착될 때, 당화될 부위의 순서는 효소의 특이성에 따라 좌우된다. 반면에, 식품의 변색과 굳기를 유발하는 과정으로 오랫동안 알려진 당화는 입체적으로 이용 가능한 모든 부위에서 비특이적으로 진행된다.[65] 단백질이 환원당과 접촉하는 시간이 길수록 당화가 일어날 확률이 높아지며, 혈당조절이 되지 않는 당뇨병 환자에서 당화혈색소와 당화알부민의 혈액 수치가 증가한다. 적혈구가 120일마다 교체되기 때문에, 헤모글로빈 A1c의 수치는 120일 동안의 고혈당 조절의 정도를 나타내는 지표이고, 당화알부민은 더 짧은 기간을 반영한다. 극도로 오래 존재하는 콜라겐과 같은 단백질 또한 당화작용을 받는다. Paul과 Bailey[66]에 의하면 콜라겐의 당화 작용이 노화와 당뇨병의 합병증에서 중심적인 역할을 한다.

포도당과 단백질 간의 당화 반응은 총칭하여 Maillard 또는 Browning 반응으로 알려져 있다. 초기에는 포도당과 단백질의 아미노기 사이에 쉬프 염기가 형성되는데, 이것은 불안정한 구조로, 자발적으로 부가물에 새로운 케톤체가 생성되는 Amadori 재배열을 거친다. 이것은 다른 펩티드 배열에 생성된 유사물질과 응축되어 공유 교차결합을 생성한다.[64] 초기에는 당화에 의해 콜라겐과 세포 및 다른 바탕질 성분의 상호 작용이 영향을 받지만, 가장 큰 손상은 포도당 매개에 의한 분자간 교차결합의 형성에 의한 것이다. 이러한 교차결합은 조직의 임계 유연성 및 투과성을 감소시키고 교체율을 감소시킨다. 엘라스틴도 당화에 의해 변형되는 또 다른 섬유 단백질이다.[66] 노화과정에서 비효소적 당화가 관절연골 aggrecan에 최종당화산물인 pentosidine의 축적을 초래한다.[67]

관절염

골관절염

류마티스 질환, 특히 골관절염의 발생은 노인들에서 흔히 나타난다. 골관절염과 골다공증의 원인은 유전적 감수성과 내분비 및 대사 상태에서부터 기계적, 외상적 손상에 이르기까지 다양하다.[68] 노화에 따른 골관절염에서의 골소실은 골다공증과 비교하여 낮다. 노화에 따른 골소실 정도가 낮은 것은 골흡수 및 골형성 지표의 측정에 따르면 골교체율이 감소되기 때문이다.[69] 골관절염의 초기 단계에는, 성인 관절 연골세포의 증식 및 기질 단백질, 단백분해효소, 성장 인자 및 시토카인의 합성이 증가된다. 활액막과 연골밑뼈를 포함한 관절의 여러 세포와 조직 등이 병인 발생에 기여한다.[70] 염증성 관절염에서는 류마티스성 병변에 조직 콜라겐분해효소와 MMPs 등의 분해 효소가 존재하여 연골과 뼈를 파괴시킨다. 염증 인자가 이런 효소들을 비정상적으로 증가시키고,[71] 활막세포에 의해 IL-1이 생산된다.[72] IL-1, TNF-β 등 시토카인은 활막세포의 분열을 촉진하며, 콜라겐분해효소와, 프로테오글리칸, 플라스미노겐활성제 및 프로스타글란딘의 생성을 자극한다. IL-1은 류마티스성 관절염의 발병기전에 중요한 역할을 하는 것으로 알려져 있다.

골다공증

골다공증은 뼈구조가 희박하고 골량이 감소하여 골절 위험이 증가하는 전신 골격계 질환으로 노화에 따라 발생빈도가 증가한다. 쌍둥이 및 가족 연구에서 골 미네랄 밀도와 같은 뼈의 성상에 관한 골다공증의 지표에 의하면 유전적 요인이 60~80% 정도임이 입증되었다.[73] 골다공증은 80세 이상 대부분의 여성에서 동반되고, 50세가 되면 골다공증성 골절의 평생 위험이 여성의 경우 50%, 남성의 경우 20% 정도이다. 연구에 따르면 인구집단의 골밀도변동은 70%가 유전적변이에 의한 것이다.[74] 국립골다공증기구(NOS)는 65세 이상의 모든 여성과 위험인자가 있는 여성의 경우 더 일찍

(폐경기 주변) 골밀도 검사를 시행하도록 권장한다.

Viguet-Carrin 등은[75] 골질의 다른 결정 요인으로 미네랄 함량과 콜라겐의 변형이 상호 관련되어 있음을 입증했다. 뼈에서 콜라겐의 성숙 과정은 효소적 혹은 비효소적 반응이 있다. 비효소적 반응에 의한 콜라겐 변형은 나이와 관련되어 있으며 뼈의 기계적 특성을 손상시킨다. 부검에서 채취한 인간의 소주골 연구에서 Oxlund 등은 나이와 골다공증과 관련하여 콜라겐과 환원성 및 비환원성 콜라겐 교차결합을 검사했다.[76] 대조군의 척추뼈에서 콜라겐의 추출능은 나이가 들면서 증가하였다. 골다공증 환자는 성별 및 연령 일치 대조군에 비해 뼈 콜라겐의 추출능은 증가하고 이가 환원성 콜라겐 교차결합 농도는 현저하게 감소되어 있었다. 3가 피리디늄 교차결합의 농도는 변화가 관찰되지 않았다. 이러한 변화는 뼈 섬유주의 강도를 감소시킬 것으로 예상되며, 골다공증 환자의 콜라겐 밀도가 성별과 연령에 맞춰진 대조군과 다르지 않음에도 골절이 발생하는 이유에 대한 설명이 된다.

Croucher 등[77]이 35명의 일차성 골다공증 환자에서 해면체 구조물을 정량적으로 평가한 결과 주어진 해면체 영역에서 보이는 구조적 변화가 정상인의 연령에 의한 골소실에서 관찰된 것과 유사하였다. 이는 골다공증의 원인인 세포외기질의 분해에 작용하는 파골세포성 재흡수효소의 활성이 비정상적으로 증가되어 있다는 것을 강력히 의미한다.

동맥 노화

젊고 건강한 사람에서 탄성 동맥(주로 대동맥)의 탄성은 심장과 최적의 상호작용을 하고 말초 저항 혈관의 안정된 흐름을 유도한다. 동맥이 노화됨에 따라 혈관벽의 구성 및 구조적 변화는 경화성을 증가시켜 맥압의 증가, 고혈압 및 심혈관 질환의 위험을 증가시킨다. 대동맥 경화에 의한 다른 영향은 혈관확장된 기관인 뇌와 신장으로 혈류박동을 그대로 전달하여, 그곳에서 박동 에너지가 분산되고 취약한 미세혈관이 손상되게 된다. 이로 인해 발생하는 미세경색 및 미세 출혈은 특정 세포의 손상, 인식 저하 및 신부전증의 원인이 된다.[78]

동맥 경화 및 탄성을 담당하는 동맥중막 성분은 엘라스틴, 콜라겐, 혈관 평활근세포 및 비콜라겐성 단백질로 구성된다. 엘라스틴은 동맥 탄성섬유의 90%를 차지한다. 일반적인 노화성경화증, 즉 동맥경화증은 주로 동맥의 중막층에 국한되어 있다. 대동맥의 엘라스틴 함량은 노화에 따라 비교적 일정하지만, 콜라겐 함량은 증가하므로, 엘라스틴의 절대 양은 실제로 감소한 것이다. 이러한 변화는 대동맥의 기계적 성질에 영향을 미칠 가능성이 있다.[79] 동맥에서 콜라겐과 엘라스틴의 절대량은 나이와 함께 감소하지만 엘라스틴에 대한 콜라겐의 비율은 증가한다.

또한 나이와 함께 탄성판은 분절되고 얇아지면서 확장되고 콜라겐에 기계적 부하가 가해지면서 엘라스틴보다 100~1,000배 더 경화된다. 이 분절의 원인은 기계적 피로에 의한 기능상실이나 효소적으로는 MMPs 활성화에 의해 발생될 가능성이 있다.[79] MMPs는 여러 죽상경화 단계, 즉 적응성 재형성, 정상적인 노화 및 비죽상경화성 혈관질환에서 혈관벽 세포의 변화를 유발한다.[80] 동맥에서 나이의 증가에 따른 당화산물의 축적은 콜라겐의 교차결합과 경화를 증가시킨다. 더욱이 잔여 엘라스틴은 석회화와 당화산물의 증가로 인한 교차 결합의 형성으로 인해 더 경화되는데, 이는 콜라겐에 훨씬 더 큰 영향을 미친다.[79] 이러한 변화는 고혈압, 당뇨병 및 요독증과 같은 질병이 있는 경우에 가속화된다. 대부분의 연구에 의하면 동맥경화는 제1형과 제2형 당뇨병 환자의 모든 연령대에서 발생하는 것으로 나타났다. 제2형 당뇨병의 동맥 경화는 부분적으로 고혈당, 이상지질혈증 및 고혈압의 군집에 의한 것으로 인슐린 저항성의 증가 및 산화스트레스, 내피기능 장애, 전염증성 시토카인 및 당화산물의 생성을 증가시킨다.[81]

동맥경화증과 콜라겐과 엘라스틴의 분해와 재형성 사이의 연관성에 대한 충분한 증거가 있지만 상세한 기전에 대해서는 아직 많이 알려지지 않다.

베르너증후군

베르너증후군은 동맥경화증, 백내장, 골다공증, 연조직의 석회화, 조기노화, 탈모와 같은 노인성 표현형과 일부 암 발생이 증가되는 상염색체 열성으로 유전되는 드문 조기노화 질환이다.[82] 베르너증후군에서 결함을 보이는 유전물질인 WRN은 DNA 나선효소의 RecQ계이다.[83] 정상적인 노화와 유사한 주요 신체 조직/기관, 즉 신경, 면역, 결합조직 및 내분비계의 임상적, 생물학적 발현양상이 조기에 나타난다.

베르너증후군은 제한심근병증과 같은 심혈관계에 이상을 유발할 수 있다.[84,85] Ostler 등[86]은 베르너증후군의 섬유모세포가 돌연변이성 체표현형을 나타내며 복제 생명을 약화시키고 세포 노화를 촉진하고, 베르너증후군 환자에서 유래된 T 세포가 돌연변이성 체표현형을 가지고 있음을 입증하였는데, 2명의 베르너증후군 환자의 섬유모세포에서 콜라겐 합성이 증가되어 있고 정상 대조군에 비해 전콜라겐 mRNA의 수준이 거의 두 배였다. 유사하게, Hatamochi 등[87]의 연구에 따르면, 베르너증후군 섬유모세포 배지는 정상 섬유모세포의 증식을 활성화시키나, 이 섬유모세포에 의한 콜라겐과 비콜라겐성 단백질 합성의 상대적 비율을 변경시키지 못했다.

알츠하이머병

알츠하이머병은 노년의 질병으로, 신경섬유 엉킴, 신경염 플라크, 신경세포소실 및 아밀로이드 혈관병증 등의 특징적인 병태생리학적 변화를 보인다. 염색체 1, 12 및 21의 돌연변이는 가족성 알츠하이머병을 일으키는데, 감수성 유전자는 그 자체로 질병을 일으키지 않지만 다른 유전자와 결합하여 발병 연령을 조절하고 질병발생 확률을 증가시킨다.[87] 타우 단백질의 돌연변이를 발견하고 타우와 알츠하이머병의 두 번째 특징적 병변인 Aβ 펩타이드 함유 아밀로이드 플라크 사이의 상호복잡한 관계를 해부하는데 상당한 발전이 있었다.[88]

가족성 알츠하이머병에 대한 연구 결과 대뇌 세동맥의 평활근 액틴의 감소 혹은 소실이 있었고, 대뇌소동맥과 수많은 모세혈관에는 아밀로이드 침착이 있었다. III형 콜라겐과 기저막 IV형 콜라겐의 발현이 현저히 증가되어 있었고, 기저막 내에서 아밀로이드와 콜라겐 섬유가 모두 발견되었다.[89]

임상 및 실험 연구결과에 의하면 노화가 진행됨에 따라 뇌 관류가 점진적으로 감소하며, 뇌 혈류량의 감소는 알츠하이머병에서 유의하게 더 높았다.[90] Carare 등[91]에 의하면, 모세혈관과 동맥의 기저막은 체액과 용질의 배출을 위한 뇌의 림프관으로 작용하는데, 아밀로이드 베타는 대뇌 아밀로이드 혈관병증에서 기저막 배출 통로에 축적되고, 알츠하이머병 환자의 뇌에서 아밀로이드 베타 및 간질액 제거가 지연되어 있다.

라미닌, entactin-nidogen 및 IV형 콜라겐과 같은 기저막 성분에 아밀로이드 플라크가 침착되어 있다는 것은 이것이 알츠하이머병의 병인이라는 것을 시사한다.[91] Kiuchi 등은[92,93] entactin-nidogen, IV형 콜라겐 및 라미닌이 미리 형성된 Aβ42 원섬유에 매우 현저한 영향을 주어, Aβ 단백질 원섬유의 분해를 일으킨다는 것을 증명하였다. 원평광 이색성 연구에서는 고농도의 기저막 성분은 Aβ 42 베타 판에서 임의구조로의 구조전이를 유도한다는 것을 밝혔다.

혈관 기저막은 알츠하이머병에서 노인성 플라크의 병소로 작용하여, 아밀로이드 및 신경염 성분의 발생을 유도한다.

요약

이 장에서는 생화학 및 분자생물학의 일부 측면뿐만 아니라 노화 과정에서 결합조직의 관련성을 검토했다. 결합조직의 구조, 대사 및 분자생물학적 조절에는 고유의 복잡한 특징들이 있고, 노화가 이들을 변화를 일으킬 수 있으며, 그 반대의 경우도 마찬가지이다. 노화 과정의 핵심이 되는 현상 중에는 콜라겐의 교차결합과 당화 과정이 있다. 당화산물과 그 수용체는 염증을 유발하는데, 이는 파괴적일 수 있으나, 조직 보호 효과도 있다. 상호 작용하는 결합조직 단백질의 교차 유전자 스플리싱은 세포와 그 주변 결합조직 사이의 신호전달에서 변화된 상호작용 및 역변화를 유도한다.

또한 노화 과정은 태양 방사선, 시토카인, 성장인자 및 호르몬의 상호작용, 분해 효소의 생성과 작용, 세포 복제에 영향을 미치는 인자, 결합조직 질환 및 노화를 조절하는 세포내 인자들이 결합조직 및 근육의 표현형[94]에 주는 영향을 모두 포함한다. 노화의 원인과 영향은 현대 연구의 활발한 영역으로 결합조직의 관여가 중요한 사항이다.

요점: 결합조직과 노화

KEY POINTS

- 결합조직의 구조적 통합성의 변화와 거대분자의 생성은 노화과정과 관련되어 있다.
- 노화에서 조직기능의 상실은 콜라겐과 엘라스틴 원섬유의 교차결합의 증가 및 교체율의 감소와 관련이 있다.
- 결합조직 거대 분자의 mRNA에서 교대 스플리싱은 노화의 과정에 관련되어 있다.
- 세포 노화는 결합조직 대사 조절의 변화와 상관관계가 있다.
- 콜라겐과 엘라스틴의 당화는 노화와 함께 가속화되고 당뇨병 합병증과 연관되어 있다.
- 노화성 골다공증에서 2가 환원성 콜라겐의 교차결합의 감소는 골강도를 감소시키고 골절을 증가시킨다.
- 노화와 알츠하이머형 노인성 치매에서 IV형 콜라겐, 라미닌, 헤파란 황산염 프로테오글리칸 및 아밀로이드 플라크가 뇌혈관에 함께 위치해 있다.

참고문헌의 총 목록을 보려면 www.expertconsult.com 을 방문해주세요.

중요 참고문헌

1. Brodsky B, Persikov AV: Molecular structure of the collagen triple helix. Adv Protein Chem 70:301-39, 2005.

2. Bailey AJ, Paul RG, Knott L: Mechanisms of maturation and aging of collagen. Mech Ageing Dev 106:1–56, 1998.

5. Kefalides NA, Borel JP: Basement membranes: cell and molecular biology, San Diego, 2005, Academic Press.

10. Tayebjee MH, Lip GY, MacFadyen RJ: Metalloproteinases in coronary artery disease: clinical and therapeutic implications and pathological significance. Curr Med Chem 12:917–925, 2005.

18. Iozzo RV, Shaefer L: Proteoglycans in health and disease: novel regulatory signaling mechanisms evoked by the small leucine-rich proteoglycans. FEBS J 277:3864–3875, 2010.

21. Schwarzbauer JE, DeSimone DW: Fibronectins, their fibrillogenesis, and in vivo functions. Cold Spring Harb Perspect Biol 3:a005041, 2011.

26. Hinz B, Phan SH, Thannickal VJ, et al: Recent developments in myofibroblast biology: paradigms for connective tissue remodeling. Am J Pathol 180:1340–1355, 2012.

27. Muro AF, Chauhan AK, Gajovic S, et al: Regulated splicing of the fibronectin EDA exon is essential for proper skin wound healing and normal lifespan. J Cell Biol 162:149–160, 2003.

28. Bhattacharyya S, Tamaki Z, Wang W, et al: Fibronection EDA promotes chronic cutaneous fibrosis through Toll-like receptor signaling. Sci Transl Med 6:232ra50, 2014.

29. Andrews JP, Marttala J, Macarak E, et al: Keloid pathogenesis: potential role of cellular fibronectin with the EDA domain. J Invest Dermatol 135:1921–1924, 2015.

30. Domogatskaya A, Rodin S, Tryggvason K: Functional diversity of laminins. Annu Rev Cell Dev Biol 28:523–553, 2012.

42. Bornstein P, Agah A, Kyriakides TR: The role of thrombospondins 1 and 2 in the regulation of cell-matrix interactions, colla-

gen fibril formation, and the response to injury. Int J Biochem Cell Biol 36:1115–1125, 2004.

59. Uitto J, Bernstein EF: Molecular mechanisms of cutaneous aging: connective tissue alteration in the dermis. J Investig Dermatol Symp Proc 3:41–44, 1998.

66. Paul RG, Bailey AJ: Glycation of collagen: the basis of its central role in the late complications of ageing and diabetes. Int J Biochem Cell Biol 28:1297–1310, 1996.

78. O'Rourke MF: Arterial aging: pathophysiological principles. Vasc Med 12:329–341, 2007.

79. Tsamis A, Krawiec JT, Vorp DA: Elastin and collagen fibre microstructure of the human aorta in ageing and disease: a review. J R Soc Interface 10:20121004, 2013.

80. Greenwald SE: Ageing of the conduit arteries. J Pathol 211:157–172, 2007.

83. Ozgenc A, Loeb LA: Current advances in unraveling the function of the Werner syndrome protein. Mutat Res 577:237–251, 2005.

88. Cummings JL, Vinters HV, Cole GM, et al: Alzheimer's disease: etiologies, pathophysiology, cognitive reserve, and treatment opportunities. Neurology 51:S2–S17, 1998.

94. Tarantino U, Baldi J, Celi M, et al: Osteoporosis and sarcopenia: the connections. Aging Clin Exp Res 25(Suppl 1):S93–S95, 2013.

참고문헌

1. Brodsky B, Persikov AV: Molecular structure of the collagen triple helix. Adv Protein Chem 70:301–339, 2005.

2. Bailey AJ, Paul RG, Knott L: Mechanisms of maturation and ageing of collagen. Mech Ageing Dev 106:1–56, 1998.

3. Canty EG, Kadler KE: Procollagen trafficking, processing and fibrillogenesis. J Cell Sci 118:1341–1353, 2005.

4. Eyre DR: Collagens and cartilage matrix homeostasis. Clin Orthop Relat Res 427:S118–S122, 2004.

5. Kefalides NA, Borel JP: Basement membranes: cell and molecular biology, San Diego, 2005, Academic Press.

6. Khoshnoodi J, Cartailler JP, Alvares K, et al: Molecular recognition in the assembly of collagens: terminal noncollagenous domains are key recognition modules in the formation of triple helical protomers. J Biol Chem 281:38117–38121, 2006.

7. Jenkins CL, Raines RT: Insights on the conformational stability of collagen. Nat Prod Rep 19:49–59, 2002.

8. Tanzer ML: Collagens and elastin: Structure and interactions. Curr Opin Cell Biol 1:968–973, 1989.

9. Kleiner DE, Stetler-Stevenson WG: Metalloproteinases and metastasis. Cancer Chemother Pharmacol 43:S42–S51, 1999.

10. Tayebjee MH, Lip GY, MacFadyen RJ: Metalloproteinases in coronary artery disease: clinical and therapeutic implications and pathological significance. Cur Med Chem 12:917–925, 2005.

11. Antonicelli F, Bellon G, Debelle L, et al: Elastin-elastases and inflamm-aging. Curr Top Dev Biol 79:99–155, 2007.

12. Wagenseil JE, Mecham RP: New insights into elastic fiber assembly. Birth Defects Res C Embryo Today 81:229–240, 2007.

13. Tiecke F, Katzke S, Booms P, et al: Classic, atypically severe and neonatal Marfan syndrome: twelve mutations and genotype-phenotype correlation in FBN1 exons 24-40. Eur J Hum Genet 9:13–21, 2001.

14. Bashir M, Indik Z, Yeh H, et al: Elastin gene structure and mRNA alternate splicing. In Davidson J, Tamburro A, editors: Elastin: chemical and biological aspects, Galatina, Italy, 1990, Congedo Editore, pp 48–70.

15. Groffen AJ, Veerkamp JH, Monnens LA, et al: Recent insights into the structure and functions of heparan sulfate proteoglycans in the human glomerular basement membrane. Nephrol Dial Transplant 14:2119–2129, 1999.

16. Schaefer L, Iozzo RV: Biological functions of the small leucine-rich proteoglycans: from genetics to signal transduction. J Biol Chem 283:21305–21309, 2008.

17. Iozzo RV, Shaefer L: Proteoglycans in health and disease: Novel regulatory signaling mechanisms evoked by the small leucine-rich proteoglycans. FEBS J 277:3864–3875, 2010.

18. Iozzo RV: Basement membrane proteoglycans: from cellar to ceiling. Nat Rev Mol Cell Biol 6:646–656, 2005.

19. Farach-Carson MC, Carson DD: Perlecan—a multifunctional extracellular proteoglycan scaffold. Glycobiology 17:897–905, 2007.

20. Harunaga JS, Yamada KM: Cell-matrix adhesions in 3D. Matrix Biol 30:363–368, 2011.

21. Schwarzbauer JE, DeSimone DW: Fibronectins, their fibrillogenesis, and in vivo functions. Cold Spring Harb Perspect Biol 3:a005041, 2011.

22. Cho J, Mosher DF: Role of fibronectin assembly in platelet thrombus formation. J Thromb Haemost 4:1461-1469, 2006.

23. Kornblihtt AR, Pesce CG, Alonso CR, et al: The fibronectin gene as a model for splicing and transcription studies. FASEB J 10:248-257, 1996.

24. Nogues G, Kadener S, Cramer P, et al: Control of alternative pre-mRNA splicing by RNA Pol II elongation: faster is not always better. IUBMB Life 55:235-241, 2003.

25. Oldberg A, Ruoslahti E: Evolution of the fibronectin gene. Exon structure of the cell attachment domain. J Biol Chem 261:2113-2116, 1986.

26. Hinz B, Phan SH, Thannickal VJ, et al: Recent developments in myofibroblast biology: paradigms for connective tissue remodeling. Am J Pathol 180:1340-1355, 2012.

27. Muro AF, Chauhan AK, Gajovic S, et al: Regulated splicing of the fibronectin EDA exon is essential for proper skin wound healing and normal lifespan. J Cell Biol 162:149-160, 2003.

28. Bhattacharyya S, Tamaki Z, Wang W, et al: Fibronectin EDA promotes chronic cutaneous fibrosis through Toll-like receptor signaling. Sci Transl Med 6:232ra50, 2014.

29. Andrews JP, Marttala J, Macarak E, et al: Keloid pathogenesis: potential role of cellular fibronectin with the EDA domain. J Invest Dermatol 135:1921-1924, 2015.

30. Domogatskaya A, Rodin S, Tryggvason K: Functional diversity of laminins. Annu Rev Cell Dev Biol 28:523-553, 2012.

31. Rao CN, Kefalides NA: Identification and characterization of a 43-kilodalton laminin fragment from the "A" chain (long arm) with high-affinity heparin binding and mammary epithelial cell adhesion-spreading activities. Biochemistry 29:6768-6777, 1990.

32. Engvall E: Laminin variants: why, where and when? Kidney Int 43:2-6, 1993.

33. Aumailley M, Bruckner-Tuderman L, Carter WG, et al: A simplified laminin nomenclature. Matrix Biol 24:326-332, 2005.

34. Ohno M, Martinez-Hernandez A, Ohno N, et al: Comparative study of laminin found in normal placental membranes with laminin of neoplastic origin. In Shibata S, editor: Basement membranes, Amsterdam, 1985, Elsevier Science, pp 3-11.

35. Ohno M, Martinez-Hernandez A, Ohno N, et al: Laminin M is found in placental basement membranes, but not in basement membranes of neoplastic origin. Connect Tissue Res 15:199-207, 1986.

36. Hallmann R, Horn N, Selg M, et al: Expression and function of laminins in embryonic and mature vasculature. Physiol Rev 85:979-1000, 2005.

37. Chung AE, Freeman IL, Braginski JE: A novel extracellular membrane elaborated by a mouse embryonal carcinoma-derived cell line. Biochem Biophys Res Commun 79:859-868, 1977.

38. Timpl R, Dziadek M, Fujiwara S, et al: Nidogen: a new self-aggregating basement membrane protein. Eur J Biochem 137:455-465, 1983.

39. Neu R, Adams S, Munz B: Differential expression of entactin-1/nidogen-1 and entactin-2/nidogen-2 in myogenic differentiation. Differentiation 74:573-582, 2006.

40. Pujuguet P, Simian M, Liaw J, et al: Nidogen-1 regulates laminin-1-dependent mammary-specific gene expression. J Cell Sci 113:849-858, 2000.

41. Sweetwyne MT, Murphy-Ullrich JE: Thrombospondin1 in tissue repair and fibrosis: TGF-β-dependent and -independent mechanisms. Matrix Biol 31:178-186, 2012.

42. Bornstein P, Agah A, Kyriakides TR: The role of thrombospondins 1 and 2 in the regulation of cell-matrix interactions, collagen fibril formation, and the response to injury. Int J Biochem Cell Biol 36:1115-1125, 2004.

43. Albelda SM, Buck CA: Integrins and other cell adhesion molecules. FASEB J 4:2868-2880, 1990.

44. Danen EH, Yamada KM: Fibronectin, integrins, and growth control. J Cell Physiol 189:1-13, 2001.

45. Takagi J: Structural basis for ligand recognition by integrins. Curr Opin Cell Biol 19:557-564, 2007.

46. Lock JG, Wehrle-Haller B, Strömblad S: Cell-matrix adhesion complexes: master control machinery of cell migration. Semin Cancer Biol 18:65–76, 2008.

47. van Gansen P, van Lerberghe N: Potential and limitations of cultivated fibroblasts in the study of senescence in animals. A review of the murine skin fibroblast system. Arch Gerontol Geriatr 7:31–74, 1988.

48. Shevitz J, Jenkins CS, Hatcher VB: Fibronectin synthesis and degradation in human fibroblasts with aging. Mech Ageing Dev 35:221–232, 1986.

49. Martin JA, Buckwalter JA: Aging, articular cartilage chondrocyte senescence and osteoarthritis. Biogerontology 3:257–264, 2002.

50. Martin JA, Buckwalter JA: Roles of articular cartilage aging and chondrocyte senescence in the pathogenesis of osteoarthritis. Iowa Orthop J 21:1–7, 2001.

51. Furuyama A, Iwata M, Hayashi T, et al: Transforming growth factor-beta1 regulates basement membrane formation by alveolar epithelial cells in vitro. Eur J Cell Biol 78:867–875, 1999.

52. Neubauer K, Kruger M, Quondamatteo F, et al: Transforming growth factor-beta1 stimulates the synthesis of basement membrane proteins laminin, collagen type IV and entactin in rat liver sinusoidal endothelial cells. J Hepatol 31:692–702, 1999.

53. Gravallese EM: Bone destruction in arthritis. Ann Rheum Dis 61(Suppl 2):ii84–ii86, 2002.

54. Takehara K: Growth regulation of skin fibroblasts. J Dermatol Sci 24:S70–S77, 2000.

55. Baumann L: Skin ageing and its treatment. J Pathol 211:241–251, 2007.

56. Landau M: Exogenous factors in skin aging. Curr Probl Dermatol 35:1–13, 2007.

57. Naderi-Hachtroudi L, Peters T, Brenneisen P, et al: Induction of manganese superoxide dismutase in human dermal fibroblasts: a UV-B–mediated paracrine mechanism with the release of epidermal interleukin-1-alpha, interleukin-1-beta, and tumor necrosis factor alpha. Arch Dermatol 138:1473–1479, 2002.

58. Wulf HC, Sandby-Møller J, Kobayasi T, et al: Skin aging and natural photoprotection. Micron 35:185–191, 2004.

59. Uitto J, Bernstein EF: Molecular mechanisms of cutaneous aging: connective tissue alteration in the dermis. J Investig Dermatol Symp Proc 3:41–44, 1998.

60. Rijken F, Kiekens RC, van den Worm E, et al: Pathophysiology of photoaging of human skin: focus on neutrophils. Photochem Photobiol Sci 5:184–189, 2006.

61. Archer FJ, Kaye R: Aging of diabetic and non-diabetic skin fibroblasts in vitro: life span and sequential growth curves. J Gerontol 44:M93–M99, 1989.

62. Sibbitt WL, Jr, Mills RG, Bigler CF, et al: Glucose inhibition of human fibroblast proliferation and response to growth factors is prevented by inhibitors of aldose reductase. Mech Ageing Dev 47:265–279, 1989.

63. McCabe LR: Understanding the pathology and mechanisms of type I diabetic bone loss. J Cell Biochem 102:1343–1357, 2007.

64. Esper RJ, Vilariño JO, Machado RA, et al: Endothelial dysfunction in normal and abnormal glucose metabolism. Adv Cardiol 45:17–43, 2008.

65. Li Y, Fessel G, Georgiadis M, et al: Advanced glycation end-products diminish tendon collagen fiber sliding. Matrix Biol 32:169–177, 2013.

66. Paul RG, Bailey AJ: Glycation of collagen: the basis of its central role in the late complications of ageing and diabetes. Int J Biochem Cell Biol 28:1297–1310, 1996.

67. Verzijl N, DeGroot J, Bank RA, et al: Age related accumulation of the advanced glycation end product pentosidine in human articular cartilage aggrecan: the use of pentosidine levels as a quantitative measure of protein turnover. Matrix Biol 20:409–417, 2001.

68. Dequeker J, Aerssens J, Luyten FP: Osteoarthritis and osteoporosis: clinical and research evidence of inverse relationship. Aging Clin Exp Res 15:426–439, 2003.

69. Goldring MB, Goldring SR: Osteoarthritis. J Cell Physiol 213:626–634, 2007.

70. Poole AR, Kobayashi M, Yasuda T, et al: Type II collagen degradation and its regulation in articular cartilage in osteoarthritis.

Ann Rheum Dis 61(Suppl 2):ii78 – ii81, 2002.

71. Murphy G, Nagase H: Reappraising metalloproteinases in rheumatoid arthritis and osteoarthritis: destruction or repair? Nat Clin Pract Rheumatol 4:128 – 135, 2008.

72. Iannone F, Lapadula G: The pathophysiology of osteoarthritis. Aging Clin Exp Res 15:364 – 372, 2003.

73. Obermayer-Pietsch B: Genetics of osteoporosis. Wien Med Wochenschr 156:162 – 167, 2006.

74. Ferrari SL, Rizzoli R: Gene variants for osteoporosis and their pleiotropic effects in aging. Mol Aspects Med 26:145 – 167, 2005.

75. Viguet-Carrin S, Garnero P, Delmas PD: The role of collagen in bone strength. Osteoporos Int 17:319 – 336, 2006.

76. Oxlund H, Mosekilde L, Ortoft G: Reduced concentration of collagen reducible cross-links in human trabecular bone with respect to age and osteoporosis. Bone 19:479 – 484, 1996.

77. Croucher PI, Garrahan NJ, Compston JE: Structural mechanism of trabecular bone loss in primary osteoporosis: specific disease mechanism or early aging? Bone Miner 25:111 – 121, 1994.

78. O'Rourke MF: Arterial aging: pathophysiological principles. Vasc Med 12:329 – 341, 2007.

79. Tsamis A, Krawiec JT, Vorp DA: Elastin and collagen fibre microstructure of the human aorta in ageing and disease: a review. J R Soc Interface 10:20121004, 2013.

80. Greenwald SE: Ageing of the conduit arteries. J Pathol 211:157 – 172, 2007.

81. Kunz J: Metalloproteinases and atherogenesis in dependence of age. Gerontology 53:63 – 73, 2007.

82. Winer N, Sowers JR: Diabetes and arterial stiffening. Adv Cardiol 44:245 – 251, 2007.

83. Ozgenc A, Loeb LA: Current advances in unraveling the function of the Werner syndrome protein. Mutat Res 577:237 – 251, 2005.

84. Cheok CF, Bachrati CZ, Chan KL, et al: Roles of the Bloom's syndrome helicase in the maintenance of genome stability. Biochem Soc Trans 33:1456 – 1459, 2005.

85. Stöllberger C, Finsterer J: Extracardiac medical and neuromuscular implications in restrictive cardiomyopathy. Clin Cardiol 30:375 – 380, 2007.

86. Ostler EL, Wallis CV, Sheerin AN, et al: A model for the phenotypic presentation of Werner's syndrome. Exp Gerontol 37:285 – 292, 2002.

87. Hatamochi A, Arakawa M, Takeda K, et al: Activation of fibroblast proliferation by Werner's syndrome fibroblast-conditioned medium. J Dermatol Sci 7:210 – 216, 1994.

88. Cummings JL, Vinters HV, Cole GM, et al: Alzheimer's disease: etiologies, pathophysiology, cognitive reserve, and treatment opportunities. Neurology 51:S2 – S17, 1998.

89. Götz J, Deters N, Doldissen A, et al: A decade of tau transgenic animal models and beyond. Brain Pathol 17:91 – 103, 2007.

90. Szpak GM, Lewandowska E, Wierzba-Bobrowicz T, et al: Small cerebral vessel disease in familial amyloid and non-amyloid angiopathies: FAD-PS-1 (P117L) mutation and CADASIL. Immunohistochemical and ultrastructural studies. Folia Neuropathol 45:192 – 204, 2007.

91. Carare RO, Bernardes-Silva M, Newman TA, et al: Solutes, but not cells, drain from the brain parenchyma along basement membranes of capillaries and arteries: significance for cerebral amyloid angiopathy and neuroimmunology. Neuropathol Appl Neurobiol 34:131 – 144, 2008.

92. Kiuchi Y, Isobe Y, Fukushima K: Entactin-induced inhibition of human amyloid beta-protein fibril formation in vitro. Neurosci Lett 305:119 – 122, 2001.

93. Kiuchi Y, Isobe Y, Fukushima K, et al: Disassembly of amyloid beta-protein fibril by basement membrane components. Life Sci 70:2421 – 2431, 2002.

94. Tarantino U, Baldi J, Celi M, et al: Osteoporosis and sarcopenia: the connections. Aging Clin Exp Res 25(Suppl 1):S93 – S95, 2013.

CHAPTER 20

뼈와 관절의 노화
Bone and Joint Aging

Celia L. Gregson

　근골격계는 다음과 같은 세 가지 기본적인 기능을 제공한다: (1) 팔, 다리의 효과적인 운동을 가능하게 하며, (2) 전반적인 구조적인 지지와 연조직을 보호하는 내골격 역할을 하며, (3) 칼슘대사의 균형을 이루기 위한 무기질의 저장고 역할을 한다. 나이 든 성인에서 처음 두 가지 기능들은 자주 서로 보완되기도 하는데 근골격계 문제는 노인에서 통증과 육체적 기능장애의 중요한 요인이 되며, 경제적으로도 세계적인 부담이 되고 있다.[1] 더욱이 골절의 발생은 나이가 듦에 따라 가파르게 상승하고 있다(그림 20-1).[2] 나이에 따른 근골격계 기능의 감소에는 여러 인자들이 작용하고 있다.

1. 근골격계(관절연골, 골격, 연부조직) 성분의 노화에 따른 효과는 골다공증과 골관절염을 유발시킬 뿐 아니라, 관절 운동성의 저하와 경직, 운동 유발 시 어려움 등을 초래한다.

2. 나이 들면서 흔히 발생하는 근골격계 질환은 젊었을 때나 중년에서부터 시작되며 생명의 단축 없이 통증과 기능장애를 증가시킨다(즉, 음성혈청반응 없는 척추관절염증, 근골격계 외상 등).

3. 노인에서 특정질환들은(즉, 류마티스성 다발성근육통증, 뼈의 파제트병, 결정침착 관절증) 높은 빈도로 나타난다.

노인에서 뼈와 근육, 관절 문제가 흔히 발생하는 여러 가설들이 있다:[3-6]

1. 우리가 오래 살게 되면서 근골격계에 물리적인 충격이 축적되는데, 최근 특히 가파르게 증가하는 비만이 중요한 역할을 한다.

2. 나이에 따른 조직 손상을 복구하는 기전에 대한 유전적인 대비책이 부족하다.

3. 사람에서 근골격계가 진화론적 힘이 부족하여 직립보행 자세와 손을 자유로이 쓰는 자세에 대해 충분히 적응되어 있지 않아서, 많은 뼈와 관절이 스트레스에 견디기에 불완전한 모양과 부적절한 디자인으로 되어있다.

4. 현대에 이르러 좌식생활 방식은 오늘날 우리가 과거 선조들이 겪었던 구조적인 스트레스를 덜 겪게 만들었다. 근골격계의 강도는 노출된 기계적인 압력에 좌우되기 때문에 우리들의 약해

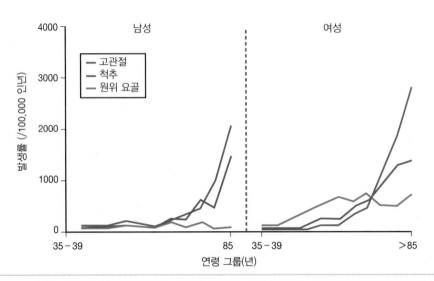

■ 그림 20-1. 미네소타주 로체스터시의 성별, 연령별 고관절, 척추 및 원위 요골(Collles) 골절 발생률(*Adapted from Cooper C, Melton LJ III: Epidemiology of osteoporosis. Trends Endocrinol Metab 3:224-229, 1992; with permission.*)

진 근골격계는 어떤 강한 스트레스에 잘 적응하지 못할 수 있다.

그 외에도 근골격계의 노화에 몇 가지 다른 기전들이 있다:[7-10]

- 골모세포와 연골세포와 같은 분화세포들의 생성능력의 저하되어 기질의 상태를 유지하는 능력의 저하 발생
- 근골격계 조직의 프로테오글리칸 조각들 같은 분해된 분자들의 축적
- 중간엽 조혈모세포들의 감소
- 콜라겐과 엘라스틴 같은 구조를 이루는 단백질의 전사 후 변형의 변화
- 세포 조절하는 후성유전학 변형적의 비정상 활동
- 전염증성 시토카인의 축적을 동반한 염증성 매개체들의 촉진
- 증가된 유해산소 부산물들과 미토콘드리아의 비기능성의 결과로 산화 스트레스를 유발시켜, 스트레스로 인한 노화작용
- 인슐린양성장인자-1 (IGF-1)과 같은 영양호르몬과 성장인자들의 감소와 이러한 요소들에 대한 세포적 반응의 변화
- 조직에 미치는 힘의 변화나 이러한 힘에 대한 조직의 이상반응
- 상처치유 능력과 조직 재생능력의 감소로 상기와 같은 변화 발생한다.

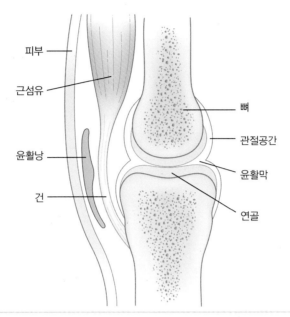

■ 그림 20-2. 윤활관절. 관절부의 주요조직 그림(*Courtesy Dr.J.H. Klippel and Dr. P.A. Dieppe.*)

근골격계의 조화에 필요한 주요 조직들은 골격, 관절의 연골조직, 연부조직들이다. 노화에 따른 이러한 기관들의 변화를 좀 더 자세히 살펴 보고자 한다.

관절의 연골조직

포유동물의 윤활관절의 구조가 그림 20-2에 기술되어있다. 이들 기능의 대부분은 연골하골에서 완충작용을 하는 관절 내 연골에서 일어나는데 자유롭게 운동 시 마찰력을 없애는 역할을 한다. 관절의 연골조직은 신경세포가 거의 없으며, 혈액공급이 안되지만 건강한 세포들로 구성되어 있으며, 평생 동안 발생하는 생체학적 스트레스에 견딜 수 있도록 구성되어 있다. 움직이지 못하는 부동자세에서 관절의 손상이 발생하는 것을 보면 어떤 구조학적 스트레스는 연골의 평형성을 유지하기 위한 필요조건으로 알려지기도 하였다.[11] 연골에서의 주요 세포는 연골세포이며, 세포 외 기질은 주로 제2형 콜라겐과 aggrecan (aggregating proteoglycans)으로 구성되어 있다.[12,13] Aggrecan은 글리코사미노글리칸 곁사슬을 갖고 있으며, 기질 내에서 수분입자를 함유하고 있는데 도움을 준다.[13] 관절의 연골조직 무게의 2/3는 수분이며, 이는 조직의 점도와 탄성을 유지하는데 중요한 역할을 한다.[12] 콜라겐 섬유들의 연결망은 관절의 연골조직과 긴밀한 관계를 이루고 있으며, aggreca이 압력에 대해 단단함을 유지하게 도와준다.[12,13]

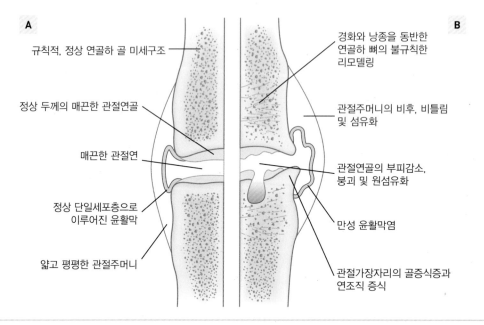

그림 20-3. 정상윤활관절(A)과 전 윤활관절에 골관절염이 동반한 상태(B)

나이가 들어감에 따라 연골은 얇아지고, 백색의 빛나는 조직에서 옅은 노란색으로 변하면서 기능이 떨어지게 된다. 장력에 대한 단단함과 피로저항성, 강도에 대해 기능이 떨어지지만, 압력에 대한 견디는 힘은 어느 정도 유지되는데, 이는 수분함량의 감소와 관계가 있다. 연골세포, aggrecan과 제2형 콜라겐의 모양과 기능은 나이가 듦에 따라 변화한다. 골관절염은 윤활관절과 관절기능에 영향을 주는 기관들에 발생한 특징적인 병변에 기인한다. 골관절염은 관절 내에서 발생한 물리적 힘과 관절의 연골 및 관절 조직들의 작용에 대한 균형이 이루어지지 않았을 때 발생한다. 즉 부상은 비정상적인 물리적 힘이 정상 관절 조직에 작용했거나 정상적인 힘이라도 이미 상처를 받거나 비정상적인 관절 내에 작용하면 발생하게 된다.[14] 비록 골관절염이 노화에 대한 필연의 결과라고 해도, 모든 관절 조직에 영향을 주어 변화를 유발시킴으로, 노화는 골관절염 발생위험에 한 원인으로 생각된다(그림 20-3).

연골세포의 주요한 기능은 연골의 항상성을 유지하는 것이다. 그러나 나이가 듦에 따라 연골세포는 프로테오글리칸이 작고 불규칙적으로 변하는 것과 같이 여러 물질의 합성에 장애를 보이는 노화형태를 띠게 된다. 동화와 이화작용 유발물질들(즉, IGF-1, osteogenic protein-1, transforming growth factor-β [TGF-β], interleukins [ILs])로 인한 자극변화에 대한 연골세포의 반응은 골관절염을 일으키기 쉬운 이화작용을 가속화 시키는 요인이 된다.[7] 골관절염에서 과도한 이화작용으로 연골조직의 항상성이 깨지면 염증 전 단계의 전염증 시토카인성과 이화작용물질(즉, MMPs [matrix metalloproteinsases]), ADAMTS (a disintegrin and metalloproteinase with thrombospondin motifs)에 의해 연골기질이 부서져 나오게 된다. 텔로미어의 기능저하로 인한 텔로미어 단축으로 인한 복제성 노화도 연골세포의 노화에 관여한다. 그러나, 늦춰진 연골세포의 변화주기는 노화의 감수성을 감소시킨다. 그 대신에 산화스트레스로 텔로미어의 손상으로 발생된 스트레스로 인한 노화는 발암유전자와 미토콘드리아 기능저하, 감염 등을 활성화시키는 것으로 알려져 있다. 노화된 연골세포는 연골기질의 손상시키는 인터루킨과 MMPs를 생성한다. 손상 받고, 과잉의 조직들과 단백질을 제거하여 세포를 재생시키는 자가포식 작용이 노화된 연골에서는 잘 작동되지 않게 된다. Protein kinase mammalian target of rapamycin (mTOR)의 과도한 활성화는 자가포식을 억제시키는데 노화와 관련이 있다고 알려져 있다. 재미있게도 축적된 단백질로부터 자라난 노화세포는 mTOR 억제제인 rapamycin으로 재생될 수 있다.[15] 연골세포의 소실은 정상적으로 암유발성이 높은 세포나 손상 받은 세포를 없애는 세포자멸사를 통해서도 발생할 수 있다. High-mobility group box protein (HMGB2)은 노화에 따라 감소되는데 연골세포의 생존에 중요한 조절자로 알려지고 있다.[16]

프로테오글리칸 결핍은 골관절염에서 관절의 연골 손상의 초기 증상 중 하나이다. 프로테오글리칸은 하나의 단백질 핵심과 두 개의 중요한 글리코사미노글리칸(GAGs) 곁사슬, 콘드로이틴황산염(CS), 그리고 케라탄황산염(KS)로 구성되어 있다. 사람의 관절의 연골에 주성분으로 있는 GAG 사슬인 CS는 두 개의 당 분자의 기본 이당류의 반복(N-acetylgalactosamine and glucuronic acid)을 포함하는 올리고당류 사슬들로 만들어져 있는데, 이는 탄소원자 6번(C6)과 4번(C4)에 있는 황산염을 나르는 역할을 한다. C6/C4 황산염화 비율의 변화는 노화와 골관절염증에 따라 과도하게 변화하는데, 이는 시토카인 유발성 손상에서 연골이 더 잘 견디게 해준다.[17,18] 주요소인 프로테오글리칸, aggrecan은 히알루론산과 결합하여 과량의 친수성결합체를 형성하여 압박과 인장력에 견딜 수 있게 한다. 노화와 더불어 증가된 KS와 감소한 CS로 프로테오글리칸은 더 작은 크기로 합성되고 aggrecanase 생성이 증가하여 프로테오글리칸 결합체는 줄어들게 된다. 이로 인해 aggrecan 분해를 초래한다.

콜라겐은 섬유직경과 교차연결과정을 증가시키면서 나이가 들면서 변화한다. 섬유의 교차연결과정은 효소 또는 비효소적으로 이루어지는데, 전자는 리신 수산화효소가 사용된다. 어린 시기 성장하는 뼈에서, 콜라겐의 교체율은 증가되어 있으며, 효소가 사용되는 2가와 3가 교차연결이 텔레펩티드 리신의 거의 완벽한 수산화과정을 거친 콜라겐 섬유를 안정화시킨다. 노화에 따라 lysyl hydroxylase 활성도는 사라지며, 텔레펩티드 리신의 불완전한 수산화고정을 유발시킨다. 그러나, 나이가 듦에 따라 효소를 사용하지 않는 작용이 당분과 리신에서 발생하여 글루코실 리신과 유관 물질을 생성하여 콜라겐 섬유의 교차연결을 증가시킨다. 뒤이어서 산화와 비산화과정으로 안정된 말단생성물질인 최종당화산물(AGE)가 생성되고, 이들 중 일부는 콜라겐 교차연결물질로 사용되고, 연골을 구조적 지지의 한계를 견딜 수 없는 연골로 만든다.[19,20] 연골세포에서, AGE는 제

2형 콜라겐 생성을 억제하고, MMP와 ADAMTS 발현을 자극할 수 있으며, TNF-α (tumor necrosis factor-α), 프로스타글란딘 E2, 산화질소의 생성을 통하여 염증반응을 증가시킬 수 있다.[21,22] 고혈당과 산화 스트레스는 AGE 생성을 증가시키고, 식이 AGE 섭취는 주요한 요인이 될 수 있다.[23,24] 일부 인대에서 인장성과 탄성도를 지지하는 엘라스틴은 교차연결에 의해 안정화 될 수 있으며, AGE 생성은 노화로 인한 강직을 촉진할 수 있다.[25] 노화에 따른 연골세포에서 일부 미토콘드리아 기능저하로 인한 활성산소종(ROS)의 축적은 산화스트레스를 증가시킬 수 있는데 이는 DNA 손상, 텔로미어 단축, 동화작용의 소실, 염증성 시토카인과 MMPS, 연골세포노화와 세포자멸사의 증가로 나타날 수 있다.[8]

관절연골에 대한 변화 뿐만 아니라 노화는 또한 관절의 다른 조직에도 안 좋은 영향을 미친다. 연골하 뼈에 놓여 있는 관절연골(석회화 된 연골)의 기저막 밑에서, 연골과 뼈의 대사가 관절 내에서 단단하게 결합되어 있으며, 이것이 OA 발생의 중요한 병리기전이 된다.[26] 틀림없이 OA가 진행되면서 연골하 뼈교체율의 증가, 소주골의 미네랄 결핍, 연골하 경화증, 뼈겉돌기 형성과 골수병변으로 분명한 뼈의 변화가 관찰된다. 이러한 것들이 OA에서 통증의 원인이 된다.[27] 폐경 후 여성에서 보여지는 노화에 따른 에스트로겐의 감소는 골교체율의 상승과 연골 파괴를 동반한다.[28] 이와 부합되게 에스트로겐 보충요법은 OA의 발생을 감소시키게 된다.[29] OA가 진전됨에 따른 골교체율의 증가는 OA의 병태생리에서 보여지는 파골세포의 활성도의 증가와 연관이 있다는 연구보고가 있다.[30] 그럼으로 최근에는 골흡수억제제를 사용하여 뼈와 연골 치료에 목표를 두는 치료가 관심을 보이고 있는데,[26] 아직 사람에서 효과적인 결과는 없는 상태이다.[31] 노화에 따른 관절주변의 연부조직구조의 변화는 관절의 건강유지에 불리하게 작용할지 모르며 이는 추후 논의할 예정이다.

노화와 골관절염에서의 후성학

노화에 따른 후성학적 조절에 대한 역할과 OA의 원인은 최근 연구대상으로 관심이 증가하고 있다. 후성학은 강력한 가족력을 보이는 OA의 소위 잃어버린 유전성에 대해 어느 정도 설명해 줄 수 있다. 후성학의 기전은 기존의 DNA 서열에서 변화가 발생하지 않도록 관여하는 유전자의 발현의 매우 안정적이고 연계되는 결정요인이다. 이들은 DNA 메틸화, 히스톤 변형과 noncoding 마이크로 RNA (miRNA)를 포함하고 있다. 일반적으로 메틸화 수준은 나이가 듦에 따라 감소하게 된다. MMP 촉진자 수의 저메틸화는 OA로 인한 연골에서 발견된다.[32] 더 나아가 히스톤 메틸화는 관절의 연골세포에서 전사인자로 알려진 nuclear factor of activated T cells (NFAT)를 조절하는 것으로 알려져 있으며, 이 전사인자는 노화에 따른 연골세포의 항상성을 조절하는 작용을 하며, 관절이 불안정해질 때 OA와 같은 표현형으로 나타나게 한다.[33] 연골과 작용하고 OA 발생을 유발하는 여러 종류의 miRNA가 이미 많이 발견되었다.[9] 노화와 OA의 진행에 따른 후성학 기전의 연구는 힘을 얻게 되었고, 질병과 노화 그리고 미래의 치료 기전에 대한 새로운 시각을 가질 수 있도록 하였다.

골격

체중이 실리는 뼈는 최대한 힘을 견딜 수 있도록 바깥부위에 피질골 형태로 이루어져있다. 이에 더하여 척추나 뼈몸통끝 같은 어떤 부위는 기둥뼈의 그물망과 같은 구조를 이루고 있어 내부 발판 역할을 한다(그림 20-4). 현미경적으로 골격은 제1형 콜라겐의 서로 연결된 섬유질로 만들어져 있어 장력을 유지시킨다. 칼슘과 인산으로 구성된 수산화인회석 결정체는 콜라겐 섬유질 사이에 축적되어 있으면서 뼈의 단단함을 유지시켜준다. 성인 뼈들은 계속 자체적으로 재생하고 있다. 이러한 과정을 골재형성 과정이라고 하는데 골격 전 부위에서 이루어지며, 이를 골 재생 단위라고 한다. 뼈 재생은 뼈 형성과 분해하는 세포(골모세포, 파골세포)들과 조화를 이루고 있으며 미세상처를 복구하고, 골밀도를 유지하고, 골에 가해지는 힘에 견디기 위해 모양을 갖추는 작용을 계속하고 있다(그림 20-5). 파골세포는 대식세포와 공유하는 조혈전구물질로부터 분화되고, 골모세포는 유골을 생성하고 무기질화를 촉진하는데 중간엽 줄기세포(MSCs)로부터 발생되며, 이러한 MSCs는 또한 섬유모세포, 기질세포와 지방세포로 분화될 수 있다. 뼈에서 가장 많고 오래 사는 골세포는 골소관에 위치한다. 이들은 뼈 항상성의 조절에 중요한 역할을 하는데, 예를 들면 골세포는 뼈에서 주요 기계수용 세포 역할을 하고 있다. 골모세포와 골세포 모두 membrane−bound receptor activator of nuclear factor−kappa B ligna (RANKL)을 생성하는데, 이는 파골세포의 RANK 수용체에 결합하여 파골세포의 분화를 자극하고 세포사멸을 피하게 한다.[34] 이러한 과정은 decoy 수용체인 오스테오프로테그린을 생성하는 골모세포에 의해 조절된다.[35] 여러 인자들이 RANK−RANKL−OPG 체계에 영향을 주는데 이에는 부갑상선호르몬, 비타민 D, 시토카인들, ILs, 프로스타글란딘, thiazolidines,

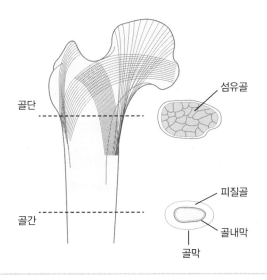

■ **그림 20-4. 거시적인 관점에서의 뼈 조직**(*Courtesy Dr. J.H. Klippel and Dr. P.A. Dieppe.*)

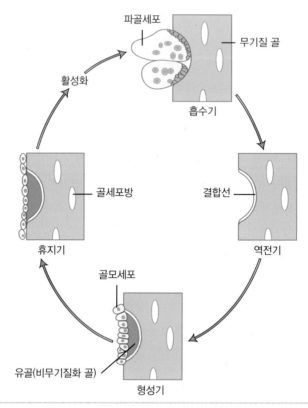

■ **그림 20-5. 골재형성 과정.** 파골세포의 골흡수로 시작해서 시멘트 선이 생성된다(reverse phase). 그 다음으로 골모세포가 흡수와를 유골로 채워지고 이어서 무기질화가 일어나면 최종적으로 뼈표면은 세포와 유골의 얇은 층으로 덮이게 된다.

에스트로겐, 기계적 자극, TGF-β 등이 있다. RANKL의 단세포항체는 골다공증의 치료에 사용되어 파골세포의 골흡수를 감소시킨다.

골격의 구조적 변화

일단 중년에 도달하면 골격의 총 칼슘량은 감소하게 되는데, 특히 여성에서 폐경 이후 첫 수년간은 감소가 가속된다.[36] 이런 증상은 골격의 구조를 변화시켜 약하게 만들어 골절이 쉽게 발생하게 된다. 수주골이 주로 영향을 받는데 우선 각각의 수주골의 기둥들이 얇아지고 끊어지고, 없어져서 결국은 수주골의 연결망의 파괴가 발생하게 된다(그림 20-6). 뼈의 피질골 또한 노화에 따라 약해지는데, 이는 내부 수질공간의 확대와 하버시안관의 크기와 숫자가 증가되어 발생하게 된다. 골격구조의 파괴에 더해서 뼈의 강도도 노화에 따라 급격히 감소하게 되는데 이는 나이가 듦에 따라 피로충격이 축적되어 미세골절이 발생되는 결과로 볼 수 있다.[37] 추가로 콜라겐 섬유들의 안정화에 필요

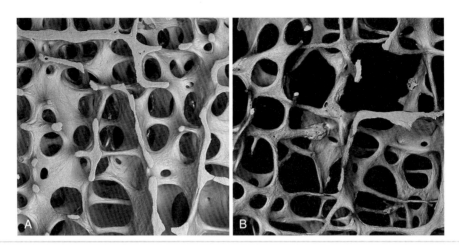

■ 그림 20-6. 골다공증과 연관된 소주골 구조의 변화. 31세 남성**(A)**과 89세 여성**(B)**의 요추부 주사전자현미경 사진. 소주골 두께 감소와 제거와 관련된 골소실(*Courtesy Professor A. Boyde, Department of Anatomy and Developmental Biology, University College, London.*)

한 교차연결성의 효율의 감소로 생화학적 검사 결과의 안 좋은 변화도 발생하게 된다.[38]

골대사의 변화

나이 든 성인에서의 골소실은 주로 파골세포의 왕성한 활동성으로 유발되는데, 재생이 일어나는 장소의 개수의 증가와 각 장소의 흡수된 골량으로 나타나며, 이는 골재생의 불균형을 유발시킨다. 노인여성에서 파골세포의 활동성의 증가는 폐경으로 인한 난소호르몬의 감소로 발생하는데, 여성호르몬은 평상 시 RANKL 생성을 감소시키고 파골세포의 세포자멸사를 증진시키고, 또한 골모세포의 항세포사멸 효과를 이루어 골흡수를 저해하는 중요한 역할을 한다.[39] 원래 노화에 따른 골감소는 여성에서는 에스트로겐의 감소, 남성에서는 테스토스테론의 감소로 여겨지고 있다. 그러나 에스트로겐은 남성에서도 주요한 성호르몬으로 생각되어지고 있으며, 노년에서의 골소실에 관여하고 테스토스테론과 함께 어린 나이에 최대골량 축적에 작용하는 것으로 알려져 있다.[40] 혈청 에스트라디올 수치는 골밀도와 강력한 상관관계를 보이며, 이러한 관계는 테스토스테론에서는 나타나지 않는다. 프로게스테론과 안드로겐, 인히빈 수치는 폐경 이후 감소하는데 이들이 뼈에 미치는 정확한 영향은 더 연구해야 한다.[41] 노화는 골수 내에 있는 MSC 개체군을 변화시키고, 골모세포의 분화를 감소시키고, 증식을 늦추어서 노화에 따른 골형성의 저하를 초래한다. 산화스트레스, 텔로미어의 단축, 국소적 염증반응, DNA 손상 등은 골모세포의 노화를 촉진시킨다.[42] 더욱이 노화는 혈중 성장호르몬과 IGF-I 수치를 감소시키고, 골밀도, 제지방량, 피부두께 등을 감소시키는데 이를 somatopause라고 부르기도 한다.[43] 이러한 영양인자들의 감소는 국소적으로 일부 분자물질

(TNF-α, IL-6)들의 발현을 유발시키는데, 이는 파골세포를 증가시키고, 골모세포의 활동성을 감소시키고, 골수 MSCs의 분화를 감소시킨다.[44] 파골세포의 활성도는 비타민D 결핍의 결과로 나이든 성인에서 올라갈 수 있다.[45] 비타민D가 적은 식사, 햇빛에 노출이 적거나 나이든 피부에서 비타민D 생성이 감소되면 경미한 2차성 부갑상선기능항진증을 유발시킨다.[46-48] 골대사에서 이러한 비타민D 결핍의 효과는 소화기에서 칼슘흡수에 영향을 주고, 비타민D의 1α-hydroxylation에 영향을 준다. 낮은 비타민D 수치는 골모세포생성의 대가로 지방세포 생성에 대한 MSG 분화에 영향을 끼친다.[49] 골연화증(osteomalacia)의 준임상적 증거에도 불구하고 많은 환자들은 골다공증을 갖고 있는 것처럼 보인다(예로 대퇴골두골절발생). 신체 고정자세는 골손실을 유발하는 것으로 알려져 있고, 운동은 노화에 따른 골소실을 약화시킬 수 있다. 노화에 따른 육체적 활동의 감소는 기계적인 골격에 대한 자극을 감소시킨다. 감소된 기계적 자극은 골세포에서 감지되어 canonical Wnt signaling의 억제제 역할을 하여 골세포의 골형성에 강력한 억제작용을 하는 sclerostin의 발현을 증가시킨다. Sclerostin 수치는 나이가 들거나 움직이지 못할 때 증가하게 된다.[41,50] 그러나 sclerostin이 골모세포의 골형성에서 나이가 들면서 감소시키는 이유는 아직 잘 모르고 있다. 흥미롭게도 sclerostin항체는 향후 동화적 골다공증 치료에 3상 연구로 최근까지 연구되고 있다.[51]

연부조직

노화에 따른 변화가 다른 뼈와 관절조직들에서 발생하는데 콜라겐의 생성과 전사 후 변화의 감소로 기인하며, 이는 인대의 탄성을 감소시킨다. 예를 들면 인대의 장력은 나이가 들면서 감소하며, 관절막의 연결성은 없어지게 된다. 이러한 결과는 어깨에서 회전자띠(rotator cuff) 손상을 초래한다. 덧붙여서 나이가 듦에 따라 칼슘결정의 형성에 대한 결체조직의 저항성의 점차적인 소실은 결정연관성 관절병의 발생을 증가시키게 된다. 연부조직에서의 기능적 손상은 관절의 생리공학적 기능에 영향을 미치며 이는 OA 발생의 중요한 유발 요인이 된다. 예를 들면 손상에 대한 반월판의 반응이 나이에 따라 달라지는데 이와 같은 이화작용성 활동성은 OA 진행을 예측하는데 도움이 될 수 있다.[52]

목과 등의 통증과 뻣뻣함은 나이든 사람에게 공통적인 불편사항이며 척추디스크에서 노화에 따른 연관성을 나타낸다. 척추는 외측섬유고리, 환상섬유화, 내부젤라틴구조와 척수핵 등으로 이루어져 있다. 사람들이 나이가 듦에 따라, 척수핵의 지름과 그 부위의 수압의 감소로 환상고리내의 압박스트레스가 증가하게 된다. 그래서 노화가 진행됨에 따라 척추간 디스크가 압박을 받아 눌리고, 척추간 간격이 좁아지고 결국에는 척추의 키가 줄어들게 되어있다. 디스크의 체세포외 기질은 콜라겐 섬유(제1형과 2형)와 연결망을 형성하고 있으며, 이들 섬유는 압박압력에 견딜 수 있는 프로테오글리칸을 결집시켜 인장력을 증가시키는데 도움을 준다. 노후에 이러한 큰 분자물질들의 분포와 농도의 변화는 디스크의 기계적 구조에 중요한 영향을 미치게 된다. 여러 방법으로 척추간 디스크에서 체세포외 기질의 나이에 따른 변화는 관절내 연골에서 발생하는 것과 비슷한 변화를 겪게 된다. 예를 들면 제2형 콜라겐의 증가된 파손과 감소된 생성, 글리코사미노글리칸과 콜라겐 수치의 감소 등이 나타난다.[54]

근감소증은 노화에 따라 골격근육의 점진적인 감소가 발생하여 근력과 근기능의 저하를 초래한다. 결과적으로 잘 넘어지고, 독자적인 움직임이 손상되어 골절의 위험성이 증가되어 건강을 황폐화 시킨다. 근감소증은 근섬유의 숫자와 크기의 감소를 초래하는데 제 2형 섬유가 주로 손상된다. 근감소증은 복잡한 요인에 의해 발생되며, 아직도 많은 연구가 진행되어야 한다. 이화작용하는 인자들의 수치감소는 여성에서 에스트로겐과 비타민D가 중요하고, 남성에서는 테스토스테론과 육체적 활동성, GH와 IGF-I 수치 등이 중요하다. 운동신경단위에서의 중심성 및 말초성 신경의 기능소실과 단백합성의 감소로 인한 영양학적 변화 등이 발생하게 된다. 이화작용의 염증성 시토카인과 아디포카인 수치의 증가는 특히 나이 든 여성에서는 IL-6와 남성에서는 근육량에 영향을 미치는 TNF-α와 연관되어 있다.[55-57] 흥미롭게도 액티빈 대사과정과 myostatin 억제제는 떠오르는 연구과제이며, 향후 근감소증의 동화작용 치료제로 기대하고 있다.[58]

뼈와 관절 노화의 결과

근골격계 문제점들은 노인에서 통증과 운동장애를 유발하는 중요한 원인이 된다. 가장 중요한 기능상의 장애는 근력의 손상, 척추와 사지관절의 운동성 감소, 관절운동의 고유감각의 손실로 인한 균형감각의 손상들이다. 덧붙여서 척추골의 골다공증은 척추후만증과 키의 손실을 유발시키는데 이는 일부에서 증상이 없을 수도 있지만 대부분 통증과 기능장애의 주요 원인이 된다. 주 증상은 통증과 뻣뻣함이다. 비록 통증의 역치가 증가할 수도 있지만, 여전히 근골격계 통증의 빈도는 점차 증가하고 있는 실정이다. 예를 들면, 55세 이상의 노인에서 25%에서 최근 발생한 무릎통증을 호소하는 것으로 되어있다. 뻣뻣함과 처음 움직일 때의 통증은 70세 이상의 노인에서의 보편적으로 나타나는 증상이다.

뼈와 연부조직의 변화는 근골격계가 충격에 잘 견딜 수 있도록 변화하고 있다. 관절주위 통증 증후군과 간단한 충격으로 인한 척추 질환은 매우 흔하지만 가장 중요한 결과는 골절의 높은 발생률이다. 이러한 결과는 대부분 노화로 인한 골다공증으로 골격의 약화와 노화로 인한 낙상의 위험의 증가와 연관이 있다. 골다공증으로 두개골과 같은 납작한 뼈가 아닌 모든 뼈에서 골절의 위험도가 증가하게 되고, 골절은 주로 척추, 요골말단 부위 그리고 대퇴부에서 발생하게 된다(그림 20-1). 노인에서 발생하는 대퇴부골절의 증가는 운동기능이 느려져 넘어지는 형태의 변화와 연관이 있는데 이는 넘어질 때 팔을 뻗어 발생하는 것과 다른 기전이다.

근골격계의 변화에 대한 거동장애의 중요성은 지역사회의 역학연구에서 잘 보고되고 있다. 보행 문제는 특히 고립되어 생활하는 노인에게 더욱 큰 문제이다. 중요하게도 대퇴부골절이 발생한 경우 대부분 노인들은 골절 전의 활동성을 회복하지 못하고 있다. 또한 대퇴부골절 첫 1달에 사망률이 8%나 되고, 1년 내 약 30%가 사망하게 된다.[59,60]

미래 문제

노령인구의 증가로 근골격계질환의 부담은 향후 증가하게 된다. 취약성 골절은 비용이 많이 들며, 약물치료 비용, 사회 부적응의 비용도 고려해야 한다. 더 나아가 전 세계적으로 비만의 증가가 심각한 수준으로 발생하고 있다. 과도하게 골격에 나쁜 영향을 주는 생활습관으로 인해 나타나는 신체변화의 축적은 수년 내에 다른 질병들을 유발할 수 있다. 최근의 골다공증치료는 대부분 골흡수를 억제하는 데 초점을 맞추었지만, 미래에는 골모세포의 골형성을 촉진시키는, 즉 동화작용을 유발시키는 치료가 주가 될 것이다. OA의 최신 치료가 현재까지는 증상완화를 위한 것이 초점을 맞추고 있지만 향후 연골과 연골하골을 목표로 하는 관절의 구조를 변화시키는 약제를 자유롭게 사용하게 될 것이다.

KEY POINTS

요점

- 근골격계 문제점들은 노인들에게 부담이 큰 통증과 기능장애를 유발한다.
- 이러한 문제점들은 류마티스관절염과 류마티스성 다발성근육통증과 같이 노인에서 흔하게 발생하는 근골격계 질환들로 유발된다.
- 노인에서 근골격계질환의 큰 부담은 또한 근골격계조직, 관절 내 연골, 근육과 뼈 등에 발생하는 노령화과정을 반영하는 것이다.
- 이러한 연령의 증가에 따른 변화를 최근 들어서는 세포적 수준이나 분자구조적 수준으로 이해하는 많은 연구로 진전이 있다.

참고문헌의 총 목록을 보려면 www.expertconsult.com 을 방문해주세요.

중요 참고문헌

3. Hutton CW: Generalised osteoarthritis: an evolutionary problem? Lancet 1:1463–1465, 1987.

7. Lotz M, Loeser RF: Effects of aging on articular cartilage homeostasis. Bone 51:241–248, 2012.

9. Barter MJ, Bui C, Young DA: Epigenetic mechanisms in cartilage and osteoarthritis: DNA methylation, histone modifications and microRNAs. Osteoarthritis Cartilage 20:339–349, 2012.

16. Taniguchi N, et al: Aging-related loss of the chromatin protein HMGB2 in articular cartilage is linked to reduced cellularity and osteoarthritis. Proc Natl Acad Sci U S A 106:1181–1186, 2009.

19. Avery NC, Bailey AJ: Enzymic and non-enzymic cross-linking mechanisms in relation to turnover of collagen: relevance to aging and exercise. Scand J Med Sci Sports 15:231–240, 2005.

21. Nah S-S, et al: Effects of advanced glycation end products on the expression of COX-2, PGE2 and NO in human osteoarthritic chondrocytes. Rheumatology 47:425–431, 2008.

23. Peppa M, Uribarri J, Vlassara H: Aging and glycoxidant stress. Hormones (Athens) 7:123–132, 2008.

26. Karsdal MA, et al: The coupling of bone and cartilage turnover in osteoarthritis: opportunities for bone antiresorptives and anabolics as potential treatments? Ann Rheum Dis 73:336–348, 2014.

29. Szoeke CE, et al: Factors affecting the prevalence of osteoarthritis in healthy middle-aged women: data from the longitudinal Melbourne Women's Midlife Health Project. Bone 39:1149–1155, 2006.

31. Davis AJ, et al: Are bisphosphonates effective in the treatment of osteoarthritis pain? A meta-analysis and systematic review. PLoS One 8:e72714, 2013.

34. Nakashima T, et al: Evidence for osteocyte regulation of bone homeostasis through RANKL expression. Nat Med 17:1231–1234, 2011.

43. Sattler FR: Growth hormone in the aging male. Best Pract Res Clin Endocrinol Metab 27:541–555, 2013.

44. Troen BR: The regulation of cathepsin K gene expression. Ann N Y Acad Sci 1068:165–172, 2006.

45. Lips P: Vitamin D status and nutrition in Europe and Asia. J Steroid Biochem Mol Biol 103:620–625, 2007.

50. Gaudio A, et al: Increased sclerostin serum levels associated with bone formation and resorption markers in patients with immobilization-induced bone loss. J Clin Endocrinol Metab 95:2248–2253, 2010.

55. Payette H, et al: Insulin-like growth factor-1 and interleukin 6 predict sarcopenia in very old community-living men and women: the Framingham Heart Study. J Am Geriatr Soc 51:1237–1243, 2003.

58. Girgis C, Mokbel N, DiGirolamo D: Therapies for musculoskeletal disease: can we treat two birds with one stone? Curr Osteoporos Rep 12:142–153, 2014.

59. Roche JJW, et al: Effect of comorbidities and postoperative complications on mortality after hip fracture in elderly people: prospective observational cohort study. BMJ 331:1374, 2005.

60. Royal College of Physicians, Falls and Fragility Fracture Audit Programme (FFFAP): National Hip Fracture Database (NHFD) extended report. http://www.nhfd.co.uk/20/hipfractureR.nsf/vwcontent/2014reportPDFs/$file/NHFD2014ExtendedReport.pdf?OpenElement. Accessed November 16, 2015.

61. Cooper C, Melton LJ, III: Epidemiology of osteoporosis. Trends Endocrinol Metab 3:224–229, 1992.

참고문헌

1. Murray CJL, et al: Disability-adjusted life years (DALYs) for 291 diseases and injuries in 21 regions, 1990-2010: a systematic analysis for the Global Burden of Disease Study 2010. Lancet 380:2197–2223, 2012.

2. O'Neill TW: Looking back: developments in our understanding of the occurrence, aetiology and prognosis of osteoporosis over the last 50 years. Rheumatology (Oxford) 44(Suppl 4):iv33－iv35, 2005.

3. Hutton CW: Generalised osteoarthritis: an evolutionary problem? Lancet 1:1463－1465, 1987.

4. Lim KK, et al: The evolutionary origins of osteoarthritis: a comparative skeletal study of hand disease in 2 primates. J Rheumatol 22:2132－2134, 1995.

5. Dieppe P: Therapeutic targets in osteoarthritis. J Rheumatol Suppl 43:136－139, 1995.

6. Alexander CJ: Relationship between the utilisation profile of individual joints and their susceptibility to primary osteoarthritis. Skeletal Radiol 18:199－205, 1989.

7. Lotz M, Loeser RF: Effects of aging on articular cartilage homeostasis. Bone 51:241－248, 2012.

8. Leong DJ, Sun HB: Events in articular chondrocytes with aging. Curr Osteoporos Rep 9:196－201, 2011.

9. Barter MJ, Bui C, Young DA: Epigenetic mechanisms in cartilage and osteoarthritis: DNA methylation, histone modifications and microRNAs. Osteoarthritis Cartilage 20:339－349, 2012.

10. Houard X, Goldring MB, Berenbaum F: Homeostatic mechanisms in articular cartilage and role of inflammation in osteoarthritis. Curr Rheumatol Rep 15:375, 2013.

11. Leong DJ, et al: Mechanotransduction and cartilage integrity. Ann N Y Acad Sci 1240:32－37, 2011.

12. Fox AJS, Bedi A, Rodeo SA: The basic science of articular cartilage. Sports Health 1:461－468, 2009.

13. Poole AR: The normal synovial joint. http://oarsi.org/welcome-oarsi-primer. Accessed November 16, 2015.

14. Nuki G: The impact of mechanical stress on the pathophysiology of osteoarthritis. In Sharma L, Berenbaum F, editors: Osteoarthritis: a companion to rheumatology, Philadelphia, 2007, Mosby, pp 33－52.

15. Demidenko ZN, et al: Rapamycin decelerates cellular senescence. Cell Cycle 8:1888－1895, 2009.

16. Taniguchi N, et al: Aging-related loss of the chromatin protein HMGB2 in articular cartilage is linked to reduced cellularity and osteoarthritis. Proc Natl Acad Sci U S A 106:1181－1186, 2009.

17. Mourao PA: Distribution of chondroitin 4-sulfate and chondroitin 6-sulfate in human articular and growth cartilage. Arthritis Rheum 31:1028－1033, 1988.

18. Sharif M, et al: The relevance of chondroitin and keratan sulphate markers in normal and arthritic synovial fluid. Br J Rheumatol 35:951－957, 1996.

19. Avery NC, Bailey AJ: Enzymic and non-enzymic cross-linking mechanisms in relation to turnover of collagen: relevance to aging and exercise. Scand J Med Sci Sports 15:231－240, 2005.

20. Monnier VM, Kohn RR, Cerami A: Accelerated age-related browning of human collagen in diabetes mellitus. Proc Natl Acad Sci U S A 81:583－587, 1984.

21. Nah S-S, et al: Effects of advanced glycation end products on the expression of COX-2, PGE2 and NO in human osteoarthritic chondrocytes. Rheumatology 47:425－431, 2008.

22. Nah S-S, et al: Advanced glycation end products increases matrix metalloproteinase-1, -3, and -13, and TNF-a in human osteoarthritic chondrocytes. FEBS Lett 581:1928－1932, 2007.

23. Peppa M, Uribarri J, Vlassara H: Aging and glycoxidant stress. Hormones (Athens) 7:123－132, 2008.

24. Huebschmann AG, et al: Diabetes and advanced glycoxidation end products. Diabetes Care 29:1420－1432, 2006.

25. Winlove CP, et al: Interactions of elastin and aorta with sugars in vitro and their effects on biochemical and physical properties. Diabetologia 39:1131－1139, 1996.

26. Karsdal MA, et al: The coupling of bone and cartilage turnover in osteoarthritis: opportunities for bone antiresorptives and anabolics as potential treatments? Ann Rheum Dis 73:336－348, 2014.

27. Felson DT, et al: The association of bone marrow lesions with pain in knee osteoarthritis. Ann Intern Med 134:541－549, 2001.

28. Mouritzen U, et al: Cartilage turnover assessed with a newly developed assay measuring collagen type II degradation products: influence of age, sex, menopause, hormone replacement therapy, and body mass index. Ann Rheum Dis 62:332－336, 2003.

29. Szoeke CE, et al: Factors affecting the prevalence of osteoarthritis in healthy middle-aged women: data from the longitudinal

Melbourne Women's Midlife Health Project. Bone 39:1149‒1155, 2006.

30. Dieppe P, et al: Prediction of the progression of joint space narrowing in osteoarthritis of the knee by bone scintigraphy. Ann Rheum Dis 52:557‒563, 1993.

31. Davis AJ, et al: Are bisphosphonates effective in the treatment of osteoarthritis pain? A meta-analysis and systematic review. PLoS One 8:e72714, 2013.

32. Roach HI, et al: Association between the abnormal expression of matrix-degrading enzymes by human osteoarthritic chondrocytes and demethylation of specific CpG sites in the promoter regions. Arthritis Rheum 52:3110‒3124, 2005.

33. Rodova M, et al: Nfat1 regulates adult articular chondrocyte function through its age-dependent expression mediated by epigenetic histone methylation. J Bone Miner Res 26:1974‒1986, 2011.

34. Nakashima T, et al: Evidence for osteocyte regulation of bone homeostasis through RANKL expression. Nat Med 17:1231‒1234, 2011.

35. Yeung RS: The osteoprotegerin/osteoprotegerin ligand family: role in inflammation and bone loss. J Rheumatol 31:844‒846, 2004.

36. Pouilles JM, Tremollieres F, Ribot C: Effect of menopause on femoral and vertebral bone loss. J Bone Miner Res 10:1531‒1536, 1995.

37. Todd RC, Freeman MA, Pirie CJ: Isolated trabecular fatigue fractures in the femoral head. J Bone Joint Surg Br 54:723‒728, 1972.

38. Oxlund H, Mosekilde L, Ortoft G: Reduced concentration of collagen reducible cross links in human trabecular bone with respect to age and osteoporosis. Bone 19:479‒484, 1996.

39. Manolagas SC, Kousteni S, Jilka RL: Sex steroids and bone. Recent Prog Horm Res 57:385‒409, 2002.

40. Falahati-Nini A, et al: Relative contributions of testosterone and estrogen in regulating bone resorption and formation in normal elderly men. J Clin Invest 106:1553‒1560, 2000.

41. Khosla S: Pathogenesis of age-related bone loss in humans. J Gerontol A Biol Sci Med Sci 2 68:1226‒1235, 2013.

42. Kassem M, Marie PJ: Senescence-associated intrinsic mechanisms of osteoblast dysfunctions. Aging Cell 10:191‒197, 2011.

43. Sattler FR: Growth hormone in the aging male. Best Pract Res Clin Endocrinol Metab 27:541‒555, 2013.

44. Troen BR: The regulation of cathepsin K gene expression. Ann N Y Acad Sci 1068:165‒172, 2006.

45. Lips P: Vitamin D status and nutrition in Europe and Asia. J Steroid Biochem Mol Biol 103:620‒625, 2007.

46. Lips P: Vitamin D deficiency and secondary hyperparathyroidism in the elderly: consequences for bone loss and fractures and therapeutic implications. Endocr Rev 22:477‒501, 2001.

47. Chapuy MC, et al: Vitamin D3 and calcium to prevent hip fractures in the elderly women. N Engl J Med 327:1637‒1642, 1992.

48. Kira M, Kobayashi T, Yoshikawa K: Vitamin D and the skin. J Dermatol 30:429‒437, 2003.

49. Gimble JM, et al: Playing with bone and fat. J Cell Biochem 98:251‒266, 2006.

50. Gaudio A, et al: Increased sclerostin serum levels associated with bone formation and resorption markers in patients with immobilization-induced bone loss. J Clin Endocrinol Metab 95:2248‒2253, 2010.

51. Recker R, et al: A randomized, double-blind phase 2 clinical trial of blosozumab, a sclerostin antibody, in postmenopausal women with low bone mineral density. J Bone Miner Res 30:216‒224, 2015.

52. Brophy RH, et al: Molecular analysis of age and sex-related gene expression in meniscal tears with and without a concomitant anterior cruciate ligament tear. J Bone Joint Surg Am 94:385‒393, 2012.

53. Adams MA, McNally DS, Dolan P: 'Stress' distributions inside intervertebral discs. The effects of age and degeneration. J Bone Joint Surg Br 78:965‒972, 1996.

54. Antoniou J, et al: The human lumbar intervertebral disc: evidence for changes in the biosynthesis and denaturation of the extracellular matrix with growth, maturation, ageing, and degeneration. J Clin Invest 98:996‒1003, 1996.

55. Payette H, et al: Insulin-like growth factor-1 and interleukin 6 predict sarcopenia in very old community-living men and women: the Framingham Heart Study. J Am Geriatr Soc 51:1237‒1243, 2003.

56. Iannuzzi-Sucich M, Prestwood KM, Kenny AM: Prevalence of sarcopenia and predictors of skeletal muscle mass in healthy, older men and women. J Gerontol A Biol Sci Med Sci 57:M772−M777, 2002.

57. Pedersen M, et al: Circulating levels of TNF-alpha and IL-6-relation to truncal fat mass and muscle mass in healthy elderly individuals and in patients with type-2 diabetes. Mech Ageing Dev 124:495−502, 2003.

58. Girgis C, Mokbel N, DiGirolamo D: Therapies for musculoskeletal disease: can we treat two birds with one stone? Curr Osteoporos Rep 12:142−153, 2014.

59. Roche JJW, et al: Effect of comorbidities and postoperative complications on mortality after hip fracture in elderly people: prospective observational cohort study. BMJ 331:1374, 2005.

60. Royal College of Physicians, Falls and Fragility Fracture Audit Programme (FFFAP): National Hip Fracture Database (NHFD) extended report. http://www.nhfd.co.uk/20/hipfractureR.nsf/vwcontent/2014reportPDFs/$file/NHFD2014ExtendedReport.pdf?OpenElement. Accssed November 16, 2015.

CHAPTER **21**

노화와 소화계통
Aging and the Gastrointestinal System

Richard Feldstein, David J. Beyda, Seymour Katz

미국에서 65세 이상 인구는 2030년 전체 인구의 20% 이상을 차지하며,[1] 특히 85세 이상의 고령자들이 가장 빠르게 증가할 것으로 예측된다.[2] 2050년 65세 이상 노인인구는 2012년 노인 인구 4,300만명의 두 배인 8,300만명 이상이 될 것으로 추정된다. 노인인구의 증가는 2011년부터 65세에 진입하는 베이비부머(1946년부터 1964년 사이 출생) 세대의 증가와 관련되어 있다. 2050년에는 생존해 있는 베이비부머 세대 전체가 85세 이상으로 대부분이 의료서비스를 필요로 하는 대상이 될 것이다.[3] 따라서 위장관전문의들은 고령환자의 위장관질환에 더 많이 직면하게 될 것이다. 위장관질환은 노인 환자에서 두 번째로 흔한 입원 원인으로 젊은 환자들보다 입원율이 4배나 높다.[1,4] 외래의 경우, 75세 이상 노인들은 젊은 사람들보다 6배나 빈번하게 내과의사를 방문하고 있다.[4]

노화의 정상 생리

일부 예외는 있지만, 노인에서도 소화계통은 정상 기능을 유지한다. 임상의들은 노화와 관련된 위장관의 정상적인 변화와 병적인 상태를 구분하기 위해 노화의 정상생리를 이해해야 한다. 또한 위장관은 환경인자(약제, 담배, 알코올 등)나 위장관 이외의 만성적 질병상태(울혈심부전증, 당뇨병, 만성폐쇄폐질환[COPD], 치매, 우울증 등)에 장기간 노출되어 영향을 받을 수 있음을 인식해야 한다.[5] 따라서 건강한 노인에서 새롭게 발생하는 위장관 증상은 노화자체보다는 질병에 의해 발생하는 것으로 적절한 검사나 치료를 받아야 한다.

노화는 섭취에 대한 욕구나 음식섭취 전 허기(hunger) 반응의 차이와는 관련이 없으며, 식사 후 허기 및 섭취 욕구 감소와 관련되어 있다.[6,7] 이러한 현상은 생리적 포만(satiety) 요인인 공복 및 십이지장 내 지질자극 콜레시스토키닌(cholecystokinin), 주로 지방증(adiposity) 신호로 작용하며 장기간 포만을 유발하는 호르몬인 렙틴(leptin), 영양소 섭취에 대한 반응으로 원위부 소장의 L 세포에서 주로 분비되는 GLP-2 혈청농도가 젊은 사람들보다 노인에서 높은 것으로 설명되고 있다.[8-13] 더욱이 위에서 분비되어 에너지 섭취의 강력한 자극으로 기능을 하는 성장호르몬 분비 펩티드인 그렐린(ghrelin)은 노인에서 1/3 정도 낮다.[13] 그러나 노인에서 발생하는 식욕부진은 단지 고령 때문만은 아니다. 노인에서 식욕부진이 발생하면 내과 혹은 정신과적 원인, 약물관련 부작용 등을 배제하기 위한 평가가 필요하다.[6]

40% 이상의 건강한 노인이 입안건조를 주관적으로 호소하고 있다. 노화로 인해 역류된 위산을 중화시키는 침의 중탄산염이 감소하듯이 기저 침 분비도 감소된다. 그러나 치아가 없음에도 불구하고 건강한 노인환자의 자극에 대한 침분비는 정상이다.[14-18] 씹는 힘 감소는 부분적으로 노화과정과 관련없는 신경계질환의 증상발현 전 소견일 수 있지만, 씹는 근육의 부피가 감소되어 씹는 힘도 감소하게 된다.[19,20] 치아 일부가 없는 노인이 많지만, 과거보다는 치아관리가 개선되어 온전한 치아를 갖고 있는 노인도 많아졌다.[6,21,22]

노화과정으로 미각과 후각이 감소된다.[12,23] 나이가 들어감에 따라 단맛, 신맛, 짠맛, 쓴맛을 탐지하고 구분할 수 있는 능력이 쇠퇴한다.[6,12,23,24] 짠맛과 쓴맛에 대한 역치는 나이가 들면서 높아진다. 그러나 단맛에 대한 역치는 안정적으로 유지된다.[6,25] 후각은 40대 이후 급격하게 감소하며, 90세 이후 흔하게 후각상실증이 발생한다. 후각 역치가 대략 50% 상승하면 냄새를 못 맡게 된다.[6,12,26] 노화과정에서 관찰되는 만성질환(알츠하이머병, 파킨슨병)은 후각의 감소와 관련되어 있으며, 최근의 연구들도 질병발현의 예측인자로 후각에 초점을 맞추고 있다.

초기 연구결과와 다르게, 초고령자를 제외한 건강한 사람에서 식도의 생리적 기능은 나이가 들어도 잘 보존된다.[27,28] 영화방사선조영술과 압력측정 연구결과에 근거하여 1960년대 초부터 노인성 식도(presbyesophagus) 개념이 도입되었으나,[29,30] 이 용어는 더 이상 사용하고 있지 않다.[31] 당뇨병과 신경병증 환자를 제외한 연구결과에 따르면 노인에서 식도 운동장애는 증가하지 않는다.[32] 일부 80대 노인의 경우 상부식도 조임근의 압력감소 및 이완 지연, 식도 수축 진폭감소와 같은 미세한 변화가 발생한다.[33,34] 다른 연구에서는 식도의 경직도 증가, 일차 및 이차 꿈틀운동(peristalsis) 감소와 같은 노화관련 변화는 40세 이후 시작되는 식도 기능의 저하와 관련된다고 보고하였다.[30] 20세부터 80세까지의 건강 자원자를 대상으로 식도압력측정과 섬광조영술을 비교한 위식도 역류 연구결과 다양한 연령대에서 자원자 1인당 역류 삽화 빈도는 유사했다. 그러나 역류 삽화의 지속시간은 노인에서 더 길었다. 노인 참여자에서는 결함 있는 식도 꿈틀운동의 빈도가 높아 역류된 물질의 제거가 불완전하였다.[35] 다른 연구에서도 유사하게, 하부 식도조임근 압력과 길이, 상부 식도조임근 압력과 길이, 꿈틀운동파 진폭과 속도는 나이와 역의 상관관계를 보였는데, 이는 정상 식도운동이 나이가 들어감에 따라 악화됨을 보여준다.[36] 연령 증가로 인해 열공탈장의 빈도가 증가하여, 60세 이상 환자의 경우 60%까지 탈장이 발견된다.[37] 노인에서 역류증상의 유병률이 높은 것은 위의 연구결과들로 설명될 수 있다.

대부분의 위 조직학 연구들은 60세 이상 성인의 위축위염 유병률은 증가하는 것으로 보고하였다.[38,39] 노화는 결과적으로 위산 생산의 전반적인 감소를 초래한다.[27,40,41] 그러나 최근 연구결과에 의하면 위 위축과 위산저하증은 노화의 정상 과정이 아니며, 위에서 발생하는 조직학적 변화와 위산 분비의 변화는 노화자체보다는 노인에서 흔하게 발견되는 헬리코박터필로리(H. pylori) 감염이 원인일 가능성이 더 높다.[38,42-47] H. pylori 감염의 증가나 흡연의 감소와 같은 요인보다 노화자체가 펩신분비의 변화를 초래한다는 쟁점에 대해서는 논란의 여지가 있다. 최근 연구결과들은 H. pylori에 대한 치료와 완치 증가로 노인 환자들의 상당수에서 산분비능이 유지되는 것으로 보고 있다.[7,44,46] 그러나 산분비능이 유지되면 노화에 의한 꿈틀운동 이상으로 결국 역류증상 위험이 증가된다.[48] 노인에서 위 운동, 위 배출, 위십이지장 역류 및 이들과 위 기능 및 산생산과 관련된 연구결과는 거의 없다. 일반적으로 위의 내인인자(intrinsic factor) 분비는 고령까지 유지되는데, 위 위축 상태에서는 내인인자 분비가 위산이나 펩신분비보다 더 오래동안 유지된다.[49,50] 노인의 경우 위 프로스타글란딘 합성, 중탄산염, 비벽세포(non-parietal cell) 체액분비가 감소되므로, 비스테로이드성 소염진통제(NSAIDs)에 의한 점막손상이 더 흔하게 발생한다.[6,7,12] 대부분의 연구에서 액체 배출은 지연되지만, 고형음식의 위 배출은 유지되는 것으로 보고하고 있다.[51-56]

설치류모델에서 세포손상에 대한 반응으로 상피세포 증식이 관찰되지만,[63] 사람에서는 나이가 들어도 소장의 조직소견과[57-59] 통과 시간에는 변화가 없다.[12,55,60-62] 노인에서 내장(splanchnic)혈류는 감소되어 있다.[7] 대부분의 영양소에 대한 소장의 흡수능력은 유지되지만, 질환(만성 위염, 세균 과증식 등)이나 약물의 영향에 의해 미세영양소 흡수에서는 일부 예외가 있다.[12] 그러나 노인에서 관찰되는 세균 과증식의 증가는 노화에 의해 초래되는 것은 아니며, 약물(장 통과 시간 늦춤), 당뇨병과 같은 질병, 장 운동 장애에 의해 발생하며, 영양실조와 장 면역기능의 변화를 초래한다.[64] 포도당 수송에 필요한 십이지장 솔가장자리(brush border) 세포막 효소활성은 노화에 의해 변화되지 않는다.[65] 80대 이상 노인을 제외하면 신기능 보정 D-xylose 흡수검사는 정상이다.[66,67] 공장의 젖당분해효소 활성은 나이가 들면서 감소한다. 그러나 다른 이당류 분해효소 활성은 비교적 안정적으로 유지되지만, 60대부터 감소한다.[68] 단백질 소화 및 동화(assimilation),[27,69] 지방흡수는 나이가 들어도 정상으로 유지된다. 그러나 노인에서의 지방흡수는 제한된 적응 예비용적을 가지고 있다.[70-73] 노인에서 지용성 비타민 A의 흡수는 증가되지만[12,49,74] 비타민 D 흡수는 저하되며,[49,75-77] 비타민 D 수용체 농도와 반응성은 감소한다.[6,21,75] 나이가 들어도 수용성 비타민 B1(thiamine),[78] B12(cyanocobalamin),[70,72,79] C(ascorbic acid)[80] 흡수는 정상으로 유지되지만, 엽산 흡수에 대해서는 서로 전혀 다른 결과들이 존재한다.[81,82] 위산저하증이 아닌 건강한 노인에서 철분흡수는 유지되지만,[83,84] 아연[49,85]과 칼슘[49,86-88] 흡수는 저하된다.

노화는 대장에 몇몇 조직학적 변화를 초래한다. 콜라겐 침착 증가,[7] 섬유화와 엘라스틴 양의 증가가[27,89] 동반된 고유근층(muscularis propria) 위축, 특히 창자샘(crypt) 표면부 세포 증식의 증가가 초래된다.[63,90] 일부 연구에서는 노화에 의해 다양한 장 통과시간 증가를 보고하고 있다.[73,91,92] 이는 나이가 들면서 비정상적인 대장 근육층신경얼기(myenteric plexus) 신경절이 증가하여 근육층신경얼기 기능이상을 초래하기 때문이다.[93] 반면 이 연구에서 신경얼기 기능변화 이외 장 통과시간을 증가시키는 대장의 다른 변화는 관찰되지 않았다.[94,95] 변비를 동반한 노인에서 장 통과시간 증가는 노화자체로 발생하기보다는 노화와 관련된 요인들(동반질환, 비활동, 약제 등)과 관련이 있다.[96] 현재 건강노화에서는 대장 운동과 음식섭취에 대한 반응은 영향을 받지 않는다고 알려져 있다. 그러나 골반저부 기능이상, 직장감각기능 저하, 대장 팽창 저하와 같은 상황들이 대장 기능저하와 배변습관 변화를 초래한다.

항문과 직장의 생리적 변화는 잘 알려져 있다. 노화로 인해 남녀 모두 안정 시 항문조임근 압력이 감소되며 여성에서는 조임근 최대 압력도 감소된다.[97-100] 이러한 변화는 부분적으로 노화와 관련하여 근육량과 수축력 변화에 기인하며, 노인 여성의 경우 음부신경 손상에 의한 회음부 하강과 관련되기도 한다.[100-102] 안정 시 최대 항문압력과 최대 직장압력의 차이인 폐쇄압은 노인 여성에서 감소한다.[102] 노화로 인해 직장벽의 탄력성이 감소하듯이[103,104] 직장의 최대 압축력도 감소하는데, 특히 폐경 후 여성에서 이런 변화가 잘 나타난다.[10] 직장충만의 초기 감각을 유발하는 직장압력 역치는 나이와 함께 증가하는 것으로 밝혀져 있다.[105] 노인 여성에서 대변실금은 직장 탄성도 및 감각의 감소, 회음부 이완의 복합적인 결과로 발생한다.[99] 배변 역동학연구에서 노인 여성은 젊은 여성보다 직장항문각이 불완전하게 열리고 회음부 하강의 정도가 증가하여 직장 배변에 심각한 장애가 발생하는 것으로 알려졌다.[96,106] 직장항문 구조에 대한 조직학적 및 내시경초음파 연구결과 노화는 내항문조임근에 섬유지방 변성과 두께 증가를 초래한다.[107,108]

노화로 인해 췌장에 미세한 조직학적 변화가 발생한다.[27,109,110] 명확한 질환이나 노화관련 기능적인 변화없이 주 췌관의 구경은 점차 커지고, 췌관의 다른 분지에는 국소적인 확장이나 협착이 동반된다.[109,111] 젊은 환자에게 적용하기 위해 만들어진 기준을 췌장질환이 없는 70세 이상 노인에게 적용하면 69%에서 췌관이 확장되어 있다.[112] 그러나 노인에서도 3 mm 이상의 췌관은 병적인 것으로 판정한다.[113] 초음파검사에서 췌장의 높은 에코발생(high echogenicity)은 정상소견이다.[113,114] 노화는 췌장 외분비샘의 유속, 중탄산염 및 효소 분비를 감소시킨다. 유속은 특히 반복적인 자극에 의하여 현저하게 감소된다.[11,109,110,115,116] 그러나 다른 연구들에서는 질병이나 약제의 효과가 없는 경우 노화에 의한 췌장 분비물의 감소는 없었다.[116] 노화과정에서 각기 장기들의 기능적 예비능이 다르다는 것을 고려한다면, 췌장의 기능부전이 오직 노화의 결과만으로 발생하는지 여부는 명확하게 알려져 있지 않다.[117]

간 해부학 연구에 의하면 노화로 인해 간세포의 수와 크기 뿐만 아니라 간의 절대적인 무게와 체중에 대한 상대적 무게도 감소한다.[118,119] 간 굴모양혈관(sinusoid)의 거짓모세혈관화(간 굴모양혈관 내피세포의 투과소실과 두꺼워짐 같은 형태학적 변화, 지방으로 채워진 비활성 별모양세포 숫자증가), 지방갈색소 축적, 쓸개관 증식, 섬유화, 비특이 반응성 간염은 노인에서 더 흔한 조직학적 변화들이다.[119-121] 노인환자에서 발생하는 주요 기능 변화에는 간혈류 감소, 특정 약물 제거율 변화, 손상 후 간 재생 지연 등이 있다.[116,121-124] 노화로 인해 phase I 반응(산화, 가수분해, 환원), 처음통과(first-pass) 간대사, 혈청 알부민 결합능이 감소하기 때문에 약물제거율이 변화된다. 그러나 phase II 반응[글루쿠론산화(glucuronidation), 황산화(sulfation)]은 노화에 의해 영향받지 않는다.[118,119,122,123] 일반적인 간혈액검사 결과는 연령의 영향을 받지 않는다.[124]

담낭조영술 결과 나이가 들어도 담낭배출은 안정적으로 유지되지만, CCK에 대한 담낭 수축 반응은 감소된다고 알려져 있다.[125-127] 담즙에서 인지질과 콜레스테롤 성분의 비율이 높아지면 돌형성지수가 상승되어 노인에서 담석 발생이 증가된다.[27,128,129] 더욱이 담즙산염 합성 감소, 담즙산염 색소 탈접합, 담즙 세균증가는 담석질환의 빈도를 증가시키는 요인으로 추정된다.[130] 총담관결석증은 매우 흔하다. 응급 담낭절제술을 시행 받은 노인환자에서 담관결석의 빈도는 50%에 이른다.[131] 담관결석이나 담관에 다른 병리소견이 없는 노인들의 총담관 직경은 젊은 사람들보다 크다.[132]

성인 위장관질환과 다른 변화된 임상소견

노인에서만 발생하는 일부 질환이 있지만, 노인을 괴롭히는 대부분의 질환은 젊은 성인에게도 영향을 준다. 그러나 이런 질환들은 임상의가 반드시 인지할 수 있는 전형적인 특징을 동반하기도 하지만 인지하는데 만만치 않은 도전이 되기도 한다. 급성복증(acute abdomen)을 보이는 노인에서 많게는 초기 추정진단의 2/3가 부정확한 것으로 알려져 있다.[133] 80세 이상 노인에서 급성복증으로 인한 사망률은 젊은 사람들보다 70배나 높다.[134]

급성 복부통증은 나이가 들면서 증상이 나타나지 않는다.[50,135] 내인성 아편(opiate) 분비, 신경전도 감소, 정신 우울증과 같은 이론들로 이런 현상을 설명한다.[136] 노인환자에서 통증의 국소화는 종종 비전형적이다. 더욱이 나이에 따른 면역기능 감소와 통증인지 지연으로 발열반응, 백혈구증가, 통증 중증도가 없거나 비전형적으로 나타날 수 있다.[137] 급성충수염에 대한 연구를 예로 들어보면, 60세 이상 성인의 21%에서 비전형적 통증분포를 보였으나 50세 미만 성인의 경우 3%에서 비전형적 통증이 발생했다.[138] 충수절제술 후 일반인구의 이환율과 사망률은 1%이지만 노인에서 이환율과 사망률은 70%에 이를 정도로 위험이 더 크다.[139,140]

급성 복부통증의 원인 또한 다른데, 대규모 조사에 따르면 노인에서는 비특이적 복부통증이나 급성충수염보다 급성담낭염이 급성 복부통증의 원인으로 가장 흔하다.[134,135] 70세 이상 노인에서 창자간막 허혈, 색전, 경색과 같은 혈관 원인에 의한 복통이 10%를 차지한다. 후향적 연구에 의하면 노인 급성담낭염 환자의 60% 이상에서 전형적인 등이나 옆구리 통증이 나타나지 않았으며 5%

에서는 통증이 전혀 없었다. 이외에도 40%에서 욕지기가 없었고, 50%에서 발열이 없었으며, 41%는 백혈구 수치가 정상이었다. 종합하면 노인환자의 13%는 발열, 백혈구증가증, 혹은 간기능검사 이상이 없었다.[135] 다기관 조사에 의하면 70세 이상 응급환자의 25%에서 통증의 원인으로 암(유럽이나 북미지역의 경우 대장암, 열대지역의 경우 간암이 대부분)[134]이 발견되었으나, 50세 미만 환자에서는 암이 1% 미만이었다.[141]

급성충수염의 경우 명백한 복부징후들이 나타나지 않아 괴저나 천공으로 더 흔하게 진행된다.[135,142,143] 일반인구에서 충수염의 천공율은 20~30%이지만 노인에서는 50~70%로 증가한다.[135] 충수염에 의한 사망의 50%는 노인에서 발생한다.[144] 게실염과 같은 다른 복부 염증상황에서도 욕지기, 의식변화, 열이 약간 나거나 또는 나지 않거나, 상대적으로 경미한 압통, 후기합병증(간 농양 등) 등 비특이 증상들이 발생할 수 있다. 많은 수의 환자에서 백혈구증가와 같은 생화학적 이상도 동반되지 않을 수 있다.[144] 내장이 천공되는 경우에도 전형적인 극적 증상들이 발생하지 않을 수 있다.[48,136] 일부 환자에서는 압통이 거의 없는데, 이는 감각지각 이상, 정신작용약제 사용, 그리고 저위산증 환자에서 화학복막염이 잘 생기지 않기 때문이라고 설명되고 있다.[50] 나이에 따라 천공부위 또한 다르다. 젊은 성인의 경우 범복막염의 가장 흔한 원인은 소화성궤양 혹은 충수염의 천공이지만, 노인에서는 대장 천공이 더 흔하다.[134]

노인에서 위식도역류병(gastroesophageal reflux disease, GERD) 유병률이 더 높은가에 대해서는 연구결과들이 다양하다.[145-148] 그러나 몇몇 연구에서 노인 GERD 합병증 빈도는 현저하게 높다고 보고하였다.[145,146,149,150] 노인환자는 더 강력하고 비정상적으로 긴 위산 접속시간을 가지며 진행된 미란성 질환이 발생한다.[150] 심한 식도염 발생은 젊은 성인보다 65세 이상 노인에서 훨씬 더 흔하다.[149-151] 나이가 들면서 식도 감수성이 떨어져 매우 심한 식도염에서도 증상이 동반되는 경우는 상대적으로 적다.[152] 노인 식도염 환자의 75% 이상에서 초기증상으로 위산 역류증상을 경험하지 못한 것으로 보고하였다.[145] 따라서 많은 경우 GERD 증상은 후기합병증-출혈성 식도염에 의한 출혈,[151] 소화성 협착에 의한 연하곤란, 바레트 식도에서 발생하는 식도선암으로 발현된다. 80세 이상 노인 식도염은 위장관출혈로 발현되는 빈도가 높다.[150] GERD에 의해 유발되는 흉통은 심장질환과 증상이 유사하거나 동시에 발생할 수 있다. 따라서 노인환자에서 발생하는 아주 전형적인 협심증 이외의 흉통은 위식도 역류증상과 감별해야 한다.[28] 노인에서 폐렴이 재발하거나 기저질환 COPD가 악화되는 경우에는 잠복 GERD에 의한 흡인을 고려해야 한다.[28] 증상의 중증도와 무관하게 모든 노인 GERD 환자들에게 내시경을 조기에 시행해야 한다.[145,146] 약물이나 수술로 노인 GERD 환자를 치료하는 경우 젊은 사람과 동일한 치료원칙을 적용해야 한다.[146] 식도염 치유를 위해 젊은 사람보다 더 강력한 위산 억제가 필요하지만,[148] 노인에서도 GERD와 미란식도염 치료 시 프로톤펌프억제제(proton pump inhibitors, PPIs) 계열을 일차치료제로 고려한다.[145,153] 새로운 PPIs (예를 들어, pantoprazole)는 cytochrome P450에 대한 친화력이 낮아 다른 약물과의 상호작용을 적게 유발하기 때문에 장기간 사용해도 내약성이 좋은 것으로 보고되고 있다.[154] 이것은 대부분의 PPIs 와 동일한 cytochrome P450에 의해 활성형태로 대사되고, 혈관사건을 방지하는데 사용되는 전구약 물인 클로피도그렐 사용환자에게 특히 중요하다. 초기에는 PPIs 사용이 클로피도그렐 효과를 감소 시킬 것이라는 우려가 있었지만, 최근 GERD 치료 가이드라인에서 이들 관련성은 낮은 것으로 판 단하였다.[150]

노인에서 위십이지장궤양의 발생빈도, 입원률, 사망률은 젊은 사람들보다 몇 배 더 높다.[155-157] 미국의 경우 궤양 관련 사망률 가운데 많게는 90%가 65세 이상 노인에서 발생한다.[157] 유해인자(예 를 들어, H. pylori와 NSAIDS, 이들 두 요인은 상승작용을 일으키지 않음)의 증가와[158,159] 방어인자 의 약화(예, 점막의 낮은 프로스타글란딘 농도)[12,160]때문에 이런 현상이 발생한다. 노인 소화궤양 환자에서 53~73%가 H. pylori 양성이며, 감염 박멸은 매우 낮은 상태다.[161] 노인에서 전형적인 상 복부 작열통증, 음식 섭취와 통증의 시간적 관련성, 전형적인 통증 방사패턴은 거의 발생하지 않거 나 왜곡되어 발생한다.[50] 소화궤양으로 입원한 노인 환자의 1/3은 통증이 없다.[162] 따라서 노인 환 자에서 출혈이나 천공과 같은 합병증이 더 흔하게 발생한다. 노인에서 발생하는 거대 양성궤양은 체중감소, 오심, 저알부민혈증, 빈혈과 같은 암 유사 증상을 동반한다. 노인에서 상부위장관 출혈 로 인한 이환율과 사망률은 높지만, 외래에서 성공적으로 치료할 수 있는 내시경 및 임상 진단기준 이 보고되었다.[159,163-165]

노인에서 복강스프루(celiac sprue) 증상은 매우 경미하며 젊은 환자들과 현저하게 다르다.[50,166] 처음 진단된 노인 복강질환 환자의 25%만이 주된 증상으로 설사와 체중감소가 나타난다.[167] 소화 불량이나 엽산 혹은 철분 단독결핍과 같은 모호한 증상이 환자의 유일한 증상일 수 있다.[166,168,169] 65세 이상 노인의 복강질환 진단지연은 평균 17년으로 보고되었다.[170] 과민성대장증후군은 증상이 동반된 고령환자에서 나타나는 가장 흔한 부정확한 진단명이었다.[169] 심한 골감소증과 골연화증, 저프로트롬빈혈증에 의한 출혈경향은 젊은 성인보다 노인에서 매우 흔하다.[50,166] 복강질환과 관련 된 장질환 관련 T 세포 림프종(enteropathy-associated T cell lymphomas)에서 발견되는 다병소 및 궤 양병변을 고려할 때, 노인에서 장의 천공으로 초기 증상이 나타나는 것은 드물지 않다.[169] 복강질 환이 노인에서 발생하게 되면 소장 림프종이 흔하게 동반된다.[170,171] 특히 50~80세 사이의 복강질 환 환자에서 소장 림프종이 흔하다.[169] 무글루텐 식단(gluten-free diet)을 엄격하게 준수함에도 체중 감소, 복통, 출혈 등의 증상이 지속되는 노인환자에게 철저한 검사를 시행하여 위장관암을 배제해 야 한다.[172]

노인환자에서 변비는 배변횟수의 감소보다는 배변 시 힘이 들어가는 것으로 인지되며,[173-175] 비 정상적인 방식으로 나타날 수 있다. 변비를 가진 노인환자 대부분은 직장배출 지연과 같은 기능 성 배변장애(functional defecation disorders) 진단기준에 부합한다. 뇌혈관질환이나 압력수용체 반 사 이상을 가진 노인이 배변 시 과도하게 힘을 주면 실신이나 일과성 허혈발작이 발생할 수 있다.

해결되지 않은 변비가 분변박힘으로 진행되면, 항문조임근 압력이 비교적 정상인 노인에서도 분변이 넘쳐흘러 설사(overflow paradoxic diarrhea)가 발생할 수 있다. 임상의가 이와 같은 병태생리를 이해하지 못하고 지사제를 사용하게 되면, 기저질환인 분벽박힘이 악화되어 대변성 궤양(stercoral ulcers), 창자꼬임(volvulus), 출혈과 같은 심각한 합병증이 초래될 수 있다.[174,175]

고령환자에서 새로 발병한 크론병은 처음 진단된 크론병 건수의 1/3을 차지한다.[176] 염증성장질환(inflammatory bowel disease, IBD) 환자의 경우 60세 이상이 10~30%에 이르며, 남녀비는 유사하다. 노인에서 IBD 발생률은 나이가 증가함에 따라 감소한다. 65%는 60~70세 사이에 발생하고, 10%만이 80세 이상에서 발생한다.[176] 노인환자의 경우 초기 증상에 대해 오진하는 경우가 흔하며, 평균 6년까지 진단이 지연된다.[176,177] 노인에서 크론병은 젊은 사람들보다 병변이 대장에 국한되는 것으로 흔히 보고된다.[178] 노인에서 대장염은 주로 좌측 대장에서 발생하는데, 젊은 사람들은 근위부 대장에서 호발한다.[179,180] 그러나 노인 크론병에서 누공이나 협착 형성의 발병률이 낮은 데서 알 수 있듯이 질환의 중증도는 덜 심각하다.[178] 노인환자에서 가까운 친척이 크론병에 걸릴 가능성은 낮고, 초기 증상으로 복통, 체중감소, 혹은 빈혈이 나타나는 경우도 흔하지 않다.[177] 노인 크론병은 급격히 발생하며, 초기 증상이 더 심각하고, 증상의 발생부터 첫번째 절제술까지의 시간 간격이 짧은 것이 특징이다.[177] 노인에서 크론병 재발은 드물고,[50] 수술 후 재발률은 젊은 사람들과 같거나 더 낮다.[178] 그러나 수술 후 재발한 노인 환자의 경우 젊은 환자보다 더 빨리 발생한다.[177] 젊은 환자들의 경우 크론병으로 사망하는 경우는 매우 적지만, 노인환자에서는 일반적으로 크론병과 관련 없는 원인 때문에 사망한다.[178] 노인환자는 스테로이드 유발 골다공증에 걸리기 쉽다.[172] 그러나 비스포스포네이트(bisphosphonate)는 노인 크론병 환자에서 골소실을 효과적으로 예방할 수 있어,[181] 스테로이드 치료가 필요한 노인 크론병환자에게 비스포스포네이트 사용을 강력하게 권고해야 한다. 노인에서 장외 증상발현은 젊은 환자와 유사하다.

궤양성대장염(ulcerative colitis)의 증상은 노인과 젊은이에서 동일하며, 장외 증상도 차이가 없다.[180] 노인에서 직장구불결장염(rectosigmoiditis)은 흔하지만, 시간 경과에 따른 근위부로 확산되는 빈도는 낮다. 범대장염(pancolitis)과 수술이 필요한 경우는 덜 흔하다. 노인 궤양성대장염환자에서 대장절제술(colectomy)을 받게 되는 비율은 젊은 사람들보다 낮다.[176]

노인 염증성장질환 치료는 젊은 사람들과 동일하게 단계적 처방을 따른다. 그러나 치료 시 건강한 노인과 허약한 노인을 명확하게 구분해야 한다. 건강한 노인에서는 젊은 사람들과 유사한 치료법을 사용해도 위험이나 합병증의 증가가 크지 않으며 잘 견딜 수 있다.[182] 그러나 노인에서 염증성장질환 치료를 고려하는 경우 동반질환, 잠재적 약물 상호작용, 암 발생 위험성에 대해 반드시 고려해야 한다. 노인 IBD 환자 치료 시 단계별 진행과 "느린 접근법(go slow)"과 같은 신중함이 요구된다.

노인에서 담석질환의 가장 흔한 증상은 급성담낭염과 담도염이다.[50] 담도질환은 55세 이상 급

별검사를 시작하며 고위험군 성인에서는 40세가 되는 시점부터 대장암 선별검사를 권고한다. 그러나 가이드라인에서는 대장암 선별검사에 대한 상한연령은 제시하지 않고 있다. 일부 전문의는 작은 관상선종(tubular adenoma)이 있었던 환자의 경우 검사에 대해서는 80세, 감시에 대해서는 85세로 나이를 제한하였다.[211,212] 최근 연구결과에 따르면 동반질환이 없으며 이전에 선별검사를 받지 않은 노인환자의 경우 83세까지, 중등도 동반질환을 가진 경우 80세까지 선별검사가 비용-효과적이었다.[213] 그러나 일부에서는 이런 견해에 대해 동의하지 않는다. 특히, 75세까지의 선별검사를 옹호하는 후향적 코호트 연구에 따르면 텍사스주에서 시행된 24.9%의 대장내시경이 이러한 연령 기준에 부적합한 것으로 나타난 점은 주목할 만하다.[214] 이러한 선별검사 연령기준은 다소 임의적이기 때문에 노인의 대장암 선별검사와 감시는 동반질환과 기대여명을 고려하여 개별화되어야 한다.[215,126] 기대여명이 최소 5년 이상인 경우 90세까지는 거대용종의 치료로 수술보다는 대장내시경 용종절제술이 선호되어 왔다.[211]

노인에서는 젊은 사람보다 다른 여러가지 대장질환이 훨씬 흔하다. 여기에는 대장 게실증이 포함되는데, 사후 검사에서 70세 이상 노인 중 50% 이상에서 발견되는 상태이다.[217] 최근 연구에 따르면 65세 이상 노인 환자의 대장 게실증 추정 유병률은 65% 이었다.[218] 또한 구불창자 게실증, 구불창자 꼬임(volvulus)과 관련된 분절성 대장염도 흔하다.[219,220] 맹장에서의 혈관 확장(vascular ectasia), 분변박힘에 의한 대변성 궤양, 대변실금(노인 입원의 두 번째 흔한 원인)[100,173,221-224] 및 노인에서 흔한 설사의 원인이며, 요양시설 입원자의 원내감염 설사의 가장 흔한 원인인 Clostridium difficile 감염[220,225,226] 등이 있다. 최근 연구에서 감염은 장기 요양시설 거주자의 57%까지 높은 빈도로 보고되고 있으며,[227] 표면 오염과 직원이나 감염된 환자의 손으로 인한 원내감염으로 전파된다.

황달을 앓고 있는 성인환자 대부분은 간세포질환보다는 담도폐쇄를 원인으로 한다. 폐쇄의 원인으로 암이 총담관결석보다 더 흔하다. 악성 폐쇄황달을 가진 노인이 4개월 이상 생존하는 경우는 매우 드물기 때문에, 수술적 담도 감압보다는 내시경적 감압이 적합하다.[131] 증상완화를 위해 내시경 담도 스텐트 삽입이 시행되는데, 이는 환자의 행복감을 회복하고, 조기 간기능 부전 및 뇌병증을 예방하고, 환자의 영양상태 및 면역상태를 개선할 수 있기 때문이다.[131,228] 그러나 수술기법이 개선되고 수술 사망률이 감소함에 따라 수술은 지난 십년동안 더 많은 환자에게 확대되었으며, 70세 이상 환자에서 수술 치료가 증가하고 있다.[228] 급성 간염이 발생하면 젊은 환자와 마찬가지로 1/3은 바이러스가 아닌 약물에 의해 유발된다.[119,191] 화농성 간농양은 주로 노인에게 영향을 주며, 불명확한 원인의 열이나 세균혈증이 있다면 반드시 감별진단에 포함시켜야 한다.[193]

요약

위장관은 일반적으로 노인에서 정상적인 생리기능을 유지한다. 건강한 노인에게 나타나는 새로운 위장관증상은 노화과정 단독보다는 병리적 원인때문에 발생한다. 노인환자는 젊은 환자보다 질병에 대해 견디는 능력이 낮기 때문에 주의 깊고 신속한 평가와 관리가 필요하다.

KEY POINTS

요점: 위장관 질환의 평가와 치료

- 노인에서 위장관은 정상 생리기능을 유지한다. 따라서 임상의는 노인에서 발생하는 증상과 징후가 노화과정의 결과로 돌리지 말고, 위장관질환(입인두 삼킴곤란, 흡수장애, 간효소 이상 등)을 적극적으로 찾고 치료해야 한다.
- 노인환자는 질병에 대응하는 예비능이 감소되어 있으므로 비가역적 악화를 방지하기 위해 질병의 초기에 철저하게 평가하고 치료해야 한다.
- 치료목표는 환자가 기능적으로 일상생활에 복귀하는데 중점을 두고 현실적이고 개별화되어야 한다.
- 동반질환이나 병용치료 약물은 노인에서 위장관질환의 증상이나 예후에 큰 영향을 미친다.
- 노인들의 경우 수입이 고정되어 있으며, 다제 약물복용의 가능성이 높고, 기억장애를 가지고 있다. 따라서, 순응도를 높이기 위해서는 비싸거나 매일 수차례 복용해야 하는 약제의 처방을 피하도록 하고 대체 약물을 처방하도록 해야 한다.
- 합리적인 대안이 있는 경우 임상의는 부작용(예, 이소니아지드, 코르티코스테로이드, 아편제, 무기질유, NSAIDs, 항콜린작용제)을 일으킬 가능성이 큰 약물을 처방하지 말아야 하며, 신체화로 인한 증상에 대해 진정제와 항우울제를 과다하게 사용하지 말아야 한다.
- 노인에서 과민성대장증후군이 새롭게 발생할 수 있지만, 90%의 경우 50세 이전에 증상이 처음 나타난다. 따라서 암이나 허혈과 같은 다른 위장관 질환을 배제하기 위한 철저한 평가를 시행한 후 과민성대장증후군 진단을 내릴 수 있다.
- 노인에서도 내시경과 복부 수술을 안전하게 수행할 수 있다. 이환율과 사망률은 동반질환의 중증도와 응급시술 혹은 예정시술인지에 따라 달라진다. 불필요한 수술 지연은 종종 치명적일 수 있다.
- 침습적 치료에 대해 잘 견디어 내는 것은 전반적 신체기능에 의해 결정된다. 따라서, 노인에서 실제나이가 항암치료나 장기이식 같은 침습 치료의 절대 금기일 필요는 없다.

참고문헌의 총 목록을 보려면 www.expertconsult.com 을 방문해주세요.

중요 참고문헌

3. Ortman JM, Velkoff V, Hogan H: An aging nation: the older population in the United States. Current Population Reports. http://www.census.gov/prod/2014pubs/p25-1140.pdf. Accessed October 25, 2015.

7. Blechman MB, Gelb AM: Aging and gastrointestinal physiology. Clin Geriatr Med 15:429–438, 1999.

9. Ahmed T, Haboubi N: Assessment and management of nutrition in older people and its importance to health. Clin Interv Aging 5:207–216, 2010.

13. Deniz A, Nerys MA: Anorexia of aging and gut hormones. Aging Dis 4:264–275, 2013.

23. Boyce JM, Shone GR: Effects of ageing on smell and taste. Postgrad Med J 82:239–241, 2006.

35. Gregersen H, Pedersen J, Drewes AM: Deterioration of muscle function in the human esophagus with age. Dig Dis Sci 53:3065–3070, 2008.

55. Madsen JL, Graff J: Effects of ageing on gastrointestinal motor function. Age Ageing 33:154–159, 2004.

97. Orozco-Gallegos JF, Orenstein-Foxx AE, Sterler SM, et al: Chronic constipation in the elderly. Am J Gastroenterol 107:18–26, 2012.

99. Fox JC, Fletcher JG, Zinsmeister AR, et al: Effect of aging on anorectal and pelvic floor functions in females. Dis Colon Rectum 49:1726–1735, 2006.

117. Bhavesh BS, Farah KF, Goldwasser B, et al: Pancreatic diseases in the elderly. http://www.practicalgastro.com/pdf/October08/Oct08_ShahArticle.pdf. Accessed October 25, 2015.

130. Shah BB, Agrawal RM, Goldwasser B, et al: Biliary diseases in the elderly. http://www.practicalgastro.com/pdf/September08/ShahArticle.pdf. Accessed October 25, 2015.

140. Bhullar JS, Chaudhary S, Cozacov Y, et al: Appendicitis in the elderly: diagnosis and management still a challenge. Am Surg 80:295–297, 2014.

150. Achem SR, DeVault KR: Gastroesophageal reflux disease and the elderly. Gastroenterol Clin North Am 43:147–160, 2014.

155. Zullo A, Hassan C, Campo SM: Bleeding peptic ulcer in the elderly: risk factors and prevention strategies. Drugs Aging 24:815–828, 2007.

161. Pilotto A: Aging and upper gastrointestinal disorders. Best Pract Res Clin Gastroenterol 18(Suppl):73–81, 2004.

169. Rashtak S, Murray JA: Celiac disease in the elderly. Gastroenterol Clin North Am 38:433–446, 2009.

223. Crane SJ, Talley NJ: Chronic gastrointestinal symptoms in the elderly. Clin Geriatr Med 23:721–734, 2007.

191. Junaidi O, Di Bisceglie AM: Aging liver and hepatitis. Clin Geriatr Med 23:889–903, 2007.

208. Sreenarasimhaiah J: Chronic mesenteric ischemia. Curr Treat Options Gastroenterol 10:3–9, 2007.

216. Lin OS, Kozarek RA, Schembre DB, et al: Screening colonoscopy in very elderly patients: prevalence of neoplasia and estimated impact on life expectancy. JAMA 295:2357–2365, 2006.

218. Comparato G, Pilotto A, Franzè A, et al: Diverticular disease in the elderly. Dig Dis 25:151–159, 2007.

206. Salles N: Basic mechanisms of the aging gastrointestinal tract. Dig Dis 25:112, 2007.

213. van Hees F, Habbema JD, Meester RG, et al: Should colorectal cancer screening be considered in elderly persons without previous screening? A cost-effectiveness analysis. Ann Intern Med 160:750–759, 2014.

214. Sheffield K, Han Y, Kuo Y, et al: Potentially inappropriate screening colonoscopy in Medicare patients. JAMA Intern Med 173:542–550, 2013.

227. Surawicz CM, Brandt LJ, Binion DG: Guidelines for diagnosis, treatment, and prevention of Clostridium difficile infections. Am J Gastroenterol 108:478–498, 2013.

197. Chalasani N, Younossi Z, Lavine JE: The diagnosis and management of non-alcoholic fatty liver disease: practice guideline by the American Association for the Study of Liver Diseases, American College of Gastroenterology, and the American Gastroen-

terological Association. Am J Gastroenterol 107:811-826, 2012.

참고문헌

1. Katz S: Gastrointestinal diseases of the elderly: introduction to the series. Pract Gastroenterol 17:9, 1993.

2. Lubitz JD, Egger PW, Gornick ME, et al: Demography of aging. In Cobbs EL, Duthie EH, Murphy JB, editors: Geriatric review syllabus, Dubuque, IA, 1999, Kendall Hunt, pp 1-5.

3. Ortman JM, Velkoff V, Hogan H: An aging nation: the older population in the United States. Current Population Reports. http://www.census.gov/prod/2014pubs/p25-1140.pdf. Accessed October 25, 2015.

4. Almy TP: The gastroenterologist and the graying of America. Am J Gastroenterol 84:464-468, 1989.

5. Farthing M, James O: Aging and the alimentary tract [editorial]. Gut 41:421, 1997.

6. Dharmarajan TS, Pitchumoni CS, Kokkat AJ: The aging gut. Pract Gastroenterol 25:15-27, 2001.

7. Blechman MB, Gelb AM: Aging and gastrointestinal physiology. Clin Geriatr Med 15:429-438, 1999.

8. MacIntosh CG, Andrews JM, Jones KL, et al: Effects of age on concentration of plasma cholecystokinin, glucagon-like peptide 1 and peptide YY and their relation to appetite and pyloric motility. Am J Clin Nutr 69:989-1006, 1999.

9. Ahmed T, Haboubi N: Assessment and management of nutrition in older people and its importance to health. Clin Interv Aging 5:207-216, 2010.

10. Di Francesco V, Zamboni M, Dioli A, et al: Delayed postprandial gastric emptying and impaired gallbladder contraction together with elevated cholecystokinin and peptide YY serum levels sustain satiety and inhibit hunger in healthy elderly persons. J Gerontol A Biol Sci Med Sci 60:1581-1585, 2005.

11. Di Francesco V, Zamboni M, Zoico E, et al: Unbalanced serum leptin and ghrelin dynamics prolong postprandial satiety and inhibit hunger in healthy elderly: another reason for the "anorexia of aging." Am J Clin Nutr 83:1149-1152, 2006.

12. Morley JE: The aging gut: physiology. Clin Geriatr Med 23:757-767, 2007.

13. Deniz A, Nerys MA: Anorexia of aging and gut hormones. Aging Dis 4:264-275, 2013.

14. Turner MD, Ship JA: Dry mouth and its effects on the oral health of elderly people. J Am Dent Assoc 138(Suppl):15S-20S, 2007.

15. Lovat LB: Age-related changes in gut physiology and nutritional status. Gut 38:306-309, 1996.

16. Shern RJ, Fox PC, Li SH: Influence of age on the secretory rates of the human minor salivary glands and whole saliva. Arch Oral Biol 38:755-761, 1993.

17. Gilbert GH, Heft MW, Duncan RP: Mouth dryness as reported by older Floridians. Community Dent Oral Epidemiol 21:390-397, 1993.

18. Baum BJ, Bodner L: Aging and oral motor function: evidence for altered performance among older persons. J Dent Res 62:2-6, 1983.

19. Karlsson S, Persson M, Carlsson GE: mandibular movement and velocity in relation to state od dentition and age. J Oral Rehabil 18:1-8, 1991.

20. Newton JP, Yemm R, Abel RW, et al: Changes in human jaw muscles with age and dental state. Gerodontology 10:16-22, 1993.

21. Dharmarajan TS, Ugalino JT, Kathpalia R: Anorexia in older adults: consequences of aging or disease? Pract Gastroenterol 23:82-92, 1999.

22. Bergdahl M: Salivary flow and oral complaints in adult dental patients. Community Dent Oral Epidemiol 28:59-66, 2000.

23. Boyce JM, Shone GR: Effects of ageing on smell and taste. Postgrad Med J 82:239-241, 2006.

24. Kaneda H, Maeshima K, Goto N: Decline in taste and odor discrimination abilities with age, and relationship between gestation and olfaction. Chem Senses 25:331-337, 2000.

25. Duffy VB: Smell, taste, and somatosensation in the elderly. In Chernoff R, editor: Geriatric nutrition, ed 2, New York, 1999, Aspen, pp 170 – 211.

26. Dharmarajan TS, Ugalino JT: The aging process. In Dreger D, Krumm B, editors: Hospital physician geriatric board review manual, Wayne, PA, 2000, Turner White Communications, pp 1 – 12.

27. Baime MJ, Nelson JB, Castell DO: Aging of the gastrointestinal system. In Hazzard WR, Bierman EL, Blass JP, et al, editors: Principles of geriatric medicine and gerontology, ed 3, New York, 1994, McGraw-Hill, pp 665 – 681.

28. Brandt LJ: In Capell MS, Upper gastrointestinal diseases and the elderly: an interview. Intern Med World Rep 10(Suppl):1 – 2, 1995.

29. Soergel KH, Zboralske FF, Amberg JR: Presbyesophagus: esophageal motility in nonagenarians. J Clin Invest 43:1972 – 1979, 1964.

30. Zboralske FF, Amberg JR, Soergel KH: Presbyesophagus: cineradiographic manifestations. Radiology 82:463 – 464, 1964.

31. Tack J, Vantrappen G: The aging oesophagus. Gut 41:422 – 424, 1997.

32. Hollis JB, Castell DO: Esophageal function in elderly men: a new look at "presbtesophagus." Ann Intern Med 80:371 – 374, 1974.

33. Fulp SR, Dalton CB, Castell JA, et al: Aging-related alterations in human upper esophageal sphincter functions. Am J Gastroenterol 85:1569 – 1572, 1990.

34. Scroeder PL, Richter JE: Swallowing disorders in the elderly. Pract Gastroenterol 18:19 – 41, 1994.

35. Gregersen H, Pedersen J, Drewes AM: Deterioration of muscle function in the human esophagus with age. Dig Dis Sci 53:3065 – 3070, 2008.

36. Feriolli E, Oliviera RB, Matsuda NM, et al: Aging, esophageal motility, and gastroesophageal reflux. J Am Geriatr Soc 46:1534 – 1537, 1998.

37. Grande L, Lacima G, Ros E, et al: Deterioration of esophageal motility with age: a manometric study of 79 healthy subjects. Am J Gastroenterol 94:1795 – 1801, 1999.

38. Saltzman JR, Russell RM: The aging gut. Nutritional issues. Gastroenterol Clin North Am 27:309 – 324, 1998.

39. Bird T, Hall MR, Schade RO: Gastric histology and its relation to anaemia in the elderly. Gerontology 23:309 – 321, 1977.

40. Baron JH: Studies of basal and peak acid output with an augmented histamine meal. Gut 4:136 – 144, 1963.

41. Grossman MI, Kirsner JB, Gillespie IE, et al: Basal and histalog-stimulated gastric secretion in control subjects and in patients with peptic ulcer or gastric ulcer. Gastroenterology 45:14 – 26, 1963.

42. Dooley CP, Cohen H, Fitzgibbons PL, et al: Prevalence of Helicobacter pylori infection and histologic gastritis in asymptomatic persons. N Engl J Med 321:1562 – 1566, 1989.

43. Goldschmiedt M, Barnett CC, Schwatz BE, et al: Effect of age on gastric acid secretion and serum gastrin concentrations in healthy men and women. Gastroenterology 101:977 – 990, 1991.

44. Feldman M, Cryer B, McArthur KE, et al: Effects of aging and gastritis on gastric acid and pepsin secretions in humans: a prospective study. Gastroenterology 110:1043 – 1052, 1996.

45. Kawaguchi H, Haruma K, Komoto K, et al: Helicobacter pylori infection is the major risk factor for atrophic gastritis. Am J Gastroenterol 91:959 – 962, 1996.

46. McCloy RF, Arnold R, Bardhan KD, et al: Pathophysiological effects of long-term acid suppression in man. Dig Dis Sci 40(Suppl):96S – 120S, 1995.

47. Derakhshan MH, El-Omar E, Oien K, et al: Gastric histology, serological markers and age as predictors of gastric acid secretion in patients infected with Helicobacter pylori. J Clin Pathol 59:1293 – 1299, 2006.

48. Narayanan M, Steinheber FU: The changing face of peptic ulcer in the elderly. Med Clin North Am 60:1159 – 1172, 1976.

49. Holt PR: Intestinal malabsorption in the elderly. Dig Dis 25:144 – 150, 2007.

50. Holt P: Approach to gastrointestinal problems in the elderly. In Yamada T, editor: Textbook of gastroenterology, Philadelphia, 1991, Lippincott-Raven, pp 882 – 899.

51. Moore JG, Tweedy C, Christian PE, et al: Effect of age on gastric emptying of liquid-solid meals in man. Dig Dis Sci 28:340–344, 1983.

52. Riezzo G, Pezzolla F, Giorgio I: Effects of age and obesity on fasting gastric electrical activity in man: a cutaneous electrogastrographic study. Digestion 50:176–181, 1991.

53. Kao CH, Lai TL, Wang SJ, et al: Influence of age on gastric emptying in healthy Chinese. Clin Nucl Med 19:401–404, 1994.

54. Tougas G, Eaker EY, Abell TL, et al: Assessment of gastric emptying using a low fat meal: establishment of international control values. Am J Gastroenterol 95:1456–1462, 2000.

55. Madsen JL, Graff J: Effects of ageing on gastrointestinal motor function. Age Ageing 33:154–159, 2004.

56. Kuo P, Rayner CK, Horowitz M: Gastric emptying, diabetes, and aging. Clin Geriatr Med 23:785–808, 2007.

57. Warren PM, Pepperman MA, Montgomery RD: Age changes in small-intestinal mucosa. Lancet 2:849–850, 1978.

58. Corazza GR, Frazzoni M, Gatto MR, et al: Ageing and small-bowel mucosa: a morphometirc study. Gerontology 32:60–65, 1986.

59. Riecken EO, Balzer T: Physiologic and pathologic age related changes in the small intestine. Fortschr Med 108:654–656, 1990.

60. Kim SK: Small intestine transit time in the normal small bowel study. Am J Roentgenol 104:522–524, 1968.

61. Kupfer RM, Heppell M, Haggith JW, et al: Gastric emptying and small bowel transit rate in the elderly. J Am Geriatr Soc 33:340–343, 1985.

62. Nobles LB, Marcuard SP, Farrior ES, et al: No effect of fiber and age on oral cecum transit time of liquid formula diets in women. J Am Diet Assoc 91:600–602, 1991.

63. Atillasoy E, Holt P: Gastrointestinal proliferation and aging. J Gerontol 48:B43–B49, 1993.

64. Dukowicz AC, Lacy BE, Levine GM: Small intestinal bacterial overgrowth. Gastroenterol Hepatol 3:112–122, 2007.

65. Wallis JL, Lipski PS, Mathers JC, et al: Duodenal brush-border mucosal glucose transport and enzyme activities in aging man and effect of bacterial contamination of the small intestine. Dig Dis Sci 38:403–409, 1993.

66. Kendall MJ: The influence of age on the xylose absorption test. Gut 11:498–501, 1970.

67. Montgomery RD, Haeney MR, Ross IN, et al: The ageing gut: a study of intestinal absorption in relation to nutrition in the elderly. Q J Med 75:197–224, 1978.

68. Welsh JD, Poley JR, Bhatia M, et al: Intestinal disaccharidase activities in relation to age, race, and mucosal damage. Gastroenterology 75:847–855, 1978.

69. Paddon-Jones D, Short KR, Campbell WW: Role of dietary protein in the sarcopenia of aging. Am J Clin Nutr 87:1562S–1566S, 2008.

70. Webster SG, Wilkinson EM, Gowland E: A comparison of fat absorption in young and old subjects. Age Ageing 6:113–117, 1977.

71. McEvoy A: In Evans JG, Laird FL, editors: Advanced geriatric medicine, London, 1982, Pitman.

72. Arora S, Kassarjian Z, Krasinski SD, et al: Effect of age on tests of intestinal and hepatic function in healthy humans. Gastroenterology 96:1560–1565, 1989.

73. Holt PR, Balint JA: Effects of aging on intestinal lipid absorption. Am J Physiol 264:G1–G6, 1993.

74. Krazinski SD, Russell RM, Dallal GE, et al: Aging changes vitamin A absorption characteristics [abstract]. Gastroenterology 88:1715, 1985.

75. Elmadfa I, Meyer AL: Body composition, changing physiological functions and nutrient requirements of the elderly. Ann Nutr Metab 52(Suppl 1):2–5, 2008.

76. Barragry JM, France MW, Corless D, et al: Intestinal cholecalciferol absorption in the elderly and in younger adults. Clin Sci Mol Med 55:213–220, 1978.

77. Gallagher JC, Riggs BL, Eisman J, et al: Intestinal calcium absorption and serum vitamin D metabolites in normal subjects and osteoporotic patients: effect of age and dietary calcium. J Clin Invest 64:729–736, 1979.

78. Thompson AD: Thiamine absorption in old age. Gerontol Clin 8:354–361, 1966.

79. McEvoy AW, Fenwick JD, Boddy K, et al: Vitamin B12 absorption from the gut does not decline with age in normal elderly humans. Age Ageing 11:180−183, 1982.

80. Booth JB, Todd GB: Subclinical scurvy—hypovitaminosis C. Geriatrics 27:130−131, 1972.

81. Eisborg L: Reversible malabsorption of folic acid in the elderly with nutritional folate deficiency. Acta Haematol 55:140−147, 1976.

82. Baker H, Jaslow SP, Frank O: Severe impairment of dietary folate utilization in the elderly. J Am Geriatr Soc 26:218−221, 1978.

83. Marx JJ: Normal iron absorption and decreased red cell uptake in the aged. Blood 53:204−211, 1979.

84. Zimmermann MB, Hurrell RF: Nutritional iron deficiency. Lancet 11:511−520, 2007.

85. Turnlund JR, Durkin N, Costa F, et al: Stable isotope studies of zinc absorption and retention in young and elderly men. J Nutr 116:1239−1247, 1986.

86. Bullamore JR, Wilkinson R, Gallagher JC, et al: Effect of age on calcium absorption. Lancet 2:535−537, 1970.

87. Ireland P, Fordtran JS: Effect of dietary calcium and age on jejunal calcium absorption in humans studied by intestinal perfusion. J Clin Invest 52:2672−2681, 1973.

88. Armbrecht HJ, Zenser TV, Bruns ME, et al: Effect of age on intestinal calcium absorption and adaptation to dietary calcium. Am J Physiol 236:E769−E774, 1979.

89. Yamajata A: Histopathological studies of the colon due to age. Jpn J Gastroenterol 62:224, 1965.

90. Roncucci L, Ponz de Leon M, Scalmati A, et al: The influence of age on colonic epithelial cell proliferation. Cancer 62:2373−2377, 1988.

91. Madsen JL, Graff J: Effects of ageing on gastrointestinal motor function. Age Ageing 33:154−159, 2004.

92. Madsen JL: Effects of gender, age, and body mass index on gastrointestinal transit times. Dig Dis Sci 37:1548−1553, 1992.

93. Hanani M, Fellig Y, Udassin R, et al: Age-related changes in the morphology of the myenteric plexus of the human colon. Auton Neurosci 113:71−78, 2004.

94. Melkerssen M, Anderson H, Bosaeus I, et al: Intestinal transit time in constipated geriatric patients. Scand J Gastroenterol 18:593−597, 1983.

95. Merkel IS, Locher J, Burgio K, et al: Physiologic and psychologic characteristics of an elderly population with chronic constipation. Am J Gastroenterol 88:1854−1859, 1993.

96. Camilleri M, Seong Lee J, Viramontes B, et al: Insights into the pathophysiology and mechanisms of constipation, irritable bowel syndrome, and diverticulosis in older people. J Am Geriatr Soc 48:1142−1150, 2000.

97. Orozco-Gallegos JF, Orenstein-Foxx AE, Sterler SM, et al: Chronic constipation in the elderly. Am J Gastroenterol 107:18−26, 2012.

98. McHugh SM, Diamant NE: Effect of age, gender, and parity on anal canal pressures. Dig Dis Sci 32:726−736, 1987.

99. Fox JC, Fletcher JG, Zinsmeister AR, et al: Effect of aging on anorectal and pelvic floor functions in females. Dis Colon Rectum 49:1726−1735, 2006.

100. Wald A: Managing constipation and fecal incontinence in the elderly. Pract Gastroenterol 18:28H−37H, 1994.

101. Roach M, Christie JA: Fecal incontinence in the elderly. Geriatrics 63:13−22, 2008.

102. Haadem K, Dahlstrom JA, Ling L: Anal sphincter competence in healthy women: clinical implications of age and other factors. Obstet Gynecol 78:823−827, 1991.

103. Ibre T: Studies on anal function in continent and incontinent patients. Scand J Gastroenterol 25:1−64, 1974.

104. Rasmussen OØ: Fecal incontinence. Studies on physiology, pathophysiology and surgical treatment. Dan Med Bull 50:262−282, 2003.

105. Ryhammer AM, Laurberg S, Sørensen FH: Effects of age on anal function in normal women. Int J Colorectal Dis 12:225−259, 1997.

106. Akervall S, Nordgren S, Fasth S, et al: The effects of age, gender, and parity on rectoanal functions in adults. Scand J Gastroenterol 25:1247−1256, 1990.

107. Klostherhalfen B, Offner F, Torf N: Sclerosis of the internal anal sphincter: a process of ageing. Dis Colon Rectum 33:606–609, 1990.

108. Papachrysostomou M, Pye SD, Wild SR, et al: Significance of the thickness of the anal sphincters with age and its relevance in faecal incontinence. Scand J Gastroenterol 29:710–714, 1994.

109. Gloor B, Ahmed Z, Uhl W: Pancreatic disease in the elderly. Best Pract Res Clin Gastroenterol 16:159–170, 2002.

110. Lillemoe KD: Pancreatic disease in the elderly patient. Surg Clin North Am 74:317–344, 1994.

111. Sahel J, Cros RC, Lombard C, et al: [Morphometrique de la pancretographie endoscopique normal du sujet age.] Gastroenterol Hepatol 15:574–577, 1979.

112. Hastier P, Buckley MJM, Dumas R, et al: A study of the effect of age on pancreatic duct morphology. Gastrointest Endosc 48:53–57, 1998.

113. Glaser J, Stienecker K: Pancreas and aging: a study using ultrasonography. Gerontology 46:93–96, 2000.

114. Deleted in review.

115. Gullo L, Ventrucci M, Naldoni P, et al: Aging and exocrine pancreatic function. J Am Geriatr Soc 34:790–792, 1986.

116. Drozdowski L, Thomson AB: Aging and the intestine. World J Gastroenterol 12:7578–7584, 2006.

117. Bhavesh BS, Farah KF, Goldwasser B, et al: Pancreatic diseases in the elderly. http://www.practicalgastro.com/pdf/October08/Oct08_ShahArticle.pdf. Accessed October 25, 2015

118. Mooney H, Roberts R, Cooksley WG, et al: Alterations in the liver with aging. Clin Gastroenterol 14:757–771, 1985.

119. Keefe EB: Abnormal liver tests and liver disease in the elderly. Pract Gastroenterol 17:16A–17A, 1993.

120. Le Couteur DG, Warren A, Cogger VC: Old age and the hepatic sinusoid. Anat Rec (Hoboken) 291:672–683, 2008.

121. Serstè T, Bourgeois N: Ageing and the liver. Acta Gastroenterol Belg 69:296–298, 2006.

122. Popper H: Aging and the liver. In Popper H, Schaffner F, editors: Progress in liver disease, ed 8, Orlando, FL, 1986, Grune and Stratton, pp 659–683.

123. Kenicki K: Aging and the liver. In Popper H, Schaffner F, editors: Progress in Liver Disease, ed 9, Philadelphia, 1990, WB Saunders, pp 603–623.

124. James OFW: Parenchymal liver disease in the elderly. Gut 41:430–432, 1997.

125. Boyden EA, Grantham SA: Evacuation of the gallbladder in old age. Surg Gynecol Obstet 62:34, 1936.

126. Russell RM: Changes in gastrointestinal function attributed to aging. Am J Clin Nutr 55:1203S–1207S, 1992.

127. Khalil T, Walder JP, Wiener I, et al: Effect of aging on gallbladder contraction and release of cholecystokinin-33 in humans. Surgery 98:423–429, 1985.

128. Trash DB, Ross PE, Murison J, et al: Proceedings: the influence of age on cholesterol saturation of bile. Gut 17:394, 1976.

129. Valdivieso V, Palma R, Wunkhaus R, et al: Effect of aging on biliary lipid composition and bile acid metabolism in normal Chilean women. Gastroenterology 74:871–874, 1978.

130. Shah BB, Agrawal RM, Goldwasser B, et al: Biliary diseases in the elderly. http://www.practicalgastro.com/pdf/September08/ShahArticle.pdf. Accessed October 25, 2015.

131. Siegel JH, Kasmin FE: Biliary tract diseases in the elderly: management and outcomes. Gut 41:433–435, 1997.

132. Affronti J: Biliary disease in the elderly patient. Clin Geriatr Med 15:571–578, 1999.

133. Oliver N: Abdominal pain in the elderly. Aust Fam Physician 13:402–404, 1984.

134. de Dombal FT: Acute abdominal pain in the elderly. J Clin Gastroenterol 19:331–335, 1994.

135. Lyon C, Clark DC: Diagnosis of acute abdominal pain in older patients. Am Fam Physician 74:1537–1544, 2006.

136. Phillips SL, Burns GP: Acute abdominal disease in the aged. Med Clin North Am 72:1213–1224, 1988.

137. Hardy A, Butler B, Crandall M: The evaluation of the acute abdomen. In Moore LJ, Turner KL, Rob Todd S, editors: Common problems in acute care surgery, New York, 2013, Springer, pp 19–31.

138. Arnbjornsson E: Recognizing appendicitis in the elderly. Geriatr Med Today 3:72, 1984.

139. Omari AH, Khammash MR, Qasaimeh GR, et al: Acute appendicitis in the elderly: risk factors for perforation. World J Emerg

Surg 9:6, 2014.

140. Bhullar JS, Chaudhary S, Cozacov Y, et al: Appendicitis in the elderly: diagnosis and management still a challenge. Am Surg 80:295－297, 2014.

141. Telfer S, Fenyo G, Holt PR, et al: Acute abdominal pain in patients over 50 years of age. Scand J Gastroenterol 23:47－50, 1988.

142. Hangos G, Thurzo R: Appendicitis in the aged. Gerontol Clin 3:55－67, 1961.

143. Ambjornsson E, Adren-Sanberg A, Bengmark S: Appendectomy in the elderly: Incidence and operative findings. Ann Chir Gynaecol 72:223－228, 1983.

144. Storm-Dickerson TL, Horratas MC: What have we learned over the past 20 years about appendicitis in the elderly? Am J Surg 185:198－201, 2003.

145. Scholten T: Long-term management of gastroesophageal reflux disease with pantoprazole. Ther Clin Risk Manag 3:231－243, 2007.

146. Richter JE: Gastroesophageal reflux disease in the older patient; presentation, treatment, and complications. Am J Gastroenterol 95:368－373, 2000.

147. Locke GR, Talley NJ, Fett SL, et al: Prevalence and clinical spectrum of gastroesophageal reflux: a population-based study in Olmsted County, Minnesota. Gastroenterology 112:1448－1456, 1997.

148. Collen MJ, Abdulian JD, Chen YK: Gastroesophageal reflux disease in the elderly: more severe disease that requires aggressive therapy. Am J Gastroenterol 90:1053－1057, 1995.

149. Pilotto A, Franceschi M, Leandro G: Clinical features of reflux esophagitis in older people: a study of 840 consecutive patients. J Am Geriatr Soc 54:1537－1542, 2006.

150. Achem SR, DeVault KR: Gastroesophageal reflux disease and the elderly. Gastroenterol Clin North Am 43:147－160, 2014.

151. Zimmerman J, Shohat V, Tsvang E, et al: Esophagitis is a major cause of upper gastrointestinal hemorrhage in the elderly. Scand J Gastroenterol 32:906－909, 1997.

152. Lasch H, Castell DO, Castell JA: Evidence for diminished visceral pain with aging; studies using graded intraesophageal balloon distention. Am J Physiol 272:G1－G3, 1997.

153. Bacak BS, Patel M, Tweed E, et al: What is the best way to manage GERD symptoms in the elderly? J Fam Pract 55:251－254, 2006.

154. Calabrese C, Fabbri A, Di Febo G: Long-term management of GERD in the elderly with pantoprazole. Clin Interv Aging 2:85－92, 2007.

155. Zullo A, Hassan C, Campo SM: Bleeding peptic ulcer in the elderly: risk factors and prevention strategies. Drugs Aging 24:815－828, 2007.

156. Schoon IM, Mellstrom D, Oden A, et al: Incidence of peptic ulcer disease in Gothenburg, 1985. BMJ 299:1131－1134, 1989.

157. Holt PR: Perspectives on upper gastrointestinal disease in the elderly: symposium on perspectives on upper GI diseases in the elderly: strategies for treatment. Pract Gastroenterol 12:5－12, 1988.

158. Cullen DJE, Hawkey GM, Greenwood DC, et al: Peptic ulcer bleeding in the elderly: relative roles of Helicobacter pylori and non-steroidal anti-inflammatory doses. Gut 41:459－462, 1997.

159. Salles N: Helicobacter pylori infection in elderly patients. Rev Med Interne 28:400－411, 2007.

160. Lee M, Feldman M: The aging stomach: implications for NSAID gastropathy. Gut 41:425－426, 1997.

161. Pilotto A: Aging and upper gastrointestinal disorders. Best Pract Res Clin Gastroenterol 18(Suppl):73－81, 2004.

162. Clinch D, Banerjee AK, Ostick G: Absence of abdominal pain in elderly patients with peptic ulcer. Age Ageing 13:120－123, 1984.

163. Cebollero-Santamaria F, Smith J, Gioe S, et al: Selective outpatient management of upper gastrointestinal bleeding in the elderly. Am J Gastroenterol 94:1242－1247, 1999.

164. Laine L, Cohen H, Brodhead J, et al: Prospective evaluation of immediate versus delayed refeeding and prognostic value of endoscopy in patients with upper gastrointestinal hemorrhage. Gastroenterology 102:314－316, 1992.

165. Salles N, Mégraud F: Current management of Helicobacter pylori infections in the elderly. Expert Rev Anti Infect Ther 5:845–856, 2007.

166. Lurie Y, Landau DA, Pfeffer J: Celiac disease diagnosed in the elderly. J Clin Gastroenterol 42:59–61, 2008.

167. Swinson CM, Levi AJ: Is celiac disease underdiagnosed? BMJ 281:1258–1260, 1980.

168. Collin P: Should adults be screened for celiac disease? What are the benefits and harms of screening? Gastroenterology 128:S104–S108, 2005.

169. Rashtak S, Murray JA: Celiac disease in the elderly. Gastroenterol Clin North Am 38:433–446, 2009.

170. Gasbarrini G, Ciccocioppo R, De Vitis I: Coeliac disease in the elderly. A multicentre Italian study. Gerontology 47:306–310, 2001.

171. Swinson CM, Clavin G, Coles EC, et al: Coeliac disease and malignancy. Lancet 1:111–115, 1983.

172. Nagar A, Roberts IM: Small bowel diseases in the elderly. Clin Geriatr Med 15:473–486, 1999.

173. DeLillo AR, Rose S: Functional bowel disorders in the geriatric patient: constipation, fecal impaction, and fecal incontinence. Am J Gastroenterol 95:901–905, 2000.

174. Spinzi GC: Bowel care in the elderly. Dig Dis 25:160–165, 2007.

175. Morley JE: Constipation and irritable bowel syndrome in the elderly. Clin Geriatr Med 23:823–832, 2007.

176. Katz S, Pardi D: Inflammatory bowel disease of the elderly. frequently asked questions (FAQ). Am J Gastroenterol 106:1889–1897, 2011.

177. Wagtmans MJ, Verspaget HW, Lamers CBHW, et al: Crohn's disease in the elderly: a comparison with young adults. J Clin Gastroenterol 27:129–133, 1998.

178. Kadish SL, Reinus J: Inflammatory bowel disease in the elderly. Pract Gastroenterol 18:23–30, 1994.

179. Carr N, Schofield PF: Inflammatory bowel disease in the older patient. Br J Surg 69:223–225, 1982.

180. Swaroop PP: Inflammatory bowel diseases in the elderly. Clin Geriatr Med 23:809–821, 2007.

181. Saag KG, Emkey R, Schnitzer TJ, et al: Alendronate for the prevention and treatment of glucocorticoid-induced osteoporosis. N Engl J Med 339:292–299, 1998.

182. Katz S, Feldstein R: Inflammatory bowel disease of the elderly: a wake-up call. Gastroenterol Hepatol (NY) 4:1–11, 2008.

183. Croker JR: Biliary tract disease in the elderly. Clin Gastroenterol 14:773–809, 1985.

184. Cobden I, Lendrum R, Venables CW, et al: Gallstones presenting as mental and physical disability in the elderly. Lancet 1:1062–1064, 1984.

185. Thornton JR, Heaton KW, Espinar HJ, et al: Empyema of the gallbladder: reappraisal of a neglected disease. Gut 24:1183–1185, 1983.

186. Madden JW, Croker JR, Beynon GP: Septicaemia in the elderly. Postgrad Med J 57:502–550, 1981.

187. Esposito AL, Cleckman RA, Cram S, et al: Community acquired bacteremia in the elderly: analysis of 100 consecutive episodes. J Am Geriatr Soc 28:315–319, 1980.

188. Ido K, Suzuki T, Kimora K, et al: Laparoscopic cholecystectomy in the elderly: analysis of preoperative risk factors and postoperative complications. J Gastroenterol Hepatol 10:517–522, 1995.

189. Gassel HJ, Meyer D, Sailer M: [Nononcologic abdominal surgery in the elderly.] Chirurg 76:35–42, 2005.

190. Gibinski K, Fojit E, Suchan S: Hepatitis in the aged. Digestion 8:254–260, 1973.

191. Junaidi O, Di Bisceglie AM: Aging liver and hepatitis. Clin Geriatr Med 23:889–903, 2007.

192. Smith BD, Morgan RL, Beckett GA, et al: Hepatitis C virus testing of persons born during 1945–1965: recommendations from the Centers for Disease Control and Prevention. Ann Intern Med 157:817–822, 2012.

193. Varanasi RV, Varanasi SC, Howell CD: Liver diseases. Clin Geriatr Med 15:559–570, 1999.

194. Wei Y, Rector RS, Thyfault JP, et al: Nonalcoholic fatty liver disease and mitochondrial dysfunction. World J Gastroenterol 14:193–199, 2008.

195. Kagansky N, Levy S, Keter D, et al: Non-alcoholic fatty liver disease—a common and benign finding in octogenarian patients.

Liver Int 24:88 – 594, 2004.

196. Farrell G, Larter C: Nonalcoholic liver disease: from steatosis to cirrhosis. Hepatology 43:s99 – s112, 2006.

197. Chalasani N, Younossi Z, Lavine JE: The diagnosis and management of non-alcoholic fatty liver disease: practice guideline by the American Association for the Study of Liver Diseases, American College of Gastroenterology, and the American Gastroenterological Association. Am J Gastroenterol 107:811 – 826, 2012.

198. Cook IJ, Gabb M, Penagopoulos V, et al: Pharyngeal (Zenker's) diverticulum is a disorder of upper esophageal sphincter opening. Gastroenterology 103:1229 – 1235, 1992.

199. Ferreira LE, Simmons DT, Baron TH: Zenker's diverticula: pathophysiology, clinical presentation, and flexible endoscopic management. Dis Esophagus 21:1 – 8, 2008.

200. Pulliam JT, Richter JE: Dysphasia and esophageal obstruction. In Renkel RE, editor: Conn's current therapy, Philadelphia, 1990, WB Saunders, pp 428 – 436.

201. Besanko LK, Burgstad CM, Cock C, et al: Changes in esophageal and lower esophageal sphincter motility with healthy aging. J Gastrointest Liver Dis 23:243 – 248, 2014.

202. Wootton FT, Johnson DA: Gastrointestinal bleeding in the elderly. Pract Gastroenterol 95:1147 – 1151, 2000.

203. Nagri S, Anand S, Arya Y: Clinical presentation and endoscopic management of Dieulafoy's lesions in an urban community hospital. World J Gastroenterol 28:4333 – 4335, 2007.

204. Kassahun WT, Fangmann J, Harms J: Complicated small-bowel diverticulosis: a case report and review of the literature. World J Gastroenterol 13:2240 – 2242, 2007.

205. Cunningham SC, Gannon CJ, Napolitano LM: Small-bowel diverticulosis. Am J Surg 190:37 – 38, 2005.

206. Salles N: Basic mechanisms of the aging gastrointestinal tract. Dig Dis 25:112 – 117, 2007.

207. Ozden N, Gurses B: Mesenteric ischemia in the elderly. Clin Geriatr Med 23:871 – 887, 2007.

208. Sreenarasimhaiah J: Chronic mesenteric ischemia. Curr Treat Options Gastroenterol 10:3 – 9, 2007.

209. Brandt LJ, Feuerstadt P, Longstreth GF, et al: ACG clinical guideline: epidemiology, risk factors, patterns of presentation, diagnosis, and management of colon ischemia (CI). Am J Gastroenterol 110:18 – 44, 2015.

210. Yachimski PS, Friedman LS: Gastrointestinal bleeding in the elderly. Nat Clin Pract Gastroenterol Hepatol 5:80 – 93, 2008.

211. Miller KM, Waye JD: Approach to colon polyps in the elderly. Am J Gastroenterol 18:11 – 19, 1994.

212. Ransohoff DF: Sigmoidoscopic screening in the 1990s. JAMA 269:1278 – 1281, 1993.

213. van Hees F, Habbema JD, Meester RG, et al: Should colorectal cancer screening be considered in elderly persons without previous screening? A cost-effectiveness analysis. Ann Intern Med 160:750 – 759, 2014.

214. Sheffield K, Han Y, Kuo Y, et al: Potentially inappropriate screening colonoscopy in Medicare patients. JAMA Intern Med 173:542 – 550, 2013.

215. Harewood GC, Lawlor GO, Larson MV: Incident rates of colonic neoplasia in older patients: when should we stop screening? J Gastroenterol Hepatol 21:1021 – 1025, 2006.

216. Lin OS, Kozarek RA, Schembre DB, et al: Screening colonoscopy in very elderly patients: prevalence of neoplasia and estimated impact on life expectancy. JAMA 295:2357 – 2365, 2006.

217. Almy TP, Howell D: Diverticular disease of the colon. N Engl J Med 302:324 – 331, 1980.

218. Comparato G, Pilotto A, Franzè A, et al: Diverticular disease in the elderly. Dig Dis 25:151 – 159, 2007.

219. Van Rosendaal GMA, Anderson MA: Segmental colitis complicating diverticular disease. Can J Gastroenterol 10:361 – 364, 1996.

220. Lindner AE: Inflammatory bowel disease in the elderly. Clin Geriatr Med 15:487 – 497, 1999.

221. Boley SJ, DiBiase A, Brandt LJ, et al: Lower intestinal bleeding in the elderly. Am J Surg 137:57 – 64, 1979.

222. Romero Y, Evans JM, Fleming KC, et al: Constipation and fecal incontinence in the elderly population. Mayo Clin Proc 71:81 – 92, 1996.

223. Crane SJ, Talley NJ: Chronic gastrointestinal symptoms in the elderly. Clin Geriatr Med 23:721 – 734, 2007.

224. Ozden N, Gurses B: Fecal incontinence: a review. Dig Dis Sci 53:41-46, 2008.

225. James EM, MacGowan AP: Back to basics in management of Clostridium difficile infection. Lancet 352:505-506, 1998.

226. Crogan NL, Evans BC: Clostridium difficile: an emerging epidemic in nursing homes. Geriatr Nurs 28:161-164, 2007.

227. Surawicz CM, Brandt LJ, Binion DG: Guidelines for diagnosis, treatment, and prevention of Clostridium difficile infections. Am J Gastroenterol 108:478-498, 2013.

228. Walsh RM: Innovations in treating the elderly who have biliary and pancreatic disease. Clin Geriatr Med 22:545-558, 2006.

CHAPTER
22

요로의 노화
Aging of the Urinary Tract

Philip P. Smith, George A. Kuchel

서론

요로에 대한 전통적인 분류는 상부 및 하부 요로를 하나의 시스템의 일부로 간주하지만, 각각은 고유한 기능을 수행한다. 이 장에서는 상부 및 하부 요로계에 알려진 노화가 미치는 영향을 위주로 각각의 구성 요소에 대해 고려해 볼 것이다. 하지만, 이 장에서는 잠재적으로 관련된 몇몇 주제에 대해 논의하지 않을 것이다. 노화와 일반적인 노인성 증후군(15장)에 내재하는 여러 요인의 신체적 복잡성을 감안할 때,[1] 전통적인 장기(organ) 기반의 경계를 넘어 다룰 필요가 있다. 그러므로, 노화에 따른 신장 기능의 감소가 노화 척도에 중요한 요소인 인지 기능 및 운동 수행에 미치는 영향에 대해서도 논의할 것이다. 반대로, 산화 스트레스, 염증 및 영양이 다양한 장기의 노화 및 질병 과정에 영향을 미칠 수 있다는 근거가 증가함에 따라, 이러한 다양한 신체적 요인이 요로의 노화를 조절하는 것도 고려될 것이다.

상부 요로계 : 신장(kidney)과 요관

개요

신기능의 저하는 인간의 노화에서 가장 잘 입증되었으며 매우 극적인 생리적 변화 중 하나이다. 큰 진전에도 불구하고 중요한 쟁점들은 남아 있다. 예를 들어, 신장 노화가 겉으로는 ≪정상적인≫ 사람들 사이에서 어떻게 다를 수 있는지, 그리고 이러한 변화 중 어떤 것들이 잠재적으로 가역적인지 확립하는 것은 어렵다. 그럼에도 불구하고, 이 분야의 발전과 지속적인 연구는 노인들의 삶을 개선할 수 있는 특별한 기회를 제공한다.[2-5]

사구체 여과율(glomerular filtration rate)

연령이 증가할수록 사구체 여과율이 감소한다는 것은 잘 확립되어 있지만, 일반적인 믿음과 달리, 사구체 여과율이 나이에 따라 필연적으로 감소하지는 않는다. 고령 참가자에 대한 볼티모어 종단 연구에서 평균 사구체 여과율은 30대 중반부터 매 10년마다 약 $8.0 \text{ mL/min/1.73 m}^2$ 감소했다.[6] 그러나 이러한 감소는 보편적인 것은 아니었고, 대상자의 약 3분의 1은 시간 경과에 따른 사구체 여과율의 유의한 감소를 보이지 않았다.[6] 상대적으로 건강한 고령자들 사이에서 이러한 높은 개인간의 다양성은 명백한 질병 과정이 없는 경우에도 연령에 따른 사구체 여과율의 감소가 불가피한 것이 아닐 수 있으며, 궁극적으로 예방이 가능할 수 있다는 희망을 제시한다. 동시에 의사가 건강한 고령자에게 신장으로 배설되는 약물을 처방하고자 할 때 사구체 여과율을 예측할 수 있는 신뢰할 수 있는 수단이 분명히 필요하다.

연령에 따른 사구체 여과율의 감소는 일반적으로 혈청 크레아티닌 수치의 상승을 수반하지 않는데,[6] 이는 연령에 따른 근육량의 감소가 사구체 여과율과 일치하는 경향이므로 전체 크레아티닌 생산이 나이에 따라 감소하기 때문이다. 따라서, 혈청 크레아티닌 수치는 일반적으로 연령이 증가할수록 사구체 여과율을 과대 평가하게 되며, 여성 및 저체중인 경우 신장 기능 장애에 가장 민감하지 않다.[7] 많은 공식들이 규범데이터(normative data)에 기초하여 크레아티닌 청소율을 추정하기 위해 고안되었지만,[8,9] 개별적인 신기능을 예측하는데 있어서 신뢰성은 낮다.[10,11] 많은 약물을 사용 중인 취약(frail)하고 중증인 환자에서 정확한 추정에 대한 필요성은 가장 높은 반면, 이러한 추정에 대한 신뢰도가 가장 의심스러울 수 있다. 결과적으로, 크레아티닌 청소율 측정을 위해 정해진 시간 짧은 기간(timed short-duration) 소변 수집이 일반적으로 권장된다.[10,12] 낮은 크레아티닌 수치는 예측 능력이 떨어지는 것과는 대조적으로, 혈청 크레아티닌이 132 mmol/L (1.5 mg/dL) 이상으로 높은 경우는 정상적인 노화로 예상되는 것보다 더 큰 사구체 여과율 감소를 반영하여, 가능성이 있는 기저 병적인 상태를 나타낸다. 궁극적으로는 크레아티닌 청소율도 한계가 있으며 사구체 여과율을 과소 평가할 수 있다.[13] Cystatin C는 근육량과 무관한 신장 기능의 척도로서, 정상 범위의 크레아티닌 수치를 가진 고령자에서 사구체여과율 감소에 대한 개선된 지표로 주장되어 왔다.[14] 미국 식품의약국(FDA)이 승인한 측정 키트가 2001년부터 사용 가능하고, 취약한 노년층의 관리에 잠재적인 매력을 가지고 있음에도 불구하고, 임상 결정을 위한 시스타틴 C 측정의 정확한 역할은 여전히 명확하게 정의되어야 한다.

신장 혈류

평균적으로, 노화는 신장 혈장 흐름의 점진적 감소와 관련이 있다.[15,16] 십년 당 10%의 손실이 있으며, 일반적인 값이 청년에서 600 mL/min에서 80세에 300 mL/min으로 감소했다.[15,16] 신장 수질의 관류는 피질로 가는 혈류가 낮을 때 유지되는데, 이는 건강한 노인에서 얻은 신장 스캔에서 피질에

군데군데 보이는 결손으로 관찰될 수 있다. 국소적인 신 혈류와 사구체 여과율은 구심성(afferent) 및 원심성(efferent) 신장 혈액 공급과 관련된 혈관긴장도의 균형에 의해 결정된다. 일반적으로 신장 혈관 수축은 노년기에 증가하는 반면, 혈관의 확장능은 감소한다. 혈관 확장제(예, 산화 질소, 프로스타사이클린)에 대한 반응성은 약화된 반면, 혈관 수축제(예, 안지오텐신 II)에 대한 반응성은 증가하는 구조로 변화된다.[5] 기저 레닌과 안지오텐신 II 수치는 고령자에서 유의하게 낮고, 다양한 자극에 의한 renin−antiotensin−알도스테론 시스템(RAAS)의 활성화는 둔화된다.

관 기능

세뇨관이 특정 용질을 배설하고 재흡수하는 능력은 정상적인 체액과 전해질 균형을 유지하는데 중요한 역할을 한다. 노화와 특정 질병이 세뇨관의 특정 용질을 조절하는 능력에 미치는 영향에 대해서는 다른 곳에서 논의될 것이다(82장). 하지만, 몇 가지 중요한 원칙은 주목할 만하다.[2,5,17]

1. 전반적인 세뇨관 기능은 노화와 함께 감소하는 것으로 보인다.
2. 수분, 나트륨, 칼륨 및 기타 전해질을 처리하는 능력은 일반적으로 노화에 의해 손상된다.
3. 이러한 생리적 감소는 일반적으로 고령자가 기본적인 상태에서 정상 체액 및 전해질 균형을 유지하는 능력에 영향을 미치지는 않는다.
4. 고령자는 체액 및 전해질 문제에 노출되었을 때 정상적인 항상성을 유지할 능력이 적다.

예를 들어, 상행콩팥세관고리(ascending loop of Henle)의 염 흡수가 감소하고, 혈청 알도스테론 분비가 감소하며, 알도스테론과 안지오텐신 II에 대한 상대적 저항성으로 나트륨을 보존하고 배설하는 능력이 감소한다.[2,5] 결과적으로, 고령자는 염분−제한식에 반응하여 나트륨 배설이 줄어드는데 시간이 더 오래 소요된다. 반대로, 나트륨 부하 시 배출하는 시간도 더 소요된다. 질적으로 비슷한 변화가 수분의 변화에 적응하기 위한 세뇨관 기능에도 보고되었다.

구조적 변화

노화된 신장은 과립 모양(granular in appearance)으로, 실질량의 완만한 감소를 동반한다.[2,5] 가장 특징적인 변화는 신장 피질에서 신장단위(nephron)의 수와 크기가 감소하는 반면, 수질은 상대적으로 유지된다. 실질량의 감소는 세뇨관 사이 간질 공간의 확장과 간질 결합 조직의 증가로 이어진다. 노화된 신장에서 사구체의 수는 체중에 비례하여 감소하며, 경화된 사구체의 비율은 증가한다. 사구체 뭉치(tuft)의 분엽(lobulation) 소실, 메산지움 세포의 증가, 및 상피세포의 감소로 인한 경화로 효과적인 여과 표면은 감소한다. 이에 반응하여, 남아있는 비경화성 사구체는 커지고 과여과(hyperfiltering)로 보상하게 된다.

고혈압 및 다른 관련 질환이 없는 경우에도, 고령자에서 신장 내 혈관 구조의 중요한 변화가 관찰될 수 있다.[2,5] 신장의 큰 혈관들은 경화로 인한 변화를 보일 수 있지만, 작은 혈관들은 일반적으로 보존된다. 그럼에도 불구하고, 세동맥-사구체 단위(arteriolar-glomerular units)는 노년기에 독특한 변화를 보인다.[2,5,18] 피질의 변화가 더 심하며, 사구체 뭉치의 유리질화 및 허탈(collapse), 사구체이전세동맥(preglomerular arteriole)의 폐색, 및 혈류 감소 등을 동반한다. 수질 내 구조 변화는 덜 두드러지고, 수질주변 부위는 해부학적 연속성과, 구심성과 원심성 세동맥 사이의 기능적 분지(shunting)의 증거를 보여준다.

기계적 고려사항

과여과(hyperfiltration) 이론은 사구체 손실에 의해 나머지 사구체를 통한 모세 혈류가 증가하고 이에 상응하여 모세혈관 압력이 높아진다는 것을 제시한다.[2,5] 이러한 노화에 의한 모세혈관 압력(또는 전단응력, shear stress)의 증가는 국소 내피 세포 손상 및 사구체 손상 또한 유발할 수 있으며, 진행성 사구체 경화에 기여한다.[2,5,19]

시토카인과 다른 혈관활동성 체액인자는 이러한 압력에 의한 신 손상과 관련이 있다.[2,5,20] 또한 과여과 이론을 뒷받침하는 것으로, 제한된 단백질 섭취와[21] 단일-신장단위(nephron)의 사구체여과율을 감소시키는 항고혈압제(예, 안지오텐신 전환 효소 억제제 및 안지오텐신 II 차단제)[21]는 사구체 모세 혈관 압력과 사구체 손상을 줄이고 측정가능한 신기능의 감소를 예방한다.

다른 요인 및 기전도 노화에 따른 신장 기능에 기여한다. 예를 들어, 태어날 때부터 신장단위 질량이 감소한 사람은 노화를 포함하여, 모든 종류의 신장 손상에 더 취약할 수 있다. 신장 노화가 활성산소족(ROS), 최종당화산물(AGEs) 및 최종지질화산물(ALEs) 등 독소 축적에 의한 정상적인 대사의 손상과 연관이 있다는 연구 결과가 증가하고 있다.[2,3,5,22,23] 이러한 독소-매개 이론은 많은 매력을 가지고 있다.

1. 이러한 독소는 노화와 함께 축적되며 구조적 및 기능적 변화를 유발할 수 있다.
2. 이들은 단일 장기 수준에서 노화를 이해하기 위한 노력과 장수에 대한 전통적인 노인학 연구 (5장 참조) 사이에 중요한 연결 고리를 제공한다.
3. 영양 및 약물 개입으로 개인이 이러한 독소에 노출되는 것을 줄이고 궁극적으로 신장 노화를 예방하거나 지연시킬 수 있다.
4. 이러한 연구는 서로 다른 위험 요소(예, 유전적 소인, 신장 전구세포의 특성,[24] 성선자극호르몬 수치,[25] 식이,[22] 흡연,[26] 임상전 과정 등)가 개인의 신장 노화에 어떻게 영향을 주는지 병태생리학적 틀을 발전시키는 것을 가능하게 했다.[2,5,23]

시스템-기반 관점

신장의 노화를 전신 수준의 노화와 별개로 볼 수는 없다. 만성콩팥병(CKD) 환자의 대부분이 노인으로 이들은 취약하고 장애가 있을 위험이 높다.[4] 진행된 만성콩팥병 환자들은 심혈관 질환,[27] 인지 능력 저하,[25-30] 근감소증,[31-33] 및 열악한 신체적 기능[27,34]을 가질 위험이 특히 높다. 정상적인 노화에 의한 경한 신기능의 감소가 일반적으로 건강한 고령자에서 신체 조성과 생리적 기능에 어느 정도 기여할 것인지는 아직까지 지켜봐야 한다. 앞에서 언급한 것처럼, 크레아티닌에 기초한 사구체여과율 추정은 골격근 양에 영향을 받고 고령자에서 과대 평가되는 경향이다. 따라서 시스타틴 C를 사용하여 측정한 사구체 여과율의 경미한 감소도 신체 기능의 악화와 관련이 있는 반면, 크레아티닌으로 예측된 사구체여과율은 60 mL/min/1.73 m² 미만인 경우에만 연관성을 보인다는 것은 흥미로운 일이다.[35] 궁극적으로, 주요한 기능적 사항을 고려한 시스템 기반에서 신장 노화에 대해 접근하는 것은 노년기에 주요 기능과 독립성을 유지하는 데 도움이 될 수 있는 중재를 개발하는 데 가장 좋은 기회를 제공할 수 있을 것이다.

하부요로계: 방광 및 배출구

개요

의지에 따라 소변을 저장하고 정기적으로 배출함으로써 하부 요로는 대사 부산물의 통제된 제거를 통해 신장을 외부 환경으로부터 격리시키는 역할을 한다. 해부학적으로 배열된 역류하지 않는 요관방광 문합부(ureterovesical junction), 소변 흐름을 막아주는 요도괄약근(fluid-tight urethral sphincter) 기전 및 요로 중간에 위치한 방광(interposed chamber) 등은 감염인자가 신장으로 역류하고 혈액으로 들어가는 것을 효과적으로 막아주는 장벽을 만든다. 아마도 진화론적 압력의 결과로, 방광 및 배출구는 소변을 수시간 동안 보관하기 충분한 저장 구조로 기능하는 반면, 자발적 허용 통제하에 신속하고 자발적으로 소변을 효과적으로 배설한 후 다시 저장 상태로 돌아간다. 정상적인 상황에서, 이 과정은 방광 용적과 배뇨 흐름과 관련된 무의식적인 인식(nonnoxious perceptions)에 반응하여 사회적으로 적절한 자발적 통제하에 진행된다. 이 시스템이 적절하게 기능하기 위해 필요한 것들로 정상적인 생리적 방광 충만에 대한 정상적인 감각 전달, 중앙 전달 및 잠재 의식 처리, 적절한 의식 인식 및 과정, 배뇨근 수축을 통한 괄약근 이완 및 방광 압력의 조정, 방광의 정상적인 생체 역학 기능 및 배출은 물론 손상되지 않은 요도 및 방광 보호와 배설 반사 등이 포함된다. 개인은 이러한 과정에 대한 인식을 경험하게 된다. 하부 요로 및 신경계에 일어나는 노화 과정 자체의 결과로 인한 생체 역학 및 기능 변화는 개인의 저장 및 배설 능력을 변화시킬 수 있다. 장과 피부에서 유래하는 것을 포함한 말초 및 중추 신호 전달 경로의 양방향 수렴[36]은 비비뇨기성 출처(nonurinary source)에서 발생하는 비뇨기 증상의 생리적 기초를 제공한다. 요로 증상과 기능 장애의 운동능력(mobility)과 인지 사이의 관련성은[37-41] 효과적인 소변 기능에 대한 통합 과정의 중요성을 지적한다. 노화와 관련된 더 넓은 관점에서, 통제와 인식의 복잡성은 기능 장애 및 비뇨기 증상이 통합적인 항상성 시스템의 실패 임계점에 의한 것이라는 것을 제시한다. 따라서 증상과 객관적인 기능 장애는 단순히 하부요로계의 병리를 나타내는 것이 아니라 감각 및 의사 결정 과정은 물론 체액 균형 및 이동성과 같은 다양한 비비뇨생식기(nongenitourinary) 계통을 포함하는 증후군으로 간주되어야 한다.[42]

현재 용어의 명목상의 함축된 의미에도 불구하고, 하부요로계의 기계적 수용력, 하부요로계의 생리 및 배뇨 상태의 자각(저장과 배뇨의 자발적인 통제를 포함한)들의 관련성은 확실하지 않으며 일생동안 고정되어 있는 것 같지는 않다. 임상적으로 측정 가능한 하부요로기능(예, 유속, 요역동학(urodynamics), 잔뇨량)은 말단-장기에 대한 뇌의 조절 결과로, 인지(지각perception을 포함한) 과정에 의해 조절된다. 증상과 객관적인 기능 사이에는 예전부터 상관관계가 약한 것으로 인식되어왔다.[43] 고령자를 대상으로 한 요역동학 연구에서 63%가 증상이 없었고, 52%는 증상이 없으면서 동시에 잠재적으로 교란될 수 있는 질병이나 약물 사용이 없었다.[44] 그럼에도 불구하고 이들 중 18%만이 어떠한 요역동학적 이상도 없었다.[44] 더욱이, 성별이나 나이에 무관하게 이들 중 53%에서 확인 가능한 질병과 상관없이 방광이 차는 도중에 배뇨와 무관하게 방광이 수축(배뇨근 과항진, detrusor overactivity [DO])하는 것이 관찰되었다.[45] 잔뇨량의 다양성은 노화와 함께 증가하며, 결과적으로 일부 사람들에서 무증상의, 증가된, 배뇨후 잔뇨가 발생한다.[46,47] 배뇨 장애(과소활동성방광, underactive bladder [UAB])의 자각은 배뇨 시 배뇨근 수축의 약화보다 방광 감각 이상이 더 연관성이 있다.[48]

환자가 느끼는 증상은 특히 귀찮을 때, 임상적으로 중요하다. 그럼에도 불구하고 고령자에서 증상과 기능 장애가 복합 증후군의 성질을 가지고, 증상, 기능 장애 및 원인과의 관련성이 명확하지 않으므로, 노인에서 요로 증상과 객관적인 기능 장애의 생리학적 의미에 대해 주의를 기울여 접근해야 한다. 젊은 성인의 연구에서 얻어진 상대적으로 단순한 알고리즘의 치료는 보다 광범위한 병태생리적 모델 중 특수한 사례일 수 있으므로 고령자에게 항상 적용 가능한 것은 아니다.

기계적 고려사항

배뇨근의 평활근과 방광벽의 비근육성분 간의 기계적 상호 작용은 방광이 소변을 저장하는 동안 탄성적으로 팽창(예, 낮은 압력 하에 소변을 유지)하고 배뇨할 때 소변을 배출할 수 있는 힘을 생성하도록 한다. 배뇨 시 방광 벽의 힘은 배뇨근의 압력 및/또는 소변 유량으로 측정되며, 요도 확장성의 정도에 의존하며, 이는 요도의 근육 및 비근육 성분 간의 상호 작용의 기계적 결과이다. 또한, 이러한 방광벽의 힘은 요량(volume)과 흐름(flow)에 따라 생성된 구심성 활동의 민감도와 관련이 있으며,[49,50] 따라서 뇌 조절 및 지각 과정에 제공되는 하부요로계 감각 정보와 연관성이 있다. 최종적으로, 배뇨근과 요도의 평활근은 자율신경의 조절하에 있어, 소변저장 및 배뇨를 매개할 때

자율신경 입력이 중요할 뿐만 아니라 민감도에 적응할 수 있도록 잠재적으로 제공한다. 이 모든 요소들이 연령에 따라 변하지만, 뇌에 의한 요로 조절이 복잡하고 원심적인 특성을 가지므로 개별적으로 변경된 변수의 기능적 영향이 항상 신뢰할 만하게 예측될 수는 없다는 것을 의미한다. 노화에 따라 요로 증상 및 기능 장애의 빈도가 증가하지만, 많은 노인들이 하부요로계 및 관련 구조에 노화와 관련된 생리적 변화를 가지고 있음에도 불구하고 이에 따른 문제가 나타나지 않는다.

노년기 하부요로계 질환에 대한 기계적 연구 논문(mechanistic research literature)은 동물 연구에 바탕을 두고 있다. 이러한 문헌은 두 가지 이유로 주의해서 해석해야 한다. 첫째, 적어도 세연령대(젊은이, 성인, 노인)를 비교하지 않으면, 성숙의 생물학적 효과를 노화와 구분할 수 없다. 또한, 네 번째로 가장 연장자 그룹을 포함하지 않는 한, 늙은 동물에서 관찰된 효과는 노년기의 취약함보다 건강한 노화를 더 반영하게 되므로, 관찰된 결과를 임상적으로 가장 문제가 되는 상태로 해석하는 것을 제한하게 된다. 둘째, 동물 모델은 인간의 지각적 중첩(overlay)과 이로 인한 고차원적인 대뇌 피질 기능이 없다. 연구들은 지각과 관련된 인지 과정은 소변을 모으고 배뇨할 때 측정 가능한 기능에 적극적인 역할을 하므로, 기계적 변화가 기능에 미치는 영향을 과도하게 해석하면 안 된다고 제시한다. 더욱이, 동물 모델은 과민성 및 저활동성 방광과 같은 증상 복합체에 대한 직접적인 정보를 제공할 수 없으며, 이는 이러한 증상이 지각에 의한 것이기 때문이다.

배뇨근 근육 힘 생성에 대한 세포 및 구조적 기여의 양상은 노화로 인한 변화를 보여주며, 배뇨근 근육의 신경약리학적 자극에 대한 반응성 변화를 야기한다. 구조적으로, 노화에 의해 전형적으로 배뇨근/콜라겐의 비율이 감소하고[51] 방광과 요도에서 신경 밀도가 감소하지만,[52-54] 감각 뉴런은 상대적으로 보존될 수 있다.[55] 쥐 모델의 정량적 평가에서 성숙한 쥐와 비교하여 노화된 쥐의 방광 경부에서 신경 밀도의 감소를 보이지 않았고,[56,57] 수축성 단백질 함량의 감소도 없었다.[58] 나이든 여성에서 방광 경부와 요도의 민무늬근육과 가로무늬근육의 두께와 섬유 밀도가 젊은 여성에 비해 줄어든 것으로 나타났다.[59-62] 가로무늬근육의 변화는 원주 방향으로 균일하지만, 민무늬근의 감소는 요도의 등쪽-질 측면(dorsal-vaginal aspect)에서 가장 두드러진다.

배뇨근은 골반 신경 원심성 아세틸콜린 방출을 통한 M3 무스카린성 수용체 활성화에 반응하여 정상적으로 수축하지만--M2 수용체도 존재, 이들의 정확한 역할은 알려져 있지 않다.[36] M3 수용체의 수는 연령에 따라 감소하고,[63] M3-자극 활성도가 감소하지만, 저하된 수축 민감도의 임상적 중요성은 불분명하다.[64] M3 반응성 감소에 대항하여, 퓨린성 전달,[65-68] 비신경성 요로상피성 아세틸콜린 방출[67] 및 노르에피네프린에 대한 수축 반응의 증가[60]를 포함한 다른 요소들이 더 중요한 것으로 나타난다. 유사체-유발(agonist-invoked) 세포내 칼슘 이동이 노화된 쥐에서 감소하는데, 이는 방출 가능한 칼슘 저장소가 감소한 것이 수축에 중요하다는 것을 제시한다.[69] Rho kinase가 매개하는 carbachol에 대한 반응은 연령과 상관관계가 있는 반면, myosin light chain kinase가 매개하는 수축은 그렇지 않아, 이는 자극에 대한 세포내 반응의 변화를 나타낸다.[70] 쥐 모델에서 배뇨근 근육

수축에 중요한 세포막 특이영역인 caveolae가 50% 감소한 것으로 보고되었다.[71]

자율신경 방출의 조정(coordination)과 반응성의 감소는 이용 가능한 자원을 비효율적으로 사용하게 할 수 있다.[72] 기능적 신경영상의 발달로 하부요로계 조절 및 노화와 질병의 영향에 대한 이해가 향상되었다.[73,74] 방광의 감각 기능과 조정에 관련된 뇌 영역의 활성화 감소가 노화와 연관성이 있다.[75] 이 영역들 중 일부는 의식적인 인식과 행동을 준비하기 위해 감각 입력에 선택적으로 집중할 수 있는 능력(관심 바이어스, attention biasing)의 핵심이다.[76-79] 전두엽 피질 영역은 방광이 채워지는 동안 하부요로계의 구심성 유출이 증가하는 것을 지속적으로 관찰하여, 배뇨가 필요한 구심성 활동의 문턱값을 예측한다.[80] 노화와 뇌의 회백질 증가 등 노화와 관련된 퇴행성 뇌질환으로 인한 인지기능 저하는 잠재적 등록(subconscious registration) 및 하부요로계의 감각 정보의 전달을 방해하여, 항상성 조절을 불가능하게 한다. 감각 등록이 손상되면 부적절한 운동 영역(방광-괄약근과 신체-운동 중심[somatic-mobility center])이 생기고 반응이 느리게 되어 증상이 심해지고 부수적인 기능장애를 일으킨다. 이러한 사항들을 감안할 때, 노인성 요실금은 개인의 감각, 과정, 결정능력이 저하되고, 이후 예상치 못한 방광 수축에 직면하여 의사 결정을 수행할 능력이 감소함에 따라 발생할 수 있는데, 이는 초기에 발생하는 요절박(urgency)과는 대조적이다.

기능적 고려사항

동물 모델에서 방광 기능의 생리는 흔히 사람과 다르게 나타난다. 예를 들어, 설치류는 사람과 달리 뇌교부에 의한(pontine-organized) 배뇨근-괄약근 상승작용에 의한 배뇨를 하지 않기 때문에 쥐를 이용한 배뇨 및 괄약근성 요실금에 대한 연구가 어렵다. 또한 증상이 있는 환자로부터 연구 자료를 얻는 것이 훨씬 쉬운데, 이는 침습적인 요역동적 연구와 조직 생검을 건강한 무증상 환자에서 수행하기 어렵기 때문이다. 노화의 특징은 생리적 문제에 적응하는 능력의 감소이며, 따라서 측정 가능한 기능을 조절하기 위한 생물학적 적응 정도를 의미한다. 따라서 노인-특히 잘 적응된 노년기-에서 정상적인 기능이 젊은 성인처럼 임상 시험에서 동일한 정규적(normative) 가치로 특징 지어질 수는 없다. 하지만, 임상 연구에서 흔히 누락되는 것이 바로 이러한 자료이다. 그렇다면 어떻게 병적 기능에 대해 정확하게 기술할 수 있을까? 하부요로계 기능과 노화에 관한 문헌을 해석할 때 많은 주의가 필요하다.

요로계 증상은 부분적으로 환자 및/또는 간병인이 인지하는 하부요로 기능 장애이다. 증상은 크게 과민성(예, 과민성 방광; 빈뇨, 요절박, 야간뇨), 폐쇄성 보유성(예, 비활동성 방광; 주저, 비정상적인 요류, 불완전한 비우기) 및 요실금으로 크게 분류된다. 이러한 증상들의 빈도는 여성과 남성의 나이에 따라 증가하며, 중등도에서 중증의 증상은 40~49세에 비해 80세 이상에서 대략 2배이다.[44] 요실금을 포함한 과민성 방광 증상은 남성보다 여성에서 더 흔히 일찍 발생하며, 65세 이상 여성의 19%, 남성의 8~10%에서 어느 정도의 요실금을 보고했다. NOBLE 연구는 무작위로 선택된 참가자 5,204명에 대한 결과를 보고하였다. 과민성 방광 증상은 35세 미만에서 5~10%가 경험했으며 75세 이상에서는 30~35%로 증가했으며 성별 차이는 없었다.[81] 특히 고령자의 경우, 검사실에서의 증상은 종종 실제보다 심하게 나타난다. 노년층의 요실금은 간병인의 부담을 상당히 증가시켜,[82,83] 요양원 배치의 위험을 증가시킨다.[84]

요역동학적으로, 노화는 감각 및 운동 변화와 관련이 있다. 무증상인 노인 여성은 방광 용적은 변하지 않아도 방광 용량에 대한 감수성이 감소한다.[85-86] 방광 용적에 대한 민감도의 감소로 인해 요의를 느끼고 배뇨하기까지 사이의 경고 시간이 감소하고 요실금[37]과 방광 비우기 장애와 함께 절박뇨가 있는 긴급 사태 사이의 경고로 이어질 수 있다. 결과적으로 기능적 용량의 감소로 요의를 느끼고 소변을 보고 실금이 유발되는 시간 간격이 좁아지는 영역에서 방광 용적이 지속되어 소변의 빈도, 절박뇨 또는 절박 요실금의 증상이 악화된다. 노화가 배뇨근 강도에 미치는 영향에 대해서는 논란의 여지가 있으며, 이 논란의 중요한 원인은 배뇨근 강도 평가가 어렵다는 점이다. 배뇨근 강도의 측정은 근육 수축의 열역학을 고려함은 물론, 수축력으로 압력(정적 측정, a static measure) 및 유량(일 함수, a work function)을 나타내는 것을 고려해야 한다. 보고된 문헌들을 압력과 요량 측정 및 연구집단 선정 등[87,88]이 종종 누락되어 있어 이해하기 복잡하며, 아직까지 노화가 배뇨근 에너지에 미치는 영향을 평가한 연구 결과는 없다. 등용적성 배뇨근 수축력(isovolumetric detrusor contractility)을 평가하기 위한 일반적인 중단 검사(stop test)는[89,90] 방광 출구 기능 측정법의 방법에 따라 일관적이지 않아 확정되지 못하고 있다. Watts 인자 및 방광수축력지수와 같은 요역동학 계산은 노화 연구에서 적용 가능성을 제한하는 많은 가정(열역학을 포함)을 만든다.

동물 모델에서는 노화에 따라 배뇨의 빈도는 감소하고 소변량은 증가하는데, 이는 배뇨에 대한 압력 임계치는 증가하고 최대 압력에는 차이가 없으므로,[91,92] 노화에 의한 기능적 영향은 운동보다 감각에 더 미치는 것으로 보인다. 신경 전달 물질 ATP와 아세틸콜린의 방광내 방출을 증가시키는 구심성 활성의 증가가 노화된 생쥐에서 어린(미숙한) 쥐에 비해 증가되어,[93] 이는 다른 연구에서 관찰된 민감도의 감소가 구심성 활동에 대한 중추 반응의 손실일 수 있음을 시사한다. 생체외(in vitro)에서 아마도 배뇨근 저항진(detrusor underactivity)이 임박했다는 조기 표지[94]인 배뇨근 수축 속도의 감소는 노화에 따라 감소하지 않는다.[58] 반면, 다른 연구에서는 총 배뇨근 활동(total detrusor effort)은 노화에 따라 변하지 않지만, 노화는 수축 시작의 실패 및 수축 속도의 저하와 관련이 있다고 보고하였다.[95] 배뇨근 과항진과 관련된 최대 배뇨근 압력은 연령에 따라 감소하여,[85] 방광 크기는 더 크지만 기능적 방광 용량은 줄고 배뇨 효율이 감소함을 시사한다. 방광이 작고 배뇨근 과항진인 노인 환자에서 배뇨근 과항진이 동반되지 않은 환자에 비해 수축력(중단 검사를 통한)이 더 높게 나타나는 것[90]은, 최대 수축력은 유지되지만 수축 상태를 유지할 수 없어서 기능적 결손(배뇨근 저항진으로 입증된)이 발생한다는 것을 제시한다.

요도 기능도 노화의 영향을 받는다. 여성을 대상으로 한 연구가 본질적인 요도 기능 자체를 더 잘 나타내는데, 남성에서는 전립선으로 인한 교란 영향을 받기 때문이다. 노인 여성에서 실시한 요역동학 평가에서 요도 개폐 시 배뇨근 압력이 낮게 나타났고,[56,96] 최대 폐쇄 압력과 짧은 기능 시간을 보였다.[97] 이러한 결과는 모두 요도에는 괄약근 작용이 없다는 것을 의미한다. 요도의 소변 흐름에 대한 저항성 상실은 요실금에 직접적으로 기여할 수 있을 뿐 아니라, 배뇨 중 요도의 구심성 활동을 감소시켜, 노화에 따른 요도 민감도의 손실을 악화시킬 수 있다.[98] 배뇨 중 요도-배뇨근 반사의 보강이 감소되면[99,100] 배뇨 장애와 관련된 증상이 유발될 수 있다. 증상이 있고, 폐쇄가 없으며, 수술 받지 않은 40세 이상의 남성과 여성에서 최대 배뇨근 압력과 최대 흐름 시 배뇨근의 압력은 나이에 영향을 받지 않지만, 보정하지 않은 소변 흐름의 속도(unadjusted flow rates)는 나이에 따라 감소한다.[101] 젊은 환자에서 방광이 차는 동안 배뇨근 과항진이 괄약근 이완과 이로 인한 소변 누출을 종종 동반하는 것과 대조적으로, 노인에서의 배뇨근 과항진은 방광을 비울 가능성이 높지만 steady sphincter를 동반한다.[102] 이것은 배뇨근 과항진이 여러 가지 다른 기전을 가질 뿐만 아니라 노인 환자에서 배뇨근 과항진이 있을 때 더 좋지 않은 결과를 초래할 수 있다는 것을 의미한다.

기타 고려사항

노화 자체가 하부요로계 증상과 기능에 미치는 영향을 다른 동반상태(폐경, 골반장기탈출증 및 전립선비대) 및 더 흔한 동반 질환들(예, 비만, 심혈관질환, 치매, 당뇨병성 및 기타 신경병증)에 의한 것과 구분하기는 어렵다.

여성에서, 골반 장기 탈출증은 하부요로 기능 장애에 직간접적으로 연관되어 있다.[103] 하부요로계 증상이 있는 여성의 약 40%는 질 탈출증이 있으며, 그 반대도 마찬가지이다. 하부요로계 증상은 질 탈출증의 중증도와 잘 일치한다.[104] 전방 및 후방 질탈출이 질입구 위쪽에 있으면 과민성과 요실금 증상과 관련이 있으며, 전방 및 꼭대기(apical) 질탈출이 질입구를 지나게 되면 방광 출구 폐쇄를 일으킬 수 있다. 중요한 점으로, 괄약근 부전이 심각한 전방 탈출에 의해 가려질 수 있다. 이런 환자들에서 괄약근 기능을 평가할 수 있는 신뢰할 만한 방법이 필요하다.

폐경과 노화에 의한 에스트로겐 소실이 하부요로 기능에 미치는 영향은 아직까지 잘 규명되지 않았다. 성숙한 설치류에서, 난소 절제술은 배뇨근 평활근 감소, 축삭변성, 전자현미경 소견상 횡문근형질막의 치밀한띠 소견(sarcolemmal dense band patterns)과 소포(caveolar) 수의 감소 등을 유발하며, 이는 탈 에스트로겐화(de-estrogenization) 결과로 수축 기능이 손상되었다는 것을 의미한다.[105,106] 증상이 있는 폐경전 및 폐경후 여성을 대상으로 한 연구에서, 폐경후 여성의 배뇨 시 평균 최대 배뇨근 압력이 낮아져 있어, 폐경이 배뇨근 기능장애 또는 출구 저항 감소를 통해 하부요로 기능에 영향을 미칠 수 있음을 시사한다.[107] 질내 에스트로겐 및 골반바닥 재활이 증상과 요역동학적 변수에 미치는 부가적인 효과는 고정된 조직-기반 관계보다는 호르몬 상태가 미치는 역동적인 영향이 중요하다는 것을 제시한다.[108] 방광 과항진과 요실금 증상에 대한 에스트로겐 대체 요법의 임상적 영향은 상반되며 아직까지 불완전하다.

시스템-기반 관점

노화는 측정 가능한 기능의 변화 뿐 아니라, 불쾌한 하부요로 증상의 유병률 증가와 관련이 있다. 소변 저장 및 배뇨 기능의 결정 요인에는 신장 생산(renal output), 하부요로의 생물역학 및 감각운동 기능 및 요로 조절과 운동능력을 포함한 다른 신체 요구를 통합하는 중추처리 능력 등이 포함된다. 노화와 관련된 말단 기관(end organ) 기능의 변화는 인지 기능 저하에 대한 적응을 더 요구하게 된다. 적절한 정상 기능은 기본 수행 뿐만 아니라, 특정 과제에 직면하여 시스템(지각을 포함하여) 항상성을 제공하는데 필요한 것이고 이것은 공개된 규범과 일치하지 않을 수 있는데, 이것은 알려진 기준과 다를 수 있다. 지각 과정은 배뇨를 조절하고 감각과 병적인 증상을 구별하는데 중요한데 인지기능이 저하되면서 감소할 수 있다. 그러므로 정상적으로 소변을 저장하고 적절하게 배출하는 능력의 저하에는 많은 원인들이 기여하게 되는데, 하부요로계의 외적 요인 및 내재적 요인이 모두 관여한다. 이러한 변화는 노화와 관련된 다른 생리적 변화 및 동반 질환에 의해 복잡해진다.

요점

- 연령이 증가할수록 흔히 사구체 여과율은 감소하지만, 반드시 일어나는 것은 아니다.
- 노인은 정상적인 기저 조건 하에서 신장 기능을 보존할 수 있지만, 스트레스 요인에 대처하는 능력은 흔히 감소하여, 수분과 전해질 장애와 같은 흔한 문제가 발생할 수 있다.
- 신장 노화의 측면은 평생 동안 독소에 대한 노출을 반영한다. 사구체 상실에 대한 반응으로, 모세혈관의 압력 증가와 함께 모세혈관 혈류 증가와 같은 노화의 다른 영향을 가속화할 수 있는 구조적 변화가 손실에 적응하여 나타난다.
- 요로계 증상과 기능 장애는 통합된 항상성 시스템 부전의 역치를 나타내므로 흔히 비뇨기 계통을 넘어서 나타난다.

참고문헌의 총 목록을 보려면 www.expertconsult.com 을 방문해주세요.

중요 참고문헌

1. Inouye SK, Studenski S, Tinetti ME, et al: Geriatric syndromes: clinical, research, and policy implications of a core geriatric concept. J Am Geriatr Soc 55:780‑791, 2007.

2. Zhou XJ, Rakheja D, Yu X, et al: The aging kidney. Kidney Int 74:710‑720, 2008. 20. Schmitt R, Cantley LG: The impact of aging on kidney repair. Am J Physiol Renal Physiol 294:F1265‑F1272, 2008.

22. Vlassara H, Uribarri J, Cai W, et al: Advanced glycation end product homeostasis: exogenous oxidants and innate defenses. Ann N Y Acad Sci 1126:46‑52, 2008.

27. Lin CY, Lin LY, Kuo HK, et al: Chronic kidney disease, atherosclerosis, and cognitive and physical function in the geriatric group of the National Health and Nutrition Survey 1999-2002. Atherosclerosis 202:312‑319, 2009.

29. Kurella TM, Wadley V, Yaffe K, et al: Kidney function and cognitive impairment in US adults: the Reasons for Geographic and Racial Differences in Stroke (REGARDS) Study. Am J Kidney Dis 52:227‑234, 2008.

39. Ouslander JG, Palmer MH, Rovner BW, et al: Urinary incontinence in nursing homes: incidence, remission and associated factors. J Am Geriatr Soc 41:1083‑1089, 1993.

41. Wakefield DB, Moscufo N, Guttmann CR, et al: White matter hyperintensities predict functional decline in voiding, mobility, and cognition in older adults. J Am Geriatr Soc 58:275‑281, 2010.

44. Araki I, Zakoji H, Komuro M, et al: Lower urinary tract symptoms in men and women without underlying disease causing micturition disorder: a cross-sectional study assessing the natural history of bladder function. J Urol 170:1901‑1904, 2003.

52. Gilpin SA, Gilpin CJ, Dixon JS, et al: The effect of age on the autonomic innervation of the urinary bladder. Br J Urol 58:378‑381, 1986.

53. Elbadawi A, Yalla SV, Resnick NM: Structural basis of geriatric voiding dysfunction. II. Aging detrusor: normal versus impaired contractility. J Urol 150:1657‑1667, 1993.

72. Hotta H, Uchida S: Aging of the autonomic nervous system and possible improvements in autonomic activity using somatic afferent stimulation. Geriatr Gerontol Int 10(Suppl 1):S127‑S136, 2010.

73. Griffiths D, Tadic SD: Bladder control, urgency, and urge incontinence: evidence from functional brain imaging. Neurourol Urodyn 27:466‑474, 2008.

85. Pfisterer MH, Griffiths DJ, Rosenberg L, et al: Parameters of bladder function in pre-, peri-, and postmenopausal continent women without detrusor overactivity. Neurourol Urodyn 26:356‑361, 2007.

86. Pfisterer MH, Griffiths DJ, Schaefer W, et al: The effect of age on lower urinary tract function: a study in women. J Am Geriatr Soc 54:405‑412, 2006.

101. Madersbacher S, Pycha A, Schatzl G, et al: The aging lower urinary tract: a comparative urodynamic study of men and women. Urology 51:206‑212, 1998.

참고문헌

1. Inouye SK, Studenski S, Tinetti ME, et al: Geriatric syndromes: clinical, research, and policy implications of a core geriatric concept. J Am Geriatr Soc 55:780‑791, 2007.

2. Zhou XJ, Rakheja D, Yu X, et al: The aging kidney. Kidney Int 74:710‑720, 2008.

3. Percy CJ, Power D, Gobe GC: Renal ageing: changes in the cellular mechanism of energy metabolism and oxidant handling. Nephrology (Carlton) 13:147‑152, 2008.

4. Munikrishnappa D: Chronic kidney disease (CKD) in the elderly—a geriatrician's perspective. Aging Male 10:113‑137, 2007.

5. Zhou XJ, Saxena R, Liu Z, et al: Renal senescence in 2008: progress and challenges. Int Urol Nephrol 40:823–839, 2008.

6. Rowe JW, Andres R, Tobin JD, et al: The effect of age on creatinine clearance in men: a cross-sectional and longitudinal study. J Gerontol 31:155–163, 1976.

7. Giannelli SV, Patel KV, Windham BG, et al: Magnitude of underascertainment of impaired kidney function in older adults with normal serum creatinine. J Am Geriatr Soc 55:816–823, 2007.

8. Cockcroft DW, Gault MH: Prediction of creatinine clearance from serum creatinine. Nephron 16:31–41, 1976.

9. Levey AS, Bosch JP, Lewis JB, et al: A more accurate method to estimate glomerular filtration rate from serum creatinine: a new prediction equation. Modification of Diet in Renal Disease Study Group. Ann Intern Med 130:461–470, 1999.

10. Malmrose LC, Gray SL, Pieper CF, et al: Measured versus estimated creatinine clearance in a high-functioning elderly sample: MacArthur Foundation Study of Successful Aging. J Am Geriatr Soc 41:715–721, 1993.

11. Pedone C, Corsonello A, Incalzi RA: Estimating renal function in older people: a comparison of three formulas. Age Ageing 35:121–126, 2006.

12. Goldberg TH, Finkelstein MS: Difficulties in estimating glomerular filtration rate in the elderly. Arch Intern Med 147:1430–1433, 1987.

13. Fliser D, Bischoff I, Hanses A, et al: Renal handling of drugs in the healthy elderly. Creatinine clearance underestimates renal function and pharmacokinetics remain virtually unchanged. Eur J Clin Pharmacol 55:205–211, 1999.

14. Fliser D, Ritz E: Serum cystatin C concentration as a marker of renal dysfunction in the elderly. Am J Kidney Dis 37:79–83, 2001.

15. Hollenberg NK, Adams DF, Solomon HS, et al: Senescence and the renal vasculature in normal man. Circ Res 34:309–316, 1974.

16. Hollenberg NK, Moore TJ: Age and the renal blood supply: renal vascular responses to angiotensin-converting enzyme inhibition in healthy humans. J Am Geriatr Soc 42:805–808, 1994.

17. Kuchel GA: Aging and homeostatic regulation. In Halter JB, Hazzard WR, Ouslander JG, et al, editors: Hazzard's principles of geriatric medicine and gerontology, ed 3, New York, 2008, McGraw Hill.

18. Takazakura E, Sawabu N, Handa A, et al: Intrarenal vascular changes with age and disease. Kidney Int 2:224–230, 1972.

19. Neuringer JR, Brenner BM: Hemodynamic theory of progressive renal disease: a 10-year update in brief review. Am J Kidney Dis 22:98–104, 1993.

20. Schmitt R, Cantley LG: The impact of aging on kidney repair. Am J Physiol Renal Physiol 294:F1265–F1272, 2008.

21. Brenner BM, Meyer TW, Hostetter TH: Dietary protein intake and the progressive nature of kidney disease: the role of hemodynamically mediated glomerular injury in the pathogenesis of progressive glomerular sclerosis in aging, renal ablation, and intrinsic renal disease. N Engl J Med 307:652–659, 1982.

22. Vlassara H, Uribarri J, Cai W, et al: Advanced glycation end product homeostasis: exogenous oxidants and innate defenses. Ann N Y Acad Sci 1126:46–52, 2008.

23. Zheng F, Plati AR, Banerjee A, et al: The molecular basis of agerelated kidney disease. Sci Aging Knowledge Environ 2003:E20, 2003.

24. Feng Z, Plati AR, Cheng QL, et al: Glomerular aging in females is a multi-stage reversible process mediated by phenotypic changes in progenitors. Am J Pathol 167:355–363, 2005.

25. Elliot SJ, Berho M, Korach K, et al: Gender-specific effects of endogenous testosterone: female alpha-estrogen receptor-deficient C57Bl/6J mice develop glomerulosclerosis. Kidney Int 72:464–472, 2007.

26. Elliot SJ, Karl M, Berho M, et al: Smoking induces glomerulosclerosis in aging estrogen-deficient mice through cross-talk between TGF-beta1 and IGF-I signaling pathways. J Am Soc Nephrol 17:3315–3324, 2006.

27. Lin CY, Lin LY, Kuo HK, et al: Chronic kidney disease, atherosclerosis, and cognitive and physical function in the geriatric group of the National Health and Nutrition Survey 1999-2002. Atherosclerosis 202:312–319, 2009.

28. Kurella M, Chertow GM, Fried LF, et al: Chronic kidney disease and cognitive impairment in the elderly: the health, aging,

and body composition study. J Am Soc Nephrol 16:2127 – 2133, 2005.

29. Kurella TM, Wadley V, Yaffe K, et al: Kidney function and cognitive impairment in US adults: the Reasons for Geographic and Racial Differences in Stroke (REGARDS) Study. Am J Kidney Dis 52:227 – 234, 2008.

30. Weiner DE: The cognition-kidney disease connection: lessons from population-based studies in the United States. Am J Kidney Dis 52:201 – 204, 2008.

31. Foley RN, Wang C, Ishani A, et al: Kidney function and sarcopenia in the United States general population: NHANES III. Am J Nephrol 27:279 – 286, 2007.

32. Fried LF, Boudreau R, Lee JS, et al: Kidney function as a predictor of loss of lean mass in older adults: health, aging and body composition study. J Am Geriatr Soc 55:1578 – 1584, 2007.

33. Honda H, Qureshi AR, Axelsson J, et al: Obese sarcopenia in patients with end-stage renal disease is associated with inflammation and increased mortality. Am J Clin Nutr 86:633 – 668, 2007.

34. Fried LF, Lee JS, Shlipak M, et al: Chronic kidney disease and functional limitation in older people: health, aging and body composition study. J Am Geriatr Soc 54:750 – 756, 2006.

35. Odden MC, Chertow GM, Fried LF, et al: Cystatin C and measures of physical function in elderly adults: the Health, Aging, and Body Composition (HABC) Study. Am J Epidemiol 164:1180 – 1189, 2006.

36. Ustinova EE, Fraser MO, Pezzone MA: Cross-talk and sensitization of bladder afferent nerves. Neurourol Urodyn 29:77 – 81, 2010.

37. Kuchel GA, Moscufo N, Guttmann CR, et al: Localization of brain white matter hyperintensities and urinary incontinence in community-dwelling older adults. J Gerontol A Biol Sci Med Sci 64:902 – 909, 2009.

38. Myers AH, Palmer MH, Engel BT, et al: Mobility in older patients with hip fractures: examining prefracture status, complications, and outcomes at discharge from the acute-care hospital. J Orthop Trauma 10:99 – 107, 1996.

39. Ouslander JG, Palmer MH, Rovner BW, et al: Urinary incontinence in nursing homes: incidence, remission and associated factors. J Am Geriatr Soc 41:1083 – 1089, 1993.

40. Slaughter SE, Estabrooks CA, Jones CA, et al: Mobility of Vulnerable Elders (MOVE): study protocol to evaluate the implementation and outcomes of a mobility intervention in long-term care facilities. BMC Geriatr 11:84, 2011.

41. Wakefield DB, Moscufo N, Guttmann CR, et al: White matter hyperintensities predict functional decline in voiding, mobility, and cognition in older adults. J Am Geriatr Soc 58:275 – 281, 2010.

42. Inouye SK, Studenski S, Tinetti ME, et al: Geriatric syndromes: clinical, research, and policy implications of a core geriatric concept. J Am Geriatr Soc 55:780 – 791, 2007.

43. Bates CP, Whiteside CG, Turner-Warwick R: Synchronous cinepressure-flow-cysto-urethrography with special reference to stress and urge incontinence. Br J Urol 42:714 – 723, 1970.

44. Araki I, Zakoji H, Komuro M, et al: Lower urinary tract symptoms in men and women without underlying disease causing micturition disorder: a cross-sectional study assessing the natural history of bladder function. J Urol 170:1901 – 1904, 2003.

45. Resnick NM, Elbadawi A, Yalla SV: Age and the lower urinary tract: what is normal [abstract]. Neurourol Urodyn 14:577 – 579, 1995.

46. Rule AD, Jacobson DJ, McGree ME, et al: Longitudinal changes in post-void residual and voided volume among community dwelling men. J Urol 174:1317 – 1321, 2005.

47. Kolman C, Girman CJ, Jacobsen SJ, et al: Distribution of post-void residual urine volume in randomly selected men. J Urol 161:122 – 127, 1999.

48. Smith PP, Chalmers DJ, Feinn RS: Does defective volume sensation contribute to detrusor underactivity? Neurourol Urodyn 34:752 – 756, 2015. doi: 10.1002/nau.22653.

49. le Feber J, van Asselt E, van Mastrigt R: Afferent bladder nerve activity in the rat: a mechanism for starting and stopping voiding contractions. Urol Res 32:395 – 405, 2004.

50. Le Feber JL, van Asselt E, van Mastrigt R: Neurophysiological modeling of voiding in rats: urethral nerve response to urethral

pressure and flow. Am J Physiol 274:R1473－R1481, 1998.

51. Lepor H, Sunaryadi I, Hartanto V, et al: Quantitative morphometry of the adult human bladder. J Urol 148:414－417, 1992.

52. Gilpin SA, Gilpin CJ, Dixon JS, et al: The effect of age on the autonomic innervation of the urinary bladder. Br J Urol 58:378－381, 1986.

53. Elbadawi A, Yalla SV, Resnick NM: Structural basis of geriatric voiding dysfunction. II. Aging detrusor: normal versus impaired contractility. J Urol 150:1657－1667, 1993.

54. Mizuno MS, Pompeu E, Castelucci P, et al: Age-related changes in urinary bladder intramural neurons. Int J Dev Neurosci 25:141－148, 2007.

55. Warburton AL, Santer RM: Sympathetic and sensory innervation of the urinary tract in young adult and aged rats: a semi-quantitative histochemical and immunohistochemical study. Histochem J 26: 127－133, 1994.

56. Lluel P, Deplanne V, Heudes D, et al: Age-related changes in urethrovesical coordination in male rats: relationship with bladder instability? Am J Physiol Regul Integr Comp Physiol 284:R1287－R1295, 2003.

57. Lluel P, Palea S, Barras M, et al: Functional and morphological modifications of the urinary bladder in aging female rats. Am J Physiol Regul Integr Comp Physiol 278:R964－R972, 2000.

58. Sjuve R, Uvelius B, Arner A: Old age does not affect shortening velocity or content of contractile and cytoskeletal proteins in the rat detrusor smooth muscle. Urol Res 25:67－70, 1997.

59. Clobes A, DeLancey JO, Morgan DM: Urethral circular smooth muscle in young and old women. Am J Obstet Gynecol 198(587):e1－e5, 2008.

60. Lluel P, Palea S, Ribiere P, et al: Increased adrenergic contractility and decreased mRNA expression of NOS III in aging rat urinary bladders. Fundam Clin Pharmacol 17:633－641, 2003.

61. Perucchini D, DeLancey JO, Ashton-Miller JA, et al: Age effects on urethral striated muscle. II. Anatomic location of muscle loss. Am J Obstet Gynecol 186:356－360, 2002.

62. Perucchini D, DeLancey JO, Ashton-Miller JA, et al: Age effects on urethral striated muscle. I. Changes in number and diameter of striated muscle fibers in the ventral urethra. Am J Obstet Gynecol 186:351－355, 2002.

63. Schneider T, Hein P, Michel-Reher MB, et al: Effects of ageing on muscarinic receptor subtypes and function in rat urinary bladder. Naunyn Schmiedebergs Arch Pharmacol 372:71－78, 2005.

64. Lagou M, Gillespie J, Kirkwood T, et al: Muscarinic stimulation of the mouse isolated whole bladder: physiological responses in young and ageing mice. Auton Autacoid Pharmacol 26:253－260, 2006.

65. Ford A, Gever JR, Nunn PA, et al: Purinoceptors as therapeutic targets for lower urinary tract dysfunction. Br J Pharmacol 147: S132－S143, 2006.

66. Moore KH, Ray FR, Barden JA: Loss of purinergic P2X and P2X receptor innervation in human detrusor from adults with urge incontinence. J Neurosci 21:RC166, 2001.

67. Yoshida M, Miyamae K, Iwashita H, et al: Management of detrusor dysfunction in the elderly: changes in acetylcholine and adenosine triphosphate release during aging. Urology 63:17－23, 2004.

68. Yoshida M, Homma Y, Inadome A, et al: Age-related changes in cholinergic and purinergic neurotransmission in human isolated bladder smooth muscles. Exp Gerontol 36:99－109, 2001.

69. Gomez-Pinilla PJ, Pozo MJ, Camello PJ: Aging differentially modifies agonist-evoked mouse detrusor contraction and calcium signals. Age (Dordr) 33:81－88, 2011.

70. Kirschstein T, Protzel C, Porath K, et al: Age-dependent contribution of Rho kinase in carbachol-induced contraction of human detrusor smooth muscle in vitro. Acta Pharmacol Sin 35:74－81, 2014.

71. Lowalekar SK, Cristofaro V, Radisavljevic ZM, et al: Loss of bladder smooth muscle caveolae in the aging bladder. Neurourol Urodyn 31:586－592, 2012.

72. Hotta H, Uchida S: Aging of the autonomic nervous system and possible improvements in autonomic activity using somatic afferent stimulation. Geriatr Gerontol Int 10(Suppl 1):S127－S136, 2010.

73. Griffiths D, Tadic SD: Bladder control, urgency, and urge incontinence: evidence from functional brain imaging. Neurourol Urodyn 27:466–474, 2008.

74. Griffiths D, Tadic SD, Schaefer W, et al: Cerebral control of the bladder in normal and urge-incontinent women. Neuroimage 37:1–7, 2007.

75. Poggesi A, Pracucci G, Chabriat H, et al: Leukoaraiosis And DISability Study Group: Urinary complaints in nondisabled elderly people with age-related white matter changes: the Leukoaraiosis And DISability (LADIS) Study. J Am Geriatr Soc 56:1638–1643, 2008.

76. Egner T, Hirsch J: Cognitive control mechanisms resolve conflict through cortical amplification of task-relevant information. Nat Neurosci 8:1784–1790, 2005.

77. Grent-deJong T, Woldorff MG: Timing and sequence of brain activity in top-down control of visual-spatial attention. PLoS Biol 5:e12, 2007.

78. Nathaniel-James DA, Frith CD: The role of the dorsolateral prefrontal cortex: evidence from the effects of contextual constraint in a sentence completion task. Neuroimage 16:1094–1102, 2002.

79. Thomsen T, Specht K, Hammar A, et al: Brain localization of attentional control in different age groups by combining functional and structural MRI. Neuroimage 22:912–919, 2004.

80. Gillespie J, van Koeveringe G, de Wachter S, et al: On the origins of the sensory output from the bladder: the concept of afferent noise. BJU Int 103:1324–1333, 2009.

81. Stewart W, Van R, et al: Prevalence and burden of overactive bladder in the United States. World J Urol 20:327–336, 2003.

82. Tamanini JT, Santos JL, Lebrao ML, et al: Association between urinary incontinence in elderly patients and caregiver burden in the city of Sao Paulo/Brazil: Health, Wellbeing, and Ageing Study. Neurourol Urodyn 30:1281–1285, 2011.

83. Gotoh M, Matsukawa Y, Yoshikawa Y, et al: Impact of urinary incontinence on the psychological burden of family caregivers. Neurourol Urodyn 28:492–496, 2009.

84. Maxwell CJ, Soo A, Hogan DB, et al: Predictors of nursing home placement from assisted living settings in Canada. Can J Aging 32:333–348, 2013.

85. Pfisterer MH, Griffiths DJ, Rosenberg L, et al: Parameters of bladder function in pre-, peri-, and postmenopausal continent women without detrusor overactivity. Neurourol Urodyn 26:356–361, 2007.

86. Pfisterer MH, Griffiths DJ, Schaefer W, et al: The effect of age on lower urinary tract function: a study in women. J Am Geriatr Soc 54:405–412, 2006.

87. Resnick NM, Yalla SV: Detrusor hyperactivity with impaired contractile function. An unrecognized but common cause of incontinence in elderly patients. JAMA 257:3076–3081, 1987.

88. van Mastrigt R: Age dependence of urinary bladder contactility. Neurourol Urodyn 11:315–317, 1992.

89. Ameda K, Sullivan MP, Bae RJ, et al: Urodynamic characterization of nonobstructive voiding dysfunction in symptomatic elderly men. J Urol 162:142–146, 1999.

90. Pfisterer MH, Griffiths DJ, Rosenberg L, et al: The impact of detrusor overactivity on bladder function in younger and older women. J Urol 175:1777–1783, 2006.

91. Chai TC, Andersson KE, Tuttle JB, et al: Altered neural control of micturition in the aged F344 rat. Urol Res 28:348–354, 2000.

92. Smith PP, DeAngelis A, Kuchel GA: Detrusor expulsive strength is preserved, but responsiveness to bladder filling and urinary sensitivity is diminished in the aging mouse. Am J Physiol Regul Integr Comp Physiol 302:R577–R586, 2012.

93. Daly DM, Nocchi L, Liaskos M, et al: Age-related changes in afferent pathways and urothelial function in the mouse bladder. J Physiol 592(Pt 3):537–549, 2014.

94. Cucchi A, Quaglini S, Rovereto B: Development of idiopathic detrusor underactivity in women: from isolated decrease in contraction velocity to obvious impairment of voiding function. Urology 71:844–848, 2008.

95. Malone-Lee J, Wahedna I: Characterisation of detrusor contractile function in relation to old age. Br J Urol 72:873–880, 1993.

96. Wagg AS, Lieu PK, Ding YY, et al: A urodynamic analysis of ageassociated changes in urethral function in women with lower urinary tract symptoms. J Urol 156:1984–1988, 1996.

97. Chai TC, Huang L, Kenton K, et al: Association of baseline urodynamic measures of urethral function with clinical, demographic, and other urodynamic variables in women prior to undergoing midurethral sling surgery. Neurourol Urodyn 31:496–501, 2012.

98. Kenton K, Fuller E, Benson JT: Current perception threshold evaluation of the female urethra. Int Urogynecol J Pelvic Floor Dysfunct 14:133–135, 2003.

99. Jung SY, Fraser MO, Ozawa H, et al: Urethral afferent nerve activity affects the micturition reflex; implication for the relationship between stress incontinence and detrusor instability. J Urol 162:204–212, 1999.

100. Shafik A, Shafik AA, El-Sibai O, et al: Role of positive urethrovesical feedback in vesical evacuation. The concept of a second micturition reflex: the urethrovesical reflex. World J Urol 21:167–170, 2003.

101. Madersbacher S, Pycha A, Schatzl G, et al: The aging lower urinary tract: a comparative urodynamic study of men and women. Urology 51:206–212, 1998.

102. Valentini FA, Marti BG, Robain G, et al: Phasic or terminal detrusor overactivity in women: age, urodynamic findings and sphincter behavior relationships. Int Braz J Urol 37:773–780, 2011.

103. Smith PP, Appell RA: Pelvic organ prolapse and the lower urinary tract: the relationship of vaginal prolapse to stress urinary incontinence. Curr Urol Rep 6:340–347, 2005.

104. Mouritsen L: Classification and evaluation of prolapse. Best Pract Res Clin Obstet Gynaecol 19:895–911, 2005.

105. Zhu Q, Resnick NM, Elbadawi A, et al: Estrogen and postnatal maturation increase caveolar number and caveolin-1 protein in bladder smooth muscle cells. J Urol 171:467–471, 2004.

106. Zhu Q, Ritchie J, Marouf N, et al: Role of ovarian hormones in the pathogenesis of impaired detrusor contractility: evidence in ovariectomized rodents. J Urol 166:1136–1141, 2001.

107. Karram MM, Partoll L, Bilotta V, et al: Factors affecting detrusor contraction strength during voiding in women. Obstet Gynecol 90:723–726, 1997.

108. Capobianco G, Donolo E, Borghero G, et al: Effects of intravaginal estriol and pelvic floor rehabilitation on urogenital aging in postmenopausal women. Arch Gynecol Obstet 285:397–403, 2012.

CHAPTER **23**

노화의 내분비 변화
Endocrinology of Aging

John E. Morley, Alexis McKee

역사적 고찰

노화의 과정에서 호르몬이 관여한다는 개념은 19세기에 처음 시작되었다.[1] 원숭이를 대상으로 한 실험에서, Hanley는 점액수종의 증상은 노령에서 보이는 뇌기능을 포함하는 노쇠현상과 유사하다는 점을 기술하였다. Brown Sequard는 설치류 실험에서 정소 추출물이 이들을 다시 젊게 함을 발견하였고, 자신을 대상으로 한 실험에서 이 추출물이 자신을 젊은 사람들 수준으로 힘을 갖게 해준다고 보고하였다. 20세기가 시작하기 이전에, 호르몬 감소가 노화의 주요 원인이라는 개념이 받아들여졌으며, Lorand는 1910년 출간한 그의 책 "Old Age Deferred"에서 노인의학(geriatrics)이라는 용어를 처음 사용하였다.

> 우리는 젊은 동물에서 분비관이 없는 호르몬 기관을 인위적으로 잘라냄으로써 노령에서 보이는 전형적 증상을 실험적으로 유발시킬 수 있다…. 노령에서 보이는 전형적인 기억력의 결핍처럼, 최근의 기억이 오래된 기억보다 좀 더 쉽게 잊힌다. 또한 종종 심한 피로감, 어눌한 말, 무감각한 상태가 나타난다.
>
> Arnold Lorand

젊음의 원천이 된다는 호르몬 보충의 개념은 20세기 초반 유럽에서 Serge Voronoff가 원숭이에서 호르몬 분비기관 이식술을 시도하면서, 한편 미국에서는 염소의 장기를 이식해보면서 고조되었다. 2차 대전 동안에는 부신피질 호르몬의 전구물질인 프레그네놀론(pregnenolone)이 공간 시각 기능을 개선시킴이 알려졌다. 1957년에는 디히드로에피안드로스테론(dehydroepiandrosterone, DHEA)이 나이가 들면서 감소함도 알려졌다.[2] 에스트로겐의 항노화 효과가 1966년 윌슨 교과서에 "Feminine Forever"라는 타이틀로 기록되었다.[3] Wesson은 중년이 지난 남자에서 테스토스테론의 가치에 관한

표 23-1. 노화에 따른 호르몬 변화

감소	증가	변화 없음
성장호르몬	부신피질자극호르몬	황체호르몬(남성)
인슐린유사성장인자-1	코르티솔	티록신
프레그네놀론	인슐린	에피네프린
디히드로에피안드로스테론	아밀린	프로락틴
	난포자극호르몬	
알도스테론	황체호르몬(여성)	
에스트로겐(여성)	부갑상샘호르몬	
테스토스테론	노르에피네프린	
트리요오드 타이로닌(T3)	아르기닌 바소프레신(주간)	
아르기닌 바소프레신(야간 증가)	갑상샘자극호르몬	
비타민 D	Reverse T3	

논문을 발표했고,[4] 이는 남성갱년기(andropause)라는 새로운 개념의 시대를 처음 알리게 되었다.[5] 1990년에 Rudman과 그 동료들은[6] 60세 이상의 노인에서 성장호르몬과 노화에 관한 중대한 논문을 발표하였다.

이 역사적 고찰은 21세기 초반 들어 항노화 치료라는 미명으로 고령의 성인들을 유혹하는 불법적 의료행위의 단초를 제공한 "젊음의 원천이 되는 호르몬"이라는 개념이 실제 존재하는지에 대한 격렬한 논쟁들을 설명하는데 도움을 준다. 회춘을 추구하는 항노화 치료를 지지하는 주장들 중 일부는 가치가 있을 수도 있다. 그러나, 특히 성장호르몬 치료 관련한 일련의 예들에서 나타났듯이 명백히 그릇되게 알려진 내용들과, 호르몬 투여가 노인들에서 다양한 부작용을 유발할 수 있는 점들을 잘 고려하여 좀 더 이성적이고 균형있게 접근해야 할 필요가 있다.[7]

여기에서는 노화에 따라 호르몬이 어떻게 변하는지, 임상의는 이 변화들을 어떻게 해석해야 하는지에 대한 균형적 접근을 소개하게 될 것이다. 표 23-1은 노화에 따른 호르몬의 변화를 정리한 것이다. 대부분의 호르몬은 나이가 들면서 감소하는데, 이는 통상 30세 정도에 시작하고, 매년 약 1%가 약간 못 미치는 정도로 감소한다. 또한 대부분 호르몬의 일중 변동 조절 기능도 감소하게 된다. 나이가 들면서 호르몬이 증가하는 경우는 대부분 수용체나 수용체후 기전의 장애에 기인한다. 총체적으로 이러한 변화들은 노화에 따른 호르몬 결핍의 증가를 유발한다(그림 23-1). 또한 고령자는 자가면역 호르몬 결핍 질환을 더 많이 앓게 된다. Box 23-1은 내분비 질환에 대한 나이의 영향들을 요약한 것이다.

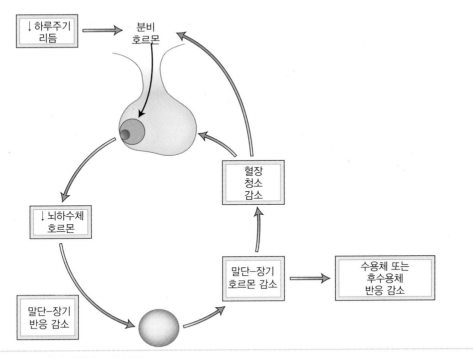

■ 그림 23-1. 노화에 따른 호르몬 변화

BOX 23-1 **내분비 질환에 대한 노화의 영향**

- 노화와 관련된 호르몬의 생화학적 감소가 진단을 어렵게 한다.
- 질병이 호르몬 수치의 감소를 유발할 수 있다.
- 기능적 저장(functional reserve)의 감소로 인해 내분비 결핍의 경향이 증가한다.
- 혈장 청소율의 감소는 호르몬 대체요법의 용량을 감소시킨다.
- 억제 T 림프구의 감소와 자가항체의 증가로 자가면역성 내분비 질환과 다발성내분비기능부전 (polyglandular failure)이 증가한다.
- 암에 의해 AVP와 ACTH 같은 이소성 호르몬을 증가할 수 있다.
- 수용체 및 후수용체 반응의 감소로 비전형적인 증상이 나타나는데, 이는 종종 노화에 따른 변화와 유사하다.
- 다중약물요법은 다음과 같은 결과를 초래한다:
  - 비정상적인 생화학 결과
  - 호르몬 대체요법의 흡수 감소(예, 철분, 칼슘)
  - 순환하는 호르몬 수치의 변화(예, 페니토인, 티록신)
  - 약제-호르몬 상호작용
  - 대사 이상(예, 비타민 A, 고칼슘혈증)
- 인지기능 장애로 인한 호르몬 대체요법 순응도가 감소한다.

호르몬 변화

갑상샘

나이가 들면서 갑상샘에는 결절이 증가하고 암 발생이 증가하게 된다. 유두상 갑상샘암은 노령에서 가장 흔한 암이다. 노화는 BRAF 유전자의 돌연변이를 증가시키고, 예후를 나쁘게 하는 경향이 있다.[8] 노인에서 빠른 속도로 결절이 커지는 경우는 역형성암이나 임파종의 위험이 높다. 여포성 갑상샘암은 덜 공격적이나 먼 부위로 전이할 수 있다. 노인에서 수질성 갑상샘암이 발생할 때는 보통 산발성이다.

나이가 들면서 티록신 생산이 감소하는데 티록신 청소율도 감소하여 균형을 이루어, 혈중 티록신 농도는 변화가 없다. 심한 고령인 경우에는 T3가 감소하고 reverse T3가 증가하는 경향을 보인다. 티록신의 청소율이 감소하기 때문에 대부분의 노인에서 레보티록신 보충 시 낮은 용량이 필요하다(~75 ug/일). 노인에서 고용량 복용이 필요한 경우 흡수를 억제시키는 칼슘이나 철분 제재를 같이 복용하고 있는지 확인해 보아야 한다. 갑상샘 호르몬을 초과 복용하게 되면 골다공증이나 고관절 골절 위험이 증가하게 된다. 임상 연구들을 종합하면 불현성갑상샘기능저하증을 치료하는 것에 대한 임상적인 이익은 관찰되지 않았다.[9]

설치류에서 낮은 티록신 농도는 수명 연장과 연관이 있다. 유사하게 100세 노인들과 그 친척들에서 T3 농도는 낮았다.[10] 갑상샘자극호르몬 농도가 가볍게 상승하는 것은 수명의 증가와 연관이 있다.[11,12] 이는 갑상샘자극호르몬 수용체 기능 감소와 관련이 있다.

갑상샘저하증은 노인 인구의 2~4%에서 발생하며 여성보다 남성에서 좀 더 흔하다.[13] 정상 티록신 농도를 보이며 갑상샘자극호르몬이 증가되어 있는 불현성갑상샘저하증은 60세 이상에서는 3~16%에서 발생한다. 갑상샘자극호르몬 증가의 가장 흔한 원인은 갑상샘염이다. 자가면역성 갑상샘저하증은 항갑상샘과산화효소항체(antithyroid peroxidase antibody)를 측정하여 진단한다. 갑상샘저하증의 주요 증상인 피로감, 쉰 목소리, 피부 건조, 근육 경련, 눈주위가 푸석푸석함, 추운 느낌, 인지기능 저하, 변비 등은 고령에서 흔하게 나타날 수 있으므로 임상적인 소견으로만 진단하는 것은 어려울 수 있다. 건 반사가 지연되어 나타나는 것이 전형적이 소견이나 이 검사는 숙련된 의사가 검사해야 한다. 따라서, 한 가지 이상의 비특이적인 증상을 호소하는 60세 이상의 노인 환자에서는 생화학적 검사를 시행하는 것이 갑상샘저하증을 진단하기 위해서 중요하겠다.

노인에서 갑상샘항진증 발생 빈도는 갑상샘저하증보다는 확연히 낮은 편이다(0.7% 미만).[14] 노인에서는 젊은 사람들에 비해 갑상샘항진증 증상이 흔하지 않은 편이다. 노인 갑상샘항진증 환자의 50% 이상에서 단지 빈맥만 나타난다. 손떨림과 신경과민은 30~40%에서 나타나고, 열감을 참지 못하는 증상은 단지 10% 조금 넘게 관찰된다. 식욕 증가는 드물고, 심방세동과 우울증이 상대적으로 흔하다. 이러한 무감각(apathetic)을 보이는 경우는 수용체 혹은 수용체후 수준에서 어느 정도의 갑상샘 호르몬 저항성이 있음을 시사한다. 노인 갑상샘항진증 치료에서 방사성요오드는 부작용을 최소화하는 가장 좋은 치료 선택이다. 노인에서 갑상샘절제술도 안전하게 시행될 수 있다는 근거가 있다.

티록신 농도는 정상이고 갑상샘자극호르몬 농도는 낮은 불현성 갑상샘항진증은 65세 이상에서 8% 정도 발생한다. 불현성 갑상샘항진증은 심방세동, 관상동맥질환, 골절의 위험을 높인다고 알려져 있다. 그러나 일부 다른 연구에서는 그렇지 않다는 보고도 있고, 불현성 갑상샘항진증이 임상적 질환으로 진행되는 경우는 드물다.[15] 이러한 논란이 생기는 이유는, 노령에서 신체적, 정신적인 장애가 있을 경우 갑상샘자극호르몬이 생리적으로 억제될 수 있기 때문일 것으로 설명한다. 또한 급성 갑상샘염은 갑상샘자극호르몬을 억제시키는 원인이 될 수 있다. 고용량의 베타 차단제는 혈중 티록신 농도를 올리고 갑상샘자극호르몬 농도를 감소시킨다. 일반적으로 불현성 갑상샘항진증을 치료해야 하는지에 대해서는 아직 논란이 많다.

성장호르몬

성장호르몬은 뇌하수체의 소마토트로프에서 성장호르몬분비호르몬의 양성 조절과 소마토스타틴의 음성 조절에 의해 분비된다. 나이가 들면서 호르몬의 박동성 분출 당 생산되는 성장호르몬 양은 감소하게 된다.[16] 이는 부분적으로는 여성에서 폐경에 의한 에스트라디올의 감소와 남성에서는 테스토스테론의 감소 때문이다. 성장호르몬은 위의 기저부에서 생산되는 호르몬인 그렐린의 조절에 의해서도 분비된다. 성장호르몬 생산 감소는 간에서 인슐린유사성장인자-1의 감소를 유발한다(그림 23-2).

유전자 변형으로 만들어진 Ames dwarf 쥐는 정상 쥐보다 더 오래 사는데, 이는 성장호르몬이 수명을 감소시킴을 시사한다.[7] 알츠하이머 병을 갖는 고령 쥐 모델(SAMP8)에서 성장호르몬분비호르몬 길항제는 수명을 연장시키고, 기억력과 텔로메라제 활성을 증가시켰으며 산화 손상을 감소 시켰다.[17] 유사한 연구로 Paris 전향 연구에서는 성장호르몬이 정상 범위 내 상위 수준의 농도를 보이는 사람에서 심혈관 및 총 사망률이 상대적으로 높았다.[18]

노령에서 성장호르몬 투여 연구들을 보면 성장호르몬은 질소 저류, 체중 증가, 근육량 증가를 일으키는데, 근육의 강도를 증가시키지는 못했다.[7] 이는 성장호르몬이 단백질 합성을 증가시키지만 위성세포(satellite cell) 형성을 증가시키지는 못하였기 때문이다. 노인에서 성장호르몬은 관절통, 손목굴증후군, 연부조직 부종 및 인슐린 저항성을 야기한다.[19] 인슐린유사성장인자-1의 증가는 노령에서 유방, 전립선 및 대장의 암 발생과 연관된다.

성장호르몬에 의해 조절되는 인슐린유사성장인자-1을 이식유전자(transgene)로 주면 노화 근육에서 비후와 재생이 일어난다.[20] 하지만 인슐린유사성장인자-2 (mechano growth factor)는 성장호르몬의 영향을 받지 않고 근육에서 생산되며 위성세포 증식을 증가시키는데, 이 점이 성장호르몬만

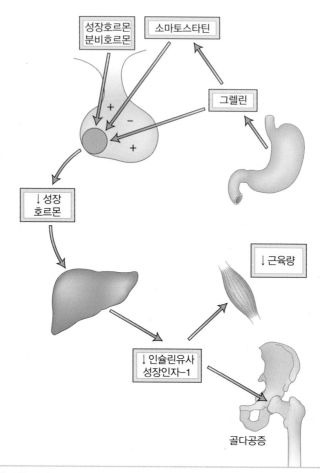

■ **그림 23-2. 노화에 따른 성장호르몬 변화**

단독으로 투여할 때에는 근육 강도 증가가 일어나지 못하는 것에 대한 한 가지 설명이 될 수 있다. 인슐린유사성장인자−1 수용체의 이상은 수명 연장과 관련이 있다.

그렐린은 음식 섭취를 증가시키고, 기억력을 증진하며, 성장호르몬을 증가시키는 호르몬이다.[21] 노인에서 그렐린 작용제를 투여한 연구들에서 그렐린이 기능(function)을 조금 향상시킬 수 있음을 제시하였다.[22]

디히드로에피안드로스테론

디히드로에피안드로스테론과 황산디히드로에피안드로스테론은 나이가 들면서 많이 감소한다. 이 호르몬 감소가 신체 능력의 감소와 관련이 있다는 연구 결과들이 몇 편 있다.[23] 그러나 DHEAge 연구 같은 잘 짜여진 연구에서는 디히드로에피안드로스테론은 노인 여성에서 오직 리비도 관련해서만 경미한 효과를 보여주고, 근육의 양과 강도에는 영향이 없었다.[24] 유사하게 쥐를 대상으로 한 연구에서 디히드로에피안드로스테론의 전구물질인 프레그네놀론과 디히드로에피안드로스테론 투여는 기억력 증가를 보였지만, 인간을 대상으로 한 연구에서는 같은 효과를 볼 수 없었다.[7] 더군다나 시장에서 판매되는 대부분의 디히드로에피안드로스테론 제제에는 디히드로에피안드로스테론 성분이 충분하지 않다. 결론적으로, 노인에서 디히드로에피안드로스테론의 보충 투여는 효과와 이익이 거의 없음이 밝혀졌다.

에스트로겐

여성에서는 평균 52세 근처에서 폐경이 온다. 폐경이 늦게 오는 여성은 좀 더 오래 사는 경향이 있다. 폐경기에 에스트로겐을 투여하면 고관절 골절이 감소하고 안면홍조, 야간 발한, 질 건조 및 성적 기능 등 삶의 질이 개선될 수 있다. KEEPS Kronas 연구의 잠정적 연구 결과에서는 WHI 연구에서[25] 쓰인 용량보다 낮은 용량의 에스트로겐을 48개월 투여하여 심혈관질환, 정맥 혈전색전증, 유방암, 자궁내막암 등의 증가 없이 이러한 개선 효과가 있음을 보였다.

WHI 연구는 50~79세 여성을 대상으로 위약군과 프레마린/프로게스테론 복합제 투여군을 비교한 연구인데(자궁절제술을 받은 여성에서는 프레마린 단독 투여), 부작용 이슈로 약 5.2년 만에 조기 종료되었다.[25] 전체적으로 복합제를 투약한 군에서는 관상동맥질환, 뇌졸중, 폐색전증, 정맥 혈전색전증, 유방암, 담낭질환, 요실금, 치매가 증가하였다. 반면 고관절을 포함한 모든 골절, 당뇨병, 대장암은 개선되었다. 그러나 에스트로겐 단독 투여 군에서 관상동맥질환의 증가는 없었으며, 색전증과 치매의 증가를 보였으나 통계적으로 의미는 없었다. 총 사망률은 양 군 모두 증가하지 않았다(표 23-2). 전반적으로 에스트로겐 단독 투여군이 복합제 투여군에 비해 통계적으로 유의한 부작용이 적었다.

현재 여러 연구 결과들을 종합하면, 조기 폐경이 있는 여성에서 갱년기 증상이 심할 경우 호르몬을 투여하는 것에 대해 동의하고 있다. 그러나 대체적으로 52세 이상에서 5년 이상 지속적으로 투여하지는 않도록 권고한다. 60세 이상 여성에서 호르몬 치료를 지지하는 증거는 없다.

테스토스테론

노령에서 테스토스테론은 매년 1%의 비율로 감소한다. 이 감소의 약 절반은 노화에 따른 신체 지방의 증가 때문이다. 성호르몬결합글로블린(SHBG)은 나이가 들면서 증가하고, 따라서 유리 테스토스테론이나 생체유용 테스토스테론(bioavailable testosterone; 유리 및 알부민 결합 형)은 감소하게 된다. 테스토스테론의 감소는 레이디그(Leydig) 세포의 기능 감소에 기인하며, 이는 사람융모생식샘자극호르몬에 대한 반응과 시상하부-뇌하수체 기능 감소에서 비롯된다(그림 23-3). 노화는 생식샘자극호르몬-분비호르몬(gonadotropin-releasing hormone, GnRH) 분비의 일중 변동 감소와 관련이 있다. 또한 노화에 따라 박동(pulsatility)과 펄스(pulse)의 강도도 감소한다. 따라서 황체호르몬

표 23-2. 에스트로겐(E)+프로게스테론(P)과 에스트로겐 단독의 투여 효과

결과	Positive Effects		No Effect		Negative Effects	
	E + P	E 단독	E + P	E 단독	E + P	E 단독
사망률	–	–	0.98	1.04	–	–
관상동맥질환	–	–	–	0.95	1.24	–
뇌졸중	–	–	–	–	1.31	1.37
폐색전증	–	–	–	1.37	2.13	–
정맥혈전증	–	–	–	1.32	2.06	–
유방암	–	–	–	0.80	1.24	–
대장암	0.56	–	–	1.08	–	–
자궁내막암	–	–	0.81	–	–	–
골반 골절	0.67	0.65	–	–	–	–
전체 골절	0.76	0.71	–	–	–	–
당뇨병	0.79	–	–	1.01	–	–
담낭질환	–	–	–	–	1.59	1.67
스트레스성 실금	–	–	–	–	1.87	2.15
치매	–	–	–	1.49	2.05	–

*숫자는 odds ratio를 나타냄

(LH) 펄스 강도의 감소가 일어난다. 그리고 세포 내 베타-카테닌 활성 감소를 보이는 안드로겐 수용체 기능 감소가 연관됨을 보인 연구 결과도 있다.[26]

테스토스테론과 근육량 및 강도, 노쇠(fraility), 적혈구용적율, 골밀도, 고관절골절, 성적 기능 및 인지능력 사이에는 분명한 관계가 있음이 많은 연구에서 밝혀졌다.[7,27,28] 생체유용 테스토스테론이 낮은 사람에서 가벼운 인지 장애가 있는 경우에는 알츠하이머 병으로 빠르게 진행한다.[29] 테스토스테론 투여는 하부 요로증후군(lower urinary tract syndrome, RUTS)을 개선시켰다.[30]

테스토스테론과 사망률간의 관계는 분명하지 않다. 대부분의 연구에서 낮은 테스토스테론이 사망률과 관계가 있다고 보여주나, 몇몇 연구에서는 이 관계를 증명하지 못하였다.[31] 낮은 테스토스테론 농도는 다양한 몇몇 질환들의 발생과 연관이 있다. 사망률과 테스토스테론과의 관련을 보여주는데 실패한 연구들은 대부분 매우 건강하거나 혹은 매우 병약한 사람들을 대상으로 진행되었다. 이는 사망률 증가를 보인 연구들에서 질병이 있는 대상자들의 테스토스테론 수치가 낮았기 때문이라는 것을 시사한다.

대조군 연구들(controlled studies)에서 테스토스테론 투여는 적혈구용적율, 근육량과 강도, 삶의 질, 골 밀도를 증가시킴을 보여준다.[7,32] 몇몇 연구들은 테스토스테론은 노쇠/허약함을 개선하고,

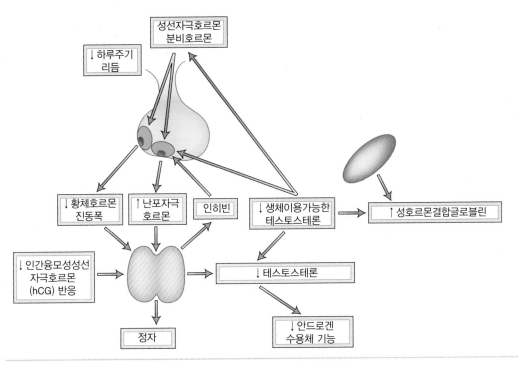

■ 그림 23-3. 노화에 다른 시상하부-뇌하수체-고환 축 변화

말기 심부전 노인에서 힘과 기능을 증진시킴을 보여주었다.[33,34] 근육 강도를 증가시키는데 필요한 테스토스테론 용량은 근육량을 증가시키는데 필요한 용량보다 더 많다.

테스토스테론의 부작용은 명확하지 않다. 두 개의 대단위 역학 연구에서 테스토스테론을 투여 받는 사람에서 심근경색이 증가한다고 보고되었으나, 이 두 연구에는 몇 가지 결함이 발견되었다.[35,36] 대조군 연구들을 메타분석한 결과에서는 심근경색의 증가가 발견되지 않았다.[37]

테스토스테론은 적혈구용적율을 증가시키기 때문에 적절한 추적 검사를 수행하지 않으면 적혈구 용적율이 55% 이상이 되어 혈전 형성 성향이 증가하게 된다. 또한 테스토스테론은 수분 저류를 유발하여 허약한 노인에서 부종과 심지어 심부전을 유발할 수 있음을 주지하여야 한다.

유사한 논란이 테스토스테론 치료와 전립선 암과의 관계에도 존재한다. 테스토스테론 치료가 전립선 암을 유발한다는 증거는 별로 없다. 그러나 기존에 전립선 암이 존재하는 경우에는 명백히 악화시킨다. 과거에 전립선 암 수술을 이미 받았거나 방사선 치료를 한 경우, PSA 수치가 낮은 경우에 테스토스테론 치료를 하는 것은 특별한 문제가 없는 것으로 받아들여지고 있다.[38]

테스토스테론 치료는 처음 3개월에는 수면무호흡을 악화시키는 것 같다. 그러나 6개월을 넘어서면 더 이상 문제를 일으키지 않는다.[39]

남성 성선기능저하증을 진단하려면 리비도 감소나 발기장애 같은 증상이 있어야 한다. Aging

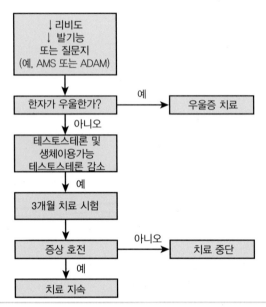

■ 그림 23-4. 노인 남성에서 성선기능저하증 진단 알고리즘

Male Survey 혹은 St. Louis University ADAM Questionnaires 같은 설문지가 사용되며,[40,41] 특히 우울증은 감별되어야 한다. 테스토스테론과 생체유용 테스토스테론을 측정하여야 하고, 둘 중 하나가 낮다면 약 3개월에 걸쳐 소량의 테스토스테론 투여를 시도해 볼 수 있다. 만약 증상 호전이 없으면 이 치료는 중단한다(그림 23-4).

다양한 테스토스테론 제재가 있으며, 경구약, 피부 패치, 젤, 구강 패치, 경비(코), 펠렛, 주사제 등이 사용된다. 일반적으로 주사제가 가장 저렴하며, 관리하기가 쉽다.

노인에서의 노쇠/허약과 장애를 치료할 수 있는 선택적안드로겐수용체분자(selective androgen receptor molecules, SARMs)가 몇 가지 있다. 난드롤론(nandrolone)은 근육 주사제로서 기능적으로 약간의 개선효과를 보인다. 유사하게 에노보삼(enobosarm)은 근육량과 강도 개선에 효과를 보이며, 현재 개발 단계에 있다.[42]

여성에서 테스토스테론은 30세 경부터 폐경까지 급격히 감소하며 이후에는 좀 더 완만히 감소한다.[43] 여성에서 테스토스테론은 리비도, 전반적인 행복감, 유방통, 두통, 골밀도와 근육량을 개선시킨다. 현재는 이러한 목적으로 여성에서의 테스토스테론 사용은 추천되지 않는다.

시상하부-뇌하수체-부신 축

시상하부에서 분비되는 코르티코트로핀분비호르몬(CRH)은 뇌하수체에서 부신피질자극호르몬(ACTH)을 분비하고, 이는 부신 피질에서 코르티솔과 미세하지만 알도스테론 분비를 조절한다.

일반적으로 시상하부-뇌하수체-부신 축은 연령이 증가하면서 좀더 활발해져 24시간 혈중 및 타액 코르티솔은 증가한다.[44] 이는 아침 코르티솔 증가의 주기가 앞당겨지며, 코르티솔 분비의 조각 (fragmentation of cortisol secretion)이 증가하는 것과 연관있다. 혈장 코르티솔 청소율은 감소한다. 코르티코트로핀분비호르몬에 대한 반응은 변하지 않으나, 덱사메타손에 의한 코르티솔 억제 반응은 젊은 사람에 비해 감소한다. 부신피질자극호르몬을 외부에서 주입했을 때 부신에서 코르티솔 생산은 감소한다. 혈중 코르티솔 농도의 증가는 지방조직에서 코르티코스테론이 코르티솔로의 전환이 증가하기 때문인 것으로 여겨진다.

나이가 들면서 코르티솔 증가는 신경 손상을 가속시켜 인지능력을 저하시키고, 골밀도를 감소시켜 고관절 골절의 위험을 증가시키는 등 해로운 결과들을 유발한다. 또한 과도한 코르티솔은 근육 감소와 노쇠 허약, 장애 등을 유발한다. 내장 비만과 인슐린 저항성으로 동맥경화가 유발되며, 면역 기능이 감소되어 감염의 위험이 증가하게 된다.[45,46]

알도스테론은 부신 토리층(zona glomerulosa)에서 생산된다. 나이가 들면서 부신피질자극호르몬에 대한 알도스테론 생산은 약간 감소한다.[47] 알도스테론의 주요 조절자는 레닌-안지오텐신-알도스테론 시스템이다. 나이가 들면서 레닌 생산은 감소하고, 안지오텐신 II에 의한 알도스테론 생산 반응도 감소한다.[48]

고알도스테론증은 노인의 약 10%에서 발생한다. 이는 대부분 양측성 부신과형성에 기인한다. 이들 중 일부에서는 KLNJ5유전자의 이상에 의한 다발성 미세선종이 관찰된다.[49] 저칼륨혈증과 고혈압이 있는 고령에서는 저레닌성 고알도스테론증을 의심해봐야 하고 스피로노락톤에 치료반응이 좋다.

마지막으로, 스트레스가 있거나 우울증이 있는 노인에서는 시상하부 코르티코트로핀분비호르몬의 증가가 식욕부진이나 체중 감소를 유발할 수 있음도 항상 고려해야 한다.

부신 수질 호르몬

나이가 들면서 교감신경(노르에피네프린) 활성(tone)은 증가한다.[50] 반면 부신수질에서 에피네프린 분비는 젊은 사람들에 비해 감소하게 된다.[51] 하지만 나이가 들면서 혈장 청소율도 역시 감소하기 때문에 그 감소폭은 그리 크지 않다. 결국, 나이가 들면 교감신경 수용체의 민감도가 감소하게 되어, 교감신경 수용체의 활성은 감소한다.[52] 노인에서 기립성 저혈압은 카테콜라민의 수용체나 수용체후 결함에 의해서 주로 발생한다.

아르기닌 바소프레신

1949년 Findley는 노인에서 신경뇌하수체-신장 축에 변화가 있음을 보고하였다.[53] 이는 Miller 등의 보고에 의해 확인되었는데,[54,55] 저나트륨혈증이 거동이 가능한 노인을 2년 동안 관찰한 결과 115명

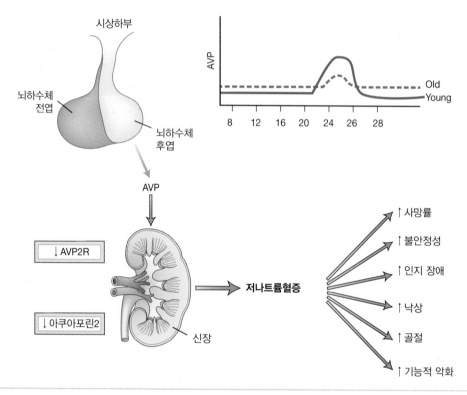

■ 그림 23-5. 노화에 따른 아르기닌 바소프레신(AVP) 및 그 효과 변화

에서, 1년 이상 요양원에 거주하는 노인에서는 53%에서 나타났다. 이 연구들에서 이들의 대부분이 SIADH (syndrome of inappropriate antidiuretic hormone secretion)와 유사한 증후군 형태를 보임을 제시하였다.

고령에서 저나트륨혈증은 입원 혹은 외래 기반의 사망률 증가와 연관된다.[56] 무증상 저나트륨혈증은 걸음걸이의 불안정, 낙상, 고관절골절의 증가와 연관되며, 주의력 결핍, 가벼운 섬망, 일상생활 기능의 감퇴 등도 관련된다.

노령에서 혈중 아르기닌 바소프레신은 낮 동안에 증가한다.[57] 하지만 이는 야간에 아르기닌 바소프레신 농도가 상승하는 것이 둔화됨으로써 상쇄된다. 이러한 야간 분비 둔화가 노인에서 야뇨증이 증가하는 이유 중의 하나가 된다. 나이가 들면서 낮에 혈중 아르기닌 바소프레신 농도가 증가함에도 불구하고 신장에서 아르기닌 바소프레신에 대한 반응은 감소한다. 동물 실험에서는 노령에서 아르기닌 바소프레신 V2 수용체가 감소함이 보고된 바 있다. V2 수용체는 아쿠아포린2 수분 채널에서 왕복 내왕을 조절하여, 신장 집합관에서 수분 재흡수를 유발하는 것에 관여한다. 그림 23-5는 노화에 따른 아르기닌 바소프레신과 그 효과의 변화를 요약한 것이다 .

멜라토닌

멜라토닌은 송과선에서 트립토판으로부터 만들어진다. 이는 상시각교차(suprachiasmatic) 핵에 의해 조절된다. 멜라토닌은 전 수명기간을 통하여 점차적으로 감소한다. 노인에서 밤에 멜라토닌 농도가 낮은 것은 수면−각성 리듬의 장애와 관련 있고,[58] 특히 알츠하이머 환자에서는 더욱 그러하다. 멜라토닌과 라멜테온(ramelteon, 멜라토닌 1 및 2 수용체 작용제)은 불면 증상을 일부 개선시킨다. 멜라토닌과 라멜테온이 섬망과 일몰 증후군에 도움이 될 수 있다는 증거는 계속 보고되고 있다.[59,60]

멜라토닌은 면역체계에도 영향을 미친다. 이는 특히 자연세포독성세포와 CD4 조력임파구 같은 면역 세포를 자극한다.[61] 멜라토닌은 항산화 효과가 있으며 성장호르몬과 혈중 인슐린유사성장인자−1을 증가시킨다.[62] 멜라토닌은 DNA 메칠화와 히스톤 생산 효과가 있으며, 이는 멜라토닌이 후성(epigenetic) 조절에 관여함을 시사한다. 낮은 농도의 멜라토닌 농도는 전립선암의 위험 증가와 연관이 있다.[63]

결론

나이가 들면서 다양한 호르몬 변화가 나타난다. 이들 대부분은 30세 전후에 시작되며, 점차적으로 감소하게 된다. 나이가 들면서 이런 호르몬들의 변화는 노화를 촉진하는지 혹은 혹시 노령에서 보호 역할을 하는 지 불분명하다. 향후 장기간에 걸쳐 생리적인 용량으로 호르몬을 보충하는 연구를 함으로써 소위 회춘 혹은 젊음의 분수라는 열망이 근거 없는 신화인지 일부 과학적인 유효성을 갖고 있는 지 확인하는 것이 필요하겠다.

KEY POINTS

요점

- 갑상샘저하증은 노인의 2~4%에서 나타난다.
- 노인에서는 티록신 청소율이 감소하기 때문에 젊은 사람들보다 L-티록신 보충이 적게 필요하다.
- 연구결과들은 노인에서 성장호르몬 보충 치료를 지지하지 않는다.
- 남자에서 테스토스테론은 매년 1%씩 감소한다.
- 노인에서 테스토스테론 보충 치료에 대해 아직 논란이 있지만, 허약하고 노쇠한 노인에서 힘을 증가시킨다.
- 고혈압이 있는 노인에서 저레닌성 고알도스테론증은 드물지 않다.
- 노인에서 SIADH는 흔하다.
- 테스토스테론, 성장호르몬, 디히드로에피안드로스테론 및 인슐린유사성장인자-1은 근감소증의 병태생리에 중요한 역할을 한다.

참고문헌의 총 목록을 보려면 www.expertconsult.com 을 방문해주세요.

중요 참고문헌

7. Morley JE: Scientific overview of hormone treatment used for rejuvenation. Fertil Steril 99:1807–1813, 2013.

9. Bensenor IM, Olmos RD, Lotufo PA: Hypothyroidism in the elderly: diagnosis and management. Clin Interv Aging 7:97–111, 2012.

10. Tabatabaie V, Surks MI: The aging thyroid. Curr Opin Endocrinol Diabetes Obes 20:455–459, 2013.

13. Gesing A, Lewinski A, Karbownik-Lewinska M: The thyroid gland and the process of aging; what is new? Thyroid Res 5:16–20, 2012.

19. Nass R: Growth hormone axis and aging. Endocrinol Metab Clin North Am 42:187–199, 2013.

22. Morley JE, von Haehling S, Anker SD: Are we closer to having drugs to treat muscle wasting disease? J Cachexia Sarcopenia Muscle 5:83–87, 2014.

32. Matsumoto AM: Testosterone administration in older men. Endocrinol Metab Clin North Am 42:271–286, 2013.

33. Morley JE: Sarcopenia in the elderly. Fam Pract 29(Suppl 1):i44–i48, 2012.

37. Corona G, Maseroli E, Rastrelli G, et al: Cardiovascular risk associated with testosterone-boosting medications: A systematic review and meta-analysis. Expert Opin Drug Saf 13:1327–1351, 2014.

38. Balbontin FG, Moreno SA, Bley E, et al: Long-acting testosterone injections for treatment of testosterone deficiency after brachytherapy for prostate cancer. BJU Int 114:125–130, 2014.

39. Wittert G: The relationship between sleep disorders and testosterone. Curr Opin Endocrinol Diabetes Obes 21:239–243, 2014.

40. Morley JE, Perry HM 3rd, Kevorkian RT, et al: Comparison of screening questionnaires for the diagnosis of hypyodonadism. Maturitas 53:424–429, 2006.

44. Veldhuis JD, Sharma A, Roelfsema F: Age-dependent and gender-dependent regulation of hypothalamic-adrenocorticotropic-adrenal axis. Endocrinol Metab Clin North Am 42:201–225, 2013.

55. Miller M, Morley JE, Rubenstein LZ: Hyponatremia in a nursing home population. J Am Geriatr Soc 43:1410–1413, 1995.

56. Cowen LE, Hodak SP, Verbalis JG: Age-associated abnormalities of water homeostasis. Endocrinol Metab Clin North Am 42:349–370, 2013.

57. Moon DG, Jin MH, Lee JG, et al: Antidiuretic hormone in elderly male patients with severe nocturia: a circadian study. BJU Int 94:571–575, 2004.

59. Tsuda A, Nishimura K, Naganawa E, et al: Ramelteon for the treatment of delirium in elderly patients: a consecutive case series study. Int J Psychiatry Med 47:97–104, 2014.

60. Lammers M, Ahmed AI: Melatonin for sundown syndrome and delirium in dementia: is it effective? J Am Geriatr Soc 61:1045–1046, 2013.

62. Jenwitheesuk A, Nopparat C, Mukda S, et al: Melatonin regulates aging and neurodegeneration through energy metabolism, epigenetics, autophagy and circadian rhythm pathways. Int J Mol Sci 15:16848–16884, 2014.

참고문헌

1. Morley JE: A brief history of geriatrics. J Gerontol A Biol Sci Med Sci 59:1132–1152, 2004.

2. Migeon CJ, Keller AR, Lawrence B, et al: Dehydroepiandrosterone and androsterone levels in human plasma: effect of age and sex; day-to-day and diurnal variations. J Clin Endocrinol Metab 17:1051–1062, 1957.

3. Wilson RA: Feminine forever, 1968, Pocket Books.

4. Wesson MB: The value of testosterone to men past middle age. J Am Geriatr Soc 12:1149–1153, 1964.

5. Vignalou J, Bouchon JP: Is there an andropause? Rev Prat 21:2065–2070, 1965.

6. Rudman D, Feller AG, Nagraj HS, et al: Effects of human growth hormone in men over 60 years old. N Engl J Med 323:1–6, 1990.

7. Morley JE: Scientific overview of hormone treatment used for rejuvenation. Fertil Steril 99:1807–1813, 2013.

8. Ito Y, Higashiyama T, Takamura Y, et al: Risk factors for recurrence to the lymph node in papillary thyroid carcinoma patients without preoperatively detectable lateral node metastasis: validity of prophylactive modified radical neck dissection. World J Surg 31:2085–2091, 2007.

9. Bensenor IM, Olmos RD, Lotufo PA: Hypothyroidism in the elderly: diagnosis and management. Clin Interv Aging 7:97–111, 2012.

10. Tabatabaie V, Surks MI: The aging thyroid. Curr Opin Endocrinol Diabetes Obes 20:455–459, 2013.

11. Rozing MP, Houwing-Duistermaat JJ, Slagboom PE, et al: Familial longevity is associated with decreased thyroid function. J Clin Endocrinol Metab 95:4979–4984, 2010.

12. Aztmon G, Barzilai N, Surks MI, et al: Genetic predisposition to elevated serum thyrotropin is associated with exceptional longevity. J Clin Endocrinol Metab 94:4768–4775, 2009.

13. Gesing A, Lewinski A, Karbownik-Lewinska M: The thyroid gland and the process of aging; what is new? Thyroid Res 5:16–20, 2012.

14. Weissel M: Disturbances of thyroid function in the elderly. Wien Klin Wochenschr 118:16–20, 2006.

15. Rosario PW: Natural history of subclinical hyperthyroidism in elderly patients with TSH between 0.1 and 0.4 mIU/l: a prospective study. Clin Endocrinol (Oxf) 72:685–688, 2010.

16. Veldhuis JD, Bowers CY: Human GH pulsatility: An ensemble property regulated by age and gender. J Endocrinol Invest 26:799–813, 2003.

17. Banks WA, Morley JE, Farr SA, et al: Effects of a growth hormone-releasing hormone antagonist on telomerase activity, oxida-

tive stress, longevity, and aging in mice. Proc Natl Acad Sci U S A 107:22272 – 22277, 2010.

18. Maison P, Balkau B, Simon D, et al: Growth hormone as a risk for premature mortality in healthy subjects: data from the Paris prospective study. BMJ 316:1132 – 1133, 1998.

19. Nass R: Growth hormone axis and aging. Endocrinol Metab Clin North Am 42:187 – 199, 2013.

20. Musarò A, McCullagh KJ, Naya FJ, et al: IGF-1 induces skeletal myocyte hypertrophy through calcineurin in association with GATA-2 and NF-ATc1. Nature 400:581 – 585, 1999.

21. Diano S, Farr SA, Benoit SC, et al: Ghrelin controls hippocampal spine synapse density and memory performance. Nat Neurosci 9:381 – 388, 2006.

22. Morley JE, von Haehling S, Anker SD: Are we closer to having drugs to treat muscle wasting disease? J Cachexia Sarcopenia Muscle 5:83 – 87, 2014.

23. Haren MT, Malmstrom TK, Banks WA, et al: Lower serum DHEAS levels are associated with a higher degree of physical disability and depressive symptoms in middle-aged to older African American women. Maturitas 57:347 – 360, 2007.

24. Baulieu EE, Thomas G, Legrain S, et al: Dehydroepiandrosterone (DHEA), DHEA sulfate, and aging: contribution of the DHEAge Study to a sociobiomedical issue. Proc Natl Acad Sci U S A 97:4279 – 4284, 2000.

25. Prentice RL, Anderson GL: The Women's Health Initiative: lessons learned. Annu Rev Public Health 29:131 – 150, 2008.

26. Velduis JD, Keenan DM, Liu PY, et al: The aging male hypothalamic-pituitary-gonadal axis: pulsatility and feedback. Mol Cell Endocrinol 299:14 – 22, 2009.

27. Bassil N, Morley JE: Late-life onset hypogonadism: a review. Clin Geriatr Med 26:197 – 222, 2010.

28. Baumgartner RN, Waters DL, Gallagher D, et al: Predictors of skeletal muscle mass in elderly men and women. Mech Ageing Dev 107:123 – 136, 1999.

29. Chu LW, Tam S, Wong RL, et al: Bioavailable testosterone predicts a lower risk of Alzheimer's disease in older men. J Alzheimers Dis 21:1335 – 1345, 2010.

30. Yassin DJ, El Douaihy Y, Yassin AA, et al: Lower urinary tract symptoms improve with testosterone replacement therapy in men with late-onset hypogonadism: 5-year prospective, observational and longitudinal registry study. World J Urol 32:1049 – 1054, 2014.

31. Cummings-Vaughn LA, Malmstrom TK, Morley JE, et al: Testosterone is not associated with mortality in older African-American males. Aging Male 14:132 – 140, 2011.

32. Matsumoto AM: Testosterone administration in older men. Endocrinol Metab Clin North Am 42:271 – 286, 2013.

33. Morley JE: Sarcopenia in the elderly. Fam Pract 29(Suppl 1):i44 – i48, 2012.

34. Voltterrani M, Rosano G, Iellamo F: Testosterone and heart failure. Endocrine 42:272 – 277, 2012.

35. Vigen R, O'Donnell CI, Barón AE, et al: Association of testosterone therapy with mortality, myocardial infarction, and stroke in men with low testosterone levels. JAMA 310:1829 – 1836, 2013.

36. Finkle WD, Greenland S, Ridgeway GK, et al: Increased risk of non-fatal myocardial infarction following testosterone therapy prescription in men. PLoS ONE 9:e85805, 2014.

37. Corona G, Maseroli E, Rastrelli G, et al: Cardiovascular risk associated with testosterone-boosting medications: a systematic review and meta-analysis. Expert Opin Drug Saf 13:1327 – 1351, 2014.

38. Balbontin FG, Moreno SA, Bley E, et al: Long-acting testosterone injections for treatment of testosterone deficiency after brachytherapy for prostate cancer. BJU Int 114:125 – 130, 2014.

39. Wittert G: The relationship between sleep disorders and testosterone. Curr Opin Endocrinol Diabetes Obes 21:239 – 243, 2014.

40. Morley JE, Perry HM 3rd, Kevorkian RT, et al: Comparison of screening questionnaires for the diagnosis of hypyodonadism. Maturitas 53:424 – 429, 2006.

41. Heinemann LA: Aging Males' Symptoms scale: a standardized instrument for the practice. J Endocrinol Invest 28(11 Suppl Proceedings):34 – 38, 2005.

42. Dalton JT, Barnette KG, Bohl CE, et al: The selective androgen receptor modulator GTx-024 (enobosarm) improves lean body

mass and physical function in healthy elderly men and postmenopausal women: results of a double-blind, placebo-controlled phase II trial. J Cachexia Sarcopenia Muscle 2:153-161, 2011.

43. Morley JE, Perry HM, 3rd.: Androgens and women at the menopause and beyond. J Gerontol A Biol Sci Med Sci 58:M409-M416, 2003.

44. Veldhuis JD, Sharma A, Roelfsema F: Age-dependent and gender-dependent regulation of hypothalamic-adrenocorticotropic-adrenal axis. Endocrinol Metab Clin North Am 42:201-225, 2013.

45. Sapolsky RM, Krey LC, McEwen BS: Prolonged glucocorticoid exposure reduces hippocampal neuron number: implications for aging. J Neurosci 5:1222-1227, 1985.

46. Varadhan R, Walston J, Cappola AR, et al: Higher levels and blunted diurnal variation of cortisol in frail older women. J Gerontol A Biol Sci Med Sci 63:190-195, 2008.

47. Giordano R, Di Vito L, Lanfranco F, et al: Elderly subjects show severe impairment of dehydroepiandrosterone sulphate and reduced sensitivity of cortisol and aldosterone response to the simulatory effect of ACTH (1-24). Clin Endocrinol (Oxf) 55:259-265, 2001.

48. Weidmann P, De Myttenaere-Burztein S, Maxwell MH, et al: Effect of aging on plasma renin and aldosterone in normal man. Kidney Int 8:325-333, 1975.

49. Azizan EA, Poulsen H, Tuluc P, et al: Somatic mutations in ATP1A1 and CACNAID underlie a common subtype of adrenal hypertension. Nat Genet 345:1055-1060, 2013.

50. Veith RC, Featherstone JA, Linares OA, et al: Age differences in plasma norepinephrine kinetics in humans. J Gerontol 41:319-324, 1986.

51. Esler M, Hastings J, Lambert G, et al: The influence of aging on the human sympathetic nervous system and brain norepineph-rine turnover. Am J Physiol Regul Integr Comp Physiol 282:R909-R916, 2002.

52. Scarpace PJ, Tumer N, Mader SL: Beta-adrenergic function in aging. Basic mechanisms and clinical implications. Drugs Aging 1:116-129, 1991.

53. Findley T: Role of the neurohypophysis in the pathogenesis of hypertension and some allied disorders associated with aging. Am J Med 7:70-84, 1949.

54. Miller M, Hecker MS, Friedlander DA, et al: Apparent idiopathic hyponatremia in an ambulatory geriatric population. J Am Geriatr Soc 44:404-408, 1996.

55. Miller M, Morley JE, Rubenstein LZ: Hyponatremia in a nursing home population. J Am Geriatr Soc 43:1410-1413, 1995.

56. Cowen LE, Hodak SP, Verbalis JG: Age-associated abnormalities of water homeostasis. Endocrinol Metab Clin North Am 42:349-370, 2013.

57. Moon DG, Jin MH, Lee JG, et al: Antidiuretic hormone in elderly male patients with severe nocturia: a circadian study. BJU Int 94:571-575, 2004.

58. Pandi-Perumal SR, Zisapel N, Srinivasan V, et al: Melatonin and sleep in aging population. Exp Gerontol 40:911-925, 2005.

59. Tsuda A, Nishimura K, Naganawa E, et al: Ramelteon for the treatment of delirium in elderly patients: a consecutive case series study. Int J Psychiatry Med 47:97-104, 2014.

60. Lammers M, Ahmed AI: Melatonin for sundown syndrome and delirium in dementia: is it effective? J Am Geriatr Soc 61:1045-1046, 2013.

61. Cardinali DP, Esquifino AI, Srinivasan V, et al: Melatonin and the immune system in aging. Neuroimmunomodulation 15:272-278, 2008.

62. Jenwitheesuk A, Nopparat C, Mukda S, et al: Melatonin regulates aging and neurodegeneration through energy metabolism, epigenetics, autophagy and circadian rhythm pathways. Int J Mol Sci 15:16848-16884, 2014.

63. Sigurdardottir LG, Markt SC, Rider JR, et al: Urinary melatonin levels, sleep disruption, and risk of prostate cancer in elderly men. Eur Urol 67:191-194, 2015.

CHAPTER **24**

노화와 혈액
Aging and the Blood

Michael A. McDevitt

개요

정상적인 혈액 세포의 발달과 기능에 있어서 나타나는 노화와 관련된 변화는 많이 연구되어 있지는 않지만 주목해야 할 만큼 분명하다. 1961년에 Hayflick과 Moorhead는 일반 체세포가 한정된 수의 세포분열을 가지고 있다는 개념을 확립한 실험을 보고했다.[1] 이러한 제한된 수의 세포분열이 완료된 후에는, 휴식세포기 또는 노화기에 비가역적으로 들어간다.

그러나 이러한 유사분열후 세포들(postmitotic cells)은 즉시 죽지는 않는다. 그들은 정상적인 기능을 하면서 수 년 동안 생존하지만 생화학적 변화들이 결국 자신을 비롯한 인접한 세포에 영향을 미치게 된다. 세포노화이론은 노화 과정의 기초가 되는 기전을 이해하기 위한 세포 모델로서 오랫동안 이용되어 왔으며, 이것은 노화와 관련된 혈액세포의 변화에 있어서 특히 중요할 수 있다. 광범위한 연구결과에 따르면 DNA 손상이 노화에 따라 축적되며, 이는 활성산소종(reactive oxygen species, ROS)의 생산 증가와 노화에 따른 DNA 복구 능력의 감소로 인한 것일 수 있다. DNA 손상을 증가시키는 유전자의 돌연변이나 비정상적인 발현은 종종 조기노화(premature aging)를 초래한다. 이와는 대조적으로 산화스트레스에 대한 내성을 강화하고 DNA 손상을 감소시키는 중재는 장수에 기여한다.

이 장에서는 이러한 연구들이 노화, 특히 중재에 의해 변화될 수 있는 노화의 기전에 대한 정보를 제공하는 데 도움이 될 것이라는 희망으로 노화 혈액세포를 특징지을 수 있는 연구결과들을 업데이트하고자 한다. 몇 가지 혈액학적 조건에서 확인된 최근에 발견된 유전적 및 후성학적 변화의 노화 과정과의 중복과 잠재적인 중요성이 언급될 것이다. 마지막으로 혈액세포의 면역노화 영역의 중요한 요점들이 논의될 것이다. 혈액, 골수, 림프계 조직이 인체실험적 연구를 위한 조직 중에서 가장 쉽게 접근할 수 있는 조직 중 하나라는 점에서, 이 분야의 발전은 노화의 정상 또는 병리적 생리학에 대한 우리의 일반적인 이해에 대한 통찰력을 지속적으로 제공한다. 노화와 관련된 혈구 감소증들, 골수형성이상 및 골수증식질환, 만성림프구백혈병, 그리고 기타 다른 클론성 림프구질환들이 조직 노화, 분자 변화, 생리학적 효과의 교차점을 연구하기 위한 이상적인 모델 시스템으로 점점 더 인식되고 있다.

혈액세포의 발생 장소: 골수와 기질

건강한 개인은 정상적인 조건 하에서 매일 수십억 개의 적혈구와 백혈구를 생산한다. 감염, 출혈 또는 다른 스트레스 상태에서는 복잡한 생리학적 기전에 반응하여 혈구들의 생산이 증가된다. 조혈 과정은 줄기세포구획을 유지하면서 성숙한 혈액세포를 생산하는 전구세포의 저장소 역할을 하는 제한된 숫자의 조혈모세포(hematopoietic stem cells, HSCs)로 시작한다.[2] 조혈 부위는 포유류 발생 과정 중에 변하게 된다.[3] 인간에서 처음 6주에서 8주의 배아기에는 난황낭(yolk sac)이 조혈 부위이고 그 후로는 태아의 간에서 만들어진다. 발생 과정이 진행함에 따라 그 후로는 골수가 주요한 조혈 부위이지만, 골수증식종양(myeloproliferative neoplasms, MPN)이나 지중해빈혈증(thalassemia)과 같은 병적인 상태에서는 골수 외에 비장이나 간, 기타 다른 부위에서 골수외조혈(extramedullary hematopoiesis)이 일어날 수 있다. 명쾌한 설치류 연구는 이러한 다양한 조직을 통한 조혈모세포의 이동을 추적했고, 배아에서 가장 초기의 조혈 부위로 대동맥-생식선-중간콩팥(aorta-gonad-mesonephros, AGM) 부위가 확인되었다.[4]

골수는 복잡하고 특수한 환경이다. 골수는 출생 시에는 완전히 조혈 활성 조직이지만 가령에 따라 점차 조혈 비활성화된 지방조직으로 대체된다. 각기 다른 연령의 개인들에서 임상적인 골수 조직샘플의 세포충실도를 평가해 보았을 때 평균적으로 매년 약 1% 정도가 전환된다.[5] 골수는 다양한 세포 혼합물로서 적어도 섬유모세포, 대식세포, 비만세포, 그물세포, 내피세포, 유골세포, 지방세포를 포함한다. 고식적인 조직학적 및 면역조직학적 분석에서 뼈잔기둥의 가장자리와 적혈구계 섬 주위의 초기 과립백혈구세포, 거대핵세포 및 섬유주간 공간에 위치한 일부 림프계 결절의 국지화를 포함하여 골수 내에서 발생 중인 세포의 일반적으로 정돈된 배열을 확인했다. 특별한 세포-적합한 환경(niche) 관계의 예로는 혈액 내로 혈소판 유리를 촉진하기 위해 배수 세정맥 근처에 거대핵세포의 국지화[6]와 중앙 대식세포와 주변에서 발생 중인 적혈구계 세포군집들의 근접배치가 있다.[7,8] 노화와 관련된 조직학적 소견으로는 골수 괴사 및 섬유화, 골실질의 소실, 골수 내 철 저장량의 증가, 지방조직의 확대, 양성 림프구계 응집의 축적 등을 포함한다.[9] 개별적인 시토카인들, 세포 구성 및 지지성 기질 기능에 대한 분석에서 노화가 진행함에 따라 감소됨을 확인할 수 있지만, 그 기전은 잘 밝혀지지 않았다.

최근의 연구에서는 적합한 환경(niche)이라고 불리우는 골수 미세환경의 특수화된 구성요소를 확인했다. 이러한 3차원적인 기능적 조절단위는 뼈, 혈관, 그리고 분화된 조혈세포 사이에서 특수한 해부학적 관련성을 가지고 있다. 조혈모세포의 적합한 환경은 조혈모세포의 숫자와 운명을 지배하는 해부학적으로 국한된 조절 환경으로서 기능한다.[10-13] 적합한 환경(niche)과 세포 간의 관계는 혈관내피세포 및 혈관주위세포와 교감신경분포와 파골세포를 포함한다. 일부 공간적으로 그리고 기능적으로 분명한 골수 미세환경과 적합한 환경이 제안되고 있다.[14,15] 내골 조혈모세포의 적합한 환경에는 주요한 지지 세포 유형으로 조골세포들이 포함되어 있다. 혈관의 적합한 환경에는 골수 및 비장의 골모양혈관내피와 관련된 조혈모세포가 있다.[16,17] 이러한 환경은 국소적인 시토카인 생산의 장소로 이용된다. 조혈모세포 기능에 관련된 요소들로는 조혈모세포의 생성, 항분화 및 확장에 관여하는 노치 리간드 델타 및 자그드(Notch Ligands Delta and Jagged)가 있다.[18,19] Wnt 신호 전달체계는 조혈모세포 생성과 확장 및 정지 상태의 조혈모세포의 유지 관리에 관여한다.[20,21] 뼈형 태형성단백질(bone morphogenic proteins, BMPs)과 전환성장인자−β (transforming growth factor−β, TGF−β)는 조혈모세포 활성을 조절하며,[22] 뼈형태형성단백질은 내골의 적합한 환경(endosteal niche)의 크기를 조절하는 것으로 보인다.[23] 다른 많은 수용성 인자들 또한 연구 중에 있다.[24,25]

이러한 적합한 환경의 구성요소들 및 관계들 중 많은 것들이 최근에서야 밝혀지고 있어서 노화와 관련된 골수의 기능적 변화에서의 그들의 중요한 역할은 아직 연구되지 않았다. 그러나 정상적인 항정상태(steady−state)의 조혈과정의 중요성에 기초하여 질병의 병인에 대한 적합한 환경이 연구되었다. 오랫동안 소위 자유줄기세포(wandering stem cells)[26]로 이어지는 비정상적인 골수섬유화 장애로 알려진 인간의 골수증식성 종양인 원발성 골수섬유증(primary myelofibrosis, PMF)은 줄기세포의 적합한 환경에 대한 조절완화와 비정상적인 기질의 클론장애로 제시되어왔다.[27] 골수섬유증은 특발성혈소판증가증(essential thrombocytosis, ET)과 진성적혈구증가증(polycythemia vera, PV)을 포함하는 전형적인 골수증식성 종양(myeloproliferative neoplasms, MPNs) 중의 하나이다. 이것들과 많은 다른 골수성 및 림프성 악성종양들은 노인들에서 빈도가 증가해 왔다. 적합한 환경의 교란은 또한 레티노산 감마 수용체 미세 환경 유전자제거 설치류에서 발생하는 골수증식질환에서도 관찰된다.[28] Lyer 등[29]은 SHIP1 (Src Homology 2−domain−containing inositol 5′−phosphatase 1)이 결핍된 중간엽줄기세포를 포함하는 적합한 환경에서 노화될 때 유의하게 확장되고 노인에서 MPN의 발생에 대한 중요한 통찰을 제공한다는 것을 발견하였다.

골수 미세환경과 적합한 환경의 이상은 노인들이 흔히 볼 수 있는, 다른 조혈악성종양들에도 점점 더 관련되고 있다.[30] 예를 들어, 골수이형성증후군(myelodysplastic syndrome, MDS)은 비효율적인 조혈, 진행성 골수부전, 세포유전학적 및 분자이상, 급성골수성백혈병으로 진행되는 위험을 특징으로 하는 다양한 종류의 클론성 조혈악성종양이다. 유도된 급성골수성백혈병(AML)의 레트로바이러스 모델을 이용하여 Lane 등[31]은 정상 조혈모세포에 적용되는 Wnt 신호전달체계의 제한과는 물리적으로 구별되고 독립적인 백혈병 줄기세포(leukemia stem cell, LSC)의 적합한 환경을 확인하였다. 골수 이식의 드문 합병증인 공여자세포백혈병(donor cell leukemia, DCL)은 공여자 조혈모세포에 외부적인 백혈병 영향을 미칠 수 있는 원발성악성종양, 활성화학요법과 방사선조건화 과정, 또는 이식관련 면역조절치료에 의해 유발된 염증으로 인한 적합한 환경의 손상과 관련되어 있다.[32]

　요약하면, 조혈과 관련하여 적합한 환경과 기질이 기여한다는 점의 발견은 정상적인 생리학 및 노화의 연구에 있어서 중요한 새로운 영역을 나타낸다. 골수는 조혈의 일차적인 장소의 역할을 할 뿐만 아니라 비조혈성 상처치유나 재생에 필요한 세포의 조직 공급원으로도 확인되었다. 잠재적인 골수유래 조직기여자의 예로는 중간엽줄기세포(mesenchymal stem cells, MSCs)[33-35]와 섬유세포(fibrocyte)[36]를 들 수 있다. 중간엽줄기세포는 다능성 줄기세포(multipotent stem cell)이다. 처음에는 골수에서 발견되어 골수간질세포로 명명되었지만 이후로 많은 다른 해부학적 위치에서 확인되고 있다. 중간엽줄기세포는 골수, 지방조직, 탯줄 및 기타 조직으로부터 분리될 수 있지만 중간엽줄기세포의 가장 풍부한 조직 공급원은 지방이다.[35] 그들은 플라스틱에 붙어있기 때문에 시험관 내에서 잘 배양될 수 있다. 중간엽줄기세포는 뚜렷한 형태를 가지며 특정한 일련의 세포표면분자들을 발현한다. 적절한 조건 하에서 중간엽줄기세포는 증식하여 다른 세포 유형으로 분화할 수 있어서 전신의 염증성 또는 자가면역질환의 치료를 위한 조직 공급원이자 부상이나 외상 후의 손상된 조직의 대체물로 연구 중이다. 심장,[37] 각막[38] 및 간[39]은 골수유래 재생조직이식의 잠재적인 표적기관으로 연구되는 많은 조직들 중의 하나이다.

조혈모세포

조혈의 줄기세포모델은 조혈모세포 구획의 고갈을 막기 위해 자가재생산 능력을 가진 전능성(totipotent) 조혈모세포로 시작한다. 비대칭적인 증식과 분화는 매일 많은 수의 계통제한 조혈세포를 생산하고, 치명적으로 조사된 숙주에서 조혈을 복원할 수 있는 능력을 보인다.[2] 자가재생산 조혈모세포와 분화에 관여하는 세포의 초기 발달 단계에 대한 내재적 및 외적 제어는 잘 알려져 있지 않지만, 이것들은 포유류의 세포 발달과 분화의 기본적인 기전을 정의하는 훌륭한 일반적인 모델 시스템을 나타낸다. 조혈을 재건하기 위한 전달된 조혈모세포의 능력은 골수이식을 위한 임상적 기초를 제공한다. 줄기세포이식(stem cell transplantation, SCT)에 대한 가장 초기의 설명은 공여자 조혈을 재구성함으로써 수여자를 치료하는 방식으로 치명적인 방사선 조사를 받은 생쥐에 설치류 골수를 이식하는 연구에 근거한 것이다.[40] 놀랍게도 조혈모세포가 골수에 머무르고 적합한 환경을 식별하고 상호 작용할 수 있기 때문에 정맥 주사가 가능하다. 조혈모세포의 생물학 및 생리학은 대단히 복잡하며 조혈모세포의 특징과 발달 기원에 대한 설명, 세포 공급원의 열거, 세포의 운명 결정에 대한 조절, 골수 이식에 대한 임상적 결과를 포함하는 많은 리뷰의 대상이 되어 왔다.[2,3,41] 노화 조혈모세포에 대한 자세한 연구는 노화 과정에 대한 독특한 고찰을 제공한다.

텔로미어(telomere)와 텔로메라아제(telomerase)는 조혈모세포의 기능장애를 포함하여 노화 관련 골수부전의 중요한 구성요소로써 구체적으로 연구되어 왔다. 짧은 텔로미어는 특발폐섬유증(idiopathic pulmonary fibrosis), 잠복간경화(cryptogenic liver cirrhosis), 골수부전을 포함하여 퇴행성질환의 원인과 연관되어 있다.[42] 핵심복합체(core complex)에 대한 자연 돌연변이는 희귀한 골수부전증후군의 일종인 선천성이상각화증(dyskeratosis congenita, DC)에서 처음 발견되었다.[43] 선천성이상각화증, 골수부전 및 특발폐섬유증 환자에서는 이 유전자들의 이형접합 돌연변이가 보고되었다.[42] 텔로메라아제 기능장애와 관련된 텔로메라아제 RNA (TERC) 또는 텔로메라아제 역전사효소 성분(telomerase reverse transcriptase component, TERT) 기관의 돌연변이가 산발성 및 가족성 골수이형성증후군와 AML에서 확인되었다.[44] TERT와 TERC에서 돌연변이의 범위는 이러한 질병에 있어서 다양하며 적어도 부분적으로는 골수부전을 비롯하여 관찰되는 임상적인 차이들을 설명하는 것으로 보인다. 텔로미어 단축을 가속화하고 세포 교체율을 증가시키는 환경적인 모순과 유전적 변형은 텔로메라아제 반수부족(telomerase haploinsufficiency)의 효과를 과장하여 발병 연령과 조직-특이적 기관 병리의 다양성에 기여할 수 있다.

생쥐 모델에서의 텔로미어 기능장애는 폐포 줄기세포부전과 관련되어 있다.[45] 2008년에 Warren과 Rossi는 노화로 인한 텔로미어 단축에 기초한 조혈모세포 풀의 점진적인 고갈에 대한 직접적인 증거가 부족함을 리뷰하였다.[46] 생쥐에서 시행한 연쇄적인 골수이식 실험들은 조혈모세포의 복제 잠재력이 유한하지만 복제 노화가 생쥐나 인간의 정상적인 수명 동안에 줄기세포 풀을 고갈시키는 증거가 거의 없다는 점을 시사한다. 생쥐의 나이가 증가함에 따라 조혈모세포 숫자가 현저하게 증가함을 제시하는 증거가 있다.[47] 조혈모세포 풀의 확장은 세포자율 특성으로서, 젊은 수여자에게 이식하는 데 있어서 노인 공여자로부터 얻은 조혈모세포가 젊은 대조군보다 더 큰 능력을 나타낸다.[48] 가령에 따라 조혈모세포의 수는 증가하지만, 귀소성과 가동화 특성의 변화[49,50]와 경쟁적인 재증식 능력의 감소 등 기능적 결함이 있다.[47] 놀랍게도, 나이가 증가함에 따라 림프구형성(lymphopoiesis)에서부터 골수혈구형성(myelopoiesis)에 이르는 계통 잠재력의 왜곡이 관찰된다.[41] 늙은 생쥐에서 림프계 전구세포는 감소되어 있고, 골수계 전구세포는 증가되어 유지된다. 이러한 조혈모세포 세포자율적인 이식가능한 특징은 노화와 관련된 면역세포 노화와 가령에 따른 골수성 혈액종양의 증가를 설명할 수 있다.

가령에 따라 변화된 림프구와 골수혈액세포 비율의 재현성 있는 소견은 집중적인 분자학적 연구의 초점이 되어왔다. 장기간의 이식 검정에서 단일 조혈모세포를 분석하고 순계교배된 생쥐의 다른 혈통에서 조혈모세포 행태의 유전적인 차이는 많은 조혈모세포 행태가 유전적 또는 후생유전학적 기전을 통하여 본질적으로 고정되어 있음을 보여주었다.[41,51] 조혈모세포 간의 후생적으로 고정된 이질성의 뚜렷한 예가 골수세포 편향된 조혈모세포에서 발견된다. 이러한 조혈모세포는 전형적인 수준의 골수세포를 만들지만 너무 적은 림프구를 생산한다. 감소된 림프계 자손은 인터루킨-1 (IL-7)에 대한 반응에 장애를 보인다.[52] Chambers 등은 젊은 생쥐와 나이 든 생쥐에서 얻은 고도로 정제된 조혈모세포를 사용하여 기능적 결손 뿐만 아니라 나이가 증가함에 따라 줄기세포 수가 증가함을 확인하였다.[53] 유전자발현분석에 의하면 14,000개 이상의 유전자 중에서 노화에 의해 유도된 약 1,500개의 유전자와 노화에 의해 억제된 약 1,600개의 유전자가 확인되었다. 스트레스 반응, 염증 및 단백질 응집과 관련된 유전자는 상향조절된 프로파일을 보이는 반면에 염색질 리모델링 및 유전체 무결성의 보존과 관련된 유전자는 하향조절되었다. 많은 염색체 영역은 전사 조절의 좌표 손실과 나이에 따른 전사 활성의 전반적인 증가를 보여 주었고, 후성 기전에 의해 정상적으로 조절되는 유전자의 부적절한 발현이 관찰되었다. 많은 염색체 영역에서 가령에 따라 전사조절의 조정 상실과 전사활동도의 전반적인 증가를 보여주었으며, 후생적 기전에 의해 정상적으로 조절되는 유전자의 부적절한 발현이 관찰되었다.

　Sun 등은 최근에 앞서 설명한 관찰들을 추가보고하였다. 그들은 전사체(transcriptome), 히스톤 변화 및 DNA 메틸화의 전체적인 변화에 대한 조직화된 분석을 통해 젊은 설치류의 조혈모세포와 늙은 설치류의 조혈모세포의 유전적인 특성을 비교하여 고도로 정제된 조혈모세포 집단에 대한 집중적인 분석을 시행했다.[54] 그들의 연구팀은 노화와 연관된 히스톤 변형의 누적에 있어서 노화와 관련된 변화들과 RNA 발현, 코딩 및 비코딩 간의 유의한 관련성을 보고했다. 경로분석(pathway analysis)은 궁극적으로 TGF-β 신호전달 감소와 관련된 유전자 발현의 노화 관련 변화의 높은 비율 뿐만 아니라 리보솜 단백질을 코딩하는 유전자의 상향조절을 보여주었다. Sun 등[54]에 의한 연구에 따르면 통제 해제된 후생유전자 상태가 줄기세포의 기능성에서 노화 관련 변화를 일으키는 원동력 중의 하나라는 새로운 증거를 강력하게 지지되고 있다. 노화된 조혈모세포의 자가 재생과 골수성에 편향된 분화의 증가와 관련된 유전자 발현에서의 관련된 변화들과 DNA 메틸화 및 히스톤 변형에 있어서의 변화를 연결하기 위한 추가적인 연구가 필요하다.

　후생유전학적 변형은 약리학적으로 표적화가 가능하다. 후생유전학적 염색질변경 약물(chromatin-modifying agents)은 골수재증식 활성도를 보존하고자 하는 목적으로 시토카인을 이용한 정상적인 조혈모세포 배양에 응용되어 왔다.[55] 조혈모세포 자가재생산에 관여하는 여러 유전자들과 그 생성물의 활성화가 골수재증식 활성도를 상실하고 시토카인에만 단독으로 노출된 세포와 비교하여 관찰되었다. 조혈모세포를 확대하려는 이전의 시도는 조혈모세포의 분화와 줄기세포의 고갈 또는 기껏해야 비대칭 세포분열과 동일한 수의 조혈모세포의 유지 정도의 결과를 보였다. 이러한 관찰은 염색질변경 약물이 줄기세포 기능의 보존과 함께 조혈모세포의 대칭적인 분열과 잠재적인 치료 이식편의 확대를 가능하도록 해줄 수 있음을 시사한다. 유용한 정보를 주는 클론표지자와 호중구 반응을 가진 환자의 분자분석에서는 정상적인 비클론성 조혈의 회복이 골수이형성증후군이나 AML의 치료에 사용되는 후생유전학적 약제인 5-aza-2′-deoxycytidine (decitabine, DAC)의

중요한 구성요소일 수 있음을 제시했다.[56]

조혈모세포의 연령과 관련된 생물학적 차이와 악성조혈질환에 대한 자세한 연구들이 어떻게 혈액의 노화에 대한 이해를 제공하는지에 대한 추가적인 지지가 젊은 줄기세포 공여자 또는 나이 든 줄기세포 공여자를 이용한 줄기세포이식의 임상 결과를 비교한 최근의 연구들에 의해 입증되었다. Kroger 등[57]은 동종이형 줄기세포이식을 시행받는 노인 골수이형성증후군 환자에게 젊은 사람백혈구항원(human leukocyte antigen, HLA)-일치된 비혈연간 공여자(matched unrelated donor, MUD)가 HLA-동일 형제 공여자(일치된 혈연간 공여자, matched related donor, MRD)보다 선호해야 하는지 여부를 연구했다. 보다 젊은 MUD로부터의 이식이 MRD나 나이 많은 MUD로부터의 이식보다 5년 전체 생존률이 유의하게 개선되었다. 다변량분석에서도 젊은 MUD로부터의 이식이 MRD와 비교해서 생존률을 개선시키는 유의한 인자로 증명되었다. 이것들은 확증적인 결과는 아니지만 조혈모세포의 연령과 관련된 기능을 이해하는 데 도움이 되는 임상적인 쟁점들 중 하나임을 보여준다.[57]

줄기세포 치료와 재생의학을 위한 조혈모세포의 대체 공급원으로는 배아줄기세포(embryonic stem cell, ESC)와 유도만능줄기세포(induced pluripotent stem cell, iPSC) 기술의 사용을 통하여 모색되어 왔다.[58,59] 이러한 전략들은 아직 완전한 기능을 가진 세포를 만들어내지는 못했다. 최근에는 PSC와 다양한 체세포를 재프로그램하기 위해 전사인자(transcription factor, TF)의 과발현을 연구하고 있다.[60] 단지 네 개의 전사인자[61]를 통한 만능성(pluripotency)의 유도는 세포 운명을 바꾸기 위한 접근법의 이론적 근거를 제공하고, 다중 계통 분화능을 가진 세포를 만들기 위해 최종 단계의 분화세포를 이용할 수 있는 가능성을 보여준다.

전구세포구획

조혈모세포에서 유래한 계통제한 전구세포는 갯수의 증폭과 독립된 계통작동세포로의 분화가 가능하도록 해준다. 궁극적으로 10가지 이상의 다른 성숙세포 유형이 이러한 전구세포들을 통하여 조혈모세포로부터 유래되었다. 한 경로 내에서 잠재적인 증식세포분열의 횟수에서 차이를 보이는 초기 및 후기 전구세포들이 있다. 초기 모델은 혈액세포 계통의 전체 세트[62]를 만들기 위해서 공통골수전구세포(common myeloid progenitors, CMPs)와 공통림프전구세포(common lymphoid progenitors, CLPs)로 단순히 분지되어 추가적으로 두 개로 나누어져 하향분리되는 경로를 통하여 원시 조혈모세포에서 후기 조혈모세포로의 선형 발달을 제안하였다. 이러한 제안은 양성 및 음성 피드백 루프와 함께 전사조절기전과 밀접하게 관련되어 있다.[3,63-67] 단일세포 분리와 분자생물학적 연구의 지속적인 기술 발전이 우리의 지식을 향상시키고 알려진 모델들도 도전에 직면하게 한다.[68] Paul 등은 골수전구세포가 확실한 혈액계통으로 분화하기 위하여 매우 초기에 결정이 된다는 것을 발견했다.[69] 이전의 믿음과는 달리,[67] 소수의 전구세포가 서로 다른 운명을 조절하는 다수의 전사인자들을 발현한다. Perié 등[70]과 Notta 등[71]에 의한 연구들은 성인 인간의 대부분의 골수전구세포들이 단일 계통으로 할당된다는 결과를 일관되게 보여준다. 흥미롭게도, 대부분의 골수혈액세포 생산은 계통제한세포에 의한 일시적인 클론의 계승에 의해 유도되는 것처럼 보이는데, 전구세포 풀이 공통골수전구세포의 상류 계통에 할당된다.[72] 이러한 연구 결과들은 정상적인 조혈 및 백혈병 발생에 대한 우리의 이해에 중요한 의미를 갖는다.[68]

전구세포의 확인과 연구는 모든 경우는 아니지만 많은 조혈 계통에서 중요한 기본적인 조절경로인 세포자멸사(apoptosis)를 예방하는 데 필요한 성장인자의 발견을 포함하여 체외세포배양시스템의 개발을 통해 크게 촉진되었다. 전사인자는 세포 표현형과 분화의 고유한 결정인자이다. 특히 유익한 것은 조혈 계통의 조절 역할을 확인하는 데 있어 전사인자 유전자제거 생쥐(knockout mice)와 형질전환 생쥐(transgenic mice)에 대한 연구이다.[3,63] 일련의 관찰에서 전사조절인자의 변화가 어떻게 혈액세포 발달에 있어서 연령과 관련된 변화와 연결될 수 있는지를 보여 주었다. Quéré 등은 조혈모세포에서 transcription intermediary factor 1γ (Tif1γ)를 제거한 어린 생쥐가 가속화된 노화의 표현형을 보인다는 결과를 관찰했다.[73] 이를 뒷받침하면서, 그들은 야생형 생쥐의 노화 동안 조혈모세포에서 Tif1γ가 하향조절되고, Tif1γ가 TGF-β 신호전달을 조절한다는 것을 발견했다. 그들의 결과는 조혈모세포 노화에 대한 의미와 함께 림프유래 및 골수유래 조혈모세포 사이의 균형을 조절한 데 있어서 전사조절인자(Tif1γ)와 하류신호전달(TGF-β) 사이의 연결고리를 제공한다. 다른 전사 인자에 대한 노화 시점에서의 전사인자 유전자제거 또는 유전자억제 동물을 이용한 분석은 가능성 있는 표현형을 발견하는 데 있어서 중요한 단계이다.[74,75]

조혈의 조절에 대한 전사조절기전의 중요성과 노화가 체세포 DNA 돌연변이의 가속화된 축적의 결과[76]라는 가설에 기초하여, 조혈에서 노화 관련 결손에 대한 설명으로서 핵심 조절전사인자에서의 돌연변이의 축적이 제안되고 있는데, 이 가설은 전사 불안정성(transcriptional instability)이라고 불리운다. 그러나 비록 선충류인 Caenorhabditis elegans의 분석이 세 가지 GATA 전사인자인 ELT-3, ELT-5 및 ELT-6의 변화와 벌레의 전반적인 노화 사이의 관련성을 밝혀냈지만,[78] 초기 연구들은 이러한 유전적인 가설을 뒷받침하지 못했다.[77]

최근 두 가지의 첨단 엑솜 시퀀싱(exome sequencing) 연구는 인간의 조혈 계통에서의 체세포 돌연변이에 대한 연령의존적인 클론 확대(clonal expansion)가 미래의 조혈악성종양과 다른 질병들의 위험도 증가와 관련되어 있음을 확인했다. Jaiswal 등[79]과 Genovese 등[80]은 임상적으로 명확한 혈액학적 병리가 없었던 각각 17,182명과 12,380명의 혈액 샘플에 대해 전장 엑솜 시퀀싱(whole-exome sequencing)을 시행하였다. 체내에서 획득한 드라이버돌연변이(driver mutation)가 확인되었다. 두 그룹에서 모두 가장 흔한 돌연변이는 염색질 관련 유전자인 DNA methyltransferase 3A (DNMT3A), TET methylcytosine dioxygenase 2 (TET2, DNA 탈메틸화에 관여), 억압 염색질을 유지하는 Poly-comb group gene ASXL1에서 발견되었다. 놀랍게도 돌연변이의 빈도는 연령이 증가함에 따라 증가하였고, 이들 유전자들의 돌연변이는 50세 미만의 사람들의 약 1%에서 확인되었지만 65세 이상의 사람들에서는 약 10% 정도 발견된다. 돌연변이가 있는 사람들에서는 나중에 혈액 악성종양이 발생할 위험이 10배 정도 더 높았다. 체세포변이는 또한 악성종양 외의 부작용과 사망의 위험도를 증가시켰는데, 예를 들어, Jaiswal 등은 알려지지 않은 기전을 통하여 관상동맥질환과 뇌졸중의 위험도가 증가함을 보고하였다.[79]

추가적인 연구를 통하여 건강한 사람에서 발견된 돌연변이세포도 추가적인 돌연변이 유발(mutagenesis)을 통하여 악성종양으로 진행할 수 있는 진성 전암세포가 될 수 있다는 것이 밝혀졌다. 그러나 특정 개인에서 돌연변이가 존재한다는 것은 예측력이 제한적일 뿐이다. 혈액학적 악성종양으로의 전환은 돌연변이 상태와 상관없이 드물다(돌연변이 보인자인 경우에도 단지 연간 1% 미만에서만 악성종양으로 진행되었다). 이러한 결과는 클론성 조혈을 가진 정상 노인에서의 반복적인 체세포 TET2 돌연변이의 초기 관찰[81]과 노인에서 획득된 클론 모자이시즘(clonal mosaicism)을 발견한 Laurie 등[82]과 Jacobs 등[83]에 의한 결과와 일치한다. Wahlestedt 등은 조혈모세포 노화가 일련의 기능적 실험에서 유전자 돌연변이의 획득에 의해 유도된다는 가설을 검증하였다.[84] 그들의 연구결과는 이전의 광범위한 연대기 및 증식 연령에도 불구하고 iPS 유래 조혈모세포와 내인성 배반포 유래 조혈모세포가 현저하게 유사한 기능적인 특성을 나타냈고, 이것은 영구적인 유전자 변이가 아니라 근본적이지만 가역적인 후생유전학적 구성요소가 조혈모세포 노화의 특징이라고 할 수 있는 모델에 부합한다.

요약하면, 전사 또는 다른 경로의 돌연변이와 후생유전학적 염색질 변화는 혈액세포의 생산과 기능에 있어서 연령 관련 변화의 중요한 기전들을 나타낸다. MicroRNAs (mRNAs, FOXO3에서 처럼 유전자 발현을 조절하는 짧은 비암호화 염기서열)는 조혈세포의 운명을 결정하는 중요한 대체 경로 전사후 조절인자이다.[85] 몇 가지는 연령과 관련된 혈액세포 변화, 예를 들어 mRNA-212/132 클러스터와 관련되어 있다.[86] 이러한 mRNA는 조혈모세포에 풍부하고 노화 과정에서 상향조절된다. 이러한 클러스터(Mirc19)에서 mRNA의 과발현이나 결손은 모두 연령에 따른 부적절한 조혈을 유발한다. miR-132는 알려진 노화관련 유전자인 전사인자 FOXO3를 표적으로 하여 노화된 조혈모세포에 영향을 나타낼 수 있다. Sun 등[54]에 의해 시행된 대규모 다단계 분석의 적용은 혈액세포의 생산과 기능에 있어서 연령 관련 변화의 조절과 관련된 중요한 경로와 분자 표적의 적절한 정의를 위하여 필요하다.

순환혈액세포

조혈모세포 및 후속의 전구세포에서 파생된 순환혈액세포는 조혈의 Metcalf 분류에서 조혈세포의 세 번째 분류에 해당한다.[87] 순환혈액의 세포 구성성분에는 과립구(granulocytes), 단핵구(monocytes), 호산구(eosinophils), 호염기구(basophils), 적혈구(erythroid cells) 및 림프구(lymphocytes)가 포함된다. 중대한 생리적인 세포효과기로서 이러한 세포들의 숫자나 기능에 있어서 연령에 따른 변화가 노인에서 발생하는 취약성(fragility)과 관련되는 것으로 제시되어 왔다.

과립구

호중구, 호산구 및 호염기구를 포함한 과립구는 박테리아, 곰팡이 및 원충감염에 대한 선천면역반응(innate immune response)의 구성요소이다. 선천면역반응의 가장 중요한 세포 구성요소 중의 하나인 다형핵 호중구(polymorphonuclear neutrophils, PMN)는 염증 부위로 동원되는 첫 번째 세포들이다. 그들은 수명이 짧고 세포자멸사(apoptosis)로 죽는다. 그러나, 그들의 수명과 기능적인 활성은 과립구큰포식세포집락자극인자(granulocyte-macrophage colony-stimulating factor, GM-CSF)를 포함하는 다수의 전염증성 시토카인에 의해 체외에서 연장될 수 있다. PMN의 기능과 세포자멸사로부터의 구조(rescue)는 노화에 따라 감소하는 경향이 있다는 것이 밝혀졌다. 노화가 진행함에 따라 과산화물 음이온(superoxide anion)의 생성과 화학주성(chemotaxis)과 같은 인간 호중구의 다른 수용체유도 기능의 변화가 또한 있다. 중성구 수용체 매개 신호전달에서 분자적 결함의 관찰[88-90]은 고령 환자의 패혈증 관련 사망의 높은 빈도를 부분적으로 설명할 수 있는, 노화에 따른 선천면역의 후천성 장애를 설명하며, 노쇠(frailty)에도 영향을 줄 수 있다. 약리학적 용량에서 조혈성장인자[과립구집락자극인자(granulocyte colony-stimulating factor, G-CSF)나 GM-CSF]가 암을 동반한 노인 환자들의 임상적인 결과를 개선하는지 여부를 조사한 임상 연구는 일부에서만 성공을 보였으나 유의한 경제적, 질병 및 치료-특이적 효과를 보였다.[91,92]

최근의 연구에서는 환경과 미생물군(microbiota)이 중성구 기능에 유의한 영향을 미칠 수 있으며, 혈액세포 노화의 중요한 기전을 이해하려고 하는 연구에 추가적인 지표를 제공할 수 있다고 제시하였다. 호중구는 일반적으로 비교적 균질한 집단으로 간주되지만, 이질성(heterogeneity)에 대한 증거들도 나타나고 있다. 노화된 호중구는 IL-17/G-CSF 축을 통한 호중구 생산의 피드백 억제와 조혈모세포가 거주하는 적합한 환경의 리듬 조절을 통해 골수에서의 제거를 허용하는 수용체인 CXCR4를 상향조절한다.[93] 호중구 노화는 Toll-like receptor와 myeloid differentiation factor 88-매개 신호 전달경로를 통해 미생물에 의해 유발된다. 미생물군의 고갈은 순환하는 노화된 호중구의 수를 유의하게 감소시키고 생쥐모델에서 병원성 및 염증 관련 장기손상을 획기적으로 개선시킨다. 또 다른 선천면역 기전은 노인의 호중구 뿐만 아니라[94] 염증 반응의 다른 구성요소와의 교차대화 상호작용도 장애를 보인다고 밝혀졌고, 이는 연령 관련 질환들과 관련된다.[95] 다음은 악성종양 감시에서의 호중구 노화의 중요한 역할에 대한 고찰이다.

호산구, 호염기구 및 비만세포

호산구는 숙주 방어, 알레르기 반응, 다른 염증 반응, 조직 손상 및 섬유증에서 기능을 한다. 호산구 기능의 연령과 관련된 변화는 Mathur 등에 의해 확인되었다.[96] 호염기구는 인간의 과립구 중에서 가장 적으며 즉시과민반응(immediate hypersensitivity reactions), 두드러기, 천식 및 알레르기비염과 관련이 있다. 호염기구와 비만세포는 면역글로불린 E (IgE)에 대한 고친화성 수용체를 통한 즉시과민반응의 효과기(effector)이다. 천식과 같은 염증성 질환의 병태생리에서 비정상적인 말초혈액 호산구와 골수유래 비만세포 효과기 기능의 역할이 밝혀지고 있다.[97] 노인 환자에서 천식의 중증도에 영향을 미칠 수 있는 특정한 선천적 변화에는 기도 호중구, 호산구 및 비만세포의 숫자와 기능의 변화와 점액섬모청소(mucociliary clearance)의 장애가 있다. 연령과 관련된 항원전달(antigen presentation)의 변화와 특정 항체반응의 감소는 호흡기 감염의 위험을 증가시킬 수 있다. Nguyen 등[98]은 연령에 따른 비만세포탈과립(mast cell degranulation)의 재프로그래밍을 확인했고, Sparrow 등은 노인 남성에서 호염기구와 관련된 염증성 기도 기전을 밝혀냈으며, 이는 노인 환자에서 천식 염증 반응에 관련될 수 있다.[99]

비만세포와 호염기구는 또한 병원체와 독물에 대한 선천면역에 기여한다.[100] 비만세포는 면역중재 및 항균 기능을 포함하여 많은 생리학적 및 병리학적 과정에 참여할 수 있는 다양한 분자들을 유리할 수 있는 것으로 보인다.[101-103] 비만 세포는 Pu.1 및 비만세포 조절인자인 Mitf와 c-fos를 포함하는 발달전사프로그램을 통해 전구세포로부터 유래된다.[104,105]

단핵구와 대식세포

단핵구와 대식세포는 발생 과정에서 호중구와 밀접하게 관련되어 있으며, 복잡한 분자기전을 통하여 전구세포로부터 생성된다.[106,107] 단핵구는 호중구와 공유되고 말초혈액으로 유리되는 공통 골수전구세포로부터 골수에서 기원하며, 말초혈액 내에서 며칠 동안 순환하다가 조직으로 들어가서 조직의 대식세포군을 보충하게 된다. 혈액 내의 단핵구는 파골세포와 가지세포(dendritic cell, DC)와 같은 신체에서 다양한 조직거주대식세포(tissue-resident macrophages)와 분화된 세포를 만들게 된다.[108,109] 혈액 내 단핵구는 병적 상태가 아닌 경우에 인간 말초혈액 백혈구의 5~10% 정도를 차지한다. 노화세포의 제거, 염증 후 조직의 리모델링과 치유, 항원전달 및 염증성 시토카인의 생산을 통한 기타 면역기능을 통하여 조직의 항상성을 유지하는 데 있어서 단핵구, 대식세포, 가지세포 및 파골 세포의 많은 기능적인 역할들이 단지 부분적으로 이해되고 있다.[110,111] 일부 종양들은 면역회피기전(immune escape mechanism)의 방편으로 침윤단핵구를 동원하기도 한다.[112,113] 이전에 설명한 호중구 신호전달경로의 연령관련 면역반응의 변화와 유사하게, Toll-like receptor를 비롯한 단핵구-대식세포 신호전달이 변화되는 것으로 보고되고 있다.[114]

단핵구와 대식세포는 조절 시토카인 생산의 주요한 공급원이 될 뿐만 아니라, 특히 대사적으로 활성화되어 있다. 지질 대사에 있어서의 차이는 연령과 관련된 질병의 발생 및 수명과 관련되어 있다. 염증은 대사조절장애와 노화 사이의 공통연결고리이다. 포화지방산은 단핵구를 포함한 많은 세포들로부터 전염증성 신호전달을 개시한다.

Pararasa 등[115]은 염증성 표현형과 관련하여 개별 지방산에서의 연령 관련 변화를 연구했다. 혈장 포화지방산, 고도불포화지방산 및 단불포화지방산은 연령이 증가함에 따라 증가하는 것으로 나타났다. 혈액 내 종양괴사인자-α (tumor necrosis factor-α, TNF-α)와 IL-6 농도는 연령에 따라 증가하는 반면에 IL-10과 전환성장인자-β1 (transforming growth factor-β1, TGF-β1) 농도는 감소하였다. 혈장 산화 글루타티온 농도는 더 높았고, 세라미드-의존 과산화소체 증식체 활성화 수용체 γ (peroxisome proliferator-activated receptor γ, PPARγ) 경로가 연구되었다. 이러한 연구결과는 단핵구와 대식세포가 어떻게 연령과 관련된 전염증성 및 대사 재프로그래밍의 중심이 될 수 있는지의 예를 제공한다.

대식세포는 조직 노화에도 관여할 수 있는 CD47 – signal regulatory protein α (SIRPα)[116]를 비롯하여 계속해서 밝혀져야 하는 신호전달경로를 통한 노화 적혈구의 정상적인 생리학적 제거에 있어서 중심적인 역할을 한다. 예를 들어, 세포자멸사한 세포를 효율적으로 탐식하는 것은 조직의 항상성을 유지에 있어서 매우 중요하다. 포식세포(phagocytes)가 세포자멸사한 세포의 표면에서 발현되는 소위 나를 먹어라는 신호(eat me signals)를 인지하면, 이것은 이후에 탐식을 위한 포식세포 골격의 재배열을 유도한다.[117] "나를 먹지 말아라" 또는 "나를 먹어라"라는 신호로서 CD47와 기타 분자 상호작용의 역할은 또한 종양회피기전일 수 있으며 임상시험에서 치료 표적으로 연구되고 있다.[118,119]

적혈구

적혈구는 주요 산소 운반체인 헤모글로빈을 운반하여 조직 가스 교환을 촉진한다. 성별, 연령에 따라 변화하는 호르몬들, 저산소증 및 기타 요인들이 포유류의 적혈구 수에 영향을 미친다. 노인들에서는 적혈구 수의 연령 관련 변화가 드물지 않다. 모든 성인 범위에서의 빈혈은 병원에서 가장 흔히 진단되는 질병 중의 하나이다.[120] 연구된 중요한 기전은 IL-6[121]와 같은 염증성 시토카인의 과발현을 포함하며, IL-6는 기능을 방해하고 적혈구생성인자(erythropoietin)의 생산을 억제하는 다수의 기전을 통하여 조혈에 부정적으로 영향을 미칠 수 있다는 것이다.[122] 생쥐모델은 또한 조혈의 억제제로서 염증성 시토카인의 역할을 지지한다.[123,124]

Artz 등은 Baltimore Longitudinal Study of Aging 연구에 참여한 대조군과 University of Chicago anemia referral clinic에서 노인에서의 설명되지 않은 빈혈(unexplained anemia in the elderly, UAE)을 동반한 노인 환자들로부터 얻은 혈청 또는 혈장 샘플 분석을 통해 UAE가 염증과 관련된 빈혈(anemia of inflammation)의 특징을 공유한다는 가설을 검증했다.[125] 이 분석은 빈혈의 알려진 원인이 없는 작지만 잘 특성화된 노인 코호트가 염증과 관련된 빈혈의 특징을 가진다는 것을 증명하였다. 염증기전을 뒷받침하는 증거로 Leiden Plus 85 연구에서는 빈혈이 없는 참가자에 비하여 염증과 관련된 빈혈, 신장질환과 관련된 빈혈, 원인을 설명할 수 없는 빈혈이 있는 참가자에게서 hepcidin 수치가 유의하게 높다는 것을 보여주었다.[126] Hepcidin은 철 항상성의 중요한 조절인자이고 염증과 관련된 빈혈과 인과 관계가 있다고 제시되어 왔다.[127] UAE의 원인을 밝히고, 진단 검사를 찾고, 효과적인 치료법을 개발하는 것은 여전히 충족되지 않은 의학적 요구로 남아있다.[120]

림프구 발생

골수형성과 마찬가지로, 림프구 발생은 내재적 및 외인성 조절기전을 가지고 있으며, 특정한 환경적 상호 작용과 유전자 조절 네트워크가 필요하다.[128-131] 이러한 발생 단계의 이해는 정상 또는 비정상 면역과 림프형성(lymphogenesis)을 이해하는 데 매우 중요하다. 말초 면역체계는 골수에서 기원하는 줄기세포에서 발생한다. B세포와 T세포를 포함한 림프계 전구세포는 골수로부터 분화된 말초 부위, 즉 흉선, 비장, Peyer patches, Waldeyer ring 및 림프절 등으로 이동하여 추가적으로 성숙(maturation), 분화(differentiation) 및 자가(self-) 및 비자가 훈련(nonself-training)을 받는다. 위험신호 또는 외부 침입자가 확인되면 선천면역세포(자연세포독성세포[natural killer, NK cell])는 침입자나 감염과 싸우고 숙주환경(염증)을 바꾸기 위한 추가적인 면역세포들을 소집하기 위하여 감염된 세포를 파괴하고 시토카인과 케모카인을 유리함으로서 대응한다. 이러한 선천면역반응은 흔히 작동세포인 B림파구와 T림파구의 소집을 동반한 적응(항원특이성) 면역반응이 뒤따른다. 침입하는 병원체를 효과적으로 제거한 후에, 과도한 면역반응으로 인한 손상을 방지하기 위해 숙주면역반응은 휴지 상태로 복구되어야 한다. 조절 T세포(regulatory T cells, Tregs)라고 불리는 분화된 일련의 T세포들이 이러한 과정에 참여하는데, 다음 장에서 서술된다.[132]

노화와 혈액세포

T세포

T세포는 흉선에 분화되어 CD8+ 세포독성 T세포를 통한 적응세포면역(adaptive cellular immunity)을 제공하고 도움 기능을 통해 B세포-매개 체액면역에서 중요한 역할을 한다. T세포는 연령과 관련된 변화에 매우 민감한 것으로 밝혀지고 있다. 많은 요인들이 노화 또는 가령에 의해 유발되는 흉선위축으로 인한 T세포 기능의 감소와 관련되어 있으며, 미접촉 T세포(naïve T cells)의 생산 감소가 중요한 요인으로 관여되어 왔다.[133] 나이가 들면서 골수 간질의 조성이 변화되고 조혈 전구세포가 양육되지 않아서 노화에 따른 T세포 생산이 감소하게 된다. 시토카인 프로파일은 가령에 따라 변화될 수 있다. 예를 들어, 도움T세포(T helper cells, Th cells, 즉, Th1 vs. Th2 시토카인 발현 균형)의 변화를 들 수 있다. 필수 T-계통 생존 시토카인인 IL-7의 분비는 노화된 골수에서는 감소한다.[134]

골수에서 추출한 초창기 T세포의 정확한 본질과 정체성은 논란의 여지가 있으며, 이는 나이에 따른 정량화가 복잡하다. T세포로 분화하게 되는 초기 T-계통 전구세포(early T-lineage progenitors, ETPs)는 골수에서 생성된다. 가슴샘세포 전구세포는 흉선으로 들어가서 표면 표지자 발현의 변화, T세포 수용체의 재배치, 양성 또는 음성 세포 선택과 함께 분화와 교육과정을 시작한다. T세포 성숙과 교육의 전반적인 과정은 흉선 기질에서 시토카인, 호르몬, 상피세포, 대식세포, 가지세포 및 섬유모세포에 의해 조절된다. 흉선에서의 상피세포-조혈세포 상호작용에 대한 이해의 증가는 Notch 경로수용체(Notch pathway receptors)와 T세포 발생에 필요한 리간드(ligands)의 식별을 포함한다.[135] 개인의 나이가 들어감에 따라 흉선이 퇴화되고 T세포의 생산이 현저하게 감소한다.[136,137] 70세가 되면 흉선상피공간이 전체 조직의 10% 이하로 감소한다. 새롭게 생산된(미접촉) recent thymic emigrants (RTEs)를 모니터링하는 새로운 기법은 노화에 따른 흉선림프구증식(thymopoiesis)의 감소를 평가하는 강력한 분자생물학적 도구를 제공한다.[138] CD4+-CD8+ recent thymic emigrant의 숫자는 연령에 따라 감소하고 RTE 성숙과 활성화는 노화된 생쥐에서 차선책이다. 이러한 관찰과 또 다른 관찰들[139]은 노인에서 기능성 흉선상피공간의 치료적 재생이 잠재적으로 연령 관련 T세포 결핍의 일부를 되돌릴 수 있다는 약속을 제공했다. 이것은 여전히 매우 활발한 연구 분야로 남아있다.[140-143]

나이가 들어감에 따라 미접촉 T세포의 감소는 말초에서 기억T세포(memory T cells)의 증가를 동반한다. 체액성 면역에 대한 T세포 기여의 장애는 IL-2 생산, 종자중심(germinal center) 결합, 활성화 감소, 분화 및 시토카인 생산을 포함하여 무수히 많다.[144-146] 설치류모델 또는 인간에서 인플루엔자 반응이 분석될 때 손상된 CD8+ 세포독성 효과기 T세포 기능도 감소한다.[147] 이 연구와 다른 연구들[148-150]은 노화와 관련된 질병 관련 면역체계 노화 효과를 설명할 수 있는 일부 기전들을 제공해 준다. 연구들은 Tregs에 초점을 맞추었는데, CD4+/CD25+/Foxp3+ 조절T세포는 과도한 면역반응과 손상을 예방하기 위해 숙주면역반응을 조절하는 데 핵심적인 역할을 담당한다.[132,151,152] 질병과 노화에서 이러한 세포들의 정량화 및 기능적인 평가가 활발히 연구 중에 있다.[153-155]

B세포

B림프구의 발생은 특정 세포표면 항원의 조합을 발현하는 세포들에서 면역글로불린 유전자 재배열의 상태를 특징으로 하는 특정 단계의 태아 간 및 골수에서 시작한다.[129] B림프구의 생산은 성인기에 꾸준히 감소하기 시작하여 노인에서는 심각하게 저하된다.[156-158] 그러나 림프구아형과 항정상태수준에는 차이가 있을 수 있다.[159]

노화된 생쥐와 노인에서 B-계통 세포의 생산 감소와 더불어, 엘라스틴유사펩티드(elastin-like-peptide, ELP), 콜라겐유사펩티드(collagen-like peptide, CLP), pre-/pro-B 세포 및 pro-B 세포를 포함한 모든 B세포 전구세포의 숫자는 노화된 골수에서 감소한다.[160] B세포 생산의 감소는 매우 늦은 생쥐에만 국한되지 않는다.[161] 젊거나 늙은 조혈모세포의 유전자 프로파일링[41]은 조혈계에서의 연령 관련 장애가 림프계통와 골수계통 사이에 차이가 있는 것으로 나타났다. 림프구–특이적 유전자 세트의 발현은 노화된 조혈모세포에서 유의하게 감소하는 반면에, 골수계 발생을 유도하는 유전자들은 상향조절되었다. B세포의 발생과 노화의 여러 단계에서 수많은 생화학적 및 분화의 결함이 확인되었다.[156,160,162] 세포배양과 설치류의 이식 연구는 B세포 연령 관련 노화에 대한 추가적인 기질의 기여에 대한 증거를 제시했다.[163,164]

형질세포증식질환인 의미불명의 단세포군감마글로불린병증(Monoclonal gammopathy of undetermined significance, MGUS)와 다발골수종(multiple myeloma, MM)은 골수에서 형질전환된 클론 B세포의 축적과 단일클론성면역글로불린(monoclonal immunoglobulin)의 생산을 특징으로 한다. 그들은 일반적으로 고령의 인구에서 주로 이환되고 진단의 중간 연령이 약 70세이다.[165] 이 두 가지 질환 모두, MM의 수반된 치료뿐만 아니라, 기저 질환의 면역억제 효과로 인하여 감염의 위험이 증가한다. 감염에 대응하는 예방접종에 대한 반응이 감소되어 있다.[166] 또한 MGUS와 MM에서 약화된 면역반응을 혼동시키는 것은 정상적인 노화에 의한 기여인데, 이는 감염과 예방접종에 대한 반응에 영향을 미치는 체액면역을 양적으로나 질적으로 약화시킨다는 점이다. 만성 림프구성 백혈병(chronic lymphocytic leukemia, CLL)에 비교하여 단세포 B세포 림프구증가증(monoclonal B cell lymphocytosis, MBL), 골수이형성증후군에 비교하여 최근에 보고된 clonal hematopoiesis of indeterminate potential (CHIP)처럼,[167-170] MGUS와 MM 사이의 관계는 아직 완전히 이해되지 않았다. MGUS와 MM은 다양한 질병 진행 속도를 보이며 유전적 및 후생유전학적 토대가 집중적으로 연구되고 있다.[171,172]

면역노화와 악성종양

Hanahan과 Weinberg는 종양질환의 복잡성을 합리화하기 위한 구성 원리로서 인간 종양의 다단계 개발 과정 동안에 획득한 여섯 가지의 생물학적 능력을 요약했다.[173] 여기에는 증식 신호전달의 유지, 성장 억제인자들의 회피, 세포사에 대한 저항, 복제 불멸의 권능부여, 혈관신생의 유도, 침입 및 전이의 활성화가 해당된다. 종양으로 진행되는 돌연변이된 세포가 어떻게 만성적인 염증을 일으키는 미세환경에서 번성하여 면역인식을 피하고 면역반응을 억제하는 방법을 배우는 것인지 점점 더 분명해지고 있다. 악성종양의 이러한 세 가지 면역 특징은 현재의 발암모델들에서 매우 중요하며 치료표적을 제시해 주는 것으로 여겨진다.[174-177]

치료적인 항종양면역을 활성화하는 가장 유망한 접근법 중에는 면역관문(immune checkpoints)의 차단이 있다. 지금은 종양이 면역내성(immune resistance)의 주요한 기전, 특히 종양 항원에 특이적인 T세포에 대항하여 특정 자연조절 면역관문 경로를 끌어들이는 것이 확실하다.[177] 많은 면역관문들이 리간드−수용체 상호작용에 의해 개시되기 때문에 항체에 의해 쉽게 차단되거나 리간드 또는 수용체의 재조합 형태에 의해 조절될 수 있다. Cytotoxic T−lymphocyte−associated antigen 4 (CTLA4) 항체는 미국 식품의약국(FDA)의 승인을 받는 첫 번째 면역요법 종류였다.[175] Programmed cell death protein 1 (PD1)이나 programmed cell death ligand 1 (PDL1)과 같은 추가적인 면역관문 단백질들을 표적으로 하는 것은 추가적인 임상적인 기회를 제시한다.[175,176]

　이러한 항암요법들은 고식적인 화학요법을 사용한 독성이 있고 종종 다소 효과적인 방법을 우회할 수 있지만, 온전한 면역체계에 의존한다. 노인에서 악성종양의 증가에 기여하고 면역관문 및 종양 예방접종과 같은 다른 면역요법 치료에 대한 반응에 영향을 주는 악성종양에 대한 감소된 면역감시(immunosurveillance)의 잠재적 역할이 결정되어야 한다.

KEY POINTS

요점

- 조혈모세포의 노화에 대한 집중적인 연구는 연령 관련 유전적, 후생유전학적, 생화학적 및 세포변성에 대한 일반적인 고찰을 제공하고 있다. 이것은 정상 또는 노화 혈액세포 생산조직에서 조혈 및 간질 세포의 운명을 지정하는 유전자 조절 네트워크를 확인하는 것이 포함된다. 이 정보의 번역은 효과적인 세포 치료로 이어질 것이다.
- 노화, 특히 염증과 관련된 효과기 세포 기능장애의 신호전달체계와 다른 기전에 대한 후천적 이상에 대한 지속적인 연구는 빈약한 조절 측면에 대한 유의한 새로운 통찰과 접근법을 제공할 수 있을 것이다.
- 다른 조직과 모델 시스템에서 세포 노화 과정과 관련된 경로와 분자는 흔히 조혈세포의 노화에서도 재현가능하게 변형될 뿐만 아니라 추가적인 집중적인 연구가 가능하게 해준다. 예로는 TGF-β, WNT, Notch, FoxO3 및 p16이 있다.
- 골수 및 관련된 조혈조직은 지속적으로 대체 세포 재생 치료의 원천으로 평가되고 있다. 줄기세포 생물학, 계통형성성 및 간질-조혈세포 상호작용의 더 나은 이해는 이 분야를 발전시키는 데 중요하다.
- 후생유전학적 조절인자에서 획득된 돌연변이의 특성을 포함하여 유전적 및 후생유전학적 경로에 대한 연구와 함께, clonal cytopenia of unknown significance, MGUS, MDS, MPN, CLL 및 관련 혈액악성종양과 같은 연령관련 클론장애의 임상적 특징에 대한 진일보한 결과들이 있다.
- 선천면역과 후천면역 및 면역노화기전에 대한 이해의 증가는 다음과 같은 가능성을 제공한다.
  - 감염에 대한 연령 관련 및 민감성 증가에 대한 더 나은 이해와 예방
  - 노인의 보다 효과적인 백신 접종
  - 근본적인 암 발생 경로로서 면역회피에 대한 이해 증가
  - 새로운 암 치료법에 대한 최적의 반응을 위한 새로운 면역관문억제제와 면역자극인자들의 보다 효과적인 적용

참고문헌의 총 목록을 보려면 www.expertconsult.com 을 방문해주세요.

중요 참고문헌

2.   Eaves CJ: Hematopoietic stem cells: concepts, definitions, and the new reality. Blood 3;125:2605－2613, 2015.

3.   Orkin SH, Zon LI: Hematopoiesis: an evolving paradigm for stem cell biology. Cell 132:631－644, 2008.

12. Boulais PE, Frenette PS: Making sense of hematopoietic stem cell niches. Blood 125:2621－2629, 2015.

13. Reagan MR, Rosen CJ: Navigating the bone marrow niche: translational insights and cancer-driven dysfunction. Nat Rev Rheumatol 2015.

30. Balderman SR, Calvi LM: Biology of BM failure syndromes: role of microenvironment and niches. Hematology Am Soc Hematol Educ Program 2014:71－76, 2014.

41. Rossi DJ, Jamieson CH, Weissman IL: Stem cells and the pathways to aging and cancer. Cell 132:681－696, 2008.

42. Armanios M: Telomeres and age-related disease: how telomere biology informs clinical paradigms. J Clin Invest 123:996－1002, 2013.

44. Townsley DM, Dumitriu B, Young NS: Bone marrow failure and the telomeropathies. Blood 124:2775－2783, 2014.

54. Sun D, Luo M, Jeong M, et al: Epigenomic profiling of young and aged HSCs reveals concerted changes during aging that reinforce self-renewal. Cell Stem Cell 14:673－688, 2014.

62. Akashi K, Traver D, Miyamoto T, et al: A clonogenic common myeloid progenitor that gives rise to all myeloid lineages. Nature 404:193－197, 2000.

69. Paul F, Arkin Y, Giladi A, et al: Transcriptional heterogeneity and lineage commitment in myeloid progenitors. Cell 163:1663－1677, 2015.

72. Busch K, Klapproth K, Barile M, et al: Fundamental properties of unperturbed haematopoiesis from stem cells in vivo. Nature 518:542－546, 2015.

79. Jaiswal S, Fontanillas P, Flannick J, et al: Age-related clonal hematopoiesis associated with adverse outcomes. N Engl J Med 371:2488－2498, 2014.

80. Genovese G, Kähler AK, Handsaker RE, et al: Clonal hematopoiesis and blood-cancer risk inferred from blood DNA sequence. N Engl J Med 371:2477－2487, 2014.

81. Busque L, Patel JP, Figueroa ME, et al: Recurrent somatic TET2 mutations in normal elderly individuals with clonal hematopoiesis. Nat Genet 44:1179－1181, 2012.

93. Zhang D, Chen G, Manwani D, et al: Neutrophil ageing is regulated by the microbiome. Nature 525:528－532, 2015.

127. Weiss G: Anemia of chronic disorders: new diagnostic tools and new treatment strategies. Semin Hematol 52:313－320, 2015.

130. Singh H, Khan AA, Dinner AR: Gene regulatory networks in the immune system. Trends Immunol 35:211－218, 2014.

143. Al-Chami E, Tormo A, Pasquin S, et al: Interleukin-21 administration to aged mice rejuvenates their peripheral T-cell pool by triggering de novo thymopoiesis. Aging Cell 2016.

167. Steensma DP, Bejar R, Jaiswal S, et al: Clonal hematopoiesis of indeterminate potential and its distinction from myelodysplastic syndromes. Blood 126:9－16, 2015.

174. Hanahan D, Weinberg RA: Hallmarks of cancer: the next generation. Cell 144:646－674, 2011.

175. Sharma P, Allison JP: The future of immune checkpoint therapy. Science 348:56－61, 2015.

176. Pardoll D: Cancer and the immune system: basic concepts and targets for intervention. Semin Oncol 42:523－538, 2015.

참고문헌

1.   Hayflick L, Moorhead PS: The serial cultivation of human diploid cell strains. Exp Cell Res 25:585－621, 1961.

2. Eaves CJ: Hematopoietic stem cells: concepts, definitions, and the new reality. Blood 125:2605–2613, 2015.

3. Orkin SH, Zon LI: Hematopoiesis: an evolving paradigm for stem cell biology. Cell 132:631–644, 2008.

4. Durand C, Dzierzak E: Embryonic beginnings of adult hematopoietic stem cells. Haematologica 90:100–108, 2005.

5. Hartsock EB, Smith CS: Petty: Normal variations with aging of the amount of hematopoietic tissue in bone marrow from the anterior iliac crest. A study made from 177 cases of sudden death examined by necropsy. Am J Clin Pathol 43:326–331, 1965.

6. Schulze H, Shivdasani RA: Mechanisms of thrombopoiesis. J Thromb Haemost 3:1717–1724, 2005.

7. Palis J: Ontogeny of erythropoiesis. Curr Opin Hematol 15:3155–3161, 2008.

8. Korolnek T, Hamza I: Macrophages and iron trafficking at the birth and death of red cells. Blood 125:2893–2897, 2015.

9. Gilleece MH: Aging and the blood. In Tallis RC, Fillit HM, editors: Brocklehurst's textbook of geriatrics and clinical gerontology, ed 6, London, 2003, Elsevier/Churchill Livingstone.

10. Raaijmakers MH, Scadden DT: Evolving concepts on the microenvironmental niche for hematopoietic stem cells. Curr Opin Hematol 15:301–306, 2008.

11. Rozhok AI, Salstrom JL, DeGregori J: Stochastic modeling indicates that aging and somatic evolution in the hematopoetic system are driven by non-cell-autonomous processes. Aging (Albany NY) 6:1033–1048, 2014.

12. Boulais PE, Frenette PS: Making sense of hematopoietic stem cell niches. Blood 125:2621–2629, 2015.

13. Reagan MR, Rosen CJ: Navigating the bone marrow niche: translational insights and cancer-driven dysfunction. Nat Rev Rheumatol 2015.

14. Wilson A, Trumpp A: Bone-marrow haematopoietic-stem-cell niches. Nat Rev Immunol 6:93–106, 2006.

15. Adams GB, Scadden DT: The hematopoietic stem cell in its place. Nat Immunol 7:333–337, 2006.

16. Kiel MJ, Yilmaz OH, Iwashita T, et al: SLAM family receptors distinguish hematopoietic stem and progenitor cells and reveal endothelial niches for stem cells. Cell 121:1109–1121, 2005.

17. Oh M, Nör JE: The perivascular niche and self-renewal of stem cells. Front Physiol 6:367, 2015.

18. Calvi LM, Adams GB, Weibrecht KW, et al: Osteoblastic cells regulate the haematopoietic stem cell niche. Nature 425:841–846, 2003.

19. Butko E, Pouget C, Traver D: Complex regulation of HSC emergence by the Notch signaling pathway. Dev Biol 409:129–138, 2016.

20. Nemeth MJ, Topol L, Anderson SM, et al: Wnt5a inhibits canonical Wnt signaling in hematopoietic stem cells and enhances repopulation. Proc Natl Acad Sci U S A 104:15436–15441, 2007.

21. Schreck C, Bock F, Grziwok S, et al: Regulation of hematopoiesis by activators and inhibitors of Wnt signaling from the niche. Ann N Y Acad Sci 1310:32–43, 2014.

22. Blank U, Karlsson G, Karlsson S: Signaling pathways governing stem-cell fate. Blood 111:492–503, 2008.

23. Ross J, Li L: Recent advances in understanding extrinsic control of hematopoietic stem cell fate. Curr Opin Hematol 13:237–242, 2006.

24. Zhang CC, Lodish HF: Cytokines regulating hematopoietic stem cell function. Curr Opin Hematol 15:307–311, 2008.

25. Mirantes C, Passegué E, Pietras EM: Pro-inflammatory cytokines: emerging players regulating HSC function in normal and diseased hematopoiesis. Exp Cell Res 329:248–254, 2014.

26. Mesa RA, Barosi G, Cervantes F, et al: Myelofibrosis with myeloid metaplasia: disease overview and non-transplant treatment options. Best Pract Res Clin Haematol 19:495–517, 2006.

27. Lataillade JJ, Pierre-Louis O, Hasselbalch HC, et al: Does primary myelofibrosis involve a defective stem cell niche? From concept to evidence. Blood 112:3026–3035, 2008.

28. Walkley CR, Olsen GH, Dworkin S, et al: A microenvironment-induced myeloproliferative syndrome caused by retinoic acid receptor gamma deficiency. Cell 129:1097–1110, 2007.

29. Lyer S, Brooks R, Gumbleton M, et al: SHIP1-expressing mesenchymal stem cells regulate hematopoietic stem cell homeostasis and lineage commitment during aging. Stem Cells Dev 24:1073–1081, 2015.

30. Balderman SR, Calvi LM: Biology of BM failure syndromes: role of microenvironment and niches. Hematology Am Soc Hematol Educ Program 2014:71-76, 2014.

31. Lane SW, Wang YJ, Lo Celso C, et al: Differential niche and Wnt requirements during acute myeloid leukemia progression. Blood 118:2849-2856, 2011.

32. Flynn CM, Kaufman DS: Donor cell leukemia: insight into cancer stem cells and the stem cell niche. Blood 109:2688-2692, 2007.

33. Keating A: Mesenchymal stromal cells. Curr Opin Hematol 13:419-425, 2006.

34. Uccelli A, Moretta L, Pistoia V: Mesenchymal stem cells in health and disease. Nat Rev Immunol 8:726-736, 2008.

35. Kobolak J, Dinnyes A, Memic A, et al: Mesenchymal stem cells: identification, phenotypic characterization, biological properties and potential for regenerative medicine through biomaterial micro-engineering of their niche. Methods 2015. pii: S1046-2023150092-X.

36. Bucala R, Spiegel LA, Chesney J, et al: Circulating fibrocytes define a new leukocyte subpopulation that mediates tissue repair. Mol Med 1:71-81, 1994.

37. Williams BA, Keating A: Cell therapy for age-related disorders: myocardial infarction and stroke. A mini-review. Gerontology 54:300-311, 2008.

38. Liu Y, Wang X, Jin Y: Can bone marrow cells give rise to cornea epithelial cells? Med Hypotheses 71:411-413, 2008.

39. Fox IJ, Strom SC: To be or not to be: generation of hepatocytes from cells outside the liver. Gastroenterology 134:878-881, 2008.

40. Till JE, McCulloch EA: A direct measurement of normal mouse bone marrow cells. Radiat Res 14:213-222, 1961.

41. Rossi DJ, Jamieson CH, Weissman IL: Stems cells and the pathways to aging and cancer. Cell 132:681-696, 2008.

42. Armanios M: Telomeres and age-related disease: how telomere biology informs clinical paradigms. J Clin Invest 123:996-1002, 2013.

43. Vulliamy TI, Marrone A, Goldman F, et al: The RNA component of telomerase is mutated in autosomal dominant dyskeratosis congenita. Nature 7:413:432-435, 2001.

44. Townsley DM, Dumitriu B, Young NS: Bone marrow failure and the telomeropathies. Blood 124:2775-2783, 2014.

45. Alder JK, Barkauskas CE, Limjunyawong N, et al: Telomere dysfunction causes alveolar stem cell failure. Proc Natl Acad Sci U S A 112:5099-5104, 2015.

46. Warren LA, Rossi DJ: Stem cells and aging in the hematopoietic system. Mech Ageing Dev 2007.

47. Rossi DJ, Bryder D, Zahn JM, et al: Cell intrinsic alterations underlie hematopoietic stem cell aging. Proc Natl Acad Sci U S A 102:9194-9199, 2005.

48. Pearce DJ, Anjos-Afonso F, Ridler CM, et al: Age-dependent increase in side population distribution within hematopoiesis: implications for our understanding of the mechanism of aging. Stem Cells 25:828-835, 2007.

49. Liang Y, Van Zant G, Szilvassy SJ: Effects of aging on the homing and engraftment of murine hematopoietic stem and progenitor cells. Blood 106:1479-1487, 2005.

50. Xing Z, Ryan MA, Daria D, et al: Increased hematopoietic stem cell mobilization in aged mice. Blood 108:2190-2197, 2006.

51. Sieburg HB, Cho RH, Dykstra B, et al: The hematopoietic stem compartment consists of a limited number of discrete stem cell subsets. Blood 107:2311-2316, 2006.

52. Muller-Sieburg CE, Cho RH, Karlsson L, et al: Myeloid-biased hematopoietic stem cells have extensive self-renewal capacity but generate diminished lymphoid progeny with impaired IL-7 responsiveness. Blood 103:4111-4118, 2004.

53. Chambers SM, Shaw CA, Gatza C, et al: Aging hematopoietic stem cells decline in function and exhibit epigenetic dysregulation. PLoS Biol 5:e201, 2007.

54. Sun D, Luo M, Jeong M, et al: Epigenomic profiling of young and aged HSCs reveals concerted changes during aging that reinforce self-renewal. Cell Stem Cell 14:673-688, 2014.

55. Araki H, Yoshinaga K, Boccuni P, et al: Chromatin-modifying agents permit human hematopoietic stem cells to undergo mul-

tiple cell divisions while retaining their repopulating potential. Blood 109:3570-3578, 2007.

56. Lübbert M, Daskalakis M, Kunzmann R, et al: Nonclonal neutrophil responses after successful treatment of myelodysplasia with low-dose 5-aza-2′-deoxycytidine (decitabine). Leuk Res 28:1267-1271, 2004.

57. Kröger N, Zabelina T, de, Wreede L, et al: Allogeneic stem cell transplantation for older advanced MDS patients: improved survival with young unrelated donor in comparison with HLA-identical siblings. Leukemia 27:604-609, 2013.

58. Panopoulos AD, Belmonte JC: Induced pluripotent stem cells in clinical hematology: potentials, progress, and remaining obstacles. Curr Opin Hematol 19:256-260, 2012.

59. Ackermann M, Liebhaber S, Klusmann JH, et al: Lost in translation: pluripotent stem cell-derived hematopoiesis. EMBO Mol Med 7:1388-1402, 2015.

60. Daniel MG, Lemischka IR, Moore K: Converting cell fates: generating hematopoietic stem cells de novo via transcription factor reprogramming. Ann N Y Acad Sci 2016.

61. Takahashi K, Yamanaka S: A developmental framework for induced pluripotency. Development 142:3274-3285, 2015.

62. Akashi K, Traver D, Miyamoto T, et al: A clonogenic common myeloid progenitor that gives rise to all myeloid lineages. Nature 404:193-197, 2000.

63. Orkin SH: Diversification of haematopoietic stem cells to specific lineages. Nat Rev Genet 1:57-64, 2000.

64. Luc S, Buza-Vidas N, Jacobsen SE: Delineating the cellular pathways of hematopoietic lineage commitment. Semin Immunol 20:213-220, 2008.

65. Iwasaki H, Mizuno S, Arinobu Y, et al: The order of expression of transcription factors directs hierarchical specification of hematopoietic lineages. Genes Dev 20:3010-3021, 2006.

66. DeKoter RP, Singh H: Regulation of B lymphocyte and macrophage development by graded expression of PU.1. Science 288:1439-1441, 2000.

67. Laslo P, Spooner CJ, Warmflash A, et al: Multilineage transcriptional priming and determination of alternate hematopoietic cell fates. Cell 126:755-766, 2006.

68. Mercier FE, Scadden DT: Not all created equal: lineage hard-wiring in the production of blood. Cell 163:568-570, 2015.

69. Paul F, Arkin Y, Giladi A, et al: Transcriptional heterogeneity and lineage commitment in myeloid progenitors. Cell 163:1663-1677, 2015.

70. Perié L, Duffy KR, Kok L, et al: The branching point in erythro-myeloid differentiation. Cell 163:1655-1662, 2015.

71. Notta F, Zandi S, Takayama N: Distinct routes of lineage development reshape the human blood hierarchy across ontogeny. Science 351:aab2116, 2016.

72. Busch K, Klapproth K, Barile M, et al: Fundamental properties of unperturbed haematopoiesis from stem cells in vivo. Nature 518:542-546, 2015.

73. Quéré R, Saint-Paul L, Carmignac V, et al: Tif1γ regulates the TGF-β1 receptor and promotes physiological aging of hematopoietic stem cells. Proc Natl Acad Sci U S A 111:10592-10597, 2014.

74. Wang CQ, Motoda L, Satake M, et al: Runx3 deficiency results in myeloproliferative disorder in aged mice. Blood 122:562-566, 2013.

75. Vannucchi AM, Bianchi L, Cellai C, et al: Development of myelofibrosis in mice genetically impaired for GATA-1 expression (GATA-1(low) mice). Blood 100:1123-1132, 2002.

76. Curtis JH: Biological mechanisms underlying the aging process. Science 141:686-694, 1963.

77. Warren LA, Rossi DJ, Schiebinger GR, et al: Transcriptional instability is not a universal attribute of aging. Aging Cell 6:775-782, 2007.

78. Budovskaya YV, Wu K, Southworth LK, et al: An elt-3/elt-5/elt-6 GATA transcription circuit guides aging in C. elegans. Cell 134:291-303, 2008.

79. Jaiswal S, Fontanillas P, Flannick J, et al: Age-related clonal hematopoiesis associated with adverse outcomes. N Engl J Med 371:2488-2498, 2014.

80. Genovese G, Kähler AK, Handsaker RE, et al: Clonal hematopoiesis and blood-cancer risk inferred from blood DNA sequence. N Engl J Med 371:2477‒2487, 2014.

81. Busque L, Patel JP, Figueroa ME, et al: Recurrent somatic TET2 mutations in normal elderly individuals with clonal hematopoiesis. Nat Genet 44:1179‒1181, 2012.

82. Laurie CC, Laurie CA, Rice K, et al: Detectable clonal mosaicism from birth to old age and its relationship to cancer. Nat Genet 44:642‒650, 2012.

83. Jacobs KB, Yeager M, Zhou W, et al: Detectable clonal mosaicism and its relationship to aging and cancer. Nat Genet 44:651‒658, 2012.

84. Wahlestedt M, Norddahl GL, Sten G, et al: An epigenetic component of hematopoietic stem cell aging amenable to reprogramming into a young state. Blood 121:4257‒4264, 2013.

85. Georgantas RW 3rd, Hildreth R, Morisot S, et al: CD34+ hematopoietic stem-progenitor cell microRNA expression and function: a circuit diagram of differentiation control. Proc Natl Acad Sci U S A 104:2750‒2755, 2007.

86. Mehta A, Zhao JL, Sinha N, et al: The microRNA-132 and microRNA-212 cluster regulates hematopoietic stem cell maintenance and survival with age by buffering FOXO3 expression. Immunity 42:1021‒1032, 2015.

87. Metcalf D: The colony-stimulating factors, Amsterdam, 1984, Elsevier.

88. Fortin CF, Larbi A, Lesur O, et al: Impairment of SHP-1 down-regulation in the lipid rafts of human neutrophils under GM-CSF stimulation contributes to their age-related, altered functions. J Leukoc Biol 79:1061‒1072, 2006.

89. Fortin CF, Lesur O, Fulop T, Jr: Effects of aging on triggering receptor expressed on myeloid cells (TREM)-1-induced PMN functions. FEBS Lett 581:1173‒1178, 2007.

90. Tortorella C, Simone O, Piazzolla G, et al: Role of phosphoinositide 3-kinase and extracellular signal-regulated kinase pathways in granulocyte macrophage-colony-stimulating factor failure to delay fas-induced neutrophil apoptosis in elderly humans. J Gerontol A Biol Sci Med Sci 61:1111‒1118, 2006.

91. Balducci L, Al-Halawani H, Charu V, et al: Elderly cancer patients receiving chemotherapy benefit from first-cycle pegfilgrastim. Oncologist 12:1416‒1424, 2007.

92. Kansara R, Kumar R, Seftel M: Is primary prophylaxis with granulocyte colony-stimulating factor (G-CSF) indicated in the treatment of lymphoma? Transfus Apher Sci 49:51‒55, 2013.

93. Zhang D, Chen G, Manwani D, et al: Neutrophil ageing is regulated by the microbiome. Nature 525:528‒532, 2015.

94. Hazeldine J, Harris P, Chapple IL, et al: Impaired neutrophil extracellular trap formation: a novel defect in the innate immune system of aged individuals. Aging Cell 13:690‒698, 2014.

95. Tseng CW, Liu GY: Expanding roles of neutrophils in aging hosts. Curr Opin Immunol 29:43‒48, 2014.

96. Mathur SK, Schwantes EA, Jarjour NN, et al: Age-related changes in eosinophil function in human subjects. Chest 133:412‒419, 2008.

97. Busse PJ, Mathur SK: Age-related changes in immune function: effect on airway inflammation. J Allergy Clin Immunol 126:690‒699, 2010.

98. Nguyen M, Pace AJ, Koller BH: Age-induced reprogramming of mast cell degranulation. J Immunol 175:5701‒5707, 2005.

99. Sparrow D, O'Connor GT, Rosner B, et al: Predictors of longitudinal change in methacholine airway responsiveness among middle-aged and older men: the Normative Aging Study. Am J Respir Crit Care Med 149(Pt 1):376‒381, 1994.

100. Daëron M: Innate myeloid cells under the control of adaptive immunity: the example of mast cells and basophils. Curr Opin Immunol 38:101‒108, 2015.

101. Theoharides TC, Valent P, Akin C: Mast cells, mastocytosis, and related disorders. N Engl J Med 373:163‒172, 2015.

102. Galli SJ, Grimbaldeston M, Tsai M: Immunomodulatory mast cells: negative, as well as positive, regulators of immunity. Nat Rev Immunol 8:478‒486, 2008.

103. Abraham SN, St John AL: Mast cell-orchestrated immunity to pathogens. Nat Rev Immunol 10:440‒452, 2010.

104. Takemoto CM, Lee YN, Jegga AG, et al: Mast cell transcriptional networks. Blood Cells Mol Dis 41:82‒90, 2008.

105. Calero-Nieto FJ, Ng FS, Wilson NK, et al: Key regulators control distinct transcriptional programmes in blood progenitor and mast cells. EMBO J 33:1212-1226, 2014.

106. Friedman AD: Transcriptional regulation of granulocyte and monocyte development. Oncogene 21:3377-3390, 2002.

107. Heinz S, Benner C, Spann N, et al: Simple combinations of lineage-determining transcription factors prime cis-regulatory elements required for macrophage and B cell identities. Mol Cell 38:576-589, 2010.

108. Volkman A, Gowans JL: The origin of macrophages from human bone marrow in the rat. Br J Exp Pathol 46:62-70, 1965.

109. Schönheit J, Leutz A, Rosenbauer F: Chromatin dynamics during differentiation of myeloid cells. J Mol Biol 427:670-687, 2015.

110. Gordon S, Taylor PR: Monocyte and macrophage heterogeneity. Nat Rev Immunol 5:953-964, 2005.

111. Hume DA: The mononuclear phagocyte system. Curr Opin Immunol 18:49-53, 2006.

112. Murdoch C, Muthana M, Coffelt SB, et al: The role of myeloid cells in the promotion of tumour angiogenesis. Nat Rev Cancer 8:618-631, 2008.

113. Motallebnezhad M, Jadidi-Niaragh F, Qamsari ES, et al: The immunobiology of myeloid-derived suppressor cells in cancer. Tumour Biol 2015.

114. van Duin D, Shaw AC: Toll-like receptors in older adults. J Am Geriatr Soc 55:1438-1444, 2007.

115. Pararasa C, Ikwuobe J, Shigdar S, et al: Age-associated changes in long-chain fatty acid profile during healthy aging promote pro-inflammatory monocyte polarization via PPARγ. Aging Cell 15:128-139, 2016.

116. Lutz HU, Bogdanova A: Mechanisms tagging senescent red blood cells for clearance in healthy humans. Front Physiol 4:387, 2013.

117. Barclay AN, Van den Berg TK: The interaction between signal regulatory protein alpha (SIRPa) and CD47: structure, function, and therapeutic target. Annu Rev Immunol 32:25-50, 2014.

118. Chao MP, Weissman IL, Majeti R: The CD47-SIRPa pathway in cancer immune evasion and potential therapeutic implications. Curr Opin Immunol 24:225-232, 2012.

119. Liu J, Wang L, Zhao F, et al: Pre-clinical development of a humanized anti-CD47 antibody with anti-cancer therapeutic potential. PLoS ONE 10:e0137345, 2015.

120. Cappellini MD, Motta I: Anemia in clinical practice-definition and classification: does hemoglobin change with aging? Semin Hematol 52:261-269, 2015.

121. Raj DS: Role of interleukin-6 in the anemia of chronic disease. Semin Arthritis Rheum 38:382-388, 2009.

122. Ferrucci L, Guralnik JM, Woodman RC, et al: Proinflammatory state and circulating erythropoietin in persons with and without anemia. Am J Med 118:1288, 2005.

123. McDevitt MA, Xie J, Gordeuk V: The anemia of malaria infection: role of inflammatory cytokines. Curr Hematol Rep 3:7-106, 2004.

124. McDevitt MA, Xie J, Ganapathy-Kanniappan S, et al: A critical role for the host mediator macrophage migration inhibitory factor in the pathogenesis of malarial anemia. J Exp Med 203:1185-1196, 2006.

125. Artz AS, Xue QL, Wickrema A, et al: Unexplained anaemia in the elderly is characterized by features of low-grade inflammation. Br J Haematol 167:286-289, 2014.

126. den Elzen WP, de Craen AJ, Wiegerinck ET, et al: Plasma hepcidin levels and anemia in old age. The Leiden 85-Plus Study. Haematologica 98:448-454, 2013.

127. Weiss G: Anemia of chronic disorders: new diagnostic tools and new treatment strategies. Semin Hematol 52:313-320, 2015.

128. Rezzani R, Bonomini F, Rodella LF: Histochemical and molecular overview of the thymus as site for T-cells development. Prog Histochem Cytochem 43:73-120, 2008.

129. Fairfax KA, Kallies A, Nutt SL, et al: Plasma cell development: from B-cell subsets to long-term survival niches. Semin Immunol 20:49-58, 2008.

130. Singh H, Khan AA, Dinner AR: Gene regulatory networks in the immune system. Trends Immunol 35:211-218, 2014.

131. Kang J, Malhotra N: Transcription factor networks directing the development, function, and evolution of innate lymphoid effectors. Annu Rev Immunol 33:505–538, 2015.

132. Chatila TA: Role of regulatory T cells in human diseases. J Allergy Clin Immunol 116:949–959, 2005.

133. Gruver AL, Hudson LL, Sempowski GD: Immunosenescence of ageing. J Pathol 211:144–156, 2007.

134. Tsuboi I, Morimoto K, Hirabayashi Y, et al: Senescent B lymphopoiesis is balanced in suppressive homeostasis: decrease in interleukin-7 and transforming growth factor-beta levels in stromal cells of senescence-accelerated mice. Exp Biol Med (Maywood) 229:494–502, 2004.

135. Hozumi K, Mailhos C, Negishi N, et al: Delta-like 4 is indispensable in thymic environment specific for T cell development. J Exp Med 205:2507–2513, 2008.

136. Steinmann GG: Changes in the human thymus during aging. Curr Top Pathol 75:43–88, 1986.

137. Scollay RG, Butcher EC, Weissman IL: Thymus cell migration. Quantitative aspects of cellular traffic from the thymus to the periphery in mice. Eur J Immunol 10:210–218, 1980.

138. Hale JS, Boursalian TE, Turk GL, et al: Thymic output in aged mice. Proc Natl Acad Sci U S A 103:8447–8452, 2006.

139. Zhu X, Gui J, Dohkan J, et al: Lymphohematopoietic progenitors do not have a synchronized defect with age-related thymic involution. Aging Cell 6:663–672, 2007.

140. Tuckett AZ, Thornton RH, Shono Y, et al: Image-guided intrathymic injection of multipotent stem cells supports lifelong T-cell immunity and facilitates targeted immunotherapy. Blood 123:2797–2805, 2014.

141. Bredenkamp N, Nowell CS, Blackburn CC: Regeneration of the aged thymus by a single transcription factor. Development 141:1627–1637, 2014.

142. Jurberg AD, Vasconcelos-Fontes L, Cotta-de-Almeida V: A tale from TGF-β superfamily for thymus ontogeny and function. Front Immunol 6:442, 2015.

143. Al-Chami E, Tormo A, Pasquin S, et al: Interleukin-21 administration to aged mice rejuvenates their peripheral T-cell pool by triggering de novo thymopoiesis. Aging Cell 2016.

144. Haynes L, Eaton SM, Burns EM, et al: Newly generated CD4 T cells in aged animals do not exhibit age-related defects in response to antigen. J Exp Med 201:845–851, 2005.

145. Haynes L, Eaton SM, Burns EM, et al: CD4 T cell memory derived from young naive cells functions well into old age, but memory generated from aged naive cells functions poorly. Proc Natl Acad Sci U S A 100:15053–15058, 2003.

146. Song H, Price PW, Cerny J: Age-related changes in antibody repertoire: contribution from T cells. Immunol Rev 160:55–62, 1997.

147. Effros RB, Walford RL: The immune response of aged mice to influenza: diminished T-cell proliferation, interleukin 2 production and cytotoxicity. Cell Immunol 81:298–305, 1983.

148. Weng NP: Aging of the immune system: how much can the adaptive immune system adapt? Immunity 24:495–499, 2006.

149. Vallejo AN: Age-dependent alterations of the T cell repertoire and functional diversity of T cells of the aged. Immunol Res 36:221–228, 2006.

150. Lee KA, Shin KS, Kim GY, et al: Characterization of age-associated exhausted CD8+ T cells defined by increased expression of Tim-3 and PD-1. Aging Cell 2016.

151. Rouse BT, Sarangi PP, Suvas S: Regulatory T cells in virus infections. Immunol Rev 212:272–286, 2006.

152. Belkaid Y, Rouse BT: Natural regulatory T cells in infectious disease. Nat Immunol 6:353–360, 2005.

153. Dominguez AL, Lustgarten J: Implications of aging and self-tolerance on the generation of immune and antitumor immune responses. Cancer Res 68:5423–5431, 2008.

154. Jagger A, Shimojima Y, Goronzy JJ, et al: Regulatory T cells and the immune aging process: a mini-review. Gerontology 60:130–137, 2014.

155. Garg SK, Delaney C, Toubai T, et al: Aging is associated with increased regulatory T-cell function. Aging Cell 13:441–448, 2014.

156. Kogut I, Scholz JL, Cancro MP, et al: B cell maintenance and function in aging. Semin Immunol 24:342–349, 2012.

157. Allman D, Miller JP: The aging of early B-cell precursors. Immunol Rev 205:18–29, 2005.

158. Min H, Montecino-Rodriguez E, Dorshkind K: Effects of aging on early B- and T-cell, development. Immunol Rev 205:7–17, 2005.

159. Westera L, van Hoeven V, Drylewicz J, et al: Lymphocyte maintenance during healthy aging requires no substantial alterations in cellular turnover. Aging Cell 14:219–227, 2015.

160. Signer RA, Montecino-Rodriguez E, Dorshkind K: Aging, B lymphopoiesis, and patterns of leukemogenesis. Exp Gerontol 42:391–395, 2007.

161. Miller JP, Allman D: The decline in B lymphopoiesis in aged mice reflects loss of very early B-lineage precursors. J Immunol 171:2326–2330, 2003.

162. Holodick NE, Rothstein TL: B cells in the aging immune system: time to consider B-1 cells. Ann N Y Acad Sci 1362:176–187, 2015.

163. Labrie JE, III, Sah AP, Allman DM, et al: Bone marrow microenvironmental changes underlie reduced RAG-mediated recombination and B cell generation in aged mice. J Exp Med 200:411–423, 2004.

164. Kennedy DE, Knight KL: Inhibition of B lymphopoiesis by adipocytes and IL-1-producing myeloid-derived suppressor cells. J Immunol 195:2666–2674, 2015.

165. Guerard EJ, Tuchman SA: Monoclonal gammopathy of undetermined significance and multiple myeloma in older adults. Clin Geriatr Med 32:191–205, 2016.

166. Tete SM, Bijl M, Sahota SS, et al: Immune defects in the risk of infection and response to vaccination in monoclonal gammopathy of undetermined significance and multiple myeloma. Front Immunol 5:257, 2014.

167. Steensma DP, Bejar R, Jaiswal S, et al: Clonal hematopoiesis of indeterminate potential and its distinction from myelodysplastic syndromes. Blood 126:9–16, 2015.

168. Malcovati L, Cazzola M: The shadowlands of MDS: idiopathic cytopenias of undetermined significance (ICUS) and clonal hematopoiesis of indeterminate potential (CHIP). Hematology Am Soc Hematol Educ Program 2015:299–307, 2015.

169. Strati P, Shanafelt TD: Monoclonal B-cell lymphocytosis and early-stage chronic lymphocytic leukemia: diagnosis, natural history, and risk stratification. Blood 126:444–462, 2015.

170. McCarthy BA, Yancopoulos S, Tipping M, et al: A seven-gene expression panel distinguishing clonal expansions of pre-leukemic and chronic lymphocytic leukemia B cells from normal B lymphocytes. Immunol Res 63:90–100, 2015.

171. Walker BA, Wardell CP, Chiecchio L, et al: Aberrant global methylation patterns affect the molecular pathogenesis and prognosis of multiple myeloma. Blood 117:553–562, 2011.

172. Dimopoulos K, Gimsing P, Grønbæk K: The role of epigenetics in the biology of multiple myeloma. Blood Cancer J 4:e207, 2014.

173. Hanahan D, Weinberg RA: The hallmarks of cancer. Cell 100:57–70, 2000.

174. Hanahan D, Weinberg RA: Hallmarks of cancer: the next generation. Cell 144:646–674, 2011.

175. Sharma P, Allison JP: The future of immune checkpoint therapy. Science 348:56–61, 2015.

176. Pardoll D: Cancer and the immune system: basic concepts and targets for intervention. Semin Oncol 42:523–538, 2015.

177. Gubin MM, Zhang X, Schuster H, et al: Checkpoint blockade cancer immunotherapy targets tumour-specific mutant antigens. Nature 515:577–581, 2014.

CHAPTER 25

노화와 피부
Aging and the Skin

Desmond J. Tobin, Emma C. Veysey, Andrew Y. Finlay

서론

지난 수십년간 피부 기능에 대한 지식은 굉장한 성장을 해왔고, 그 기간 동안 피부 생물학 분야, 특히 피부 신경내분비학분야가 새로이 각광받고 있다. 피부의 위치, 체중의 12%를 차지한다는 점, 말초의 감각기 역할을 한다는 점 때문에 일부 연구자들이 피부를 "'외부에 있는 뇌(Brain on the outside)"라고 표현하기도 한다.[1] 피부의 기능에 대한 가장 좋은 토론은, 10여년이 지났지만, "What is the 'true' function of skin"이라는 여러 저자의 평론이라고 생각된다.[2] 해부학적, 생리적 관점으로 볼 때, 피부는 혈액, 근육, 신경분포와 면역능력, 정신감정 반응, 자외선 조사 감지, 내분비 기능을 포함한 신체의 주요 지원체계를 통합하고 있다는 점에서 진정한 생물학적 우주이다. 이 기능은 피부와 피부 부속기들 뿐만 아니라 전신의 항상성에 관여한다. 이러한 관점은 처음에는 일부, 특히 내분비학계의 많은 이들에게, 논쟁거리였으나, 피부가 유해한 외부환경과 생화학적으로 활발한 내부환경 사이에서 전략적 위치를 차지한다는 것을 고려할 때 지금은 자명해 진 것 같다. 피부가 우리 몸 내부환경의 항상성 유지에 중요하다고 예상할 수 있다. 진화의 선택적 압박에 의한 자외선(ultraviolet) 복사(UVR, Ultraviolet radiation)에 대한 정교한 적응에도 불구하고, 여전히 피부 상태는 치명적이지 않은 질병의 네 번째 원인에 해당되며[3], 나이가 들수록 그 부담도 증가하고 있다.[4]

피부의 진정한 기능을 기술하는 것은 불가능하며, "피부가 기여하지 않는 것이 있을까?"라고 묻는게 나을 것이다. 피부의 스트레스 감지는 시상하부–뇌하수체–부신과 갑상선 축과 같은 과정으로 전환되는데, 이에 대한 연구는 나이가 이러한 축에 생리학적으로 어떻게 영향을 미칠 수 있는지를 평가할 수 있는 기회를 주었다. 영양상태가 좋고 자외선 보호를 잘한 피부와 관련 부속기는 연령노화(chronologic aging)(또는 내인성 노화)에 대한 회복력을 보여준다. 이 장에서는 이러한 내인성 노화의 결과로서의 피부 구조적인 변화와 외인성 노화(extrinsic aging)의 기여인자를 검토하고 이 두 유형의 노화가 어떻게 피부 완전성에 영향을 주는지 알아보려 한다.

우리는 젊음을 잃었다는 것을 주름과 같은 피부의 변화와 주요 피부 부속기인 모낭의 변화인 백모증, 탈색, 모발 가늘어짐, 대머리로 알게 된다. 우리는 이러한 보편적으로 인정되는 노화 표현형을 점점 더 원하지 않는다. 적절한 기능의 연장에 대한 기대는 70대를 넘어 그 이후까지 지속되고 있다. 서양의 경우 다음 세대에는 기대수명이 100세,[5] 2025년 이후에는 120세까지 확장될 것으로 예상되므로 이것이 지나친 것은 아니다. 피부노화에 대한 이러한 인구학적 변화의 영향은, 여성의 경우는 특히 여성 호르몬이 떨어져서 피부의 구조와 기능에 부정적 영향을 주게 되는 폐경기 이후로 인생의 반을 살아야 하므로 특히 의미가 있다. 건강하고 기능적인 노화에 대한 열망은 피부과 모발 관리 관련 시장의 확대를 가져왔고 이로 인해 세련된 미용과 코스메슈티컬, 제약, 수술이 발전하게 되었지만, 한편으로는 점점 더 건조해지고 가려워지고,[6] 감염에 취약해지고,[7] 면역적으로 불안해졌으며[8] 피부와 혈관 합병증과 피부암 위험도 증가되었다.

피부는 인체에서의 위치로 인해 유전적, 호르몬 영향을 받는 내인성 노화뿐만 아니라, 자외선, 흡연, 식이, 화학물질, 외상 등의 환경적 인자들에 의한 외인성 노화까지 광범위한 노화 유발물질의 대상이다. 자외선에 의한 노화는 매우 강력하여 광노화(photoaging)라고 따로 일컬어 진다. 고령의 활동적인 백인 성인에서 햇빛 비노출 부위인 둔부와 햇빛 노출부위인 손 또는 얼굴의 피부를 비교할 때 확연한 차이를 볼 수 있다. 두 가지 유형의 노화는 생물학적, 생화학적, 분자학적 기전의 일부가 겹치기는 하나, 뚜렷이 다른 형태적, 조직학적 특성을 가진다.[9] 흥미롭게도, 나이에 비해 어려 보이거나 나이 들어 보이는 여성들의 안면 합성 이미지 분석은 피하조직 구조의 변화가 이러한 보여지는 영향에 일부 관계함을 보고하였다. 보여지는 나이, 노화에 의한 색소반점, 피부 주름, 광손상 등의 유전가능성을 분석해보면, 유적적 요인과 환경적 요인 모두에 영향을 받는다고 보고된다.[10]

마지막으로, 오래 전에 받아들여졌던 피부노화에 대한 자료를 재평가하려 한다. 수명이 계속적으로 느는 동안 세포, 분자 생물학적 발견들이 기관을 적절한 기능으로 유지하기 위한 발전에 어떻게 도움이 되었는지 알아볼 것이다.[11]

내인성 노화

매우 느린 내인성 노화의 과정은 인구집단에서 다양하여 동일 인종에서도 개인마다 다르고, 한 개체에서도 부위마다 다르다. 이 타입의 노화는 본질적으로 고령에서만 볼 수 있고, 창백하고, 매끄럽고, 더 건조하고, 탄력이 적으며 잔 주름과 깊어진 표정 주름(추가적인 피하조직 변화가 반영된)이 특징적이다.[12,13] 내인성 노화 과정은 두 가지 카테고리로 나뉜다. 하나는 조직 자체에서 일어나는 진피 비만세포, 섬유모세포, 콜라겐 생산의 감소, 진피-표피 경계부의 평탄화, 표피능(rete ridges) 소실이고 또 하나는 다른 기관 노화의 영향(예를 들어, 노화관련 호르몬 변화)에 의한 것이다. 표피의 편평해짐은 피부의 내인성 노화의 가장 두드러진 특징이다. 모세혈관이 풍부한 진피 유두의 상호교차가 소실됨으로 인하여 유발되며, 혈관이 존재하는 진피로부터의 혈관이 없는 표피에 대한 영양 공급이 줄어든 결과일 것이다. 이것들은 초고령에서 내인성 노화 피부가 취약해지는 데에 기여한다고 생각된다. 내인적으로 노화된 표피는 점진적인 끝분절 짧아짐(Telomere shortening, 텔로미어 단축)에 의해서도 조정되며, 다른 세포 구성요소의 낮은 수준의 산화 손상에 의해 악화된다.[14] 정상 인간표피 연구에 의해 노화와 관련된 점진적 텔로미어 단축이 조직-특이적인 손상속도로 특징지어짐이 확인되었다.[15]

외인성 노화

내인성 노화의 조절은 우리가 줄 수 있는 영향의 범위에서 벗어나므로(예를 들면, 호르몬 공급의 중단-연관된 건강상태에 따라 달라지겠지만) 피부 구조와 외형의 변화와 관련된 외인성 노화의 예방과 치료가 중요하게 고려되어야 한다. 외인성 노화의 가장 중요한 원인은 축적되는 햇빛 노출이다. 이를 광노화라고 하며, 이는 대체적으로 주로 얼굴, 목, 손에 국한되고 근위 상지, 원위 하지에는 적다. 얼굴 노화의 80% 이상은 만성 자외선 노출이 원인으로 추정되고 있으며, 급성 자외선 노출은 햇빛화상, 태닝, 염증, 면역억제, 진피 결합조직의 손상을 유발한다.[16,17] 외부 인자가 피부 생리조절에 의미있는 영향을 주는 것처럼, 외인성 노화에 대한 환경 인자 영향은 피부가 연령 노화에 어떻게 반응할 지와 완전히 별개일 수 없다는 것을 주목해야 한다(예. 산화촉진제와 항산화제가 신경내분비, 면역 생물학적 반응 전환을 통해 세포 교대에 미치는 영향). 외인성 노화 피부의 특징은 거친 주름, 거친 감촉, 얼룩덜룩한 색소침착이 있는 혈색이 나쁜 안색과 피부 탄력의 소실이다. 이 변화의 대부분은 자외선에 의한 광노화의 영향으로 여겨진다.

광노화

광노화는 태양조사가 원인이다. 지표면에서 태양광의 대부분은 적외선이며, 44%의 가시광선, 3%의 자외선으로 구성된다(구름 한 점 없고 태양이 머리 위에 있을 때). 지구 대기는 95%의 자외선(100~400 nm)을 차단한다. 지표면에 도달하는 자외선은 95% 이상의 자외선A(315~400 nm)과 5% 정도의 자외선B(280~315 nm)로 구성된다. 살균력이 있는 자외선C는 피부에 굉장히 유해하지만, 다행히도 오존층에서 완전히 흡수된다. 피부에 도달하는 자외선B에 대한 자외선A의 비(UVA/UVB ratio)도 고려되어야 하는데, 이것은 위도, 계절, 하루 중의 시간에 따라 달라진다. 자외선B의 양은 어느 때 보다 여름 한낮의 태양에서 가장 높다. 실제로 자외선B에 대한 자외선A의 비(UVA/

UVB ratio)의 대표값은 25이지만,[18] 대부분의 연구에서 시뮬레이터를 통한 일광 조사(자외선A/자외선B 비<18)를 여름 맑은 날 정오 태양을 대신하여 사용해 왔다.

연구자들은 깊게 투과되는 자외선A가 진피 결합조직을 손상시키고 피부암의 위험도 증가시킬 수 있다고 믿지만, 자외선B도 표피까지만 투과되지만 화상, 태닝, 광 발암의 원인이 된다.[19] 자외선B는 직접적 DNA 손상의 주된 원인이며 염증과 면역억제를 유발한다.[20] 자외선A는 태양광 중 양이 많고 피부의 진피와 표피까지 투과되므로 피부 광노화에 가장 중요한 역할을 한다고 생각된다.[20] 창백한 백인의 경우, 15세이면 외인성 노화의 첫 증후가 노출 부위에 나타나지만[21] 비노출부위는 30세까지 나타나지 않는다.[22] 걱정스럽게도 서양에서 선탠을 좋아하는데, 이것은 피부암과 조기 노화 피부의 발생이 계속적으로 증가하는 것과 관계가 있다. SPF (sun protection factor)가 표시된 바르는 자외선 차단제 크림과 같은 일광차단 사용이 늘고 있으나 이 또한 문제가 없는 것은 아니다. 예를 들어 표시된 SPF를 유지하기 위해서는 현실적이지 못한(미용적으로 받아드릴 수 없는) 양의 크림을 발라야 하며, 사용자들은 방수기능이 없는 자외선 차단제를 적절한 수준 이하로 한 번만 발라도 햇빛에서 보내는 시간을 늘릴 수 있다고 잘못 알고 있다. 일광차단제 제대로 바른다 하더라도 홍반발생 이하의 자외선 노출은 일어나게 된다는 것이 최근에 알려졌다.[23] 우리는 장기적 광차단 효과를 향상시키기 위해 요구되는 이상적인 자외선B/자외선A 비에 대해서 알아야 할 필요가 있다.

자외선A와 자외선B 노출에 의한 부정적인 효과(예:흑색종과 비흑색종 피부암, 백내장 발생, 바이러스 잠복 감염에 대한 전신적 면역 억제, 피부 노화)와 더불어, 자외선B 조사는 긍정적인 효과도 있음을 기억해야 한다. 자가면역 반응의 억제, 엔도르핀 생성에 의한 기분 향상, 칼슘 항상성을 돕는 비타민 D 합성이 해당된다. 비타민 D 결핍 및 부족의 발생 증가에 대한 우려가 증가하고 있다.

임상적으로 광노화 피부는 깊은 주름, 늘어짐, 거칠음, 혈색없음, 약해짐, 멍듦, 얼룩덜룩한 색소침착, 모세혈관 확장, 창상치유장애, 양성과 악성 종양이 특징이다. 축적된 일광 노출 정도는 관련 피부 변화 정도를 결정한다. 자외선이 노화를 가속화하는 기전은 이후에 다뤄질 것이다.

흡연

흡연은 일광 노출, 나이, 성별, 피부 색소침착으로 보정한 후에도 조숙한 얼굴 주름의 독립적인 위험 인자이다.[14,24] 현재 흡연자의 중등도 이상 주름의 상대적 위험은 남성은 2.4, 여성은 3.1이다.[15,25] 명확한 용량반응관계가 있어, 흡연 기간이 길수록, 하루에 피는 담배 개수가 늘어날수록 얼굴 주름도 증가한다.[24] 흡연과 과한 일광 노출이 더해지면 주름에 대한 효과가 크게 증가하여, 정상 연령대의 인구집단에 비해 11.4배까지 증가한다.[26] 흡연의 노화 효과에 대한 정확한 기전은 잘 모른다. 피부의 건조, 자극 등의 국소적 효과와 MMP-1 (Matrixmetalloproteinase-1) 유도 혹은 피부 미세혈관에 부정적 영향을 미칠 것으로 생각된다.[27] 특히 진피 미세혈관은 급성, 장기간의 흡연

에 의해 수축되며 그 정도는 흡연 노출의 기간이나 강도와 관련이 있다.[28]

피부 타입

피부의 색소침착은 축적된 광노화의 영향에 대한 보호이다. Fitzpatrick 분류 타입 I~VI(항상 일광화상을 입고 태닝은 잘 되지 않는 타입에서 항상 태닝이 되고 일광화상은 입지 않는 타입까지)에 따라 비교해보면 타입 VI(흑인)에서는 노출 부위와 비노출 부위에 따른 차이는 거의 없다.[29] 아프리카계의 미국인에 비하여 백인에서 피부암의 빈도가 훨씬 높은 것은 색소침착이 자외선에 의한 손상으로부터 의미 있게 보호함을 반영한다.[30] 광손상 피부의 외형도 피부 타입 I, II(붉은 모발, 주근깨, 쉽게 일광화상입음)와 타입 III, IV(까만 피부, 쉽게 태닝됨)가 다르다. 전자는 위축 피부 변화를 보이는 경향이 있고, 주름은 적고, 부분 탈색소(물방울멜라닌저하증)와 광선각화증(actinic keratosis) 혹은 표피 악성 등의 이형성 변화를 보이는 경향이 있다. 반대로, 타입 III, IV 피부는 깊은 주름, 거침, 가죽 같은 외형, 검은사마귀 등의 비후 반응을 보인다.[20] 기저세포암과 상피세포암은 거의 대부분 밝은 피부를 가진 사람에서 일광노출 피부에 발생한다. 실제나이와 광노화 상태에서의 피부 두께를 조사한, 통계적으로 강력한 대규모 연구결과에 따르면, 신체 부위에 따라서 피부 두께의 증감은 보였지만, 피부 두께와 나이 사이에는 연관관계가 없었다.[30,31]

팔 안쪽[32,33]과 뒷부분[34]과 같은 부위는 나이에 따라서 얇아지지만, 엉덩이, 등쪽 아래팔, 어깨 같은 부위는 변함이 없다.[35] 이러한 차이는 일광 혹은 환경 노출만으로는 명확히 설명되지 않는다.[30] 연구방법, 대상, 신체 부위의 차이가 연구마다 다른 결과가 보고되는 이유일 것이다. 나이가 들어도 표피 두께가 대부분 일정해 보이기는 하지만, 나이에 따라 각질형성세포의 모양과 크기가 다양해지는데, 나이에 따라 표피세포 회전율이 감소하면서 각질세포는 크기가 증가하지만 반대로 각질형성세포들은 짧고 납작해진다.[13] 아시아인 피부의 주름은 백인에 비해서 늦게 생기고 심하지 않다고 알려져 있다.[22]

표피

표피는 각질층(stratium corneum)이라 불리는 비생존층과 생존 표피로 구성되어 있고, 생존 표피는 각질형성세포(90~95%), 랑게르한스세포(2%, 각질형성세포 53당 1), 멜라닌세포(3%, 생존 각질형성세포 36당 1), 메르켈세포(0.5%)로 구성된다.[1]

각질층은 외부환경에 대한 신체의 중요한 장벽이며 피부 수분공급 정도를 결정하는 데에 중요한 역할을 한다. 단백질이 풍부한 각질세포(corneocyte)가 세라미드, 콜레스테롤, 지방산 기질 안에 끼어있는 벽돌과 회반죽 모형으로 표현되는 구조이다.[30] 지방은 각질층 세포사이에 층상구조를 이루고 있고 기계적이고 응집력이 강한 성상이 효과적인 수분 장벽의 역할을 하게 한다.[36] 각질층 두께는 나이에 따라 변하지 않으며 장벽기능도 유의한 변화는 없는 것으로 알려져 있다. 그러나 고령에서 동반되는 심한 피부 건조증, 접촉성 피부염 감수성 증가 등의 비정상적인 피부장벽은 노화 피부의 확실한 특징이다. 노화피부에서 화학물질의 투과성이 변화하고[38] 경표피 수분이동량이 감소한다는 증거가 있다.[30] 기본 피부 장벽 기능은 나이에 따라 변하지는 않는 것 같다.[37] 직관적이지는 않지만, 표면으로부터 나오는 회복가능한 물질들(예를 들면 피지, 땀, 천연보습인자, 각질세포 찌꺼기 등)은 나이나 인종, 성별에 영향을 받지는 않는다.[39]

　Tape stripping을 해보면, 80세 이상의 노화 피부에서는 20~30대의 젊은 피부에 비해서 더 쉽게 장벽기능이 손상된다.[37] 같은 연구에서 더 나이가 많은 노인에서 테이프를 뗀 후에 장벽 회복이 상당히 손상됨이 확인되었다. 이러한 이상의 원인은 완벽히 이해되지는 않으나, 각질층 지질이 전체적으로 줄고, 이는 각질세포에 붙는 것에 영향을 주는 것으로 보인다. 50~80세에서는 비정상적인 각질증 산성화가 지방 과정을 지연시키고 투과성 장벽 회복을 지연시키며, 각질층을 비정상적으로 통합함이 연구를 통해 확인 되었다.[40] 각질층 pH의 상승이 지방 생산을 방해할 분만 아니라 각질세포(corneocyte)간의 연결, 각질교소체(corneodesmosome)를 분해한다.[41] 비정상적인 산성화는 막 Na^+/H^+수송단백질 감소와 연결된다.[40] 또한 나이에 따라 각질층 회전율 시간이 길어지고 교체는 지연된다.[42]

　성인여성 피부에 대한 최근 연구에 따르면, 이마, 관자놀이, 전박의 피부표면 pH는 나이에 따라 약간 증가하는 것으로 보고 되었다.[43] 이것은 의학적, 미용적 피부케어 제품의 개발에 결정적인 정보이다. 노화 피부에서 가장 일관된 변화는 진피표피이음부가 평편해지는 것이다. 이 부위는 젊었을 때는 물결모양으로 주름지어 있다(그림 25-1, A와 B).[44] 평편화는 표피능 함몰 때문에 일차적으로 표피가 얇아 보이게 한다.[30] 층간 상호교차 감소는 비틀기 힘에 대한 저항을 줄인다.[13,22] 표피와 진피가 접촉하는 부위의 표면적이 줄고 영양분과 산소공급도 줄게 된다.[8] 유두진피의 일광탄력섬유화 영향을 받았을 가능성이 크며, 이것은 트로포엘라스틴(Tropoelastin), 피브릴린-1 (Fibrillin-1)등의 탄력섬유망의 변화이다.[45] 최소한의 광노화에 의해서도 진피표피경계에서 피브릴린이 풍부한 미세섬유가 감소하며, 이는 광노화의 조기 표지자로 볼 수 있다.[46-48] 20대와 60대 사이에 표피세포 회전율이 50%가 감소한다고 알려져 있다.[49,50] 이것은 고령에서 창상치유능이 떨어지게 되는 것과 일치한다.[51]

각질형성세포

나이가 들어감에 따라 각질형성세포의 기저층에 비정형성이 증가한다.[33] 분화 표지자인 인볼루크린(Involucrin)은 분화 각질형성세포에 의해 각질층에 정상적으로 발현되는데, 광손상을 입은 피부에서도 발현이 증가한다.[52] 이것은 자외선에 의해 각질형성세포의 분화가 손상 받는 사실과 일치한

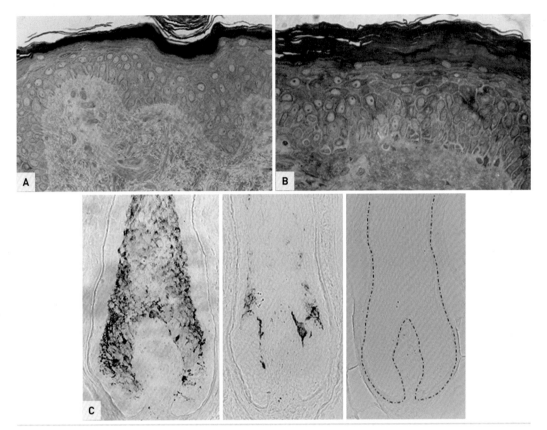

■ **그림 25-1. 나이에 따른 피부와 모낭의 변화. (A)** Toluidine blue-stained vertical section of male forearm skin (32-year-old man; ×1200). **(B)** Toludine blue-stained vertical section of male forearm skin (67-yearold man; ×1200). **(C)** Unstained vertical sections (×1000) of lower anagen scalp hair follicles of 23-year-old man (pigmented, left), 66-year-old woman (graying, middle), and 55-year-old woman (white, right).

다. 또한 각질형성세포의 분화와 세포외기질부착 표지자인 β1-인테그린의 발현이 기저표피세포에서 감소하는데,[52] 이는 광손상 노화 피부에서 각질형성세포의 증식과 부착이 비정상이라는 것을 의미한다.

멜라닌세포

나이가 들어감에 따라 기능성(tyrosinase-positive, tyrosinase-active) 멜라닌세포의 수가 10년에 8~20% 씩 감소한다.[53] 역설적으로 광손상 피부에서 멜라닌세포의 수는 증가하기도 하는데, 세포가 정상보다 작은 경향이 있고, 핵 비균질성, 세포질내 거대 공포 등의 세포활성을 보이고, 랑게르한스세포와 접촉 빈도가 증가하는 경향을 보인다.[54] 이러한 노화피부에서의 멜라닌세포의 수와 기능의 전반적 감소는 노인 환자에서의 멜라닌세포모반의 감소로 반영된다.[55] 멜라닌세포의 수적 감소는 피부의 멜라닌색소의 소실과 관련이 있고, 이것은 자외선복사의 해로운 영향에 대한 보호가 줄어든다는 걸 의미한다. 해로운 일광노출의 대부분은 10대까지에서 발생하지만, 결과적으로 나이가 많을수록 피부암에 민감하며 노인에서 일광차단이 특히 중요하다.[56]

탈색이 일어나고 있는 모낭의 색소세포 기능에 극적인 변화가 생기는데, 이것은 모발성장주기 활성화와 연관되어 있다.[57] 대부분의 인종의 노화피부에서 생기는 가장 놀라운 변화는 일광흑색점 (solar lentigo)이 늘어나는 것이다. 아시아 인종에서는 이러한 색소변화가 주름보다도 인지연령에 더 기여한다. 흑색점은 보통 직경 1 cm까지 커지며, 표피의 기저층에 주요 조직학적 변화가 생기는데 특히 표피능이 길어진다(보통 피부노화에서 표피 평편화가 생기는 것과 반대). 과다색소침착 부위는 멜라닌세포가 늘어났기 때문이라고 생각되었으나, 이후 보고에서는 확인되지 않았다. Kadono 등은 영향 받지 않은 피부에 비해 일광흑색점에서는 진피표피경계면 길이 당 tyrosinase-positive 멜라닌세포의 수가 2배 증가하였다고 보고하였다.[58] 다른 연구에서는 멜라닌세포 크기, 가지돌기 늘어남, 멜라닌소체의 변화가 있으나, 세포수의 변화는 없다고 보고하였다. Endothelin-1과 stem cell factor가 일광흑색점의 과다색소침착 발생에 중요한 조절인자로 보이며, 노인흑색점과 노화피부에서는 진피색소실조, XIIIa-positive 멜라닌세포를 포함한 표피-진피 멜라닌 축에 변화가 생긴다.[59]

진피

진피는 주로 결합조직으로 이뤄져 있으며, 혈관과 신경, 그리고 땀샘, 털피지샘단위 등의 부속기관을 포함한다. 진피의 주요 기능은 표피를 지지하는 강하고 유연한 층을 제공하는 것과 진피 아래의 피하조직에 묶는 것이다. 진피 결합조직은 콜라겐과 탄력소(엘라스틴)가 함유되어 있다. 콜라겐섬유는 피부의 가장 많은 용적을 차지하고 장력에 기여하며, 엘라스틴 섬유는 탄력에 기여한다.[60] 노화 피부 표피 연구와 노화에 따른 진피 변화에 대한 연구의 분석은 상반된 결과를 냈다; 나이에 따라 얇아지기도 하고 또 다른 경우는 변화가 없기도 한다.[30] 젊었을 때 광손상의 초기 영향은 일광탄력섬유증에 의해 피부가 두꺼워지는 것이다. 이것은 노인에서의 현저하게 얇아지는 손상 받은 진피의 노화 변화와 반대이다.[61] 자료가 많지만, 개인간 차이, 신체 부위별 차이와 연구마다 연구방법이 다르기 때문에, 피부 두께에 대한 노화의 영향을 정의하는 것은 정말 어렵다.[30] 피부노화의 핵심 변화인 주름의 원인이 진피 변화라는 것이 일반적으로 받아들여지고 있는 점을 감안할 때, 이것은 다소 불만족스런 상황이다. 주름 생성의 기전은 완전히 이해되지는 못했지만,[44] 세포외기질의 위축, 섬유모세포 등의 세포충실성 감소, 합성능력의 감소 등이 있다.[62,63] 광노화 피부는 임상적, 분자적 이상 없이 만성 염증의 조직학적인 특징을 보이는데, 이는 자외선이 탄력섬유융해 부위에서 침윤은 유발하나 선천면역세포의 활성을 일으키는 건 아니라는 걸 말해준다.[64] 일광차단 피부에

비해 일광노출 부위에는 콜라겐과 탄력섬유의 이상 현상이 더 많다.[65,66]

콜라겐

콜라겐은 인간에서 가장 풍부한 단백질이며, 진피의 기본적인 구조적 요소로서, 피부에 힘을 불어넣고 지지하는 역할을 한다. 콜라겐의 변화는 노화 과정에서 필수적인 역할을 한다.[56] 젊은 성인의 진피에서 콜라겐 번들은 잘 구조화되어 있어서, 신전이 잘 되도록 배열되었다가 탄력섬유에 의해 안정기로 돌아온다.[44] 나이가 들면서 콜라겐 번들의 밀도가 증가하며[67] 신장성 있는 배열을 잃고 분열되고, 비조직적이고, 용해도가 낮아진다.[65,68]

자외선과 내인성 노화 과정은 활성산소종(Reactive oxygen species, ROS)의 생성을 통해 콜라겐 분해효소 MMPs를 상향조절한다.[69] 콜라겐 합성은 감소하여,[70] 생산과 분해 사이의 균형에 변동이 생긴다.[8,13] 피부의 서로 다른 콜라겐은 다른 기능을 가지며, 노화 과정에 의해 다른 영향을 받는다. 젊었을 때는 진피 콜라겐의 80%를 콜라겐 Ⅰ이, 15%를 콜라겐 Ⅲ가 구성한다. 나이가 들수록 콜라겐 Ⅰ이 줄게 되어 결과적으로 콜라겐 Ⅲ의 콜라겐 Ⅰ에 대한 비가 증가하게 된다.[68,71] 콜라겐 Ⅳ, Ⅶ의 수준도 변화한다. 콜라겐 Ⅳ는 진피표피경계의 필수적인 부분으로 다른 분자들의 구조적 뼈대를 이루고 역학적인 안정성을 유지하는 데에 중요한 역할을 한다.[59] 콜라겐 Ⅶ은 밑에 있는 유두진피에 붙는 기저막에 대단히 중요하다.[59] 주름의 기저에 상당히 낮은 수준의 콜라겐 Ⅳ, Ⅶ이 있는데, 이것은 이들 콜라겐의 결핍이 주름 형성에 기여한다는 것을 추측할 수 있다.[72] MMPs는 콜라겐과 엘라스틴 성분의 분해에 독립적으로 혹은 함께 역할을 한다. 이들 효소는 정상 피부에서는 낮은 수준으로 발현되지만, 흡연과 같은 생활습관 변화에도 발현이 증가하는 것을 볼 수 있다(예, MMP-1). MMPs는 자외선에 의해서도 상향조절 되며, MMP-9은 탄력섬유와 피브릴린에 대한 가장 강력한 분해효소이다.

탄력소(엘라스틴)

인간의 피부는 독특하게도 탄력섬유가 풍부하며, 특히 망상 진피에서는 콜라겐 번들과 얽혀있다. 탄력섬유 그물의 밀도는 의미 있는 지역차가 있다. 엘라스틴은 많은 노화관련 변화를 보이며, 자외선에 대한 탄력섬유 재형성은 MMPs의 활성화에 의해 조절된다 엘라스틴의 분해,[73,74] 내인성 노화에 따른 엘라스틴 손상의 축적,[73] 일광노출 부위의 비정상 엘라스틴 합성 증가,[75] 광손상 피부의 상층 진피에 비정상적인 엘라스틴 존재 등이 이에 해당한다.[30]

조직학적으로 광손상 피부의 현저한 특징 중 하나는 탄력섬유물질의 변화이다. 헤마톡실린-에오신 염색을 해서 보면, 표층부터 중층까지의 진피에 일광탄력섬유증(solar elastosis)으로 불리는 무정형의 푸른색으로 염색되는 부위가 있다. 이것은 상부 진피에 흐트러진 트로포엘라스틴(tropoelastin)과 피브릴린(fibrillin)으로 구성된 무정형의 물질이 동반된, 분해된 탄력섬유가 얽혀있는 덩어리이다.[20] 일광차단이 된 부위도 70세 이후에는 대부분의 탄력섬유가 비정상으로 보이고 석회화가 증가한다.[66,76] 이러한 비정상적 탄력섬유물질은 피부에 탄성이나 탄력성을 주지 못한다. 젊은 피부에서는 mechanical depression에서 회복되는 데에 수분이 걸리지만, 노인에서는 24시간 이상 걸릴 수도 있다.

글리코사미노글리칸, 수분함량, 진피지방

글리코사미노글리칸(GAGs)은 콜라겐, 엘라스틴과 함께 피부의 주요 구성요소이며, hyaluronic acid, dermatan sulfate, chondroitin sulfate가 해당된다.[56] 이 분자들의 주요 역할은 수분결합이며, 피부가 탱탱하고, 부드럽고, 촉촉하게 한다.[56] 광노화 피부에서는 글리코사미노글리칸(GAGs)이 증가하지만[77,78] 수분공급효과를 내지 못한다. 이는 젊거나 광차단 된 피부에서처럼 진피에 산재되어 있지 못하고 탄력섬유물질에 침착되어 있기 때문이다.[78] 젊은 피부는 대부분의 수분이 단백질에 결합되어 있어서 수화가 잘 되어 있다.[79] 단백질에 결합하지 못하고 서로 결합한 물분자는 tetrahedron이나 bulk water를 형성한다.[79] 내인성 노화 피부에서 물 구조와 결합이 의미있게 변하는 것 같지는 않다.[77] 광노화 피부에서는 총 수분함량은 증가한다.[77] 그러나, 광차단 피부에 비해 단백질이 소수성이고[80] 접혀 있으며,[77,79] 글리코사미노글리칸(GAG)이 탄력섬유물질에 침착되어 있어서 물이 이들 분자에 결합하지 못하고 대부분 tetrahedron 형태로 존재한다.[77] 또한 tetrahedron 물은 결합되어 있는 물 정도의 수분공급와 긴장도를 제공하지 못하여 광노화 피부는 건조한 외관을 보인다.[30]

노화는 총 신체 지방은 증가함에도 불구하고(특히 다리, 허리, 복부), 피하지방 부피가 주는 것과도 관련이 있다. 특히 얼굴과 발, 손의 지방이 가장 많이 줄어든다.[55,80]

신경과 감각

피부 신경은 노화에 적은 영향만 받는다고 보고되고 있으며, 마이스너소체(Meissner corpuscles)와 같은 종말기관은 작은 변화만 있긴 하지만, 커지고 일그러진 것처럼 보일 수 있다. 어떤 연구에서는 나이에 따라 감각지각이 감소하고 동통 역치는 증가한다고 보고 되었다.[81] 새끼 손가락의 마이스너소체(Meissner corpuscles) 밀도가 젊었을 때는 $30/mm^2$이 넘는데, 70세에는 $12/mm^2$까지 줄어듦이 밝혀졌다.[82] 대머리의 경우 nerve support의 감소가 보일 수 있는데, 이러한 변화는 피부 노화 자체보다는 모낭 소형화에 의한 것일 가능성이 크다.[82]

진피 혈관구조

모든 연구에서는 아니지만, 나이 증가와 피부 관류의 감소가 관련이 있는 것으로 보인다.[30] 한 연구에서는 젊은 피부에 비교하여 노화 피부에서는 정맥의 단면적이 35% 감소한다고 밝혔다.[83] 이러한 혈관분포의 감소는 특히 유두진피에서 현저하며, 표피능이 없어짐으로써 수직모세혈관이 줄어든다. 혈관의 감소는 피부를 창백하게 하고, 영양분 교환이 감소하고 체온조절이 잘 되지 않게 한다.[56] 노인에서는 저온과 열에 대한 혈관수축 또는 혈관확장 반응도 지연되며, 체온조절 반응이 없어진다는 보고도 있다.[30] 또한 약하게 광손상 입은 세포의 진피 혈관은 세정맥의 혈관벽이 두꺼워진다. 그러나 심하게 광손상 입은 피부에서는 혈관벽이 얇아지고 확장되어 임상적으로는 모세혈관확장증으로 발현된다.[20] 어떤 연구에서는 대머리와 아닌 두피의 혈관구조를 비교하여 대머리의 유두진피에서 표면 모세혈관고리와 뭉치가 감소함을 확인하였다. 하지만 머리가 벗겨지기 시작하는 것은 젊은 나이에서도 진행할 수 있으므로, 대머리 두피에서 모낭의 소형화가 그 원인으로 여겨진다.

피부 부속기

땀샘

샘분비땀샘

나이가 들어가면서 샘분비땀샘의 수가 줄어들며,[84] 샘당 분비물도 줄어들고,[85] 이는 신경 공급의 감소 없이도 전신 체온조절에 영향을 준다. 노인에서는 에피네프린에 대한 반응도 줄어든다; 아세틸콜린에 대한 반응 저하가 남성 노인에서 여성 노인에서보다 훨씬 더 심하다. 이것은 콜린성 발한은 호르몬 영향을 간접적으로 받는다는 것을 시사한다.[85] 콜린성 발한의 최대 속도가 성인 여성이나 청소년보다 높으며 남성 호르몬 의존적이라는 것이라는 증거가 제시되고 있다.[86]

아포크린땀샘

아포크린땀샘의 활성도 노인에서 줄어드는데, 이는 테스토스테론의 감소의 결과이며 페로몬 분비와 그에 따른 체취의 감소로 이어진다.[87]

손발톱

손발톱의 성장은 25세 정도까지 증가하며, 이후로는 감소하기 시작한다.[44] 70세 까지 손발톱의 성장은 여성보다 남성에서 크며, 그 이후로는 역전되는 것으로 보인다.[88] 손발톱은 노인에서 잘 부러지게 되는데, 이러한 취약성은 lipophilic serols과 유리지방산의 감소에 의한 것 같다.[89]

털피지샘단위

털피지샘단위(Pilosebaceous unit)는 모낭과 그와 관련된 피지샘이 포함되며, 나이 관련 변화를 가장 심하게 보인다. 사춘기 동안에 커지는 것을 쉽게 볼 수 있다. 예를 들어 사춘기 동안에 남자 뺨에서는 피지 분비가 적고 거의 안보이는 털의 솜털모낭단위에서, 피지 분비가 많고, 거친, 종말털 생산

모낭으로 전환된다. 역설적이지만, 나이 관련 남성형 탈모에서는 모낭의 소형화가 있다. 이러한 모낭이 커지거나 소형화 되는 등의 해부학적인 변화의 결과로 인접 모낭 간 피부에서 진피의 재형성이 된다. 대머리 두피의 피하지방 층에서 감소가 크기 때문에 이 부위에서 잘리거나 상처 입을 가능성이 커진다.[90] 두피에서 단위 면적 당 털피지샘단위의 절대적 수의 변화는 없지만, 피지샘 자체는 증식하고 커진다.[91] 광손상 피부에서도 커다란 면포로써 나타난다. 이러한 크기 증가에도 불구하고, 피지 생산은 50% 감소하는데,[92] 이는 온분비피지샘 세포의 회전율 감소를 시사하고, 이는 노화 피부건조증의 원인이 된다. 어떤 연구자는 테스토스테론의 감소에 의한 것으로 믿기도 하지만, 과증식을 설명하지는 못한다.[93] 폐경 후 여성에서 피지분비가 의미 있게 감소하며, 이는 피지샘이 에스트로겐에 민감함을 시사한다. 또한 노화 피부에서는 피지의 구성성분도 바뀌는데, 유리 콜레스테롤이 줄고, 스쿠알렌이 증가한다.[94]

모발

모낭(hair follicle)은 매우 복잡한 다세포조직체계(a veritable miniorgan)로 기관과 조직의 기능적 수명을 조절하는 일련의 과정에 민감하다. 모낭은 생활사의 모든 단계(줄기세포, 일시 증폭세포, 분화세포)에 기능을 하는 여러 종류의 세포들(상피세포, 중간엽세포, 신경외배엽세포)이 조직학적으로 혼합되었다는 점에서 포유류의 조직에서는 다소 특이하다. 이러한 상호작용을 하는 세포 시스템의 일부는 모낭의 전체적인 생존에 필수적이지 않다는 것은 주목할 만하다(예, 멜라닌세포). 놀랍게도 회색, 흰머리는 훨씬 빠르게 자란다. 강력한 진화적 선택에 의해 모낭이 노화관련 기능 손실에 대응하도록 프로그램화 되었다고 생각된다.[90] 노화관련 과정들(산화손상, 끝분절 짧아짐, 핵, 미토콘드리아 DNA 손상과 복구관련 부족, 노화 관련 세포에너지공급의 감소 등)은 모낭세포 아집단이 세포노화에 들어갈 지 여부에 영향을 미칠 것이다.

흉부와 겨드랑이의 모발, 음모는 모두 나이에 따라 그 밀도가 줄어든다. 그러나 남성의 경우 눈썹, 외이도 주위, 콧구멍 등의 부위에서는 모발 성장이 많이 늘어나기도 하는데, 이는 70대까지 테스토스테론이 높게 유지됨을 반영한다.[44] 노인 여성에서는 뺨과 코밑수염이 솜털에서 거친 종말털로 변하기도 하는데, 이것은 감소된 에스트로겐 균형으로 테스토스테론의 영향이 나타나게 된 것이라고 생각된다.

내인성 노화와 별개로, 나이에 따른 모발 성장에 대한 주된 영향은 안드로겐성 탈모 상태이다. 최근 노화탈모라고 칭하는 노화관련 모발의 가늘어짐과는 완전히 다른 유형이다.[95] 안드로겐성탈모(또는 남성형 대머리)는 매우 빨리, 십대 후반에도 생길 수 있다. Microarray analysis에서도 안드로겐성 탈모와 노화탈모는 유전자 발현이 다름이 밝혀졌다. 전자는 안드레겐민감 모낭에 대한 디히드로테스토스테론의 작용의 결과이고,[96] 노화탈모는 모낭에 대한 노화의 영향에 해당된다고 할 수 있다. 반대로 여성형 탈모는 소수의 여성에서 가는 모발과 함께 나타나는데 안드로겐과 관련이 있다. 여성에서의 나이 관련 탈모의 대부분은 다른 원인이 있을 가능성이 있다.[97] 원인을 고려하지 않으면, 50세 남성의 50%, 60세 여성의 50%가 노화관련 탈모가 있다.[98] 해당 부위의 모발은 솜털처럼 될 때까지 가늘어지고 탈색된다.[98]

어린이의 모발 색은 10세까지 어두워지는 경향이 있다. 사춘기 시작 전에 금발의 아이가 어두운색의 모발로 되는 경우도 드물지 않다. 이색증(Heterochromia) 현상은 사춘기 이후에 더 확연해진다; 두피와 턱수염 사이에 색 차이가 있는 경우가 드물지 않다.[90] 성장기의 어린이와 청소년의 가는 두발은 색 뿐만 아니라 모발 섬유의 거칠어 보임도 나이가 들면서 많은 변화를 보인다. 정상 굵기의 모발섬유를 생산하는 모낭에서 멜라닌세포가 줄어들면 모발섬유의 구조에도 변화가 생긴다. 이는 멜라닌 과립-전도 멜라닌세포와 모발줄기생성, 멜라닌-수용 전피질 각질형성세포 간의 긴밀한 상호작용에 의한 것이다.[99]

회색, 흰 모발 섬유는 근접 정상 모발에 비교하여 다른 기계적 특성을 보인다. 색소가 없는 모발은 색소 있는 모발보다 더 거칠어질 뿐 아니라 곱슬거리게 될 수도 있다. 흰 모발 섬유의 평균 직경이 색소 있는 모발보다 더 크다는 보고도 있다.[99] 흰 모발이 평균적으로 더 굵고 중앙수질이 많으며, 더 빨리 자란다. 나이-관련 모발성장의 감소가 색소 있는 모발에 한정된다는 보고도 있다. 모발의 항장력은 출생부터 10대까지 증가하고, 나이에 따라 감소한다. 폐경기 여성의 탈색소 모발은 더 젊은 여성의 모발에 비교했을 때 같은 속도로 자란다. 이러한 현상의 국소적인 가변성, 안드로겐과 호르몬들의 가능한 영향 등에 대한 연구가 필요하다.

모발의 색과 밀도 변화는 나이의 뚜렷한 시각적 지표이며 젊은 외모를 유지하기 위한 행위의 타겟이다. 모발의 색이나 성별에 관계없이, 50세에, 거의 50%의 사람들이, 50%의 머리가 센다는 것은 자주 인용되는 경험상의 법칙이다.[100] 하지만, 최근의 연구에서는 이것은 과장되어 있으며, 인종적, 지리적 특성, 자연 모발색에 따라 6~13%의 사람들이 머리가 센다고 제시하였다.[101] 머리가 세는 것은 털망울(모구부, Hair bulb) 멜라닌세포의 감소의 결과로 보여지며, 바깥쪽 뿌리집(모근초, Root sheath)과 피지샘 기저층에서는 덜하다.[102,103] 이러한 꾸준한 감소의 기전은 아직 명확하지 않으나, 멜라닌세포 줄기세포와 망울 멜라닌세포(Bulbar melanocyte)의 안정성과 생존(그림 25-1, C), 특히 산화제와 항산화 보호상태에 대한 상대적 민감도에 관련되는 것으로 보인다.[104,105]

면역기능

피부는 면역특별격리부위인 성장중인 모낭을 제외하고는 강력한 면역적격성(immunocompetent) 조직이다. 마우스에서의 피부이식을 이용한 이식편대숙주반응을 통해 많은 면역학적 이론이 추론되었다. 피부의 랑게르한스세포의 밀도는 노인에서 크게 감소하며, 이는 일광차단부위에서도 마찬가지다.[106,107] 수적인 감소 뿐만 아니라 Tumor necrosis factor-α와 같은 사이토카인에 반응하여 이동하는 능력도 감소한다.[108] T림프구도 수가 감소하고 특정 항체에 대한 반응이 약해진다.[42,109] 노화피부는 특정 사이토카인(예, Interleukin-2[110])의 생성능력이 줄기도 하고 다른 사이토카인(예, Interleukin-4)의 생성이 늘어나기도 한다.[110] 이러한 변화의 결과로 지연 과민반응 강도가 줄고[8] 광발암과 만성피부감염에 대한 민감도가 늘어난다.[49]

여성

폐경기 여성에서 에스트로겐 감소는 주름, 건조, 위축, 이완, 좋지 못한 창상치유, 외음부 위축의 원인이 된다.[111] 콜라겐의 감소는 실제나이보다 폐경나이와 더 밀접한 관련이 있으며, 호르몬 효과를 반영한다고 연구들을 통해 밝혀졌다.[112,113] 에스트로겐 치료(호르몬대체요법, Hormone replacement therapy, HRT)는 기저 콜라겐치가 높은 여성에서는 콜라겐 감소를 막고, 시작 콜라겐치가 낮은 여성에서는 콜라겐 합성을 자극한다.[114,115] 에스트로겐 결핍과 진피 탄력조직의 퇴행성 변화와의 관계도 연구를 통해 뒷받침되었다.[116] 그러나 에스트로겐 치료가 피부 탄력성에 이로운 영향이 있는지는 아직 확실하지 않다.[117] 호르몬대체요법이 피부건조와[118] 창상치유를[119] 호전시키고 피부표면 지질을 증가시킨다는 증거가 있다.[120,121] 피부노화에서의 에스트로겐의 역할이 최근 검토되었다.[122]

노화의 기전

이전 인용문헌에서 세포와 분자생물학적 기전에 대해서 몇 개의 노화 모드가 제안되었다. 하지만 노화의 이론들이 그렇듯이, 노화의 근본원인이 무엇인지 적절히 다루는지는 확실하지 않다. 예를 들어, 멜라닌세포의 실패(failing melanocyte)는 퇴행성 변화를 일으키는 것이 아님에도 자유라디칼 관련 이상을 보일 것으로 예상할 수 있다. 자외선 노출, 흡연, 공해, 정상 내인성 대사과정을 통한 활성산소종(ROS)이나 자유라디칼의 생성은 피부의 노화 과정에 중요하다고 여겨진다. 활성산소종은 콜라겐 분해 증가와 엘라스틴(탄력소)의 축적을 유발하는 유전자 발현을 유도한다.[123] 활성산소종은 직접적으로 간질 콜라겐을 파괴할 뿐 아니라 MMPs 억제제를 불활성화 시키고 기질분해 MMP의 합성과 활성을 유도한다.[123] 호르몬도 역할을 하여, 폐경기 호르몬변화는 피부의 구조와 기능이 빠르게 악화되는 원인이 되며, 호르몬대체요법이나 국소 에스트로겐치료로 부분적 치료가 될 수 있다.[113,124]

미토콘드리아 DNA (mtDNA)는 반복적인 산화스트레스에 의해 정기적인 DNA 손상과 특정 길이 DNA의 결손을 초래한다. 이러한 결손은 일광차단피부보다 광손상피부에서 10배 더 흔하다. 이것은 결과적으로 미토콘드리아 기능을 감소시키고 활성산소종을 축적시키며, 에너지를 생성하는 세포의 능력을 손상시킨다. 광손상 피부에서 미토콘드리아 DNA 손상의 정도는 실제나이보다는 광손상 정도와 연관이 있다.[20] 흥미롭게도, 이러한 결손은 탈색이 일어나고 있는 모낭에서 더 흔하

게 발견된다.[125]

자외선은 끝분절 짧아짐을 가속화시키며, 이는 p53과 같은 DNA 손상반응 단백질을 활성화 시켜 세포타입에 따라 증식노화 혹은 세포자멸사를 유도한다.[14, 126]

치료와 예방

일광회피와 충분한 일광차단제의 사용은 노화관련 피부변화 예방에 가장 중요하다. 이외에 효과가 증명되거나 아직 논란의 여지가 있는 수많은 제품들이 있다. 국소 레티노이드는 피부표면거침, 가늘거나 거친 주름, 얼룩덜룩한 색소침착, 혈색나쁨을 호전시킬 수 있다.[127] 조직학적으로 표피의 멜라닌이 감소하고 재분포하며, 유두진피콜라겐 침착이 증가하고 유두진피의 혈관분포가 증가한다. 트레티노인 치료는 광손상을 호전시킬 뿐 아니라 내인성 노화관련 조직학적 변화도 되돌린다.[128,129] 이러한 효과는 핵 레티노산수용체를 통해 매개된다고 생각된다. 레티노이드는 노화의 외관을 개선시킬 뿐 아니라 피부암 예방에도 도움이 된다.[20]

많은 새로운 치료법들이 연구 중에 있다. DNA 복구를 돕는 효소의 전달, 폴리페놀, 플라보노이드, 알파히드록시산 같은 항산화제, 멜라닌 합성과 멜라닌 전달 억제제 등이 있다. 세포외기질 복원은 진피의 기능과 구조를 강화하는 또 하나의 가능한 항노화 방법이다.[130] 식이 지방도 피부 노화에 역할을 하는 것으로 보인다.[131] 저지방식이가 광선각화증 발생 예방효과가 있다는 증거가 있으며,[132] 어떤 지방은 자외선에 의한 손상에 보호 효과를 보이기도 한다.[20] 미래의 치료에는 피부 색소침착의 유도/강화가 포함되며, 이는 자외선 손상으로부터 피부를 보호한다.[20] 레이저치료, 필러, 보툴리눔독소, 수술 등의 비약물적 치료도 있다.

결론

피부는 내인성 노화와 외인성 노화의 복합적 혼합의 대상으로, 위치상 환경적 손상에 특별히 취약하다. 피부를 손상으로부터 보호하기 위한 여러가지 방어기전이 존재하지만, 시간이 지날수록 효율이 떨어지고 그 결과 노화 관련 임상상이 생기고 피부암이 발생하게 된다. 일광차단이 예방에 있어 가장 중요하며, 새롭고 실제적인 치료들이 지속적으로 개발되고 있다.

KEY POINTS

요점: 노화와 피부

- 피부의 노화는 내인적, 외인적 인자들의 영향을 받는다.
- 자외선 조사는 노화의 대부분의 시각적인 증후의 원인이며 광노화로 알려져 있다.
- 광노화는 얼굴, 전박과 같은 일광노출 부위에서 보인다.
- 광노화의 결과로 진피의 콜라겐 분해가 증가하고 비정상 엘라스틴(탄력소)의 침착이 늘어난다.
- 내인성 노화는 가는 주름, 건조증, 피부이완과 관련이 있다. 외인성 노화는 거친 주름, 건조증, 얼룩덜룩한 색소침착, 피부이완, 악성종양 발생과 관련이 있다.
- 피부노화의 기전에는 활성산소종, 미토콘드리아DNA변이, 끝분절 짧아짐이 있다.
- 호르몬 변화는 특히 여성에서 피부노화에 중요하다.
- 치료의 열쇠는 일광차단을 통해 예방하는 것이며, 새로운 치료법들이 개발되고 있다.

참고문헌의 총 목록을 보려면 www.expertconsult.com 을 방문해주세요.

중요 참고문헌

1. Tobin DJ: Biochemistry of human skin—our brain on the outside. Chem Soc Rev 35:52–67, 2006.

10. Gunn DA, Rexbye H, Griffiths CE, et al: Why some women look young for their age. PLoS ONE 1(4):e8021, 2009.

15. Nakamura KI, Izumiyama-Shimomura N, Sawabe M, et al: Comparative analysis of telomere lengths and erosion with age in human epidermis and lingual epithelium. J Invest Dermatol 119:1014–1019, 2002.

20. Yaar M, Gilchrest BA: Photoageing: mechanism, prevention and therapy. Br J Dermatol 157:874–887, 2007.

22. Grove GL: Physiologic changes in older skin. Clin Geriatr Med 5:115–125, 1989.

30. Waller JM, Maibach HI: Age and skin structure and function, a quantitative approach (I): blood flow, pH, thickness, and ultrasound echogenicity. Skin Res Technol 11:221–235, 2005.

36. Escoffier C, de Rigal J, Rochefort A, et al: Age-related mechanical properties of human skin: an in vivo study. J Invest Dermatol 93:353–357, 1989.

44. Graham-Brown RAC: Old age. In Burns T, Breathnach S, Cox N, et al, editors: Rook's textbook of dermatology, vol 6, Oxford, England, 2004, Blackwell Science.

46. Watson RE, Griffiths CE, Craven NM, et al: Fibrillin-rich microfibrils are reduced in photoaged skin. Distribution at the dermal-epidermal junction. J Invest Dermatol 112:782–787, 1999.

49. Cerimele D, Celleno L, Serri F: Physiological changes in ageing skin. Br J Dermatol 122(Suppl 35):13–20, 1990.

57. Tobin DJ: Gerontobiology of the hair follicle. In Trueb RM, Tobin DJ, editors: Aging hair, Berlin-Heidelberg, 2010, Springer-Verlag, pp 1–8.

60. Farage MA, Miller KW, Elsner P, et al: Structural characteristics of the aging skin: a review. Cutan Ocul Toxicol 26:343–357, 2007.

65. Uitto J: Connective tissue biochemistry of the aging dermis. Age-related alterations in collagen and elastin. Dermatol Clin 4:433‒446, 1986.

80. Farage MA, Miller KW, Maibach HI: Degenerative changes in aging skin. In Farage MA, Miller KW, Maibach HI, editors: Textbook of aging skin, Berlin-Heidelberg, 2010, Springer-Verlag, pp 25‒35.

95. Karnik P, Shah S, Dvorkin-Wininger Y, et al: Microarray analysis of androgenetic and senescent alopecia: comparison of gene expression shows two distinct profiles. J Dermatol Sci 72:183‒186, 2013.

99. Trueb RM, Tobin DJ, editors: Aging hair, Berlin-Heidelberg, 2010, Springer-Verlag.

103. Tobin DJ, Paus R: Graying: gerontobiology of the hair follicle pigmentary unit. Exp Gerontol 36:29‒54, 2001.

111. Hall G, Phillips TJ: Estrogen and skin: the effects of estrogen, menopause, and hormone replacement therapy on the skin. J Am Acad Dermatol 53:555‒568, 2005.

122. Thornton MJ: Estrogens and aging skin. Dermatoendocrinol 5:264‒270, 2013.

127. Gilchrest BA: A review of skin ageing and its medical therapy. Br J Dermatol 135:867‒875, 1996.

참고문헌

1. Tobin DJ: Biochemistry of human skin—our brain on the outside. Chem Soc Rev 35:52‒67, 2006.

2. Chuong CM, Nickoloff BJ, Elias PM, et al: What is the 'true' function of skin? Exp Dermatol 11:159‒187, 2002.

3. Hay RJ, Johns NE, Williams HC, et al: The global burden of skin disease in 2010: an analysis of the prevalence and impact of skin conditions. J Invest Dermatol 134:1527‒1534, 2014.

4. Kligman AM, Koblenzer C: Demographics and psychological implications for the aging population. Dermatol Clin 15:549‒553, 1997.

5. Christensen K, Doblhammer G, Rau R, et al: Aging populations: the challenges ahead. Lancet 374:1196‒1208, 2009.

6. Harvell JD, Maibach HI: Percutaneous absorption and inflammation in aged skin: a review. J Am Acad Dermatol 31:1015‒1021, 1994.

7. Plowden J, Renshaw-Hoelscher M, Engleman C, et al: Innate immunity in aging: impact on macrophage function. Aging Cell 3:161‒167, 2004.

8. Waldorf DS, Willkens RF, Decker JL: Impaired delayed hypersensitivity in an aging population. Association with antinuclear reactivity and rheumatoid factor. JAMA 203:831‒834, 1968.

9. Oikarinen A: The aging of skin: chronoaging versus photoaging. Photodermatol Photoimmunol Photomed 7:3‒4, 1990.

10. Gunn DA, Rexbye H, Griffiths CE, et al: Why some women look young for their age. PLoS ONE 1(4):e8021, 2009.

11. Parsons PA: The limit to human longevity: an approach through a stress theory of aging. Mech Ageing Dev 87:211‒218, 1996.

12. Montagna W, Kirchner S, Carside K: Histology of sun-damaged skin. J Am Acad Dermatol 21(Pt 1):907‒918, 1989, 1989.

13. Landau M: Exogenous factors in skin aging. Curr Probl Dermatol 35:1‒13, 2007.

14. Kosmadaki MG, Gilchrest BA: The role of telomeres in skin aging/photoaging. Micron 35:155‒159, 2004.

15. Nakamura KI, Izumiyama-Shimomura N, Sawabe M, et al: Comparative analysis of telomere lengths and erosion with age in human epidermis and lingual epithelium. J Invest Dermatol 119:1014‒1019, 2002.

16. Young AR: Acute effects of UVR on human eyes and skin. Prog Biophys Mol Biol 92:80‒85, 2006.

17. Leyden JJ: Clinical features of ageing skin. Br J Dermatol 122:1‒3, 1990.

18. Seite S, Medaisko C, Christiaens F, et al: Biological effects of simulated ultraviolet daylight: a new approach to investigate daily photoprotection. Photodermatol Photoimmunol Photomed 22:67‒77, 2006.

19. Kochevar I: Molecular and cellular effects of UV radiation relevant to chronic photodamage. In Gilchrest BA, editor: Photodamage, Cambridge, MA, 1995, Blackwell Science.

20. Yaar M, Gilchrest BA: Photoageing: mechanism, prevention and therapy. Br J Dermatol 157:874‒887, 2007.

21. Saint Leger D, Francois AM, Leveque JL, et al: Age-associated changes in stratum corneum lipids and their relation to dryness. Dermatologica 177:159–164, 1988.

22. Grove GL: Physiologic changes in older skin. Clin Geriatr Med 5:115–125, 1989.

23. Seité S, Fourtanier A, Moyal D, et al: Photodamage to human skin by suberythemal exposure to solar ultraviolet radiation can be attenuated by sunscreens: a review. Br J Dermatol 163:903–914, 2010.

24. Kadunce DP, Burr R, Gress R, et al: Cigarette smoking: risk factor for premature facial wrinkling. Ann Intern Med 114:840–844, 1991.

25. Ernster VL, Grady D, Miike R, et al: Facial wrinkling in men and women, by smoking status. Am J Public Health 85:78–82, 1995.

26. Yin L, Morita A, Tsuji T: Skin aging induced by ultraviolet exposure and tobacco smoking: evidence from epidemiological and molecular studies. Photodermatol Photoimmunol Photomed 17:178–183, 2001.

27. Yin L, Morita A, Tsuji T: Alterations of extracellular matrix induced by tobacco smoke extract. Arch Dermatol Res 292:188–194, 2000.

28. Tur E, Yosipovitch G, Oren-Vulfs S: Chronic and acute effects of cigarette smoking on skin blood flow. Angiology 43:328–335, 1992.

29. Robinson MK: Population differences in skin structure and physiology and the susceptibility to irritant and allergic contact dermatitis: implications for skin safety testing and risk assessment. Contact Dermatitis 41:65–79, 1999.

30. Waller JM, Maibach HI: Age and skin structure and function, a quantitative approach (I): blood flow, pH, thickness, and ultrasound echogenicity. Skin Res Technol 11:221–235, 2005.

31. Gniadecka M, Jemec GB: Quantitative evaluation of chronological ageing and photoageing in vivo: studies on skin echogenicity and thickness. Br J Dermatol 139:815–821, 1998.

32. Branchet MC, Boisnic S, Frances C, et al: Skin thickness changes in normal aging skin. Gerontology 36:28–35, 1990.

33. Lavker RM: Structural alterations in exposed and unexposed aged skin. J Invest Dermatol 73:59–66, 1979.

34. Batisse D, Bazin R, Baldeweck T, et al: Influence of age on the wrinkling capacities of skin. Skin Res Technol 8:148–154, 2002.

35. Sandby-Moller J, Poulsen T, Wulf HC: Epidermal thickness at different body sites: relationship to age, gender, pigmentation, blood content, skin type and smoking habits. Acta Derm Venereol 83:410–413, 2003.

36. Escoffier C, de Rigal J, Rochefort A, et al: Age-related mechanical properties of human skin: an in vivo study. J Invest Dermatol 93:353–357, 1989.

37. Ghadially R, Brown BE, Sequeira-Martin SM, et al: The aged epidermal permeability barrier. Structural, functional, and lipid biochemical abnormalities in humans and a senescent murine model. J Clin Invest 95:2281–2290, 1995.

38. Christophers E, Kligman A: Percutaneous absorption in aged skin. In Montagna W, editor: Advances in biology of skin, Oxford, 1965, Pergamon Press.

39. Shetage SS1, Traynor MJ, Brown MB, et al: Effect of ethnicity, gender and age on the amount and composition of residual skin surface components derived from sebum, sweat and epidermal lipid. Skin Res Technol 20:97–107, 2014.

40. Choi EH, Man MQ, Xu P, et al: Stratum corneum acidification is impaired in moderately aged human and murine skin. J Invest Dermatol 127:2847–2856, 2007.

41. Hachem JP, Crumrine D, Fluhr J, et al: pH directly regulates epidermal permeability barrier homeostasis, and stratum corneum integrity/cohesion. J Invest Dermatol 121:345–353, 2003.

42. Kligman AM: Perspectives and problems in cutaneous gerontology. J Invest Dermatol 73:39–46, 1979.

43. Schreml S1, Zeller V, Meier RJ, et al: Impact of age and body site on adult female skin surface pH. Dermatology 224:66–71, 2012.

44. Graham-Brown RAC: Old age. In Burns T, Breathnach S, Cox N, et al, editors: Rook's textbook of dermatology, vol 6, Oxford, England, 2004, Blackwell Science.

45. Bernstein EF, Chen YQ, Tamai K, et al: Enhanced elastin and fibrillin gene expression in chronically photodamaged skin. J In-

vest Dermatol 103:182 – 186, 1994.

46. Watson RE, Griffiths CE, Craven NM, et al: Fibrillin-rich microfibrils are reduced in photoaged skin. Distribution at the dermal-epidermal junction. J Invest Dermatol 112:782 – 787, 1999.

47. Watson RE, Craven NM, Kang S, et al: A short-term screening protocol, using fibrillin-1 as a reporter molecule, for photoaging repair agents. J Invest Dermatol 116:672 – 678, 2001.

48. Watson RE, Gibbs NK, Griffiths CE, et al: Damage to skin extracellular matrix induced by UV exposure. Antioxid Redox Signal 21:1063 – 1077, 2014.

49. Cerimele D, Celleno L, Serri F: Physiological changes in ageing skin. Br J Dermatol 122(Suppl 35):13 – 20, 1990.

50. Grove GL, Kligman AM: Age-associated changes in human epidermal cell renewal. J Gerontol 38:137 – 142, 1983.

51. Goodson WH, III, Hunt TK: Wound healing and aging. J Invest Dermatol 73:88 – 91, 1979.

52. Bosset S, Bonnet-Duquennoy M, Barre P, et al: Decreased expression of keratinocyte beta1 integrins in chronically sun-exposed skin in vivo. Br J Dermatol 148:770 – 778, 2003.

53. Nordlund JJ: The lives of pigment cells. Dermatol Clin 4:407 – 418, 1986.

54. Toyoda M, Morohashi M: Morphological alterations of epidermal melanocytes in photoageing: an ultrastructural and cytomorphometric study. Br J Dermatol 139:444 – 452, 1998.

55. Fenske NA, Lober CW: Structural and functional changes of normal aging skin. J Am Acad Dermatol 15:571 – 585, 1986.

56. Baumann L: Skin ageing and its treatment. J Pathol 211:241 – 251, 2007.

57. Tobin DJ: Gerontobiology of the hair follicle. In Trueb RM, Tobin DJ, editors: Aging hair, Berlin-Heidelberg, 2010, Springer-Verlag, pp 1 – 8.

58. Kadono S, Manaka I, Kawashima M, et al: The role of the epidermal endothelin cascade in the hyperpigmentation mechanism of lentigo senilis. J Invest Dermatol 116:571 – 572, 2001.

59. Unver N1, Freyschmidt-Paul P, Hörster S, et al: Alterations in the epidermal-dermal melanin axis and factor XIIIa melanophages in senile lentigo and ageing skin. Br J Dermatol 155:119 – 128, 2006.

60. Farage MA, Miller KW, Elsner P, et al: Structural characteristics of the aging skin: a review. Cutan Ocul Toxicol 26:343 – 357, 2007.

61. Richard S, de Rigal J, de Lacharriere O, et al: Noninvasive measurement of the effect of lifetime exposure to the sun on the aged skin. Photodermatol Photoimmunol Photomed 10:164 – 169, 1994.

62. Makrantonaki E, Zouboulis CC: William J Cunliffe Scientific Awards. Characteristics and pathomechanisms of endogenously aged skin. Dermatology 214:352 – 360, 2007.

63. Varani J, Spearman D, Perone P, et al: Inhibition of type I procollagen synthesis by damaged collagen in photoaged skin and by collagenase-degraded collagen in vitro. Am J Pathol 158:931 – 942, 2001.

64. Bosset S, Bonnet-Duquennoy M, Barré P, et al: Photoageing shows histological features of chronic skin inflammation without clinical and molecular abnormalities. Br J Dermatol 149:826 – 835, 2003.

65. Uitto J: Connective tissue biochemistry of the aging dermis. Age-related alterations in collagen and elastin. Dermatol Clin 4:433 – 446, 1986.

66. Braverman IM, Fonferko E: Studies in cutaneous aging: I. The elastic fiber network. J Invest Dermatol 78:434 – 443, 1982.

67. Lavker RM, Zheng PS, Dong G: Aged skin: a study by light, transmission electron, and scanning electron microscopy. J Invest Dermatol 88:44s – 51s, 1987.

68. Gniadecka M, Gniadecki R, Serup J, et al: Ultrasound structure and digital image analysis of the subepidermal low echogenic band in aged human skin: diurnal changes and interindividual variability. J Invest Dermatol 102:362 – 365, 1994.

69. Rittié L, Fisher GJ: UV light-induced signal cascades and skin aging. Ageing Res Rev 1:705 – 720, 2002.

70. Shuster S, Black MM, McVitie E: The influence of age and sex on skin thickness, skin collagen and density. Br J Dermatol 93:639 – 643, 1975.

71. Lovell CR, Smolenski KA, Duance VC, et al: Type I and III collagen content and fibre distribution in normal human skin dur-

ing ageing. Br J Dermatol 117:419 – 428, 1987.

72. Contet-Audonneau JL, Jeanmaire C, Pauly G: A histological study of human wrinkle structures: comparison between sun-exposed areas of the face, with or without wrinkles, and sun-protected areas. Br J Dermatol 140:1038 – 1047, 1999.

73. Ritz-Timme S, Laumeier I, Collins MJ: Aspartic acid racemization: evidence for marked longevity of elastin in human skin. Br J Dermatol 149:951 – 959, 2003.

74. Robert C, Lesty C, Robert AM: Ageing of the skin: study of elastic fiber network modifications by computerized image analysis. Gerontology 34:291 – 296, 1988.

75. Bernstein EF, Chen YQ, Tamai K, et al: Enhanced elastin and fibrillin gene expression in chronically photodamaged skin. J Invest Dermatol 103:182 – 186, 1994.

76. Tsuji T, Hamada T: Age-related changes in human dermal elastic fibres. Br J Dermatol 105:57 – 63, 1981.

77. Gniadecka M, Nielsen OF, Wessel S, et al: Water and protein structure in photoaged and chronically aged skin. J Invest Dermatol 111:1129 – 1133, 1998.

78. Bernstein EF, Underhill CB, Hahn PJ, et al: Chronic sun exposure alters both the content and distribution of dermal glycosaminoglycans. Br J Dermatol 135:255 – 262, 1996.

79. Gniadecka M, Faurskov Nielsen O, Christensen DH, et al: Structure of water, proteins, and lipids in intact human skin, hair, and nail. J Invest Dermatol 110:393 – 398, 1998.

80. Farage MA, Miller KW, Maibach HI: Degenerative changes in aging skin. In Farage MA, Miller KW, Maibach HI, editors: Textbook of Aging Skin, Berlin-Heidelberg, 2010, Springer-Verlag, pp 25 – 35.

81. Grove GL, Duncan S, Kligman AM: Effect of ageing on the blistering of human skin with ammonium hydroxide. Br J Dermatol 107:393 – 400, 1982.

82. Winkelmann R: Nerve changes in aging skin. In Montagna W, editor: Advances in biology of skin, vol 6, Oxford, England, 1965, Pergamon Press.

83. Gilchrest BA, Stoff JS, Soter NA: Chronologic aging alters the response to ultraviolet-induced inflammation in human skin. J Invest Dermatol 79:11 – 15, 1982.

84. Oberste-Lehn H: Effects of aging on the papillary body of the hair follicles and on the eccrine sweat glands. In Montagna W, editor: Aging, vol 6, Oxford, England, 1965, Pergamon Press.

85. Silver A, Montagna W, Karacan I: The effect of age on human eccrine sweating. In Montagna W, editor: Aging, vol 6, Oxford, England, 1965, Pergamon Press.

86. Rees J, Shuster S: Pubertal induction of sweat gland activity. Clin Sci (Lond) 60:689 – 692, 1981.

87. Hurley J, Shelley W: The human apocrine sweat gland in health and disease, Springfield, IL, 1960, Charles C Thomas.

88. Orentreich N, Markofsky J, Vogelman JH: The effect of aging on the rate of linear nail growth. J Invest Dermatol 73:126 – 130, 1979.

89. Helmdach M, Thielitz A, Ropke EM, et al: Age and sex variation in lipid composition of human fingernail plates. Skin Pharmacol Appl Skin Physiol 13:111 – 119, 2000.

90. Garn SM, Selby S, Young R: Scalp thickness and the fat-loss theory of balding. AMA Arch Derm Syphilol 70:601 – 608, 1954.

91. Plewig G, Kligman AM: Proliferative activity of the sebaceous glands of the aged. J Invest Dermatol 70:314 – 317, 1978.

92. Pochi PE, Strauss JS, Downing DT: Age-related changes in sebaceous gland activity. J Invest Dermatol 73:108 – 111, 1979.

93. Gilchrest BA: Aging. J Am Acad Dermatol 11:995 – 997, 1984.

94. Smith L: Histopathologic characteristics and ultrastructure of aging skin. Cutis 43:414 – 424, 1989.

95. Karnik P, Shah S, Dvorkin-Wininger Y, et al: Microarray analysis of androgenetic and senescent alopecia: comparison of gene expression shows two distinct profiles. J Dermatol Sci 72:183 – 186, 2013.

96. Ellis JA, Sinclair R, Harrap SB: Androgenetic alopecia: pathogenesis and potential for therapy. Expert Rev Mol Med 4:1 – 11, 2002.

97. Olsen EA, Messenger AG, Shapiro J, et al: Evaluation and treatment of male and female pattern hair loss. J Am Acad Dermatol

52:301−311, 2005.

98. Whiting DA: Male pattern hair loss: current understanding. Int J Dermatol 37:561−566, 1998.

99. Trueb RM, Tobin DJ, editors: Aging hair, Berlin-Heidelberg, 2010, Springer-Verlag.

100. Keogh EV, Walsh RJ: Rate of greying of human hair. Nature 207:877−878, 1965.

101. Panhard S, Lozano I, Loussouarn G: Graying of the human hair: a worldwide survey, revisiting the '50' rule of thumb. Br J Dermatol 167:865−873, 2012.

102. Commo S, Gaillard O, Bernard BA: Human hair greying is linked to a specific depletion of hair follicle melanocytes affecting both the bulb and the outer root sheath. Br J Dermatol 150:435−443, 2004.

103. Tobin DJ, Paus R: Graying: gerontobiology of the hair follicle pigmentary unit. Exp Gerontol 36:29−54, 2001.

104. Kauser S, Westgate GE, Green MR, et al: Human hair follicle and epidermal melanocytes exhibit striking differences in their aging profile which involves catalase. J Invest Dermatol 131:979−982, 2011.

105. Nishimura EK, Granter SR, Fisher DE: Mechanisms of hair graying: incomplete melanocyte stem cell maintenance in the niche. Science 307:720−724, 2005.

106. Gilchrest BA, Murphy GF, Soter NA: Effect of chronologic aging and ultraviolet irradiation on Langerhans cells in human epidermis. J Invest Dermatol 79:85−88, 1982.

107. Thiers BH, Maize JC, Spicer SS, et al: The effect of aging and chronic sun exposure on human Langerhans cell populations. J Invest Dermatol 82:223−226, 1984.

108. Bhushan M, Cumberbatch M, Dearman RJ, et al: Tumour necrosis factor-alpha-induced migration of human Langerhans cells: the influence of aging. Br J Dermatol 146:32−40, 2002.

109. Makinodan T: Immunodeficiencies of ageing. In Doria G, Eshkol A, editors: The immune system: functions and therapy of dysfunction, New York, 1980, Academic Press.

110. Ben-Yehuda A, Weksler ME: Host resistance and the immune system. Clin Geriatr Med 8:701−711, 1992.

111. Hall G, Phillips TJ: Estrogen and skin: The effects of estrogen, menopause, and hormone replacement therapy on the skin. J Am Acad Dermatol 53:555−568, 2005.

112. Brincat M, Moniz CJ, Studd JW, et al: Long-term effects of the menopause and sex hormones on skin thickness. Br J Obstet Gynaecol 92:256−259, 1985.

113. Affinito P, Palomba S, Sorrentino C, et al: Effects of postmenopausal hypoestrogenism on skin collagen. Maturitas 33:239−247, 1999.

114. Brincat M, Versi E, O'Dowd T, et al: Skin collagen changes in post-menopausal women receiving estradiol gel. Maturitas 9:1−5, 1987.

115. Brincat M, Versi E, Moniz CF, et al: Skin collagen changes in postmenopausal women receiving different regimens of estrogen therapy. Obstet Gynecol 70:123−127, 1987.

116. Bolognia JL, Braverman IM, Rousseau ME, et al: Skin changes in menopause. Maturitas 11:295−304, 1989.

117. Calleja-Agius J, Muscat-Baron Y, Brincat MP: Skin ageing. Menopause Int 13:60−64, 2007.

118. Dunn LB, Damesyn M, Moore AA, et al: Does estrogen prevent skin aging? Results from the First National Health and Nutrition Examination Survey (NHANES I). Arch Dermatol 133:339−342, 1997.

119. Ashcroft GS, Dodsworth J, van Boxtel E, et al: Estrogen accelerates cutaneous wound healing associated with an increase in TGF-beta1 levels. Nat Med 3:1209−1215, 1997.

120. Callens A, Vaillant L, Lecomte P, et al: Does hormonal skin aging exist? A study of the influence of different hormone therapy regimens on the skin of postmenopausal women using non-invasive measurement techniques. Dermatology 193:289−294, 1996.

121. Sator PG, Schmidt JB, Sator MO, et al: The influence of hormone replacement therapy on skin ageing: a pilot study. Maturitas 39:43−55, 2001.

122. Thornton MJ: Estrogens and aging skin. Dermatoendocrinol 5:264−270, 2013.

123. Scharffetter-Kochanek K, Brenneisen P, Wenk J, et al: Photoaging of the skin from phenotype to mechanisms. Exp Gerontol 35:307–316, 2000.

124. Brincat MP: Hormone replacement therapy and the skin. Maturitas 35:107–117, 2000.

125. Arck PC1, Overall R, Spatz K, et al: Towards a "free radical theory of graying": melanocyte apoptosis in the aging human hair follicle is an indicator of oxidative stress induced tissue damage. FASEB J 20:1567–1569, 2006.

126. Li GZ, Eller MS, Firoozabadi R, et al: Evidence that exposure of the telomere 3' overhang sequence induces senescence. Proc Natl Acad Sci U S A 100:527–531, 2003.

127. Gilchrest BA: A review of skin ageing and its medical therapy. Br J Dermatol 135:867–875, 1996.

128. Kligman AM, Dogadkina D, Lavker RM: Effects of topical tretinoin on non-sun-exposed protected skin of the elderly. J Am Acad Dermatol 29:25–33, 1993.

129. Kligman LH: Effects of all-trans-retinoic acid on the dermis of hairless mice. J Am Acad Dermatol 15:779–785, 884-887, 1986.

130. Watson RE, Ogden S, Cotterell LF, et al: Effects of a cosmetic 'anti-ageing' product improves photoaged skin [corrected]. Br J Dermatol 161:419–426, 2009.

131. Jenkins GL, Wainwright LJ, Holland R, et al: Wrinkle reduction in post-menopausal women consuming a novel oral supplement: a double-blind placebo-controlled randomized study. Int J Cosmet Sci 36:22–31, 2014.

132. Black HS, Herd JA, Goldberg LH, et al: Effect of a low-fat diet on the incidence of actinic keratosis. N Engl J Med 330:1272–1275, 1994.

CHAPTER **26**

노화의 약리학
The Pharmacology of Aging

Patricia W. Slattum, Kelechi C. Ogbonna, Emily P. Peron

전 세계적으로 노인들이 매일 복용하는 약물은 수백만 가지에 달한다. 이 놀라운 양의 약물 사용은 질병 예방 및 치료, 기능 상태 유지, 삶의 연장, 삶의 질 개선 또는 유지를 통해 많은 노인들에게 혜택을 준다. 그러나 이러한 수준의 약물 투약은 부작용을 통해 노년층에 해가 될 수 있으며, 약물 상호 작용과 같은 다른 문제와도 관련이 있다. 약물에 대한 노인들의 반응은 유익하기도 하고 유해하기도 하며, 신체가 어떻게 특정 약물을 취급하고(약동학, pharmacokinetics) 또 약물이 어떻게 신체에 작용하는지(약력학, pharmacodynamics)에 영향을 미치는 연령과 관련된 생리적 변화에 부분적으로 의존한다. 원하는 치료 반응을 얻고 약물 관련 문제를 예방하기 위해서는 노인 인구의 약물 사용 패턴을 이해하는 것이 유용하다. 그러므로 이 장에서는 세계적으로 노년층에서의 약물 사용 역학을 먼저 알아보고, 약동학 및 약력학에서의 연령 관련 변화, 약물 상호 작용에 대해 알아보기로 한다.

약물 사용의 역학

일반적으로 고령자가 사용하는 약물(처방 및 비처방)의 수는 젊은 사람들이 사용하는 수보다 많다.[1-3] 미국에서는 노인이 전체 인구의 13%이지만 모든 처방의 34%를 차지하고 있다.[4] 고령자가 사용하는 약물의 수와 유형은 그들의 생활 상황과 약물에 대한 접근성에 따라 달라질 수 있다.

생활 상황
지역 사회 생활 성인
미국에서 57~85세의 성인 중 81%가 적어도 하나의 처방약을 복용한다고 보고했다.[5] 약물 복용자 수는 변하지 않았지만, 다중약물요법의 빈도는 최근 증가하였다.[6] 지역 사회 거주 노인들은 평균

2~9개의 약물을 복용하고 있다.[7] 미국에서는 인종에 따라 노인 약물 사용의 차이를 보인다. 아프리카계 미국인과 히스패닉계 노인은 백인과 아메리카 인디언 노인들에 비해 적은 수의 약물을 복용한다.[1] 노인 여성들은 노인 남성들보다 더 많은 수의 약물을 복용한다.[8-10]

다중약물요법의 빈도는 국가마다 다르다. 55세 이상 성인을 대상으로 실시한 한 국제 조사 연구에서 미국의 고령 인구의 53%가 4개 이상의 처방약을 복용하고 있다고 보고했다.[11] 다른 나라의 경우를 보면, 호주, 캐나다, 독일, 네덜란드, 뉴질랜드, 노르웨이, 스웨덴, 영국에서는 약 40%, 프랑스와 스위스는 29%였다.

또한 미국에서는 식이 보충제 사용이 증가하고 있으며, 고령자에서의 사용량은 1998년의 14%에서[10] 2006년에는 49%로 증가했다.[5] 식이 보충제 사용은 남성보다 여성에게 더 많기는 하지만, 비처방 의약품을 사용하는 비율은 57~85세 남성과 여성에서 42%로 비슷했다.[5] 심혈관계 약물은 연구 대상 집단에서 모든 처방 의약품과 비처방 의약품 중에서 가장 흔하게 사용되는 약제였다.

입원한 노인

입원한 노인의 약물 사용은 지역사회에 거주하는 노인보다 약간 더 높은 경향이 있다. 그러나, 입원한 노인 환자가 사용하는 약물의 종류에 관한 정보는 부족한 편이다. 입원한 노인 1인당 처방 약물 사용은 이탈리아[12]와 아일랜드[13]의 경우 평균 5개, 미국[14]과 오스트리아[15]의 경우 평균 7.5개에 이르기까지 다양했다. 남서 펜실베니아의 3차 의료기관인 피츠버그 대학 메디컬 센터의 약국 기록을 통해 입원한 노인 환자들에게 처방된 상위 50 가지 경구용 약물을 확인했을 때,[16] Warfarin, potassium, pantoprazole이 가장 많이 처방된 경구용 약물이었다.

장기 요양 시설의 노인

장기 요양 시설의 노인에 의한 약물 사용 수준은 일반적으로 지역 사회에서 재택 중인 노인의 약물 사용 수준보다 높다. 다수의 약물을 복용하는 장기 요양 시설 거주자의 비율은 전세계적으로 두드러진 차이가 있다. 미국과 아이슬란드에서는 장기 요양 시설 거주자의 33%가 7~10개의 약을 먹는 반면 덴마크, 이탈리아, 일본 및 스웨덴에서는 거주자의 5%만이 이 수준의 복용을 한다.[17] 미국 장기 요양 시설에 대한 한 조사에서 40%의 거주자들(85세 이상의 사람들 중에서는 45%)은 9개 이상의 약물 처방을 받았다.[18] 연구에서 위장약, 중추 신경계 약제 및 통증 완화제는 다중 약제를 복용하는 환자에서 가장 흔히 사용되는 약제였다.

다수 약물의 사용은 일부 환자에서는 필요할 수 있지만, 부적절한 처방 및 약물 관련 문제가 발생할 수 있다. 특정 중추신경 작용 약제(예를 들어 항정신병제제)의 과용은 장기 요양 시설 환경에서 특히 문제가 될 수 있다.[19] 1987년 미국에서는 연방법이 제정되어 이러한 약제의 적절한 처방에 대한 적응증을 명확히 정의했고 면밀한 모니터링을 의무화했다(Omnibus Budget Reconciliation Act

[OBRA], 1987).[20] 2005년에 미국식품의약국(FDA)은 치매를 가진 노인에서의 2세대 항정신병제제 사용과 관련된 사망 위험 증가에 관한 블랙박스 경고를 추가했다. 이어서 2008년에는 모든 항정신병제제(1 세대 및 2 세대)를 포함하도록 확대되었다. 이후 장기 요양 시설에서 항정신병제제 처방이 감소했지만,[21,22] 치매를 가진 노인과 같은 위험군에 대해서 항정신병제제 사용을 줄이기 위한 추가적인 노력이 필요하다.

약물에 대한 접근성

호주, 스웨덴, 캐나다, 프랑스, 독일, 일본, 뉴질랜드 및 영국의 노인을 위한 보편적 공중 보건 보험 프로그램은 상당한 수준의 약물 보험 혜택을 부여했으며, 이에 따라 약물 혜택은 비용 분담액, 최대 보장액 및 보험 급여에 포함 여부에 따라 차이가 있다.[23] 노인을 위한 미국 건강 보험 프로그램인 메디케어(Medicare)는 메디케어 Part D를 통해 2006년에 외래 약물에 대한 보험급여 적용을 시작했다. 상당한 부담과 소위 도넛 구멍이라고 불리는 작지만 고정된 약가 범위에 대한 보험 혜택이 없음에도 불구하고, 미국의 노인들은 이제 외래 약물에 소요되는 막대한 자기 비용 부담으로부터 보호받게 되었다. 이는 약물 복용에 대한 순응도를 향상시켰고, 노인들이 필요한 의약품을 사지 못하는 일이 감소하도록 하였다.[24-26] 많은 개발도상국에서 의약품은 가장 큰 가계 건강 지출에 속한다. 더욱이 개발도상국에서의 약물 공급은 노인이 구매하기에는 부적절하거나 너무 비싸다.[27,28]

약동학의 변화

표 26-1에 약물 약동학의 연령 관련 변화에 대한 개요를 나타내었다.[29,30] 이 장에서는 약물 흡수, 분포, 대사 및 제거 관점에서의 변화에 대해 자세히 설명하려 한다. 체중 감소, 피로, 기운 없음, 걷는 속도의 저하, 신체활동 저하 등으로 특징지어지는 노쇠(frailty) 증후군은 고령과 관련 있고 약물 부작용 증가로 이어지는데, 이는 노인의 약동학 변화에 있어서 실제나이 자체보다 더 중요한 위험 인자이다.[31]

흡수

경구 투여된 약물의 흡수에 영향을 줄 것으로 예상되는 위장관의 생리는 연령의 함수로서 많은 변화가 일어난다.[29,32] 위축성 위염 발생으로 인해서, 소화성 궤양 및 위식도 역류와 같은 연령 관련 위장 장애를 치료하기 위한 위산분비억제제 복용으로 인해서 위장내 pH가 상승한다. 위 배출은 다소 지연되고 장의 혈류(20세에서 70세까지 30~40% 감소), 장 운동성 및 기능적 흡수 세포의 수가 감소한다.

표 26-1. 약물 약동학의 연령 관련 변화

단계	매개변수
위장관 흡수	대부분의 약제: 노화 영향 없는 수동확산에 의해, 생체이용률 변화 없음
	능동 수송 감소로 생체이용률 감소
	초회통과효과(first phase effect) 감소로 생체이용률 증가
분포	친수성 약물의 분포용적 감소로 혈장 농도 증가
	지용성 약물의 분포용적 증가, 반감기 증가
	혈장 단백질 결합 약물의 비결합 분율 변화
간대사	산화 대사 약물의 청소율 감소 및 반감기 증가
	간 추출률이 높은 약물의 청소율 감소 및 반감기 증가
신배설	신 제거 약물의 청소율 감소 및 반감기 증가

경구로 투여되는 대부분의 약물은 노화로 인한 영향이 거의 없는 수동 확산 과정을 통해 흡수된다. 소수의 약제는 위장관으로부터 흡수를 위해 능동 수송을 필요로 하며, 연령 증가의 함수에 따라 생체이용률이 감소한다(예를 들어, 저염산증[hypochlorhydria]에서 칼슘 흡수). 더 중요한 것은 노화와 함께 발생하는 간의 초회통과효과(first pass effect) 감소로, 경구로 투여된 propranolol과 labetalol과 같은 약물의 전신 생체 이용률이 증가되고 enalapril과 codeine과 같은 일부 전구약물의 경우는 생체 이용률이 감소한다.[29,32]

고령 여성에서는 시토크롬 P450 (CYP450) 동종효소(isoenzyme) 3A4 및/또는 P-당단백(P-glycoprotein)의 기질이 되는 약물(예: midazolam, verapamil)의 생체 이용률이 증가할 수 있지만, 아직 복용 용량 조정이 권고되지는 않았다.[33] 일부 환자에서 위장관 운동성 또는 pH의 변화에 의해 흡수가 영향을 받을 수 있겠지만, 변형된 방출 형태(modified-release dosage forms)의 약물에 대한 노화의 영향은 잘 알려져 있지 않다. 직장, 근육 및 피부와 같은 다른 투여 부위에서의 약물 흡수에 대한 노화의 영향 역시 잘 알려져 있지 않다.

분포

노화와 관련된 많은 생리학적 변화가 약물 분포에 영향을 줄 수 있다. 20세에서 70세까지의 체지방률은 남성의 경우 18%에서 36%로 증가하고 여성의 경우 33%에서 45%로 증가하는 반면, 제지방 체중(lean body mass)은 남성의 경우 19%, 여성의 경우 12% 감소한다. 혈장 용량은 20세에서 80세까지 8% 감소하고, 총 체내 수분은 17% 감소한다. 20세에서 65세까지 세포 외 체액은 40% 감소한다. 또한 심장박출량(cardiac output)은 30세부터 매년 약 1%씩 감소하고 뇌 및 심장 혈관 혈류 속도는 25세 이후로 각각 매년 0.35~0.5% 및 0.5%씩 감소한다. 또한 노쇠와 동반질환은 두 가지 약물

결합성 혈장 단백질의 혈청 농도에 상당한 변화를 가져올 수 있는데, 산성 약물에 결합하는 알부민은 감소하는 반면 염기성 약물에 결합하는 α1 산성 당단백질(α1-acid glycoprotein)은 동일하게 유지되거나 증가한다.[34]

이러한 결과로, 수용성(친수성) 약물의 분포용적은 일반적으로 감소하고 지용성(친유성) 약물의 분포용적은 증가한다. 또한, 분포용적의 변화는 약물 부하용량(loading dose)에 직접적인 영향을 줄 수 있다. 많은 약물의 경우, 나이가 많은 환자가 젊은 환자에 비해 부하용량이 낮으며, 특히 나이가 많은 백인 및 아시아 여성의 경우 가장 낮다(따라서 체중에 근거한 처방을 일상적으로 사용한다).[33] 혈청 알부민 농도의 감소는 naproxen, phenytoin, tolbutamide 및 warfarin 과 같은 산성 약물의 혈장 단백질 결합 정도를 감소시켜 약물의 비결합 분율을 증가시킬 수 있다. 염증성 질환, 화상 또는 암으로 인해 α1 산성 당단백질이 증가하면 lidocaine, 베타 차단제, quinidine 및 삼환계 항우울제와 같은 염기성 약물의 혈장 단백질 결합 정도가 증가하여 약물의 비결합 분율을 감소시킨다. 약물 배설 경로에 문제가 없다면 이러한 잠재적인 변화는 임상적으로 중요하지 않을 수 있다. 그러나 혈장 단백질과 약물 결합의 변화는 비결합(유리) 및 총(비결합 + 결합) 혈장 약물 농도의 관계를 변화시킬 수 있어서 약물 농도 해석을 어렵게 한다. 이러한 경우, 유리 혈장 약물 농도의 측정이 통상적인 총 혈장 약물 농도 측정보다 선호된다.

노화에 따른 혈액뇌장벽을 가로지르는 투과성의 변화도 약물의 중추신경계 분포에 영향을 줄 수 있다. 뇌혈관 P-당단백은 혈액뇌장벽을 가로질러 약물을 운반하는 기전에 일부 관계한다. C-11 (양전자 방출체)을 표지한 verapamil과 양전자 방출 단층 촬영으로 연구한 결과, 노화에 따른 혈액뇌장벽에서의 P-당단백 활성 감소를 입증한 바 있다. 결과적으로 노인의 뇌는 더 높은 수준의 약물에 노출 될 수 있다.[35]

대사

많은 기관에서 약물 대사가 일어나지만, 대부분의 노화 관련 약물 대사 연구는 간에 집중되어 있다. 약물 대사 및 제거 기전의 변화는 노인에서 약물에 대한 반응의 다양성을 일으키는 주요 원인이다.[36,37] 약물의 간 대사는 간의 크기, 혈류, 약물 대사 효소의 활성, 약물 수송체 활성 및 단백 결합에 의존하며, 이들 모두는 노화에 의해 변화될 수 있다. 약물은 두 가지 유형의 반응, 즉 1상(산화 반응) 및 2상(아세틸기 또는 당이 약물에 포합 또는 합성 반응을 일으켜 극성 및 수용성이 변화하여 신장을 통한 제거가 향상됨) 반응에 의해 대사된다. 일반적으로 1상 대사를 경유하는 약물은 노화에 따라 제거가 감소되는 반면, 2상 대사를 경유하는 약물은 노화에 따른 변화가 없다. 간 추출률이 높은 약물의 경우 제거율은 간 혈류에 의존적인데 반해(혈류제한적 대사, flow-limited metabolism), 간 추출률이 낮은 약물의 경우 간 효소 활성에 따라 제거가 결정된다(용량제한적 대사, capacity-limited metabolism).

연령에 따른 간 혈류 감소는 amitriptyline, lidocaine, morphine, diltiazem, propranolol과 같은 간 추출률이 높은 약물의 제거를 감소시킬 수 있다.[29,36] 노인에서 간 혈류는 20~50%까지 감소하여 propranolol과 같은 약물 제거가 40% 이상 감소한다.[31] 용량제한적 대사 과정을 거치는 약물 대사 의 노화에 영향을 이해하는 것은 더욱 복잡하다. 이러한 약제의 경우, 총 청소율이 혈액 중의 결 합되지 않은 약물 분획 및 내인성 간 청소율(intrinsic hepatic clearance)에 의해 결정된다. 여러 연구 를 통해 노화에 따라 간의 크기가 감소하고 간 효소 함유량이 감소하는 것으로 알려져 있다.[36] 용량 제한적 대사를 거치는 약물의 총 간 청소율은 노화에 따라 증가(예, ibuprofen, naproxen), 감소(예, lorazepam, warfarin), 또는 변화 없음(예, temazepam, valproic acid)의 양상을 보인다.[36] 노화에 따른 간의 약물 대사를 이해하는데 있어서, 결합 및 비결합 약물을 모두 포함하는 총 간 청소율보다 비 결합 약물의 청소율을 보는 것이 더욱 합당하다.[36] 인종, 성별, 노쇠, 흡연, 식이 및 약물 상호 작용 이 노인의 간장 약물 대사를 크게 증가시키거나 억제할 수 있다.[37] 예를 들어, 노쇠한 노인들은 약 물의 2상 대사 감소를 겪을 수 있다. 노쇠(frailty)는 정의하기가 어려우나 제지방체중 감소, 근육 감 소, 영양 실조, 기능 상태 저하 및 지구력 감소를 특징으로 한다.[36] 노쇠는 염증과도 관련 있으며 약물 대사 및 수송을 감소시킨다.[38] 약물 수송체와 약물 대사 효소의 상호작용도 노화와 함께 약물 의 간 청소율에 중요한 역할을 할 수 있겠지만, 아직 잘 밝혀지지 않은 상태다.[29]

제거

신장을 통한 배설은 많은 약물과 그 대사 산물의 주요 제거 경로이다. 노화에 따라 신장 실질의 양 과 네프론의 수와 크기가 현저하게 감소한다. 또한 사구체 여과율(GFR), 세뇨관 분비 및 신장 혈 류는 20세 이상인 경우 각각 매년 약 0.5%, 0.7% 및 1%씩 감소한다. 모든 연령대에서 사구체 여 과율, 세뇨관 분비 및 신장 혈류는 남성에 비해 여성에서 낮다.[33] 그러나 고령자는 이질적인 그룹으 로, 건강한 노인의 3분의 1이 크레아티닌 청소율을 측정해 보면 신장 기능이 감소하지 않은 상태를 유지한다. 또한 세뇨관 분비와 사구체 여과가 나란히 같은 속도로 감소하지 않을 수도 있다.[39] 연 령 증가에 따른 신장 기능의 변화는 노화 자체보다는 고혈압이나 심장병과 더욱 관련이 있다.[29] 혈 청 크레아티닌(SCr)은 노화에 따른 근육량 감소로 인해 신장 기능을 잘 반영하지 못하는 경우가 있 으며(즉, 노인에서 혈청 크레아티닌이 정상 범주에 속하더라도 정상 신기능이라고 말할 수 없다), 다양한 공식으로 계산되는 크레아티닌 청소율(CrCl)이 신기능의 지표로 유용하다.[40] 노인에서 약물 용량 조절에 사용되는 CrCl 계산에 일반적으로 사용되는 식은 Cockcroft-Gault식으로서, 연령(년), 실제 체중(kg), 혈청 크레아티닌 농도(mg/dL)를 이용해서 계산하고 여성의 경우 결과치에 0.85를 곱한다.[41]

$$\text{Creatinine clearance} = \frac{(140 - \text{age}) \times (\text{actual body weight})}{72 \times \text{SCr}}$$

최근에는 역시 혈청 크레아티닌 농도를 기반으로 하는 Modified Diet in Renal Disease[42] 식 및 Chronic Kidney Disease Epidemiology Collaboration[43] 식이 이용되고 있다. 노인에서 사구체여과율을 추정할 때 위의 두 가지 식의 타당성에 대해서는 찬반이 있다.[44-46] 주로 신장을 통해 제거되는 약물에 대한 투약 지침은 여전히 Cockcroft-Gault 식을 이용하도록 되어 있으며, 노인에서도 이 공식을 이용하도록 합의를 이룬 바 있다. 노쇠는 신장 기능 저하와 관련이 있으며, 이 경우는 Cockcroft-Gault 식을 신뢰하기 어렵다. 약물 용량을 위한 노쇠한 노인에서의 개선된 CrCl 계산법을 찾기 위한 연구가 진행되고 있다.[31]

수많은 약물이 기본적으로 신장에서 배설되거나 활성 대사 산물이 신장을 통해 배설된다. 신장에서 일차적으로 제거되는 약물의 체내 청소율은 연령 증가에 따라 감소한다는 증거가 있다. 좁은 치료 범위를 가지는 약물(예: digoxin, aminoglycosides, 항암제)의 경우 부작용의 위험이 증가할 수 있다. 노인 환자에서 주로 신장으로 제거되는 약물의 경구 투여에 대한 합의 지침이 개발되었다.[47] CrCl이 30 mL/min보다 낮은 노인에서 피해야 할 약물로는 chlorpropamide, colchicine, cotrimoxazole, glyburide, meperidine, nitrofurantoin, probenecid, spironolactone 및 triamterene 등이 있다. 노인에서 신장 기능 감소에 따라 용량을 조절해야 하는 경구용 약물에는 acyclovir, amantadine, ciprofloxacin, gabapentin, memantine, metformin, ranitidine, rimantadine 및 valacyclovir 등이 있다. 일단 CrCl을 계산하면 신장 기능 장애에 따른 투약량 조정은 약물 복약 정보 및 여러 용량 조절 참고 문헌 등을 통해 쉽게 할 수 있다.

약력학적 변화

노화와 약동학의 관계와는 달리, 약력학(약물 반응)에 대한 노화의 영향을 알 수 있는 데이터는 모자란 실정이다. 약력학적으로 노화와 관련된 변화를 조사한 대부분의 연구는 중추 신경계와 심혈관 계통에 작용하는 약물에 집중되어 있다. 이론적으로, 노화에 따른 약력학적 변화는 두 가지 기본적인 기전에 의하는데, (1) 약물 수용체의 수 또는 친화도의 변화 또는 수용체후반응(postreceptor response)의 변화로 인한 약물 민감도(sensitivity)의 변화 (2) 노화에 따른 생리 및 항상성 기전의 장애가 속한다.[48,49] 이 절에서는 이러한 두 가지 기전에 의해 매개되는 노인에서 변화된 약물 반응을 검토해 보기로 한다.

약물 민감도 변화

표 26-2는 노인에서 약물 민감도 변화가 잘 알려진 약물 목록을 나타내었다. 노인이 β-차단제와 β-작용제에 덜 민감하다는 증거가 있다.[50,51] 노인이 benzodiazepine계 약물에 더 민감하게 반응한

표 26-2. 고령에서의 약물 민감도 변화

β-Agonists (↓)	H1-antihistamines (↑)
β-Blockers (↓)	Metoclopramide (↑)
Benzodiazepines (↑)	Neuroleptics (↑)
Calcium antagonists (↓ ↑)	Opioids (↑)
Dopaminergic agents (↑)	Warfarin (↑)
Furosemide (↓)	Vaccines (↓)

↑, 증가; ↓, 감소.

다는 것도 잘 밝혀져 있는데, 정신 운동 검사(psychomotor testing)를 이용한 연구에서 diazepam, flurazepam, loprazolam, midazolam, nitrazepam, triazolam에 이러한 사실이 증명된 바 있다.[48,49] Opioids, metoclopramide, dopamine agonists, levodopa, antipsychotics에 대한 민감도도 증가해 있다.[48,49] 노화에 따른 약물 민감도의 변화가 보고된 다른 약물로는 칼슘 채널 차단제(저혈압 및 서맥 효과 증가), β-차단제(혈압 반응 감소), 이뇨제(효과 감소) 및 와파린(출혈 위험 증가)이 있으며, 안지오텐신 – 전환 효소 억제제 또는 안지오텐신 수용체 차단제의 경우 노화에 따른 약물 민감도 변화가 없다고 알려져 있다.[48,49]

생리학 및 항상성 기전의 변화

노인의 생리학적 특성 및 항상성의 변화는 약물 반응에 영향을 미치게 되는데, 이는 약제의 기본적인 작용을 변화시키고 약제의 효과에 따른 신체의 보상 작용도 변화시킨다. 노화에 따라 장애가 생길 수 있는 항상성 기전의 예로는 자세 또는 보행 안정성, 기립성 혈압 반응, 체온 조절, 인지 예비능 및 장 및 방광 기능 등이 있다.[52-54] 항상성 기전의 효율성 상실로 인해 노인은 기립성 저혈압과 낙상(항고혈압제, 항정신병제 및 삼환계 항우울제), 요정체(urinary retention) 및 변비(항콜린제), 낙상 및 섬망(대부분의 진정제), 우발적인 저체온증 또는 열사병(신경이완제) 등이 생길 수 있다.[52,53] 약물 사용은 낙상, 섬망, 기능 저하 및 변비와 같은 노인 증후군 증상 발현에 공통적으로 기여한다.[55]

약물 상호 작용

약물–약물 상호 작용은 서로 다른 약이 동시 투여될 때 한 약물이 다른 약물에 미치는 영향으로 정의할 수 있다.[56] 약물–약물 상호 작용의 두 가지 주요 유형에는 약물 흡수, 분포, 대사 및 배설에 영향을 미치는 약동학적인 것과 약의 효과에 영향을 미치는 약력학적인 것이 있다. 약은 또한 음식, 영양 상태, 허브 제품, 알콜 및 기존 질병과도 상호 작용할 수 있다.[57-60]

약동학적 상호작용

장벽과 간의 초회통과효과에 관여하는 CYP450 isoenzyme 3A4 활성이 자몽 주스 섭취로 인해 억제되는데, 이 효소에 의해 대사되는 약제의 생체이용률이 증가할 수 있고 약리학적 작용이 과장되어 나타날 수 있다.[61] Phenytoin은 경장 영양 공급과 함께 투여될 때 생체이용률의 감소가 나타날 수 있다.[62] 다가 양이온(제산제, sucralfate, 철분, 칼슘 보충제)은 tetracycline 및 quinolone 계 항생제의 생체 이용률을 감소시킬 수 있다.[63]

약물 분포와 관계되는 약물 상호 작용은 주로 혈장 단백질 결합의 변화와 관련이 있다. 다수의 약물이 salicylate, valproic acid, 및 phenytoin 같은 약제의 혈장 단백질 결합을 방해할 수 있지만, 이러한 유형의 약물 상호 작용은 임상적으로 거의 유의미하지는 않다.

임상적으로 유의할 가능성이 가장 큰 약물 상호작용은 좁은 치료 마진(therapeutic margin)을 가지는 약의 대사를 억제하거나 유도하는 것들이다.[64] 표 26-3은 간의 CYP450 효소 유도제와 억제제 중 일부를 보여주고 있다. Cimetidine, macrolide 항생제(예: erythromycin, clarithromycin), quinidine, ciprofloxacin과 같은 CYP450 효소를 억제하는 약물에 대해 젊은 사람과 노인들 간에 이 효소 억제의 정도는 차이가 없는 것으로 보인다.[63,65] 그러나 CYP450 효소 유도제의 경우 논란이 있는데 연령대에 따라 차이가 없다는 논문과 노인에서 효소 유도 작용이 덜 하다는 보고가 엇갈린다.[36,66-68] 아마도 이러한 효과는 효소의 기질(substrate) 혹은 유도제(inducer)에 특이적이기 때문인 것으로 보인다.

다른 약물에 의한 특정 약물의 신장 제거 억제 또한 임상적으로 중요한 결과를 초래할 수 있다.[69]

표 26-3. CYP450 효소 유도제와 억제제

CYP1A2	CYP2C	CYP2D6	CYP3A4
유도제			
Char-broiled beef Cruciferous vegetables Omeprazole Smoking	Rifampin	None known	Carbamazepine Phenytoin Rifampin St John's wort
억제제			
Cimetidine Ciprofloxacin Fluvoxamine	Amiodarone Fluconazole Fluvastatin	Fluoxetine Paroxetine Quinidine Ritonavir	Erythromycin Ketoconazole Nefazodone

이러한 약물-약물 상호 작용의 대부분은 음이온성 또는 양이온성 약물의 세뇨관 분비를 경쟁적으로 억제하는 것들이다. 양이온성 제제에는 amiodarone, cimetidine, digoxin, procainamide, quinidine, ranitidine, trimethoprim, verapamil 등이 있다. 음이온성 제제에는 cephalosporin, indomethacin, methotrexate, penicillin, probenecid, salicylate, thiazide 등이 있다.

허브(약초) 및 비처방 일반의약품과의 약물 상호작용은 종종 간과되는 경우가 있다. 한 연구에 의하면 중등도 또는 고위험의 약물 상호작용 중 52%가 처방약과 허브(약초) 및 비처방 일반의약품 간에 발생했다.[70] 잦은 중금속 오염과 처방약과의 혼입(예: NSAIDs, corticosteroids, psychotherapeutics, phosphodiesterase-5 inhibitors)으로 인해 이들 제품과의 상호작용의 위험성이 더 높아진다.[71] 표 26-4에 가장 일반적인 허브제제와 약물의 상호작용을 열거하였다.[71,72]

표 26-4. 허브제제와 약물의 상호작용 〈계속〉

상호작용 약물	허브(통속명)	약물 약동학 및 활성에 미치는 영향
Warfarin	St John's wort, ginseng	↓ INR
	Garlic, danshen, gingko, devil's claw, dong quai, papaya, glucosamine	↑ INR
	Garlic, ginseng, gingko, ginger, feverfew	↑ Bleeding time
ASA, NSAIDs, dipyridamole, clopidogrel-ticlopidine	Gingko	↑ Bleeding time
Amitriptyline	St John's wort	↓ Drug concentration
Warfarin		
Theophylline		
Simvastatin		
Alprazolam		
Verapamil		
Digoxin		
Iron		
Ethanol	Ginseng	
Phenytoin	Shankhapushpi	
Phenytoin	Gingko	
Valproate		
Iron	Feverfew	
	Camomile	
Metformin	Guar gum	

표 26-4. 허브제제와 약물의 상호작용 <계속>

상호작용 약물	허브(통속명)	약물 약동학 및 활성에 미치는 영향
Glibenclamide		
Digoxin		
Lithium	Psyllium	
ASA	Tamarind	↑ Drug concentration
Nifedipine	Gingko	
Sertraline	St John's wort	Serotonin syndrome (mild)
Paroxetine		
Trazodone		
Nefazodone		
Chlorpropamide	Garlic	↓ Glucose concentration
Antidiabetic drugs	Fenugreek	
MAOIs	Ginseng	Manic-like symptoms, headache, tremors
Thiazides	Gingko	↓ Drug effect
	Dandelion	
	Uva-ursi	
Thyroxine	Horseradish	
	Kelp	
Phenytoin	Shankhapushpi	
Warfarin	Gingko	↑ Drug effect
ASA		
NSAIDs		
Dipyridamole		
Clopidogrel/ticlopidine		
Benzodiazepines	Kava	
Barbiturates		
Opioids		
Ethanol		
Barbiturates	Valerian	
Other CNS depressants		
Digoxin	Hawthorn	
Thiazides	Gossypol	

표 26-4. 허브제제와 약물의 상호작용

상호작용 약물	허브(통속명)	약물 약동학 및 활성에 미치는 영향
Levodopa	Gingko	↑ "Off" periods in Parkinson disease
Anabolic steroids	Echinacea	↑ Hepatotoxicity risk
Amiodarone		
Methotrexate		
Ketoconazole		
Caffeine Stimulants Decongestants	Ma huang	Hypertension, insomnia, tachycardia, nervousness, tremor, headache, seizures; ↑ MI, stroke risk
Tricylic antidepressants	Yohimbine	Hypertension
Heparin	Fenugreek	↑ Bleeding risk
Clopidogrel-ticlopidine		
Warfarin		

Adapted from Skalli S, Zaid A, Soulaymani R: Drug interactions with herbal medicines. Ther Drug Monit 29:679-686, 2007.
↑, 감소; ↓, 증가; *ASA*, aspirin; *CNS*, central nervous system; *INR*, international normalized ratio (of prothrombin time); *MAOI*, nonselective monoamine oxidase inhibitor; *MI*, myocardial infarction; *NSAID*, nonsteroidal anti-inflammatory drug.

약력학적 상호작용

일부 약물은 다른 약물에 대한 신체의 반응을 변화시키고 이를 통해 부작용을 일으킬 수 있다. 예를 들어, 하나 이상의 항콜린성 약제를 동시에 복용하는 경우 시너지 효과로 섬망, 요정체, 변비 및 다른 문제가 출현할 수 있다.[56] 베타 차단제를 verapamil 또는 diltiazem과 동시에 투여할 경우 효과가 중첩되어 서맥이 나타날 수 있고, 여러 가지 항고혈압제가 동시에 투여될 경우에는 저혈압이, 그리고 여러 가지 중추신경 억제제(예: benzodiazepine, 진정 수면제, 항우울제, 신경 이완제)가 동시에 투여될 경우 과다진정 또는 낙상의 위험이 있다.

약물-질병 상호작용

약물이 질병에 영향을 주거나 질병이 약물에 영향을 줌으로써 약물 상호작용이 좀 더 넓은 범주에서 발생할 수 있다. 노인은 항상성 유지 기전 변화, 생리학적 예비능 감소, 동반질환으로 인하여 약물-질병 상호작용에 따른 유해한 결과 발생 위험이 더 높다. 부적절한 약물 투여를 피하고 약물 관련 유해 반응 및 약물 상호 작용을 확인하고, 이러한 과정에 환자가 참여함으로써 이러한 문제를 풀어갈 수 있다.[73] 캐나다와 미국의 전문가로 구성된 패널은 임상적으로 중요한 약물-질병 상호작용을 확인하기 위한 지침을 개발했다(표 26-5).[74,75] 이렇게 개발된 명시적 품질 지표(예: Beers list[75])는 다른 국가, 다른 임상 상황에서는 문맥상의 차이를 수정하고 재평가해야 사용할 수 있다는 문제

표 26-5. 노인에서 피해야 할 약물-질병 상호작용*

질병 또는 상태	약물 또는 약물군
Heart failure	NSAIDs and COX-2 inhibitors; nondihydropyridine CCBs (avoid only for systolic heart failure); pioglitazone, rosiglitazone; cilostazol; dronedarone
Syncope	AChEls; peripheral α-blockers (e.g., doxazosin prazosin, terazosin); tertiary TCAs (e.g., amitriptyline, clomipramine, doxepin, imipramine, trimipramine); chlorpromazine; thioridazine; olanzapine
Chronic seizures or epilepsy	Bupropion; chlorpromazine; clozapine; maprotiline; olanzapine; thioridazine; thiothixene; tramadol
Delirium	Anticholinergics; benzodiazepines; chlorpromazine; corticosteroids; H2 receptor antagonists; meperidine sedative-hypnotics; antipsychotics
Dementia and cognitive impairment	Anticholinergics; benzodiazepines; H2 receptor antagonists; nonbenzopdiazepine hypnotics (eszopiclone, zolpidem, zaleplon); antipsychotics
History of falls or fractures	Anticonvulsants; antipsychotics; benzodiazepines; nonbenzodiazepine hypnotics (eszopiclone, zaleplon, zolpidem); TCAs; SSRIs; opioids
Insomnia	Oral decongestants (e.g., pseudoephedrine and phenylephrine); stimulants (e.g., amphetamine, methylphenidate, armodafinil, modafinil); theobromines (e.g., theophylline and caffeine)
Parkinson disease	All antipsychotics (except for aripiprazole, quetiapine and clozapine); antiemetics (metoclopramide, prochlorperazine, promethazine)
History of gastric or duodenal ulcers	Aspirin (〉325 mg/day); non-COX-2 selective NSAIDs
Chronic kidney disease stages IV and V	NSAIDs
Urinary incontinence in women	Estrogen (oral and transdermal), peripheral alpha-1 blockers (doxazosin, prazosin, terazosin)
Lower urinary tract symptoms, benign prostatic hyperplasia	Strongly anticholinergic drugs, except antimuscarinics for urinary incontinence

AChEI, Acetylcholinesterase inhibitor; *CCB*, calcium channel blocker; *COX*, cyclooxygenase; *NSAID*, nonsteroidal anti-inflammatory drug; *SSRI*, selective serotonin reuptake inhibitor; *TCA*, tricyclic antidepressant.
*As defined by explicit criteria (see reference 73 for detailed description of rationale and level of evidence).

가 있다.[73] 고령자 처방 스크리닝 도구(Screening Tool of Older Person's Prescriptions [STOPP])와 같은 암시적 기준은 환자 특성별로 적용할 때 더 유리할 수 있다.[76] 그러나 이러한 도구들 중 어느 것도 노인병 진료에서 마주칠 수 있는 모든 임상 시나리오에 빠짐없이 적용할 수 있는 것은 없다.

요약

노인은 다른 연령층에 비해 많은 약물을 사용한다. 약물 사용을 증가시키는 요인으로는 여러 동반 질병, 여성, 보살핌 수준의 증가, 나이의 증가가 있다. 노인에서 약물 사용을 증가시키는 다른 요소로는 의사의 처방 행태, 문화적 환경, 정신 사회적 문제(예: 혼자 사는 것, 불안, 우울증) 및 제약 업계의 소비자에 대한 광고 등이 있다.

노인이 사용하는 가장 흔한 약물은 심혈관계, 위장관계, 중추신경계 작용 약물 및 진통제이다. 노화는 약물의 약동학적 그리고 약력학적 변화를 초래한다. 약물의 1상 간대사는 노인 환자에서 종종 감소하여 일반적으로 많이 사용되는 약물에 대한 청소율이 감소하고 말기 처리 반감기(terminal disposition half-life)가 증가한다. 노화관련 신장 기능 감소는 신장으로 제거되는 약물의 청소율을 감소시키고 약물 자체 및 대사 물질의 말기 처리 반감기를 증가시킨다. 약력학적 변화를 보면 노인은 벤조디아제핀, 아편 유사제, 도파민 수용체 길항제 및 와파린의 효과에 보다 민감한 경향을 보인다. 약물-약물 및 약물-질병의 상호 작용 또한 노인들의 건강에 영향을 줄 수 있다.

마약과 약물과 질병의 상호 작용 또한 노인들의 건강에 영향을 줄 수 있다. 노인에서 약물 관련 문제를 최소화하거나 예방하면서 약물의 최대 효과를 얻기 위해서는, 적절한 약물 치료법과 용량을 선택할 때 노화와 관련된 생리학적 변화와 함께 동반 질환, 동시 투약되는 약제, 사회적 요인과 기능 및 인지 상태를 고려해야 한다.

요점: 노화의 약리학 KEY POINTS

- 노인은 많은 종류의 약물을 복용한다.
- 노화 관련 약동학의 가장 큰 변화는 간의 약물 대사와 신장의 약물 제거가 감소하는 것이다.
- 노화 관련 약력학은 비교적 덜 연구된 분야이지만, 벤조디아제핀, 아편 유사제, 도파민 수용체 길항제 및 와파린의 효과에 더욱 민감한 것으로 보인다.
- 약물-약물 및 약물-질병 상호작용은 노인에게 흔히 발생하며 건강 관련 삶의 질에 부정적인 영향을 줄 수 있다.

참고문헌의 총 목록을 보려면 www.expertconsult.com 을 방문해주세요.

중요 참고문헌

5. Qato DM, Alexander GC, Conti RM, et al: Use of prescription and over-the-counter medications and dietary supplements among older adults in the United States. JAMA 300:2867–2878, 2008.

29. Shi S, Klotz U: Age-related changes in pharmacokinetics. Curr Drug Metab 12:601–610, 2011.

30. Corsonello A, Pedone C, Incalzi RA: Age-related pharmacokinetic and pharmacodynamic changes and related risk of adverse drug reactions. Curr Med Chem 17:571–584, 2010.

31. Hubbard R, O'Mahoney M, Woodhouse K: Medication prescribing in frail older people. Eur J Clin Pharmacol 69:319–326, 2013.

36. McLachlan AJ, Pont LG: Drug metabolism in older people-A key consideration in achieving optimal outcomes with medicines. J Gerontol A Biol Sci Med Sci 67A:175–180, 2012.

47. Hanlon JT, Aspinall SL, Semla TP, et al: Consensus guidelines for oral dosing of primarily renally cleared medications in older adults. J Am Geriatr Soc 57:335–340, 2009.

48. Bowie MW, Slattum PW: Pharmacodynamics in older adults: a review. Am J Geriatr Pharmacother 5:263–303, 2007.

49. Trifior G, Spina E: Age-related changes in pharmacodynamics: focus on drugs acting on central nervous and cardiovascular systems. Curr Drug Metab 12:611–620, 2011.

57. Mallet L, Spinewine A, Huang A: The challenge of managing drug interactions in elderly people. Lancet 370:185–191, 2007.

59. Mason P: Important drug-nutrient interactions. Proc Nutr Soc 69:551–557, 2010.

75. American Geriatrics Society 2012 Beers Criteria Update Expert Panel: American Geriatrics Society updated Beers Criteria for potentially inappropriate medication use in older adults. J Am Geriatr Soc 60:616–631, 2012.

76. Gallagher P, Ryan C, Byrne S, et al: STOPP (Screening Tool of Older Person's Prescriptions) and START (Screening Tool to Alert doctors to Right Treatment). Consensus validation. Int J Clin Pharmacol Ther 46:72–83, 2008.

참고문헌

1. Kaufman DW, Kelly JP, Rosenberg L, et al: Recent patterns of medication use in the ambulatory adult population of the United States — the Slone Survey. JAMA 287:337–344, 2002.

2. National Center for Health Statistics: Health, United States, 2013: with special feature on prescription drugs, Hyattsville, MD, 2014, National Center for Health Statistics.

3. Charlesworth CJ, Smit E, Lee DSH, et al: Polypharmacy among adults aged 65 years and older in the United States: 1988–2010. J Gerontol A Biol Sci Med Sci 70:989–995, 2015.

4. Families USA: Cost overdose: Growth in drug spending for the elderly, 1992-2010. research.policyarchive.org/6350.pdf, 2000. Accessed November 1, 2014.

5. Qato DM, Alexander GC, Conti RM, et al: Use of prescription and over-the-counter medications and dietary supplements among older adults in the United States. JAMA 300:2867–2878, 2008.

6. Slone Epidemiology Center: Patterns of medication use in the United States, http://www.bu.edu/slone/files/2012/11/SloneSurvey Report2006.pdf, 2006. Accessed October 2, 2015.

7. Hajjar ER, Cafiero AC, Hanlon JT: Polypharmacy in elderly patients. Am J Geriatr Pharmacother 5:345–351, 2007.

8. Jørgensen T, Johannson S, Kennerfalk A, et al: Prescription drug use, diagnoses, and healthcare utilization among the elderly. Ann Pharmacother 35:1004–1009, 2001.

9. Linjakumpu T, Hartikainen S, Klaukka T, et al: Use of medications and polypharmacy are increasing among the elderly. J Clin

Epidemiol 55:809 – 817, 2002.

10. Kaufman DW, Kelly JP, Rosenberg L, et al: Recent patterns of medication use in the ambulatory adult population of the United States: the Slone Survey. JAMA 287:337 – 344, 2002.

11. Osborn R, Moulds D, Squires D, et al: International survey of older adults finds shortcomings in access, coordination, and patientcentered care. Health Aff 33:2247 – 2255, 2014.

12. Nobili A, Licata G, Salerno F, et al: Polypharmacy, length of hospital stay, and in-hospital mortality among elderly patients in internal medicine wards. The REPOSI study. Eur J Clin Pharmacol 67:507 – 519, 2011.

13. Gallagher PF, Barry PJ, Ryan C, et al: Inappropriate prescribing in an acutely ill population of elderly patients as determined by Beers' Criteria. Age Ageing 37:96 – 101, 2008.

14. Schmader KE, Hanlon JT, Pieper CF, et al: Effects of geriatric evaluation and management on adverse drug reactions and suboptimal prescribing in the frail elderly. Am J Med 116:394 – 401, 2004.

15. Schuler J, Dückelmann C, Beindl W, et al: Polypharmacy and inappropriate prescribing in elderly internal-medicine patients in Austria. Wien Klin Wochenschr 120:733 – 741, 2008.

16. Steinmetz KL, Coley KC, Pollock BG: Assessment of geriatric information on the drug label for commonly prescribed drugs in older people. J Am Geriatr Soc 53:891 – 894, 2005.

17. Hughes CM, Lapane KL, Mor V, et al: The impact of legislation on psychotropic drug use in nursing homes: a cross-national perspective. J Am Geriatr Soc 48:931 – 937, 2000.

18. Dwyer LL, Han B, Woodwell DA, et al: Polypharmacy in nursing home residents in the United States: results of the 2004 National Nursing Home Survey. Am J Geriatr Pharmacother 8:63 – 72, 2010.

19. Beardsley RS, Larson DB, Burns BJ, et al: Prescribing of psychotropics in elderly nursing home patients. J Am Geriatr Soc 37:327 – 330, 1989.

20. Hughes CM, Lapane KL, Mor V: Influence of facility characteristics on use of antipsychotic medications in nursing homes. Med Care 38:1164 – 1173, 2000.

21. Dorsey ER, Rabbani A, Gallagher SA, et al: Impact of FDA black box advisory on antipsychotic medication use. Arch Intern Med 170:96 – 103, 2010.

22. Centers for Medicare and Medicaid Services: New data show antipsychotic drug use is down in nursing homes nationwide, http:// www.cms.gov/newsroom/mediarelease database/press-releases/2013 -press-releases-items/2013-08-27.html, 2013. Accessed November 1, 2014.

23. Freund DA, Willison D, Reeher G, et al: Outpatient pharmaceuticals and the elderly: policies in seven nations. Health Aff 19:259 – 266, 2000.

24. Centers for Medicare & Medicaid Services: Medicare Part D. Fed Regist 71:61445 – 61455, 2006.

25. Anderson GF, Hussey PS: Population aging: a comparison among industrialized countries. Health Aff 19:191 – 203, 2000.

26. Donelan K, Blendon RJ, Schoen C, et al: The elderly in five nations: the importance of universal coverage. Health Aff 19:226 – 235, 2000.

27. Magrath I, Litvak J: Cancer in developing countries: opportunity and challenge. J Natl Cancer Inst 85:862 – 874, 1993.

28. World Health Organization: WHO medicines strategy: framework for action in essential drugs and medicines policy. http:// apps.who .int/medicinedocs/en/d/Jwhozip16e, 2000-2003. Accessed November 1, 2014.

29. Shi S, Klotz U: Age-related changes in pharmacokinetics. Curr Drug Metab 12:601 – 610, 2011.

30. Corsonello A, Pedone C, Incalzi RA: Age-related pharmacokinetic and pharmacodynamic changes and related risk of adverse drug reactions. Curr Med Chem 17:571 – 584, 2010.

31. Hubbard R, O'Mahoney M, Woodhouse K: Medication prescribing in frail older people. Eur J Clin Pharmacol 69:319 – 326, 2013.

32. Iber FL, Murphy PA, Connor ES: Age-related changes in the gastrointestinal system: effects on drug therapy. Drugs Aging 5:34 – 48, 1994.

33. Schwartz JB: The current state of knowledge of age, sex, and their interactions on clinical pharmacology. Clin Pharmacol Ther 82:87–96, 2007.

34. Grandison MK, Boudinot FD: Age-related changes in protein binding of drugs: implications for therapy. Clin Pharmacokinet 38:271–290, 2000.

35. Toornvliet R, van Berckel BNM, Luurtsema G, et al: Effect of age on functional P-glycoprotein in the blood-brain barrier measured by use of (R)-[11 C]verapamil and positron emission tomography. Clin Pharmacol Ther 79:540–548, 2006.

36. McLachlan AJ, Pont LG: Drug metabolism in older people—a key consideration in achieving optimal outcomes with medicines. J Gerontol A Biol Sci Med Sci 67A:175–180, 2012.

37. McLachlan AJ, Hilmer SN, LeCouteur DG: Variability in response to medicines in older people: phenotypic and genotypic factors. Clin Pharmacol Ther 85:431–433, 2009.

38. Hubbard RE, O'Mahony MS, Calver BL, et al: Plasma esterases and inflammation in ageing and frailty. Eur J Clin Pharmacol 64:895–900, 2008.

39. Musso CG, Oreopoulos DG: Aging and physiological changes of the kidneys including changes in glomerular filtration rate. Nephron Physiol 119(Suppl 1):1–5, 2011.

40. Malmrose LC, Gray SL, Pieper CF, et al: Measured versus estimated creatinine clearance in a high-functioning elderly sample: MacArthur Foundation study of successful aging. J Am Geriatr Soc 41:715–721, 1993.

41. Cockroft DW, Gault MH: Prediction of creatinine clearance from serum creatinine. Nephron 16:31–41, 1976.

42. Levey AS, Bosch JP, Lewis JB, et al: A more accurate accurate method to estimate glomerular filtration rate from serum creatinine: a new prediction equation. Modification of Diet in Renal Disease Study Group. Ann Intern Med 130:461–470, 1999.

43. Levey AS, Stevens LA, Schmid CH, et al: CKD-EPI (Chronic Kidney Disease Epidemiology Collaboration): A new equation to estimate glomerular filtration rate. Ann Intern Med 150:604–612, 2009.

44. Daniel K, Cason CL, Shrestha S: A comparison of glomerular filtration rate estimating equation performance in an older adult population sample. Nephrol Nurs J 38:351–356, 2011.

45. Christensson A, Elmstahl S: Estimation of the age-dependent decline of glomerular filtration rate from formulas based on creatinine and cystatin C in the general elderly population. Nephron Clin Pract 117:40–50, 2011.

46. Spruill WJ, Wade WE, Cobb HH, III: Comparison of estimated glomerular filtration rate with estimated creatinine clearance in the dosing of drugs requiring adjustments in elderly patients with declining renal function. Am J Geriatr Pharmacother 6:153–160, 2008.

47. Hanlon JT, Aspinall SL, Semla TP, et al: Consensus guidelines for oral dosing of primarily renally cleared medications in older adults. J Am Geriatr Soc 57:335–340, 2009.

48. Bowie MW, Slattum PW: Pharmacodynamics in older adults: a review. Am J Geriatr Pharmacother 5:263–303, 2007.

49. Trifior G, Spina E: Age-related changes in pharmacodynamics: focus on drugs acting on central nervous and cardiovascular systems. Curr Drug Metab 12:611–620, 2011.

50. Vestal RE, Wood AJJ, Shand DG: Reduced beta adrenoceptor sensitivity in the elderly. Clin Pharmacol Ther 26:181–186, 1979.

51. Turner MJ, Mier CM, Spina RJ, et al: Effects of age and gender on the cardiovascular responses to isoproterenol. J Gerontol A Biol Sci Med Sci 54:B393–B400, 1999.

52. Cefalu CA: Theories and mechanisms of aging. Clin Geriatr Med 27:491–506, 2011.

53. Colloca G, Santoro M, Gamnassi G: Age-related physiologic changes and perioperative management of elderly patients. Surg Oncol 19: 124–130, 2010.

54. Thompson CM, Johns DO, Sonawane B, et al: Database for physiologically based pharmacokinetic (PBPK) modeling: physiological data for healthy and health-impaired elderly. J Toxicol Environ Health B Crit Rev 12:1–24, 2009.

55. Sleeper R: Common geriatric syndromes and special problems. Consult Pharm 24:447–462, 2009.

56. Seymour RM, Routledge PA: Important drug-drug interactions in the elderly. Drugs Aging 12:485–494, 1998.

57. Mallet L, Spinewine A, Huang A: The challenge of managing drug interactions in elderly people. Lancet 370:185–191, 2007.

58. Akamine D, Filho MK, Peres CM: Drug-nutrient interactions in elderly people. Curr Opin Clin Nutr Metab Care 10:304–310, 2007.

59. Mason P: Important drug-nutrient interactions. Proc Nutr Soc 69:551–557, 2010.

60. Moore AA, Whiteman EJ, Ward KT: Risks of combined alcohol/ medication use in older adults. Am J Geriatr Pharmacother 5:64–74, 2007.

61. Bressler R: Grapefruit juice and drug interactions. Exploring mechanisms of this interaction and potential toxicity for certain drugs. Geriatrics 61:12–18, 2006.

62. Ferreira Silva R, Rita Carvalho Garbi Novaes M: Interactions between drugs and drug-nutrient in enteral nutrition: a review based on evidences. Nutr Hosp 30:514–518, 2014.

63. Guay DG: Quinolones. In Piscitelli SC, Rodvold KA, editors: Drug interactions in infectious diseases, ed 2, Totowa, NJ, 2005, Humana Press.

64. Lynch T, Price A: The effect of cytochrome P450 metabolism on drug response, interactions, and adverse effects. Am Fam Physician 76:391–396, 2007.

65. Loi CM, Parker BM, Cusack BJ, et al: Aging and drug interactions. III: Individual and combined effects of cimetidine and cimetidine and ciprofloxacin on theophylline metabolism in healthy male and female nonsmokers. J Pharmacol Exp Ther 280:627–637, 1997.

66. Crowley JJ, Cusack BJ, Jue SG, et al: Aging and drug interactions. II: Effect of phenytoin and smoking on the oxidation of theophylline and cortisol in healthy men. J Pharmacol Exp Ther 245:513–523, 1988.

67. Dilger K, Hofmann U, Klotz U: Enzyme induction in the elderly: effect of rifampin on the pharmacokinetics and pharmacodynamics of propafenone. Clin Pharmacol Ther 67:512–520, 2000.

68. Hamman MA, Bruce MA, Haehner-Daniels BD, et al: The effect of rifampin administration on the disposition of fexofenadine. Clin Pharmacol Ther 69:114–121, 2001.

69. Hansten PD, Horn JR, Koda-Kimble MA, et al: Drug interactions: a clinical perspective and analysis of current developments. Vancouver, 2000, Applied Therapeutics.

70. Yoon SL, Schaffer SD: Herbal, prescribed, and over-the-counter drug use in older women: prevalence of drug interactions. Geriatr Nurs 27:118–129, 2006.

71. Tariq SH: Herbal therapies. Clin Geriatr Med 20:237–257, 2004. 72. Skalli S, Zaid A, Soulaymani R: Drug interactions with herbal medicines. Ther Drug Monit 29:679–686, 2007.

73. Spinewine A, Schmader KE, Barber N, et al: Appropriate prescribing in elderly people: how well can it be measured and optimised? Lancet 370:173–184, 2007.

74. McLeod PJ, Huang AR, Tamblyn RM, et al: Defining inappropriate practices in prescribing for elderly people: a national consensus panel. Can Med Assoc J 156:385–391, 1997.

75. American Geriatrics Society 2015 Beers Criteria Update Expert Panel: American Geriatrics Society 2015 Updated Beers Criteria for Potentially Inappropriate Medication Use in Older Adults. J Am Geriatri Soc doi: 10.1111/jgs.13702.

76. Gallagher P, Ryan C, Byrne S, et al: STOPP (Screening Tool of Older Person's Prescriptions) and START (Screening Tool to Alert doctors to Right Treatment). Consensus validation. Int J Clin Pharmacol Ther 46:72–83, 2008.

CHAPTER **27**

노화방지의학
Antiaging Medicine

Ligia J. Dominguez, John E. Morley, Mario Barbagallo

노화 과정을 역행하려는 시도들은 아담(Adam)과 이브(Eve)가 에덴 동산에서 추방당한 시점부터 시작되었다. 그때부터 지혜로운 현자들과 허풍쟁이들이 대중의 수명 연장을 위해 무엇을 해야 하는지에 관해 많은 발표를 했다. 대부분의 경우, 수명 연장을 꿈꾸는 사람들은 장수를 위한 마법의 약을 개발한 사람들에 엄청난 돈을 지불하였다. 이리하여 노화방지의학이라는 개념은 사기로 자리잡았다.

한편, 우리는 지난 세기 동안 장수의 기간이 현저히 연장된 것을 보아왔다. 미국에서는 20세기 초에는 인구의 반이 나이 50세에 사망하였으나, 20세기 말에는 여성의 반이 80세 이상의 나이까지 생존하였다. 이러한 극적인 변화는 위생 시설의 개선, 이용 가능한 식량 공급의 개선, 항생제의 도입, 예방 접종, 임산부와 출산 과정 개선, 수술 기법 향상과, 일부 20세기 후반에 도입된 새로운 의약품의 다양성과 같은 공중 보건 조치로 인해 이루어졌다. 작업 환경 개선과 과도한 육체 노동의 감소 또한 이에 기여하였다.

장수의 비밀은 종종 건강한 생활 방식을 따르고 과잉을 피하는 것처럼 여겨진다. 13세기에 영국의 Friar Roger Bacon은 노화방지 관련 베스트셀러 책을 출판하였다.[1] 그의 장수의 비밀은 다음과 같다:

- 통제된 식단
- 적절한 휴식
- 운동
- 생활방식의 절제
- 좋은 위생상태
- 젊은 처녀의 숨을 들이마시기

하버드의 정신과 의사인 George Valiant는 도심 거주자들과 하버드 졸업생을 그들의 50대 중반부터 관찰하였다.[2] 그는 연구를 통해 다음 사항을 따르는 사람들에서 노화가 성공적으로 일어났다고 제안했다:

- 적절한 운동을 했다.
- 담배를 피우지 않았다.
- 위기를 잘 관리했다.
- 술을 과음하지 않았다.
- 안정된 결혼생활을 즐겼다.
- 비만하지 않았다. (도심 거주자들에 한정되어)

Norfolk-EPIC 연구에 따르면 아래 네 가지 간단한 생활방식을 따른 사람들은 그 중 아무것도 하지 않은 사람들보다 생리학적으로 14년 더 젊었다.[3] 이렇게 크게 개선된 결과를 가져온 네 가지 생활방식의 요소들은 다음과 같다:

- 금연하기
- 적절한 운동하기
- 매일 5가지 과일과 채소를 먹기
- 매주 1~14잔의 술을 마시기

Northfolk-EPIC 연구에서 설명된 수정 가능한 생활방식 요소에 대한 높은 순응도는 삶의 질 향상과 유의한 연관성이 있었다.[4]

장수하는 인구들은 식사에 어류의 우위가 높은 일본, 마카오, 홍콩과 같은 장소에 거주하는 경향이 있기 때문에, 오래 살기를 원하는 사람들의 식사로 eicosahexanoic acid 또는 docosahexaenoic acid가 풍부한 지방성 어류 섭취를 제안하는 것이 합리적일 것이다.[5]

노화방지의학의 간략한 역사

고대 이집트에서는 올리브 잎이 아름다움을 향상시키고 삶을 연장하는 데 사용되었다.[6] 이는 21세기에 지중해 식단(Mediterranean diet)이 더 길고 건강한 삶과 연관되어 있다는 인식과 연결된다. 인도의 아유르베딕(Ayurvedic) 의학은 생명을 연장할 수 있는 특정 식이요법, 생활 습관 및 허브를 개발했다.

젊음의 원천(Fountain of Youth)을 찾기 위한 노력은 푸에르토 리코(Puerto Rico)의 주지사였던 Ponce de Leon에 의해 유명해졌는데, 그는 젊음의 원천이 있다고 여겨진 Bimini를 찾던 중, 미국에서 퇴직자를 위한 현대의 피난처인 플로리다(Florida)를 발견했다. 1993년에 소설 Lost Horizon에서 James Hilton은 아무도 늙지 않는 Shangri-La라는 낙원을 창조했다. 이 개념은 대중의 주의를 집중시켜서, 많은 사람들이 히말라야 산맥에서 이 낙원을 찾으려고 출발했다. 노벨 생리의학상 수상자 Elie Metchnikoff는 불가리아 인이 매우 긴 수명을 살며, 이것이 요구르트 때문이라고 믿었다. 이러한 믿음은 요구르트를 먹음으로써 노화 방지를 할 수 있다는 숭배를 가져왔다.

노화방지의학에 대한 현대의 준과학적 접근은 Durk Pearson과 Sandy Shaw가 1982년에 출판 한 Life Extension 책에 표현되었다.[7] 858 페이지 분량의 책에서, 그들은 장수 기간을 증가시킨 동물 실험의 자세한 예를 제시하였고, 자신들의 저서를 통해 "나이와 상관없이, 젊음을 추구하는, 누구든지 – 지금부터 시작하십시오."라고 주장했다. 이 책은 동물과학의 단편들을 일반 대중에게 알림으로써 여러 다른 사람들에게 문호를 열었고, 이러한 발견들이 장수를 원하는 인간에 의해 사용되어야 한다고 제안하였다.

1992년 Ronald Klatz 박사와 Robert Goldman 박사에 의해 The American Academy of Anti-Aging Medicine (A4M)이 설립되었다. 이 협회의 공언된 목적은 "노화 관련 질병을 탐지, 예방 및 치료하는 기술을 발전시키고 인간의 노화 과정을 지연시키고 최적화하는 방법에 대한 연구를 촉진하는 것"이다. 협회에서는 노화방지의학을 하는 의사들에게 여러 가지 인증을 제공한다. 이 협회에서는 120개국 이상에서 26,000명 이상의 회원을 보유하고 있다고 주장한다(www.worldhealth.net). 이 협회는 국제적인 저널인 International Journal of Anti-Aging Medicine을 발간한다.

1980년 Saul Kent에 의해 설립된 The Life Extension Foundation은 Florida에 본사를 두고 있으며 월간 잡지인 Life Extension을 발간한다. 독자층은 약 35만 명인 것으로 생각된다. 협회에서는 우편으로 식이 보충제를 판매한다. 책을 통해 노화방지 철학을 장려한 두 명의 주류 의사들은 Andrew Weil과 Deepak Chopra이다.

케임브리지에서 교육받은 과학자인 Aubrey De Grey는 "Strategies for Engineered Negligible Senescence (SENS)"이라는 이론을 개발했다. 그는 일반 대중에게 그의 이론을 널리 알리는 데 크게 성공했다. 그는 치료가 용이한 7가지의 노화 손상이 있다고 제안했다.

- 암 변이
- 미토콘드리아 돌연변이
- 세포 내 노폐물
- 세포 외 노폐물
- 세포 손실
- 세포 노화
- 세포 간 상호 연결

De Grey의 SENS 제안은 노인학 학자들에 의해 널리 비판 받았다. "SENS 의제를 구성하는 구체적인 제안들 각각은, 우리가 무지한 현 시점에서, 예외적으로 낙관적이다." 그리고 "[이 제안들]이 유용하다고 증명되려면 수십 년의 노력이 필요할 것이다."[8] 그의 접근은 노화방지 문학을 창작하는 데 사용된 준과학적 방법의 고전적인 예이다.

현대 노화방지의학의 가장 광범위한 비판은 2002년 Olshansky와 동료들로부터 나왔다.[9] 그들은 다음과 같이 말했다:

...현재 시판 중인 시술들은 아직 인간의 노화를 늦추거나 멈추거나 역전시키는 것으로 입증되지 못했다…. 이러한 주장을 하는 기업가, 의사 및 기타 건강 관리 종사자들은 노화 과정 및 노화 관련 질병에 영향을 주기 위해 고안된 개입의 과장과 현실을 쉽게 구별 할 수 없는 소비자들을 이용한다.

열량제한

1934년 코넬 대학의 Mary Crowell과 Clive McKay은 실험실 쥐의 식이 섭취를 제한하여 삶을 연장하는 결과를 가져온 일련의 실험들을 발표했다.[10] 결과적으로, 일부 종의 연구 결과들은 열량제한(caloric restriction, CR)이 삶의 연장으로 이어지는 결과를 보여주었다. 일부 연구에서는 젊은 동물에서 열량제한을 시작해야 한다고 제안했으며, 나이 든 동물의 수명을 연장시키지는 못했다.[11]

원숭이를 대상으로 한 연구들은 식이 제한이 이 동물의 대사 프로필(포도당, 콜레스테롤)을 향상시키고,[12] 뇌의 알츠하이머형 아밀로이드 변화를 약화시킴을 시사했다.[13] 그러나 이 동물들은 또한 뼈의 상실과 고관절 골절 발생의 증가 경향을 보여주었다. 비인간 영장류에 열량제한이 미치는 영향을 다루는 두 연구들은 대조되는 결과를 보고하였다. University of Wisconsin-Madison (UWM) 연구에서 열량제한이 수명을 연장시켰지만,[14] National Institute of Aging (NIA) 연구에서는 그렇지 않았다.[15] 가능한 설명은 식이 요법에 있을 수 있다 - UWM 연구에서는 마음껏 고당도 식이를 한 대조군이[14] 열량제한군에 비해 수명이 짧았다. 반대로, NIA 연구의 건강한 식이 요법은[15] 대조군의 수명을 연장시켰고, 열량제한군에서는 추가적인 이점이 없었다.

열량제한이 장수를 향상시키는 원인에 대한 많은 이론들이 존재한다. 호르메시스(hormesis) 이론은 열량제한이 낮은 수준의 스트레스를 통해 동물이 노화 과정을 늦출 수 있는 방어 체계를 강화시킨다고 제시한다. 또한 열량제한은 산화적 손상을 줄이고, 인슐린 감수성을 향상시키며, 조직의 당화를 감소시키는 것으로 제안되었다. 열량제한은 성장호르몬, 인슐린, 인슐린 유사 성장 인자 1 (insulin-like growth factor 1, IGF-1)과 같은 성장 인자들의 방출을 줄여주는데, 이들은 다양한 유기체에서 노화를 촉진시키고 사망률을 증가시킨다고 알려져 있다.[16] Silent information regulator (Sir) 유전자는 효모와 포유 동물에서 열량제한에 의해 발현이 증가한다. 그러나 장수에 있어 Sir 유전자의 역할에 대해서는 논란이 있다. 예를 들어, 포도와 적포도주에서 발견되는 폴리페놀 (polyphenol)인 레스베라트롤(resveratrol)은 열량제한과 비슷하게, sirtuin과의 상호작용을 통해 고지 방 사료를 먹은 생쥐, 초파리, 벌레의 수명을 연장시키는 것이 확인되었다.[17] 그러나 최근의 자료 에 따르면 레스베라트롤 보충에 의한 벌레 및 초파리의 수명 연장 정도는 기존에 보고된 것보다 짧 을 수 있다.[18]

Caloric Restriction Society는 Roy와 Lisa Walford와 Brian Delaney에 의해 1984년에 설립되었다. 이 협회 구성원들은 다양한 수준으로 열량제한을 실천한다. 이 협회 구성원들에 대한 연구 결과 그들 의 혈압, 포도당 및 콜레스테롤 수치가 낮았다.[19] National Institutes of Health은 중년층에서 열량제 한의 유용성을 결정하기 위해 여러 가지 단기 연구에 자금을 지원했다. 고령자의 열량제한에 대한 열의는 60세 이상의 사람들에서 체중 감량이 기관에의 입원의 증가, 사망률의 증가, 고관절 골절의 증가와 관련이 있다는 것을 보여주는 여러 연구에 의해 누그러졌다.[20] 젊은 인구 집단에서 열량제 한은 수정능력과 성욕을 감소시킬 수 있고, 상처 치유의 문제, 무월경, 골다공증을 유발했으며, 감 염과 싸우는 능력을 감소시켜 마른 사람들에게 해를 끼칠 수 있다.[16]

현재, 생명 연장을 위한 방법으로 대중에게 광고되는 수많은 열량제한 식이 요법이 있다. CRON (caloric restriction with optimal nutrition, 칼로리 제한과 최적 영양) 다이어트는 Walford와 Delaney에 의해 개발되었다. 그것은 생물권(Biosphere)에서 수행된 연구를 기반으로 했다. 일반적으로 이 다 이어트는 기초 대사율을 결정할 때 20% 열량제한을 권장한다. Okinawa diet(오키나와 식단)은 일 본의 오키나와 섬(류큐 제도)에 살고 있는 사람들의 식단에 근거한 저칼로리, 높은 영양가의 식단 이다. 그 인기는 오키나와의 오기미 마을(Ogimi Village)에 살았던 수많은 백세인들에 근거한다. 이 식이는 일반적인 일본인 식이에 비해 열량이 낮다. 주로 야채(특히 고구마), 하루에 생선 반 토막, 콩(legumes)과 대두(soy)로 이루어져 있다. 고기, 계란, 유제품의 함량은 적다. Henry Mallek의 New Longevity Diet은 다른 장수 식이의 대중화를 나타낸다. 이 식이 중 어느 것도 장수 기간의 연장을 입증하지 못했음을 인지할 필요가 있다. 식이 제한의 주요 지지자인 Roy Walford가 79세의 나이에 근위축성측삭경화증(amyotrophic lateral sclerosis, ALS)으로 사망한 것은 흥미롭다. 동물 연구에 따르 면 열량제한은 특히 ALS가 있는 동물에게 좋지 않다.

운동

적당한 운동은 장수의 초석인 것처럼 보인다. 그들의 골격근에서 과량의 포스포에놀 피루베이트 카복시키나아제(phosphoenolpyruvate carboxykinase, PEPCK-C)를 가진 생쥐는 대조군보다 더 활동 적이며, 대조군 생쥐가 0.2 km를 달리는 것과 비교하여 20 m/분의 속도로 5 km를 달릴 수 있다.[21] 이 생쥐들은 대조군보다 오래 살고, 암컷은 생후 35개월까지 생식력을 유지한다.

인간에 대한 관찰 연구는 신체적으로 활동적인 사람들이 더 오래 살 수 있다고 강력하게 제안했다. 70~80세 연령의 연구에서 총 에너지 소비가 높은 사람들은 에너지 소비가 적은 사람들보다 더 오래 살았다.[22] 에너지 소비를 증가시키는 주요 요인은 계단 오르기였다. 흥미롭게도, 장수했던 오키나와 사람들은 보통 평균, 평균 이상의 일일 운동량과 평균 이하의 섭취량을 가진다.[23]

Fries는 노년층 달리기 주자들은 좌식 생활하는 고령자와 비교하여 13년 후 장애가 생기는 경향이 있음을 발견했다.[24] LIFE 파일럿 연구는 구조화된 신체 활동 프로그램이 기능적 성능을 크게 향상시키는 결과를 보여줬다.[25] 걷는 속도는 장애 감소와 관련이 있다. 신체 활동은 불쾌감의 감소와 관련이 있다. 규칙적으로 운동하는 50세 이상의 사람들은 나이가 들었을 때 알츠하이머병에 잘 걸리지 않는다.[26] 규칙적인 신체 활동은 치매 환자의 악화 비율을 감소시킨다.[27] 열량제한과 운동은 다양한 분자 경로를 자극하는 것처럼 보이지만, 둘 다 재활용을 위해 손상된 세포 구성요소를 분해시키는 이화 과정인 자가포식현상(autophagy; 그리스어에서 auto-, "자가", 그리고 phagein, "포식")을 유도한다.[28]

젊음의 원천이 되는 호르몬

젊음을 유지하기 위해 에스트로겐의 역할을 강조하면서 1950년대 Wilson의 Feminine Forever가 출판된 이후 호르몬의 항노화 효과에 대한 관심이 증가하였다.[5] 이전 19세기 말에 Brown-Séquard가 고환 추출물이 현저한 노화 방지 효과를 나타낼 것이라고 제안했다. 사실 이 추출물에는 어떤 테스토스테론도 포함되어 있었을 가능성이 없으며, 강력한 위약효과를 보여주었다. 이로 인해 유럽과 미국의 많은 부유한 남성들이 그들을 회춘 시켜 준다고 주장된 고환 임플란트를 받았다. Brinkley는 미국에서 일련의 염소 분비샘 추출물을 소개했는데, 이는 똑같이 효과가 없었지만 그를 부자로 만들어주었다. 그 결과, 거의 모든 호르몬이 노화방지 효과를 나타낸다고 선전되었다. 일반적으로, 대중이 호르몬들에 더욱 큰 열의를 표현할수록 그것들이 효과적일 가능성은 적다고 할 수 있다.

비타민 D (25 [OH] vitamin D) 수치는 노화에 따라 감소한다.[29] 낮은 수준의 비타민 D는 사망률의 증가와 관련이 있다.[30] 30 ng/mL 미만의 비타민 D 수치를 가진 사람에서 비타민 D의 대체 요법은 기능을 향상시키고, 낙상을 줄이며, 고관절 골절을 감소시킴이 입증되었다.[31] 메타 분석에서 625 IU/day 이상의 비타민 D로 공급하면 사망률이 감소했다.[32] 현재 노년층은 일광 차단 없이 규칙적인 피부 노출(일일 15~30분)을 하거나 매일 800~1000 IU의 비타민 D를 복용해야 함이 일반적으로 받아들여지고 있다. 70세 이상의 모든 사람들은 비타민 D 수치를 30 ng/mL 이상으로 높일 수 있는 고용량의 비타민 D를 필요로 하기 때문에, 적어도 매년(바람직하게는 겨울에) 비타민 D 수치를 측정해야 한다.

낮은 테스토스테론 수치를 가진 남성에 대한 연구는 낮은 테스토스테론이 사망률 증가와 관련

표 27-1. 낮은 테스토스테론수치가 사망을 예측하는가?

저자, 연도	대상 집단	사망을 예측하는가?
Morley 등, 1996년 [33]	뉴멕시코 건강한 남성, 14년 추적관찰	아니오
Shores 등, 2006년 [34]	재향군인, 8년 추척관찰	예
Araujo 등, 2007년 [35]	매사추세츠 남성 노화 연구	아니오
Khaw 등, 2007년 [37]	유럽	예
Laughlin 등, 2008년 [36]	캘리포니아, 렌쵸 버나드, 11.8년 추적관찰	예

표 27-2. ADAM 설문지

1	성욕이 줄었다.	예	아니오
2	무기력하다.	예	아니오
3	근력 및 지구력이 감소했다.	예	아니오
4	키가 다소 줄었다.	예	아니오
5	삶의 의욕과 재미가 없다.	예	아니오
6	슬프거나 짜증이 많이 난다.	예	아니오
7	발기력이 감소했다.	예	아니오
8	조금만 운동을 해도 쉽게 지친다.	예	아니오
9	저녁식사 후 졸음이 잦다.	예	아니오
10	업무 능력이 감소했다.	예	아니오

*1번 또는 7번이 '예' 이거나, 기타 3개 항목이 '예' 라면 남성갱년기라고 할 수 있다.

이 있는지에 대한 상반된 결과를 보여주었다(표 27-1).[33-37] 전반적으로, 테스토스테론은 수명을 연장하는 약이 아니라 삶의 질을 향상시키는 약으로 간주되어야 한다. 테스토스테론의 주요 효과는 성욕과 성기능을 향상시키는 것이다.[38] 테스토스테론은 또한 성선기능이 저하된 남성의 근육과 뼈의 질량과 근력을 증가시킨다.[39] 고관절 골절에 미치는 영향을 평가한 연구는 없다. 테스토스테론은 또한 시각공간의 인식을 증가시킨다.[40] 연구에 의하면 테스토스테론이 심장보호 효과가 있을 수 있다.[41] 테스토스테론의 여러 잠재적 긍정적 효과에도 불구하고, International Society of the Aging Male에서 노인 남성에게 사용을 권장한 사항은, 증상이 있고 생화학적으로 성선기능이 저하된 남성에게만 주어져야 한다는 것이다.[42] 증상을 스크리닝하는데, Aging Male Survey나 세인트 루이스 대학의 Androgen Deficiency in the Aging Male (ADAM) 설문지[43,44]를 사용할 수 있다(표 27-2).

테스토스테론 수치는 20세에서 45세 사이의 여성에서 급격히 감소한다.[45] 이 급격한 감소의 원인은 불확실하다. 연구에 따르면 여성의 테스토스테론 대체가 성욕을 약간 향상시킬 수 있다고 한다.[46]

폐경기 이후 여성에서 에스트로겐 대체 요법의 역할은 Women's Health Initiative에 의해 혼란스러워졌다.[47,48] 60세 이상의 여성에서는 에스트로겐 대체가 심혈관질환 및 사망률을 증가시킴이 분명해졌다. 이것은 HERS 연구 결과와 유사하다.[49] 폐경기 시기에 에스트로겐이 효과가 있는지 여부는 아직 명확하지 않다. 조기 폐경 여성의 경우 에스트로겐 대체 요법은 52세까지 합리적으로 보인다. 45세에서 55세 사이의 폐경기 여성들은 증상을 치료하고 뼈의 손실을 지연시키기 위한 목적으로 저용량의 에스트로겐 대체 요법의 혜택을 볼 수 있다. 현재 심혈관질환에 미치는 영향은 불확실하지만 몇몇 전문가들은 이 시기에 심장보호 효과가 있다고 믿는다(위험 기간 가설). 정상적인 폐경기를 가진 여성에서는 에스트로겐을 5년 이상 사용하지 말아야 한다. 프로게스테론의 사용에 관해서도 유사한 주의 사항이 있으며, 꼭 필요하다면 프로게스테론의 알도스테론 길항 특성을 고려해야 한다.

Rudman과 동료들[50]은 New England Journal of Medicine에 실린 논문을 토대로 "젊음의 원천"으로써 성장호르몬 대체 요법에 대한 열망을 만들었다. 노인 남성에서 성장호르몬의 부정적인 영향을 인용한 그들의 논문이 추후 Clinical Endocrinology에 발표되었으나, 노화방지의학의 전문가들에 의해 일반적으로 무시되었다.[51] 그러나 2007년에 발표된 메타 분석은 고령층에서 성장호르몬의 긍정적인 효과를 발견하지 못했다.[52] 고령자에서 그렐린(Ghrelin) 작용제에 대한 연구는 똑같이 실망스러웠다. 그렐린은 위의 저부(fundus)에서 방출되는 펩타이드 호르몬으로, 식욕을 증가시키고 성장호르몬을 방출하며 기억력을 향상시킨다.[53] "성장호르몬과 노화"에 대한 Google 검색 결과 1,360,000건의 인용이 있었다. 여기에는 성장호르몬을 판매하는 많은 스폰서 링크나 그것을 처방하는 의사들이 포함되어 있다. 이 광고들에는 "성장 호르몬을 사용하면 노화를 막아준다", "노화를 되돌릴 수 있는가", "성장 호르몬 촉진자: 노화 과정에 효과적으로 대항한다"와 같은 내용이 포함되어 있다. Dehydroepiandrosterone (DHEA)와 그것의 황산염 수치는 연령 증가에 따라 급격히 감소한다.[54] 이로 인해 DHEA가 노인들을 젊게 만들 수 있다는 여러 주장이 제기되었다. 그러나 대규모의 잘 통제된 연구 결과들은 DHEA가 노화에 미치는 영향을 전혀 보여주지 못했다.[55] "DHEA 및 노화"에 대한 Google 검색 결과 75만 8천건의 인용이 있었다. 이들 사이트 중 하나의 인용문은 "DHEA는 재능이 많은 스타로서 돋보인다…"라고 말한다.

인터넷에서 pregnenolone은 "feel-good hormone" 또는 "mother hormone"이라고 불렸다. 생쥐연구에서 pregnenolone은 강력한 기억 증진 인자로 나타났다.[56] 그러나 인간에서 유사한 효과를 나타내는 능력은 굉장히 부정적이다; 현재, 인간에서 pregnenolone이 기억력 증진제나 노화방지 호르몬이라는 증거는 없다.[57]

송과선(pineal gland)에서 생성되는 호르몬인 멜라토닌도 노화에 따라 감소한다. 그것은 항산화 특성을 가지고 있어서, 노화방지 호르몬으로서 선전되어 왔다. 전반적으로는, 최소한의 영향을 미치는 것으로 보인다.

Marcus Tullius Cicero (106–43 BC)는 "노년은 저항해야 하고 그 결핍은 회복되어야 한다"고 말했다. 비타민 D를 제외하고는, 노화 과정을 역전시키기 위해 호르몬 대체 요법을 사용해야 한다는 증거는 거의 없다. 그럼에도 불구하고, 비양심적인 사기꾼들은 부적절하게 호르몬을 처방하고 공급할 것으로 보이며, 노령 인구들은 영원히 젊음을 유지하기를 바라면서 그것을 복용할 것이다.

항산화제와 노화

여러 동물 연구들은 노화에서 산화 스트레스 역할을 보여주었다.[58] 산화적 손상은 또한 동맥경화증과 알츠하이머병과 같은 나이 연관 질병의 발병기전에 관련되어 왔다. 항산화제가 풍부한 과일과 채소를 섭취하는 것이 질병을 예방하는 것은 명확하다. 그러나 비타민 보충제를 복용하는 사람이 보충제를 복용하지 않는 사람보다 수명이 길다는 증거는 없다. 인간에서 비타민 E와 심혈관질환에 대한 연구 결과 보충제가 효과가 없거나 유해한 것으로 나타났다.[59] 유사하게, 암에 대한 비타민 E의 효과는 혼합된 결과를 제시하였다. 비타민 E는 알츠하이머병 환자에게 최소한의 영향을 미쳤다.

ATBC 임상 시험에서 베타 카로틴(β–Carotene)은 폐암, 전립선암 및 위암의 증가를 초래했다.[60] CARET 연구 결과 이전에 석면에 노출됐던 사람들의 폐암 사망률이 증가하였다.[61] 많은 연구 결과 베타 카로틴이 심혈관질환에 긍정적인 영향을 미치지 않았다.[62] 마찬가지로, 비타민 C는 최소한의 유익한 효과가 있는 것으로 나타났다.

알파 리포산(α–Lipoic acid)은 강력한 항산화제로 당뇨병성신경병증의 치료에 유용함을 보였다.[63] 그것은 알츠하이머병의 부분적인 모델인 SAMP8 생쥐에서 기억 장애를 역전시켰다.[64] 그러나 생쥐에 대한 미공개 연구에 따르면 사망률을 증가시킨 것으로 나타났다.

전반적으로, 인간의 연구는 항산화 비타민 보충제의 사용을 지지하지 않는다. 한 가지 예외는 노인성황반변성에서 고용량의 종합비타민제를 사용하는 것일 수 있다. 유효한 자료에 근거하면, 고용량의 비타민 보충제는 안전하게 여겨지지 않는다.

광노화

피부 노화는 연령 노화(chronologic aging)와 상호 작용하는 환경적 손상 때문에 발생한다.[65] 광노화는 자외선 노출의 결과로 발생한다. 인구 노령화로 인해 노화 과정을 역전시키려는 의약품, 화장품 및 피부과 시술이 폭발적으로 증가했다(표 27–3). 이러한 방법들은 주름, 거친 피부, 모세혈관확장증(telangiectasia), 광선각화증(actinic keratosis), 갈색 반점 및 양성 종양을 제거하거나 예방하는데

표 27-3. 미용학적 항노화 제품

제품	작용	부작용
SPF (sun protection factor) > 15 일광차단제	광선각화증, 편평세포암종 감소	1/5에서 알레르기반응
α - and β -Hydroxyl acids	각질제거제-거칢과 색소침착 감소	피부자극
레티노이드(tretinoin, tazarotene)	색소침착, 주름, 거칢 감소	피부자극
플루오로우라실 크림	광선각화증	피부자극
레이저 치료	주름, 색소침착, 모세혈관확장증	흉터형성, 색소침착저하, 멍
박피술	주름, 광선각화증	흉터형성, 동통, 감염
피부 필러(콜라겐, 히알루론산)	주름	동통, 알레르기 반응
보톡스	주름	멍, 안검하수, 두통

사용된다. 2002년에는 500만 건의 미형 수술과 1백만 건 이상의 성형 수술에 130억 달러 이상을 지출했다. 상대적으로 일반적인 노화방지 성형 수술에는 주름절제(rhytidectomy) (얼굴 리프트(face lift)), 안검성형술(blepharoplasty), 복부성형술(abdominoplasty) (뱃살 제거(tummy tuck)), 지방절제술 (lipectomy) 또는 지방흡입(liposuction)이 포함된다. 이러한 시술들은 비용이 많이 들고 새로운 고령 인구의 허영심을 사로 잡고 있다.

기타 고려사항

오늘날의 과학 소설은 미래의 노화방지 기술을 잘 대변한다. 로봇 보철물과 외골격의 급속한 발전은 노인들이 인생 후기에 잘 기능할 수 있도록 능력을 향상시킬 것이다.

노화방지 의학은 다음과 같은 여러 가지 윤리적 문제들을 야기한다:

• 제한된 자원의 사회에서 노인들의 삶을 연장시키는 것이 적절한가?
• 질의 향상 없이 삶을 연장하는 것이 적절한가?
• 만약 수명 연장이 인지 손상과 연관이 있다면?
• 수명 연장의 기간은 5, 10, 20, 50 또는 심지어 100년이 적절한가?

이 질문들에 대한 간단한 대답은 없으며, 그 답은 과학적, 철학적 연구 뿐만 아니라 종교적 견해와 재정 현실에도 달려 있다.

매년 의학 지식의 변화는 수명을 연장시키고 삶의 질을 향상시킨다. 주류 의학의 모든 발전이 긍정적인 영향을 미치지는 않지만, 전반적으로 의료의 발전은 현재 가장 강력한 노화방지의학이라는 사실을 인식할 필요가 있다. 대조적으로, 고령의 대중은 입증된 가치가 거의 없는 노화방지 약제에 수십억 달러를 계속 소비한다. 노인의학 학자들은 성공적으로 나이를 먹는 방법에 대한 교육자의 최전선에 계속 서있을 것이다.

결론

노화 과정을 이해하기 위한 놀라운 돌파구는 세포 및 동물 모델에서 거의 매일 발생한다. Tantalus (그리스의 신화적 인물)와 같이, 노화학 학자들은 적절히 통제된 임상 시험이 수행되기 전에 이러한 결과를 인간에게 즉시 적용하려는 지속적인 유혹을 받는다. 역사가 보여주듯이, 이것은 위험한 선례이다. 동물에서 매우 효과적인 치료가 인간에게 매우 유해할 수도 있다. 노인의학 학자들은 노화방지 의약품의 장점 및 부작용에 관해 노년층을 교육할 수 있는 중요한 역할을 한다.

노화 방지 분야를 바꿀 수 있는 두 영역은 줄기세포와 컴퓨터이다. 설치류에서 근육 IGF-1을 보유하고 있는 줄기세포를 연구한 결과 늙은 동물의 근육 손실을 줄일 수 있었다.[66] 줄기세포가 다양한 조직을 젊어지게 할 가능성은 엄청나나 인간에 대한 적용은 초기 단계에 있다. 또한 컴퓨터 강화 기술이 노화 관련 손실을 역전시키는 데 사용되기 시작했다. 달팽이관 임플란트와 망막 컴퓨터 칩이 그 예이다. 컴퓨터 기술이 진보함에 따라, Kurzweil은 해마 컴퓨터 칩이 알츠하이머병 치료에 사용될 수 있다고 제안했다.

요점: 노화방지의학

- 노화를 지연시키는 것으로 가장 잘 확립된 요인들은 과일과 채소, 운동, 흡연하지 않기, 매일 1~2잔의 음주와 생선 섭취이다.
- 비타민 D 수치가 낮은 사람들의 비타민 D 대체는 고관절 골절을 감소시키고, 근력을 향상시키며, 기능을 향상시키고, 사망률을 감소시킨다.
- 노화방지의학은 순수한 노인 인구에게 증명되지 않았거나 위험한 치료법을 홍보하는 사기꾼들에 의해 점령되었다.
- 장수를 가져 온 동물 연구들은 적절한 임상 시험이 수행되기 전 너무 자주 인간에게 직접 적용되었다.
- 호르몬이나 고용량의 비타민이 생명을 연장한다는 증거는 없다.
- 다양한 품질의 제품을 사용하여 광노화를 늦추고 피부 흠집을 제거할 수 있다.

참고문헌의 총 목록을 보려면 www.expertconsult.com 을 방문해주세요.

중요 참고문헌

5. Morley JE, Colberg ST: The science of staying young, New York, 2007, McGraw-Hill.

6. Morley JE: A brief history of geriatrics. J Gerontol A Biol Sci Med Sci 59:1132–1152, 2004.

15. Mattison JA, Roth GS, Beasley TM, et al: Impact of calorie restriction on health and survival in rhesus monkeys from the NIA study. Nature 489:318–321, 2012.

17. Bauer JA, Sinclair OA: Therapeutic potential of resveratrol: the in vivo evidence. Nat Rev Drug Discov 5:493–506, 2006.

23. Willcox BJ, Willcox DC: Calorie restriction, calorie restriction mimetics, and healthy aging in Okinawa: controversies and clinical implications. Curr Opin Clin Nutr Metab Care 17:51–58, 2014.

31. Morley JE: Should all long-term care residents receive vitamin D? J Am Med Dir Assoc 8:69–70, 2007.

65. Stern RS: Clinical practice. Treatment of photoaging. N Engl J Med 350:1526–1534, 2004.

66. Musaro A, Giacinti C, Borsellino G, et al: Stem cell–mediated muscle regeneration is enhanced by local isoform of insulin-like growth factor 1. Proc Natl Acad Sci U S A 101:1206–1210, 2004.

참고문헌

1. Chase P, Mitchell K, Morley JE: In the steps of giants: the early geriatrics texts. J Am Geriatr Soc 48:89–94, 2000.

2. Valiant G: Aging well, New York, 2002, Time Warner.

3. Khaw KT, Wareham N, Bingham S, et al: Combined impact of health behaviours and, mortality in men and women: the EPIC-Norfolk prospective population study. PLoS Med 5:e12, 2008.

4. Myint PK, Smith RD, Luben RN, et al: Lifestyle behaviours and quality-adjusted life years in middle and older age. Age Ageing 40:589–595, 2011.

5. Morley JE, Colberg ST: The science of staying young, New York, 2007, McGraw-Hill.

6. Morley JE: A brief history of geriatrics. J Gerontol A Biol Sci Med Sci 59:1132–1152, 2004.

7. Pearson D, Shaw S: Life extension: a practical scientific approach, New York, 1982, Warner.

8. Warner H, Anderson J, Austad S, et al: Science fact and the SENS agenda. What can we reasonably expect from ageing research? EMBO Rep 6:1006–1008, 2005.

9. Olshansky SJ, Hayflick L, Carnes BA: Position statement on human aging. J Gerontol A Biol Sci Med Sci 57:B292–B297, 2002.

10. McKay C: The effect of retarded growth upon the length of the life span and upon ultimate body size. J Nutr 10:63–73, 1935.

11. Lipman RD, Smith DE, Bronson RT, et al: Is late-life calorie restriction beneficial? Aging (Milano) 7:136–139, 1995.

12. Anderson RM, Weindruch R: Calorie restriction: progress during mid-2005-mid-2006. Exp Gerontol 41:1247–1249, 2006.

13. Qin W, Chachich M, Lane M, et al: Calorie restriction attenuates Alzheimer's disease type brain amyloidosis in Squirrel monkeys (Saimiri sciureus). J Alzheimers Dis 10:417–422, 2006.

14. Colman RJ, Anders Johnson SC, et al: Calorie restriction delays disease onset and mortality in rhesis monkeys. Science 325:201–204, 2009.

15. Mattison JA, Roth GS, Beasley TM, et al: Impact of calorie restriction on health and survival in rhesus monkeys from the NIA study. Nature 489:318–321, 2012.

16. Fontana L, Partridge L, Longo VD: Extending healthy life span—from yeast to humans. Science 328:321–326, 2010.

17. Bauer JA, Sinclair OA: Therapeutic potential of resveratrol: the in vivo evidence. Nat Rev Drug Discov 5:493–506, 2006.

18. Burnett C, Valentini S, Cabreiro F, et al: Absence of effects of Sir2 overexpression on life span in C. elegans and Drosophila. Nature 477:482–485, 2011.

19. Fontana L, Meyer TE, Klein S, et al: Long-term calorie restriction is highly effective in reducing the risk for atherosclerosis in humans. Proc Natl Acad Sci U S A 101:6659–6663, 2004.

20. Morley JE: Weight loss in older persons: new therapeutic approaches. Curr Pharm Des 13:3637–3647, 2007.

21. Hanson RW, Hakimi P: Born to run: the story of the PEPCK-Cmus mouse. Biochimie 90:838–842, 2008.

22. Manini TM, Everhart JE, Patel KV, et al: Daily activity energy expenditure and mortality among older adults. JAMA 296:171–179, 2006.

23. Willcox BJ, Willcox DC: Calorie restriction, calorie restriction mimetics, and healthy aging in Okinawa: controversies and clinical implications. Curr Opin Clin Nutr Metab Care 17:51–58, 2014.

24. Fries JF: Measuring and monitoring success in compressing morbidity. Ann Intern Med 139(Pt 2):455–459, 2003.

25. Pahor M, Blair SN, Espeland M, et al: Effects of a physical activity intervention on measures of physical performance: results of the lifestyle interventions and independence for elders pilot (LIFE-P) study. J Gerontol A Biol Sci Med Sci 61:1157–1165, 2006.

26. Larson EB, Wang L, Bowen JD, et al: Exercise is associated with reduced risk for incident dementia among persons 65 years of age and older. Ann Intern Med 144:73–81, 2006.

27. Rolland Y, Pillard F, Klapouszczak A, et al: Exercise program for nursing home residents with Alzheimer's disease: a 1-year randomized, controlled trial. J Am Geriatr Soc 55:158–165, 2007.

28. He C, Bassik MC, Moresi V, et al: Exercise-induced BCL2-regulated autophagy is required for muscle glucose homeostasis. Nature 481:511–515, 2012.

29. Perry HM, III, Horowitz M, Morley JE, et al: Longitudinal changes in serum 25-hydroxyvitamin D in older people. Metabolism 48:1028–1032, 1999.

30. Melamed ML, Michos ED, Post W, et al: 25-Hydroxyvitamin D levels and the risk of mortality in the general population. Arch Intern Med 168:1629–1637, 2008.

31. Morley JE: Should all long-term care residents receive vitamin D? J Am Med Dir Assoc 8:69–70, 2007.

32. Autier P, Gandini S: Vitamin D supplementation and total mortality: a meta-analysis of randomized controlled trials. Arch Intern Med 167:1730–1737, 2007.

33. Morley JE, Kaiser FE, Perry HM, III, et al: Longitudinal changes in testosterone, luteinizing hormone, and follicle-stimulating hormone in healthy older men. Metabolism 46:410–413, 1997.

34. Shores MM, Matsumoto AM, Sloan KL, et al: Low serum testosterone and mortality in male veterans. Arch Intern Med 166:1660–1665, 2006.

35. Araujo AB, Kupelian V, Page ST, et al: Sex steroids and all-cause and cause-specific mortality in men. Arch Intern Med 167:1252–1260, 2007.

36. Laughlin GA, Barrett-Connor E, Bergstrom J: Low serum testosterone and mortality in older men. J Clin Endocrinol Metab 93:68–75, 2008.

37. Khaw KT, Dowsett M, Folkerd E, et al: Endogenous testosterone and mortality due to all, causes, cardiovascular disease, and cancer in men: European prospective investigation into, cancer in Norfolk (EPIC-Norfolk) prospective population study. Circulation 116:2694–2701, 2007.

38. Isidori AM, Giannetta E, Gianfrilli D, et al: Effects of testosterone on sexual function in men: results of a meta-analysis. Clin Endocrinol (Oxf) 63:381–394, 2005.

39. Morley JE, Perry HM, III: Androgen treatment of male hypogonadism in older males. J Steroid Biochem Mol Biol 85:367–373, 2003.

40. Haren MT, Wittert GA, Chapman IM, et al: Effect of oral testosterone undecanoate on visuospatial cognition, mood and quality of life in elderly men with low-normal gonadal status. Maturitas 50:124–133, 2005.

41. Webb CM, Elkington AG, Kraidly MM, et al: Effects of oral testosterone treatment on myocardial perfusion and vascular function in men with low plasma testosterone and coronary heart disease. Am J Cardiol 101:618–624, 2008.

42. Wang C, Nieschlag E, Swerdloff R, et al: Investigation, treatment and monitoring of late-onset hypogonadism in males: ISA, ISSAM, EAU, EAA, and ASA recommendations. Eur Urol 55:121–130, 2009.

43. Heinemann LA, Saad F, Heinemann K, et al: Can results of the Aging Males' Symptoms (AMS) scale predict those of screening scales for androgen deficiency? Aging Male 7:211–218, 2004.

44. Morley JE, Perry HM III, Kevorkian RT, et al: Comparison of screening questionnaires for the diagnosis of hypogonadism. Maturitas 53:424–429, 2006.

45. Morley JE, Perry HM, III: Androgens and women at the menopause and beyond. J Gerontol A Biol Sci Med Sci 58:M409–M416, 2003.

46. Basaria S, Dobs AS: Clinical review: controversies regarding transdermal androgen therapy in postmenopausal women. J Clin Endocrinol Metab 91:4743–4752, 2006.

47. Manson JE, Hsia J, Johnson KC, et al: Estrogen plus progestin and the risk of coronary heart disease. N Engl J Med 349:523–534, 2003.

48. Hays J, Ockene JK, Brunner RL, et al: Effects of estrogen plus progestin on health-related quality of life. N Engl J Med 348:1839–1854, 2003.

49. Grady D, Herington D, Bittner V, et al: Cardiovascular disease outcomes during 6.8 years of hormone therapy: Heart and Estrogen/progestin Replacement Study follow-up (HERS II). JAMA 288:49–57, 2002.

50. Rudman D, Feller AG, Nagraj HS, et al: Effects of human growth hormone in men over 60 years old. N Engl J Med 323:1–6, 1990.

51. Cohn L, Feller AG, Draper MW, et al: Carpal tunnel syndrome and gynaecomastia during growth hormone treatment of elderly men with low circulating IGF-1 concentrations. Clin Endocrinol (Oxf) 39:417–425, 1993.

52. Lui H, Bravata DM, Olkin I, et al: Systematic review: the safety and efficacy of growth hormone in the health elderly. Ann Intern Med 146:104–115, 2007.

53. Diano S, Farr SA, Benoit SC, et al: Ghrelin controls hippocampal spine synapse density and memory performance. Nat Neurosci 9:381–388, 2006.

54. Kim MJ, Morley JE: The hormonal fountains of youth: myth or reality? J Endocrinol Invest 28(Suppl Proc):5–14, 2005.

55. Percheron G, Hogrel JY, Denot-Ledunois S, et al: Effect of 1-year oral administration of dehydroepiandrosterone to 60- to 80-year-old individuals on muscle function and cross-sectional area: a double-blind placebo-controlled trial. Arch Intern Med 163:720–727, 2003.

56. Flood JF, Morley JE, Roberts E: Memory-enhancing effects in male mice of pregnenolone and steroids metabolically derived from it. Proc Natl Acad Sci U S A 89:1567–1571, 1992.

57. Horani MH, Morley JE: Hormonal fountains of youth. Clin Geriatr Med 20:275–292, 2004.

58. Terzioglu M, Larsson NG: Mitochondrial dysfunction in mammalian ageing. Novartis Found Symp 287:197–208, 2007.

59. Bjelakovic G, Nikolova D, Gluud LL, et al: Antioxidant supplements for prevention of mortality in healthy participants and patients with various diseases. Cochrane Database Syst Rev (3):CD007176, 2012.

60. Virtamo J, Pietinen P, Huttunen JK, et al: ATBC study group. Incidence of cancer and mortality following alpha-tocopherol and beta-carotene supplementation: a postintervention follow-up. JAMA 290:476–485, 2003.

61. Smigel K: Beta carotene fails to prevent cancer in two major studies: CARET intervention stopped. J Natl Cancer Inst 88:145, 1996.

62. Roychoudhury P, Schwartz K: Antioxidant vitamins do not prevent cardiovascular disease. J Fam Pract 52:751–752, 2003.

63. Ziegler D: Treatment of diabetic neuropathy and neuropathic pain: how far have we come? Diabetes Care 31(Suppl 2):S255–S261, 2008.

64. Farr SA, Poon HF, Dogrukol-Ak D, et al: The antioxidants alpha-lipoic acid and N-acetylcysteine reverse memory impairment and brain oxidative stress in aged SAMP8 mice. J Neurochem 84:1173–1183, 2003.

65. Stern RS: Clinical practice. Treatment of photoaging. N Engl J Med 350:1526–1534, 2004.

66. Musaro A, Giacinti C, Borsellino G, et al: Stem cell–mediated muscle regeneration is enhanced by local isoform of insulin-like growth factor 1. Proc Natl Acad Sci U S A 101:1206–1210, 2004.

PART 4

심리적 및 사회적 노화학

Psychological and Social Gerontology

CHAPTER **28**

인지기능의 정상적인 노화
Normal Cognitive Aging

Jane Martin, Clara Li

이 장에서는 정상적인 노화가 진행되는 성인에서 인지기능의 주요한 특성에 대해 정리하고자 한다. 이 장의 첫 번째 파트에서는 지능과 질병이 생기기 전의 지능(premorbid intellectual ability: 병전 지능)을 평가하는 방법, 그리고 나이가 듦에 따라 보호되는 인지예비력(cognitive reserve)에 대해 다룰 것이다. 집중력, 정보 처리 속도, 기억, 언어능력, 그리고 실행 기능(executive function)에 대한 인지기능의 변화를 먼저 다루고 이어서 인지기능과 관련된 생활습관 인자에 대해 다룰 것이다. 이 장에서 "정상"은 특별한 정신질환이 없고 신체 건강이 그 나이에 맞게 건강한 노인인구를 뜻한다.

지능과 노화

U.S. Bureau of the Census[1]는 2010~2050년에 미국의 노인 인구가 급격히 증가할 것이며, 2050년이 되면 65세 이상의 미국인은 8천 8백 5십만 명에 이를 것이라고 추정하였다. 알츠하이머 연구회[2]에 따르면 2014년에 약 5백 2십만 미국인이 알츠하이머병을 앓고 있으며 그중 65세 미만은 2십 만 명에 불과하다고 한다. 그러므로 노인의 인지기능 연구는 매우 중요한 연구 분야이다. 또한 질병이 진행하기 전에 정상적인 노화가 무엇인지를 이해하고 나이가 증가함에 따라 인지기능을 호전시키기 위해 필요한 요인이 무엇인지를 이해하는 것이 필요하다.

　인지기능의 노화에 대한 문헌은 표준화된 지능과 신경정신학적 테스트에 대한 연구에 기반을 둔다. "IQ"는 일반적인 능력, 지능을 측정하기 위해 고안된 많은 테스트들에서 유래된 수치이다. 일반적인 지능(general intelligence, 즉 g)은 지적 수행능력의 모든 형태에 대한 전반적인 능력을 평가하는 것이다. 일반적인 지능은 좀더 특별하게 세분화해보면 유동적 지능(fluid intelligence)과 결정성 지능(crystalized intelligence)으로 나눌 수 있다.[3] 유동적 지능이란, 한 개체가 이전의 다른 훈련 없이 새로운 문제를 해결할 수 있는 정도를 측정하는 일반적인 지능 평가에서 중요한 인자이다. 반면 결정적 지능이란 한 개체가 상황을 해결하기 위해 끌어올 수 있는 세상으로부터 얻은 지식과 정보의 양이다. 노인이 되면 유동적 지능은 떨어지지만, 결정적 지능은 잘 보존되어 있다는 사실은 잘 정립되어 있다. 일반적인 이론에 의하면 유동적 지능은 소아에서 청년이 되면서 증가하고, 그 후에 안정기(plateau)를 이루다가 점차 감소한다. 반면에 결정적 지능은 소아에서 성인이 될수록 점차 증가한다.[3]

아주 많은 인지기능들은 수많은 지능 배터리에서 평가되고, IQ 점수는 여러 다른 종류의 측정 도구를 수행한 능력을 합한 값이기 때문에 IQ 점수의 의미는 종종 의문시되어진다. 그래서 IQ 점수란 단지 교육적 성취도, 그리고 결과적으로 이어지는 직업적 수행능력에 대한 좋은 예측인자라고 대부분 받아들여지고 있다. IQ 점수의 유용성에 대한 논란에 있어서 이 합성값(composite score)은 각각 측정된 별개의 점수들에 의해 얻어진 값이므로 중요한 정보를 잘 전달하지 못한다고 한다.[4] 결과적으로 Wechsler Adult Intelligence Scale (WAIS-IV)[5] 같이 가장 널리 쓰이고 있는 검사는 이제 더 세분화된 인자들과 분야들(domain)에 대한 측정도구를 포함하고 있다. 한계는 있지만, IQ 점수는 나이가 듦에 따라 인지기능을 평가하는데 있어서 여전히 전반적인 지적 능력에 대한 기본 자료를 제공한다.

병전 능력

Lezak 등[4]에 의하면 병전 능력은 절대로 한 가지 테스트 결과에 근거해서는 안되고, 한 사람에 대해 가능한 많은 정보를 고려해야 한다고 경고한다. 그러므로 성인의 지능에 대한 병전 평가를 위해서는 신경학적 변화에 상당히 저항이 있다고 생각되는 현재의 업무 수행능력과 교육이나 직업과 같은 인구통계학적 지표를 사용한다. 이런 접근은 "hold" 테스트—즉, 대뇌손상에 비교적 잘 견딘다고 알려진 박자 두드리기 능력(tap ability)을 평가하는 테스트와 같은 형식적인 검사에서 얻어진 수치를 사용한다.[6] 숙달된 후에도 계속 연습하는 행위(overlearned activities)를 포함한 인지기능의 측면은 나이가 들어도 거의 변하지 않는다. 반면 처리 속도, 익숙하지 않은 정보를 처리하는 것, 복잡한 문제를 해결하는 것, 그리고 정보에 대한 지연회상(delayed recall) 능력은 나이가 듦에 따라 전형적으로 감소한다.[7] WAIS-IV 검사에서 어휘나 정보와 같이 상대적으로 노화에 대해 잘 견디는 것으로 알려진 인지기능에 대한 검사는 병전 상태를 평가하는데 도움이 되는 hold 테스트이다. 그러나, 여기에는 고려되어야 할 제한점이 있다. 예를 들어서 정보 하위검사(subtest)는 사람의 전반적인 정보 상태를 반영하는데, 교육 수준에 따라 매우 강력하게 영향을 받기 때문에 그 점수는 잘못 오인될 수 있다. 영국에서 개발된 National Adult Reading Test (NART)[8]나, 미국에서 사용되는 American National Adult Reading Test (AMNART)[9] 같이 글 읽기 테스트에 대한 점수는 IQ 점수와 매우 연관성이 높으며 대뇌손상에 비교적 잘 견딘다고 알려져 있다.[6] 하지만, AMNART 검사는 실어증 환자나 시각 또는 발성 장애가 있는 사람에게는 유용하지 않다. 다시 말하면, 한 개인의 인지기능에 대한 병전 상태를 측정하기 위해서는 다양하고 많은 자료를 이용하여 평가하는 것이 필수적이다.

전반적인 지적 능력에 대한 병전 평가는 어떤 표준화된 측정에 대해 현재 수행능력을 비교하기 위해 확립하는 것이 중요하다. 그러나 한 개인의 수행능력을 일반 대중의 평균치와 비교할 때는 한 개인의 IQ나 교육 같은 인구통계학적 지표가 잘 일치된 집단과 비교한 경우에만 유용하기 때문에 주의를 요한다. 예를 들어 평균 수행능력이 어떤 경우는 정상적인 상태라고 고려될 수도 있지만, 다른 사람의 경우에는 유의하게 감소되어 있다고 평가될 수도 있기 때문이다. 따라서 더 유용한 접근은 한 개인의 현재 수행능력을 개별화된 표준화 점수와 비교하는 것이다. 이런 방법만이 결손이나 진단을 식별할 수 있다. 병전 신경정신학적 검사 자료는 드물게 이용 가능하므로, 한 개인의 지적 능력에 대한 병전 상태를 평가하는 것은 추후 인지기능의 변화를 비교할 수 있기 때문에 반드시 필요하다. 결손을 평가하는데 있어서는 한 개인의 현재 인지테스트 수행 점수와 이전에 병전상태에서 원래의 능력정도를 비교하고 그 차이를 평가하는 것이 포함된다.[4]

인지예비력

인지예비력이라는 개념[10-12]은 정상적인 과제수행에 근간이 되는 뇌 신경망을 파괴시킨 병리상태를 보상하는데 있어서 사람마다 차이가 있음을 제시한다. 그러므로 나이가 듦에 따라 인지기능의 변화에 대해 보상하는 능력도 사람마다 차이가 있다. 인지비축 모델은 과제수행을 못하게 한 뇌의 병리적 손상의 정도와 실제 과제수행이 파괴된 정도에는 직접적인 연관성이 없다는 사실에서 출발했다. 다시 말해서, 비슷한 정도의 뇌 병변이 있는 사람도 기능적인 능력에 대한 임상양상은 종종 다르게 나타난다. 예비력이라는 것은 과제를 수행하는 능력이나 과제 난이도를 다루는 능력이 개개인마다 타고난 능력의 차이가 있음을 말한다. 이런 차이는 IQ와 같이 선천적으로 타고난 지적 능력이나, 교육, 직업, 또는 여가 활동으로 얻은 경험을 통해 변화된 것에 의해 생길 수 있다.[11,12] Stern 등에 의하면 높은 신경예비력(higher neural reserve)이란 뇌 신경망이 요구량이 늘어난 상태에서 더 효과적이거나 유연해서 손상에 대해 덜 취약할 것이라는 것을 의미할 수 있다. 이 모델은 뇌는 뇌질환으로 나타난 문제를 극복하고 보상하려고 적극적으로 시도하며 초기에 높은 인지능력을 가진 사람일수록 노화나 치매에 대해 더 잘 보상할수 있는 능력이 있음을 제시한다.[10,12] 그러나, 인지비축에 근간이 되는 인지적 또는 신경학적 기전에 대해서는 알려져 있지 않다. 인지비축 영역에 대한 연구는 최근 기능성 뇌 자기공명영상(functional brain MRI)을 통해 인지예비력을 조정하는 뇌 신경망을 확인하는데 집중하고 있다.[12] Stern 등은 인지비축의 근간이 되는 두 가지 형태의 신경 기전을 제시하였는데 신경예비력과 신경보상(neural compensation)이다. 신경예비력은 미리 존재해 있는 인지 네트워크의 유용성에 있어서 사람마다 차이가 있다는 개념이다. 신경보상은 어떤 사람은 다른 사람보다 보상을 위한 자원을 잘 사용할 수 있다는 것이다.[12] 최근 뇌 영상 검사 연구들은 인지기능이 정상인 노인에서 높은 인지예비력을 가지고 있는 사람일수록 과제요구도가 증가한 상황에서 좀더 효과적으로 작동하는 신경 네트워크를 가지고 있는 것으로 보인다는 견해를 뒷받침한다.[12,13]

신경예비력 모델에 의하면 인지기능의 손상은 그 비축이 다 고갈된 후에 분명해진다고 한다. 인지예비력이 적은 사람일수록 정상적인 노화 과정이나 질환에 의한 변화에 따라 기능을 유지할 수 있는 자원이 적기 때문에 쉽게 임상적인 장애를 보인다. 반면 초기에 많은 보유고를 가지고 있는 사람일수록 손상 시 사용할 수 있는 자원이 더 많아서 임상적인 장애가 나중에 나타난다.[14] 인지 비축의 초기 정도는 타고난 지능, 사는 동안 뇌가 성숙됨에 따라 나타나는 인지 능력의 차이와 같은 수많은 인자들에 의해 결정되는 것 같다. 조기 교육과 인지능력이 높을수록 나이가 듦에 따라 인기기능의 감소가 더 천천히 나타나는 것으로 알려져 있다.[12,14-17] Fritsch 등은 IQ와 교육이 전반적인 인지기능, 일화기억(episodic memory), 처리 속도(processing speed)에 직접적인 효과가 있다고 하며, 직업적 요구도와 같은 중년기 인자들은 인생 후반의 인지능력에 유의한 예측인자가 아니라고 보고하였다. 소아기의 지능과 인생 후반의 인지기능 감소에 대한 연관성을 연구한 결과들에 의하면 소아기 지적 능력이 낮은 사람일수록 소아기 지적능력이 높은 사람에 비해 나중에 인지기능의 감소가 더 크다고 보고하였고 이는 높은 병전 인지 기능을 가지고 있을수록 인생 후반의 지적 능력 감소를 예방해준다는 것을 시사한다.[15] Kliegel 등[16]은 조기 교육과 평생동안 지적 활동이 노인에서 인지기능 수행능력에 중요한 것 같다고 보고하였다. 즉 조기 교육 수준이 높을수록, 그리고 지적 활동을 많이 할수록 추후 인지기능이 손상되는 것에 대해 버퍼 역할을 해줄 수 있다고 말하고 있다. 인지예비력 연구는 인생 초반에 지적 활동과 교육적 추구를 강조하는, 적극적이고 활발한 생활 방식이 인생의 후반기에 인지기능에 긍정적인 영향을 준다고 제시한다. 그러므로 기저 인지기능이 높은 수준일수록, 사람 간 관계나 생산활동을 포함해서 바쁘고 열심히 활동하는 생활양식을 가진 사람일수록 나이가 듦에 따라 인지기능의 저하가 덜하다. 인지예비력은 고정된 개체가 아니고 노출이나 행동에 따라 사는 동안 변할 수 있으며, 이는 인생 후반에라도 생활양식의 변화를 통해 노화나 질병으로 인한 상태에 대해 인지예비력을 제공할 수 있다는 것을 제시한다.[12]

집중력과 처리 속도

집중력은 지속적인 일정 기간동안 주어진 자극에 집중할 수 있는 능력을 말한다. 집중력은 주변 환경으로부터 오는 자극들을 걸러내고 정보들을 잘 조절하여 적절하게 반응하도록 하는 복잡한 과정이다.[6] 집중 모델은 집중을 각성과 환기, 선택적 집중(selective attention), 분리 집중(divided attention), 그리고 지속적인 주의력(sustained attention) 등 다양한 과정으로 분류한다. 주어진 시간에 뇌가 일을 처리할 수 있는 정보의 양에는 한계가 있다. 집중을 하면 특정 정보는 선택해서 처리하고 불필요한 정보는 걸러내도록 효과적으로 일을 처리한다.

집중력에 대한 많은 테스트는 실행능력(executive function), 언어 및 시각적 기술, 운동 스피드,

정보 처리 속도, 기억력을 평가하는 테스트와 많이 중복되어 있기 때문에 순수한 집중력을 평가하기란 어렵다. 집중력을 평가하는 전통적인 방법에는 한시적 작업(timed tasks)와 작업기억(working memory) 테스트가 있다. Wechsler subtest인 digit span[5]은 숫자들을 즉시 언어로 회상시키는 주의 집중 기간(span)을 테스트하는 흔한 방법이다. Digit span은 검사자가 점점 길게 숫자들을 읽으면 대상자가 앞으로, 뒤로 그리고 순서대로 반복하도록 한다. 그러므로 숫자의 반복과 조작은 청각 집중력을 요구하며 단기기억력에 의존한다. 흔히 사용되는 다른 집중력 테스트에는 Continuous Performance Test of Attention (CPTA)[18]가 있다. CPTA는 컴퓨터로 시행되는데, 일련의 글자들을 보고 듣고 난 후 목표 글자가 나타날 때마다 손가락으로 누르는 검사이다.

집중력 과정은 다른 인지기능과 같이 사는 동안 변한다. 하지만 집중은 특히 노화과정에서 매우 취약하다. 게다가 집중에 대한 노화의 효과는 작업의 복잡성과도 연관이 있다. digit span 과제와 같이 단순한 업무에 대한 집중력은 상대적으로 80세까지도 잘 유지되어 있다. 반면 분리 집중을 요구하는 업무들에 대해서는 노인일수록 반응도 느리고 실수도 많다. 정상적인 노화과정에서 지속적인 집중과 선택적인 집중은 점차 감소하고 산만함은 증가한다.[19]

노화와 인지기능에 관하여, 집중력은 건강한 기억력에 선행 조건이다. 집중력은 나중에 기억으로부터 꺼낼 수 있게 정보를 부호화하는 과정이며, 나이가 듦에 따라 정보를 부호화하고 정보를 검색하는 복잡한 과정은 집중력의 많은 자원들을 필요로 한다. 손상되지 않은 온전한 집중은 정보 처리과정에 필요하며 처리 속도(processing speed)는 정보를 처리할 수 있는 속도이다. 인지 처리 속도는 사람이 작업을 완료하기 위해 필요한 정신 작용(mental operation)을 얼마나 빠르게 실행할 수 있는가를 의미한다.[20] 나이와 연관된 처리 속도의 지연은 다른 인지 영역 즉 기억과 수행기능의 감소를 기본으로 한다.[21] 많은 작업들이 시각적 그리고 운동 신경의 구성요소들을 반영하기 때문에 순수한 처리 속도를 측정하는 것은 어렵다. Timed test는 처리 속도를 측정할 수 있으며 집중력 결핍을 더 잘 파악할 수 있게 해준다.[22] 늦은 처리 속도는 반응시간이 늦고 평균 수행 시간도 더 길다는 것을 의미한다.[6] 처리 속도를 측정하는데 흔히 사용되는 검사는 Trail Making Test, Part A검사이다.[6] 이는 숫자들을 순서에 따라 줄을 긋도록 하는 한시적 배열(timed sequencing) 검사이다. 한시적 시각 스캐닝 작업(Timed visual scanning tasks)도 처리 속도를 측정하기 위해 사용되는데, 문자, 숫자 및 기호 등이 사용된다.

처리 속도 이론에 따르면, 나이가 듦에 따라 기억력과 그 외 인지기능이 감소하는 것은 부분적으로 처리 속도가 늦어지기 때문이라고 한다. 노인의 반응 속도는 젊은 사람보다 약 1.5배 느리게 측정된다.[23] 늦은 처리 속도는 두 가지 방식으로 인지기능에 영향을 주는데, 제한 속도 기전(limited time mechanism)과 동시 기전(simultaneity mechanism)이다.[24] 제한 속도 기전은 연관된 인지 과정이 너무 천천히 수행되어 기대되는 시간 내에 다 수행할 수 없을 때 일어난다. 동시 기전이란 처리과정이 늦어 충분한 정보가 모아지지 않아서 다음 과정이 완성되기 어려운 상황을 말한다. 바꿔말하면, 관련 정보가 필요한 상황인데 아직 부호화 되지 않아서 접근이 되지 않은 상황을 말한다. 그러나 정상적인 노화와 연관된 늦은 처리 속도는 모든 업무에 있어 개인의 수행 능력에 영향을 주지 않는다. 처리 속도는 결정적 지능보다는 유동적 지능 업무와 더 강한 연관성이 있다. 노인에서 늦은 처리 속도는 결정적 능력(예, 언어 능력) 보다는 유동적 능력(예, 기억, 공감각적 능력)의 감소를 설명할 수 있다.[25] 일생 동안 인지 수행에 대한 종적인 연구 자료에 의하면 처리 속도의 감소는 조기부터 시작하며, 노후에 감소하는 기억 기능과 비교해서 더 가파른 속도로 진행한다.[26]

기억

기억은 흔히 과거 사건이나 배운 정보를 기억하는 능력이라고 여겨진다. 하지만, 과거의 정보를 기억하는 것 이외에도, 미래의 사건(약속)을 기억하거나, 자서전적 정보를 기억하는 것, 그리고 현재의 정보를 잘 따라가는 것(대화나 산문 읽기)도 포함된다. 기억은 개인이 정보를 부호화해서 저장하고 검색하는 복잡한 과정이라는 관점에서 논의될 수 있다. 또한 기억은 저장된 시간의 길이에 따라서 단기 기억과 장기 기억으로 나눌 수 있다. 추가로 기억은 저장된 매체의 유형에 따라 시각 또는 언어 또는 자서전적 정보로 정리할 수도 있다. 인지기능의 다른 영역과 유사하게 기억의 다른 면들도 나이에 따라 어떻게 변하는지가 다 다르다.

작동기억(단기기억)

작동기억 또는 단기기억은 수초에서 1–2분 이내의 단시간에 정보를 보유하고 그 내용에 대해 정신작용을 수행하는 제한된 저장 능력으로 보인다.[6] 단기기억의 첫 단계인 즉시기억(immediate memory)은, 일시적으로 정보를 저장하는 것으로 사람이 즉각적으로 집중할 수 있는 시간으로 생각된다. 약 7개의 정보 조각을 인지되고 제한된 수용 저장 능력을 위해서는 정보가 단기기억에서 나중에 회상하기 위해 좀더 영구적인 기억으로 이동되어야 한다.[27] Baddeley와 Hitch 등은 단기기억 또는 작동기억을 2개의 시스템으로 나누는 모델을 제안해왔다. 한 가지는 음운론적, 언어(구두) 정보처리이고 다른 하나는 시공각적, 시각적 정보처리이다.[28-30] 이 모델은 단기기억이 제한된 집중 시스템에 의해 조절되며 소위 중앙 운영 방식에 의해 조직화된다. 중앙 운영이란, 시공간적 정보의 기억에 대해서는 시공간적 스케치 패드에 기억되도록 배정하고, 언어적 자료에 대해서는 음운론적 회로에 배정한다. 전반적인 개념은 더 전문화된 저장 시스템이 언어적인 정보와 시각적인 정보를 구분해서 저장되도록 제한된 단기 저장소에 존재한다는 것이다. 작동기억에서 리허설(예, 반복)을 통해 정보의 복제들이 장기기억으로 보내진다. 특정 기억 모델과 상관없이 전반적인 개념에 의하면 단기기억은 정보가 장기기억으로 처리되거나 부호화되도록 하기 위해 일시적으로 정보를 잡아두는 장소이다.

작동기억에 대한 전형적인 평가방법은 다양한 길이로 단어, 문자, 숫자를 회상하거나 반복시켜

물어보는 것이다. 이런 방법을 이용해서 평가하면, 단기기억 기간은 단지 약간 나이의 영향을 보인다.[4] 그러나 작업이 좀더 복잡하고 정신적 작업을 필요로 할 경우 단기기억도 나이에 취약하다. 예를 들어 Wechsler subtest인 digit span은 대상자들에게 점차적으로 긴 숫자들을 알려주고 즉시 앞에서부터, 또는 거꾸로 회상하게 하거나 또는 낮은 수에서 높은 수의 순서대로 회상해서 말하도록 한다. 숫자를 거꾸로 암기하게 하거나 순서대로 하게 하는 등 집중력을 더 요구하는 검사를 할 경우 노인에서 젊은 사람보다 불균형하게 잘 하지 못하는 것을 보인다.[4]

　노화가 단기기억 또는 작동기억에 얼마나 영향을 미치는지에 대한 이슈는 특정 업무의 복잡성과 주의를 산만하게 하는 업무를 수행할 때 관련 있다. 노인에서는 가까운 과거로부터 부적절한 정보를 억제하는데 어려움을 보인다.[31] 억제조절의 변화 때문에 정보처리에 어려움들은 작동기억에 집중하는데 관련된 정보들을 선택하는데 어려움을 초래하거나 혼란스러운 정보들을 무시하는 동안 집중을 변경하는데 어려움을 초래한다.[32] 비록 작동기억 역량은 새로운 정보를 학습하는데 중요한 측면일지라도 집중과 속도는 정보를 학습하는 능력과 불가피하게 연결되어 있다. 일상 생활에서 노인은 집중과 처리 속도가 나눠지지 않기 때문에 한 번에 한 개의 업무에 집중할 때는 인지적으로 매우 잘 수행한다. 정보를 적어 놓거나 정보를 크게 암송하는 것과 같은 단순 기억 전략은 우리가 나이가 들면서 일어나는 기억의 변화를 보상할 수 있도록 도와준다. 그러한 지적인 기술은 노인이 단기기억에서 장기기억으로 정보를 이동하도록 도와준다. 단기기억의 감소는 정상적인 노화의 일부분이며, 치매는 일상적인 기능에 영향을 주지만, 일반적으로 이런 나이와 관련된 변화는 일상적인 기능에 영향을 주지 않는다.

장기기억

장기기억이란 새로운 정보를 획득하여 나중에 접근할 수 있도록 하는 것을 말하며 부호화, 저장, 그리고 정보의 검색(retrieval) 과정을 포함한다. 비록 장기기억이 전형적으로 과거에 얻은 정보를 기억하는 것을 의미할지라도 미래의 사건을 기억하는 즉 미래기억(prospective memory)도 포함한다. 미래기억의 예로는 병원 예약을 기억하거나 약을 복용하는 것을 기억하는 것이다. 즉 어떤 행동을 하기 전에 해야 한다는 것을 기억하고 있다는 것이다. 기억의 단계들이나 진행과정에 대한 수많은 이론에도 불구하고 2개의 장기기억 시스템(명시적(explicit) 및 암묵적(implicit))의 이중적인 체계의 개념화는 기능과 결핍의 패턴들을 이해하는데 임상적으로 유용한 모델을 제공한다.[4,6,30,33] 명시적 기억은 의식적으로 정보와 사건을 회상하려는 시도, 즉 이전의 경험에 대한 의도적인 상기(recollection)에 일임한다. 명시적 기억을 평가(assess)하기 위해서 언어적 또는 시각적 정보(문자 또는 사진)를 보여주고, 잠깐 지체한 후 단순 회상이나 인지 테스트를 통해 자료를 회상하도록 질문한다. 반면에 암묵적 기억은 정보를 가지고 있음을 의식하지 않고 행동에서 관찰되는 지식과 관련이 있다. 예를 들어, 자전거를 타는 능력은 그 활동에 관련된 특정 기술에 대한 의식적인 자각에 의존하지 않는다.

외현기억

외현기억은 종종 의견을 선언하는 기억으로 간주되며 일화기억(episodic memory)과 의미기억 (semantic memory)으로 나눌 수 있다. 일화기억은 매일의 경험을 기억하는 능력이다.[34] 더 구체적으로 말하자면, 일화기억은 개인의 사건을 그 일이 일어났던 시간과 장소와 함께 의식적으로 회상하는 것이다. 일화성 자료는 아이의 출생, 고등학교 졸업과 같이 자서전적인 정보를 포함하며 이전의 식사나 최근 골프경기와 같은 개인적인 정보를 포함한다. 이런 기억은 개인 자신의 특정 경험과 관련된 기억이며 언제 어디서 사건이 일어났는지 자세히 기억한다. 대부분 기억력 검사는 일화기억을 평가하며 대개 자유 회상, 단서 회상(cued recall), 그리고 인식 시도를 포함하며 이전에 경험했었던 자료를 회상하는 능력에 의거한다.[6] 젊은 사람에 비해 노인은 전형적으로 회상(recall) 과제에 반해서 인식(recognition) 과제를 더 잘 수행한다. 회상 과제는 이전에 노출되었던 재료들을 도움말 없이 스스로 회상하도록 요구하는데 반해서, 인식 과제는 회상 과제와 달리, 목표나 단서가 회상을 돕기 위해 제공되므로 인지적인 노력을 덜 필요로 한다. 종합적으로 노인에서는 테스트가 명시적 기억, 특히 일화기억을 사용할 때 젊은 사람에 비해 불리하다.[35,36]

의미기억(sementic memory)은 세상에 대한 개인의 지식이며, 문자(어휘), 사실과 개념에 대한 의미를 기억하는 것으로 일화성기억과 달리 맥락에 의존적이지 않다. 지식은 단어의 정의 또는 이차 세계대전이 언제 일어났는지 년도를 아는 것과 같이 언제 어디서 배웠는지와 무관하게 기억된다. 의미기억을 평가하는 테스트는 어휘나 단어 식별 검사(예, AMNART),[9] 카테고리 능변 테스트(예, animal naming test),[37] 대립적 또는 대상 이름 테스트(예, Boston Naming Test)[38]가 있다. 대부분의 노인이 기억 불평을 호소할 때 그들은 대부분 어떤 대상이나 사람의 이름을 기억하는데 어렵다고 말한다.[39]

Rey Auditory-Verbal Learning Test (RAVLT)[40] 같이 의미론적으로 관련 없는 자료들을 기억해내는 검사들은 스토리 회상 검사들 즉 Wechsler's Logical Memory (WMS-IV, Logical Memory)[41]나 의미론적으로 관련된 단어 리스트검사 즉 California Verbal Learning Test (CVLT-II)[42]보다 부호화하고 검색하는데 더 많은 노력을 필요로 하기 때문에 더 어려워한다. 정보가 의미론적으로 연결되거나 범주로 묶어진 맥락이나 단어로 표현될 때는 이미 의미론적으로 잘 정리되어 있기 때문에 회상 과정을 도와준다. 이런 기억력 테스트는 결손이 정보 검색 보다는 정보 저장과 관련되었는지를 알아보기 위해 지연형 회상이나 인식 시도 검사를 포함한다.[4]

암묵적 기억(절차기억)

암묵적 기억은 종종 비선언적 기억으로 간주되며 과거 사건이나 정보에 대한 의식적 또는 명시적 회상을 요구하지 않고 개인은 기억이 되었는지 조차도 알지 못한다. 암묵적 기억은 주로 절차 기억으로 생각되며 프라이밍(primimg) 과정을 포함한다. 프라이밍은 자신이 의식하지 못한 채 노출되는 단서 기억의 일종이다. 예를 들어, "green"이라는 단어를 보여주고 난 후 한참 후에 단어 조각 g_e__를 완성하라고 하면 비록 great가 더 흔하게 사용하는 단어임에도 불구하고 green이라고 단어를 완성하는 경향이 있다.[43] 유사하게, 먼저 단어를 간단히 보여주면 나중에 단어를 선택할 때 그것을 선택할 가능성이 높다.[44] 광고도 이런 프라이밍의 개념에 근거한다. 미리 광고로 어떤 상품에 노출되면, 나중에 구입할 때 그 상품을 고르게 될 가능성이 높아지기 때문이다.

절차 기억은 학습 기술과 관련이 있으며 지각적이거나 "어떻게" 배우는지 뿐 아니라 운동 및 인지 학습 기술을 포함한다.[4] 자전거를 타거나 자동차를 운전하거나 테니스를 치는 것도 절차 기억의 일종이다. 일반적으로 암묵적 기억 과정은 상대적으로 노인에서 덜 손상되어 있다고 알려져 있다. 비록 암묵적 학습 업무가 복잡해지면 나이가 많을수록 결점이 더 많이 증가하지만, 단순한 업무에서 노인과 젊은이 간에는 거의 차이가 없다.[35] 노화가 진행되어도 암묵적 기억이 얼마나 잘 보존되는지에 대한 좋은 예는 건망증이 있는 환자를 관찰해보면 새로운 정보를 배우는 능력은 없지만 여전히 걷는 방법, 옷 입는 법, 그 외 기술 의존성 활동은 잘 수행한다.[45] 암묵적 기억에 대한 대부분의 연구는 이전의 경험에 대한 의식적인 기억이 필요하지 않을 때라도 정보의 반복이 업무수행을 도와준다는 사실에 초점을 맞춘다.[44] 결론적으로 많은 연구를 통해 암묵적 기억은 적극적인 회상이나 인지를 필요로 하는 명시적 기억 업무에 비해서 노화와 관련된 변화가 상대적으로 미약하다고 결론지을 수 있다.

기억에 대한 전반적인 나이 관련 변화

정보를 회상하는 것은 일상적인 기능을 수행하는데 있어 중요한 부분이다. 정상적인 노화과정에서 기억의 결손은 주로 장기 일화성 기억과 주로 관련되어 있다. 명시적 기억 업무와 같이 집중을 거의 필요로 하지 않는 정보는 수행하는데 있어서 나이 관련 변화가 거의 없다.

인식 업무에 대한 노인의 경험적 장점은 그들의 기억 저장과 회상이 젊은 사람에 비해 덜 효율적일지도 모른다는 것을 나타낸다. 처리 속도 관점에서 보면 정상적인 노화에 따라 전반적인 인지 과정이 느려지고 노인의 정보 처리 속도는 젊은 사람에 비해 느리다. Salthouse[24]는 처리 속도를 통계적으로 조절한 후에 보니 나이는 단기 기억과 약하게 관련되어 있었다. 따라서 정상적인 노화에서 기억의 기능은 처리 속도와 관련되어 있다. 감소된 주의 자원(attentional resources) 개념[23,46]에 의하면 주어진 업무에 인식 재료는 제한된 양만 사용 가능하고, 결과적으로 더 복잡한 업무는 더 많은 집중력을 필요로 한다는 것이다. 나이가 듦에 따라 주의 자원의 양이 점차 줄어들기 때문에 정보를 부호화하고 회상하는 과정은 젊은이보다 노인에서 유용 가능한 자원을 많이 사용한다. 그래서 전반적인 인지 기능 감소와 집중력의 변화가 정상적인 노화과정에서 기억 기능에 많은 변화를 일으킨다.

언어 능력

정상적인 노화 과정에서 대부분의 언어 능력은 변하지 않고 잘 유지된다.[47] 따라서 어휘 및 구술 추론 점수는 나이가 들어도 상대적으로 일정하게 유지되고 오히려 약간 개선될 수도 있다. 노화의 관점에서 주로 사용되는 언어 능력의 두 가지 주요 평가 영역은 언어 유창성(의미와 음소 유창성)과 대면 이름 대기이다. 언어 유창성은 의미나 소리에 따라 단어를 검색할 수 있는 능력을 의미하며 대면 이름 대기는 이름에 따라 물체를 식별할 수 있는 능력을 의미한다.

언어 유창성을 평가하기 위해 가장 많이 사용하고 있는 검사는 통제 단어 연상 검사(Controlled Oral Word Association Test, COWAT)[48]와 의미 유창성 검사(Semantic Fluency Test)[37]이다. 통제 단어 연상 검사는 음소 유창성을 평가하는데 널리 사용되며 정해진 글자로 시작되는 단어들을 가능한 빠른 시간 동안 많이 말하게 하는 검사이고, 의미 유창성 검사는 제한된 시간 안에 정해진 범주에 속하는 예들을 최대한 말하는 검사이다(예, 동물 이름 말하기).

보스톤 이름 대기 검사(The Boston Naming Test)[35]는 대면 이름 대기를 평가하는데 가장 많이 사용되고 있는데, 제시된 그림을 보고 물체의 이름을 말할 수 있어야 한다. 대면 이름 대기는 여러 가지 다른 과정으로 이루어지는데, 그림 속의 대상을 정확하게 인식하고 의미를 식별한 후 대상의 적절한 이름을 찾아서 표현할 수 있어야 한다.[49] 대면 이름 대기는 알고 있는 사실을 말하려고 하는데 정확히 말할 수 없고 혀 끝에만 맴도는 설단 현상(tip-of-the-tongue phenomenon, TOT)과 관련이 있다.[50] 설사 원하는 단어를 말할 수 없더라도 사람들은 종종 다른 단어를 이용해서 용어를 설명하려 한다.[51] 성인기 전반에 걸쳐서 고유 명사에서 대부분 설단 현상이 발생할 수 있지만, 노인 집단에서는 고유 명사를 떠올리는데 더 큰 어려움을 겪기 때문에 설단 현상이 더 빈번하게 발생한다.[50] 특히 간단한 단어의 경우에는 연령별로 설단 현상의 빈도에 차이가 없지만 복잡한 단어의 경우에는 나이가 들수록 설단 현상이 더 자주 나타난다.[51] 따라서 노인의 인지 능력에서 가장 흔하게 발생하는 장애는 단어 찾기의 어려움과 설단 현상이라고 할 수 있겠다.

대부분의 단면 연구에서 보스톤 이름대기 검사 점수는 젊은 연령보다 노령에서 훨씬 낮게 확인되었다. 적절한 표적 단어를 찾기 어렵다고 하는 주관적 불평은 나이가 들수록 증가하지만, 대면 이름 대기 기능이 현저하게 감소하는 것은 70세 이상에서 나타난다는 점에 주목하여야 한다.[50] Zec 등[52]은 보스톤 이름 대기 검사로 측정한 대면 이름 대기의 수행력이 50대까지 좋아지고 60대까지 비슷하게 유지되다가 70~80대가 되면 감소한다고 보고하였는데 이러한 연령별 변화의 정도가 크지 않았다는 점에 주목해야 한다. 실제로 이 연구에서 50대에 대략 한 개의 단어를 더 대답했고 70대에 1.3개 정도의 단어를 적게 대답했기 때문이다. 대면 이름대기의 수행력은 나이에 따라 감소 속도가 더 빨라진다는 보고들도 있다.[50]

정상적인 노화는 언어 유창성(verbal fluency)의 감소와 관계가 있다. 정상적인 노화 과정에서 언어 유창성이 감소하는 것은 실제 언어 유창성이 감소하는 것 보다는 정신운동 속도가 감소하기 때문이다. 노인들이 글자를 쓰거나 책을 읽는 속도가 느려질 때 언어 유창성이 악화되는 것을 예측할 수 있다.[53] Rodriguez-Aranda와 Martinussen[54]은 통제 단어 연상 검사에 의해 측정되는 언어 유창성은 60세 이상에서 감소한다고 보고하였다. 특정 문자로 시작하는 단어를 떠올리는 능력은 20대 동안은 늘어나서 40대까지 일정하게 유지된다. 하지만 음소 인식 능력(phonemic naming ability)은 60대 후반까지 큰 폭으로 감소하고 점진적으로 나빠지게 된다. 마지막으로, 음소 언어 유창성(phonemic verbal fluency ability)은 80대 후반까지 빠르게 감소한다. 성별 및 교육 정도는 생애 전반에 걸쳐 음소 언어 유창성에 영향을 주는데, 여성이 음소 언어 유창성이 남자보다 다소 뛰어나며 고등학교 졸업 이상의 학력을 가진 사람들은 통제 단어 연상 검사를 시행했을 때 교육 수준이 낮은 사람들(12년 이하)보다 언어 유창성이 뛰어났다.[55]

실행 기능

실행 기능은 새로운 상황에 대해 다채롭게 대응할 수 있는 능력을 의미한다.[19] 실행기능은 정서적 유연성, 반응 억제, 계획, 조직화, 추상화 및 의사 결정과 같은 능력들을 모두 포함하는 개념이다.[56,57] 실행 기능은 네 가지 요소 즉 의욕(volition), 계획 수립(planning), 목적적 활동(purposive action), 효과적 수행(effective performance)으로 구성되어 있다.[4] 첫째, 의욕은 원하는 것을 결정하는 복잡한 과정이다. 둘째, 계획 수립은 목표를 이루기 위해 과정과 단계를 찾아서 조직화 하는 것이다. 셋째, 목적적 활동은 계획한 것을 생산적으로 행동화하는 과정이다. 넷째, 효과적 수행은 자신의 행동을 스스로 교정하고 모니터하는 능력이다. 이 모든 요소들은 문제를 해결하고 적절한 사회 활동을 하는데 필수적이다.

실행 기능을 다른 용어로 전두엽 기능이라고 부르는데, 이런 능력들이 전전두엽(prefrontal) 피질에 위치하기 때문이다.[58] 전두엽 노화 가설(frontal aging hypothesis)은 늦게 수초화되는 전두엽이 노화와 관련된 기능 이상에 가장 취약한 부분이라는 점에 착안하여 대두되었다.[59] 그러므로, 정상적인 노화 과정에서 전전두엽 피질이 소실되고, 이로 인해 인지 기능 장애가 발생한다는 것이다. 노화로 인해 기억, 의도, 실행 기능과 같은 인지 과정에서 생기는 많은 변화들은 전전두엽의 손상에서 기인할 수 있다.[60]

평가에 사용되는 측정 방법들이 작업 기억, 처리 속도, 주의력 및 시각적 공간 능력과 같은 여러 인지 과정에 의존하기 때문에 순수하게 실행 기능만을 평가하는 것은 어려울 수 있으나 위스콘신 카드분류 검사(Wisconsin Card Sorting Test, WCST)[61]는 실행기능을 평가하는데 흔히 쓰이는 검사 방법이다. WCST검사는 검사 대상자가 서로 다른 범주에 따라 카드 세트를 분류하도록 요구한다. 대상자는 카드를 정렬하는 방법에 대해 정보를 듣지 않고 제한된 피드백을 통해 올바른 정렬 전략을 추론해야 한다. 일정한 특성(예를 들어, 색 또는 모양)에 기초하여 특정 카테고리로 분류한 후(예를 들어, 정답의 설정), 분류 전략이 변경되면, 대상자는 그에 따라 전략을 변경해야 한다. 검사가 완료되면 검사 대상자는 실행 기능과 관련하여 지속적으로 생겼던 오류에 대해 몇 가지 피드백을 받게 된다. 색깔과 같은 특정 범주를 기반으로 해서 정해진 숫자의 카드를 올바르게 분류하면 목표가 달성된 것으로 간주한다. 보속 오류(perseverative error)는 대상자가 분류 방법이 잘못되었다고 피드백을 주는데도 이전의 분류 원칙을 고수할 때 발생하며, 인지적 유연성이 부족하다는 것을 의미한다.

위스콘신 카드분류 검사에서 노인들은 젊은 연령대에 비해 분류를 완성시키는 경우가 뚜렷하게 적었다.[58] 이 검사에서 가장 현저하게 기능 저하를 보였던 군은 75세 이상이었고 젊은 군과 비교해서 가능한 분류의 숫자는 유의하게 적었으나 반복적 오류는 오히려 더 많았다. 위스콘신 카드 분류 검사와 같은 신경심리학적 평가 도구로 측정했을 때, 53~64세에 실행 기능의 변화가 왔더라도 실생활에서 수행 능력이 떨어지지는 않았다.[62] 따라서 장년기에 실행 기능이 검사에서 나쁘게 나온다고 하더라도 실제 생활에는 문제가 없는 것으로 생각된다.

실행 기능을 평가하는 다른 검사로는 선 추적 검사 B 파트(trail making test, part B),[6] 웩슬러 성인용 지능검사 제 4판(WAIS-IV),[5] 행렬 추리(matrix reasoning) 및 공통성 찾기(similarity) 등이 있다. 선 추적 검사 B 파트는 숫자-알파벳 잇기로써 숫자 번호가 매겨지거나 알파벳 글자가 매겨진 원들을 각각의 순서에 따라 교대로 바꿔가며 선을 그려 연결하는 검사이다. 행렬 추리는 시간에 제한을 두지 않고 비언어적 분석적 사고 능력을 평가하는 검사로 여러 반응 선택지 중에서 행렬의 빠진 부분을 찾아내게 하는 검사이다. 웩슬러 성인용 지능검사의 유사성 하위 테스트는 두 가지 다른 사물이나 개념이 어떻게 비슷한지 설명함으로써 구술 추상 추론 능력(verbal abstract resoning skill)을 측정한다.

정상적인 노화 과정에서 보통 실행 기능이 떨어진다.[63] 추론과 문제 해결을 위해 낯설거나 복잡한 자료가 필요할 때 또는 연관성 없는 정보와 구별이 필요할 때, 노인들은 더 구체적인 용어로 생각하는 경향이 있고 새로운 추론 및 개념을 형성하는데 필요한 정신적 유연성이 감소한다.[4] 젊은 사람과 비교하면 노인들은 정신적 유연성이 감소하면서 개념들끼리 연결하는 것을 어려워한다.[4] 실행 기능은 뇌에서 정보 처리를 관리하며 목표 지향적인 행동을 하는데 필수적이다. 실행 기능에 문제가 생기면 계획이나 조직화가 어렵고 계획한대로 실행하기도 어려우며 사회 행동이 부적절해지거나 판단이 잘못될 수 있다.

인지기능에 영향을 주는 생활 습관 요인들

여가 활동

정신운동가설(mental exercise hypothesis)은 정신적으로 활발한 활동을 할 때 인지기능이 유지되고 인지 능력저하를 예방할 수 있다는 개념이다. 카드 놀이, 십자 퍼즐 맞추기, 외국어 공부, 악기 배우기와 같은 활동들은 인지기능 저하를 예방해 준다고 알려져 있다.[64,65] 노인의 인지 기능을 향상시키고 신경 가소성을 늘리는 효과적인 방법으로 컴퓨터 기반 교육 게임이나 비디오 게임에 대한 관심이 증가하고 있다.[66] 하지만, 정신운동가설에 대한 연구들은 매우 다양해서 현재까지 인지 기능 저하를 예방하는 여가활동의 역할에 대해 명확한 답은 없는 실정이다.

인지기능이 특히 필요한 여가 활동에 참여하면, 인지기능을 유지하거나 개선하는데 도움이 될 수 있다.[67] 그러나 지적 능력이 높은 사람들은 인지기능이 더 많이 요구되는 활동에 참여하기 때문에, 정신 활동이 인지기능 저하를 예방하는데 미치는 정확한 역할을 알기 어렵다. 이는 활동 그 자체보다는 특정한 생활 방식과 조건이 인지기능을 유지한다는 것을 시사한다.[67]

비록 예방 효과에 대한 결정적인 증거는 없지만 여가 활동이 노인의 치매 위험도를 낮춘다는 여러 연구 결과들이 보고되고 있다.[65-70] 읽기, 보드게임, 악기 연습, 친구나 친척 방문, 외출(영화 또는 외식을 위한), 산책 및 춤은 치매 위험도를 줄일 수 있다.[68,69] 이런 여가 활동들은 연령, 성별, 교육 정도, 인종, 기저 인지 상태, 기저 질환을 보정한 후에도 기억력 저하를 예방하는 것으로 확인되었다. 실제로 1주일 중 하루 동안 여가 활동에 참여하면 치매 위험도가 7% 감소하였다.[68] 한 달에 6개 이상 많은 여가 활동을 했던 사람들은 치매 발생 위험도가 38%나 감소하였다.[69]

여가 활동은 인지예비력(cognitive reserve) 를 향상시켜서 인지기능의 저하를 예방한다는 가설이 있다. 활동 자체가 감소하면 인지 능력도 감소한다.[71] 여가 활동에 참여하게 되면 뇌의 특정 영역에서 새로운 신경 세포를 만들어 낼 수 있기 때문에 뇌에 구조적 변화를 일으켜서 인지 기능 저하를 막을 수 있다. 사회적, 지적, 육체 활동과 같은 자극은 신경세포 접합부의 밀도(synaptic density)를 증가시키고,[66] 신경 세포가 활성화되면 치매와 같은 질병의 발생을 지연시킬 수 있다.[65,69] 하지만 인지 예비능의 변화는 비교적 일찍 발생하고 생애 초기의 교육과 지적 활동이 인지 예비능을 가장 많이 증가시킨다는 한계가 있다.[14] 다양한 의견에도 불구하고 다음과 같은 사항을 주의해야 한다.[64]

사람은 지속적으로 지적 자극을 하는 활동에 참여해야 한다. 설사 그런 활동에 참여하는 것이 노화 관련 인지기능의 저하 속도를 늦추는데 도움이 되거나 해가 된다는 증거는 없을 지라도, 그런 활동은 즐겁고 인생의 질을 향상시키는데 기여할수 있으며, 인지 요구 활동에 참여하는 것은 존재성 증명으로 작용할 수 있기 때문이다. − 만약 너가 그것을 여전히 할 수 있다면, 너는 그것을 아직 잃어버리지 않았다는 것을 알 것이다.

신체 활동

1995년에 미국 질병관리본부와 스포츠 의학 대학에서 신체 활동과 공중 보건에 대한 가이드라인을 제시했는데, 1주일 동안 30분 이상의 중등도 강도 신체 활동을 권고하고 있다.[70] 신체 활동은 뇌에 혈류와 산소공급을 증가시켜 생물학적 노화를 늦추기 때문에 노년기에 인지 기능을 증가시키고 저하되는 것을 막아준다.[14,72] 신체활동은 심혈관계와 뇌혈관 질환의 위험을 줄여 혈관성 치매와 알츠하이머병의 위험도 줄여준다.[73] 또한 신경세포를 유지하고 신경접합을 늘려 직접적으로 뇌에 영향을 줄 수 있다.[74]

중등도의 지속적인 신체활동은 인지기능 저하를 막아준다. 중등도 활동이란 1주일에 한 번 골프를 치거나 1주일에 2번 테니스를 치거나 하루에 1.6 마일(2.5 km) 걷는 정도의 강도를 의미한다. 한 연구에서 걷기와 같은 오랜 기간 동안 규칙적으로 하는 신체활동이 여성에서 인지 기능이 감퇴되는 것을 막아주었다고 보고하였다.[75] 1주일에 1.5시간 이상 21~30-minute-mile pace로 걷는 활동은 3년 젊어지는 효과를 내며 인지기능 저하의 위험도를 20% 낮추어 준다. 또한 유산소 운동은 치매가 없는 노인에서 일화성 기억, 주의력, 처리 속도, 실행 기능에 모두 긍정적인 효과가 있었다.[76] 4~6개월 정도 짧은 기간 동안의 유산소 트레이닝은 뇌 전체와 해마체의 부피를 늘리고 전전두엽의 일부 백질과 회백질의 부피도 늘려주었다.[72] 결과적으로 많은 연구에서 운동은 건강한 노인들에서 뇌구조와 기능을 향상시켰다.

사회 활동

사회적 지지는 인지기능 감소를 보호하는 인자로 작용한다고 알려져 왔다. 사회적 지지는 스트레스에 대해 완충작용을 할 수 있으며 뇌에서 코티솔 분비를 저하시키는 것으로 보인다. 코티솔이 낮은 경우 일화성 기억 검사에서 더 좋은 성취 결과를 보인다.[77] 다른 사람과 상호작용을 하는 것은 사고 자극을 증가시켜 인지기능의 저하를 예방할 수도 있고[78] 또한 우울증을 예방해준다.[79] 우울증과 기분 장애는 나이가 듦에 따라 인지 기능의 감소가 심해지는 것과 연관이 있다.[80] 처리 속도, 집중력, 그리고 기억은 모두 우울증에 의해 영향을 받는 것 같다. 추가로 사회적 상호작용의 결핍은 노인의 삶의 질에도 영향을 준다. 혼자 살거나 또는 친밀한 인간관계가 없는 사람은 치매 발생 위험이 높다. 사회망(네트워크)이 빈약한 사람으로 분류되는 경우 치매 발생률은 거의 60%에 이른다.[81] 사회적 지지가 거의 제한된 70대 노인은 심한 인지기능의 저하를 보인다.[79] 반면 감정적 지지를 많이 받는 사람은 인지기능 검사에서 좋은 결과를 보인다.[79] Rowe와 Kahn[82]은 세 가지 주요 구성 요소로 이루어진 성공적인 노화 모델을 제시해왔다. 질병-관련 장애를 피하고, 신체와 인지 기능 유지, 그리고 삶에 적극적으로 참여하는 것이다. 생활에 적극적으로 참여하는 것은 사람 간의 관계형성을 유지하게 하고 결국 사회 환경과 감정 지지는 인지기능의 저하를 예방하고 기능의 감소 속도를 더 늦추게 된다.

건강 인자

몇몇 내과 질환은 인지기능 저하와 관련이 있다. 고혈압이 노인에서 가장 흔하게 혈관에 위험을 일으키는 질환이다.[83] 만성 고혈압은 전두엽의 전반부에 백질과 회백질의 감소, 해마의 위축, 그리고 백질의 초긴장(hypertensies)을 증가시켜 뇌 구조에 결손을 초래한다.[84] 조절되지 않는 고혈압은 뇌경색의 위험을 올리는 것과는 별개로, 노화와 무관하게 인지기능의 저하를 초래한다.[83,85,86] 고혈압이 있는 노인은 실행 기능, 처리 속도, 일화성 기억, 그리고 작업 기억의 영역에서 경도의 그러나 특이적인 인지기능의 결손을 가지고 있다.[85]

당뇨병 또한 인지기능의 감소와 연관이 있다.[87,88] 지질 및 다른 대사지표들은 당뇨병과 인지기능 사이의 연관관계에 중요한 역할을 하는 것 같다.[89] 당뇨병은 고혈압, 심장 질환, 우울증 그리고 신체 활동의 감소와 같은 교란 인자들을 통해 인지기능에 영향을 미칠 수 있다.[89] 당뇨병과 고혈압은 뇌에 허혈성 질환과 연관이 있는 상황으로 알츠하이머병의 병리와 뇌 위축과 연관이 있다.[86] 1형 당뇨병 환자는 더 늦은 처리 속도를 보이고 정신적 유동성의 감소를 보인다.[88] 2형 당뇨병 또한 인지기능의 저하를 보인다. 당뇨병의 유병기간이 길수록 더 많은 인지기능의 저하를 보인다.[90] 2형 당뇨병이 있는 노인 여자 환자는 당뇨병이 없는 사람과 비교해서 30% 이상의 인지기능 저하를 보이며, 15년 이상의 당뇨병 유병기간을 가진 경우는 50% 이상의 인지기능 저하를 보인다.

식사 요인과 비타민 결핍 또한 노인에서 인지기능의 저하와 관련이 있다. 정상적인 노화가 진행되는 사람이라 할지라도 비타민 B12 결핍 여부에 대해서는 조사해야 한다. 연구에 의하면 비타민 B12를 투여하면 실행 기능 그리고 언어 기능이 향상되는 것 같다. 하지만 치매가 좋아지지는 않는다.[91] 비타민 B가 낮으면 다양한 중추신경계 기능, DNA를 포함한 작용, 호모시스테인의 과생성 등을 통해 신경 및 혈관에 손상을 줄 수 있는 기전을 통해 인지 수행 능력 손상과 관련이 있다고 한다.[92] 비타민 B12와 엽산이 결핍되면 자유 회상, 집중력, 처리 속도, 언어 유창성에 대한 업무 수행이 잘 되지 않는다.[93] 전반적으로 비타민 결핍은 더 많은 실행 기능을 요구하는 복잡한 인지 업무에 영향을 주는 것으로 보인다.

결론

인지기능의 저하는 노화의 자연적인 부분이다. 그러나 감소 정도는 사람마다 다양하고 평가되는 특정 인지 분야에 따라 다양하다. 인지비축 관점에서 보면 인지기능의 노화와 관련된 개개인의 차이는 개인별 보유 능력과 관련이 있으며, 이는 어린 시절 교육이나 지적 경험을 통해 만들어 진다.[10] 비록 인지비축능력이 인생 후반에도 증가될 수 있으나 어린 시절에는 더 변화가 용이하다. 인지기능의 감소는 필연적이지만, 모든 기능이 다 동등하게 변하는 것은 아니다. 노인이 정보를 처리하고 저장하고 부호화 하는 것이 젊은 사람보다 덜 효과적인 것은 확실하다. 새롭고 복잡한 문제를 푸는 능력과 같은 유동적 지능은 나이가 듦에 따라 감소하는 것처럼 보이지만, 학교에서 배운 지식, 어휘, 읽기 등과 같은 결정적 지능과 관련된 인지 기능은 인생 전반을 통해 비교적 안정적으로 유지된다. 처리 속도와 집중력은 특히 더 도전적인 업무에 있어서 나이가 듦에 따라 취약하며, 인지 기능의 많은 부분에 영향을 준다. 예를 들어서, 암기의 문제는 더 정확히 말하자면 집중력 저하와 늦은 정보 처리 속도의 문제이다.

비록 집중력, 처리 속도, 일화성 기억, 그리고 실행 기능 영역의 인지 기능 감소가 발견됨에도 불구하고 노인은 인지(또는 뇌)의 가소성(plasticity)을 가지고 있으며, 인지 훈련과 신체 활동을 통해 좋아질 수 있다.[66,70,72,94] 그러나 정상적인 노화 과정에 있는 노인에서 인지 훈련의 결과는 다양하다. 비록 특정 업무에 대한 향상된 수행이 보일지라도 장기간의 일상 생활에 대한 보편성은 결여된다.[95] 그럼에도 불구하고 인생에 적극적이고 건강한 생활습관(사회적, 신체적, 그리고 지적)을 유지하는 것은 삶의 질을 향상시키고 성공적인 노화로 이끌어 줄 수 있다. 성공적인 노화란 기억과 전반적인 인지기능에 있어서 그전과 비교했을 때 알아볼 수 있을 만한 변화가 없는 것을 의미한다. 인지기능의 변화는 노화의 정상적인 부분이지만 반드시 걱정할 대상이거나 치매의 전조증상은 아니다. 노인이 정상적인 노화에 대한 현실적인 생각을 받아들이고 인지기능 저하와 관련된 위험 요인들을 줄여가는데 집중하면서, 정신적으로 사회적으로 그리고 신체적으로 활동적인 상태를 유지하는 것이 중요하다.

요점: 인지기능의 정상적인 노화

KEY POINTS

- 나이가 듦에 따라 인지기능을 보상할 수 있는 능력은 사람마다 다양하다.
- 어린 시절에 정신적 활동과 교육적 추구를 강조하면서 적극적인 삶을 사는 것은 나이 들어 인생 후반기의 인지기능에 긍정적인 영향을 준다.
- 신체 활동, 특히 유산소 운동을 하는 것은 인지기능 저하의 위험이 낮은 것과 연관이 있다.
- 정상적인 노화과정에서는 전형적으로 지속적인 집중력, 선택적인 집중력, 그리고 처리 속도의 감소와 주위 산만성의 증가가 나타난다.
- 노인의 반응속도는 젊은 사람보다 약 1.5배 느리다.
- 대부분의 언어 능력은 정상적인 노화 과정에서는 온전하게 유지된다.
- 정상적인 노화는 일반적으로 실행 기능의 감소와 관련이 있다.
- 정상적인 노화와 연관된 기억 손상은 주로 일화성 기억과 관련이 있다.
- 암묵적 기억(절차 기억) 업무는 노화 관련 변화가 거의 없다.

참고문헌의 총 목록을 보려면 www.expertconsult.com 을 방문해주세요.

중요 참고문헌

4. Lezak MD, Howieson DB, Bigler ED, et al: Neuropsychological assessment, ed 5, New York, 2012, Oxford University Press.

6. Strauss E, Sherman EMS, Spreen O: A compendium of neuropsychological tests: administration, norms, and commentary, New York, 2006, Oxford University Press.

10. Stern Y: The concept of cognitive reserve: a catalyst for research. J Clin Exp Neuropsychol 25:589–593, 2003.

12. Stern Y: Cognitive reserve in ageing and Alzheimer's disease. Lancet Neurol 11:1006–1012, 2012.

43. Balota DA, Dolan PO, Duchek JM: Memory changes in healthy older adults. In Tulving E, Craik FIM, editors: The Oxford handbook of memory, New York, 2000, Oxford University Press, pp 395–409.

47. Hannay HJ, Howieson DB, Loring DW, et al: Neuropathology for neuropsychologist. In Lezak MD, Howieson DB, Loring DW, editors: Neuropsychological assessment, ed 4, New York, 2004, Oxford University Press, pp 286–336.

59. Lu PH, Lee GJ, Raven EP, et al: Age-related slowing in cognitive processing speed is associated with myelin integrity in a very healthy elderly sample. J Clin Exp Neuropsychol 33:1059–1068, 2011.

64. Salthouse TA: Mental exercise and mental aging: evaluating the validity of the "use it or lose it" hypothesis. Perspect Psychol Sci 1:68–87, 2006.

68. Verghese J, Lipton RB, Katz MJ, et al: Leisure activities and the risk of dementia in the elderly. N Engl J Med 348:2508–2516, 2003.

76. Smith PJ, Blumenthal JA, Hoffman BM, et al: Aerobic exercise and neurocognitive performance: a meta-analytic review of randomized controlled trials. Psychosom Med 72:239–252, 2010.

89. Kumari M, Marmot M: Diabetes and cognitive function in a middle-aged cohort: Findings from the Whitehall II study. Neurology 65:1597–1603, 2005.

93. Bäckman L, Wahlin A, Small BJ, et al: Cognitive functioning in aging and dementia: the Kungsholmen project. Aging Neuropsychol Cognition 11:212–244, 2004.

94. Ball K, Berch DB, Helmers KF, et al: Effects of cognitive training interventions with older adults: a randomized control trial. JAMA 288:2271–2281, 2002.

참고문헌

1. U.S. Census Bureau: The next four decades: the older population in the United States: 2010 to 2050 population estimates and projections. https://www.census.gov/prod/2010pubs/p25-1138.pdf. Accessed February 6, 2015.

2. Alzheimer's Association: 2015 Alzheimer's disease facts and figures. http://www.alz.org/alzheimers_disease_facts_and_figures.asp#prevalenc. Accessed February 5, 2015.

3. Horn JL, Cattell RB: Age differences in fluid and crystallized intelligence. Acta Psychol (Amst) 26:107–129, 1967.

4. Lezak MD, Howieson DB, Bigler ED, et al: Neuropsychological assessment, ed 5, New York, 2012, Oxford University Press.

5. Wechsler D: Wechsler Adult Intelligence Scale-IV: administration and scoring manual, San Antonio, TX, 2008, The Psychological Corporation.

6. Strauss E, Sherman EMS, Spreen O: A compendium of neuropsychological tests: administration, norms, and commentary, New York, 2006, Oxford University Press.

7. Dahlman K, Hoblyn J, Mohs RC: Cognitive changes in the menopause. In Eskin BA, editor: The menopause: comprehensive management, New York, 2000, Parthenon, pp 201–211.

8. Nelson HE: National Adult Reading Test (NART): test manual, Windsor, England, 1982, NFER-Nelson.

9. Grober E, Sliwinski M: Development and validation of a model for estimating premorbid verbal intelligence in the elderly. J Clin Exp Neuropsychol 13:933–949, 1991.

10. Stern Y: The concept of cognitive reserve: A catalyst for research. J Clin Exp Neuropsychol 25:589–593, 2003.

11. Stern Y, Habeck C, Moeller J, et al: Brain networks associated with cognitive reserve in healthy young and old adults. Cerebral Cortex 15:394–402, 2005.

12. Stern Y: Cognitive reserve in ageing and Alzheimer's disease. Lancet Neurol 11:1006–1012, 2012.

13. Speer ME, Soldan A: Cognitive reserve modulates ERPs associated with verbal working memory in healthy younger and older adults. Neurobiol Aging 36:1424–1434, 2015.

14. Fritsch T, McClendon MJ, Smyth KA, et al: Cognitive functioning in healthy aging: the role of reserve and lifestyle factors early in life. Gerontologist 47:307–322, 2007.

15. Bourne VJ, Fox HC, Deary IJ, et al: Does childhood intelligence predict variation in cognitive change in later life? Personality Individ Diff 42:1551–1559, 2007.

16. Kliegel M, Zimprich D, Rott C: Life-long intellectual activities mediate the predictive effect of early education on cognitive impairment in centenarians: a retrospective study. Aging Ment Health 8:430–437, 2004.

17. Rabbitt P, Chetwynd A, McInnes L: Do clever brains age more slowly? Further exploration of a nun result. Br J Psychol 94:63–71, 2003.

18. Cicerone KD: Clinical sensitivity of four measures of attention to mild traumatic brain injury. Clin Neuropsychol 11:266–272, 1997.

19. Howieson DB, Loring DW, Hannay J: Neurobehavioral variables and diagnostic issues. In Lezak MD, Howieson DB, Loring DW, editors: Neuropsychological assessment, ed 4, New York, 2004, Oxford University Press, pp 286–336.

20. Salthouse TA: Aging and measures of processing speed. Biol Psychol 54:35–54, 2000.

21. Salthouse TA: Relations between cognitive abilities and measures of executive functioning. Neuropsychology 19:532–545, 2005.

22. Godefroy O, Lhuiller-Lamy C, Rousseaux M: SRT lengthening: role of an alertness deficit in frontal damaged patients. Neuropsychologia 40:2234–2241, 2002.

23. Anderson ND, Craik FI: Memory in the aging brain. In Tulving E, Craik FI, editors: The Oxford handbook of memory, New York, 2000, Oxford University Press, pp 411–425.

24. Salthouse TA: The processing-speed theory of adult age differences in cognition. Psychol Rev 103:403–428, 1996.

25. Finkel D, Reynolds CA, McArdle JJ, et al: Age changes in processing speed as a leading indicator of cognitive aging. Psychol Aging 22:558–568, 2007.

26. Schaie KW: What can we learn from longitudinal studies of adult development? Res Hum Dev 2:133–158, 2005.

27. Miller GA: The magical number seven, plus or minus two: some limits on our capacity for processing information. Psychol Rev 63:81–97, 1956.

28. Baddeley AD, Hitch G: Working memory. In Bower GH, editor: The psychology of learning and motivation, San Diego, 1974, Academic Press, pp 47–90.

29. Baddeley AD: Working memory, Oxford, England, 1986, Clarendon Press/Oxford University Press.

30. Baddeley A: Short-term and working memory. In Tulving E, Craik FIM, editors: The Oxford handbook of memory, New York, 2000, Oxford University Press, pp 77–92.

31. Hasher L, Lustig C, Zachks RT, et al: Inhibitory mechanisms and the control of attention. In Conway A, Jarrold C, Kane M, editors: Variation in working memory, New York, 2007, Oxford University Press, pp 227–249.

32. Rozas AX, Juncos-Rabadán O, González MS: Processing speed, inhibitory control, and working memory: three important factors to account for age-related cognitive decline. Int J Aging Hum Dev 66:115–130, 2008.

33. Schacter DL, Tulving E: Memory systems, Cambridge, MA, 1994, MIT Press.

34. Tulving E: Elements of episodic memory, Oxford, 1983, Clarendon Press.

35. Midford R, Kirsner K: Implicit and explicit learning in aged and young adults. Aging Neuropsychol Cognition 12:359-387, 2005.

36. Old SR, Naveh-Benjamin M: Differential effects of age on item and associative measures of memory: A meta-analysis. Psychol Aging 23:104-118, 2008.

37. Newcombe F: Missile wounds of the brain: a study of psychological deficits, London, 1969, Oxford University Press.

38. Kaplan EF, Goodglass H, Weintraub S: The Boston Naming Test: experimental edition, Boston, 1978, ProEd.

39. Reese CM, Cherry KE: Practical memory concerns in adulthood. Int J Aging Hum Dev 59:235-253, 2004.

40. Rey A: L'examen clinique en psychologie, Paris, 1964, Presses Universitaires de France.

41. Wechsler D: Wechsler Memory Scale—IV: administration and scoring manual, San Antonio, TX, 2009, Psychological Corporation.

42. Delis DC, Kaplan E, Kramer JH, et al: California Verbal Learning Test (CVLT-II) Manual, ed 2. San Antonio, TX, 2000, Psychological Corporation.

43. Balota DA, Dolan PO, Duchek JM: Memory changes in healthy older adults. In Tulving E, Craik FIM, editors: The Oxford handbook of memory, New York, 2000, Oxford University Press, pp 395-409.

44. Ratcliff R, McKoon G: Memory models. In Tulving E, Craik FIM, editors: The Oxford handbook of memory, New York, 2000, Oxford University Press, pp 571-581.

45. Mayes AR: Selective memory disorders. In Tulving E, Craik FIM, editors: The Oxford handbook of memory, New York, 2000, Oxford University Press, pp 427-440.

46. Craike FIM, Byrd M: Aging and cognitive deficits: The role of attentional resources. In Craik FIM, Trehub S, editors: Aging and cognitive processes, New York, 1982, Plenum Press, pp 191-211.

47. Hannay HJ, Howieson DB, Loring DW, et al: Neuropathology for neuropsychologist. In Lezak MD, Howieson DB, Loring DW, editors: Neuropsychological Assessment, ed 4, New York, 2004, Oxford University Press, pp 286-336.

48. Benton AL: Problems of test construction in the field of aphasia. Cortex 3:32-58, 1967.

49. Grossman M, McMillan C, Moore P, et al: What's in a name: voxel-based morphometric analyses of MRI and naming difficulty in Alzheimer's disease, frontotemporal dementia and corticobasal degeneration. Brain 127:628-649, 2004.

50. Zec RF, Burkett NR, Markwell SJ, et al: A cross-sectional study of the effects of age, education, and gender on the Boston Naming Test. Clin Neuropsychol 21:587-616, 2007.

51. Gollan TH, Brown AS: From tip-of-the-tongue (TOT) data to theoretical implications in two steps: when more TOTs mean better retrieval. J Exp Neuropsychol 135:462-483, 2006.

52. Zec RF, Markwell SJ, Burkett NR, et al: A longitudinal study of confrontation naming in the "normal" elderly. J Int Neuropsychol Soc 11:716-726, 2005.

53. Rodríguez-Aranda C: Reduced writing and reading speed and age-related changes in verbal fluency tasks. Clin Neuropsychol 17:203-215, 2003.

54. Rodríguez-Aranda C, Martinussen M: Age-related differences in performance of phonemic verbal fluency measured by controlled oral word association task (COWAT): a meta-analytic study. Dev Neuropsychol 30:697-717, 2006.

55. Loonstra AS, Tarlow AR, Sellers AH: COWAT metanorms across age, education, and gender. Appl Neuropsychol 8:161-166, 2001.

56. Salthouse TA: Relations between cognitive abilities and measures of executive functioning. Neuropsychology 19:532-545, 2005.

57. Wecker NS, Kramer JH, Wisniewski A, et al: Age effects on executive ability. Neuropsychology 14:409-414, 2000.

58. Rhodes MG: Age-related differences in performance on the Wisconsin card sorting test: a meta-analytic review. Psychol Aging 19:482-494, 2004.

59. Lu PH, Lee GJ, Raven EP, et al: Age-related slowing in cognitive processing speed is associated with myelin integrity in a very healthy elderly sample. J Clin Exp Neuropsychol 33:1059-1068, 2011.

60. Dempster FN: The rise and fall of the inhibitory mechanism: toward a unified theory of cognitive development and aging. Dev Rev 12:45–75, 1992.

61. Grant DA, Berg EA: A behavioral analysis of reinforcement and ease of shifting to new responses in a Weigel-type card-sorting problem. J Exp Neuropsychol 38:404–411, 1948.

62. Garden SE, Phillips LH, MacPherson SE: Midlife aging, open-ended planning, and laboratory measures of executive function. Neuropsychology 15:472–482, 2001.

63. Souchay C, Isingrini M: Age related differences in metacognitive control: role of executive functioning. Brain Cognition 56:89–99, 2004.

64. Salthouse TA: Mental exercise and mental aging: evaluating the validity of the "use it or lose it" hypothesis. Perspect Psychol Sci 1:68–87, 2006.

65. Pillai JA, Hall CB, Dickson DW, et al: Association of crossword puzzle participation with memory decline in persons who develop dementia. J Int Neuropsychol Soc 17:1006–1013, 2011.

66. Toril P, Reales JM, Ballesteros S: Video game training enhances cognition of older adults. Psychol Aging 29:706–716, 2014.

67. Aartsen MJ, Smits CHM, et al: Activity in older adults: cause or consequence of cognitive functioning? A longitudinal study on everyday activities and cognitive performance in older adults. J Gerontol B Psychol Sci Soc Sci 57:P153–P162, 2002.

68. Verghese J, Lipton RB, Katz MJ, et al: Leisure activities and the risk of dementia in the elderly. N Engl J Med 348:2508–2516, 2003.

69. Scarmeas N, Levy G, Tang M-X, et al: Influence of leisure activity on the incidence of Alzheimer's disease. Neurology 57:2236–2242, 2001.

70. Haskell WL, Lee I, Pate RR, et al: Physical activity and public health: updated recommendation for adults from the American College of Sports Medicine and the American Heart Association. Circulation 116:1081–1093, 2007.

71. Salthouse TA: Theoretical perspectives on cognitive aging, Hillsdale, NJ, 2001, Erlbaum.

72. Voss MW, Prakash RS, Erickson KI, et al: Plasticity of brain networks in a randomized intervention trial of exercise training in older adults. Front Aging Neurosci 2:1–17, 2010.

73. Yaffe K, Barnes D, Nevitt M, et al: A prospective study of physical activity and cognitive decline in elderly women. Arch Intern Med 161:1703–1708, 2001.

74. Churchill JD, Galvez R, Colcombe S, et al: Exercise, experience and the aging brain. Neurobiol Aging 23:941–955, 2002.

75. Weuve J, Kang JH, Manson JE, et al: Physical activity, including walking, and cognitive function in older women. JAMA 292:1454–1461, 2004.

76. Smith PJ, Blumenthal JA, Hoffman BM, et al: Aerobic exercise and neurocognitive performance: a meta-analytic review of randomized controlled trials. Psychosom Med 72:239–252, 2010.

77. Hibberd C, Yau JLW, Seckl JR: Glucocorticoids and the ageing hippocampus. J Anat 197:553–562, 2000.

78. Gow AJ, Pattie A, Whiteman MC, et al: Social support and successful aging: investigating the relationships between lifetime cognitive change and life satisfaction. J Individ Diff 28:103–115, 2007.

79. Seeman TE, Lusignolo TM, Albert M, et al: Social relationships, social support, and patterns of cognitive aging in healthy, high-functioning older adults: MacArthur studies of successful aging. Health Psychol 20:243–255, 2001.

80. Gualtieri CT, Johnson LG: Age-related cognitive decline in patients with mood disorders. Prog Neuropsychopharmacol Biol Psychiatry 32:962–967, 2008.

81. Fratiglioni L, Wang H-X, Ericsson K, et al: Influence of social network on occurrence of dementia: a community-based longitudinal study. Lancet 355:1315–1319, 2000.

82. Rowe JW, Kahn RL: Successful aging. Gerontologist 37:433–440, 1997.

83. Brady CB, Spiro A, Gaziano JM: Effects of age and hypertension status on cognition: The veterans affairs normative aging study. Neuropsychology 19:770–777, 2005.

84. Raz N, Rodrigue KM, Acker JD: Hypertension and the brain: vulnerability of the prefrontal regions and executive functions.

Behav Neurosci 117:1169 – 1180, 2003.

85. Saxby BK, Harrington F, McKeith IG, et al: Effects of hypertension on attention, memory, and executive function in older adults. Health Psychol 22:587 – 591, 2003.

86. Roberts RO, Knopman DS, Przybelski SA, et al: Association of type 2 diabetes with brain atrophy and cognitive impairment. Am Acad Neurol 82:1132 – 1141, 2014.

87. Barnes DE, Cauley JA, Lui LY, et al: Women who maintain optimal cognitive function into old age. J Am Geriatr Soc 55:259 – 264, 2007.

88. Brands A, Biessels GJ, De Haan EHF, et al: The effects of type 1 diabetes on cognitive performance. Diabetes Care 28:726 – 735, 2006.

89. Kumari M, Marmot M: Diabetes and cognitive function in a middle-aged cohort: findings from the Whitehall II study. Neurology 65:1597 – 1603, 2005.

90. Logroscino G, Kang JH, Grodstein F: Prospective study of type 2 diabetes and cognitive decline in women aged 70-81 years. BMJ 328:548 – 551, 2004.

91. Eastley R, Wilcock GK, Bucks RS: Vitamin B12 deficiency in dementia and cognitive impairment: the effects of treatment on neuropsychological function. Int J Geriatr Psychiatry 15:226 – 233, 2000.

92. Calvaresi E, Bryan J: B vitamins, cognition, and aging: a review. J Gerontol B Psychol Sci Soc Sci 56:P327 – P339, 2001.

93. Bäckman L, Wahlin A, Small BJ, et al: Cognitive functioning in aging and dementia: the Kungsholmen project. Aging Neuropsychol Cognition 11:212 – 244, 2004.

94. Ball K, Berch DB, Helmers KF, et al: Effects of cognitive training interventions with older adults: a randomized control trial. JAMA 288:2271 – 2281, 2002.

95. Willis SL, Tennstedt SL, Marsiske M, et al: Long-term effects of cognitive training on everyday functional outcomes in older adults. JAMA 296:2805 – 2814, 2006.

CHAPTER **29**

사회적 노화학
Social Gerontology

Paul Higgs, James Nazroo

도입

용어에서도 알 수 있듯이 사회적 노화학은 노화와 노년기의 사회적 측면에 관해 연구하는 학문이다. 즉, 노화학은 노화의 임상 및 경제적 측면에 대한 올바른 이해가 필요한 광범위한 주제, 분야 및 방법을 전반적으로 다루고 있다. 이 장에서는 개인적 노화 경험(예: 연령정체성, 사회적 네트워크 및 지지, 일상생활에서 경험하는 여러가지 일들(life event)과 이에 대한 대처 방법, 회복력 등); 노년기에 보건 및 사회복지 서비스를 제공하는 사회제도; 노령 사회의 구성 및 이와 관련해 나타나는 연령과 관련된 불평등; 계층, 성별, 민족성, 인종과 같은 노년기에 사회 및 건강과 관련된 불평등을 유발하는 요인; 인구 고령화의 광범위한 사회적 영향과 같은 내용을 다룬다. 여기에 더해서 고령자의 웰빙(wellbeing) 또는 삶의 질을 향상 시키거나 저해하는 요인들에 대해 좀 더 집중적으로 살펴보도록 한다.

노인의 삶의 질과 그것의 임상적 의미에 대한 연구에서 내린 결론은 본 책자의 이전 판 중의 Hepburn의 장에 잘 요약되어 있다. 여기서는 사회적 기능에 기여하는 요인(사회적 지위, 사회적 교류, 직업, 활동, 개인적 자원, 생활사건)을 집중적으로 다루고 있다.[1] 이 장에서는 노화 경험을 이론화하고 이해하고자 하는 사회적 노화학의 접근법 구축을 설명하는 가운데 노화를 광범위한 사회적 측면에서 살펴볼 것이다. 이런 생각이 노화 경험에 어떻게 변화를 반영해 구축되었는지를 기술하고 이런 변화를 일으킨 요인이 노년기의 사회적 불평등과 어떤 관련이 있는지도 설명할 것이다. 먼저 적응, 분리, 의존, 빈곤에 대한 설명과 고령화로 인해 야기된 잠재적인 어려움 측면에서, 증가된 기대여명에 대한 개념적인 해석을 통해 생애 후반기에 처해진 문제적 상황에 대한 사회적 노화학에서의 경향을 설명할 것이다. 노년기의 삶이 많은 사람들에게 잠재적으로 더 긍정적인 경험이 되려면 이런 접근이 노년의 관점에서 가장 좋은 방법은 아니라는 점에 대해 논쟁할 여지가 있다. 우리는 고령자의 건강과 재산의 변화 및 이제 은퇴하기 시작한 베이비붐 세대와 같은 집단의 문화적인 맥락에서 이해할 필요가 있는 노화의 경험들이 극적으로 변화되고 있다고 생각한다. 이런 "새로운" 고령자들은 노년과 노화학과의 연관성 및 제3 및 제4연령기로 부를 수 있는 노년기의 재배열과 관련되어 다양한 생각에 의문을 제기한다. 노화 경험에서 나타나는 차이와 이것의 계층, 성별, 민족성 및 인종과 관련성을 확인해 보고 이를 통해 불평등 주제로 다시 돌아가 결론을 내릴 것이다.

노년의 "문제"

Cole, Achenbaum, Katz가 살펴보았듯이 노화와 관련해서 학계는 최근 주로 노년기에 발생할 수 있는 문제에 집중해왔다.[2-4] 고령자를 사회 문제로 보는 사회 및 보건 연구가 오랫동안 이루어져 왔으며 노화 문제에 대한 이런 지속적인 관점은 사회적 노화학 등 노화학의 발전을 이루었다. Katz[4]는 1946년 새로 창간된 노화학회지(Journal of Gerontology)의 발간호에서 "노화학은 다양한 과학자, 학자, 전문가의 관심과 노력이 크게 필요한 새로운 종류의 문제에 대한 인식을 반영한다"[5]라고 언급한 첫 논문을 인용하였다. 이것이 구체적으로 노년기의 사회적 접근법의 개발에 어떻게 영향을 주었는지는 1944년 미국사회과학연구협의회(U.S. Social Science Research Council)의 노년기사회적응위원회(Committee on Social Adjustment in Old Age)와 1946년 너필드재단(Nuffield Foundation) (영국)의 노화문제연구소(Research Unit into the Problems of Aging) 설립을 통해 확인할 수 있다. Sauvy는 전쟁 직후인 이 시기에 고령화가 영국의 경제적 어려움에 큰 영향을 미쳤다고 언급하였다. 또한 "인적자본 대체 부족으로 인해 서구 문명에 붕괴 위험이 있다는 것은 의심의 여지가 없다. 아마도 이러한 사회문제를 세포의 활력이 감퇴되어 나타나는 기질병과 같은 국가의 노화증상으로 간주해야 하고, 따라서 사회 생물학을 동물 생물학과 비교해야 한다."라고 주장하였다.[6]

중요한 점은 이런 불안감이 초기 서구 사회 정책의 발전에 큰 영향을 미쳤다는 점이다. 1908년 영국의 노후 연금 도입은 노년기의 극심한 빈곤 퇴치뿐만 아니라 노인을 대상으로 한 "빈민구제법"의 지출을 줄이기 위한 것이었다.[7] 특히 1920년대 중반까지는 경제난으로 은퇴 자격에 대한 논의가 실업 완화로까지 이어졌다. 이런 단계에서는 은퇴의 주요 동기가 노동 시장에서 적극적인 참여가 배제되는 것이었고 결국 이로 인해 은퇴 연령이 65세까지 낮아졌다.

미국의 경우에도 1930년대 경기침체로 인한 고령 근로자의 퇴직에 대해 유사한 우려가 존재하였다. 그러나 미국에서는 대부분의 노인들이 여전히 일자리를 유지하고 있었다는 점 외에도 몇 가지 특수성이 있었다. 입법자들은 미국 정부의 연방 구조, 수급자가 많았던 남북 전쟁 연금 수급권의 복잡한 양식, 다양한 기업과 직업에서 운영되는 많은 연금 제도에도 대처해야 하였다.[8,9] 이러한 맥락에서 Francis E. Townsend 박사의 이름을 따서 명명한 1930년대의 Townsendite 운동은 기여의 원칙을 기반으로 하고 있는 연금이 아닌 세금 조달을 통한 국가 연금을 주장하였다. 또한 국가

지원으로 많은 소비가능인구를 양산할 수 있는 부양 잠재력을 주장하면서 "청년은 일하고, 노년에는 여가를"이라는 슬로건과 함께 은퇴에 대한 새로운 개념을 구축하였다.[9] 그러나 이 운동이 설립된 1935년에는 뉴딜 정책(New Deal)과 사회보장연금(Social Security pension)의 개념이 훨씬 더 일반적이었고 빈곤 퇴치 프로그램이자 젊은 근로자에게 일자리를 제공하기 위해 은퇴를 활용하는 실업 대응책으로 작용하였다.

20세기 후반 이후에도 국가별로 차이는 있었지만 노인에 대한 인식은 긍정적이라기보다는 해결해야 하는 문제점으로 보는 시각이 지속되었다. 영국에서는 Rowntree의 빈곤 연구[10,11]를 반영하는 전통이 Townsend 연구[12]까지 계속 이어졌으며 21세기까지 지속적으로 사회 노인 학자들의 연구 주제가 되었다.[13] 반면, 미국에서는 제2차 세계 대전 이후 성공적인 은퇴 장려와 은퇴 상황에 대한 적응에 대해 살펴보는 성공적이고 생산적 노화에 대한 연구 계획과 프로그램으로 이어졌다. 하지만 국가별로 어떤 차이가 있던지 간에, 인구 고령화와 이로 인해 수반되는 경제적 결과 맥락에서 다뤄지고 있는 노화 문제로 인해 제기된 질문에 해답을 찾기 위한 자료 수집은 오늘날까지 계속되고 있다. 역설적으로, 이는 이제 연구가 "집단적인 의존성을 보이는 비교적 건강하고 자급 가능한 인구군의 빠른 증가가 현재는 서구 국가의 경제를 압박하고 있는" 상태에 관련된 문제로 방향이 전환되었다는 것을 의미한다.[4] 먼저 사회적 노화학의 근간이 되는 초기 이론적 관점에 대해 기술한 뒤 이 주제에 대해 알아볼 예정이다.

이론적 접근법: 기능주의부터 구조화된 의존성까지

사회적 노화학이 대부분 노년기와 관련된 문제에 집중한 이유는 1940년대 미국[9]과 1960년대 영국[14]에서 생애의 명백한 한 부분인 '은퇴'가 중요한 문제로 대두된 것과 관련이 있다. 이로 인해 Parsons나 Burgess[15,16]와 같은 전통적인 기능주의자들의 사고 범주(사회 요소가 보완적으로 어떻게 작동하는지 설명한 접근법) 내에서 연구하는 사회학자들은 은퇴자들(빈곤 보다 노동시장에서의 영구적인 이탈로 정의되는 인구)의 "역할 없는 역할"에 대해 우려하게 되었다. 당연히 이는 주로 사회적 역할과 고용이 대체로 상호 교환 가능한 것으로 여겨지는 남성을 의미하였다(반면 일관된 가정적인 역할은 여성의 역할로 간주하였다). Beeson[17]은 위와 같은 견해와 상대적으로 은퇴가 여성에게 중요하지 않다는 가정에 기인한 이러한 견해에 대해 비판을 제시하며 위와 같은 주장은 전혀 경험적 증거를 근거로 하지 않고 있으며 일하는 여성의 존재를 무시하였다고 주장하였다.

일부는 이런 역할이 없는 상태를 분리이론[18]을 통해 접근했고 노인의 은퇴와 사별 후 삶의 사회적 심리적 적응에 초점을 맞췄다. 은퇴에 수반되는 더 광범위한 과정을 이론화하였고, 이 이론은 산업 사회의 고령자가 자신의 과거 역할에서 분리되어 젊은 세대가 그들에게 사회적으로 필요한 역할을 개발하고 유지할 수 있는 기회를 가질 수 있을 것이라는 가설을 세웠다. 결과적으로, 분리는 사회적인 역할과 관련된 부분에서 일어날 뿐만 아니라 은퇴한 세대가 자녀의 삶에서 훨씬 덜 중요해졌을 때 가족과의 관계에서도 발생한다고 가정하였다. 심리적인 접근에 집중하는 분리 이론은 에릭슨의 연구와 인생회고 개념에 의해 영향을 받은 것으로 평가된다.[19] 이 이론에 증거를 제공하기 위해 1960년대 미국에서 많은 연구가 진행되었다. 캔자스 시티의 종단연구에서 고령자의 실제 분리 사례를 확인하였는데 여성의 경우는 배우자를 잃은 뒤부터, 남성은 은퇴한 뒤부터 이러한 과정이 시작되었다.[20] 오랫동안 사회적 노화학의 지배적인 패러다임 중 하나였던 이 접근법은 현대 사회에서 노년기를 필연적이고 자연스러운 과정으로 보았다. 고령자가 스스로 분리를 희망했는지 또는 사회가 강제로 분리한 것 인지는 확인되지 않았다. 심리적 적응에 집중했기 때문에 노년기를 구성하는 매우 실제적 사회화 과정도 간과되었다.

분리이론은 개별 노인의 관점을 중심으로 하고 있지만 영국에서 주도적으로 제안된 분석은 사회정책의 중요성을 강조한 종속이론을 구조화 하였다.[21] 이 학교의 저자들과 노화에 대한 정치 경제 접근법을 수용하는 사람들에게 노년의 문제는 개인의 사회적, 심리적 적응 문제가 아니라 정부 사회 정책에 따라 결정되는 은퇴 상황으로 인해 구조화된 의존성 문제였다.[22-24] Townsend는 은퇴가 이전의 고용 시장에서 벗어나는 것일 뿐만 아니라 임금을 가지고 생계를 유지하다가 대체 소득에 의존하게 되는 것으로 전환되는 것을 의미한다고 말하였다.[21] 이러한 소득이 주로 정부 지원을 통해 이루어진다는 사실은 많은 노년층이 은퇴 후 경험하는 구조화된 의존성에 대한 사회 정책의 역할을 보여준다. 예를 들어, 영국에서 상대적으로 낮은 수준의 정부 지급 연금은 국가 복지와 관련된 결정에서 노인의 우선순위가 낮다는 것을 보여준다. Walker[22]와 다른 전문가들은 대부분의 노동계층 퇴직자에게서 노후를 대비할 수 있는 주된 소득원인 국가 퇴직연금 수준과 중산층이 누리는 더 여유로운 기업 연금 금액 간의 상대적인 불균형 역시 인생 후반기에 사회계층에 지속적인 영향을 끼칠 수 있는 요인으로 언급하였다. 결과적으로 정부 연금에 의존하는 사람들은 노년기 빈곤 연구에서 상당한 관심을 야기하는 문제인 공적 자금의 자원을 소비하는 잔여범주의 인구로 여겨지게 된다.

또한 구조화된 의존성이 단지 경제적인 영역에 제한된 것이 아니라 사회적인 절차들에 있어서도 만연되어 있다는 주장 역시 제기되었다. Townsend는 나이에 따른 허약함과 의존성간의 연관성은 노인의 입지를 대변할 뿐만 아니라 노인의 열악한 지위와 다양한 형태의 사회적인 참여로부터 배제되는 이유를 설명한다고 제시하였다.[25] 노인차별은, 노화를 부정적으로 정의할 뿐만 아니라 노인에 대한 차별이 자연스러운 것으로 받아들여지도록 하는 방식, 즉 청장년층 위주의 문화형성과 관련되어 있다. 이는 노인에게 제공되는 의료 또는 보건 서비스를 제한하는 정책이나 차별적 고용 관행, 신체적으로 취약하거나 정신적으로 건강하지 못한 고령자의 치료에서 확인해 볼 수 있다.[25] Townsend와 Walker와 같은 저자들의 경우 웰빙과 사회적 불평등에 집중했으며 인생 후반기의 분리된 노인의 불안정한 입지는 사회 구조의 산물일 뿐만 아니라, 노인의 완전한 시민권 회복을 위한 캠페인을 통해 바로잡아야 한다고 하였다.[26]

기대여명의 증가와 이환율의 압축: 인생 황금기

이 책의 다른 부분에서 많은 사람들이 '인간의 수명은 유연하며 세포와 조직 손상이 축적되고 신체의 유지를 위한 자원의 한계에 의한 결과로서 사망이 발생한다는 것'에 대해 논쟁이 있다.[27] 더욱 논쟁거리가 되는 것은, de Grey와 같은 저자는 기본적인 생물학적 과정을 이해하면 수명이 연장될 수 있다는 주장을 하였다.[28] 이러한 관점에 대해 많은 비판이 있었지만 최근 기대 여명이 빠르게 증가하고 있고 그 증가율이 더욱 빨라진다고 일반적으로 인식되고 있다. 예를 들어 Rau와 동료[29] 연구자들은 80~89세 남성 사망률이 1950년대와 1960년대에는 0.81% 감소하였으나 1980년대와 1990년대에는 1.88% 감소한 것을 확인하였다(반면 동일한 연령 여성의 경우 각각 0.91%와 2.45%가 감소하였다). 사망률이 감소되는 속도는 노인에서 가장 빠르게 나타났다. 연령에 따른 문제를 고려해 본다면, 장수로 인한 이환율 및/또는 장애율 증가와 산업화 사회에서 노년기의 질병에 대한 부담이 만성질환으로 전환되는 역학적 변화에 대한 우려가 당연해 보인다.[30] 그러나 기대여명 증가가 이환율 증가에 따른 비용 증가를 초래하지 않는다는 결과 또한 제시되어 이러한 결론은 논란이 되어 왔다.[31] Fries와 같은 연구자들은 기대여명 증가 상황에서도 일생 중 사망 전에 질병을 앓는 기간이 점점 짧아진다는 이환율 압축에 관한 논문을 제시하였다.[32,33]

이 견해가 노화와 만성 질환의 연관성에 대한 많은 가정들과는 상반되지만, 실제 나이 자체가 장애 수준과 만성 질환의 증가 요인이 아니라는 주장에 대해서는 많은 지지가 있었다.[34] 건강에 대한 주관적 척도를 기반으로 한 분석에서는 노년기에 질병의 부담이 증가한다고 하였으나,[35] 보다 객관적인 장애에 대한 지표들은 건강한 기대 여명에 대해 좀 더 긍정적 결과를 제시하였다.[36,37] 미국의 장애율 분석에 따르면 사망률이 빠른 속도로 감소한 것과 같은 방식으로 빠르게 감소한 것으로 나타났다. 예를 들어, 1982~1984년에는 연간 0.6%의 감소율을 보였으며 1999년부터 2004년/2005년에는 거의 4배(2.2%)로 감소율이 증가했고 가장 나이가 많은 군에서 감소율이 가장 높았다.[38]

그러나 여기에 사망률과 장애율의 감소를 역전시키고 만성질환의 새로운 양상으로 이어질 수 있는 비만의 문제를 추가적으로 고려해야 한다. Olshansky와 동료 연구자들은 현재 미국의 비만 추세가 미래의 기대 여명을 감소시킬 수 있다고 주장하였다.[39] 현재 비만과 관련된 사망률을 기반으로 했을 때 기대 여명이 연간 4개월에서 9개월까지 감소할 것으로 예측하였다. 그렇기 때문에 현재는 양상이 매우 복잡하다. 예를 들어 캐나다에서 베이비붐 세대를 대상으로 실시한 건강한 라이프 스타일에 대한 연구에서 다양한 모순되는 변화가 확인되었다. 20세기의 마지막 사분기에 관찰된 높은 흡연율, 과음의 증가, 그리고 운동의 감소는 비만과 당뇨병 발생률의 급격한 증가를 동반하였다.[40] Manton은 노년기의 사망률이 자연 노화의 속도와 인구의 특정 질병에 대한 위험 요인의 분포에 영향을 받는다는 점을 제안하기 위해 동적 평형(dynamic equilibrium)이라는 개념을 사용하였다.[41] 위험 요인을 대상으로 하는 중재들은 사망률을 개선시키고 관련 장애의 중증도를 완화할 것이다. Schoeni와 동료들은 흡연습관 변화, 교육 수준 향상 및 빈곤 감소가 미국의 장애 수준 감소에 어떤 영향을 주는지 주목하였다.[36] 그렇지만 이는 성공적인 은퇴 후 노년기를 사는 것이 일반적인 대중에서 기대되는 것보다는 훈련된 개인의 분야인지의 여부에 대한 문제를 야기한다. 다시 말해 건강하고 은퇴한 고령자의 역할과 기여에 관한 의문을 제기한다.

기회의 연령: 성공적 노화 및 제3연령기

노인들의 지위에 관한 암묵적인 우려는 또한 생산적 노화 접근법이라고 알려진 주제이기도 하다.[42] 이 입장은 좋은 건강과 사회적 참여로 특징 지어지는 긍정적 상태를 일반적인 노화와 구분하기 위한 Rowe와 Kahn의 성공적인 노화 개념[43,44]에서 먼저 언급되었다. 생산적 노화는 성공적인 노화보다 광범위한 접근 방식을 택한다. 은퇴 및 근무 특성 상황 변화에 따라 더 많은 사람들이 더 오래 살고 건강한 삶을 사는 가운데, 단순히 여가 상태의 은퇴가 아닌 유의미한 사회 또는 경제적 기여를 할 수 있도록 하는 것과 관련이 있다. 다시 말해, 생산적 노화는 전통적인 경제적 생산성의 일반적인 의미를 넘어 자원 봉사와 시민 참여 등이 포함된 사회적 참여를 중심으로 한다.[45,46] 따라서 이렇게 행동하는 고령자들은 단순히 자원의 소비자 일뿐만 아니라 그들이 살고 있는 사회에 가치 있는 기여를 하고 있음을 증명할 수 있을 것이다. 생산적 노화의 개인 및 사회적인 이득은 개인의 사회적 참여뿐만 아니라 낭비될 수 있는 역량을 활용하기 때문에 매우 높은 것으로 여겨진다.

생산적 노화 접근 방식에 대한 많은 비판은 이러한 좋은 의도가 전통적인 경제의 관점에서 생산적이어야 한다는 단순한 요구에 의해 쉽게 해석될 수 있다는 가능성에 초점을 맞추고 있다.[47] Estes와 Mahakian은 "생물의학 중심 의료산업단지"라 불리우는 것에 따른 이득을 위한 행동과 사회와 사회 정책 운영에 따른 사회적 경제적 불이익을 무시한다고 주장하며, 성공적이고 생산적 노화 접근법을 시장 원리의 연장과 노화 자체의 과정으로 연결시켜 비판하기까지 하였다.[48] 그 결과 생산적 노화 접근법 지지자들이 노화와 관련된 논의가 단순한 연령 및 의존성 구조에서 벗어나도록 하기는 했지만, 바람직한 사회 경제적 가치에 관한 규범적인 추정과 맞물리는 노년기의 측면을 파악하고자 하는 경향은 여전히 남아있다. 따라서 노년기에 대한 문제화는 이미 일반적으로 인식되어 있는 노인의 역할 부족과 사회적 배제에 관한 것뿐만 아니라 노인이 가져야 하는 책임에 초점을 맞추고 있다.

이는 노인이 건강하고 풍요로운 제3연령기(third age)를 누릴 수 있는 가능성에 대한 논의에도 반영되어 있다. 제3연령기라는 개념은 노년기를 더 이상 비관적인 관점으로 볼 수 없다고 주장한 Laslett의 연구와 가장 관련되어 있다.[49] 대부분의 사람들의 삶에서 은퇴 후 삶의 비중이 지속적으로 증가할 뿐만 아니라, 국가 퇴직연금 수급이 가능한 연령 이외의 나이에 은퇴하기로 선택한 많은 사람들과 수급 연령대의 변화로 인해 고정된 은퇴 연령에 대한 생각이 바뀌고 있다. Laslett은 많은 사람들에게 은퇴는 생계를 유지하고, 자녀를 양육하고, 또는 일과 양육을 모두 해야 했던 젊었을 때할 수 없었던 자기계발 가능성을 제공한다고 주장하였다.

더 이상 일과 양육에 시간을 빼앗기지도 않으며, 질병으로 활동이 제한되고 사망으로 모든 것이 종결되기 전인 이 삶의 단계는 제3연령기로 불린다. 이 단계의 사람들은 성숙한 활동을 준비하는 청년의 제1연령기와 성숙한 활동을 하며 살아가는 성인의 제2연령기를 거쳐 쇠락의 제4연령기(fourth age)를 맞닥뜨리기 전, 상당히 광범위한 한계 내에서 인생을 원하는 대로 즐기며 살아갈 수 있는 제3연령기에 도달한다.[49]

상대적으로 좋은 건강이 뒷받침되는 길고 긍정적인 제3연령기와, 짧지만 결국 말기 상태인 제4연령기에 대한 논의에서, Laslett은 노년기로 단순히 편입되는 것이 아닌 은퇴 시기의 시작이라고 주장하였다. 그러나 제3연령기의 이러한 측면에서, Laslett은 노년기가 방종한 시기가 되지는 않아야 한다는 것을 강조하였다. 이러한 견지에서 Laslett은 제3연령기에 있어 나태의 위험성과 책임을 수용하는 것이 중요하다고 주장하였다. 특히 제3연령기를 성공적으로 보내는 데 교육이 중요한 역할을 하는 것으로 확인되었고, 이를 위해 "제3연령기의 대학"을 발의하였다. 제3연령기의 의무는 시간을 유용하게 소비하는 것에서 그치지 않으며 특히 고령자가 사회의 문화적인 임원의 역할로 활동할 것을 요구한다.[49] Laslett이 목도한 바와 같이 제3연령기에서 단순히 은퇴 후 여가를 즐기기 보다 책임을 수용하도록 하는 것이 도전 과제였다.

그러나 이러한 제3연령기의 윤리적 해석은 제3연령기와 베이비붐 세대 간의 융합이(특히 미국에서) 광범위하게 진행됨으로서 지속하기 더욱 어려워졌다.[50,51] 베이비붐 세대의 경우 실질적으로 은퇴가 교육이나 책임보다는 소비의 생활방식으로 변화될 가능성이 있다. 전형적으로 이러한 변화와 관계가 있는 더 젊은 세대보다 상당히 많은 수의 노인들에서 소비주의 생활양식의 영향이 점차 증가하여 중년기와 노년기의 구분이 더욱 불명확해졌다.[52] 이에, 제3연령기는 고령기를 피하여 막연한 중년기가 일생에서 점점 확장되는 구간으로 여겨질 수 있다.[53] 예를 들어, 레저웨어에 대한 수용이 크게 증가함에 따라 의복을 통한 연령대 구분이 불명확해지는 것은 사회적 제재 없이 매우 다양한 연령대에서 사람들이 청바지와 티셔츠를 입을 수 있다는 것을 의미한다.[54] 노인의 징후는 사람의 이면으로부터 주의를 돌리는 가식적인 면으로 나타날 수 있다.[52] 이는 명확한 삶의 단계가 정의된 순차적인 생의 과정이라는 생각을 적용하기 어려운 생의 과정에서의 개인화 또는 비획일화와 관련이 있다.[55,56]

Gilleard와 Higgs는 현시대의 보다 나은 노화를 위하여 성공적인 은퇴자 집단에서의 생활양식 및 소비자중심주의(consumerism)의 문화적인 연계성이 증가되는 의미를 이해할 필요가 있다고 주장하였다.[57] 이와 같은 접근방식은 청년 중심의 소비자 문화의 투영(prism)을 통해 성인의 삶이 조직되는, 세대에 걸친 노화를 목도하고 있음을 시사한다. 소비자에게 선택이 주어지고 경제적으로 풍요가 확장되는 환경에서 자란 전후 베이비붐 집단과 덜 풍요로운 시대에서 성장한 이전 세대 간의 세대적 분열이 발생하였기 때문이다. 이 분열은 격식, 음악, 의복 등에서 나타나며 가장 중요하게는 가족, 관계, 성에 대한 특징 변화가 축적되어 온 생활양식 그 자체로 드러난다. 그러나 이는 1960년대의 10대들이 21세기에 은퇴자가 된다고 해서 사라지는 것이 아니다.[51,58] 이는 현대 고령화의 여러 특징 이면에 있을 수 있는 세대적으로 자리잡은 태도와 행동이다.

국가의 퇴직 연금 수령이 가능한 연령 또는 강제적인 정리해고나 은퇴가 될 때까지 기다리지 않는 고령 근로자들 사이에서 은퇴를 단순히 아무 역할이 없거나 인생 회고의 시간으로 여기는 것보다 여가를 위한 기회로 여기는 방식이 관찰될 수 있다. 선택적인 은퇴는 소비적인 문화를 통하여 물가를 안정시키지만 정리해고나 전통적 은퇴 방식을 대면한 사람들은 덜 자유롭고 노년기 삶의 새로운 상황에 대처하기 더 어려운 것으로 보인다. 현 시대의 은퇴와 노년기는 고령 세대의 사회적 가치에 대한 우려보다 이와 같은 동시대의 문화적 압박으로 인해 더 구조화된다. 이러한 상황은 사회정책의 규제 완화 및 상품화를 더욱 압박하려는 목적으로 노년기의 이미지를 반영하고 이에 적용 시키고자 하는 정부와 시사해설가들의 우려에서 엿볼 수 있다. 주안점은 여가로서의 은퇴는 불평등이 아닌 사회적인 참여이며, 이는 Laslett이 제3연령기에 대해 쓴 글과 생산적 노화를 지지하는 사람들의 글에 가장 잘 반영되어 있다. 소위 욕심 많은 늙은이가 보답 없이 자원들을 소유하게 될지 여부가 주된 의문점이며 이는 많은 연구의 주제와 일치한다.[59] 또한 현재 은퇴자에 대한 기회가 무한정 지속될 것으로 추정할 수도 없다. 왜냐하면 베이비붐 세대와 관련된 일부 독특한 요건들이 사라질 수 있고 많은 복지 제도의 은퇴 찬성(pro-retired) 기조가 개혁의 중심이 될 수 있기 때문이다.

제3연령기에 대한 관심에 이어 제4연령기라는 용어에 대해서도 다시금 관심이 증가하였다. 이는 신체적인 의존과 만성 질환, 말기 질환으로 인해 제3연령기에 개개인이 진입하기 불가능한 시점을 설명하는 것으로 Laslett[49]에 의해 처음으로 구상되었다. 질병의 압축이란 생각을 구상한 Laslett은 이 시기를 상대적으로 짧고 불치병과 사망에 이르게 하는 단계로 여겼다.

더 최근에는 Gilleard와 Higgs[60]가 제3연령기와 대조적으로 노화가 본인의 의지와 관계없이 진행되고 있는 초고령 노인의 "사회적인 상상"이라는 용어를 묘사하기 위하여 제4연령기를 사용하였다. 현 시대의 건강과 사회적인 돌봄에 있어서, 그들은 노년 인구의 신체적 기능과 인지적 역량 측면의 위험성에 대한 조사가 얼마나 늘어나고 있는지 서술하였다. 노쇠나 치매에 대한 확인은 노인들을 바라보는 시각이 1인칭 시점이 아닌 다른 제3자 시점(그것이 가족, 전문가, 또는 간병인이건 간에)으로 교체되는 것을 알아차리는 것을 의미할 수 있다. 이러한 과정은 신체 및 정신적 의존율이 가장 높은 사람들이 있는 장기 보호기관의 공급에서 가장 명백히 드러난다. Laslett의 제4연령기에 대한 표현과 다르게 Gilleard와 Higgs[60]는 제4연령기를 사망에 이르는 짧은 단계가 아닌 노화에 대한 여러 가지 극도의 두려움들이 "치밀화" 되는 것으로 생각하였다. 이는 제3연령기의 완전한 자리바꿈일 뿐 아니라 비성공적인 노화로 여겨질 수 있는 사회적이고 문화적인 이미지로도 작동한다. 이러한 사회적 상상의 영향은 병원과 요양원의 개별 경험을 드러내는 것과 같이 사회의 나머지 구성원이 노화에 어떻게 잘 대처하는가에 달려 있다. 제4연령기의 두려움은 치매와 높은 수준의 신체적 의존성과 같은 주제에 대해 사회활동을 하는 은퇴한 인구의 참여 경계를 설정한다. 이는 또한 문화적, 경제적 측면에서 사회적 배제의 근거를 제시한다. 제3연령기와 제4연령기 사이의 경계를 구성하는 주요 요소는 노쇠의 여부나 진단이다. 노인에서는 노쇠여부가 특별한 중재가 필요하다는 것에 대한 신호일 뿐만 아니라, 높은 수준의 의존성에 대한 표지자로 작용할 수 있다는 점에서 의료서비스와 사회정책에서 이 용어가 중요해졌다. 노쇠는 노인의 훨씬 더 취약한 상황을 대변할 뿐만 아니라 점차 그들의 손을 벗어나 본인의 의사와 관련없는 작위적인 의사결정의 전조가 될 수 있다.[60]

노년기의 불평등: 연속성과 영향

앞 부분에서 제시되어 있는 노년기로의 전환은 현재 그들이 접근할 수 있는 다양한 문화적 활동에 참여할 수 있는 자원을 가진 노인에게 달려 있다. 유럽연합과 북아메리카에서 대부분 은퇴자들의 소득과 생활수준이 지난 몇 십 년 동안 크게 향상되었다. 예를 들어 1979년 영국에서 소득 분포의 하위 20%에 속한 연금수령자가 47%에 달했지만 2005~2006년에는 25%의 연금수령자만이 이에 속하게 됐다.[61] 따라서 연령과 빈곤의 관계는 역사적인 현실이지만, 그 관계는 결정론적이지 않으며 하위소득 20%에 해당하는 연금수령자가 25%라는 사실로 볼 때 이는 더 이상 문제가 되지 않는다. 구조화된 의존성 측면에서 쓴 글의 서로 다른 맥락에서 논쟁이 되었듯이 소득 빈곤은 은퇴 그 자체에서 기인되지 않는다. 20세기 후반에 일을 하였고 자신의 이전 세대에 비해 평균적, 상대적으로 더 부유했던 집단이 은퇴함에 따라, 근로 생활 중 발생했던 이익의 일부가 은퇴시기에도 활용가능한 자산으로 이어졌고 이는 그들의 삶에 있어 더 이른 시기에 즐겼던 생활방식을 계속해서 추구할 수 있도록 하였다. 그러나 이러한 부유함은 이 집단들 간에 반드시 공평하게 공유되지는 않는다. 즉 노년기의 수준은 매우 다양하고, 일부의 경우 다른 사람에 비해 더 잘 지내지 못할 수 밖에 없다. 물론 빈곤 수준 역시 국가 정책에 영향을 받는다. 예를 들어, 영국에서 2004~2005년 국가 연금 수령 연령을 넘은 사람 중 25%만 소득 빈곤(모든 연령에 대한 중위가구소득의 60% 미만을 받는 사람들로 정의)에 해당하였으나, 이 수치는 세제혜택 변경으로 2002~2003년 이래 짧은 기간 동안 31%에서 하락한 수치이다.[62] 그러나 은퇴 인구의 평균 빈곤 수준의 변화와 가장 연관성 있는 것은 곧이어 은퇴를 하게 될 집단의 은퇴 전 환경의 변화이다.

안타깝게도 이러한 환경의 변화는 노인들 사이의 불평등(연령대 간 불평등이라기보다) 감소로는 이어지지 않았다. 예를 들어, 영국의 50세 이상 개인 소득 분석 결과 소득 평균을 밑도는 가구 소득에 해당하는 사람이 2/3 이상인 것으로 크게 왜곡되어 있다.[62] 독신 여성은 다른 계층에 비해 소득 빈곤에 빠질 가능성이 상당히 높고 이혼, 별거 또는 사별을 한 여성이 소득 빈곤에 빠질 위험이 가장 높았다.[62] 소득 빈곤의 또 다른 주요 결정 요인은 교육 수준으로 교육 수준이 높을 수록 빈곤률이 낮은 것은 놀라운 일이 아니다.[62] 부유함이 인생의 전과정에 걸친 이점과 생산기 이후의 소비를 뒷받침하는 자원의 축적을 반영하는 것으로 보았을 때, 부(wealth)는 아마도 노인의 경제적 복지를 더 정확하게 반영하는 것 같다. 재산의 분포에 대한 데이터는 불평등 수준과 유사하게 나타난다. 영국에서 50세 이상 인구의 재산 분포에서 상위 10%를 차지하는 사람들은 평균 총 순자산(연금 제외)이 약 £1,200,000로 평균자산이 약 £300,000, 중위자산이 £205,000인 것과 상당히 비교된다. 모든 부동산이 동산으로 전환되어 소비로 현실화될 수 있는 것은 아니므로 부동산이 제외된다면 재산 분포에서 상위 10%의 경우 자산이 £500,000으로 평균자산 £110,000, 중위자산 £22,500, 재산이 전혀 없는 약 20%의 인구와 비교된다.[62] 50세 이상에서 가장 부유한 10%가 전체 재산의 40%, 부동산 제외 재산의 63%를 차지한다.[62]

은퇴 전 상황의 중요성을 되짚어 보면 노인들에서의 이러한 불평등은 생의 과정 중 이전에 발생한 상황을 반영하는 것이 명백하다. 그러나 은퇴 과정에서 더욱 악화될 가능성이 확실히 있다. 영국에서 연금 수령 연령 5년 전 남성의 절반 및 여성의 1/3 미만은 유급 고용되어 있었고 이 중 상당한 부분이 비상근 형태로 고용되어 있었다(남성의 1/5, 여성의 2/3).[63] 그러나 재산 분포 하위에 속하는 경우에는 대다수가 일을 하지 않을 가능성이 높으므로 (재산분포 상위에 속하는 경우가 그 뒤를 잇는다) 이러한 조기 은퇴는 재산과는 관련이 없다고 보인다.[63] 은퇴로 가는 길은 직업의 등급과 재산에 따라서도 다양하다. 최상 등급, 최대 재산에 해당할수록 어떤 형태로든 자발적 은퇴를 할 가능성이 높고 최저 등급, 최저 재산에 해당할수록 건강이 나쁘거나 정리해고로 인하여 일을 하지 못할 가능성이 높다.[64,65]

이와 같은 불평등은 재정 분야를 넘어 문화 활동, 사회 및 시민 참여, 그리고 건강 문제로 확대된다. 예를 들어 영국의 50세 이상 인구 중 관리직 및 전문직에 종사했던 사람 중 25% 미만에서 조직에 속해 있지 않았는데 이는 중간 계층인 사람들의 거의 40%, 고정 작업이나 수작업을 시행하는 사람들에서 거의 50%에 달하는 것과 비교된다.[66] 이와 유사하게 관리직 및 전문직 계층의 사람들의 거의 75%는 박물관과 미술관에 방문하는 데 반해 중간 계층은 약 60%, 고정작업이나 수작업 종사자의 경우 그 수치가 겨우 1/3을 넘는다.[66]

기대 여명의 극적인 증가에도 불구하고, 건강에 대한 사회경제적 불평등은 지속된다. 사망률의 위험성에서 보면, 50세 이상 영국인 표본의 5년 추적 조사 결과 소득 5분위 중 가장 부유한 남성의

5%가 사망했으나, 5분위 중 가장 가난한 계층 남성의 18%가 사망하였고, 여성의 경우 각각 3.3%, 15.6%를 기록하였다.[67] 유사한 차이가 여러 병적인 상태와 관련되어 나타날 수 있는데, 자가 진단한 건강 상태, 질병의 증상, 질병의 진단, 신체 및 인지적 기능의 제한, 건강상 위험한 행동, 질병의 생체지표 등 많은 지표들에서 노인에서의 직업 계층, 소득, 재산, 교육에 의해 현저한 불평등을 보인다.[68-71] 더 확실한 것은, 처음에는 건강했던 노인들의 질병 발현 및/또는 사망률을 조사하는 종단적 연구에서 사회경제적 위치의 하락이 가장 큰 위험요소임을 보여줬다.[72]

경제적 지위, 문화 활동, 사회 참여, 건강에 있어 이와 같은 불평등이, 특히 선진국에서 안정적인 은퇴 후 소득 달성을 위한 책임이 개인으로 이동함에 따라 악화될 수 있다. 구조화된 의존 방식을 채택한 사람들에서 이렇게 증가된 개인적 접근이 계층, 성, 민족, 인종적 불평등을 고착할 것이다. 계층 불평등을 그 신호로 받아들이면, 정치적 경제 요소는 자본주의 경제에서 노인의 역할에 있어 노인의 위치를 보다 신마르크스주의자로 연관시킨다.[22,23] 또한, 연금과 관련된 성별, 민족, 인종의 불평등 및 그에 따른 은퇴 후 경제적 불평등에 대해서도 조사되었다.[73-76] 더 최근의 연구에서, 세계화된 경제에서의 엇갈린 노인의 운명이 이론 정립의 중심이 되었다.[77] 모든 연구에서 노인의 삶이 얼마나 사회적으로 구조화되어 있는가, 그리고 또한 이러한 양상이 시간과 세대에 걸쳐 변화될 수 있는가(아마 등급, 성별, 인종에 따라 다르게) 고려할 필요가 있다는 것을 지적하고 있다.

결론

노인을 연구하는 사회 노화학적관점에서 보면 노화라는 개념이 재정립되어야 할 필요성이 있고, 여기에는 지난 70년 동안 노화의 특성과 노년기에 나타난 변화도 포함해야 한다는 것을 의미한다. 노화학의 가장 중요한 의미는 선진국의 대다수의 사람들에게 예상되는 인생의 단계이자 더 이상은 '노역장의 그림자'로 대표되지 않는 인생 단계인 은퇴의 변화하는 특성을 이해하는 데 있다. 은퇴의 의미, 노화의 방식, 건강, 은퇴 상호작용은 시대가 지나면서 매우 큰 변화를 겪었다. 노쇠의 진단을 둘러싼 상황에 의해 노출되는 취약성이 다소 비관적인 상황을 그리는 제 4연령기라는 용어 등을 통해 일부 기간을 구성하더라도, 노인의 많은 고통과 장애들이 더 이상 노동활동 시기 이후의 전체적인 기간으로 정의되지는 않는다.[78]

이와 유사하게, 이미 기존의 자원 불평등이 반영되어 은퇴 후 삶과 노화와 관련한 많은 긍정적인 변화가 불평등하게 분배되고 있음을 인지하는 것이 중요하다. 결과적으로 노인의 상황은 다양한 경험과 불평등의 지속[79]을 반영하는 것으로 여겨져야 있다. 예를 들어, 제3연령기 방식의 생활양식으로 살아가는 사람들의 경험과 쇠락과 장애로 상징되는 제4연령기의 영향을 받는 사람들을 대조하여 반영해야 한다. 노년기의 다양한 경험은 노인을 하나의 일반적 개념으로 여러 경험을 일괄적으로 묶는 것은 실수라는 점을 제시한다. 제3연령기와 제4연령기의 구별은 각각 다른 필요, 자원, 서로 간에 발휘되는 능력을 포함한 개인의 경험들을 의미한다. 한 가지 특징으로 모두를 포괄하게 되면, 각각의 상황을 인지하지 못할 위험에 처하고 이는 한 그룹에는 적은 자율성을 다른 한 그룹에는 너무 많은 작위성을 제공하게 된다.

사회적 노화학의 역할은 노인들이 어떻게 살아가고 이를 어떻게 호전시킬 것인지를 연구하는 것이다. 과거부터 지금까지 그랬듯이 미래에는 노인의 문제점을 바라보는 다른 시각이 생길 것이다. 그러나 이러한 발전은 노화와 노인이 끊임없이 변화하고 새로운 도전과제를 맞이하게 될 것이란 사실에서 기인한다. 이러한 맥락에서 노인에서의 일부 취약성은 해결이 가능하고, 제3연령기의 많은 부분에서 수립된 노년기의 긍정적인 개념에서 더욱 확고하게 자리잡은 삶으로서 보다 향상된 방향으로 나아갈 수 있을 것이다.

KEY POINTS

요점

- 사회적 노화학은 노인의 사회적 맥락을 연구한다. 노인의 사회적 경험을 이해하는 여러 다양한 접근방식이 존재한다. 일부 방식은 사회 내에서 고령자의 상황을 문제로 인식하고 개인의 적응, 분리 및/또는 빈곤에 집중된 문제를 제시한다.
- 다른 방식으로는 증가한 기대여명이 특히 젊었을 때의 좋은 건강상태에서 기인함에 따라, 노화의 새로운 가능성이 나타났다고 제시하였다. 이러한 입장은 제3연령기로 특징 지어지고 생산적 노화라는 개념과 연결될 수 있다.
- 노화의 중요한 측면은 노인군과 젊은 그룹 간의 또는 노인군 간의 불평등에 관한 연구이다. 이러한 불평등은 개인의 이전의 삶의 영향을 받고 노쇠로 인한 취약성에 기여할 수 있다.
- 노인 인구 내에서 건강과 질병 간 전체적인 균형과 많은 노인에서 이용 가능한 불평등한 자원은 사회적 노화학이 연구와 이론화의 필수적인 시발점으로 노년기의 이질성을 받아들일 필요가 있다는 것을 의미한다.

참고문헌의 총 목록을 보려면 www.expertconsult.com 을 방문해주세요.

중요 참고문헌

2. Cole T: The journey of life: a cultural history of aging in America, Cambridge, England, 2002, Cambridge University Press.

12. Townsend P: The last refuge: a survey of residential institutions and homes for the aged in England and Wales, London, 1963, Routledge and Kegan Paul.

18. Cummin E, Henry W: Growing old: the process of disengagement, New York, 1961, Basic Books.

21. Townsend P: The structured dependency of the elderly. Ageing Soc 1:5‒28, 1981.

22. Walker A: Towards a political economy of old age. Ageing Soc 1:73‒94, 1981.

32. Fries JF: Aging, natural death and the compression of morbidity. N Engl J Med 303:130‒135, 1980.

44. Rowe JW, Kahn RC: Successful aging, New York, 1998, Pantheon.

45. Burr JA, Caro FG, Moorhead J: Productive aging and civic participation. J Aging Studies 16:87‒105, 2002.

47. Holstein M: Women and productive aging: troubling implications. In Minkler M, Estes C, editors: Critical gerontology, Amityville, NY, 1999, Baywood.

52. Featherstone M, Hepworth M: The mask of ageing and the postmodern life course. In Featherstone M, Hepworth M, Turner BS, editors: The body: social processes and cultural theory, London, 1991, Sage.

56. Martin K: The world we forgot: an historical review of the life course. In Marshall VW, editor: Later life: the social psychology of aging, Beverly Hills, CA, 1986, Sage, pp 271‒303.

57. Gilleard C, Higgs P: Cultures of ageing: self, citizen and the body, London, 2001, Routledge.

58. Gilleard C, Higgs P: Contexts of ageing: class, cohort and community, Cambridge, England, 2005, Polity.

59. Butler R: The study of productive aging. J Gerontol B Psychol Sci Soc Sci 57:S323, 2002.

60. Gilleard C, Higgs P: Theorizing the fourth age: aging without agency. Aging Ment Health 14:121‒128, 2010.

72. McMunn A, Nazroo J, Breeze E: Inequalities in health at older ages: a longitudinal investigation of onset of illness and survival effects in England. Age Ageing 38:181‒187, 2009.

76. Nazroo J: Ethnicity and old age. In Vincent J, Phillipson C, Downs M, editors: The future of old age, London, 2006, Sage, pp 62‒72.

77. Estes C, Biggs S, Phillipson C: Social theory, social policy and ageing, Buckingham, England, 2003, Open University Press.

78. Pickard S: Frail bodies: geriatric medicine and the constitution of the fourth age. Sociol Health Illn 36:549‒563, 2014.

79. Marshall A, Nazroo J, Tampubolon G, et al: Cohort differences in the levels and trajectories of frailty among older people in England. J Epidemiol Community Health 69:316‒321, 2015.

참고문헌

1. Hepburn KW: Social Gerontology. In Tallis RC, Fillit HM, editors: Brocklehurst's textbook of geriatric medicine and gerontology, ed 6, Oxford, England, 2002, Churchill Livingston.

2. Cole T: The journey of life: a cultural history of aging in America, Cambridge, England, 2002, Cambridge University Press.

3. Achenbaum W: Crossing frontiers: gerontology emerges as a science, Cambridge, England, 1995, Cambridge University Press.

4. Katz S: Disciplining old age: the formation of gerontological knowledge, Charlottesville, VA, 1996, University Press of Virginia.

5. Frank L: Gerontology. J Gerontol 1:1‒12, 1946.

6. Sauvy A: Social and economic consequences of the ageing of Western European populations. Popul Stud (Camb) 2:115‒141, 1948.

7. McNicol J, Blaikie A: The politics of retirement 1908–1948. In Jefferys M, editor: Growing old in the twentieth century, London, 1989, Routledge, pp 21–42.

8. Achenbaum W: Old age in the new land: the American experience since 1790, Baltimore, 1978, Johns Hopkins University Press.

9. Graebner W: A history of retirement: the meaning and function of an American institution 1885–1978, New Haven, CT, 1980, Yale University Press.

10. Rowntree BS: Poverty: a study of town life, London, 1901, Macmillan.

11. Rowntree BS: Poverty and progress: a second social survey of York, London, 1947, Longmans, Green.

12. Townsend P: The last refuge, a survey of residential institutions and homes for the aged in England and Wales, London, 1963, Routledge and Kegan Paul.

13. Bardasi E, Jenkins S, Rigg J: Retirement and the income of older people: a British perspective. Ageing Society 22:131–159, 2002.

14. Harper S, Thane P: The consolidation of 'old age' as a phase of life 1945–1965. In Jefferys M, editor: Growing old in the twentieth century, London, 1989, Routledge.

15. Parsons T: Age and sex in the social structure of the United States. Am Sociol Rev 7:604–616, 1942.

16. Burgess E: Aging in western societies, Chicago, 1960, Chicago University Press.

17. Beeson D: Women in studies of aging: a critique and suggestion. Soc Probl 23:52–59, 1975.

18. Cummin E, Henry W: Growing old: the process of disengagement, New York, 1961, Basic Books.

19. Erikson E: Identity and the life cycle, New York, 1959, International Universities Press.

20. Neugarten BL: Personality in middle and late life, New York, 1964, Atherton.

21. Townsend P: The structured dependency of the elderly. Ageing Society 1:5–28, 1981.

22. Walker A: Towards a political economy of old age. Ageing Society 1:73–94, 1981.

23. Phillipson C: Capitalism and the construction of old age, London, 1982, Macmillan.

24. Estes CL: The aging enterprise: a critical examination of social policies and services for the aged, San Francisco, 1979, Josey-Bass.

25. Townsend P: Ageism and social policy. In Phillipson C, Walker A, editors: Ageing and social policy: a critical assessment, Aldershot, England, 1986, Gower.

26. Townsend P, Walker A: New directions for pensions: how to revitalize national insurance, pamphlet no. 2. Nottingham, England, 1995, European Labour Forum.

27. Kirkwood T: Time of our lives: the science of human ageing, London, 1999, Weidenfeld & Nicolson.

28. de Grey A: Ending aging, New York, 2007, St. Martin's Press.

29. Rau R, Soroko E, Jasilionis D, et al: 10 years after Kannisto: further evidence for mortality decline at advanced ages in developed countries, http://paa2006.princeton.edu/papers/60646. 2006. Accessed October 5, 2015.

30. Crimmins EM: Trends in the health of the elderly. Annu Rev Public Health 25:79–98, 2004.

31. Fogel R: The relevance of Malthus for the study of mortality today: long-run influences on health, mortality, labor force participation, and population growth. In Lindahl-Kiessling K, Landberg H, editors: Population and economic development and the environment, Oxford, England, 1994, Oxford University Press.

32. Fries JF: Aging, natural death and the compression of morbidity. N Engl J Med 303:130–135, 1980.

33. Fries JF: Measuring and monitoring success in compressing morbidity. Ann Intern Med 139:455–459, 2003.

34. Manton KG, Gu X: Changes in the prevalence of chronic disability in the United States black and nonblack population above age 65 from 1982 to 1999. Proc Natl Acad Sci U S A 98:6354–6359, 2001.

35. Office of National Statistics: Healthy life expectancies for Great Britain and England: annual estimates for 1981–2001. healthylifeexpectanc_tcm77-202855.pdf. Accessed October 5, 2015.

36. Schoeni RF, Freedman VA, Martin LG: Why is late-life disability declining? Milbank Q 86(1):47–89, 2008.

37. Office for National Statistics: Health expectancies in the UK, 2004, Health Stat Q 37:48 – 51, 2008.

38. Manton KG, Gu X, Lamb VL: Change in chronic disability from 1982 to 2004/2005 as measured by long-term changes in function and health in the U.S. elderly population, Proc Natl Acad Sci U S A 103:18374 – 18379, 2006.

39. Olshansky SJ, Passaro DI, Hershaw RC, et al: A potential decline in life expectancy in the United States in the 21st century, N Engl J Med 352:1138 – 1145, 2005.

40. Wister AN: Baby boomer health dynamics: how are we aging?, Toronto, 2005, University of Toronto Press.

41. Manton KG: Changing concepts of morbidity and mortality in the elderly population, Milbank Mem Fund Q Health Soc 60:183 – 244, 1982.

42. Hinterlong J, Morrow-Howell N, Sherraden M: Productive aging: principles and perspectives. In Morrow-Howell N, Hinterlong J, Sherraden M, editors: Productive aging: concepts and challenges, Baltimore, MD, 2001, Johns Hopkins University Press, pp 3 – 18.

43. Rowe JW, Kahn RC: Human aging: usual and successful, Science 237:143 – 149, 1987.

44. Rowe JW, Kahn RC: Successful aging, New York, 1998, Pantheon Books.

45. Burr JA, Caro FG, Moorhead J: Productive aging and civic participation, J Aging Studies 16:87 – 105, 2002.

46. Siegrist J, von dem Knesebeck O, Pollack CE: Social productivity and well-being of older people: a sociological exploration, Soc Theory Ealth 2:1 – 17, 2004.

47. Holstein M: Women and productive aging: Troubling implications. In Minkler M, Estes C, editors: Critical gerontology, Amityville, NY, 1999, Baywood.

48. Estes C, Mahakian J: The political economy of productive aging. In Morrow-Howell N, Hinterlong J, Sherraden M, editors: Productive aging: concepts and challenges, Baltimore, MD, 2002, Johns Hopkins University Press.

49. Laslett P: A fresh map of life: the emergence of the third age, ed 2, Basingstoke, England, 1996, Macmillan.

50. Freedman M: How baby boomers will revolutionize retirement and transform America, New York, 1999, Public Affairs.

51. Gilleard C, Higgs P: The third age and the baby boomers: two approaches to the structuring of later life, Int J Aging Later Life 2:13 – 30, 2007.

52. Featherstone M, Hepworth M: The mask of ageing and the postmodern life course. In Featherstone M, Hepworth M, Turner BS, editors: The body: social process and cultural theory, London, 1991, Sage.

53. Demakakos P, Gjonça E, Nazroo J: Age identity, age perceptions, and health: evidence from the English Longitudinal Study of Ageing, Ann N Y Acad Sci 1114:279 – 287, 2007.

54. Twigg J: Clothing, age and the body, Ageing Society 27:285 – 305, 2007.

55. Dannefer D, Miklowski C: Developments in the life course. In Vincent J, Phillipson C, Downs M, editors: The future of old age, London, 2006, Sage, pp 30 – 41.

56. Martin K: The world we forgot: an historical review of the life course. In Marshall V W, editor: Later life: the social psychology of aging, Beverly Hills, CA, 1986, Sage, pp 271 – 303.

57. Gilleard C, Higgs P: Cultures of ageing: self, citizen and the body, Harlow, England, 2000, Prentice Hall.

58. Gilleard C, Higgs P: Contexts of ageing: class, cohort and community, Cambridge, England, 2005, Polity.

59. Butler R: The study of productive aging, J Gerontol B Psychol Sci Soc Sci 57:S323, 2002.

60. Gilleard C, Higgs P: Theorizing the fourth age: aging without agency, Aging Ment Health 14:121 – 128, 2010.

61. Department of Work and Pensions: The pensioners' income series statistics, 2005/2006, London, 2007, Office of National Statistics.

62. Emmerson C, Muriel A: Financial resources and well-being. In Banks J, Breeze E, Lessof C, et al, editors: Living in the 21st century: older people in England. The 2006 English Longitudinal Study of Ageing, London, 2008, Institute for Fiscal Studies, pp 118 – 149.

63. Banks J, Casanova M: Work and Retirement. In Marmot M, Banks J, Blundell R, et al, editors: Health, wealth and lifestyles of the older population in England: the 2002 English Longitudinal Study of Ageing, London, 2003, Institute for Fiscal Studies, pp

127–166.

64. Hyde M, Ferrie J, Higgs P, et al: The effects of pre-retirement circumstances and retirement route on circumstances in retirement: findings from the Whitehall II Study. Ageing Society 24:279–296, 2004.

65. Vickerstaff S, Cox J: Retirement and risk: the individualisation of retirement experiences? Sociol Rev 53:77–95, 2005.

66. Hyde M, Janevic M: Social Activity. In Marmot M, Banks J, Blundell R, et al, editors: Health, wealth and lifestyles of the older population in England: the 2002 English Longitudinal Study of Ageing, London, 2003, Institute for Fiscal Studies, pp 167–206.

67. Nazroo J, Zaninotto P, Gjonçça E: Mortality and healthy life expectancy. In Banks J, Breeze E, Lessof C, et al, editors: Living in the 21st century: older people in England. The 2006 English Longitudinal Study of Ageing, London, 2008, Institute for Fiscal Studies, pp 253–280.

68. McMunn A, Hyde M, Janevic M, et al: Health. In Marmot M, Banks J, Blundell R, et al, editors: Health, wealth and lifestyles of the older population in England: The 2002 English Longitudinal Study of Ageing, London, 2003, Institute for Fiscal Studies, pp 207–248.

69. Steel N, Huppert F, McWilliams B, et al: Physical and cognitive function. In Marmot M, Banks J, Blundell R, et al, editors: Health, wealth and lifestyles of the older population in England: The 2002 English Longitudinal Study of Ageing, London, 2003, Institute for Fiscal Studies, pp 249–300.

70. Pierce M, Tabassum F, Kumari M, et al: Measures of physical health. In Banks J, Breeze E, Lessof C, et al, editors: Retirement, health and relationships of the older population in England: The 2004 English Longitudinal Study of Ageing, London, 2006, Institute for Fiscal Studies, pp 127–164.

71. Melzer D, Gardener E, Lang I, et al: Measured physical performance. In Banks J, Breeze E, Lessof C, et al, editors: Retirement, health and relationships of the older population in England: The 2004 English Longitudinal Study of Ageing, London, 2006, Institute for Fiscal Studies, pp 165–188.

72. McMunn A, Nazroo J, Breeze E: Inequalities in health at older ages: a longitudinal investigation of onset of illness and survival effects in England. Age Ageing 38:181–187, 2009.

73. Ginn J, Arber S: Moving the goal posts: the impact on British women of raising their state pension age to 65. In Baldock J, May M, editors: Social policy review no. 7, London, 1995, Social Policy Association, pp 1–20.

74. Pensions Policy Institute: The under-pensioned: ethnic minorities, London, 2003, Pensions Policy Institute.

75. Grewal I, Nazroo J, Bajekal M, et al: Influences on quality of life: a qualitative investigation of ethnic differences among older people in England. J Ethnic Migration Studies 30:737–761, 2004.

76. Nazroo J: Ethnicity and old age. In Vincent J, Phillipson C, Downs M, editors: The future of old age, London, 2006, Sage, pp 62–72.

77. Estes C, Biggs S, Phillipson C: Social theory, social policy and ageing, Buckingham, England, 2003, Open University Press.

78. Pickard S: Frail bodies: geriatric medicine and the constitution of the fourth age. Sociol Health Illn 36:549–563, 2014.

79. Marshall A, Nazroo J, Tampubolon G, et al: Cohort differences in the levels and trajectories of frailty among older people in England. J Epidemiol Community Health 69:316–321, 2015.

CHAPTER 30

노년기의 사회적 취약성
Social Vulnerability in Old Age

Melissa K. Andrew

사람들의 삶은 풍부한 사회적인 맥락(social context) 속에 묻혀 있으며 여러 사회적 요인들이 매일 매일 각각의 삶에 영향을 준다. 노인들에게서 이런 현상이 뚜렷한데, 이들은 건강과 기능상태가 나빠져 사회적 지지에 의존하는 부분은 증가하는 반면, 건강과 기능의 악화로 인한 서로간의 사회적인 교류가 점차 감소됨에 따라 사회적인 참여의 기회는 점차 줄어들기 때문이다.

이 장에서는 사회적 취약성의 개념을 통해 사회적 요인이 노년기에 어떻게 건강에 영향을 미치는지에 대한 개요를 제공할 것이다. 노인의학(기능, 운동, 인지, 정신건강, 자체평가 건강, 노쇠, 보호기관 입소, 사망)에 연관된 건강 결과와의 관련성, 특히 사회적 취약성과 노쇠의 관계에 초점을 둘 것이다. 사회적 노화학에 대한 것은 29장을 참고하기 바란다.[1,2]

맥락과 정의

많은 사회적 요인들(사회경제상태, 사회적 지지, 사회 네트워크, 사회적 참여, 사회 자본, 사회통합)이 건강에 영향을 미친다.[3-10] 이처럼 사회적인 맥락은 건강과 질병을 폭넓게 이해하는 데 중요한 열쇠이다. 역학, 사회학, 지리학, 정치학, 국제개발 등 연구 선상에 다양한 체계 때문에 용어와 접근 방법은 많이 다르다. 동일한 용어가 다른 견해를 의미하기도 하고, 다른 용어가 밑바탕에 깔려있는 공통성을 모호하게 할 수도 있다. 또한 개인에서 공동체에 이르기까지 사회적 맥락의 일부 요소들이 어디에 관련되고, 어떻게 측정될 수 있는지, 그 수준을 둘러싼 논쟁도 있다.[3,11,12] 아래에서 다양한 용어와 개념을 개인에서부터 집단 영향까지의 연속선 상에서 정의하고 설명할 것이다(그림 30-1).

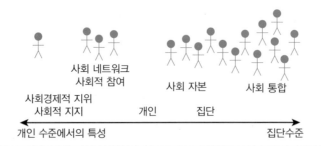

■ 그림 30-1. 개인에서 단체 수준까지 작용하는, 건강에 영향을 미치는 사회적 요인의 연속체

사회경제적 상태

사회경제적 상태는 폭넓은 개념으로, 교육성과, 직업, 소득, 재산, 궁핍 등의 요소를 포함한다. 사회경제적 상태가 건강과 어떻게 관련되는지를 설명하는 3가지 이론이 있다.[13] 유물론적 이론은 소득과 재산의 기울기가 궁핍 수준의 변화와 관련 있다고 정의한다. 예를 들면, 소득이 적은 사람은 건강관리와 생활필수품에 대한 접근성이 떨어질 수 밖에 없기 때문에 건강 상태에 영향을 받을 수 있다. 또 다른 관점은 교육이 식사, 약물남용, 흡연과 같은 생활양식과 건강관련행동을 통해 건강에 영향을 미칠 수 있다는 것이다. 세 번째 이론은 직업을 통해 유추할 수 있는 사회적 지위와 개인의 자율성이 건강에 가장 주된 영향이라고 보는데, 사회적 지위가 낮거나 자율성이 떨어진다면 건강에 악영향을 미칠 수 있다. 노인 인구에서 사회경제적 상태의 각 요소를 평가하는 것은 어려울 가능성이 많다. 노인들은 대부분 은퇴했을 가능성이 크며, 일부 노인 여성은 직업을 가져본 적도 없기 때문에 직업 평가가 문제될 수 있다. 소득은 고용상태와 관련이 있지만, 장애가 있는 경우는 많은 보조금과 혜택을 얻을 수 있기 때문에 전후 관계가 뒤바뀔 수도 있다.[13] 노인들이 이용할 수 있는 교육기회가 제한되어 있어, 교육성과가 낮은 대다수 노인들 중 이런 경우를 구별하기 어려운 바닥효과(floor effect)가 나타난다.[13] 또 대리응답자가 답변을 한다면, 그들이 해당 노인을 얼마나 잘 알고 있는지에 따라 정보가 누락될 수도 있다. 사회경제적 지위는 개인적 요소이나, 이런 척도의 총합은 사람들이 살고 있는 사회적인 맥락을 묘사하는데 이용될 수 있다. 예를 들면, 주택단지 같은 인근 지역에 살고 있는 집단에서는 평균수입, 고용률, 교육수준이 유용한 지표가 될 수 있고, 건강에 대한 맥락에 관련된 효과를 연구하는데 도움이 된다.[14-20]

사회적 지지

사회적 지지는 가족, 친구, 다른 보호자와의 사회적 관계를 통해 얻을 수 있는 다양한 종류의 도움과 자원을 의미한다. 사회적 지지의 유형에는 정서(가까운 친인척의 존재), 수단(노동력이나 재정 지원을 통해 일상생활활동에 도움), 평가(의사결정에 도움), 정보제공(정도나 조언 제공)이 있다.[21]

사회적 지지와 관련된 다양한 지표가 연구되었는데, 어떤 항목은 (다양한 분야에서 지원된 실제적인 도움과 물질적인 부분에 대한 보고에 의해) 좀 더 객관적일 수도, 다른 것은(개개인에게 허용되는 지원들의 적절성과 풍부함에 대한 개인적인 인식을 기반으로) 주관적일 수도 있다. 또한 중요한 점은 사회적 지지가 양방향으로 이뤄질 수 있다는 것인데, 특정 부분에서는 지원을 받는 노인이 다른 분야에서는 지원을 제공할 수 있다. 예를 들어, 배우자 관계 내에서 각각은 상호보완적인 강점과 약점을 가질 수 있고, 세대 간에서 노인은 도구적 지원을 받는 대신 손주를 돌봐주거나 성인자녀에게 재정지원을 해줄 수 있다.[22]

사회 네트워크와 사회적 참여

사회 네트워크는 사회적 관계에서 개인과 단체를 연결하는 끈이다. 크기, 밀도, 관계의 질, 구성 등 다양한 특성을 측정할 수 있다.[3] 사회 네트워크와 사회적 지원은 일반적으로 개인 수준의 자원으로 간주되며, 개인 수준에서 측정된다.[5,21,23] 개인은 사회 네트워크를 통해 사회적 지원, 물질적 자원, 다양한 형태의 자본(예, 문화, 경제, 사회적인)에 접근할 수 있다.[24]

사회적 참여는 종교모임, 봉사단체, 동호회 같은 공식적인 조직 활동을 포함한 사회적, 직업적, 단체 활동에 개인이 참여하는 것을 의미한다. 오락 모임, 연주회나 미술관 견학 등 더 많은 비공식 활동도 사회적 참여로 간주될 수 있다. 자원봉사는 간혹 별개로 간주되기도 하지만,[3] 이 역시 사회적 참여의 중요한 척도로 간주될 수 있다.

사회적 자본

사회적 자본은 문헌에서 일관성 없이 사용되어 왔던 광범위한 용어로, 그 본질과 척도에 대해서는 오랫동안 논란이 있어 왔다. Bourdieu는 사회적 자본을 "다소간의 제도화된 관계의 지속 가능한 네트워크 소유와 관련된 실제적 또는 잠재적인 자원의 집합체"로 정의했다.[24] 이 정의는 사회적 자본이 개인 수준에서 이용되고 측정될 수 있는 자원이라는 생각과 일치하는데, 특정인이 소유한 사회적 자본의 양은 자신이 효과적으로 동원할 수는 있는 네트워크의 크기와 자신과 연결된 사람들이 각각 소유한 자본의 합에 달려있다는 것이다.[24] 그러나 이 정의는 또한 사회적 자본은 네트워크 내 관계의 소유물이라는 견해와도 일치한다. 다시 말하면 개인간 연결이 없다면 사회적 자본은 없다는 의미이다. Coleman은 "다른 형태의 자본과는 달리, 사회적 자본은 행위자와 행위자 사이의 관계 구조에 내재되어 있지, 행위자 자신이나 제작의 물리적인 도구에 내재되어 있는 것은 아니다"는 논쟁을 만들었다.[25] 또한 Coleman은 "사회적 자본은 행위자에게 제공되는 특별한 자원"이라며, 사회적 자본을 개인이 접근할 수 있는 자원으로 보았다.[25]

Putnam은 사회적 자본을 "우리를 좀 더 생산적으로 만들어주는 공동체 생활의 특징[높은 수준의 사회적 참여, 신뢰, 호혜(reciprocity)]"으로 정의하였고,[26] 이를 개인 또는 공동의 측면에서 사재와 공공재로 동시에 간주한다.[27] 사회적 자본의 사재로서의 혜택에 접근하기 위해서 개인은 네트워크에 통합되어져야 하며, 다른 구성원들과 직접 연결되어야 한다. 그러나 사회적 자본의 공공재로서의 효과는 다른 사람과의 관계와 무관하게 모든 사람에게 발생한다. 사회적 자본에 대한 공공재의 개념은 여러 연구자들이 공유하였는데, Kawachi 연구팀은 사회적 자본을 집단 수준에서만 제대로 측정될 수 있는 생태학적 특징으로 봤다. 그들은 사회적 자본은 사회적 관계의 구조에 내재되어 있고, 다시 말하면 개인에 속한 공동체(이웃, 공동체, 사회)의 특징으로 고려되어야 할 생태학적 특성이라고 강조한다.[5,16,23,28]

사회적 자본의 지표는 정의에 따라 다양하며, 구조적 요소(예, 사회적 네트워크, 관계, 집단 참여)와 인지적 요소(예, 상호신뢰, 투표 행위, 신문 구독, 의무감, 호혜, 협동, 지역안전에 대한 인식)를 포함한다.[3,12,25]

사회통합

사회통합의 개념은 정의와 지표의 집합을 암시한다. 다시 말하면, 정의는 다양하지만, 일반적으로 공동체와 사회를 연합하는 협력과 유대관계에 대한 생각들과 관련이 있다. 예를 들면, Stansfeld는 사회통합을 "사회의 다른 집단들 사이의 상호신뢰와 존중의 존재"[29]로 정의했다. Kawachi와 Berkman에 따르면, 사회통합은 사회적 갈등의 부재와 사회적 유대의 존재라는 사회의 두 가지 주요한 특징을 필요로 한다.[5]

사회적 고립

사회적 고립은 사회적인 환경 및 건강과 관련된 문헌에서 흔히 맞닥뜨리는 또 다른 개념으로, 고독, 사회적 또는 종교적 참여의 감소, 사회적 지원에 대한 접근 감소 등과 관련이 있다. 또한 이동수단의 어려움과 같은 노인들의 환경적인 특성도 포함된다. 다른 많은 사회적 요인들과 마찬가지로, 사회적 고립은 고독처럼 노인 스스로 느끼는 주관적인 요소일 수도, 다른 사람에 의해 측정 또는 평가되는 주관적 요소일 수 있다.[30]

사회적 취약성

사회적 취약성의 개념은 우리가 사회환경에 관심을 갖는 이유가 단지 서술자(descriptor)로서가 아닌 자신의 상황, 사회환경, 건강, 기능상태의 작은 변화에 대한 개인의 상대적인 취약성(또는 회복성이나 강함)을 정량화하려는 시도로서 이해하는 것을 다룬다. 노인들의 사회적 환경은 예상하지 못한 방식으로 상호작용하는 여러 요인들로 인해 매우 복잡하다. 따라서 사회적 취약성의 전반적인 척도는 기술적이며 예측할 수 있는 가치를 제공함으로서 이러한 복잡성을 설명한다. 사회적 취약성의 척도는 개인이 가지고 있는 사회적 결핍(또는 문제)를 충분히 기술할 수 있도록 폭넓어

■ **그림 30-2. 사회적 취약성에 대한 사회생태학적 체계** (*Adapted from Andrew M, Keefe J: Social vulnerability among older adults: a social ecology perspective from the National Population Health Survey of Canada. BMC Geriatr 14:90, 2014.)*

야 하며, 대중적이고 임상적인 환경에서 쉽고 실제적으로 측정할 수 있고, 의미 있는 변화에 반응하며, 중요한 건강결과를 예측할 수 있어야 한다. 사회적 취약성의 척도는 개인에서 집단 수준에 이르기까지 모든 부분에 작용하는 요소를 포함하는 것이 이상적이다. 사회생태체계(social ecology framework)(그림 30-2)는 폭넓은 구조물로서 사회적 취약성을 고려하는 데 유용한 도구인데, 개인은 사회적 영향이 확대된 영역 내에 계속 중첩되게 된다. 이러한 접근은 개인에서부터 친구, 동료집단, 기관, 이웃, 공동체, 사회 각 단계에서 사회적 요소가 전반적인 사회적 취약성에 어떻게 영향을 미치는지 고려한다.[30]

건강에 대한 사회적 영향력을 어떻게 연구할 수 있을까?

사회적 요인이 건강에 어떤 영향을 미치는지에 대한 연구를 위해서는 특정 질문을 만들 때 분석적 설계를 충분히 고려해야 한다(표 30-1). 가능한 접근법으로 "한 번에 한 가지(one thing at a time)" 분석이 있는데, 하나의 사회적 요인(예를 들면, 사회 네트워크)이 결과와 관련 있다면 다변수 모델에서 가능한 혼란변수를 보정한다. 이 방법은 수행하고 해석하는데 단순하고 명확하다는 이점을 가

표 30-1. 건강에 대한 사회적 영향을 연구하기 위한 분석적인 접근방식

분석적 접근	예	장점	문제점
"한 번에 한 가지"			
개별적으로 고려할 하나의 변수	사회 네트워크의 크기	간단하고 명료한 실행과 해석	관계에 대해 지나치게 단순한 이해를 야기할 수 있음
같은 주제로 관련된 변수의 조합	사회 네크워크를 묘사하는 여러 변수들	여러 변수를 동시에 조사할 수 있으며 서로간의, 그리고 적절한 혼란인자들을 조율할 수 있음	• 타당성에 대한 고려가 반드시 이루어져야 함 • 기술적인 면에서 모델이 너무 복잡해질 수 있음(예: 공선적)
입증된 측정도구	Lubben 사회네트워크 척도	표준화되고 입증된 도구를 사용-신뢰성과 타당성을 증진	• 긴 관리 시간 • 경직성 • 충실한 재구성이 힘든 경우 기존 데이터의 사용이 제한됨
"한 번에 여러 가지"			
지표적 접근–결손 축적	사회적 취약성 지수, 노쇠지수	• 사회적 상황의 많은 부분을 동시에 고려해야 함 • 일부 노인에서 측정 시 문제가 되는 단일 변수 사용에 의존하지 않음 • 관련된 요소들이 임의로 분리되지 않음 • 노출에 있어서 단계적인 차이를 표현할 수 있음 • 대부분의 데이터를 임상적 상황에 접목시킬 수 있음	• 고립된 단일 식별가능한 요소보다는 복합적인 사회적 상황과 관련된 위험을 대변함 • 새로운 기술을 기반으로 한 복잡한 모델링
사회적인 맥락 연구를 위한 선택			
"수평적" 분석	다변수회귀모델링	간단하고 명료한 실행과 해석	• 사회적 맥락에 대한 완전한 이해를 제공하지 못할 수 있음 • 모델에 따른 기술적인 문제점: 관찰이 실제 독립적이지 않을 수 있음
"수직적" 분석	다단계 모델링, 계층적 선형 모델링	• 배경효과에 대한 보다 자세한 이해를 제공함 • 관찰의 독립성을 유지 • 데이터 집계로 인한 의미의 손실을 방지함	• 복잡한 모델 • 모든 데이터가 이러한 모델에 적합하지는 않음: 공유되는 특징을 가진 그룹의 충분한 숫자가 필요함

지고 있다. 예를 들어 '광범위한 사회 네트워크가 치매를 예방하는 것처럼 보인다"와 같은 중요한 발견을 명확하게 표현해준다.[31] 이 접근 방식은 개별적으로 고려되는 단일 변수, 동일한 주제의 다양한 측면과 관련된 변수의 조합(예를 들면, 사회 네트워크의 크기와 질과 관련된 여러 변수들), 또는 관심있는 사회적 요소를 측정하도록 이전에 검증된 도구(예를 들면, Berkman과 Syme 사회 네트

워크 지표와 Lubben 사회 네트워크 척도)를 이용해 수행할 수 있다.[32] 이런 척도의 표준화된 심리측정 방법은 그것들을 이용하는 연구의 신뢰성과 타당성을 높여주지만, 상대적으로 경직되고 수행하는 데 긴 시간이 필요하다는 단점도 있다. 또 신뢰할만한 재현에서 발생하는 문제점 때문에 기존 자료의 사용이 제한되거나 불가능하기도 하며, 한 번에 하나의 변수만 고려하면 노인들의 복잡한 사회적 환경을 지나치게 단순화시킬 수도 있다. 예를 들어, 홀로 사는 두 명의 노인 여성들은 "독거" 연구에서는 취약한 상태로 분류될 수 있다. 만일 한 여성이 강력한 사회 네트워크와 가족의 유대로 공동체에 잘 통합되어 있고, 다른 여성은 도움을 기대할 만한 사람 하나 없이 완전히 고립되어 있다면, 우리는 그 두 여성이 전혀 다른 사회적 취약성의 프로필을 가지고 있음을 잘 알 수 있다. 한 번에 하나씩 단일 변수를 고려하면, 통계모델에서 다른 변수들을 보정하는 노력에도 불구하고 실제 취약성을 잘못 분류할 위험이 있다.[30,33]

결핍누적(deficit accumulation)은 건강에 대한 사회적 영향을 연구할 때 또 다른 잠재적인 접근법을 제공한다. 이 책의 다른 곳(15장)[34]에서 볼 수 있는 노쇠지수(frailty index)와 마찬가지로, 많은 사회적 요인과 관련된 결핍의 수로 정의하는 사회적 취약성 지수는 개인의 광범위한 사회적 상황과 그들의 건강과 기능상태의 잠재적 취약성을 고려하는 수단을 제공한다. 이 지수에는 다음과 같은 여러 이점이 있다: (1) 다양한 사회적 요소(예를 들면, 사회경제상태, 사회적 지원, 사회적 참여, 사회적 자본)를 포함하는 잠재력, (2) 노인 연구에서 단일 변수를 이용해 사회와 사회경제적 특성을 구현할 때 공통적으로 발생하는 어려움이 다양한 요인들의 고려를 포함함으로써 완화되며, (3) 관련 요소들은 별도의 분석을 위해 다른 범주로 임의로 분리되지 않고, (4) 사회적 취약성에 대한 단계적인 표현이 하나 또는 소수의 이진법이나 순차적인 사회적 요인들의 기술과 비교하여 개선된다. 이 마지막 요소는 사회적 취약성 지수를 이용한 노인들의 두 가지 코호트 연구에서 사회적 취약성이 전혀 없는 노인이 없다는 것(이 지수에서 0점인 노인이 없음)을 발견했다는 점에서 매우 중요하다.[33] 또한 사회적 취약성에 대해 결핍누적 접근법을 사용하는 것은 5번째 큰 이점, 즉 비례의 조정을 제공한다. 이 책의 다른 곳(5, 14, 15, 16장)에서 볼 수 있는 것처럼, 결핍누적은 세포, 조직, 동물, 사람에서도 볼 수 있다. 사회적 환경에 대한 더 큰 그림을 고려할 때 이 취약성 척도를 사회 수준까지 비례 확장할 수 있다.[35]

관심있는 사회적 요인들이 어떻게 측정되는지에 대한 분석적 고려 이외에도, 이러한 분석에 사회적인 맥락을 통합하는 것은 다른 방법으로 수행할 수 있다. 보다 전통적인 수평적 접근방법은 개인의 사회적인 맥락(예를 들면, 평균 지역소득 또는 교육적 성과)을 다변수 모델에서 개인에게 부여된 변수 또는 혼란변수로 간주하는 요약변수를 추가할 수 있다. 이 접근법은 유용한 결과를 산출할 수 있고 단순함의 이점을 가지지만, 맥락들과 관련된 변수의 중요성을 완전히 이해하지 못하고, 관찰의 독립성 측면에서 통계적 문제를 야기할 수 있다는 논쟁도 있다(개인이 그들이 속한 그룹의 중요한 특징들을 공유하게 되면 더 이상 독립적이지 않다). 다단계(수직) 모델링(계층적 선형 모델링)은 또 다른 선택인데, 여기에서 개인은 개인보다는 그룹의 속성으로 취급하는 집단의 특성을 가지고 그룹 영향의 계층 내에 끼워 넣어진다.[36] 이 접근법은 데이터가 융합되었을 때 상황별 영향을 보다 자세히 이해하고 관찰의 독립을 유지하며, 정보의 손실을 최소화는 이점을 제공한다.[36]

이웃이나 지역사회 특성과 같은 맥락과 관련된 또는 집단 수준의 변수에 대한 고려는 특히 사회적 요소가 건강에 어떤 영향을 미치는지에 대한 연구와 관련이 있다. 왜냐하면 많은 사회적 요소들은 개인이 살고 있는 집단이나 공통체의 재산이며, 집단 수준에서 가장 잘 측정되기 때문이다. 우리가 그래 왔듯이, 사회적 자본이 개인의 소유인지 집단의 소유인지 적극적인 논쟁이 있다.[3,11] 사회 자본에 대한 대부분의 이론들은 개인 자체에 속해 있기보다는 개인 사이의 관계 그리고 사회 내의 속성이라는 생각과 일치한다. 이론가들을 계속 분열시키는 이 문제의 핵심은 사회적 자본이 개인이 끌어낼 수 있는 자원인지, 그래서 실제적인 연구 측면에서 개인 수준에서 합법적으로 측정될 수 있는가이다.

이 논쟁은 사회적 요인이 건강에 어떻게 영향을 미치는지 조사하는 것을 목표로 하는 연구의 설계와 해석에 대한 명백한 의미를 갖고 있다; 타당하고 유용한 발견은 건전한 이론적 토대에서만 가능하다. 이 점과 관련해서, 두 번째 차이점이 도움될 수 있다: 답은 사회적 자본이 어디에 존재하는지(개인의 자산인지 또는 관계의 자산인지) 또는 그것을 어떻게 측정하고 평가하는지 적용되는 질문에 달려 있다.[11] 실제로 측정에 대한 문제와 데이터의 가용성은 분석 설계에 큰 영향을 줄 수 있다. 사회적 요소들을 노인들의 건강과 관련시켜 어떻게 연구해야 하는지에 대한 문제는 이론적 고려와 분석 실용주의의 균형에 의해 가장 알맞게 조정될 수 있다.

성공적 노화

이 개념은 학술 문헌과 대중매체에서 많이 조사가 된 주제이다.[37-39] 성공적 노화의 정의는 다양하고, 신체기능, 사회적 참여, 복지, 자원에 대한 접근을 포함하는 기여요인과 함께 심리사회와 생체의학 진영으로 나뉜다.[38] 심리사회적 개념화는 보상과 만족감을 강조하는데, 생체의학 정의는 질병이나 장애가 없음을 기반으로 한다.[40] 성공적 노화의 개념은 노화 과정이 다양하고, 노인들이 노화와 관련된 삶의 변화에 적응하는 방법은 나이가 들수록 영향을 미친다는 것을 인식하는 것이다. 이상적으로 이 분야에 대한 연구는 잠재적으로 수정 가능한 요인들이 다른 것보다 좀 더 성공적으로 노화가 일어나는 데 도움이 된다는 것을 확인하려 하였다.

성공적 노화의 개념에 불리한 점이 있다: 성공적 노화를 가치판단으로만 생각하면, 102세에 에어로빅을 하거나 99세에 자원봉사를 할 정도의 좋은 건강과 기능 상태를 가지지 못한 노인들을 비난의 대상이나 실패한 노화과정으로 간주할 수도 있다.[37] 성공적인 노화가 드물고 노인차별의 부정적인 기류에 기반을 둔 우리 사회에 만연한 이런 고정 관점 역시 대중매체에서 노인들의 묘사에 영향을 미친다. 긍정적이고 부정적인 고정관념은 노인들의 비성공적인 노화가 은연 중에 비치거나 아니면 강조되는지에 관계 없이, 가장 취약한 노인들이 사회에서 소외되는 것을 영구화시킬 위험이 있다.[37]

성공적 노화에 대해 생각해 볼 수 있는 다른 방법은 노쇠의 수준에 따른 쇠퇴의 자연스런 흐름에서 그들의 예상되는 궤적(expected trajectory)을 극복하는 개인적인 부분을 고려하는 것이다. 취약성 지수를 이용한 연구는 쇠퇴의 궤적이 일찍이 확립되었고, 이런 쇠퇴는 수학적 모델을 이용해 잘 예측할 수 있다는 것을 보여 주었다.[41,42] 그러나 낮은 기저 단계의 노쇠가 예측되던 노인들이 그들에게서 예측된 단계를 뛰어 넘는 호전이나 단계의 이행을 보이는 일부 노인들이 있다. 이것은 성공적인 노화의 예측인자와의 상관관계를 연구하는 유용한 하위그룹일 수 있다.

건강과의 연관관계

여기에서 논의된 다양한 사회적 요소들은 노인에게서 중요한 건강에 대한 결과들과 관련되어 있다. 사회적 환경이 건강 뿐만 아니라 사회의 다른 속성들과 어떻게 관련되어 있는지에 대해 관심 있는 독자는 Marmot, Wilkinson, Putnam과 그 동료들의 연구를 참고하기 바란다. 이 연구들은 약한 사회통합과 사회적 자본의 쇠퇴가 건강에 악영향을 주고, 건강하지 못한 것[27]과 소득 또는 사회적 지위의 불평등[43] 사이의 연관성을 강하고 포괄적으로 설명한다.[8] 노인의학의 많은 분야에서와 마찬가지로, 고령자만을 대상으로 한 연구는 제한적이다. 여기서는 노인의학에서 중요한 건강 결과와 관련된 일반 대중의 연구로부터 도출된 중요한 발견들과 함께 논의할 것이다.

생존

여러 연구들은 사회적 요소와 생존과의 연관성을 밝혔다. 인지된 사회적 지원과 사회적 상호작용은 North Carolina Durham 자치주에 거주하는 331명의 65세 이상 노인 코호트에서 30개월 사망률의 감소와 관련이 있었다.[44] Alameda County 1965 Human Population Laboratory 연구에서, 노인을 포함해 좀 더 다양한 사회 네트워크를 갖고 있거나, 친구, 가족, 교회, 다른 집단 구성원들과 좀 더 접촉하는 사람들은 9년 동안 추적관찰 했을 때 사망률이 낮았다.[45] 동일한 연구로부터 17년 추적관찰 자료를 분석했을 때는 사회적 유대감이 70세 이상 노인들을 포함, 전 연령에서 나은 생존을 예측하는 인자였다.[7] Georgia Evans 자치주에서 이뤄진 코호트 연구에서 사회적 유대가 거의 없는 노인들은 생존율이 낮았다.[4] 또 다른 연구인 3개의 지역-기반 코호트 중 2개에서 사회적 유대 증가가 5년 생존율을 예측했다.[46] 영국 공무원으로 일하고 있는 남성들을 대상으로 한 Whitehall 연구는 직업 계층의 수준에 따른 생존율의 변화를 확인했다: 중년에 가장 낮은 수준의 직업을 가진 사무직 근로자는 "관리직"에 속하는 가장 고위직보다 사망률이 4배 높았다. 70-89세의 최고령군에서는 사망률의 위험이 절반으로 줄어들긴 했지만, 이런 차이는 은퇴 후에도 지속되었다.[8,9]

　　사회적 취약성 지수로 측정한 높은 사회적 취약성은 캐나다 노인들을 대상으로 한 2개의 전향적 연구[Canadian Study of Health and Aging (CSHA), National Population Health Survey]의 5년과 8년 추적관찰에서 사망의 위험을 증가시켰다.[33] 가장 건강한 캐나다 노인들 중 건강에 전혀 문제가 없는 경우에서조차 사회적 취약성이 낮은 사람들과 높은 사람들 사이의 절대적인 사망률 차이는 20%에 달했다.[47] 사회적 취약성이 사회생태학적 시각과 일치한다는 점에서 사회적 맥락은 중요하다: Survey of Health and Retirement in Europe (SHARE)의 국가간 단면 비교에서 높은 사회적 취약성은 북유럽 국가에서는 아닌, 유럽대륙과 지중해 사회복지 모델을 가진 나라에서 사망률을 예측했다.[48] 다단계 모델링을 이용한 생태학적 분석은 미국의 주[20] 및 지역[16] 수준의 자발적인 단체에서 높은 신뢰와 회원자격으로 정의되는 높은 사회적 자본이 사망률 감소와 연결되어 있음을 보여주었다. 중국인 대상의 연구에서 사회적 취약성 지수에 흔히 포함되는 요인들-결혼 여부; 좋은 배우자 관계, 좋은 재정상태, 고등 교육, TV나 라디오 이용 여부; 신문, 책, 잡지 읽기; 카드, 체스, 마작-은 흔히 말하는 보호지수(protection index)에 포함되었다. 다변량 모델에서 이런 요인들은 노쇠지수에 의해 야기되는 일부 위험을 완화시켰다.[49]

인지기능의 저하와 치매

Connecticut의 New Heaven에 거주하는 2,812명의 노인 연구에서 사회적 유리(disengagement)는 10-item Short Portable Mental Status Questionnaire에서 수행능력의 최저 범주로의 이행으로 정의되는 3, 6, 12년의 인지기능 저하의 발생과 관련되었다.[50] 7.5년간의 MacArthur Studies of Successful Aging 연구에서 감정에 대한 사회적인 지지가 커질수록 언어, 추상화, 공간과 회상 능력을 평가하는 일련의 검사로 측정되는 인지기능도 더 좋은 결과를 보였다.[51] 2,468명의 70세 이상 CSHA 참여자 중, 높은 사회적 취약성은 5년 동안 임상적으로 의미 있는 인지기능 저하[Modified Mini Mental State Examination (3MS)에서 5점 이상][52]의 확률이 35% 증가한 것과 관련이 있었다.[53] 스웨덴 Kungsholmen에 거주하는 1,203명의 노인들의 집단연구에서 제한된 사회 네트워크(결혼 상태, 생활방식, 친구나 친척과의 접촉 포함)를 가진 사람들은 평균 3년의 추적관찰 동안 치매 위험이 60% 높았다. 반면 치매의 발병률은 사회적 유대감이 증가함에 따라 단계적으로 감소했다.[31]

　　강력한 사회적 네트워크와 함께 정신적/육체적 여가활동에 참여하는 것과 치매 발생률의 감소와의 관련성은 체계적 고찰에서 입증되었다.[54] 9,704명의 미국 노인여성들을 대상으로 한 연구에서 풍부한 사회적 네트워크(Lubben Social Network Scale에서 상위 2/3으로 정의)는 15년 동안의 추적 관찰 동안 최상의 인지기능을 유지하는 것(나이에 따른 인지기능의 저하를 경험하지 않는)과 관련 있었다.[55] 외로움 또한 노인들에게서 기저 인지능력 저하, 인지능력의 빠른 감소, 병리적으로 진단된 알츠하이머 치매의 위험이 2배 높은 것과 관련이 있었다.[56] 흥미롭게도, 두 가지를 각각 분리하여 조사하였을 때, 외로움을 느끼는 것은 홀로 되는 것보다 치매와 관련성이 높았다.[57] 지역사회 거주 스페인 노인들의 4년 연구[58]에서 사회적 상호작용과 참여는 지남력과 기억능력이 감소될 가능성을 낮췄고, 좀 더 많은 사회적 자원(네트워크, 참여)은 노인들에게서 인지기능 저하를 줄여주었다.[59]

사회경제상태는 노년기의 인지와 인지기능 감소와 관련하여 연구되어 왔다. 2,574명의 70~79세 노인들을 대상으로 한 Health, Aging, and Body Composition 연구에서 낮은 사회경제상태(교육, 수입, 자산으로 측정)는 인지기능 저하(4년 동안 3MS에서 5점 이상 감소)와 관련 있었다.[60] 복잡한 기억연산 능력과 사건-관련 뇌전위 기록을 측정한 연구에서, 높은 사회경제상태를 가진 65세 이상의 여성은 복잡한 출처 기억(source memory) 과제를 젊은 여성처럼 수행했고, 낮은 사회경제상태를 가진 사람들은 사용하지 않고 젊은 사람들은 필요하지 않은 신경보상전략(neural compensation strategies)을 사용하는 것으로 여겨진다.[61] 6,158명의 65세 이상 노인 대상의 Chicago Health and Aging project 연구에서는 생애 초기 사회경제상태(개인의 가족과 출생지역 모두)가 생애 후기 인지능력과 관련이 있었으나, 차후의 인지 감소율과는 관련이 없었다.[62] English Longitudinal Study of Ageing (ELSA) 보고서에 따르면 지역의 사회경제상태는 개인의 상태와는 무관하게 인지기능과 연관이 있었다.[18] Assets and Health Dynamics among the Oldest Old (AHEAD) 연구에 참여한 70세 이상 미국 노인들의 연구에서 계층적 선형모델을 이용했을 때 지역 수준의 교육적인 성취는 인지기능과 관련이 있었다. 이는 교육적 성취와 지역의 소득 수준을 포함하여 독립적인 인자로 작용하였으며, 이로 인해 저자들은 일반 인구에서 교육 수준의 향상은 노인들이 인지기능을 유지하는데 도움을 줄 수도 있다고 결론지었다.[63]

기능의 감소와 의존성

노인들의 낮은 사회적 참여는 9년 동안의 추적 조사에서 일상생활수행(activities of daily living, ADLs), 이동, 상하지 기능의 결함으로 측정한 장애의 증가와 관련되어져 있다.[6] 플로리다에 있는 3개 은퇴 집단에서 1,000명을 대상으로 8년 동안 추적관찰 한 연구에서 밀집된 사회 네트워크를 가진 노인들(72세 이상)은 자각하는 장애의 발병이 지연됐다.[64] 영국의 Health Survey 단면 연구에서 집단참여, 사회적 지원, 신뢰, 상호관계(reciprocity)를 통한 사회적 참여는 지역 거주자들의 기능장애 감소와 관련이 있었다. 또한 집단참여와 기능장애 사이의 연관성은 보호시설 거주자들 사이에서도 통계적으로 유의했다.[65] 또한 나라마다의 사회적 여건은 사회적 상황과 장애 사이의 관계에도 영향을 미친다. SHARE 연구에서 사회적 취약성과 기본적인 일상생활능력과의 관련성은 사회복지 모델에 따라 다양했다: 사회적 취약성은 유럽대륙과 지중해 사회복지 모델을 가진 나라에서는 장애 발생을 예측했으나, 북유럽 국가에서는 그렇지 못했다.[48]

이동(mobility)

다양한 사회적 요소들이 낙상과 그로 인한 부상의 위험과 관련되어 있다. 예를 들면, 오스트레일리아 사람들 대상의 연구에서 사회경제상태가 낮고, 홀로 살며, 거주하는 집의 수리가 필요한 노인들은 낙상을 더 자주 한 것으로 나타났다.[66] 또 다른 연구는 낙상 관련 고관절 관절에 대한 보호요인으로 현재 결혼상태 유지, 5년 이상 거주지가 동일, 민간 건강보험 가입, 사회활동 참여 등을 꼽았다.[67] 노인들에게서 이러한 연관성은 일반 인구에서 관찰되는 것과 동일한데, 낮은 사회경제상태는 다양한 비의도적 상해나 사망과 관련이 있다.[68] ELSA 연구에서 지역 수준의 사회적 박탈감은 개개인의 사회경제상태와 건강상태와는 무관하게 스스로 인지하는 이동 장애의 발생과 보행 속도의 장애와 관련이 있다.[19]

시설화

이 분야의 대부분 연구는 지역사회 기반의 설문 또는 코호트를 이용했기 때문에 장기 요양보호시설 거주자들을 대상으로 한 연구는 부족하다. 그러나 심한 사회적 지지의 부족은 요양시설에 거주하게 될 확률과 높은 관련성이 있고, 시설 입소(care home placement)의 위험인자이다.[69,70] 사회적 요소와 사회적 취약성이 요양시설 거주 노인들의 건강에 어떤 영향을 주는지에 대해서는 앞으로 연구가 필요하다. 영국의 Health Survey의 단면 분석에서 사회적 자본과 건강 사이의 연관성이 시설 거주자에게서 발견되었는데, 이런 연관성은 지역사회에서보다는 일반적으로 약했다. 이는 사회적 자본의 중요성이 생활 상태에 따라 다양할 수 있음을 시사한다.[65]

정신건강

영국 성인을 대상으로 한 연구에서 지역의 낮은 사회적 자본과 높은 사회적 분열(social disorganazation)은 정신적, 신체적 질병과 관련되어 있다.[71] 보호효과가 모든 인구집단에서 균일한 것으로 보이지는 않지만, 정신건강은 사회적 유대(social tie)의 강도 및 본질과 관련 있는 것으로 밝혀졌다.[72] 예를 들면, 사회적 네트워크(특히 어린이와 대가족을 중심으로 한)는 여성에게서 우울 증상의 감소와 관련이 있는 반면, 남자에게서는 결혼 상태에 있거나 홀로 살지 않는 것이 더 중요했다.[73] 지역사회 거주 노인들 중 사회적 지지, 집단참여, 신뢰와 상호관계는 경미한 정신질환을 발견하는데 검증된 도구인 General Health Questionnaire로 측정한 정신건강의 향상과 관련이 있었다. 사회적 지지는 또한 시설 거주 노인들에게서 정신질환의 감소와도 관계가 있었다.[65] 75세 이상의 영국 노인들에게서 지역의 낮은 사회경제상태와 높은 인구밀도는 우울 및 불안과 관련 있었으나, 이 연구에서 지역의 사회경제상태의 효과는 개인의 사회경제상태와 건강 요소들에 의해 설명되어졌다.[74]

자체-평가된 건강

사회경제상태(수입 적정성과 교육)는 노인에게서 자체-평가된 건강의 향상과 밀접한 관련이 있다.[75] 종교의 참여, 신뢰, 도움 받을 수 있는 친구의 존재 등으로 정의된 개인 수준의 사회적 자본은 2개 국어를 사용하는 핀란드 지역 중 스웨덴어를 사용하는 성인들에게서 자체-평가된 건강의 호전과 관련되어 있었다.[76] 또한 지역사회 거주 성인들과 건강에 대한 개인-수준의 영향을 다단계 분석한 2개의 큰 미국 연구(N=167,259와 21,456)에서, 지역사회 수준에서 높은 사회적 신뢰와 임의단체의 회원 자격은 자체-평가한 건강의 향상과 관련이 있었다.[15,17] 영국의 Health Survey에 참여한 1,677명의 지역사회 거주 노인들 중, 높은 수준의 사회적 지지, 집단참여, 신뢰와 상호관계는 자체-평가된 건강의 향상과 관련 있었다.[65] AHEAD 연구에 참여한 70세 이상 미국 노인들에서는 인근 지역의 낮은 사회경제상태(빈곤, 실업, 낮은 교육 수준, 공적 지원에 대한 의존)가 개인의 건강과 사회경제상태 요인들과는 무관하게 낮은 자체-평가된 건강과 관련이 있었다. 지역의 특성이 심혈관질환 및 기능상태와는 독립적으로 관련이 없더라도, 자체-평가된 건강과의 연관성은 유지되었다.[77]

노쇠

캐나다 노인들의 연구에서 사회적 지위(교육 및 수입)는 노쇠와 점진적인 양상(역치보다는)으로 밀접한 관련성이 있었다.[78] 캐나다 노인들의 다른 2개 코호트에서 사회적 취약성은 노쇠와 중등도의 관련성이 있었으나, 그것과는 별개로 작용하였다. 노쇠와 사회적 취약성 모두는 독립적으로 사망률 증가에 기여했다.[33] 70세 이상의 중국인들에게서는 노쇠의 여러 사회적 결정요인(social determinants)들이 확인되었다; 여기에는 낮은 사회경제상태(직업의 범주와 부적절한 소득), 친척 또는 이웃과의 접촉이 적은 것, 사회나 종교활동 참여가 적은 것, 사회적 지지가 낮다는 보고 등이 포함된다.[79] 멕시코계 미국 노인들의 전향적 코호트에서 낮게 인지된 사회적 지원은 심근경색증 후 노쇠 발생의 독립적 예측인자임이 밝혀졌고, 노쇠의 증가를 예측했다.[81] 사회적 자원과 탄력성의 증가는 집 없는 중년층과 노인들에서 노쇠를 줄였다.[82] 국제적인 수준에서 보면, 유럽 전역에 걸친 노쇠의 평균 수준은 국내총 생산과 같은 국가경제지표와 관련이 있다.[83]

사회적 요소가 건강에 영향을 미치는 기전

사회적 요소들이 건강에 어떻게 영향을 미치는지 설명하기 위해 다양한 기전들이 제시되었다. 대체로 4가지 그룹-생물학과 생리적, 행동적, 물질적, 심리학적-으로 나눌 수 있다. 또한 신경생리학과 신경해부학의 연구는 사회적 요소와 건강 사이의 관계를 이해하는데 도움이 될 수 있다.

생리적 요인들

만성적이고 지속적인 스트레스 반응은 복잡한 호르몬 조절 시스템을 통해 건강에 강력한 영향을 미치고, 조직과 기관에 많은 후속적인 영향을 준다. 다양한 동물 연구에서 시상하부-뇌하수체-부신 축에 대한 효과가 밝혀졌다. 사회적으로 격리된 쥐에서 만성적으로 증가된 글루코코르티코이드는 해마 세포 손실과 인지기능 장애와 같은 노화과정을 촉진했다.[21] 사회적 지원은 또한 사람과 동물의 면역기능과도 연결되어 있으며, 건강한 의과대학생에서조차 사회적 격리와 외로움은 면역기능을 약화시킨다.[21]

행동요인들

사회경제적 불평등(고용과 교육 기회 포함)과 사회 네트워크 및 지역사회를 통해 발휘되는 규범과 영향력은 식사, 흡연, 약물남용, 운동과 같은 건강 관련 행동에 영향을 줄 수 있다. 이는 부분적으로 건강에 대한 사회적 영향을 설명할 수 있다; 그러나 이런 행동을 고려한 많은 연구들은 사회적 환경이 건강에 추가적이며 독립적인 영향을 미치는 것을 밝혔다.[15,21,44,45]

물질적 요인들

사회경제상태와 사회적 지원 네트워크는 재화와 서비스의 이용 기회에 명백하게 영향을 미친다. 이런 기회는 재정 자원(당신이 갖고 있는 것), 사회적 지위(당신이 누구인지), 사회적 인맥(당신이 누구를 알고 있는지)을 통한 3가지 일반적인 방법으로 누적된다. 재정 수단과 사회적 지위가 높은 사람들은 건강한 생활습관(균형 잡힌 식사, 운동 기회, 흡연과 약물남용 회피)을 선택할 여유가 있고, 이런 자원이 없을 때 이용하기 어려운 건강관리서비스에도 쉽게 접근할 수 있다. 또한 소외된 개인과 집단의 사회적 배제(social exclusion)를 유지하는데 기여하는 강력한 제도적, 사회적 요인들이 있다. 강력한 사회적 지지를 받는 사람은 재정적 그리고 수단적 지원이 필요할 때 쉽게 제공받을 수 있다.

심리요소

자기효능감(self-efficacy)과 적응형 대처 전략은 건강에 중요하며, 사회적 요소가 건강에 영향을 미칠 수 있는 잠재적인 심리적 기전의 일부이다.[21] 낮은 자기효능감(자기 능력에 대한 자신감 저하)은 노인에게서 중요한 기능적 그리고 운동적인 영향과 함께 낙상에 대한 두려움과 관련이 있다.[84] 또한 낮은 자기효능감은 신체기능이 떨어진 노인들에게서 기능 저하를 예측하는 것으로 밝혀졌다.[6] 사회적 지지와 참여는 자기효능감과 자신감을 강화할 수 있다.

신경생리학과 신경해부학

신경학적 증상을 가진 환자들에 대한 연구는 역사적으로 뇌와 신경계 기능을 이해하는 원천이었다. 앞 몇 단락에서 사회적 환경 자체가 건강에 어떤 영향을 주는지 설명할 수 있는 기전들을 설명하려 시도했으나, 여기에서는 그 반대를 고려하고자 한다. 치매를 포함한 신경학적 증상을 가진 사람들을 연구함으로써, 두뇌가 관계, 사회 네트워크에의 참여, 신뢰 및 호혜와 같은 타인에 대한 인식과 같은 사회적 요인에 어떤 영향을 미치는지 배울 수 있을 것이며, 이는 사회적 자본의 발상에 중요하다. 예를 들면, 치매를 가진 일부 사람들은 사회적으로 침잠되고(withdrawn) 무관심해지며, 의심하면서 사람을 믿지 못하고, 그들의 사회적 기능에 영향을 주는 인격의 변화를 가지게 된다. 이런 문제들의 위치와 기능에 대한 연구[기능적 영상 기술(functional imaging techniques)과 좀 더 전통적인 신경병리학적 방법]는 사회적 기능과 사회적 환경, 그리고 건강과의 연관성을 밝히는데 도움된다. 이 분야는 초기 단계에 있지만, 예를 들어, 전두측두(frontotemporal)치매(간혹 인격변화와 사회적 기능의 문제로 특징 지어지는)에서 기분 좋음(agreeableness)은 오른쪽 안와전두(orbitofrontal) 피질의 용적과 양의 상관관계를, 좌측 안와전두의 용적과는 음의 상관관계를 보였다.[83] 사회적 행동에서 전두엽의 역할 이외에, 다른 두뇌 구조가, 특히 복잡한 상호연결의 측면에서 관련되어 있을 것이다.[85] 예를 들면, 해마는 유연한 인지(flexible cognition)를 통해 중요한 사회적 영향을 가지고 있는 것으로 보인다. 기억에서 해마의 역할이 잘 알려져 있는 것을 감안하면, 이는 치매에서 사회적 행동의 연구와 관련이 있을 것이다.[85a] 동물 연구 또한 이 분야의 연구에 기여할 수 있다. 예를 들면, 뚜렷이 구별되는 4종의 하이에나들을 증가되는 사회적 복잡성(social complexity)의 연속선 상에 배치할 수 있다. 흥미롭게도 전두엽 피질의 용적(그들의 두개골 내부에서 측정된)은 직접적으로 사회적 관계와 비례하는데, 가장 복잡한 사회적 관계를 가지고 있는 하이에나의 전두엽 용적이 가장 컸다.[86]

노쇠, 배제와 "대리인에 의한 침묵"

이 분야의 연구에서 노쇠하거나 인지장애가 있는 노인들은 다양한 이유로 인해 독특한 문제들을 갖고 있다. 여기에는 연구에서 배제, 대리인의 정보에 의존, 사회적 상황과 사회경제상태의 평가에 어려움, 사전 동의에 대한 논란 등이 포함된다.

표본을 추출할 때 양로원을 배제하거나 스스로 대답할 수 없는 사람들을 조사에 포함시키지 않는다면, 많은 노쇠한 노인들은 인구-기반 연구에서 제외될 것이다. 대리응답자의 도움으로 이런 사람들을 포함하려고 노력해도, 주관적 보고나 세부적인 개인 병력은 누락되거나 신뢰할 수 없다.[11,65]

일명 대리인에 의한 침묵은 노쇠한 노인들을 포함하는 연구에서 큰 문제를 일으키는데, 과거 병력 청취에 가족들의 도움을 얻을 수 없는 요양시설에 거주하는 가장 노쇠한 사람들의 경우에는 정보를 모으기가 곤란하기 때문이다. 사회적 지지와 사회적 상호관계(social interaction)는 노쇠한 노인들에게서 건강과 더 관련 있다고 생각할 수 있는데, 그들은 가족과 친구들의 돌봄과 격려에 가장 많이 의지하며, 이동성과 그들의 능력에 따른 적절한 기능을 최적화한다는 측면에서 사회적 참여의 혜택은 가장 커질 수 있기 때문이다. 따라서 그들이 배제된 연구에서 얻어진 연관관계는 과소평가될 수 있다.

중재를 위한 정책의 세분화와 잠재성

사회적 취약성이 감소함에 따른 건강에 대한 결과가 연구된 중재 연구는 거의 없으나, 이러한 점에서 기대되는 일부 연구가 제시되었다. 예를 들면, 특정 자원봉사자 집단에 참여하는 것이 기능 쇠퇴에 따른 부정적인 심리적 영향을 완화시키는데 도움이 된다는 근거가 있다.[87] 사회적 지지가 방문 자원봉사자에 의해 제공되는, 소위 친구되어주기(befriending) 서비스를 이용한 중재 연구는 제한된 활용으로 인해 혼재된 결과를 보여주었다.[88] 구조화된 동료 지원 집단(예를 들면, 질병에 특정한 다양한 지역사회 단체를 통해 제공되는)에 대한 많은 문헌과 임상 경험이 있다. 그러나 이들에 대한 논의는 이 장의 범위를 넘어선다.

사회적 중재(social intervention)가 건강을 향상시킬 가능성을 가진 영역 중 하나는 노인의 주택공급 설계에 대한 부분이다. 사회적 참여와 이웃과의 상호작용이 건강을 증진시킨다는 증거를 감안할 때, 노인들을 위한 주택 개발과 시설이 설계되고, 건축되며, 개조될 때 이러한 원칙들이 고려되어야 한다. Cannuscio 등은 이런 노인들의 주택공급 정책을 "고령 인구에 사회적 자본을 전달할 유망한 방법"이라 말했다.[28] 장기요양시설은 다른 거주자들과 그리고 좀 더 넓은 사회에서 상호작용을 장려하기 위해 설계될 수 있다. 긴 복도를 따라 산재되어 있고 이동장애를 가진 사람은 이용하기 어려운 거주자들의 방은 공용 구역을 중심으로 원형으로 배치된 공간으로 대체할 수 있다.[29] 한 단지에 독립적인 아파트에서 완전한 요양까지에 이르는 연속적인 동거형태가 배치된 계획적인 돌봄 환경은 이웃과의 통합을 조성하고, 사회적 유대 형성을 어렵게 하는 주거 이동을 감소시킬 수 있다.[14,28] 큰 규모로 계획된 지역사회는 또한 노인들이 직면하는 이동성과 지역사회 내 상호작용과 관련된 많은 문제를 해결하는 데 도움이 될 수 있다. 이동보조기를 사용할 만큼 넓은 보도와 횡단보도, 안전한 횡단이 가능할 정도로 긴 교통신호, 쉽게 이용할 수 있는 대중교통, 국지적인 주거지역에서 서비스를 이용할 수 있는 것은 모든 연령대 사람들의 건강에 도움이 되는 전략이다. 예를 들면, 국가와 국제적인 수준에서 정책적으로 고려할 이런 문제들은 세계보건기구(WHO)의 연령-친화적 세계정책(Age-Friendly World Project)의 핵심이다.[89]

사회적 취약성을 이해하는 한 가지 특별한 정책은 재난에 대처하는 방법이다. 노쇠하고 사회적으로 취약한 노인들은 다양한 재난으로 가장 해를 입는 사람들 중에 지나치게 많이 포함되어 있고, 따라서 위험의 정도를 이해하기 위한 상당한 관심이 있다. 그렇지만 이와 관련해 노인들을 구체적인 목표로 한 노력은 거의 없다.[90]

결론

노인들에게서 사회적 환경과 건강 사이의 관계를 명확히 하고, 사회적 맥락과 관련 짓기 위해 연구들이 필요하지만, 사회적 요소들이 더 큰 영향을 미치고 있음은 점점 분명해지고 있다. 이 장에서는 건강과 관련되어 연구된 다양한 사회적 요소들을 전반적인 사회적 취약성의 개념에 대한 관계와 함께 검토하였다. 노쇠를 포함, 노인의학에서 중요한 건강에 대한 결과와 함께 특수한 연관성을 논의하였다.

사회적 취약성에 대한 결핍누적에 대한 접근법은 건강에 대한 사회적 영향의 연속성과 노쇠와 관련된 이론적 근거, 사회적 요소들의 다양한 영역에 대한 고려, 사회생태체계 내에서 합리적인 위상, 임상적 적용의 높은 가능성 등 많은 장점을 갖고 있다. 예를 들면, 사회적 취약성의 사회생태체계는 급성기 치료 병원의 사회적 허용과 관련된 문제에 대한 구조화된 접근을 위한 유용한 근거를 제시한다.[91] 노인의학에서 치료를 제공하는 임상 서비스의 관점으로 볼 때, 쟁점은 개인이 가지고 있는 결핍뿐만 아니라, 악영향을 미칠 것으로 보이는 사회적 환경, 개인 건강 또는 기능 상태에 그들의 취약성의 작은 변화가 어떻게 기여할 것인지 이다. 이와 같이 사회적 취약성의 종합적인 척도는 임상 진료 과정에서 발생하는 노인들의 사회적 상황을 개념화하기 위한 유용하고 적절한 출발점이 될 수 있다. 이는 임상적 조작과 사회적 환경의 이러한 측정법을 시험해볼 필요가 있음을 시사한다.

KEY POINTS

요점

- 사회적 요소들은 노인들의 건강, 특히 노쇠의 맥락에서 중요하다.
- 사회적 환경은 복잡하다; 사회적 취약성에 대한 결핍누적의 접근법은 많은 사회적 요소들을 동시에 고려하고 취약성을 기울기로 표현함으로써 이런 복잡성을 수용한다.
- 사회생태체계는 개인부터 가족과 친구, 동료 집단, 시설, 이웃, 지역, 넓게는 사회까지 다양한 수준에서 사회적 요소들의 기여를 고려하는 데 유용하다.
- 노인들의 사회적 상황을 이해하는 것은 건강에 대한 결과를 예측하고 돌봄과 사회 지원 계획과 같은 실제적인 목적을 위해서도 중요하다.

참고문헌의 총 목록을 보려면 www.expertconsult.com 을 방문해주세요.

중요 참고문헌

3. Baum FE, Ziersch AM: Social capital. J Epidemiol Community Health 57:320–323, 2003.

5. Kawachi I, Berkman LF: Social cohesion, social capital, and health. In Berkman LF, Kawachi I, editors: Social Epidemiology, Oxford, England, 2000, Oxford University Press, pp 174–190.

9. Marmot MG, Shipley MJ: Do socioeconomic differences in mortality persist after retirement? 25-year follow-up of civil servants from the first Whitehall study. BMJ 313:1177–1180, 1996.

13. Grundy E, Holt G: The socioeconomic status of older adults: how should we measure it in studies of health inequalities? J Epidemiol Community Health 55:895–904, 2001.

18. Lang IA, Llewellyn DJ, Langa KM, et al: Neighborhood deprivation, individual socioeconomic status, and cognitive function in older people: analyses from the English Longitudinal Study of Ageing. J Am Geriatr Soc 56:191–198, 2008.

27. Putnam RD: Bowling alone: The collapse and revival of American community, New York, 2000, Simon & Schuster.

30. Andrew M, Keefe J: Social vulnerability among older adults: a social ecology perspective from the National Population Health Survey of Canada. BMC Geriatr 14:90, 2014.

31. Fratiglioni L, Wang HX, Ericsson K, et al: Influence of social network on occurrence of dementia: a community-based longitudinal study. Lancet 355:1315–1319, 2000.

38. Cosco TD, Prina AM, Perales J, et al: Operational definitions of successful aging: a systematic review. Int Psychogeriatr 26:373–381, 2014.

42. Mitnitski A, Song X, Rockwood K: Improvement and decline in health status from late middle age: modeling age-related changes in deficit accumulation. Exp Gerontol 42:1109–1115, 2007.

47. Andrew M, Mitnitski A, Kirkland SA, et al: The impact of social vulnerability on the survival of the fittest older adults. Age Ageing 41:161–165, 2012.

48. Wallace L, Theou O, Pena F, et al: Social vulnerability as a predictor of mortality and disability: Cross-country differences in the Survey of Health, Aging, and Retirement in Europe (SHARE). Aging Clin Exp Res 27:365–372, 2015.

49. Wang C, Song X, Mitnitski A, et al: Effect of health protective factors on health deficit accumulation and mortality risk in older adults in the Beijing Longitudinal Study of Aging. J Am Geriatr Soc 62:821–828, 2014.

50. Bassuk SS, Glass TA, Berkman LF: Social disengagement and incident cognitive decline in community-dwelling elderly persons. Ann Intern Med 131:165–173, 1999.

54. Fratiglioni L, Paillard-Borg S, Winblad B: An active and socially integrated lifestyle in late life might protect against dementia. Lancet Neurol 3:343–353, 2004.

78. St John PD, Montgomery PR, Tyas SL: Social position and frailty. Can J Aging 32:250–259, 2013.

79. Woo J, Goggins W, Sham A, et al: Social determinants of frailty. Gerontology 51:402–408, 2005.

82. Salem BE, Nyamathi AM, Brecht ML, et al: Correlates of frailty among homeless adults. West J Nurs Res 35:1128–1152, 2013.

83. Theou O, Brothers TD, Rockwood MR, et al: Exploring the relationship between national economic indicators and relative fitness and frailty in middle-aged and older Europeans. Age Ageing 42:614–619, 2013.

89. World Health Organization: Age-friendly world. http://agefriendlyworld.org/en. Accessed February 3, 2015.

참고문헌

1. Kane RA: Social assessment of geriatric patients. In Rockwood K, Fillit H, Woodhouse K, editors: Brocklehurst's textbook of geriatrics and clinical gerontology, London, 2010, Elsevier, pp 223–229.

2. Nazroo J: Social gerontology. In Rockwood K, Fillit H, Woodhouse K, editors: Brocklehurst's textbook of geriatrics and clinical gerontology, London, 2010, Elsevier, pp 187–192.

3. Baum FE, Ziersch AM: Social capital. J Epidemiol Community Health 57:320–323, 2003.

4. Schoenbach VJ, Kaplan BH, Fredman L, et al: Social ties and mortality in Evans County, Georgia. Am J Epidemiol 123:577–591, 1986.

5. Kawachi I, Berkman LF: Social cohesion, social capital, and health. In Berkman LF, Kawachi I, editors: Social epidemiology, Oxford, England, 2000, Oxford University Press, pp 174–190.

6. Mendes de Leon CF, Glass TA, Berkman LF: Social engagement and disability in a community population of older adults: the New Haven EPESE. Am J Epidemiol 157:633–642, 2003.

7. Seeman TE, Kaplan GA, Knudsen L, et al: Social network ties and mortality among the elderly in the Alameda County Study. Am J Epidemiol 126:714–723, 1987.

8. Marmot M: Status syndrome: How your social standing directly affects your health and life expectancy, London, 2004, Bloomsbury Publishing.

9. Marmot MG, Shipley MJ: Do socioeconomic differences in mortality persist after retirement? 25-year follow-up of civil servants from the first Whitehall study. BMJ 313:1177–1180, 1996.

10. Lindstrom M, Moghaddassi M, Merlo J: Individual self-reported health, social participation and neighbourhood: a multilevel analysis in Malmo, Sweden. Prev Med 39:135–141, 2004.

11. Andrew MK: Le capital social et la santé des personnes âgées. Retraite et Société 46:129–143, 2005.

12. Lochner K, Kawachi I, Kennedy BP: Social capital: a guide to its measurement. Health Place 5:259–270, 1999.

13. Grundy E, Holt G: The socioeconomic status of older adults: how should we measure it in studies of health inequalities? J Epidemiol Community Health 55:895–904, 2001.

14. Lindstrom M, Merlo J, Ostergren PO: Individual and neighbourhood determinants of social participation and social capital: a multilevel analysis of the city of Malmo, Sweden. Soc Sci Med 54:1779–1791, 2002.

15. Kawachi I, Kennedy BP, Glass R: Social capital and self-rated health: a contextual analysis. Am J Public Health 89:1187–1193, 1999.

16. Lochner KA, Kawachi I, Brennan RT, et al: Social capital and neighborhood mortality rates in Chicago. Soc Sci Med 56:1797–1805, 2003.

17. Subramanian SV, Kim DJ, Kawachi I: Social trust and self-rated health in US communities: a multilevel analysis. J Urban Health 79:S21–S34, 2002.

18. Lang IA, Llewellyn DJ, Langa KM, et al: Neighborhood deprivation, individual socioeconomic status, and cognitive function in older people: analyses from the English Longitudinal Study of Ageing. J Am Geriatr Soc 56:191–198, 2008.

19. Lang IA, Llewellyn DJ, Langa KM, et al: Neighbourhood deprivation and incident mobility disability in older adults. Age Ageing 37:403–410, 2008.

20. Kawachi I, Kennedy BP, Lochner K, et al: Social capital, income inequality, and mortality. Am J Public Health 87:1491–1498, 1997.

21. Berkman LF, Glass T: Social integration, social networks, social support, and health. In Berkman LF, Kawachi I, editors: Social epidemiology, Oxford, England, 2000, Oxford University Press, pp 137–173.

22. Keefe J, Fancey P: Work and eldercare: Reciprocity between older mothers and their employed daughters. Can J Aging 21:229–241, 2002.

23. McKenzie K, Whitley R, Weich S: Social capital and mental health. Br J Psychiatry 181:280–283, 2002.

24. Bourdieu P: The forms of capital. In Richardson JG, editor: Handbook of theory and research for the sociology of education, New York, 1985, Greenwood, pp 241–258.

25. Coleman JS: Social capital in the creation of human capital. Am J Sociol 94:S95–S120, 1988.

26. Putnam RD: The decline of civil society: how come? So what? The 1996 John L. Manion lecture, Ottawa, Canada, 1996, Ca-

nadian Centre for Management Development.

27. Putnam RD: Bowling alone: The collapse and revival of American community, New York, 2000, Simon & Schuster.

28. Cannuscio C, Block J, Kawachi I: Social capital and successful aging: the role of senior housing. Ann Intern Med 139:395−399, 2003.

29. Stansfeld SA: Social support and social cohesion. In Marmot MG, Wilkinson RG, editors: Social determinants of health, Oxford, England, 1999, Oxford University Press, pp 155−178.

30. Andrew M, Keefe J: Social vulnerability among older adults: a social ecology perspective from the National Population Health Survey of Canada. BMC Geriatr 14:90, 2014.

31. Fratiglioni L, Wang HX, Ericsson K, et al: Influence of social network on occurrence of dementia: a community-based longitudinal study. Lancet 355:1315−1319, 2000.

32. Kane RL, Kane RA: Assessing older persons: measures, meaning, and practical applications, Oxford, England, 2000, Oxford University Press.

33. Andrew MK, Mitnitski A, Rockwood K: Social vulnerability, frailty, and mortality in elderly people. PLoS One 3:e2232, 2008.

34. Rockwood K, Mitnitski A: A clinico-mathematical model of aging. In Rockwood K, Fillit H, Woodhouse K, editors: Brocklehurst's textbook of geriatrics and clinical gerontology, London, 2010, Elsevier, pp 59−65.

35. Andrew MK: Frailty and social vulnerability. In Rockwood K, Theou O, editors: Frailty in ageing: biological, clinical and social implications, Zurich, Switzerland, 2015, Karger.

36. Raudenbush SW, Bryk AS: Hierarchical lineal models: applications and data analysis methods, Thousand Oaks, CA, 2002, Sage.

37. Rozanova J, Northcott HC, McDaniel SA: Seniors and portrayals of intra-generational and inter-generational inequality in the Globe and Mail. Can J Aging 25:373−386, 2006.

38. Cosco TD, Prina AM, Perales J, et al: Operational definitions of successful aging: a systematic review. Int Psychogeriatr 26:373−381, 2014.

39. Cosco TD, Prina AM, Perales J, et al: Lay perspectives of successful ageing: a systematic review and meta-ethnography. BMJ Open 3:e002710, 2013.

40. Glass TA: Successful aging. In Tallis RC, Fillit HM, editors: Brocklehurst's textbook of geriatric medicine and gerontology, London, 2003, Churchill Livingstone, pp 173−182.

41. Mitnitski A, Bao L, Rockwood K: Going from bad to worse: a stochastic model of transitions in deficit accumulation, in relation to mortality. Mech Ageing Dev 127:490−493, 2006.

42. Mitnitski A, Song X, Rockwood K: Improvement and decline in health status from late middle age: modeling age-related changes in deficit accumulation. Exp Gerontol 42:1109−1115, 2007.

43. Wilkinson RG: Unhealthy societies: the afflictions of inequality, London, 1996, Routledge.

44. Blazer DG: Social support and mortality in an elderly community population. Am J Epidemiol 115:684−694, 1982.

45. Berkman LF, Syme SL: Social networks, host resistance, and mortality: a nine-year follow-up study of Alameda County residents. Am J Epidemiol 109:186−204, 1979.

46. Seeman TE, Berkman LF, Kohout F, et al: Intercommunity variations in the association between social ties and mortality in the elderly. A comparative analysis of three communities. Ann Epidemiol 3:325−335, 1993.

47. Andrew M, Mitnitski A, Kirkland SA, et al: The impact of social vulnerability on the survival of the fittest older adults. Age Ageing 41:161−165, 2012.

48. Wallace L, Theou O, Pena F, et al: Social vulnerability as a predictor of mortality and disability: cross-country differences in the Survey of Health, Aging, and Retirement in Europe (SHARE). Aging Clin Exp Res 27:365−372, 2015.

49. Wang C, Song X, Mitnitski A, et al: Effect of health protective factors on health deficit accumulation and mortality risk in older adults in the Beijing Longitudinal Study of Aging. J Am Geriatr Soc 62:821−828, 2014.

50. Bassuk SS, Glass TA, Berkman LF: Social disengagement and incident cognitive decline in community-dwelling elderly per-

sons. Ann Intern Med 131:165−173, 1999.

51. Seeman TE, Lusignolo TM, Albert M, et al: Social relationships, social support, and patterns of cognitive aging in healthy, high-functioning older adults: MacArthur studies of successful aging. Health Psychol 20:243−255, 2001.

52. Andrew MK, Rockwood K: A 5-point change in Modified Mini Mental State Examination was clinically meaningful in community-dwelling elderly people. J Clin Epidemiol 61:827−831, 2008.

53. Andrew MK, Rockwood K: Social vulnerability predicts cognitive decline in a prospective cohort of older Canadians. Alzheimers Dement 6:319−325, 2010.

54. Fratiglioni L, Paillard-Borg S, Winblad B: An active and socially integrated lifestyle in late life might protect against dementia. Lancet Neurol 3:343−353, 2004.

55. Barnes DE, Cauley JA, Lui LY, et al: Women who maintain optimal cognitive function into old age. J Am Geriatr Soc 55:259−264, 2007.

56. Wilson RS, Krueger KR, Arnold SE, et al: Loneliness and risk of Alzheimer disease. Arch Gen Psychiatry 64:234−240, 2007.

57. Holwerda TJ, Deeg DJ, Beekman AT, et al: Feelings of loneliness, but not social isolation, predict dementia onset: results from the Amsterdam Study of the Elderly (AMSTEL). J Neurol Neurosurg Psychiatry 85:135−142, 2014.

58. Zunzunegui MV, Alvarado BE, Del Ser T, et al: Social networks, social integration, and social engagement determine cognitive decline in community-dwelling Spanish older adults. J Gerontol B Psychol Sci Soc Sci 58(2):S93−S100, 2003.

59. Barnes LL, Mendes de Leon CF, Wilson RS, et al: Social resources and cognitive decline in a population of older African Americans and whites. Neurology 63:2322−2326, 2004.

60. Koster A, Penninx BW, Bosma H, et al: Socioeconomic differences in cognitive decline and the role of biomedical factors. Ann Epidemiol 15:564−571, 2005.

61. Czernochowski D, Fabiani M, Friedman D: Use it or lose it? SES mitigates age-related decline in a recency/recognition task. Neurobiol Aging 29:945−958, 2008.

62. Wilson RS, Scherr PA, Bienias JL, et al: Socioeconomic characteristics of the community in childhood and cognition in old age. Exp Aging Res 31:393−407, 2005.

63. Wight RG, Aneshensel CS, Miller-Martinez D, et al: Urban neighborhood context, educational attainment, and cognitive function among older adults. Am J Epidemiol 163:1071−1078, 2006.

64. Kelley-Moore JA, Schumacher JG, Kahana E, et al: When do older adults become "disabled"? Social and health antecedents of perceived disability in a panel study of the oldest old. J Health Soc Behav 47:126−141, 2006.

65. Andrew MK: Social capital, health, and care home residence among older adults: a secondary analysis of the Health Survey for England 2000. Eur J Ageing 2:137−148, 2005.

66. Gill T, Taylor AW, Pengelly A: A population-based survey of factors relating to the prevalence of falls in older people. Gerontology 51:340−345, 2005.

67. Peel NM, McClure RJ, Hendrikz JK: Psychosocial factors associated with fall-related hip fractures. Age Ageing 36:145−151, 2007.

68. Burrows S, Auger N, Gamache P, et al: Individual and area socioeconomic inequalities in cause-specific unintentional injury mortality: 11-year follow-up study of 2.7 million Canadians. Accid Anal Prev 45:99−106, 2012.

69. Rockwood K, Stolee P, McDowell I: Factors associated with institutionalization of older people in Canada: testing a multifactorial definition of frailty. J Am Geriatr Soc 44:578−582, 1996.

70. Kersting RC: Impact of social support, diversity, and poverty on nursing home utilization in a nationally representative sample of older Americans. Soc Work Health Care 33:67−87, 2001.

71. McCulloch A: Social environments and health: cross sectional national survey. BMJ 323:208−209, 2001.

72. Kawachi I, Berkman LF: Social ties and mental health. J Urban Health 78:458−467, 2001.

73. Sicotte M, Alvarado BE, Leon EM, et al: Social networks and depressive symptoms among elderly women and men in Havana, Cuba. Aging Ment Health 12:193−201, 2008.

74. Walters K, Breeze E, Wilkinson P, et al: Local area deprivation and urban-rural differences in anxiety and depression among people older than 75 years in Britain. Am J Public Health 94:1768–1774, 2004.

75. Sulander T, Pohjolainen P, Karvinen E: Self-rated health (SRH) and socioeconomic position (SEP) among urban home-dwelling older adults. Arch Gerontol Geriatr 54:117–120, 2012.

76. Hyyppa MT, Maki J: Individual-level relationships between social capital and self-rated health in a bilingual community. Prev Med 32:148–155, 2001.

77. Wight RG, Cummings JR, Miller-Martinez D, et al: A multilevel analysis of urban neighborhood socioeconomic disadvantage and health in late life. Soc Sci Med 66:862–872, 2008.

78. St John PD, Montgomery PR, Tyas SL: Social position and frailty. Can J Aging 32:250–259, 2013.

79. Woo J, Goggins W, Sham A, et al: Social determinants of frailty. Gerontology 51:402–408, 2005.

80. Lurie I, Myers V, Goldbourt U, et al: Perceived social support following myocardial infarction and long-term development of frailty. Eur J Prev Cardiol 22:1346–1353, 2015.

81. Peek MK, Howrey BT, Ternent RS, et al: Social support, stressors, and frailty among older Mexican American adults. J Gerontol B Psychol Sci Soc Sci 67:755–764, 2012.

82. Salem BE, Nyamathi AM, Brecht ML, et al: Correlates of frailty among homeless adults. West J Nurs Res 35:1128–1152, 2013.

83. Theou O, Brothers TD, Rockwood MR, et al: Exploring the relationship between national economic indicators and relative fitness and frailty in middle-aged and older Europeans. Age Ageing 42:614–619, 2013.

84. Tinetti ME, Powell L: Fear of falling and low self-efficacy: a case of dependence in elderly persons. J Gerontol 48:35–38, 1993.

85. Rankin KP, Rosen HJ, Kramer JH, et al: Right and left medial orbitofrontal volumes show an opposite relationship to agreeableness in FTD. Dement Geriatr Cogn Disord 17:328–332, 2004.

85a. Rubin RD, Watson PD, Duff MC, et al: The role of the hippocampus in flexible cognition and social behavior. Front Hum Neurosci 8:742, 2014.

86. Holekamp KE, Sakai ST, Lundrigan BL: Social intelligence in the spotted hyena (Crocuta crocuta). Philos Trans R Soc Lond B Biol Sci 362:523–538, 2007.

87. Greenfield EA, Marks NF: Continuous participation in voluntary groups as a protective factor for the psychological well-being of adults who develop functional limitations: evidence from the national survey of families and households. J Gerontol B Psychol Sci Soc Sci 62:S60–S68, 2007.

88. Charlesworth G, Shepstone L, Wilson E, et al: Befriending carers of people with dementia: randomised controlled trial. BMJ 336:1295–1297, 2008.

89. World Health Organization: Age-friendly world. http://agefriendlyworld.org/en, Accessed February 3, 2015.

90. Chau PH, Gusmano MK, Cheng JO, et al: Social vulnerability index for the older people—Hong Kong and New York City as examples. J Urban Health 91:1048–1064, 2014.

91. Andrew MK, Powell C: An approach to "the social admission". Can J Gen Intern Med 2014. In press.

CHAPTER 31

노화의 성격과 자아: 다양성과 건강 문제들

The Aging Personality and Self: Diversity and Health Issues

Julie Blaskewicz Boron, K. Warner Schaie, Sherry L. Willis

성격은 세상에 대한 개인의 인터페이스를 형성하는 행동, 생각과 감정의 양식으로 정의될 수 있으며 한 사람을 다른 사람과 구분하고, 시간과 상황에 걸쳐 표현된다.[1-3] 성격은 문화 및 집단의 영향을 포함하여 생물학적, 인지적 및 환경적 결정 요인에 의해 영향을 받는다. 성격에 대한 이론적 접근방식은 서술하고 설명하고자 하는 구조의 정도만큼 다양하지만, 각 접근 방식은 다양한 각도에서 시간과 상황에 걸친 개인의 안정성과 변화를 강조한다.

성격은 성인 일생에 걸쳐 개인적, 직업적, 영적, 신체적인 모든 영역에 영향을 미친다. 당연하게도, 성격의 특성은 건강 상태, 건강 행동 및 보건 전문가와의 행동적인 상호 작용에 직간접적으로 영향을 준다. 비록 이러한 풍부한 경험적, 이론적 연구들을 하나의 챕터만으로 적절하게 요약할 수는 없겠지만, 단계 모델, 특성 이론, 그리고 성격에 대한 사회-인지적 접근에 대한 간결한 개요를 제공하려 노력할 것이다. 또한 치매로 인해 발생할 수 있는 성격 변화가 아닌, 인지가 손상되지 않은 노인들의 성격 발달 부분에 초점을 맞출 것이다.

이 챕터의 각 섹션에는 네 개의 하위 섹션이 포함되어 있다. 단계, 특성, 사회-인지의 세 가지 주요 관점에서 각각에 대해, 먼저 성인의 성격에 있어서 안정성과 성숙, 그리고 환경적인 변화에 대한 전통적인 개관을 포함하여 최근의 대표적인 연구를 함께 제공할 것이다. 우리는 장기간 데이터에 초점을 맞출 것이다. 둘째, 성인 성격에 대한 문화에 따른 차이점을 포함한다. 이러한 접근은 성인의 성격과 노화를 분석하는데 독특한 관점을 제공할 것이다.[4,5] 셋째, 이환율과 사망률, 복지, 삶의 만족도, 긍정적/부정적 영향, 불안과 우울 등에 초점을 맞추어 성격과 성인 건강의 관련성을 조사할 것이다. 마지막으로 측정 방법을 논의하고 현재 평가 도구의 예를 제공할 것이다.

성격의 단계와 자아의 발달

프로이트 이론

성인 성격 발달에 대한 정신분석학적 접근은 지그문트 프로이트(Sigmund Freud)의 이론에 뿌리를 두고있다. 그의 이론은 의식, 성격의 구조, 방어 기제, 그리고 정신적 발달 단계의 네 가지 영역을 포함하고 있다.[6,7] 프로이트 이론은 성인 성격이 세 가지 측면으로 구성된다고 가정한다: (1) 일반적으로 무의식 안에서 즐거움의 원칙에 따라 작동하는 이드(id) (2) 의식 영역 내에서 현실 원칙에 따라 작동하는 자아(ego) (3) 의식의 모든 수준에서 도덕적인 원칙에 따라 작동하는 초자아(superego). 이러한 성격 구조가 상호 작용하여 다양한 방어 메커니즘을 통해 감소시켜야 하는 불안감을 발생하게 된다. 이러한 기전은 자신의 행동에 대한 불안감이 조성된 이유에 대한 진실을 이해하기 힘들도록 작용한다.

프로이트의 특정이론들은 인간 심리에 대한 우리의 이해를 넓히는데 있어서 매우 영향력이 크지만, 오늘날 성격에 대한 과학적 연구에서 거의 주목을 받지 못하고 있다.[6] 그의 이론은 대개 비특이적 가설로 이어지기 때문에 과학적인 연구로 받아들이기 쉽지 않고, 알려지지 않은 방어기제의 결과로서 예상되는 효과를 찾기 힘들다. 또한, 성격의 발달이 자신의 성심리 발달의 단계와 관련이 있어 청소년기에 본질적으로 종료된다고 가정하고 있어, 프로이트의 이론은 노인성 및 노인 의학 분야에 대한 적용이 제한되어 왔다.

프로이트 이후의 이론들

대조적으로, 일부 프로이트 이후의 이론가들은 개인의 고통과 대처 형태의 원인이 되는 현재의 대인 관계 그리고/또는 가족 문제에서 출발한 문제에 초점을 맞추어 성격 발달을 개념화하였다. 칼 융(Carl Jung)은 나이에 따라, 남성의 특성(animus)과 여성의 특성(anima)의 표현 사이에서 균형을 획득한다고 가정하였다.[8,9] 다른 문화권에서도 연령에 따라 성 역할의 균형이 증가한다는 발견들이 대두되었고 이는 일부 융의 가설을 뒷받침한다.[2]

에릭 에릭슨(Erik Erikson)의 사회심리적 발달 단계는 성인 성격의 단계 이론으로 잘 알려져 있다. 에릭슨의 8단계 발달 과정은 후생학적 원리에 기초를 두고 있고, 이는 성격이 적절한 속도로 이러한 단계를 순서대로 거쳐 발달하는 것을 의미한다.[3,10] 8단계 중 2단계는 성인기 동안의 성격 변화를 기술하고 있다. 비록 정체성의 위기는 청소년기에 발생하지만, "당신이 누구인지"를 결정하는 과정은 성인기에 걸쳐 노년기까지 반영이 되는 지속적인 과정이다.[11] 중년기의 생식성(Generativity; 후진양성욕구) 대(vs) 침체기의 단계에서, 정체성에 대한 관심과 상호간의 친밀감에 대한 관심사를 넘어 개인은 자신의 재능과 경험을 다음 세대에 제공할 수 있는 방법을 찾게 된다.[5] 이 단계의 성공적인 해결은 다음 세대에 대한 신뢰와 돌봄을 발달시키게 되며 사회가 지속될 것이라는 확신을 가져온다. 이 단계의 해결이 실패한 경우 자아도취(self-absorption)를 나타낸다.

자아의 통합 대 절망은 에릭슨의 자아 발달의 마지막 단계로, 65세 경부터 시작하여 사망할 때까지 지속된다. 이 단계에서 개인은 죽음이 가까워짐을 점점 더 집중하고 인식하게 된다. 이 단계의 성공적인 해결은 자신의 삶을 되돌아보고 의미를 찾아 죽음 이전에 지혜를 발달하게 한다. 반대로 이러한 인생 회고 과정에서 주로 부정적인 결과에 초점을 두게 되면 무의미함과 절망이라는 결과로 이어질 수 있다.

실증적인 에릭슨의 이론을 연구하면서 발생하는 문제들은 단계들이 반드시 순차적으로 맞닥뜨려야 한다는 단언과 발달 과정의 위기가 어떻게 해결이 되어 개개인이 다음 단계로 나아갈 수 있는지에 대한 명확한 설명이 부족하다는 점이다. 그러나 성인 성격에 대한 문화 및 집단의 환경적 영향이 최소화되었다. 22년 동안의 한 연구에서 에릭슨의 이론을 뒷받침하는 중요한 연령 변화가 발견되었다. 중년의 성인에서 젊은 성인보다 사회심리적 발달 위기를 성공적으로 완료하는데 필요한 감정과 인식을 나타낸다.[12] Ackerman 등은 청년기에 비하여 중년기의 생식성과 강한 연관성을 가짐을 보고하였다.[13] 일부 연구자들은 자아의 통합 대 절망의 시기에 들어서면서 인생 회고의 과정을 시작한다고 가정하기도 한다.[14]

인생 회고

인생 회고의 개념은 성인 성격의 단계 이론에 대한 실증적인 연구가 부족하다는 것에 대한 항변에서 시작된다.[14,15] 인생 회고는 개인이 자신의 인생 경험을 되돌아보고 이질적인 사건들을 일반적인 주제로 통합하는, 삶의 후기에 일어나는 체계적인 인지-정서적 과정으로 생각할 수 있다. 주로 긍정적인 삶의 경험을 회상하는 것에 중점을 둔 인생 회고 부분을 추억이라고 말한다. 추억은 지속적인 정체성 형성과 자아 연속성(self-continuity), 삶에 대한 통달, 의미 및 일관성, 그리고 삶의 수용과 화해에 기여한다는 점에서 성공적인 노화[16]와 관련성이 있다.[17] 비록 성인 성격 발달에 대한 이러한 접근 방법은 개인의 삶의 스토리 속에서 형성되는 정체성에 대한 인지 과정으로 개념화 될 수 있지만, 우리는 그것이 인생의 마지막 단계에서 발생하는 것으로 가장 빈번하게 기술되기 때문에 단계 모델에 포함시키기로 하였다. 그럼에도 불구하고 개인은 젊은 성인[18]과 중년[19,20]을 포함하여 성인 시절 전반에 걸쳐서 주기적으로 인생 회고의 과정을 거치게 됨을 인지하여야 한다.

단계 이론

단계 이론과 다양성

다양한 문화 또는 인종 및 민족 집단을 중심으로 한 성격의 단계 이론(stage theory)에 대한 연구는 그다지 많지 않다. 기존 프로이트의 이론과 같은 대부분의 단계 모델은 매우 선별된 대상만을 바탕으로 시행되었다. 일부 몇몇 인생 회고의 연구에서 일반적인 관심 집단을 반영한 참가자를 모집하는데 성공하였다.[21-23] 비교 문화 연구의 자료에 의하면 대만의 고령 인구에서 인생 회고 프로그램이 자존감과 삶의 만족도를 높였으며,[24] 공동생활을 하는 중국 노인들[25]의 우울증상이나 네덜란드 노인[26]의 우울증과 불안 증상을 호전시켰다. 인생 회고의 보편성 및 기본적인 전제의 일반화를 연구하기 위해서 인구의 폭넓은 다양성을 반영하는 연구가 필요하다

단계 이론과 건강

성인 성격에 대한 단계적인 접근과 건강과의 관련성에 대한 연구는 매우 제한적이다. 생식성에 대한 한 연구에서 자신의 삶에서 더 많은 생식성을 인지하는 사람들은 일상 생활 활동의 장애가 적고 10년 후 사망 위험도가 감소한다고 보고하였다.[27] 그러나 대부분의 연구는 인생 회고 과정에 초점을 맞추고 있다. 몇 가지 중재 연구에서 특이적이지는 않지만 지지적인 중재가 개입된 군과 비교하였을 때, 인생 회고가 건강, 삶의 만족, 복지, 우울증에 긍정적 영향을 미친다는 주장에 힘을 실어주고 있다.

노인의 추억과 행복감에 대한 연구들의 메타 분석에 따르면, 비록 추억은 노년기의 삶의 만족과 행복감과 관련되어 중등도의 관련성을 보였지만(영향의 크기, 0.54), 인생 회고에 관여하는 것이 더 강한 영향을 미친다는 것을 증명한다.[17] 이것은 인생 회고에서 전형적으로 나타나는 긍정적이고 부정적인 모든 삶의 사건들을 고려하는 것이 노년기의 행복감에 더 큰 영향을 미친다는 것을 의미한다. 또한, Bohlmeijer 등은 인생 후기의 우울증에 대한 인생 회고의 영향을 조사하기 위해 또 다른 메타분석을 시행하였다.[28] 결과에 따르면 고령자의 인생 회고와 추억이 노인에서 우울 증상의 치료에 효과적일 수 있다고 하였다. 또 다른 연구에서 노년기의 우울증 증상을 감소시키고 삶의 만족도를 증진하는 데 인생 회고의 중재로서의 효용성을 입증하였다.[29-33] 최근의 연구는 삶의 통찰과 의미가 심리적인 자원의 영향을 고려하고 부정적인 추억과 우울증과 불안과 같은 심리적으로 괴로울 수 있는 증상 간의 관련성을 조정한다는 것을 발견했다.[34] 마지막으로, 인생 회고 프로그램 참가자들은 대조군과 비교할 때 자율성의 증가, 환경의 숙달, 개인의 성장, 다른 사람들과의 긍정적인 관계, 삶의 목적, 자아수용을 포함하여 보다 넓은 심리학적 이득이 있음이 증명되었다.[35]

측정방법의 문제들

성인 성격 발달에 접근하는 단계 이론과 같은 실증적 연구를 방해하는 주요한 방법론적 문제는 변화 기전을 명확하게 설명하는 것이 힘들고 정신심리측정학상 신뢰할 수 있고 가능한 측정방법에 한계가 있다는 점이다. 성격의 안정은 이러한 단계 이론으로 추정되었다. 이것은 반드시 문제적일 필요는 없다; 그러나 진행의 순서를 포함하여, 제안된 단계를 통하여 어떻게 사람들이 나아가는지, 그리고 어떻게 비표준화된 삶의 사건들이 성격에 변화를 일으킬 수 있는 지와 같은 것들은 현재 방법을 통해 측정하기 어렵고, 나이의 변화나 집단의 차이 등을 고려하지 않는다.[36] 우리의 조직 체계

에서 성인 성격에 대한 가장 최근의 단계 접근법은 삶의 마지막 단계에서의 인생회고 개념을 포함한다. Bohlmeijer 등은 중재의 전달에서 치료 기술로서 인생 회고에 대한 표준화 된 양식이 부족함을 지적하였다.[17]

이러한 연구의 많은 부분에서 나타나는 공통적인 방법론적 한계는 횡단면 연구에서 나이와 관련된 성격 변화의 인과적 추론을 만드는 문제이다. 이러한 연구들에서 노화로 인한 영향 또는 집단의 차이로 인해 연령과 관련된 차이점들이 관찰 될 수 있다는 것이다. 집단의 순차적인 데이터가 없으면 이러한 영향을 분리하여 생각하는 것은 불가능하다. 따라서 비록 성인 성격의 단계 이론이 직관적인 매력을 가지고 있음에도 불구하고 구조와 방법론의 애매한 기술 때문에 제한적이다.

성격적 특성

성인의 성격 발달에 대한 단계적 접근법과는 대조적으로, 특성적인 접근에 관한 실증적인 연구는 최근 몇 년간 큰 호황을 누렸다. 성격의 큰 다섯 가지 인자 모델은 개개인을 묘사하는 수백 가지의 특성 또는 개체 차이를 구성하기 위한 광범위한 뼈대를 제공한다.[37] 이러한 다섯 가지 핵심적인 관점들은 기술된 성격에 대한 광범위한 요인 분석을 통해 대부분의 인생 단계에서 나타나게 된다.[38,39] 가장 흔하게 확인된 5 가지 요인에 대한 설명은 BOX 31-1에서 찾을 수 있다.

초기 연구에 따르면 성격의 성숙한 변화는 거의 30세에 이르기까지 젊은 성인에서 발생하고, 그 후에는 상대적으로 개인적인 특성의 안정화를 보이게 된다.[40-44] 그러나 성인기에 걸친 성격의 안정성에는 공감대가 결여되어 있다. 성인기에 성격이 안정적으로 유지되는지 또는 변화되는지에 대한 논쟁은 아마도 변화를 결정하는 서로 다른 기준들에 근거한다. Roberts와 Mroczek은 평균 수준의 변화, 순위의 일관성, 구조적 일관성, 그리고 변화에 대한 개인차 등을 포함한 다양한 형태의

BOX 31-1 **큰 다섯 가지의 성격적 특성**

1. 정서적 안정 대 신경증(neuroticism) - 불안감, 우울, 정서적 불안정, 자의식, 적대감, 충동과 이완, 균형, 그리고 꾸준함

2. 외향성(extraversion) 또는 급박함(surgency) - 사교성, 자기표현, 활동 수준, 긍정적인 감정 대 침묵, 수동성, 그리고 내성적

3. 문화 그리고 지적 능력 또는 경험에 대한 개방성(openness) - 상상력, 호기심 그리고 창조성 대 얄팍함, 무지각함 및 어리석음

4. 우호성(agreeableness) 또는 유쾌함 - 타인에게 유쾌하고 매력적이라고 여겨지는 친절, 신뢰, 따뜻함과 같은 속성 대 적대감, 이기심 및 불신감

5. 성실성 또는 의존성 - 조직을 구성, 책임감, 야망, 인내, 그리고 근면함 대 부주의, 과실, 비신뢰성

Adopted from Goldberg LR: The structure of phenotypic personality traits. Am Psychol 48:26-34, 1993

변화를 기술하였다.[45] 대개 안정성을 뒷받침하는 연구는 순위의 일관성과 관련이 있는 반면, 변화를 강조하는 연구는 변화에 대한 개인차를 중요시한다. 횡적인 연구 결과와 일관되게,[41] 종단적 평가와 메타 분석[46]에서 성인에서 신경증, 외향성, 그리고 경험에 대한 개방성은 연령에 따라 약간의 감소를 보이고, 우호성과 성실성은 70세까지 연령에 따라 증가한다(신경증의 감소는 80세까지 지속되었다). 그러나 이 연구는 성인기의 성격의 안정성을 뒷받침하는 것으로 종종 인용된다. 비록 평균 수준의 변화가 나타나지만 개인은 성격 영역에서 그들의 순위를 유지한다.[47] 다른 연구에서도 안정성에 대해 동일한 결과를 보였다.[48-52]

개개인의 변화율의 다양성에 대한 여러 연구는 성인에서도 성격이 변화 할 수 있다는 개념을 뒷받침해 주었다.[53-57] 이러한 연구들은 성격적인 특성에서 한 개인의 변화가 다른 개인보다 많거나 적을 수 있다는 것을 의미한다. 중년에서 노년의 남성에 대한 12년간의 장기 연구에서, Mroczek과 Spiro는 집단, 결혼 또는 재혼의 발생, 배우자 사망 그리고 기억 장애가 성격의 서로 다른 변화율과 관련이 있음을 보고하였다.[55] 생활 환경이나 다른 환경적 요인에 대한 개인 차이도 역시 성격의 서로 다른 변화율과 관련되어, 전체적인 행복감에 영향을 미치는 것으로 나타났다.[58] 다양한 생활 환경에서 관찰되는 사회적 지지, 충족되지 않은 요구, 건강 그리고 심리 사회적 욕구가 고령 여성에서 변화율의 차이에 대한 중요한 예측 인자들이다.[59] 따라서 특정한 삶의 경험은 성격에 영향을 줄 수 있다. 변화에 대한 다양한 정의와 변화를 수반하는 인자들은 성격의 안정성이나 변화에 대한 연구를 고찰할 때 매우 중요하다.

특성 이론(Trait theory)과 다양성

비교–문화 연구의 대부분에서 미국의 비 히스패닉계 백인과 다른 국가에 거주하는 개인을 가장 많이 비교한다.[60-62] 이 연구들은 서로 다른 최근의 역사를 가진 문화권의 성인들을 비교하여 다양한 연령 집단에 대한 환경의 영향을 평가하고자 하였다. McCrae와 동료들은 NEO Personality Inventory–R를 사용하여 독일, 이탈리아, 포르투갈, 크로아티아, 한국 등 5개국의 문화에 걸친 성인 성격의 유사점을 연구하였다.[61] 말하자면, 환경적인 요인이 성인의 성격 발달에 있어서 중요한 역할을 한다면 나이에 따른 변화가 서로 다른 양상으로 나타날 것이다. 반면에, 내인적인 성숙도의 관점이 중요하다면 많은 차이를 보이는 서로 다른 문화에서도 비슷한 경향을 보일 것이다. 결과에 따르면 문화 전반에 걸쳐 중년 성인은 18세에서 21세 어린이보다 우호성과 성실성 척도에서 더 높은 점수를 얻었으며 신경증, 외향성 및 개방성 척도에서는 낮은 점수를 보였다. 결과의 일치도는 개방성면에서 가장 강했고 신경증에서 제일 약했는데, 독일과 한국의 두 문화 만이 미국의 양상을 재현했다.

캘리포니아 인성검사(California Psychological Inventory, CPI)를 사용하여 미국과 중국의 성인들을 비교하였을 때 요인의 구성이 다섯 가지의 중요 인자와 유사하였다: 비교상 연령과의 관련성이 매우 유사하게 나타났다.[60,62] Yang 등의 연구에서 중국의 표본은 미국 표본보다 평균 25세 나이가 적었으며, 미국 표본에서 연령에 의한 효과가 더 작았다.[62] 마찬가지로 Labouvie-Vief 등은 CPI 검사에서 비롯된 모든 네 가지의 성격 요소 – 외향성, 지배성향, 유연성 그리고 여성성–남성성에서 높은 일치도를 보인다고 보고하였다.[60] 문화 전반에 걸쳐 노인 집단의 경우 외향성과 유연성에 대한 점수가 낮았고 지배 성향에 관한 점수가 높았다. 말하자면, 연령의 차이들은 미국 성인보다 중국에서 더 두드러졌다. 가장 나이가 적은 집단에서 가장 나이가 많은 집단에 비해 더 작은 문화적 차이를 보였다.

일반적으로, 이러한 비교–문화 연구의 결과는 성격에 보편적으로 내재된 성숙한 변화들이 있다는 가설과 일치한다.[60-62] 그러나 Yang 등은 18세에서 65세 사이에서 연령이 CPI 척도 점수 변화의 20% 이상을 차지하지 않는다고 보고하였다.[62] 성별은 이러한 비교–문화 연구의 결과 양상에 영향을 미치지 않았다. 환경 인자의 영향에 대한 해석은 저자들에 따라 달랐다. Yang 과 McCrae 연구에서,[61,62] 저자들은 역사적인 집단 효과가 성인의 성격 특성에서 횡단면적인 나이의 차이에 대한 주요 결정 요인이 된다는 결과를 지지하지 않는다고 하였다. Labouvie-Vief 등은 비록 문화에 걸쳐 성격의 양상은 높은 단계의 유사성을 보이지만, 문화적 풍토와 문화적 변화가 나이와 성격 간의 관계에 영향을 미친다고 주장한다.[60]

특성 이론과 건강

성인의 성격과 건강의 연관성에 대해서는 광범위한 문헌들이 있다. 건강과 관련하여 신경증은 가장 자주 연구되는 특성 중 하나이다. 신경증은 스트레스에 대한 더 큰 반응성과 관련이 있으나,[63] 높은 수준의 자기 통제 또는 숙달은 스트레스가 건강에 미치는 영향과 관련하여 보호 인자로 작용한다.[64,65] 최근 문헌에서 Hill과 Roberts는 성격의 특성과 관련되어 여러 가지 생리학적 표지자가 있음을 보고하였다. 특히 급성 손상에서 나타나는 C-reactive protein 염증과 관련된 interleukin-6의 낮은 수치는 높은 성실성 및 낮은 신경증과 관련되어 있다.[66] Siegman 등은 미네소타다면인성검사(Minnesota Multiphasic Personality Inventory-2, 2-MMPI)에서의 지배적인 요소가 평균 연령 61세 노인에서 치명적인 관상동맥 심장질환 및 비치명적인 심근경색의 빈도에 독립적인 위험 인자가 될 수 있음을 확인하였다.[67] Niaura 등은 노인에서 높은 적대감이 혈압과 지질 수준에 영향을 미칠 수 있는 비만의 양상, 중심성 지방, 그리고 인슐린 저항성과 연관되어 있다고 하였다.[68] 일본 노인을 대상으로 한 연구에 따르면 외향성, 성실성, 개방성이 5년 사망률과 역상관관계가 있다고 하였다.[69] 전반적으로, 많은 연구에서 성격은 사망률과 연관성이 있으며, 높은 수준의 신경증과 낮은 수준의 성실성이 사망률의 위험 요인으로 작용한다는 것을 의미한다.[70-73]

측정방법의 문제들

성격적 특성의 큰 다섯 가지 인자를 측정하는 여러 도구가 있다.[74-76] 그러나 특정한 측정방법에 관계없이, 이러한 측정방법들은 요인 분석을 통한 5가지 측면의 성격을 도출하는 면에서 탁월한 일관성을 보인다.[37] 하지만 여러 방법론적인 문제가 남아 있다. 성인 성격 연구에서 안정성 측정 시의 주된 문제점은 현재 고려중인 안정성의 유형에 대한 것이다. 지금까지 수행된 종단적인 연구에서 특성의 일관성에 대한 집단 및 측정 시간의 영향은 완전히 고려되지 않았다.[51] 성 역할의 차이에 대한 연구에 따르면, 나이는 시간에 걸친 남성과 여성의 성격 특성에 따른 여러 집단들의 삶의 경험만큼 좋은 예측 인자가 아니라고 하였다.[77-79] 따라서, 수많은 사회적, 역사적, 그리고 수명과 연관된 영향들의 결과로써 일찍 태어난 집단들이 조기에 더욱 일관된 성격 특성을 가지게 되었을 수도 있다.

성격의 안정성과 변화에 있어서 생물학적 및 환경적 변수가 미치는 상대적 영향을 보다 폭넓게 고려하는 것이 필수적이다. 유전적 인자들에 대한 영향을 10년 동안 일란성과 이란성 쌍생아의 성격 발달 과정에서 조사했지만, 성인 연령기에 걸친 성격의 유지에 유전적인 인자가 기여함을 증명한 연구는 없다. 환경적 영향과 관련하여, 시간과 나이에 따라 개인이 겪는 새로운 경험은 거의 없다.[52] 따라서 성격 요인의 안정성은 유전적 요인보다는 개인이 사는 환경에서 새로움의 감소와 관련성이 있을 수 있다. 마지막으로, 특성에 대한 이전의 연구는 주로 서술하는 방식이었으며 이론에 기반한 접근에 따른 결과일 수 있다.

성격에 대한 사회-인지적 접근

성인 성격과 자아의 연구에 대한 사회-인지적 접근은 자신에 대한 인식에 안정성과 변화를 가져오는 과정에 초점을 맞추고, 개인의 성격에서 적응력을 조절하는 데 필요한 영향을 강조한다. 자아의 개인적인 감각은 성숙한 변화와 집단의 차이에 영향을 미치는 내부 및 환경적인 요인의 상호 작용을 통해 발달하게 된다. 발달하는 자아의 내용이 변할 수 있지만, 이 모델은 변화가 자아의 개념에 안정적으로 통합되는 기전이라는 것을 제시하고 있다. 따라서 역동적인 구조로서 자아의 발달은 자신의 정체성, 가능한 자아들(possible selves)에 대한 인식, 통제 또는 개인 숙달의 감각, 그리고 남은 수명에 대한 지각 등을 반영한다.

정체성 및 개인의 통제

Whitbourne와 Connolly는 개인의 핵심적인 정체성 발달의 일생에 걸친 접근에 대해 설명하였다. 정체성이라는 용어는 개인의 자아 발달 감각으로 정의되며, 내적 및 외적 삶의 경험을 해석하는 통합적인 도식이다.[80] 정체성은 신체 기능, 인지, 사회적 관계 및 환경 경험들을 포함한다. 정체성 과정 이론은 연령에 따른 정체성의 변화가 동화, 조절 및 균형을 통해 발생한다는 것을 미루어 가정한다.[81,82] 성공적인 노화는 자아에 대한 정보를 통합하고 동화와 적응 사이의 균형을 이루는 것으로 구성된다.[70] 연령에 따른 정체성의 형성과 유사하게, 통제 또는 개인적 숙달의 감각, 즉 그들이 자신들의 삶의 결과에 영향을 미친다는 것을 어느 정도 믿을 수 있느냐 하는 것과 마찬가지로 역시 나이가 들어가는 개인이 신체 기능, 인지, 사회적 관계 및 환경 경험에서 나이와 관련된 변화가 발생함에 따라 그들의 믿음을 조절하는 것이 필요하다.

Whitbourne와 Collins는 40세에서 95세 사이의 성인을 대상으로 정체성과 신체 기능의 변화 사이의 관계에 관한 자기보고서를 조사하였다.[83] 숙련도에 대한 인식의 변화에 더 초점을 둔 노인들에서 다른 연령집단보다 인지기능의 영역에서 정체성의 동화(즉, 자기 자신과 일치하는 경험의 재해석)를 더 사용하는 경향이 있다. 인지능력의 훈련에 대한 임상시험에서, 귀납적 추론이나 처리 속도에 대한 인지 교육의 기능으로서 인지 기능에 관한 개인적인 통제가 노인에서 증가하는 것으로 나타났다.[84] 따라서 이러한 성격의 측면은 경험의 결과에 따라 다양하게 나타날 수 있으며 중재를 통해 긍정적인 효과를 경험할 수 있다. Sneed와 Whitbourne의 또 다른 연구에서는 적응보다 동화의 중요성을 강조했는데, 정체성의 동화와 균형에 집중한 사람들은 자존감이 증가한 반면 적응의 경우 자존감의 감소를 보였기 때문이다.[85] 마지막으로, 정체성과 자기 의식에 관한 연구에서, 정체성의 적응은 자기 반성과 대중적인 자의식과 상관관계가 있었다.[86]

일생의 관점에서 자아를 이해하는 데 관심이 있는 연구자들은 종종 "가능한 자아들(possible selves)" 모델을 통해 제공되는 이론적 틀을 사용한다.[87] 가능한 자아들에 대한 구조는 개인이 될 수 있고 개인이 되고 싶어하며, 개인이 될 수 있는 것을 두려워하는 것을 대변하는 자아의 여러 측면에 의해 그들의 행동이 인도된다는 것을 가정한다. 가능한 자아들은 개인과 직접적인 미래의 행동에 동기부여 할 수 있는 심리적인 자원으로 작용한다.

Ryff의 연구는 가능한 자아들에 대한 개념에 대해 실증적인 자료를 제공하였다.[88] 젊은 연령, 중년 및 노인들은 자기 수용, 다른 사람들과의 긍정적인 관계, 자율성, 환경적인 숙달, 삶의 목적, 개인적 성장과 관련된 측면에서 그들의 과거, 현재, 미래 그리고 이상적인 자아를 판단하도록 요청받는다. 고령자는 젊은 성인보다 자신의 이상적인 자아를 하향 조정하고 그들의 과거를 더 긍정적으로 보는 것 같다.[88] 희망하거나(hoped) 두려워하는(feared) 가능한 자아가 노인에서 5년을 넘게 안정적으로 유지되는 것을 발견하였다.[89] 연령에 따라 목표 방향이 바뀌었다; 특히 노년층은 유지와 손실 예방에 중점을 두었고 이러한 방향성은 행복감과 관련이 있었다.[90] 가능한 자아와 관련된 목표 방향성의 변화는 가능한 자아의 인지된 통제 및 안정감에 기여한다. 또한, 이것은 나이에 따라 1차적인 통제, 환경 변화에 대한 노력에서 2차 통제, 외부 프로세스보다는 감정 또는 내부 프로세스 관리 시도에 초점이 옮겨지는 것을 나타낸다.[91] 최근의 연구에 따르면 비록 두 가지 유형의 통제가 연령에 따라 증가하지만 2차 통제가 더 많은 정도로 상승된 상태에서, 1차 동제가 삶의 만족도를 더 잘 예측한다.[92] 그러나 고령에서 인지된 2차 통제가 1차 통제에 영향을 미치므로 간접적으로 삶의 만족도에 영향을 미치게 된다. 발달에 대한 인지된 통제는 성인기의 주관적인 행복과 관련이 있다.[93]

사회 정서적 선택 이론

Carstensen의 사회 정서적 선택 이론(Socioemotional selectivity theory, SST)은 지식을 바탕으로 한 정서적인 목표를 조절하기 위한 목적으로 그들의 사회 세계에서 성인들에 의해 이루어진 대리적인 선택에 주목하고 있다.[94-96] 사회적 관계의 의도적인 선택적 감소는 성인 초기에 시작되며, 정서적 친밀감은 안정된 상태로 유지되거나 연령대가 증가함에 따라 선택된 관계 내에서 증가한다.[94-96] 시간이 제한되지 않는다고 인식되면 지식의 습득이 우선시 된다. 그러나 시간이 제한적이라고 인식되면 감정적인 목표가 우선 순위가 될 것으로 추정된다. 노인은 자신의 자원을 투자하기 원하고, 상호주의와 긍정적인 영향을 예측할 수 있는 사회적인 관계를 선택하고 그럼으로써 그들의 사회적 네트워크를 최적화한다. 또한 고령자의 사회적 네트워크에서 유지되는 사람들은 긍정적 감정이 증가되고 부정적인 감정은 감소되며, 이러한 과정이 감정적인 경험에 긍정적인 영향을 미친다는 보고가 있다.[97] 따라서 지인들과의 접촉을 줄이고, 자신의 인생 목표에 대한 핵심적인 감정의 애착 증가의 기능으로 인해 친척과 친구들과의 접촉은 유지하도록 하는 개인의 선택에 의해 노인들의 사회적 네트워크는 점차 감소된다.[94-96]

인생에서 남은 시간에 대한 인식(미래 시간 관점)은 동기 유발의 근본이 되는 것으로 가정되며, 나이는 시간의 관점과 상관 관계가 있다.[98] 마지막을 인지하는 것은 정체성 과정에서 중요한 역할을 하는데, 마지막에 대한 인식은 자아 수용력을 증가시키고 추상적인 이상을 향해 덜 노력하게 한다.[88,99] 따라서, 남아있는 삶에 대해 지각된 시간의 변화로 인해, 노인들은 과거에 대한 우려보다 훨씬 현재-지향적인 것으로 보이게 되며 청년보다 미래에 대해 덜 우려하는 것으로 보인다.[100] 이것은 또한 부정적이 아닌 긍정적인 감정에 대한 집중도 증가와 연관성이 있다. 나이는 자기 인식과 사회적 목표의 변화를 일으키는 원인 인자라기보다는, 실제 나이가 관련성을 나타내는 삶의 남은 수명과 역관계를 보인다. 실험적 연구에서 연령을 기반으로 한 이러한 변화의 가변성이 입증되었다. 젊은 성인의 관점을 적용하였을 때 젊은 성인과 노인에서 모두 부정적인 효과를 보였으나, 노인의 관점에서 볼 때 두 집단 모두에서 긍정적인 효과가 관찰되었다.[101]

사회-인지 이론 및 다양성

성인 성격 발달에 대한 사회-인지적 접근의 연구에서 문화적 또는 인종적 그리고 민족적 다양성에 대한 실증적 연구는 거의 없었다. 사회 정서적 선택 이론(SST)에 대한 횡적 문화 연구는 대부분

연령 차이에 대한 면에서 문화적 차이보다는 문화적 유사성을 뒷받침한다. 미국과 중국의 노인에서 모두 긍정적인 효과는 증가하고 부정적인 효과는 감소하는 것이 관찰되었다; 그러나 미국 노년층에서 전반적으로 높은 자기 생활의 만족을 보였으나 인지된 가족 생활의 만족도는 중국 노년층에서 자기 생활 만족도에 더 영향을 미치는 것으로 나타났다.[102]

Waid와 Frazier는 스페인어를 사용하는 토착민과 영어를 사용하는 비히스패닉계 백인 토착민을 비교하였다.[103] '기대하는' 그리고 '두려운' 가능한 자아들의 문화적 차이는 존재하며, 주로 개인주의자(영어 사용자) 및 집산주의자(스페인어 사용자) 문화의 전통적인 차이를 반영하며, 신체적인 염려와 사랑하는 사람의 상실의 문제가 두 그룹에서 대부분 지지를 받았다. 자주 인용되는 '기대하는 자아'는 스페인어 사용 토착민에서 가족 중심적인 영역과 영어권 토착민에서 능력 및 교육 영역의 진전을 포함한다. 따라서, 가능한 자아와 통제에 있어서 명백히 드러나는 문화적 차이는 개인주의적이고 집산주의적인 문화에 기인하는 차이점을 중심으로 나타난다. 대만 표본에서 육체적인 자아에 초점을 맞춘 가능한 자아는 신체 활동의 고착과 관련되어 있었다.[104]

Gross 등은 노르웨이인, 중국계 미국인, 아프리카계 미국인, 유럽계 미국인 및 카톨릭 수녀와 같은 다양한 문화에 걸쳐 정서적인 경험과 통제에 대한 주관적인 보고서에서 일관된 연령의 차이를 발견하였다.[105] 모든 그룹에서 노령자는 부정적인 감정 경험은 적고 감정적인 통제력이 높다고 보고하였다. 마찬가지로 Fung 등은 미국과 홍콩[106]의 성인과 대만과 중국 본토[107]의 성인에서 사회 경제적인 선택성은 인지된 시간의 제한에 기인한다고 보고하였다.

2001년 9월 11일 미국의 테러 공격과 홍콩의 SARS (severe acute respiratory syndrome) 유행 이후에 남은 생에 대한 시간 인지의 중요성을 전형적으로 보여주는 연구가 진행되었다. 이러한 사건 전후의 사회적 목표를 조사함으로써, Fung과 Carstensen은 연령에 관계없이 감정적인 목표에 집중할 동기가 증가함을 발견하였다.[108]

사회-인지 이론과 건강

일반적으로 정체성과 자아에 관한 경험적 연구는 신체적인 건강의 결과와 관련성을 연구하는 반면, 사회 정서적 선택 이론에 관한 연구는 정서적 결과와의 관계에 초점을 맞추고 있다. 나이가 들어감에 따라 사람들은 점점 더 건강과 신체 기능면에서 스스로를 판단한다.[21] 60세에서 96세 사이의 노인들에 대한 연구에서, 여가는 비교적 젊은 노인을 위한 중요한 영역이었지만 가장 나이든 노인군에서는 건강이 가장 중요한 자아 영역이었다.[109] 성인들은 그들의 기대와 사회적인 비교 과정을 인식하여 조절하고, 신체적 한계가 증가함에도 불구하고 일반적으로 자신의 건강 상태에 더할 나위 없이 만족하는 것으로 보인다. Zhang 등은 고령자에서 비정서적인 목표에 비교하여 정서적인 목표를 포함한 정보가 제시된다면 긍정적인 건강 행태 변화에 관여할 가능성이 더 높다는 사실을 발견하였다.[110] 고령자의 관리에서 만성 질환이 증가한다는 것을 감안할 때, 감정적인 목표에 호소하는 방식으로 건강 관련 목표를 설정하는 것은 인생 후반기의 삶의 질에 긍정적인 영향을 주는 중요한 방식이다.

가능한 자아 및 인지된 통제의 내용은 주관적인 복지, 건강 그리고 건강 행태와 관련하여 조사되었다. Hooker와 Kaus는 건강의 영역에서 가능한 자아를 가지는 것이 건강 가치의 세계적 척도보다 보고된 건강 행태와 더 밀접한 관련이 있음을 발견하였다.[111] 더욱이 그들의 가능한 자아들에 관련하여 건강에 집중하고 건강에 관한 두려움을 말하는 사람들은 우울 증상을 거의 나타내지 않는 점은 노년기의 건강에 우선 순위를 부여하는 것이 이득이 있음을 제시한다.[112] 지각된 통제의 안정성은 건강에 방어적인 이득을 제공한다. 지각된 통제에서 가변성을 보이는 노인은 나쁜 건강과 기능, 더 빈번한 의사 방문 및 병원의 입원 상태를 보인다.[113,114] 개인의 숙달도가 높은 개인들은 그들 자신의 건강이 적당하거나 좋지 않다고 평가할 확률이 낮은 반면, 인지된 통제를 더 많이 지지하는 사람들은 자신의 건강이 좋지 않다고 평가하는 경향이 더 컸다.[115] 마지막으로, 그들 자신과 그들의 환경을 넘어 통제력을 발휘할 수 있는 능력을 가지고 있다는 믿음을 보이는 자기 효능감이 높은 개인들은, 건강을 증진시키는 방법으로 스트레스 요인들을 해석하고 관리한다.[116]

사회 정서적 선택 이론과 관련하여 사회적인 네트워크와의 부정적인 교류는 일상의 기분에 해로운 영향을 미치며, 빈번히 발생하는 경우 우울증의 발병률을 높일 수 있는 반면, 긍정적인 교류는 부정적인 교류에 의한 영향을 완충하는 역할을 할 수 있다.[117]

측정 방법들

사회정서적 선택성과 비교하여 가능한 자아에 초점을 맞춘 연구 결과들의 비교는 사용된 각기 다른 측정 방법으로 인해 제한적이다. 가능한 자아 구조는 설문 조사 목록을 통해 측정된다.[99] 대조적으로 사회정서적 선택 이론은 다면성 척도 분석에 제출된 카테고리의 결과와 함께, 자기 보고, 부부간 상호 작용 관찰, 그리고 유사성 판단을 바탕으로 한 잠재적인 사회적 파트너의 카드 분류(card sorting) 등에 의해 측정된다.[98]

사회-인지적 접근의 강점은 성격의 발달을 위한 설명 과정을 받아들이는 점이다. 정체성 동화, 정체성 조정, 가능한 자아, 또는 사회 정서적 선택성과 같은 특정한 검증 가능한 과정의 확인은 실증적인 가설의 검증을 통해 이론적 진보를 촉진한다.

인생 후반기의 성격과 자아에 관심이 있는 사회인지적 연구자들은 노년기의 성장과 발달을 강조하는 영역을 조사하였다. 이것은 가능한 자아에 대한 개인의 인지, 친화에 대한 욕구 그리고 인생 회고의 내용에 기여한다.

종합 그리고 미래 방향

이번 장에서는 성인의 생애 전반에 걸친 성격 발달에 관한 심리학적인 문헌을 검토하였다. 우리는 성인 성격의 연구에 있어 단계, 특성 그리고 사회-인지적 접근법에 대하여 다루었다. 각 섹션에서 다양성 및 건강 결과에 관한 가능한 문헌을 검토하였다. 또한 특정 평가 도구를 강조하는 측정 섹션을 포함하였고 각각의 접근법에 대한 방법론적 강점과 약점에 대한 전반적인 개요를 제공하였다.

우리는 성인 성격의 개념적인 해석에 핵심적인 몇 가지 쟁점을 검토하였다. 성격 발달에서 안정성 대 성숙도의 변화 또는 집단의 차이에 따른 문제는 사용된 이론 및 측정 방법에 달려있다. 예를 들면 특성 접근법들(예를 들면 큰 다섯 가지의 특성)에서 발견된 상대적인 안정성은 다양한 성격의 측면들이 집합된 결과의 일부분일 수 있다. 성격이 유전적 또는 생물학적 요인에 의해 좌우되는지 여부를 조사하기 위해서는 각각의 측면과 집합된 수준에서의 안정성에 대한 연구가 필요하다. 반면에, 보다 정확한 특성(예를 들어, 측면)의 측정은 인지 및 환경적(예를 들어 집단) 영향에 의해 더 영향을 받을 수 있다. 따라서 특정 개인의 특성은 큰 다섯 가지의 특성의 집합보다 시간에 걸쳐 덜 안정적일 것으로 예상된다. 형질 이론에 대한 섹션에서 언급하였듯이, 안정성(즉, 개인별, 평균 수준 또는 순차적인)의 정의를 명백하게 하는 것은 서로 다른 연구 방법들에 의해 얻어진 결론들을 동일하게 해석하는 것을 반드시 보장해야 하는 대단히 중요한 일이다.

안정성과 변화에서 환경과 생물학적인 영향을 떼어놓기 위한 노력은, 성인 성격에 대한 문화에 걸친 비교에서 특히 유용하다. 일생에 걸쳐 다른 환경을 경험한 같은 연령의 성인에 대한 비교는 성격에서 환경적 영향이 미치는 정도에 대한 근거 자료를 제공한다. 그러나 다양한 문화권에 있는 매우 나이든 사람들의 성격 발달을 다루기 위해서는 더 많은 연구가 필요하다. 또한, 다양한 문화에서 성인 성격의 건강에 대한 영향 조사는 보건 서비스 제공 및 예방적인 중재법의 개발에 귀중한 정보를 제공한다.

마지막으로, 성인기에 걸친 성격에 관해 풍부하게 축적된 정보를 삶의 질을 향상시키기 위해 고안된 서비스를 제공하는 부분에 적용하는 것이 매우 유용할 것이다. 특정 행동과 선택(예를 들면 의학적 치료)을 유도하는 성격 처리과정의 인식이 필요하다. 성격 특성이 건강 상태 및 건강 행동에 영향을 줄 수 있다는 강력한 근거자료가 있다. 예를 들어, 인생 회고와 같은 중재는 삶의 질을 성공적으로 향상시켰다. 성인 성격 발달과 정체성의 동화 과정, 정체성 적응 그리고 사회-감정적 선택에 대한 사회-인지적 접근법을 사용하여 삶의 마지막에서 삶의 유지 또는 완화 치료를 시행하기 위한 진전된 진료 계획 과정을 개선하도록 고안된 중재에 유용한 정보가 될 수 있다.

뿐만 아니라, 적용된 중재 연구는 서비스 제공을 향상시킬 뿐만 아니라 노년기의 자아 개념에 대한 이론적 진전을 이끌어 낼 것이다. 예를 들어, 개인적, 신체적, 영적 요구를 목표로 하는 서비스를 제공하기 위해 고안된 완화 의료 그리고/또는 호스피스의 중재는 현재 시간에 대한 통찰 및 남은 생존 시간을 포함한 사회 정서적 선택 이론의 측면에서 유용한 정보가 될 수 있다. 인생 회고 측면의 통합은 우울증에 대한 치료적 접근을 유도하는 이론의 진전을 가져올 수 있다. 유족 개개인과 전문적인 간병인에 대한 중재와 말기 또는 만성적인 질환을 가진 노인에 대한 중재는 절실하게 필요하다. 인생 전반에 걸친 성인의 성격에 대한 우리의 지식을 적용할 때는 바로 지금이며, 우리의 축적된 지식으로 이득을 얻고 이론의 진보를 유도하는 것이 바로 우리의 주장이다.

요점: 노화의 성격과 자아

- 성격은 생각과 감정과 행동의 양상으로 세상에서 개인의 인터페이스를 형성하고, 한 사람을 다른 사람과 구별하며, 시간과 상황에 따라 나타난다. 이는 생물학적, 인지적 그리고 환경적 결정요인에 의해 영향을 받는다.
- 단계 이론가들은 프로이트, 융 그리고 에릭슨을 포함한다. 성인의 성격에 대한 정신분석학적 접근은 의식의 수준, 성격의 구조, 방어 기제, 그리고 정신성적 발달 단계의 네 가지 영역을 포함한다. 에릭슨의 성격 발달 8단계는 발달과정이 순차적으로 단계를 통해 진행된다는 이론에 기반한다. 성격의 단계 이론을 연구하는 연구 중에 다양한 문화, 인종 및 민족 또는 건강에 초점을 둔 연구는 거의 없다.
- 특성에 대한 접근법은 현재 다양한 도구를 사용할 수 있는 성격 평가의 표준 방법이다. 큰 다섯 가지의 성격 특성은 신경증, 외향성, 경험에 대한 개방성, 우호성 그리고 성실성이다. 일반적으로, 교차 문화 연구의 결과는 성격에 보편적으로 내재된 성숙도의 변화가 있다는 가설과 일치한다. 특히 신경증은 스트레스, 만성 질환 및 사망률을 포함한 여러 가지 건강 결과들과 관련성이 있다.
- 사회-인지적 접근은 개인의 자아 감각에 중점을 두고 내부 및 환경 요인의 상호 작용을 통해 발전한다. 사회-인지 이론은 신체 건강과 감정적 결과를 포함한다.
- 사회정서적 선택이론(SST)은 지식기반의 정서적인 목표를 조절하기 위한 목적으로 그들의 사회 세계에서 성인에 의해 이루어지는 대리적인 선택에 초점을 두고 있다. 사회정서적 선택이론에서 개인은 자신의 환경의 상호 작용을 변화시켜 인생의 후반기에서 정서적인 경험의 최적화가 우선순위로 부여되도록 한다. 성인의 성격 발달에 대한 사회-인지적 접근에 대한 연구에서 다양한 문화적 또는 인종적, 그리고 민족적 집단을 통합한 실증적 연구는 거의 없다; 기존의 증거들은 문화에 걸쳐 비슷한 연령적 차이를 보인다는 것이다.

참고문헌의 총 목록을 보려면 www.expertconsult.com 을 방문해주세요.

중요 참고문헌

1. Allport GW: Personality, New York, 1937, Holt, Rinehart, and Winston.

7. Freud S: Three essays on the theory of sexuality. In Freud S, editor: The standard edition, vol VII, London, 1953, Hogarth.

8. Jung CG: Analytical psychology: its theory and practice, New York, 1968, Vintage Books.

10. Erikson E: Childhood and society, ed 2, New York, 1963, Norton.

17. Bohlmeijer E, Roemer M, Cuijpers P, et al: The effects of reminiscence on psychological well-being in older adults: a meta-analysis. Aging Ment Health 11:291–300, 2007.

25. Chan M, Ng S, Tien A, et al: A randomised controlled study to explore the effect of life story review on depression in older Chinese in Singapore. Health Soc Care Community 21:545–553, 2013.

27. Gruenewald T, Liao D, Seeman T: Contributing to others, contributing to oneself: perceptions of generativity and health in later life. J Gerontol B Psychol Sci Soc Sci 67B:660–665, 2012.

32. Chippendale T, Bear-Lehman J: Effect of life review writing on depressive symptoms in older adults: A randomized controlled trial. Am J Occup Ther 66:438–446, 2012.

34. Korte J, Cappeliez P, Bohlmeijer E, et al: Meaning in life and mastery mediate the relationship of negative reminiscence with psychological distress among older adults with mild to moderate depressive symptoms. Eur J Ageing 9:343–351, 2012.

42. Costa PT, McCrae RR: Longitudinal stability of adult personality. In Hogan R, Johnson J, Briggs S, editors: Handbook of Personality Psychology, San Diego, CA, 1997, Academic Press.

46. Debast I, van Alphen S, Rosowsky E, et al: Personality traits and personality disorders in late middle and old age: do they remain stable? A literature review. Clin Gerontol 37:253–271, 2014.

57. Specht J, Egloff B, Schmukle S: Stability and change of personality across the life course: The impact of age and major life events on mean-level and rank-order stability of the Big Five. J Pers Soc Psychol 101:862–882, 2011.

58. Kandler C, Kornadt A, Hagemeyer B, et al: Patterns and sources of personality development in old age. J Pers Soc Psychol 109:1751–1791, 2015.

66. Hill PL, Roberts BW: Personality and health: reviewing recent research and setting a directive for the future. In Schaie KW, Willis SL, editors: Handbook of the psychology of aging, ed 8, San Diego, CA, 2016, Academic Press, pp 206–219.

69. Iwasa H, Masui Y, Gondo Y, et al: Personality and all-cause mortality among older adults dwelling in a Japanese community: a five-year population-based prospective cohort study. Am J Geriatr Psychiatry 16:399–405, 2008.

77. Schmitt DP, Realo A, Voracek M, et al: Why can't a man be more like a woman? Sex differences in big five personality traits across 55 cultures. J Pers Soc Psychol 94:168–182, 2008.

84. Wolinsky F, Vander Weg M, Tennstedt S, et al: Does cognitive training improve internal locus of control among older adults? J Gerontol B Psychol Sci Soc Sci 65:591–598, 2010.

92. de Quadros-Wander S, McGillivray J, Broadbent J: The influence of perceived control on subjective wellbeing in later life. Soc Indic Res 115:999–1010, 2014.

97. English T, Carstensen L: Selective narrowing of social networks across adulthood is associated with improved emotional experience in daily life. Int J Behav Dev 38:195–202, 2014.

101. Lynchard N, Radvansky G: Age-related perspectives and emotion processing. Psychol Aging 27:934–939, 2012.

102. Pethtel O, Chen Y: Cross-cultural aging in cognitive and affective components of subjective well-being. Psychol Aging 25:725–729, 2010.

104. Hsu Y, Lu F, Lin L: Physical self-concept, possible selves, and well-being among older adults in Taiwan. Educ Gerontol 40:666–675, 2014.

110. Zhang X, Fung H, Ching B: Age differences in goals: Implications for health promotion. Aging Ment Health 13:336–348, 2009.

112. Bolkan C, Hooker K, Coehlo D: Possible selves and depressive symptoms in later life. Res Aging 37:41–62, 2015.

115. Ward M: Sense of control and self-reported health in a population-based sample of older Americans: Assessment of potential confounding by affect, personality, and social support. Int J Behav Med 20:140–147, 2013.

참고문헌

1. Allport GW: Personality, New York, 1937, Holt, Rinehart, Winston.

2. Schaie KW, Willis SL: Adult development and aging, ed 5, New York, 2002, Prentice-Hall.

3. Phares EJ, Chaplin WF: Introduction to personality, ed 4, New York, 1997, Addison Wesley.

4. Antonucci TC: Social relations: an examination of social networks, social support, and sense of control. In Birren JE, Schaie KW, editors: Handbook of the psychology of aging, ed 5, New York, 2001, Academic Press.

5. Ryff CD, Kwan CML, Singer BH: Personality and aging: flourishing agendas and future challenges. In Birren JE, Schaie KW, editors: Handbook of the psychology of aging, ed 5, New York, 2001, Academic Press.

6. Baron RA: Psychology, ed 4, Needham Heights, MA, 1997, Allyn and Bacon.

7. Freud S: Three essays on the theory of sexuality. In Freud S, editor: The standard edition, vol VII, London, 1953, Hogarth.

8. Jung CG: Analytical psychology: its theory and practice, New York, 1968, Vintage Books.

9. Allen-Burge R, Willis SL, Schaie KW: The aging personality and self. In Tallis R, Fillets H, Brocklehurst JC, editors: Brocklehurst's textbook of geriatric medicine and gerontology, ed 5, London, 1998, Churchill Livingstone.

10. Erikson E: Childhood and society, ed 2, New York, 1963, Norton.

11. Erikson EH: Reflections on Dr. Borg's life cycle. In Erikson EH, editor: Adulthood, New York, 1979, Norton.

12. Whitbourne SK, Zuschlag MK, Elliot LB, et al: Psychosocial development in adulthood: a 22-year sequential study. J Pers Soc Psychol 63:260B–271B, 1992.

13. Ackerman S, Zuroff DC, Moskowitz DS: Generativity in midlife and young adults: links to agency, communion, and subjective well-being. Int J Aging Hum Dev 50:17–41, 2000.

14. Butler RN, Lewis MI: Aging and mental health, ed 3, St. Louis, CV Mosby.

15. Melia SP: Continuity in the lives of elder Catholic women religious. Int J Aging Hum Dev 48:175–189, 1999.

16. Pasupathi M, Carstensen LL: Age and emotional experience during mutual reminiscing. Psychol Aging 18:430–442, 2003.

17. Bohlmeijer E, Roemer M, Cuijpers P, et al: The effects of reminiscence on psychological well-being in older adults: a meta-analysis. Aging Ment Health 11:291–300, 2007.

18. Cappeliez P, Lavallée R, O'Rourke N: Functions of reminiscence in later life as viewed by young and old adults. Can J Aging 20:577–589, 2001.

19. Burns A, Leonard R: Chapters of our lives: life narratives of midlife and older Australian women. Sex Roles 52:269–277, 2005.

20. Holahan CK, Holahan CJ, Wonacott NL: Self-appraisal, life satisfaction, and retrospective life choices across one and three decades. Psychol Aging 14:238–244, 1999.

21. Freund AM, Smith J: Content and function of the self-definition in old and very old age. J Gerontol B Psychol Sci Soc Sci 54:P55–P67, 1999.

22. Haight BK, Michel Y, Hendrix S: Life review: preventing despair in newly relocated nursing home residents: short- and long-term effects. Int J Aging Hum Dev 47:119–142, 1998.

23. Haight BK, Michel Y, Hendrix S: The extended effects of the life review in nursing home residents. Int J Aging Hum Dev 50:151–168, 2000.

24. Chang SO, Kim JH, Kong ES, et al: Exploring ego-integrity in old adults: a Q-methodology study. Int J Nurs Stud 45:246–256, 2008.

25. Chan M, Ng S, Tien A, et al: A randomised controlled study to explore the effect of life story review on depression in older

Chinese in Singapore. Health Soc Care Community 21:545–553, 2013.

26. Korte J, Westerhof G, Bohlmeijer E: Mediating processes in an effective life-review intervention. Psychol Aging 27:1172–1181, 2012.

27. Gruenewald T, Liao D, Seeman T: Contributing to others, contributing to oneself: perceptions of generativity and health in later life. J Gerontol B Psychol Sci Soc Sci 67:660–665, 2012.

28. Bohlmeijer E, Smit F, Cuijpers P: Effects of reminiscence and life review on late-life depression: a meta-analysis. Int J Geriatr Psychiatry 18:1088–1094, 2003.

29. Hanaoka H, Okamura H: Study on effects of life review activities on the quality of life of the elderly: a randomized controlled trial. Psychother Psychosom 73:302–311, 2004.

30. Mastel-Smith B, Binder B, Malecha A, et al: Testing therapeutic life review offered by home care workers to decrease depression among home-dwelling older women. Issues Ment Health Nurs 27:1037–1049, 2006.

31. Serrano JP, Latorre JM, Gatz M, et al: Life review therapy using autobiographical retrieval practice for older adults with depressive symptomatology. Psychol Aging 19:272–277, 2004.

32. Chippendale T, Bear-Lehman J: Effect of life review writing on depressive symptoms in older adults: a randomized controlled trial. Am J Occup Ther 66:438–446, 2012.

33. Korte J, Bohlmeijer E, Cappeliez P, et al: Life review therapy for older adults with moderate depressive symptomatology: A pragmatic randomized controlled trial. Psychol Med 42:1163–1173, 2012.

34. Korte J, Cappeliez P, Bohlmeijer E, et al: Meaning in life and mastery mediate the relationship of negative reminiscence with psychological distress among older adults with mild to moderate depressive symptoms. Eur J Ageing 9:343–351, 2012.

35. Arkoff A, Meredith GM, Dubanoski JP: Gains in well-being achieved through retrospective proactive life review by independent older women. J Humanistic Psychol 44:204–214, 2004.

36. Schaie KW: A lifespan developmental perspective of psychological aging. In Laidlaw K, Knight BG, editors: The handbook of emotional disorders in late life: assessment and treatment, Oxford, UK, 2008, Oxford University Press, pp 3–32.

37. Goldberg LR: The structure of phenotypic personality traits. Am Psychol 48:26–34, 1993.

38. Costa PT, McCrae RR: Professional manual: revised: NEO Personality Inventory (NEO PI-R) and NEO Five-Factor Inventory (NEO-FFI), Odessa, FL, 1992, Psychological Assessment Resources.

39. Hofer SM, Horn JL, Eber EW: A robust five-factor structure of the 16PF: strong evidence from independent rotation and confirmatory factorial invariance procedures. Pers Individ Dif 23:247–269, 1997.

40. Costa PT, McCrae RR: Personality in adulthood: a six-year longitudinal study of self-reports and spouse ratings on the NEO Personality Inventory. J Pers Soc Psychol 54:853–863, 1988.

41. Costa PT, McCrae RR: Personality continuity and the changes of adult life. In Storandt M, VandenBos GR, editors: The adult years. Continuity and change, Washington, DC, 1989, American Psychological Association.

42. Costa PT, McCrae RR: Longitudinal stability of adult personality. In Hogan R, Johnson J, Briggs S, editors: Handbook of personality psychology, San Diego, CA, 1997, Academic Press.

43. McCrae RR, Costa PT: Personality in adulthood, New York, 1990, Guilford Press.

44. McCrae RR, Costa PT: The stability of personality: observation and evaluations. Curr Dir Psychol Sci 3:173–175, 1994.

45. Roberts BW, Mroczek D: Personality trait change in adulthood. Curr Dir Psychol Sci 17:31–35, 2008.

46. Debast I, van Alphen S, Rosowsky E, et al: Personality traits and personality disorders in late middle and old age: do they remain stable? A literature review. Clin Gerontol 37:253–271, 2014.

47. Terracciano A, McCrae RR, Brant LJ, et al: Hierarchical linear modeling analyses of the NEO-PI-R scales in the Baltimore longitudinal study of aging. Psychol Aging 20:493–506, 2005.

48. Allemand M, Zimprich D, Hertzog C: Cross-sectional age differences and longitudinal age changes of personality in middle adulthood and old age. J Pers 75:323–358, 2007.

49. Caspi A, Roberts BW: Target article: personality development across the life course: the argument for change and continuity.

Psychol Inq 12:49–66, 2001.

50. Lee W, Hotopf M: Personality variation and age: trait instability or measurement unreliability? Pers Individ Dif 38:883–890, 2005.

51. Rantanen J, Metsäpelto RL, Feldt T, et al: Long-term stability in the big five personality traits in adulthood. Scand J Psychol 48:511–518, 2007.

52. Roberts BW, DelVecchio WF: The rank-order consistency of personality traits from childhood to old age: a quantitative review of longitudinal studies. Psychol Bull 126:3–25, 2000.

53. Helson R, Kwan VSY, John OP, et al: The growing evidence for personality change in adulthood: findings from research with personality inventories. J Res Pers 36:287–306, 2002.

54. Jones CJ, Livson N, Peskin H: Longitudinal hierarchical linear modeling analyses of California Psychological Inventory data from age 33 to 75: an examination of stability and change in adult personality. J Pers Assess 80:294–308, 2003.

55. Mroczek DK, Spiro A: Modeling intraindividual change in personality traits: findings from the normative aging study. J Gerontol B Psychol Sci Soc Sci 58:P153–P165, 2003.

56. Small BJ, Hertzog C, Hultsch DF, et al: Stability and change in adult personality over 6 years: findings from the Victoria longitudinal study. J Gerontol B Psychol Sci Soc Sci 58:P166–P176, 2003.

57. Specht J, Egloff B, Schmukle S: Stability and change of personality across the life course: the impact of age and major life events on mean-level and rank-order stability of the Big Five. J Pers Soc Psychol 101:862–882, 2011.

58. Kandler C, Kornadt A, Hagemeyer B, et al: Patterns and sources of personality development in old age. J Pers Soc Psychol 109:1751–1791, 2015.

59. Maiden RJ, Peterson SA, Caya M, et al: Personality changes in the old-old: a longitudinal study. J Adult Dev 10:31–39, 2003.

60. Labouvie-Vief G, Diehl M, Tarnowski A, et al: Age differences in adult personality: findings from the United States and China. J Gerontol B Psychol Sci Soc Sci 55:4–17, 2000.

61. McCrae RR, Costa PT, Jr, Pedroso de Lima M, et al: Age differences in personality across the adult life span: parallels in five countries. Dev Psychol 35:466–477, 1999.

62. Yang J, McCrae RR, Costa PT, Jr: Adult age differences in personality traits in the United States and the People's Republic of China. J Gerontol B Psychol Sci Soc Sci 53:372–383, 1998.

63. Mroczek DK, Almeida DM: The effects of daily stress, personality, and age on daily negative affect. J Pers 72:355–378, 2004.

64. Neupert SD, Almeida DM, Charles ST: Age differences in reactivity to daily stressors: the role of personal control. J Gerontol B Psychol Sci Soc Sci 62:P216–P225, 2007.

65. Pudrovski T, Schieman S, Pearlin LI, et al: The sense of mastery as a mediator and moderator in the association between economic hardship and health in late life. J Aging Health 17:634–660, 2005.

66. Hill PL, Roberts BW: Personality and health: reviewing recent research and setting a directive for the future. In Schaie KW, Willis SL, editors: Handbook of the psychology of aging, ed 8, San Diego, CA, 2016, Academic Press, pp 206–219.

67. Siegman AW, Kubzansky LD, Kawachi I, et al: A prospective study of dominance and coronary heart disease in the normative aging study. Am J Cardiol 86:145–149, 2000.

68. Niaura R, Banks SM, Ward KD, et al: Hostility and the metabolic syndrome in older males: the normative aging study. Psychosom Med 62:7–16, 2000.

69. Iwasa H, Masui Y, Gondo Y, et al: Personality and all-cause mortality among older adults dwelling in a Japanese community: A five-year population-based prospective cohort study. Am J Geriatr Psychiatry 16:399–405, 2008.

70. Christensen AJ, Ehlers SL, Wiebe JS, et al: Patient personality and mortality: a 4-year prospective examination of chronic renal insufficiency. Health Psychol 21:315–320, 2002.

71. Maruta T, Colligan RC, Malinchoc M, et al: Optimists vs. pessimists: survival rate among medical patients over a 30-year period. Mayo Clin Proc 75:140–143, 2000.

72. Wilson RS, Bienas JL, Mendes de Leon CF, et al: Negative affect and mortality in older persons. Am J Epidemiol 158:827–835,

2003.

73. Wilson RS, Mendes de Leon CF, Bienas JL, et al: Personality and mortality in old age. J Gerontol B Psychol Sci Soc Sci 59:110–116, 2004.

74. Gough HG, Bradley P: California psychological inventory manual, ed 3, Palo Alto, CA, 1996, Consulting Psychologists Press.

75. Costa PT, Jr, McCrae RR: The NEO personality inventory manual, Odessa, FL, 1985, Psychological Assessment Resources.

76. Costa PT, Jr, McCrae RR: Revised NEO personality inventory (NEO-PI-R) and NEO five-factor inventory (NEO-FFI) professional manual, Odessa, FL, 1992, Psychological Assessment Resources.

77. Schmitt DP, Realo A, Voracek M, et al: Why can't a man be more like a woman? Sex differences in big five personality traits across 55 cultures. J Pers Soc Psychol 94:168–182, 2008.

78. Lynott PP, McCandless NJ: The impact of age vs. life experience on the gender role attitudes of women in different cohorts. J Women Aging 12:5–21, 2000.

79. Schaie KW: Developmental influences on adult intelligence: the Seattle Longitudinal Study, New York, 2005, Oxford University Press.

80. Whitbourne SK, Connolly LA: The developing self in midlife. In Willis SL, Reid JK, editors: Life in the middle: psychological and social development in middle Age, San Diego, CA, 1999, Academic Press.

81. Whitbourne SK: Physical changes in the aging individual: clinical implications. In Nordhus IH, VandenBos GR, editors: Clinical geropsychology, Washington, DC, 1998, American Psychological Association.

82. Whitbourne SK: The aging individual: physical and psychological perspectives, New York, 1996, Springer.

83. Whitbourne SK, Collins KJ: Identity processes and perceptions of physical functioning in adults: theoretical and clinical implications. Psychotherapy 35:519–530, 1998.

84. Wolinsky F, Vander Weg M, Tennstedt S, et al: Does cognitive training improve internal locus of control among older adults? J Gerontol B Psychol Sci Soc Sci 65:591–598, 2010.

85. Sneed JR, Whitbourne SK: Identity processing styles and the need for self-esteem in middle-aged and older adults. Int J Aging Hum Dev 52:311–321, 2001.

86. Sneed JR, Whitbourne SK: Identity processes and self-consciousness in middle and later adulthood. J Gerontol B Psychol Sci Soc Sci 58:P313–P319, 2003.

87. Markus H, Nurius P: Possible selves. Am Psychol 41:954–969, 1986.

88. Ryff CD: Possible selves in adulthood and old age: a tale of shifting horizons. Psychol Aging 6:286–295, 1991.

89. Frazier LD, Hooker K, Johnson PM, et al: Continuity and change in possible selves in later life: a 5-year longitudinal study. Basic Appl Soc Psych 22:237–243, 2000.

90. Ebner NC, Freund AM, Baltes PB: Developmental changes in personal goal orientation from young to late adulthood: from striving for gains to maintenance and prevention of losses. Psychol Aging 21:664–678, 2006.

91. Heckhausen J, Schulz R: A life-span theory of control. Psychol Rev 102:284–304, 1995.

92. de Quadros-Wander S, McGillivray J, Broadbent J: The influence of perceived control on subjective wellbeing in later life. Soc Indic Res 115:999–1010, 2014.

93. Lang FR, Heckhausen J: Perceived control over development and subjective well-being: differential benefits across adulthood. J Pers Soc Psychol 81:509–523, 2001.

94. Carstensen LL: Age-related changes in social activity. In Carstensen LL, Edelstein BA, editors: Handbook of clinical gerontology, New York, 1987, Pergamon Press.

95. Carstensen LL: Selectivity theory: social activity in life-span context. In Schaie KW, Lawton MP, editors: Annual review of gerontology and geriatrics, New York, 1991, Springer.

96. Carstensen LL: Social and emotional patterns in adulthood: support for socioemotional selectivity theory. Psychol Aging 7:331–338, 1992.

97. English T, Carstensen L: Selective narrowing of social networks across adulthood is associated with improved emotional expe-

rience in daily life. Int J Behav Dev 38:195–202, 2014.

98. Carstensen LL, Isaacowitz DM, Charles ST: Taking time seriously: a theory of socioemotional selectivity. Am Psychol 54:165–181, 1999.

99. Cross S, Markus H: Possible selves across the life span. Hum Dev 34:230–255, 1991.

100. Fingerman K, Perlmutter M: Future time perspective and life events across adulthood. J Gen Psychol 122:95–111, 1995.

101. Lynchard N, Radvansky G: Age-related perspectives and emotion processing. Psychol Aging 27:934–939, 2012.

102. Pethtel O, Chen Y: Cross-cultural aging in cognitive and affective components of subjective well-being. Psychol Aging 25:725–729, 2010.

103. Waid LD, Frazier LD: Cultural differences in possible selves during later life. J Aging Stud 17:251–268, 2003.

104. Hsu Y, Lu F, Lin L: Physical self-concept, possible selves, and well-being among older adults in Taiwan. Educ Gerontol 40:666–675, 2014.

105. Gross JJ, Carstensen LL, Pasupathi M, et al: Emotion and aging: experience, expression, and control. Psychol Aging 12:590–599, 1997.

106. Fung HH, Carstensen LL, Lutz AM: Influence of time on social preferences: implications for life-span development. Psychol Aging 14:595–604, 1999.

107. Fung HH, Lai P, Ng R: Age differences in social preferences among Taiwanese and mainland Chinese: the role of perceived time. Psychol Aging 16:351–356, 2001.

108. Fung HH, Carstensen LL: Goals change when life's fragility is primed: lessons learned from older adults, the 11 attacks and SARS. Soc Cogn 24:248–278, 2006.

109. Frazier LD, Johnson PM, Gonzalez GK, et al: Psychosocial influences on possible selves: a comparison of three cohorts of older adults. Int J Behav Dev 26:308–317, 2002.

110. Zhang X, Fung H, Ching B: Age differences in goals: Implications for health promotion. Aging Ment Health 13:336–348, 2009.

111. Hooker K, Kaus CR: Health-related possible selves in young and middle adulthood. Psychol Aging 9:126–133, 1994.

112. Bolkan C, Hooker K, Coehlo D: Possible selves and depressive symptoms in later life. Res Aging 37:41–62, 2015.

113. Chipperfield JG, Campbell DW: Stability in perceived control: implications for health among very old community-dwelling adults. J Aging Health 16:116–147, 2004.

114. Ruthig JC, Chipperfield JG, Perry RP, et al: Comparative risk and perceived control: implications for psychological and physical well-being among older adults. J Soc Psychol 147:345–369, 2007.

115. Ward M: Sense of control and self-reported health in a population-based sample of older Americans: Assessment of potential confounding by affect, personality, and social support. Int J Behav Med 20:140–147, 2013.

116. Montpetit MA, Bergeman CS: Dimensions of control: mediational analyses of the stress-health relationship. Pers Individ Dif 43:2237–2248, 2007.

117. Rook KS: Emotional health and positive versus negative social exchanges: a daily diary analysis. Appl Dev Sci 5:86–97, 2001.

CHAPTER **32**

생산적 노화
Productive Aging

Jan E. Mutchler, Sae Hwang Han, Jeffrey A. Burr

개요

여가생활을 즐기거나 비활동적이라는 통념을 벗어나서 노년의 생활도 생산성이 높을 수 있다는 인식이 많아지고 있다. 생산적 노화(productive aging)란 개념은 보수를 받는지의 구분 없이 노년기의 노인에 의해 이루어지는 사회적인 가치를 가진 모든 활동을 말한다. 예를 들면, 유급노동(paid work), 자원봉사(volunteering), 비공식봉사(informal helping), 간병(caregiving)은 물론 조부모로서의 육아활동(grandparenting) 등이 넓은 개념의 생산적 노화로 간주될 수 있다. Health and Retirement Study (HRS)연구에서는 65세 이상의 미국인의 절반 이상이 이와 같은 생산적 근로활동을 최소한 1개 이상 수행하고 있다고 추산하였는데, 그 중에서도 자원봉사와 비공식봉사활동이 가장 흔한 행위였다.

생산적 노화는 직접적인 참여 당사자는 물론 사회에도 결과물을 산출시킨다. 즉 노인의 생산적 근로활동은 사회전체적으로 공헌하지만 특히 사회단체(social groups), 공동체(communities), 사회연결망(network) 등이 직접적인 혜택을 보게 된다. 노인은 수백만 시간을 생산적 근로활동에 무보수로 기여하는데 실제로 이러한 가치 있는 활동의 많은 부분들은 만약 노인들이 봉사하지 않았다면 보수를 제공해야 하는 활동들이다. Johnson과 Schaner[1]가 이와 같은 생산적 근로활동에 실제 보수를 제공한다는 가정하에 분석한 결과 2002년도 55세 이상의 미국인들이 자원봉사와 간병활동을 통해 1620억불 가치의 활동을 제공한 것으로 나타났다.

한편, 생산적 근로활동에 참여하는 것 자체가 참여하는 노인들에게 직접적인 혜택을 제공하기도 한다. 한 연구결과에 의하면 생산적인 근로활동에 참여하는 것이 질병예방은 물론 수명연장과도 연관되었다.[2,3] 이런 개념으로 본다면 '(그 자체로도 내재적인 가치를 가지고 있으면서 타인의 행복에도 공헌하는) 생산적 근로활동'과 '(건강을 유지하면서 매우 활동적이고 적극적으로 활동에 참여하는) 성공적인 노화' 사이에는 확실한 연관관계가 있는 셈이다.[4]

이 장에서는 생산적 근로활동의 선행조건(antecedents)과 결과물(consequences)이라고 정의할 수 있는 노년의 생산적 근로활동과 관련된 모든 요인들에 대해 집중적으로 알아볼 것이다. 선행조건과 관련해서는 개인적인 수준에서 생산적 근로활동에의 참여를 유도하거나 혹은 방해하는 요인을 살펴봄과 동시에 노인으로 하여금 생산적 근로활동에 참여할 수 있는 기회를 제공하는 사회, 문화적인 요인도 알아볼 것이다. 또한 생산적 근로활동에 의한 결과물에 대해 알아보는 과정에서 사회 수준에서의 산물이 어떤 것이 있는지 간략하게 요약해볼 것이다. 특히 노인들의 생산적 근로활동이 노년기의 건강과 행복에 미치는 영향에 대한 과학적인 연구결과들에 대해서도 알아볼 것이다.

전판에서는 생산적 노화 개념의 창시자로 알려져 있는 Robert N. Bulter 박사가 본 장의 집필에 참여했다. Butler 박사는 생산적 노화를 처음으로 주창했을 뿐만 아니라 이런 활동이 노년기의 행복과 이어짐을 인지한 바 있다. 하지만 이들이 노인차별주의(ageism)이나 편견(prejudice)와 같은 사회적인 장벽에 부딪히는 것도 사실이다. 사실 Butler는 생산적 노화의 개념을 주창하던 초기에 노인차별주의가 치료해야 할 일종의 질환이며 생산적인 노화가 이를 치유할 수 있을 것이라고 주장했다.[5] Butler의 이러한 통찰력과 노인을 대신하는 건강과 행복을 유지하는 수단으로서 노년기를 재설계하고 생산적 활동을 증진시키기 위한 틀을 확립하게 하였다. 앞으로 이어질 토론을 통해 이러한 통찰력의 유용성을 지속하는 것을 강조할 것이다.

미국의 생산적 노화

생산적 노화에 대한 연구논문들에 의하면 노인에 의해 흔하게 행해지는 생산적 근로활동은 유급노동(paid work), 자원봉사(volunteering), 간병(caregiving), 비공식봉사(informal helping) 그리고 조부모로서의 육아활동(grandpareting)과 같은 5가지 형태로 구분할 수 있다. 본 절에서는 이러한 생산적 근로활동을 구체적으로 나열해보고 이들 각 활동에 참여하는 것이 연령별 혹은 성별로 어떻게 다른지에 대한 최신근거를 제공할 것이다. 중년 혹은 노년기의 생산적 근로활동에 대해 사용된 자료는 51세 이상 미국성인의 대표성 있는 표본샘플을 포함하고 있는 HRS 연구자료 중 2010년도 데이터로부터 추출되었다. HRS 연구결과는 생산적 근로활동의 주요 5가지 형태와 관련된 자료를 얻을 수 있는 몇 안 되는 자료원이다. 그 밖의 다른 자료를 통해서도 생산적 근로활동과 관련된 자료를 얻을 수 있지만 HRS 연구에서 비롯된 통계결과와는 다른 결과들도 있는데 틀린 자료라기 보다는 연구설계가 다른 데서 기인한 것임을 이해해야 한다.

유급노동
유급노동이 가능한 노인인구의 수용력은 그간 일반적으로 노동력을 평가하는 한 가지 척도 정도로

표 32-1. 나이와 성별에 따른 생산활동 참여율(2010 HRS에 따른 추정치)

	유급노동[†]		자원봉사[†]		비공식봉사[†]		조부모로서의 육아[†]		간병[†]	
	인구 백분율	인원수[†]	인구 백분율	인원수[†]	인구 백분율	인원수[†]	인구 백분율	인원수[†]	인구 백분율	인원수[†]
총계										
51-64	62.8%	17,734	41.6%	11,751	66.0%	18,643	13.7%	3,874	21.0%	5,933
65+	19.8%	7,488	35.7%	13,517	49.0%	18,562	9.3%	3,528	15.2%	5,743
남성										
51-64	66.5%	8,281	39.74%	4,949	71.67%	8,926	10.4%	1,292	17.9%	2,219
65+	25.1%	4,119	34.64%	5,693	55.86%	9,180	10.3%	1,689	14.0%	2,365
여성										
51-64	59.9%	9,453	43.12%	6,801	61.60%	9,717	16.4%	2,582	23.5%	3,713
65+	15.7%	3,369	36.45%	7,824	43.71%	9,382	8.6%	1,839	16.1%	3,379

Based on data from the 2010 Health and Retirement Study.

* Health and Retirement Study (HRS) is a panel survey based on a national probability sample of adults age 51 and older. For more information, refer to http://hrsonline.isr.umich.edu/.

† The following questionnaire items from the HRS were used to assess productive activity participation among older adults. Paid Work: Are you doing any work for pay at the present time? Volunteering: Have you spent any time in the past 12 months doing volunteer work for religious, educational, health-related, or other charitable organizations? Informal Help: Have you spent any time in the past 12 months helping friends, neighbors, or relatives who did not live with you and did not pay you for the help? Grandparenting: Did you spend 100 or more hours in total in the last two years taking care of grandchildren? Caregiving: How often do you care for a sick or disabled adult? (Respondents were counted as a caregiver if they provide care at least once a month.)

† Numbers in thousands; respondent weights were used to produce estimates that are representative of the U.S. population.

여겨져왔다. 국내총생산과 같은 전형적인 경제활동의 척도는 노인인구의 자원봉사 및 비공식봉사 활동의 금전적 추정 가치를 포함시키지 않는 경향이 있다.[6] 전형적인 노동력 인구 곡선이 중년말에서 최고치를 보인 후 감소되지만[7], 상당수의 노인 노동자가 노년기에도 여전히 경제활동인구에 포함되곤 한다. 2010년 기준으로 51~64세 성인 중 1,800만명, 65세 이상에서는 750만명이 유급노동자로 추정되었다(표 32-1). 노인인구의 유급노동 참여는 지속적으로 증가될 것으로 보이는데 전체 노동인구에서 55세 이상 성인의 비율은 2012년도 12%에서 10년후인 2022년도에는 26%까지 증가할 것으로 추정되고 있다.[8] HRS 데이터(표 32-1)를 보면 노동인구참여도 면에서 남성이 상대적으로 노년기에도 여성보다 많이 노동시장에 포함되어 있다. 그러나 최근 데이터를 보면 여성의 노동시장 참여가 많아지면서 이러한 남녀차이가 좁아지고 있다.

노인 노동자는 젊은 노동자와 비교해 볼 때 노동의 형태나 업무내용이 크게 다르지 않지만 자영업이나 파트타임으로 근무하는 경우가 상대적으로 더 많다. 일부 노인의 경우에는 단계적 퇴직전략의 일환으로 같은 직장에서 근무하되 이전보다 근무시간을 단축하거나[9] 가교일자리(bridge job)

의 형태로 근무하게 되는데 이는 모두 전임근무자에서 퇴직으로의 징검다리 역할을 하는 근로활동이다.

자원봉사

자원봉사는 공식적인 조직 혹은 단체를 통해 타인에게 유익한 활동을 하는 무보수 노동을 포함한다. 자원봉사는 비공식적인 봉사활동 혹은 간병과 같은 다른 형태의 생산적 근로활동과는 공식적인 조직이나 단체를 통해 수행된다는 점 뿐만 아니라 혜택을 받는 수혜자들이 누구 인지로 구분이 가능하다. 즉 자원봉사는 전형적으로 수혜자들과 어떠한 계약조건을 갖지 않으며 친구 혹은 지인이나 알고 지내던 집단을 대상으로 하지 않는다.[10] 역사적으로는 자원봉사는 퇴직 후 노인들에게 제공되는 소수의 공식적인 활동 중 하나로서 노인들의 생산적 근로활동 중 가장 중요한 형태로 간주되어 왔다.[11]

유급노동과 유사하게 자원봉사활동도 중년에서 가장 많이 수행되고 이후 감소하는 전형적인 연령곡선을 보여준다.[12] HRS 연구에 따르면 2010년도의 경우 65세 이상 노인의 36%가 공식적인 봉사활동을 수행하고 있다고 응답했는데 이는 중년의 42%보다 약간 낮은 정도이다(표 32-1). 그러나 실제 자원봉사에 사용하는 시간은 노인이 중년 자원봉사보다 많았다.[12] 표 32-1에서 보듯이 성별차이는 미미했다.

비공식봉사

자원봉사활동이 공식기관을 통해 이루어지는 무보수의 근로활동이지만 노인에 의해 이루어지는 중요한 비공식적인 봉사활동도 무시할 수는 없다.[13] 많은 학자들이 이웃, 친구 및 지인에게 비공식적으로 행해지는 도움행위도 일종의 자원봉사 행위로 인정하고 있다.[13,14] 비공식봉사는 다른 형태의 생산적 근로활동에 비해 상대적으로 연구가 덜 되어있다. HRS 데이터에 따르면 비공식봉사를 행하고 있는 중년 및 노년인구의 비율이 각각 66%, 49%로 상당수에 이르며 그 숫자로는 공식적인 자원봉사 숫자를 앞서고 있다(표 32-1).[15]

조부모로서의 육아

조부로서의 육아(Grandparenting)라는 용어는 넓은 의미의 보살핌 제공행위를 포함하고 있다. 여기에는 손주를 가끔씩 돌보는 행위, 다세대가구에서의 보조적 혹은 공동 육아행위, 하나 이상의 손주를 일차적으로 기르는 행위 등이 해당된다.[16] 최근 보고에 의하면 노인인구가 공동 육아행위에 참여하는 비율이 점차 증가추세로서 2011년도에 약 7백만명의 조부모가 함께 거주하는 손주를 돌보고 있었으며 이는 2000년도에 비해 무려 22%나 증가된 것이었다. 또한 2백 70만명 이상의 조부모가 손주의 일차적 육아행위를 맡고 있었고 상당수의 노인들이 가끔씩이라도 육아활동에 참여하고 있는 것으로 조사되었다.[17] 표 32-1에서 보듯이 51세 이상 조부모 중 약 7백만명이 최소 연간 50시간 이상의 육아활동에 참여하는 것으로 나타났다. 연구결과에 의하면 할머니가 할아버지보다는 부모를 대신하는 역할로 손주들의 육아에 더 많이 관여하는 것으로 보고되었지만, 표 32-1에서 보듯이 HRS 데이터에 따르면 65세 이상 남성의 경우에는 어떤 형태로든지 손주의 육아활동에 관여하는 비율이 여성보다 높았다.

간병

간병은 또 다른 형태의 가족간 생산적 근로활동의 하나로서 비공식적, 무보수 근로행위로서 점차 수요가 늘고 또 많은 관심을 끌고 있는 행위이다. 상당수의 성인이 아프거나 장애가 있는 가족, 배우자, 형제 혹은 장성한 자녀에 대해 간병활동을 하고 있다. 중년의 약 21%, 노년인구의 약 15%가 적어도 한 달에 한 번은 간병활동을 하고 있다고 응답하였다(표 32-1). 역시 여성이 남성보다 간병행위에 참여하는 경우가 많았다. 간병은 또 다른 형태의 생산적 근로활동으로서 성별간 차이에 대한 조사결과가 대상자의 성별비율에 따라서 크게 달라지는 경우가 많다.

최근 연구결과에 의하면 노인과 중년의 간병활동 참여시간이 크게 달랐는데 65세 이상의 노인의 경우는 주당 평균 31시간을 참여한 데 비해 그보다 젊은 성인에서는 17시간으로 조사되었다. 또한 간병활동을 한 기간도 65세 이상 노인 및 50~64세의 중년 성인은 각각 7.2년, 4.9년으로서, 49세 이하의 성인의 평균 3.7년보다 훨씬 길었다. 간병을 받는 사람과 간병행위를 하는 사람과의 관계도 연령별로 달라서 65세 이상의 노인들은 주로 배우자 혹은 형제, 자매를 간병하는 데 비해 그보다 젊은 성인이 간병을 할 경우 그 대상자는 주로 부모 혹은 장인, 장모와 같이 가족 중 연장자인 경우가 많았다.[18]

노년기 생산적 근로활동의 선행조건

생산적 근로활동에 참여하는 데 영향을 주는 선행조건들은 노인들 각자의 특성과 같은 개인수준의 요인과 사회적인 참여기회 혹은 의무사항 등의 사회적 요인으로 나눌 수 있다. 유급노동을 예로 들면 근로환경에서 퇴직하는 연령을 결정짓는 것은 개인적인 능력과 작업에 대한 선호도와 같은 개인적인 요인과 개인 혹은 공적 연금을 포함한 여러 가지 장해요인과 불이익과 같은 사회적인 요인이 모두 관여한다. 한편 개인적인 특성 혹은 능력 등은 지속적인 근로활동을 약화시킬 수 있어서 노인의 경우 아무래도 육체적으로 힘든 경우가 많아지는데 이것은 결국 지속적인 유급근무환경을 어렵게 한다. 또한 노인들은 인지기능장애의 위험성이 높은데 이 또한 노년기의 근로활동에 장해요인이 된다. 사실 수십 년간 쌓아온 업무경험을 무시할 수 없는 것인데 실제 노동시장에서는 노인들의 이러한 가치가 무시되기 쉽고 결국 고용가능성도 낮아지게 된다. 많은 노인들이 결국 단시간 근무를 선호하게 되는데 단시간 근무도 결국 숙련도에 비례하여 기회가 오겠지만 상대적으로 보상 정도는 낮고 제한된다.[9]

근무환경에서의 연령차별주의 혹은 노인차별주의는 노인들이 적절한 직장을 찾는데 부정적인 영향을 주게 되고 그 결과 일부 노인들은 직장 구하기를 포기하기도 한다.[19] Butler[6]가 언급한 바와 같이 많은 고용주들은 노인들의 이전 직장에서의 숙련된 경험을 긍정적으로 받아들이기 보다는 오히려 노인들은 새로운 기술을 받아들이기 꺼려하고 융통성이 없다는 편견을 갖기 쉽다. 미국에서는 연령에 따른 사회보장연금이 노인들의 구직 시 주요 결정요인이 된다. 즉, 최근 추세에 따르면 사회보장연금 혜택이 시작되는 연령인 62세부터는 경제활동에 참여하는 비율이 급격히 감소하게 되는데, 반면 1938년도 이전 출생자의 경우에는 연금혜택이 시작되는 연령인 65세부터 감소하는 경향을 보인다. 사회보장연금의 지급능력을 안전하게 보장하기 위해 미국의회에서는 사회보장연금이 최대로 지급받기 시작하는 연령을 상향 조정하는 정책을 시행해서 1960년 이후에 태어난 사람은 사회보장연금 지급 연령을 67세로 올린 바 있다.[20]

최근의 갤럽여론조사에서는 사람들이 생각하는 은퇴연령이 2002년에는 59세였던 것이 2014년에는 62세로 증가했다고 발표했다.[21] 노년기의 노동시장 참여가 증가한 것은 아마도 베이비붐 세대들이 은퇴가 가까워진 것과 연관이 될 것이다. 향후 미래에는 출산율 감소 등의 요인에 의해 젊은 노동자수는 계속 줄어드는 반면, 노인들의 건강상태가 양호해지면서 업무능력에 제한을 받는 일이 줄어들고, 고용주들이 노인들의 업무유연성에 대한 선입견을 바꾼다면 각종 공적 혹은 개인연금이 실제 생활비에 못 미치는 상황에서는 노인들의 유급근로활동 참여가 더욱 많아질 수 있다.[9] 실제로 AARP가 수집한 자료에 의하면 은퇴시기에 도래한 미국 내 베이비붐 세대의 대다수가 은퇴 후에도 최소한 단시간 근무형태라도 직장에 남아있기를 기대한다고 조사되었다.[22]

또 다른 형태의 생산적 근로활동 역시 앞서 기술된 바와 같이 연령별 차이가 있다. 즉 자원봉사 및 친척, 친구 및 이웃을 위한 비공식봉사, 그리고 병들거나 장애인을 위한 간병 및 조부모로서의 육아활동 등은 중년층에 비해 노년층에서 상대적으로 적지만(표 32-1), 일부 활동의 경우는 큰 차이가 없다. 일부 연구에 따르면 노년층이 유급노동의 책임을 포기하고 젊은 자녀가족들에 대한 의무사항을 수행하는 행위는 그들이 속한 집단과 사회에 기여할 수 있는 기회를 제공한다.[23] 무보수 근무형태의 생산적 근로활동에 영향을 주는 요소에는 교육수준, 업무숙련도와 같은 인적 자본요인은 물론 건강과 업무수행능력 등이 포함된다. 교육수준이 높고 소득수준이 높을수록 공식적인 자원봉사활동에 참여할 가능성이 높아진다. 건강이 불량하다면 유급근무에서도 그렇지만 무보수의 생산적 근로활동 참여에도 장해요인이 된다. 예를 들어, 신체장애가 있거나 인지기능장애가 있는 노인이라면 무보수 생산적 근로활동도 하기가 어렵다.[24] 물론 근무시간이 유동적이고 업무가 과중하지 않다면 건강과 장애가 있더라도 참작이 될 수 있다.

　노년기의 무보수 생산적 근로활동에 영향을 주는 또 다른 요소로는 각 개인이 맺고 있는 사회관계의 정도(많고 적음)와 그 구성 요인이 있다. 즉 어떤 사회관계의 구성원에 속해있느냐에 따라 무보수 생산적 근로활동에 참여가 결정되는 것이다. 반대로 근로활동에 참여하게 되면서 그 사회관계형성이 더 공고해지고 저변이 확대될 수 있다. 공식적인 자원봉사활동에 참여하게 되는 과정에서 두 가지 중요한 경로는 첫째가 기혼 여부(특히 배우자가 이미 자원봉사활동을 하고 있는 경우)이며 둘째는 친구, 가족 및 지인의 소개로 참여하게 되는 것이다. 비공식적인 봉사활동의 흔한 형태는 미혼성인자녀나 형제자매, 친구 혹은 이웃 중에서 어른의 도움이 필요한 경우 봉사하는 것이다. 또한 부모, 배우자 혹은 기타 친지를 위해 간병활동을 할 수도 있다. 따라서 사회관계망을 형성한 노인의 경우 그 관계를 통해 생산적 근로활동의 기회를 얻게 된다. 또한 그들의 참여는 기존 사회관계망을 더욱 공고하게 하며 때로는 새로운 관계를 형성하게 한다.

　이와 같이 생산적 근로활동이 형성되는데 관여하는 요인은 비단 내재적인 동기형성이나 선호도와 같은 개인적인 면 뿐만 아니라 사회적 요인 및 정치적 요인들이 복합적으로 영향을 주게 된다. 반대로 사회적, 조직적인 요인들이 오히려 노인들의 생산적 근로활동에 대한 기대치를 형성하여 때로는 참여기회에 제한적으로 작용할 수도 있다.

　생산적 노화의 국가간 비교는 노인의 행동양식에 미치는 환경적인 요소가 어떠한지에 대한 정보를 제공해주는데 최근 유럽 11개국에서 시행된 자원봉사, 비공식봉사, 간병 등의 생산적 노화와 관련된 조사결과에 따르면 참여율에 있어서 국가간 상당한 차이를 보여주었다.[25] 즉 스페인의 경우 3%의 매우 낮은 자원봉사 참여율을 보인데 비해 네덜란드는 20%가 넘는 높은 참여율을 나타내었다. 비공식봉사의 경우에도 스페인은 5% 내외로 낮았지만 스웨덴은 거의 40%에 가까웠다. 간병에 있어서도 스페인과 이탈리아가 3% 내외로 낮았던 데 비해 벨기에, 스위스, 스웨덴은 8~9% 정도로 높은 편이었다. 이들 국가에서는 참여율과 개인적 수준의 특성(연령, 성별, 교육 및 건강정도)과의 상관관계가 미국에서 조사된 내용과 거의 유사하게 나타났다. 생산적 근로활동이 가능하게 하는 사회적인 요인과 참여기회 혹은 범위에 영향을 주는 요인들이 어떠냐가 결국 국가간의 차이에 대한 이유를 설명해줄 수 있었다. 사회, 국가에서 자원봉사, 비공식봉사 및 간병에 대해 얼마나 지원하고 기회를 제공하는지가 생산적 근로활동에 긍정적 영향을 주기 때문에 "생산적 근로활동을 위한 개인적인 동기부여에는 공개적인 지원이 필요하다"라는 주장이 설득력을 갖게 된다.[25] 그렇게 때문에 생산적 근로활동의 사회적 참여기회 확대를 위한 맹목적이고 단편적인 지원정책은 성공하기 어렵다.

　노년기의 생산적 근로활동을 위한 선행조건에 대한 연구결과에 의하면 개인적 수준의 요인과 사회적 수준의 요인이 모두 중요하다. 개인적인 수준에서 보면 근로활동에 대한 개인적인 선호도(예: 단시간 근무 선호)와 업무능력(예: 신체장애의 유무 혹은 심한 정도)이 중요하다. 사회적인 수준에서는 생산적 근로활동에의 참여기회 혹은 장벽이 유급 근로활동 뿐 아니라 간병, 조부모의 육아활동 등 무보수활동에도 영향을 준다. 사회관계망도 역시 중요한데 이는 노인들이 사회관계를 통해 기회를 얻기도 하고 또 쉽게 참여할 수 있다는 점에서 그러하다. 따라서 생산적 노화의 성공을 위해서는 개인적인 역량은 물론 사회적인 요소가 뒷받침되어야 한다.

노년기의 생산적 활동의 결과물

노년기에도 여전히 생산적인 활동을 하는 것은 성공적인 노화에 대해 일반적으로 여겨지는 주요 요인 중 하나이다.[26] 생산적 노화와 건강에 대한 관심은 신체기능약화, 노쇠 및 죽음과 같은 의학적 관점에서의 노화 개념으로부터 노년기의 긍정적 혹은 부정적인 결과에 적극적으로 개입하는 것 같은 일종의 패러다임의 변화(인식의 전환)라고 볼 수 있다. 유급노동은 노인에서 적어도 두 개의 서로 다른 결과를 낳게 된다. 만약 노인이 의미 있고 만족스러운 일을 찾고 계속 지속하길 원한다면 정서적, 사회적인 이득을 취하게 된다. 반면 퇴직수당과 예금액이 원하는 생활수준보다 낮게 보장된다면 정상적인 퇴직연령 이후까지도 직장생활을 계속하기를 원하게 된다. 하지만 은퇴를 원하거나 크고 작은 건강상의 이유로 더 이상 근무를 하기 어렵다면 유급노동은 오히려 개인적인 건강과 행복을 저해할 수 있다. 유급노동 이외의 다른 형태의 생산적 근로활동(자원봉사, 비공식봉사, 육아, 간병)에 대해서도 얘기해보겠다. 이들은 근로활동이 이루어지는 장소, 봉사자와 도움을 받는 이 사이의 관계, 그리고 활동의 성격이 임의적-의무적 성격의 연속선상의 어디쯤에 위치하는지에서 서로 구별이 된다.

공식단체를 통한 자원봉사와 가족구성원의 행복과 건강을 위한 간병이나 육아활동에 대한 많은 학술연구들을 통해 이러한 근로활동의 의미에 대한 이해를 넓혀가고 있다. 미국에서 이루어진 단면(cross-sectional) 및 종적(longitudinal) 연구에 의하면 자원봉사활동은 낮은 우울증 발생과 높은 삶의 만족도 그리고 봉사자 자신의 높은 건강척도와 상관관계가 있었다. 유럽, 아시아 및 캐나다에서 이루어진 단면 연구들에서도 자원봉사활동의 산물로 비슷한 결과를 보여주었다. 이러한 자원봉사활동과 건강과의 연관성은 어느 정도 문화적 차이를 넘어선 일관된 결과를 보여주었는데, 즉 자원봉사자들은 자원봉사활동을 안 하는 사람들에 비해 장애나 신체기능결손 비율이 적었다. 또한 비만율(종교기관의 자원봉사결과는 반대이지만[27])과 고혈압 유병률[2]이 낮았으며 CRP로 측정한 염증수치도 유의하게 낮았다.[28] 최근의 연구결과들을 분석한 논문에 의하면 자원봉사활동은 낮은 사망률과도 연관되었다.[29,30]

반면, 일부 간병활동에 있어서는 오히려 노인들의 건강악화 혹은 사망증가와 연관되었는데 이는 사랑하는 사람을 간병하는데 따른 감정적, 육체적 그리고 사회적 부담이 크게 작용하였다.[31] 이러한 부담감에 의한 피해는 특히 치매를 가진 환자를 간병할 때 더욱 크게 나타난다. 하지만 대다수의 간병에서는 근로활동의 요구도에 많은 부담감을 느끼면서도 간병활동을 통한 만족도를 동시에 얻곤 한다. 간병활동자들의 비교적 소수에서만이 감당할 정도의 건강악화를 경험하기 때문에 최근 연구에 따르면 간병활동을 할 경우 그렇지 않은 경우보다 오히려 사망률이 낮다는 결과도 있다.[32] 이러한 결과가 선정편향의 일종으로 건강한 사람들이 간병활동을 더 많이 하기 때문인지는 모르겠지만 이를 보완한 연구가 현재 진행중이다.

이와는 달리 조부모의 육아활동과 비공식 봉사활동의 건강에 미치는 영향에 대해서는 상대적으로 연구결과가 많지 않다. 현재까지 알려진 바로는 조부모의 육아활동은 그 역할이 간병의 비중이 적고 하루 종일이 아닐 경우 건강 및 행복과 양의 상관관계를 가진다. 만약 노인이 손주들과 같은 집에서 살지않으면서 경제적으로도 여유가 있고 손주의 부모, 즉 자식들과 좋은 관계를 유지할 경우 조부모의 육아활동은 긍정적인 경험으로서 조부모 자신의 건강에 도움이 되는 쪽으로 나타난다. 하지만 조부모의 육아활동이 빈곤, 비좁은 주거환경, 자식과의 불화 및 홀로 조부모 역할을 할 경우와 같은 스트레스 요인과 결부되어 있을 경우 건강은 악화되는 것으로 알려져 있다(조부모의 육아활동과 건강에 대해서는 Grinstead 등이 수행한 연구[33]를 참조하시오).

비공식 봉사활동이 건강에 미치는 영향에 대해서는 워낙 연구결과가 적은 관계로 결론을 낼 수가 없다. 일반적으로는 건강과 행복에 있어서 비공식봉사의 역할은 미미할 수밖에 없다. 그러나 최근 일부 연구에서는 비공식 봉사활동이 정신건강에 좋은 영향을 주었다고 보고하였다.[34,35] 질환발생이나 사망률과도 유의한 연관관계가 있는지, 다른 형태의 웰빙(사회통합, 사회자본 및 재정건전성)과도 어떻게 관련이 되는지를 이해하기 위한 추가 연구가 필요하다. 비공식 봉사활동이 노년기에 매우 흔한 생산적 근로활동이기 때문이다.

생산적 근로활동과 건강에서의 이득과의 연관성은 이미 연구결과에서는 입증된 바이지만 이것의 인과관계는 확실하지 않다. 즉 생산적 근로활동이 건강과 관련된 여러 결과요인에 긍정적인 영향을 주는 것은 맞지만 일부 연구에서는 건강의 정도가 유급노동, 자원봉사, 비공식 봉사, 육아 및 간병활동에의 참여능력을 예측한다고 보고되기 때문이다.[36] 양쪽이 모두 서로에게 영향을 주는 것은 확실하다. 생산적 노화와 건강과의 관계를 분석한 대부분의 연구들이 관찰연구를 바탕으로 한 것이지만, 최근 자원봉사활동과 건강, 행복의 연관성을 연구한 두 개의 무작위 대조연구(Randomized controlled trial, RCT)에 따르면 노인[37]과 청소년[38]에서 자원봉사활동은 보다 나은 건강정도를 예측하는 지표였다. 이렇듯이 잘 계획된 전향적인 대조군 연구는 설문조사를 통한 연구보다 더 확실하면서도 일관된 결과를 보여준다. 그러나 다른 형태의 생산적 근로활동에 있어서는 건강에 대한 영향을 보기위한 RCT 형태의 임상연구가 제한된다. 즉 간병, 조부모의 육아 및 기타 봉사활동에 참여하는 것은 가까운 가족구성원에 대한 일종의 의무행위에 기반하기 때문에 건강과의 연관성을 확인하는 것이 쉽지만은 않다.

노년학자들(Gerontologists)과 일부 연구자들은 "생산적인"이라고 정의된 근로활동에 참여하는 행위가 반드시 참여자들에게 이득만을 주지는 않는다고 믿고 있다. 일부 학자들은 생산적 근로활동이 노년기를 "성공적"으로 보내기 위해서 필수적이라고 주창하는 것은 생산적 근로활동을 못하는 이들이나 원치 않는 노인들에게는 부정적인 영향을 줄 수 있다고 말하고 있다.[39,40] "제3의 인생"을 살게 되는 노인들은 유급노동환경에서 일할 수 있는 육체적인 재원을 갖추지 못한 경우도 있다. 일부 노인들은 직장에서의 지속적인 업무는 물론 자원봉사혹은 효과적인 간병을 위한 수행능력이나 육체적, 정신적 능력을 충분히 갖추고 있지 않다. 다른 이에게 집중적인 간병 혹은 비공식봉사를 제공하는 것은 개인적인 의지나 선택사항이 아니라 의무적이기 때문에 대인관계에서의 갈등을 초래할 수 있다. 조부모로서의 육아활동은 같이 살지 않는 경우에는 긍정적인 경험을 제공하지만 같은 집에서 손주를 길러야 하는 경우라면 일종의 강박적인 의무활동이 되므로 긍적적인 경험과는 거리가 멀게 된다. 사회적 배척, 사회지위하락, 자존감 손상, 경제적 스트레스는 노년기의 근로활동이 "비생산적인' 것으로 판정되게 하는 결과를 나을 수 있다.

생산적 근로활동이 개인수준의 건강에 미치는 영향에 대한 근거가 제한적이고, 생산적 노화의 개념에 대한 비판이 있지만, 거시경제학적 측면에서도 노년층의 직접적인 도움을 받는 이들은 물론 이러한 기여를 기대하는 사회시스템면에서 볼 때 생산적 노화의 이득은 매우 크고 명확하다. 생산적 근로활동의 이득은 종종 측정되지 않기도 하고 실제 측정하기 어려운 면도 있어서 일부 분석가들은 무급활동의 경제적가치를 노인의 기여도 전체로 환산하여 제공하기도 한다. 예를 들어, 노인 자원봉사자 및 조부모의 육아활동에 의한 경제적 가치는 각각 640억불[41]과 390억불[42]로 추산되었다. 또한 간병활동의 80%에 해당하는 가족간 간병의 경제적 가치는 2009년도에 연간 4500억불로 추산된 바 있다.[18]

요약

노인들의 생산적 근로활동의 기여도는 상당해서 놀랄만한 수의 노인들이 유급노동에 종사하고 있고, 연구자들은 이러한 추세가 지속적으로 증가할 것으로 예상하고 있다. 유급근로형태가 아니더라도 많은 노인들이 개인적인 사회관계망 혹은 그들이 생활하고 있는 사회집단 내에서 무보수로 귀중한 시간과 노력을 제공하고 있다. 공식적인 자원봉사활동은 물론 이웃과 친구를 위한 비공식봉사, 병들과 노쇠한 가족을 위한 간병, 손주들을 위한 육아 등은 노년기에 매우 흔하게 이루어지고 있으며 도움을 받는 이들에게는 매우 큰 혜택을 주고 있다. 노인들에 의해 행해지는 이러한 생산적 근로활동의 기여도를 보다 명확하게 파악한다면 노인들에게 제공될 수 있는 기회가 제한되는데 관여하는 편견과 오해를 바로잡는데 도움이 될 것이다. 이상적으로, 이러한 노력들은 생산적 근로활동을 하고 싶어도 할 수 없거나 혹은 아예 관심이 없는 노인들에게 오명을 씌우지 않으면서 진행될 것이다.

　많은 연구결과에서 이미 입증된 바, 모든 경우는 아니겠지만 노인들의 생산적 근로활동은 그들의 건강에도 도움이 된다. 노년층에서 유급노동은 물론 자원봉사, 비공식봉사, 조부모의 육아활동과 간병과 같은 무급근로활동에의 참여는 사회통합, 사회자본, 정신 및 육체건강, 장수 등의 여러 측면의 행복지수에 긍정적인 효과를 가져온다. 그러나 너무 과도한 생산적 근로활동은 부담감으로 작용하게 되어 행복지수에 부정적인 영향을 주게 된다.

　생산적 근로활동과 건강과의 관련성에 대해서는 아직도 많은 연구가 필요하다. 참여가 얼마나 많은 이익을 가져다 주는지, 참여자에게 얼마나 큰 부담을 주는지 이해하는 깃은 도전적이지만 가치있는 목표이다. 어떤 집단이 건강측면에서 가장 이득을 볼까? 어떤 행위가 가장 많은 이득을 보게 하고 만약 그렇다면 얼마나 해야 할까? 생산적 근로활동이 건강에 긍정적 영향을 준다면 그 기전은 무엇일까? 그러한 기전에는 스트레스의 감소도 포함되어 있을까? 아니면 면역계, 대사계의 호전과 연관이 될까? 혹은 흡연행위 감소, 식생활 개선, 적당한 음주와 같은 건강한 생활을 위한 지시에 대한 순응도 증가가 관련될까? 등이다. 국립보건성(National Institutes of Health)의 지속적인 지원과 여러 국제적 연구재원은 우리가 문화, 정치 및 경제 환경의 차이를 넘어서 생산적인 노화와 생산적인 노화의 복지에 대한 의미를 더 잘 이해하는 데에 도움이 될 것이다.

　생산적인 노화라는 개념의 창시자인 Robert Butler는 노년기에서 생산적 근로활동에 참여하는 행위를 사회에서의 노인차별주의를 없애는 핵심요인으로 믿었다. 사실 이전의 나이와 노화의 모델은 활력, 생산성, 목적에 초점을 맞춘 새로운 이미지로 대체되고 있다. 하지만, 생산적인 노화의 수준이 높아지고 Butler와 같은 생산적인 노인들이 많음에도 불구하고, 연령차별주의는 여전히 존재하고 노인들의 근로활동에 대한 장벽으로 작용하고 있다.[43] Butler의 비전이 현실화되려면 개인, 단체 및 사회수준에서의 생산적 노화의 결과를 확인하기 위한 지속적인 노력이 필요하다.

KEY POINTS

요점

- 생산적인 노화(productive aging)의 개념은 노년기에 접어든 노인들에 의해서 행해지는 사회적 가치를 지니는 유급 및 무급근로활동을 말한다. 구체적으로는 유급노동과 함께 자원봉사, 비공식봉사, 간병 및 조부모로서의 육아활동 등이다.

- 노인의 생산적인 근로활동은 일차적으로는 그들이 소속된 사회에 도움이 되지만 소속된 집단, 사회연결망에도 직접적인 도움을 주게 된다. 물론 직접 행위에 참여하는 노인 자신에게도 도움이 된다.

- 연구결과에 따르면 노년기의 생산적인 근로활동의 선행조건들은 개인적인 수준에서의 요인과 사회수준에서의 요인으로 나누어서 생각해볼 수 있다. 개인요인으로는 인적자원, 건강 및 장애정도 그리고 개인별 사회연결망 등이 생산적 근로활동의 형태를 결정짓게 된다. 사회요인으로는 생산적 근로활동 참여의 기회 혹은 장벽여부가 유급은 물론 무급근로활동을 결정짓는다.

- 지금까지의 연구를 종합하면 생산적 근로활동은 건강과 밀접한 관계가 있다. 모든 경우는 아니겠지만 생산적 근로활동이 어떤 형태이든 행복지수와 긍정적인 상관관계가 있다고 밝혀졌다. 그러나 노년학자들은 "생산적"이라고 정의된 모든 행위가 반드시 참여자들에게 긍정적인 효과를 주는 것은 아니라는 것을 인지하고 있다.

참고문헌의 총 목록을 보려면 www.expertconsult.com 을 방문해주세요.

중요 참고문헌

1. Johnson RW, Schaner SG: Value of unpaid activities by older Americans tops $160 billion per year, Washington, DC, 2005, Urban Institute.

2. Burr JA, Tavares J, Mutchler JE: Volunteering and hypertension risk in later life. J Aging Health 23:24–51, 2011.

3. Glass TA, de Leon CM, Marottoli RA, et al: Population based study of social and productive activities as predictors of survival among elderly Americans. BMJ 319:478–483, 1999.

4. Johnson KJ, Mutchler JE: The emergence of a positive gerontology: from disengagement to social involvement. Gerontologist 54:93–100, 2014.

6. Butler RN: Productive aging. In Fillit HM, Rockwood K, Woodhouse K, editors: Brocklehurst's textbook of geriatrics and clinical gerontology, ed 7, Philadelphia, 2010, Elsevier, pp 193–197.

9. Rix SE: Employment and aging. In Binstock RH, George LK, editors: Handbook of aging and the social sciences, ed 7, Amsterdam, 2011, Academic Press, pp 193–206.

11. O'Neill G, Morrow-Howell N, Wilson SF: Volunteering in later life: from disengagement to civic engagement. In Settersten RA, Angel JL, editors: Handbook of sociology of aging, New York, 2011, Springer, pp 333–350.

12. Cutler SJ, Hendricks J, O'Neill G: Civic engagement and aging. In Binstock RH, George LK, editors: Handbook of aging and the social sciences, ed 7, Amsterdam, 2011, Academic Press.

14. Burr JA, Mutchler JE, Caro FG: Productive activity clusters among middle-aged and older adults: intersecting forms and time commitments. J Gerontol B Psychol Sci Soc Sci 62:S267 – S275, 2007.

15. Zedlewski SR, Schaner SG: Older adults engaged as volunteers perspectives on productive aging, Washington, DC, 2006, Urban Institute.

18. National Alliance for Caregiving, AARP: Caregiving in the U.S. 2009. http://www.caregiving.org/ data/Caregiving_in_the_US_2009_full_report.pdf. Accessed January 16, 2016.

23. Mutchler JE, Burr JA, Caro FG: From paid worker to volunteer: leaving the paid workforce and volunteering in later life. Soc Forces 81:1267 – 1293, 2003.

28. Kim S, Ferraro KF: Do productive activities reduce inflammation in later life? Multiple roles, frequency of activities, and C-reactive protein. Gerontologist 54:830 – 839, 2014.

29. Anderson ND, Damianakis T, Kröger E, et al: The benefits associated with volunteering among seniors: a critical review and recommendations for future research. Psychol Bull 140:1505 – 1533, 2014.

30. Jenkinson C, Dickens A, Jones K, et al: Is volunteering a public health intervention? A systematic review and meta-analysis of the health and survival of volunteers. BMC Public Health 13:1 – 10, 2013.

35. Kahana E, Bhatta T, Lovegreen LD, et al: Altruism, helping, and volunteering: pathways to well-being in late life. J Aging Health 25:159 – 187, 2013.

37. Fried LP, Carlson MC, McGill S, et al: Experience Corps: a dual trial to promote the health of older adults and children's academic success. Contemp Clin Trials 36:1 – 13, 2013.

39. Estes CL, Mahakian JL, Weitz TA: A political economic critique of "productive aging.". In Estes CL, editor: Social policy and aging: a critical perspective, Thousand Oaks, CA, 2001, SAGE Publications.

41. Martin J: (2011). Senior volunteers: serving their communities and their country. http://blog.aarp.org/2011/09/20/senior-volunteersserving-their-communities-and-their-country/. Accessed November 1, 2014.

43. Achenbaum WA: Robert N. Butler, MD: visionary of health aging, New York, 2013, Columbia University Press.

참고문헌

1. Johnson RW, Schaner SG: Value of unpaid activities by older Americans tops $160 billion per year, Washington, DC, 2005, Urban Institute.

2. Burr JA, Tavares J, Mutchler JE: Volunteering and hypertension risk in later life. J Aging Health 23:24 – 51, 2011.

3. Glass TA, de Leon CM, Marottoli RA, et al: Population based study of social and productive activities as predictors of survival among elderly Americans. BMJ 319:478 – 483, 1999.

4. Johnson KJ, Mutchler JE: The emergence of a positive gerontology: from disengagement to social involvement. Gerontologist 54:93 – 100, 2014.

5. Butler RN: Dispelling ageism: the cross-cutting intervention. Ann Am Acad Pol Soc Sci 503:138 – 147, 1989.

6. Butler RN: Productive aging. In Fillit HM, Rockwood K, Woodhouse K, editors: Brocklehurst's textbook of geriatrics and clinical gerontology, ed 7, Philadelphia, 2010, Elsevier, pp 193 – 197.

7. Szafran RF: Age-adjusted labor force participation rates, 1960-2045. Mon Labor Rev 125:25 – 38, 2002.

8. Bureau of Labor Statistics: Labor force projections to 2022: the labor force participation rate continues to fall. 2013. http://www.bls.gov/opub/mlr/2013/article/labor-force-projections-to-2022-the-laborforce-participation-rate-continues-to-fall.htm. Accessed September 25, 2014.

9. Rix SE: Employment and aging. In Binstock RH, George LK, editors: Handbook of aging and the social sciences, ed 7, Amsterdam, 2011, Academic Press, pp 193 – 206.

10. Van Willigen M: Differential benefits of volunteering across the life course. J Gerontol B Psychol Sci Soc Sci 55:S308 – S318,

2000.

11. O'Neill G, Morrow-Howell N, Wilson SF: Volunteering in later life: from disengagement to civic engagement. In Settersten RA, Angel JL, editors: Handbook of sociology of aging, New York, 2011, Springer, pp 333–350.

12. Cutler SJ, Hendricks J, O'Neill G: Civic engagement and aging. In Binstock RH, George LK, editors: Handbook of aging and the social sciences, ed 7, Amsterdam, 2011, Academic Press.

13. Martinez I, Crooks D, Kim K, et al: Invisible civic engagement among older adults: valuing the contributions of informal volunteering. J Cross Cult Gerontol 26:23–37, 2011.

14. Burr JA, Mutchler JE, Caro FG: Productive activity clusters among middle-aged and older adults: intersecting forms and time commitments. J Gerontol B Psychol Sci Soc Sci 62:S267–S275, 2007.

15. Zedlewski SR, Schaner SG: Older adults engaged as volunteers, Washington, DC, 2006, Urban Institute.

16. Luo Y, LaPierre TA, Hughes ME, et al: Grandparents providing care to grandchildren: a population-based study of continuity and change. J Fam Issues 33:1143–1167, 2012.

17. Livingston G: At grandmother's house we stay. Washington, DC: Pew Research Center; 2013.

18. National Alliance for Caregiving, AARP: Caregiving in the U.S. 2009. http://www.caregiving.org/ data/Caregiving_in_the_US_2009_full_report.pdf. Accessed January 16, 2016.

19. Palmore E: Three decades of research on ageism. Generations 29:87–90, 2005.

20. Social Security Administration: Normal retirement age. 2008; http://www.ssa.gov/oact/progdata /nra.html. Accessed November 1, 2014.

21. Riffkin R: Average U.S. retirement age rises to 62. 2014. http://www.gallup.com/poll/168707/ average-retirement-age-rises. aspx. Accessed January 16, 2016.

22. AARP: Baby boomers envision what's next? Research and strategic analysis integrated value and strategy, Washington, DC, 2011, AARP.

23. Mutchler JE, Burr JA, Caro FG: From paid worker to volunteer: leaving the paid workforce and volunteering in later life. Soc Forces 81:1267–1293, 2003.

24. Glass TA, Seeman TE, Herzog AR, et al: Change in productive activity in late adulthood: MacArthur studies of successful aging. J Gerontol B Psychol Sci Soc Sci 50B:S65–S76, 1995.

25. Hank K: Societal determinants of productive aging: a multilevel analysis across 11 European countries. Eur Sociol Rev 27:526–541, 2011.

26. Rowe JW, Kahn RL: Successful aging. Gerontologist 37:433–440, 1997.

27. Cline KM, Ferraro KF: Does religion increase the prevalence and incidence of obesity in adulthood? J Sci Study Relig 45:269–281, 2006.

28. Kim S, Ferraro KF: Do productive activities reduce inflammation in later life? Multiple roles, frequency of activities, and C-reactive protein. Gerontologist 54:830–839, 2014.

29. Anderson ND, Damianakis T, Kröger E, et al: The benefits associated with volunteering among seniors: A critical review and recommendations for future research. Psychol Bull 140:1505–1533, 2014.

30. Jenkinson C, Dickens A, Jones K, et al: Is volunteering a public health intervention? A systematic review and meta-analysis of the health and survival of volunteers. BMC Public Health 13:1–10, 2013.

31. Adelman RD, Tmanova LL, Delgado D, et al: Caregiver burden: a clinical review. JAMA 311:1052–1060, 2014.

32. Fredman L, Cauley JA, Hochberg M, et al: Mortality associated with caregiving, general stress, and caregiving-related stress in elderly women: results of caregiver-study of osteoporotic fractures. J Am Geriatr Soc 58:937–943, 2010.

33. Grinstead LN, Leder S, Jensen S, et al: Review of research on the health of caregiving grandparents. J Adv Nurs 44:318–326, 2003.

34. Choi KS, Stewart R, Dewey M: Participation in productive activities and depression among older Europeans: Survey of Health, Ageing and Retirement in Europe (SHARE). Int J Geriatr Psychiatry 28:1157–1165, 2013.

35. Kahana E, Bhatta T, Lovegreen LD, et al: Altruism, helping, and volunteering: pathways to well-being in late life. J Aging Health 25:159–187, 2013.

36. Li Y, Ferraro KF: Volunteering in middle and later life: is health a benefit, barrier or both? Soc Forces 85:497–519, 2006.

37. Fried LP, Carlson MC, McGill S, et al: Experience Corps: a dual trial to promote the health of older adults and children's academic success. Contemp Clin Trials 36:1–13, 2013.

38. Schreier HC, Schonert-Reichl KA, Chen E: Effect of volunteering on risk factors for cardiovascular disease in adolescents: a randomized controlled trial. JAMA Pediatr 167:327–332, 2013.

39. Estes CL, Mahakian JL, Weitz TA: A political economic critique of "productive aging." In Estes CL, editor: Social policy and aging: a critical perspective, Thousand Oaks, CA, 2001, SAGE Publications.

40. Holstein M: Productive aging: a feminist critique. J Aging Soc Policy 4:17–34, 1993.

41. Martin J: Senior volunteers: serving their communities and their country. 2011; http://blog.aarp.org/2011/09/20/senior-volunteersserving-their-communities-and-their-country/. Accessed November 1, 2014.

42. Baker LA, Silverstein M, Putney NM: Grandparents raising grandchildren in the United States: changing family forms, stagnant social policies. J Soc Soc Policy 7:53–69, 2008.

43. Achenbaum WA: Robert N. Butler, MD: visionary of health aging, New York, 2013, Columbia University Press.

ㅈ

영문

D